STORIA D'ITALIA

diretta da

Giuseppe Galasso

Volume diciassettesimo

LINO MARINI - GIOVANNI TOCCI
CESARE MOZZARELLI - ALDO STELLA

I Ducati padani, Trento e Trieste

UTET

corso Raffaello 28 - 10125 Torino

Tipografia Toso
via C. Cappelli 93 - 10146 Torino

ISBN 88-02-03473-7

Indice

Il ducato di Parma e Piacenza di Giovanni Tocci

Lo stato gonzaghesco - Mantova dal 1382 al 1707 di Cesare Mozzarelli

Il comune di Trieste di Aldo Stella

I. Le origini del Comune

II. L'età aurea del Comune

III. Dal predominio veneziano alla dominazione asburgica

IV. Illusioni rinascimentali e assolutismo controriformistico

V. Decollo commerciale e resistenze autonomistiche

VI. Dal vecchio al nuovo autonomismo

VII. Dall'irredentismo romantico al municipalismo irredentista

Indice delle tavole

Fonti iconografiche

Si ringraziano gli Istituti e i fotografi che hanno fornito fotografie e fotocolor e in particolare: Fotofast (Bologna), Giraudon (Parigi), Giovetti (Mantova), Zagni (Modena).

I documenti conservati dall'Archivio di Stato di Modena e dall'Archivio di Stato di Parma sono stati riprodotti con l'autorizzazione del Ministero per i beni culturali e ambientali (Pareri, rispettivamente, n. 1.296 del 10 aprile 1979 e n. 1.329 del 30 giugno 1979).

Lo stato estense: successione da Azzo VI d'Este a Francesco V d'Austria-Este

Azzo VI d'Este (1170 c.-1212)	1196	podestà di Ferrara (di nuovo nel 1208)
Azzo VII (n. fra 1204 e 1212-m. 1264)	1240	da quell'anno prevale nella vita politica ferrarese
Obizzo II (1247 c.-1293)	1264	signore di Ferrara,
	1289	Modena e
	1290	Reggio
Azzo VIII (?-m. 1308)	1293	signore di Ferrara, Modena e Reggio (nel 1306 Modena e Reggio passano al fratello Francesco)
Aldobrandino II (?-1326)	1308	signore di Ferrara
	1310	Ferrara torna sotto il dominio diretto della S. Sede ed è sottoposta a Roberto d'Angiò re di Napoli
Obizzo III (1294-1352)	1317	signore di Ferrara,
	1336	Modena e
	1344	Parma
Aldobrandino III (1335-1361)	1352	signore di Ferrara (nuova investitura di Modena da Carlo IV nel 1354)
Nicolò II lo Zoppo (1338-1388)	1361	signore di Ferrara
Alberto (1347-1393)	1388	signore di Ferrara
Consiglio di Reggenza	1393-1400	
Nicolò III (1383-1441)	1393	signore di Ferrara
Leonello (1407-1450)	1441	signore di Ferrara

Borso (1413-1471)	1450	signore di Ferrara,
	1452	duca di Modena a Reggio,
	1471	duca di Ferrara
Ercole I (1431-1505)	1471	duca di Ferrara, Modena e Reggio
Alfonso I (1476-1534)	1505	duca di Ferrara, Modena e Reggio
Ercole II (1508-1559)	1534	duca di Ferrara, Modena e Reggio
Alfonso II (1533-1597)	1559	duca di Ferrara, Modena e Reggio
Cesare (ramo dei marchesi di Montecchio) (1562-1628)	1597	duca di Ferrara, Modena e Reggio
	1598	duca di Modena e Reggio
Alfonso III (1591-1644)	1628	duca di Modena e Reggio
	1629	si ritira dal governo
Francesco I (1610-1658)	1629	duca di Modena e Reggio
Alfonso IV (1634-1662)	1658	duca di Modena e Reggio
Laura Martinozzi (1639-1687)	1662-1674	reggenza
Francesco II (1660-1694)	1662	duca di Modena e Reggio
Rinaldo I (1655-1737)	1694	duca di Modena e Reggio
	1700-1707	fugge a Bologna durante la guerra tra Impero e Francia
	1707	rientra a Modena
Francesco III (1698-1780)	1737	duca di Modena e Reggio
Ercole III (1727-1803)	1780-1796	duca di Modena e Reggio
	1803	muore a Treviso
Francesco IV d'Austria-Este (1779-1846)	1814	duca di Modena e Reggio
	1829	duca di Massa e Carrara
Francesco V d'Austria-Este (1819-1875)	1846-1859	duca di Modena e Reggio, e di Massa e Carrara

Lo stato gonzaghesco: successione da GianFrancesco a Ferdinando Carlo

Carlo Malatesta	1407-1413	reggenza
GianFrancesco Gonzaga (1395-1444)	1407	signore di Mantova
	1433	marchese di Mantova
Ludovico (1414-1478)	1444	marchese di Mantova
Federico I (1442-1484)	1478	marchese di Mantova
Francesco I (1466-1519)	1484	marchese di Mantova
	1509-1510	prigioniero a Venezia
	1510	ritorna a Mantova
Duchessa Isabella d'Este e cardinale Sigismondo Gonzaga	1509-1510	reggenza
	1519-1525 (circa)	reggenza
Federico II (1500-1540)	1519	marchese di Mantova
	1530	duca di Mantova
	1536	anche marchese del Monferrato
Duchessa Margherita Paleologo, Ferrante Gonzaga e cardinale Ercole Gonzaga	1540-1561	reggenza
Francesco II (1533-1550)	1540	duca di Mantova e marchese del Monferrato
	1543	duca di Mantova e Monferrato
Guglielmo (1538-1587)	1550	duca di Mantova e Monferrato
Vincenzo I (1563-1612)	1587	duca di Mantova e Monferrato
Francesco III (1586-1612)	1612	duca di Mantova e Monferrato
Cardinale Ferdinando Gonzaga (1589-1626)	1613-1616	reggenza

depone la porpora cardinalizia	1616	duca di Mantova e Monferrato
Vincenzo II (1594-1627)	1626	duca di Mantova e Monferrato
Maria Gonzaga e Carlo di Rethel	1627-1628	reggenza
Carlo (ramo Gonzaga-Nevers) (1580-1637)	1628	duca di Mantova e Monferrato
	1630	fugge nello Stato Pontificio in seguito all'invasione degli Imperiali
	1631	torna a Mantova
Maria Gonzaga (1609-1651)	1637-1651	reggenza
Carlo II (1629-1665)	1637	duca di Mantova e Monferrato
Arciduchessa Isabella Clara	1665-1669	reggenza
Ferdinando Carlo (1652-1708)	1665	duca di Mantova e Monferrato
	1691	fugge a Venezia in seguito all'attacco ispano-imperiale; rientra a Mantova lo stesso anno
	1703	fugge a Casale
	1705	rientra a Mantova
	1707	esule a Venezia
Duchessa Anna Isabella	1691	reggenza
	1703	reggenza, muore nello stesso anno
Consiglio di Reggenza	1703-1705	

Il ducato di Parma e Piacenza: successione da Pier Luigi Farnese a Luisa Maria di Borbone

Casa Farnese

Pier Luigi Farnese (1503-1547)	1545	duca di Parma e Piacenza
	1547-1556	Piacenza è sotto il governo della Spagna con Ferrante Gonzaga
	1547-1550	Parma è sotto il governo della Chiesa con il capitano Camillo Orsini
Ottavio (1524-1586)	1550	duca di Parma
	1556	duca di Parma e Piacenza
Alessandro (1545-1592)	1586	duca di Parma e Piacenza
Ranuccio I (1569-1622)	1592	duca di Parma e Piacenza
	1622-1626	reggenza della duchessa Margherita Aldobrandini e del cardinale Odoardo Farnese
	1626-1628	reggenza della sola Margherita Aldobrandini
Odoardo (1612-1646)	1622	duca di Parma e Piacenza
	1646-1647	reggenza della duchessa Margherita de' Medici e del cardinale Francesco Farnese
Ranuccio II (1630-1694)	1646	duca di Parma e Piacenza
Francesco (1678-1727)	1694	duca di Parma e Piacenza
Antonio (1679-1731)	1727	duca di Parma e Piacenza
	1727	reggenza della duchessa Enrichetta d'Este dal 19 gennaio al 13 settembre

	1727-1732	reggenza della duchessa Dorotea Sofia di Neuburg

CASA DI BORBONE

Carlo di Borbone (1716-1788)	1731	duca di Parma e Piacenza
	1734-1748	il ducato è controllato dall'Impero nonostante le pretese della Spagna che, per il trattato di Londra del 1718, rivendica quei domini per i figli di Elisabetta Farnese. È da ricordare inoltre che il territorio del Piacentino al di qua del Po e sino al torrente Nure, e la stessa Piacenza dal 1744 al '48 sono dati a Carlo Emanuele III di Savoia (trattato di Worms del 1743)
Filippo (1720-1765)	1749	duca di Parma, Piacenza e Guastalla (estintasi con Giuseppe Maria Gonzaga la dinastia del piccolo ducato guastallese questo nel 1746 era passato sotto l'Impero)
Ferdinando (1751-1802)	1765	duca di Parma, Piacenza e Guastalla
	1802-1814	dominio francese
Maria Luigia (1791-1847)	1814	duchessa di Parma, Piacenza e Guastalla
Carlo II (1799-1883)	1847	duca di Parma e Piacenza (Guastalla per il Trattato di Firenze del '44 è staccata dal ducato nel 1847).
	1848-1849	governo provvisorio rivoluzionario dall'aprile 1848 al marzo 1849; il 14 marzo 1849 Carlo II, che aveva abbandonato il ducato già nel '48, abdica ufficialmente
Carlo III (1823-1854)	1849	duca di Parma e Piacenza
	1854-1859	reggenza di Luisa Maria di Borbone per il figlio Roberto

LO STATO ESTENSE

di

LINO MARINI

CAPITOLO I. **Dalle prime fortune estensi al « secol d'oro »**

1. Le condizioni delle origini

La campagna, i traffici, Ferrara

« C'è quasi un paradosso nella storia di Ferrara: una città sorta e fatta prospera come emporio di transito non conosce un'organizzazione mercantile che, come tale, come corporazione artigiana, pesi sulla vita politica della città e la determini in qualche modo... Pare davvero che fin dagli ultimi decenni del secolo XII a Ferrara tutta la lotta politica si sia imperniata unicamente sulle due fazioni aristocratiche capeggiate rispettivamente dai Torelli e dagli Adelardi, poi, dal 1190 circa, dagli Estensi » [1]: queste osservazioni di Sestan consentono come poche altre di dare inizio a un discorso moderno su Ferrara, sugli Estensi, sull'Italia padana orientale, in un giro di secoli indispensabilmente largo.

Non è in discussione il mondo dei traffici là dove nacque e poi visse Ferrara, anzi semmai va sottolineata ancora una volta l'operosità sapiente dei mercanti di sale e di pesci e di carni e di grani, di legnami e delle tante altre voci del capillare commercio fra l'Adriatico — Cervia, Ravenna —, le valli di Comacchio, i fiumi e i torrenti della intricata pianura e in una realtà politica non meno intricata. Ma gli eroi di un simile impegno vanno visti nel contemporaneo dispiegarsi del privilegio feudale ed ecclesiastico-feudale — Zucchini, in proposito, informa già con qualche ampiezza [2] —, perché era bene il privilegio che in molta sua parte alimentava quell'impegno col fornirgli o chiedergli prodotti, costituire mercati e cercar-

[1] E. SESTAN, *Le origini delle signorie cittadine: un problema storico esaurito?*, in ID., *Italia medievale*, Edizioni Scientifiche Italiane, Napoli 1966, pp. 204 e 205.

[2] M. ZUCCHINI, *L'agricoltura ferrarese attraverso i secoli. Lineamenti storici*, Volpe, Roma 1967, pp. 28-76.

ne di nuovi per il proprio possesso di terre e di lavoratori; e dal XII secolo, quando Ferrara esisteva ormai da tempo, le rotte del Po, dette di Ficarolo, finirono per giovare ai possessori di terre e dunque soprattutto al privilegio ben più che ai mercanti e ai loro commerci per via d'acqua, perché allora il Po si allontanò come non mai verso il nord-est e verso Venezia, e la percorribilità dei suoi rami di Volano e, più, di Primaro, cominciò ad entrare irreversibilmente e seppur lentamente in crisi [1].

Certo, le incessanti vicende delle acque dolci e salate nel territorio ferrarese, e le piene gli impaludamenti le alterazioni atmosferiche e del terreno provocate da esse, condizionarono l'economia e anzi la generale realtà anche sociale e politica del privilegio e non soltanto le possibilità operative dei mercanti. Ma se i mercanti, e tutti coloro che in un modo o in un altro vivevano dei traffici e del correlativo movimento del denaro, non ebbero sempre a patire della stessa natura del danno che i danni delle acque recavano a quanti possedevano più terre che barche o muli o asini, più beni immobili che mobili, più strumenti di lavoro e bestiame che moneta, nondimeno essi risentirono necessariamente ogni volta dei contraccolpi dal fatto che tali clienti, ben sempre fra i loro maggiori, entravano in difficoltà economiche e non solo economiche. L'osservazione così ribadisce che lo studio di una Ferrara di traffici — e di arti — può riuscire con esatta misura solo quando la campagna con tutti i suoi caratteri e i suoi problemi sia vista intorno a Ferrara e all'occorrenza prima di essa, penetrata e penetrante nei suoi interessi e nelle sue forme di vita e di reggimento politico: può riuscire quando si trasformi in una ricerca del rapporto fra la campagna e Ferrara, fra le economie e le realtà sociali e politiche e giurisdizionali prevalenti nell'una e quelle prevalenti nell'altra.

A questa volontà di conoscere contribuisce generalmente il ricordo che nei comuni dell'Italia centrale e settentrionale « persistono a lungo notevolissimi residui feudali »; contribuiscono i dati conosciuti e le ipotesi sull'incidenza di interessi agrari nella vicenda signorile ferrarese, con gli Estensi, e con altri, proprietari di terre tra Ferrara e i domini veneziani e tra Ferrara e Padova, Verona, Mantova; e contribuisce ancora il ricordo che fra i tanti altri signori anche gli Estensi « appartengono al grado più elevato della scala feudale » [2].

E i ricordi, così come le nuove ricerche sempre in ogni caso necessarie, valgono e varranno quanto più si incontrano e si incontreranno con le più

[1] Oltre al cenno generico di A. BOTTONI, *Appunti storici sulle rotte del basso Po dai tempi romani a tutto il 1839 e relazione di quelle di Guarda e di Revere nel 1872*, Ferrara 1873, pp. 32-36, v. M. ZUCCHINI, *op. cit.*, pp. 50, 55, 79-81.

[2] E. SESTAN, *op. cit.*, specie pp. 203-216, *passim*; L. CHIAPPINI, *Gli Estensi*, Dall'Oglio, Milano 1967, pp. 20-28, *passim*.

vive forme di attenzione alle strutture di ogni società e di ogni lavoro politico, e nella misura in cui si indaga e si indagherà la « vocazione » di ogni ambiente oggetto di studio [1]: perché nulla dovrà mai essere disatteso per cercar di capire gli uomini e la terra e le acque del Ferrarese, insieme. E d'altro canto non è già stato scritto che la storia dell'insediamento umano nel Ferrarese « è intimamente connessa con la evoluzione fisiografica del delta » del Po, non si è già accennato alla grande presenza delle acque nella distribuzione dei centri della regione all'inizio del governo estense [2]? Da Ortolani a Gambi; da loro a Sestan e da Sestan a loro: questa è la via, per un approfondimento crescente della conoscenza del Ferrarese e in una circolarità di indagini che è altrettanta garanzia di progresso critico.

A soddisfare un tale proposito non giovano invece opinioni come queste, che l'avvio della signoria estense a Ferrara nel Duecento chiuse nella città « l'ascesa delle classi mercantili e lavoratrici », e dal XIV secolo nei domini diretti e indiretti degli Estensi andò crescendo il distacco fra l'economia del benessere e l'economia della depressione, fra i privilegiati e i non privilegiati [3]: perché così potrebbe ancora indursi qualcuno nell'idea di una contrapposizione di interessi e di forze che fu escogitata in altri tempi della storiografia sul Ferrarese e su Ferrara e su una certa Europa basso medievale, ma oggi dev'essere superata come ingannevole sia nei confronti di ciò che sopravvaluterebbe — i mercanti, un comune ipoteticamente mercantile — sia nei confronti di ciò che sottovaluterebbe — in pratica, tutto il restante del quadro storico —, e dev'essere superata, ancora, per la inevitabile ristrettezza del suo orizzonte fisico ed economico e sociale e politico. Si studino infatti, insieme, gli uomini la terra le acque, le economie feudali e mercantili, le forme della vita politica laica e della vita ecclesiastica, i diritti, le giurisdizioni, nel Ferrarese: ma si veda sempre quell'area nel corso della sua costituzione, perché in ogni tempo essa andò formando i propri caratteri mentre intorno e dentro le si manifestava-

[1] Nell'ambito di un discorso come quello di L. GAMBI, *I valori storici dei quadri ambientali*, in *Storia d'Italia*, vol. I, *I caratteri originali*, Einaudi, Torino 1972, pp. 16 e sgg.

[2] M. ORTOLANI, *La pianura ferrarese*, in « Memorie di geografia economica », VIII, 1956, vol. XV, pp. 53, 56-58, con l'importante carta della p. 57. Non è per altro difficile trovare fra i geografi forme di attenzione al rapporto uomini-terra-acque; v. ad es. L. VEGGI e A. RONCUZZI, *Considerazioni sulle antiche foci padane e sul Po di Primaro*, in « Studi romagnoli », XIX, 1968, pp. 27-28 (« nella vastità della bassa plaga attraversata dai tratti terminali dei fiumi ove si sono sommati agli effetti degli eventi talassografici il bradisismo, che interessa ancora in modo non indifferente la zona, e l'intervento fin dai tempi immemorabili delle cure dell'uomo, sono avvenute tali e tante variazioni nei corsi stessi dei fiumi... »; nei corsi dei fiumi e ovviamente nei corsi delle vite umane, per le sorti del mare e da quelle sorti).

[3] Queste affermazioni di M. ZUCCHINI, *op. cit.*, pp. 79 e 88, non inducano però a disconoscere altri e positivi tratti della sua opera, dei quali ci varremo più innanzi.

no anche i caratteri di una natura e di organizzazioni umane che non erano nei suoi confini.

Questo accenno ai confini non può godere che di una definizione relativa, tanto più se vogliamo richiamare per un momento le vicende più antiche del Po e dei corsi d'acqua dall'Appennino e dalle terre della pianura sino al mare, fare nostri l'itinerario critico e l'ampia informazione di un Ortolani e dei suoi predecessori e successori nello studio della pianura ferrarese, trascrivere almeno idealmente i numerosi dati raccolti sinora da un'erudizione non scarsa sul condizionamento ravennate e veneziano e papale e imperiale, e su ogni altro minore, dell'economia e della politica di Ferrara. Ma già il richiamo, pur così largo e rapidissimo, nel suo incontro con un termine come « ferrarese » localizza un insieme di terre e di lagune e di paludi, di fiumi e di torrenti, di vie d'acqua e di terra, che i geografi hanno inteso non meno degli storici nella sua estensione fra il mare Adriatico, il Ravennate nord-occidentale, il Bolognese nord-orientale, i domini mantovani e veronesi e padovani, e i domini veneziani meridionali di terraferma, quanto più cresceva il potere di Venezia nei confronti dei bizantini e veniva avanti dal sud il potere papale, e ad ovest si affermavano interessi agrari e mercantili non rivolti in primo luogo verso l'est ma piuttosto verso Milano o altre città, al nord, e verso la Toscana oltre l'Appennino al sud: dove « ferrarese » è parola di comodo ogniqualvolta non può essere invece indicazione precisa di realtà locali, e pure giova sostanzialmente a individuare quella che più sopra abbiamo indicato come un'area fra altre aree.

Venezia e gli altri interessati al nuovo stato

Venezia è stata per secoli molto presente nelle vicende ferraresi, poi ferraresi-estensi. Lo seppe e lo sa, da Machiavelli e da Guicciardini in poi, la problematica sull'equilibrio e sulla crisi della libertà politica in Italia fra Quattro e Cinquecento, che ha sempre avuto nel rapporto-contrasto fra Venezia e Ferrara uno dei suoi motivi ricorrenti; lo sanno coloro che hanno già dedicato ampio spazio agli accaniti conflitti armati fra le due parti: certe pagine del vecchio Frizzi, nelle sue ben note *Memorie per la storia di Ferrara*, non hanno perduto in proposito un loro sapore. E in qualche misura lo sanno il Frizzi — di nuovo — e gli altri che dopo di lui hanno registrato alcune cause ed effetti delle varie relazioni ferraresi ed estensi con Venezia.

Ma per intendere davvero quelle relazioni, le estere non meno delle interne, c'è ancora molto da fare. Si troverà, ad esempio, che il ruolo di Venezia nei confronti di Ferrara è stato sopravvalutato quando al governo della repubblica è stata attribuita la responsabilità maggiore del rallentamento delle attività mercantili ferraresi nel XIII secolo, la responsabilità dell'avvio di Ferrara a una « precipitosa corsa » verso una storia tutta diversa e davvero non più mercantesca [1]. A sua volta Soranzo, nel rilevare il fatto di per sé non contestabile che dalla prima metà del XIII secolo Ferrara perdette il predominio nella navigazione sul Po, ne ha attribuito la causa unicamente a Venezia [2]. E se questa attribuzione a Venezia del mutamento delle fortune ferraresi sembra meno parziale dell'attribuzione del mutamento agli Estensi, come ha fatto Zucchini e come ricordammo già [3], perché essa coglie pur sempre in una loro relazione aspetti della politica estera e della politica interna di Ferrara mentre nell'altro caso l'attenzione si fermava troppo sulla sola Ferrara, in realtà anch'essa è una spiegazione parziale del Duecento ferrarese, perché non va certamente al fondo del problema del mutamento: e la sopravvalutazione del ruolo veneziano essa la compie proprio nella misura in cui non ricerca meglio il contesto della storia ferrarese e della storia veneziana.

Le origini e gli svolgimenti dell'opposizione veneziana ai traffici di Ferrara, alla concorrenza del nuovo mercante; il conseguente favore a coloro che nel Ferrarese non erano mercanti o assai prima che mercanti erano proprietari terrieri e privilegiavano la terra e il potere che ne ricavavano, dunque in ultima analisi il determinante appoggio all'affermarsi della signoria estense e poi l'insediamento a Ferrara di un visdomino di Venezia — ufficiale dal 1284 ma di fatto più prossimo al costituirsi della signoria —; son tutte vicende che vanno considerate adeguatamente. Il « supremo interesse » veneziano a che « le contermini forze della terraferma rimanessero fra loro dissociate, e magari reciprocamente ostili » [4], giocò a favore o a sfavore di Ferrara prima come dopo l'affermazione estense, dipese ogni volta dalla risposta veneziana ai problemi di una storia molto diversa da quella dell'area ferrarese. Venezia arrivò ad imporsi sulle libertà comunali mercantili di Ferrara perché su quelle libertà era già presente la campagna ferrarese coi suoi signori laici ed ecclesiastici, col suo feudalesimo ancor vivo, con le ambizioni anti-ferraresi di comuni minori — abbiamo già accennato a tutto questo —, ed erano presenti le forze aristocratico-feudali che operavano nella stessa Ferrara. E insomma va tenuto conto della necessità di studiare il rapporto Venezia-Ferrara come anteriore ai tempi del comune e poi della signoria, nato in quella più larga dimensione

[1] Così ha fatto ancor di recente L. CHIAPPINI, *op. cit.*, p. 52.

[2] G. SORANZO, *L'antico navigabile Po di Primaro nella vita economica e politica del Delta padano*, Vita e Pensiero, Milano 1964, p. 87 (e pp. 26 sgg.).

[3] V. sopra, p. 5.

[4] R. CESSI, *Storia della repubblica di Venezia*, Principato, Milano-Messina 1968, 2ª ed., vol. I, p. 283.

delle cose che è la sola a dover essere considerata se si vogliono superare giudizi incompleti.

Nella medesima dimensione dobbiamo perciò ricordare subito anche gli altri fatti che sono essenziali per concludere almeno in rapidissime linee questi accenni; dobbiamo ricordare che Ferrara si affermò al tramonto della presenza politica bizantina in Italia e nel declino dell'economia ravennate sul mare e sui fiumi dell'interno verso Venezia e verso Bologna, per cui, insieme a Comacchio, ebbe così un suo spazio, e sebbene già allora dovesse fare i conti coi veneziani. Tedaldo di Canossa e poi Bonifacio la governarono dal 984 al 1052, come feudo papale, e come fedele all'impero. Nella successiva età comunale si tenne poi sempre fedele all'impero.

E con Venezia, dunque, papato e impero si pongono come gli altri due termini del maggior discorso della politica estera ferrarese; ma quei vertici morali e politici di molta Europa erano i garanti di un ordine economico e sociale che poteva anche giovarsi del commercio ferrarese ma che nel suo complessivo impianto giovava piuttosto a quanto di agrario e di feudale circondava e penetrava Ferrara.

Tornando ora di nuovo al XIII secolo, ci resta solo da ricordare che l'affermazione signorile estense avvenne « col valido concorso del legato pontificio Gregorio da Montelongo e col crisma papale » [1].

Modena, Reggio, la montagna, nella formazione dello stato

L'area ferrarese: paese nato dopo altri paesi e dopo altri poteri, senza veri confini naturali, guardato a vista da tutti, nella necessità di essere sempre aperto verso altre realtà fisiche economiche sociali e politiche, confinanti o meno, non identiche, non sempre molto diverse dalla sua, in un gioco animato dalle forze dell'ambiente naturale e dalle varie capacità dei suoi abitanti e generalmente fortunoso, arrischiato, drammatico. Questa sostanziale drammaticità della condizione ferrarese dev'essere tenuta nel massimo conto dal ricercatore; l'indagine su tale condizione completa anche psicologicamente i propri termini, acquista per dir così dell'altro « sale », nella prospettiva che le offre la drammaticità del suo oggetto.

Da quell'area, il privilegio estense e ferrarese-estense s'incontrò già nel tardo Duecento con certe preoccupazioni nobiliari dell'area modenese e con altre dell'area reggiana, che cercavano la sua alleanza contro la preminenza o i rischi di nuova preminenza popolare-mercantesca nei governi comunali di Modena e di Reggio; e l'alleanza ebbe successi a Modena nel 1289, a Reggio nel 1290. Ma dopo di allora e per molto tempo quelle

[1] E. SESTAN, *op. cit.*, p. 211.

affermazioni nei confronti delle libertà comunali rimasero lontane da ogni durevole sistemazione; nei complessi decenni dei maggiori conflitti signorili e comunali, imperiali e papali, nell'Italia centro-settentrionale, anche quei tattici incontri si alternarono ai reali contrasti, agli scontri con gli interessi che animavano le libertà nella loro sede e nel « distretto » che le era attorno; gli abbandoni delle comunità durarono anche a lungo. E quando infine le libertà si avviarono a cedere agli Estensi di nuovo una parte di sé, come accadde a Modena dal 1336 e a Reggio dal 1409, furono i signori dei luoghi vicini, i tanti feudatari della pianura e della montagna, ad insistere in un'opposizione al privilegio estense che già non era mai stata quella delle comunità e che al tempo stesso non smise di cercar di agire anche nelle comunità. I Fogliani, i Canossa, contrastarono nel primo Quattrocento e non debolmente la presenza estense nella pianura reggiana; Carlo Fogliani perse infine i feudi che teneva nella pianura, toltigli da Niccolò III d'Este, ma dalla montagna reggiana l'opposizione agli Estensi durò anche in seguito ed ebbe momenti anche molto impegnativi per loro, come vedremo più avanti.

Pochi decenni dopo i primi successi a Modena e a Reggio gli Estensi furono riconosciuti come signori dai Montecuccoli e dagli altri feudatari e dal comune del Frignano; ciò accadde nel 1337; fra gli altri, Campori, Malaguzzi Valeri, Sorbelli, Santini, hanno già detto molto su quegli uomini e su quei tempi frignanesi, non hanno certo mancato di attenzione alla pluralità delle voci e alla dialettica delle forze in campo nella interessantissima regione, e ai rapporti di quelle forze con gli Estensi e coi più consonanti caratteri delle libertà e del privilegio ferraresi, modenesi, reggiani, e altresì con gli imperatori di Germania e magari in opposizione agli Estensi anche dopo il 1337 [1]. Sicché oggi non è difficile aggiungere alle loro risposte altre prime risposte, alle loro domande altre molte domande, per una ulteriore conoscenza di quelle forze e di quei rapporti; i problemi del popolamento, delle differenze fra l'alto e il medio Frignano, delle relazioni tra valli contigue e fra queste e le comunità della pianura, della durata nel tempo dei feudatari e dei castelli, e altri ancora, si affacciano con indicazioni già importanti al ricercatore che insista innanzitutto nel voler sapere sempre di più dei molteplici caratteri che la componente frignanese mantenne o acquisì dopo il suo riconoscimento degli Estensi [2].

[1] C. Campori, *Notizie storiche del Frignano*, Modena 1886, specie Libro II; I. Malaguzzi Valeri, *Costituzione e statuti*, ne « L'Appennino modenese », Bologna 1896, pp. 498-579; A. Sorbelli, *Il Comune rurale dell'Appennino emiliano nei secoli XIV e XV*, Bologna 1910, *passim*; G. Santini, *I comuni di valle del Medioevo. La costituzione federale del « Frignano »*. (*Dalle origini all'autonomia politica*), Giuffrè, Milano 1960, *passim*.

[2] Giova a queste indicazioni anche il discorso di G. Cherubini, *La società dell'Appenni-*

Perché ciò che stiamo avvertendo di nuovo, e che per certi versi essenziali a un discorso di tempi lunghi è da rilevarsi per i luoghi appenninici forse più ancora che per le aree di pianura di quello che brevemente possiamo cominciare a chiamare stato estense — come tessuto generale, vivo, di relazioni ambientali economiche sociali politiche giuridiche fra uomini diversi, qualificato come estense da una delle sue trame più rilevanti ma non risolto in essa [1] —, è sempre la necessità di approfondire la cognizione delle caratteristiche non rifuse, rimaste sostanzialmente se stesse, magari avviatesi ancora per ulteriori proprie strade, delle varie aree dopo il loro incontro con gli Estensi, di approfondirla non meno della cognizione delle caratteristiche possedute in qualche misura comune dalle varie aree dopo quell'incontro e in conseguenza di esso. È indispensabile un'operazione che accerti gli effetti di ogni mantenuta differenza, di ogni opposizione, di ogni resistenza e ad ogni livello, a quelle che nei decenni centrali delle maggiori affermazioni estensi fuori e dentro lo stato fra il Quattro e il Cinquecento apparvero a molti come le strutture trionfanti di un governo saldo, di un privilegio laico ed ecclesiastico saldissimo intorno a quel governo, mentre così non era e si finì poi abbastanza in breve per vedere bene già fra il Cinque e il Seicento, e in seguito anche di più.

E qui allora è evidentemente necessario almeno un accenno brevissimo alla Garfagnana, che dal 1430 divenne estense per dedizione dei suoi signori e delle sue terre a Niccolò III d'Este e di cui, pur nascondendoci essa ancora la maggior parte della sua realtà anteriore e successiva a quella data, sappiamo intanto che mantenne anche dopo il 1430 le sue già antiche e più larghe e varie libertà e i suoi molto articolati privilegi [2]. A sua volta si lega strettamente a quelli sulla Garfagnana e sul Frignano un discorso sulla montagna reggiana, insieme e oltre i termini della società feudale che la caratterizzò per tanto tempo e alla quale abbiamo già fatto cenno più sopra; una ben impostata attenzione a quella montagna è di un'importanza centrale anche per intendere l'economia delle zone montane confinanti e l'economia della pianura a nord, verso altri stati, verso il Po.

no settentrionale (secoli XIII-XV), in Id., *Signori, contadini, borghesi. Ricerche sulla società italiana del basso Medioevo,* La Nuova Italia, Firenze 1974, pp. 121-142; e v. inoltre A. Uguzzoni, *Per un'analisi delle parlate rurali dell'Appennino modenese,* in « Modena », LXXVIII, Supplemento n. 6/1972, pp. 40-45.

[1] Per questo modo di intendere lo stato nei secoli, che studiamo anche qui, ci si consenta di rinviare a nostre prove precedenti, e fra le altre a *Libertà e privilegio. Dalla Savoia al Monferrato, da Amedeo VIII a Carlo Emanuele I*, Pàtron, Bologna 1972.

[2] In proposito v. pur sempre C. De Stefani, *Ordini amministrativi dei comuni di Garfagnana dal XII al XVIII secolo*, in « Archivio storico italiano », ser. V, t. IX, 1892, specie pp. 43-44; e su *Gli statuti della Garfagnana conservati nell'archivio di stato di Modena* v. la notizia di A. Spaggiari in « Fonti e studi del Corpus membranarum italicarum », X, *Lucca archivistica storica economica,* Il Centro di ricerca editore, Roma 1973, pp. 207-211.

E generalmente, con questo studio delle peculiarità antiche e nuove, diverse nello stesso tempo e in tempi diversi, di ogni area e in ogni area, si sollecita anche lo studio della funzione complessiva delle aree appenniniche nello stato estense e nel contesto economico e politico dell'Italia centro-settentrionale. Qui più che mai un ricercatore ha dinanzi a sé ampi spazi! E nel contempo ha nuovi modi per misurare i termini e i tratti dell'opera dei governi estensi e del privilegio laico ed ecclesiastico della pianura nei confronti delle realtà della montagna dello stato, e nei confronti delle realtà degli stati confinanti per quel che attenne via via ai loro rapporti con quella — varia — montagna.

Ma trattenendoci ancora nello spazio del solo stato estense o per dir meglio nello spazio del quale con le altre sue realtà lo stato si costituì via via, e ad ogni acquisto crebbe pure di relazioni con altri stati, importa il ricordo di tali acquisti: di Sassuolo dal 1373 sin verso il 1408 e poi di nuovo dal 1417 [1], della cosiddetta Romagna estense con Lugo, Bagnacavallo, Massalombarda e altri luoghi nell'ultimo Trecento e poi dal primo Quattrocento [2], di Nonantola dal 1411, del Polesine dal 1438, e di « grossi feudi » come Crema e Castelnuovo di Tortona nel 1440 [3]. E importa non meno vivamente il ricordo della contea di Vignola dal 1400-1, di Scandiano dopo il 1417, così come importa ogni altra memoria di terre e di altri beni ottenuti in vari modi dagli Estensi e poi dati da loro in feudo, in una gamma di domini « mediati » la cui realtà nello stato è certamente quasi tutta da riconsiderare.

Oltre ogni elenco dei domini mediati o degli immediati o dei feudi, di per sé già noto, è necessario piuttosto ricordare i domini per far nuova attenzione alla molteplicità dei modi del loro acquisto — per conquista o per donazioni ricevute o per acquisto vero e proprio o per infeudazione, e via dicendo — da parte degli Estensi come vicari papali o con l'appoggio imperiale o come alleati di altri signori o per propria virtù; e al tempo stesso è da farsi attenzione alla molteplicità dei rischi, delle perdite, dei ricuperi e talvolta di nuovo delle perdite, che la stessa quantità e la varietà intrinseca dei domini suscitarono negli Estensi.

Dalla nuova attenzione viene così la possibilità di concludere queste ultime pagine; se infatti si è potuto e si può sostenere che gli Estensi giungendo al potere a Ferrara non segnarono una frattura nella storia di quel luogo e dell'area ferrarese, va tenuto presente che dopo di allora

[1] M. SCHENETTI, *Storia di Sassuolo centro della valle del Secchia,* Aedes Muratoriana Modena 1966, pp. 46-50, 63 sgg.

[2] A. VASINA, *La Romagna estense. Genesi e sviluppo dal Medioevo all'età moderna,* in « Studi romagnoli », XXI, 1970 (ma 1973), specie pp. 64-65.

[3] Per quei feudi, L. CHIAPPINI, *op. cit.*, p. 97.

molto presto essi medesimi cominciarono a complicare le fortune del loro potere, a porre ostacoli alla continuità delle vicende economiche e politiche che a quel potere li avevano condotti.

Quando e nei modi in cui il governo dello stato pontificio non impedì la loro azione o la favorì — ad esempio nel caso della Romagna « estense », data a loro che erano più di ogni altro « in grado di versare i più elevati affitti e censi alla Chiesa » [1] —; quando la loro azione convenne al governo veneziano; e ricercando essi il consenso del privilegio delle aree vicine e questo cercando il loro; la loro opera per espandere la propria presenza politica (e il raggio dei propri interessi economici!) verso il sud ebbe certamente caratteri di normalità a uomini, a interessi, a luoghi dei tempi in cui si svolse, e così pure fu normale a uomini e a interessi e a luoghi dei tempi anche il loro lavoro per un'espansione verso l'est, verso il nord, verso l'ovest. Ma in quel continuo impegno, e talvolta nei successi non meno che negli insuccessi, fu altrettanto normale che molte insidie aggirate o momentaneamente superate, molte differenze in apparenza sopite, ricomponessero poi la propria consistenza o magari l'accrescessero; tanto più quanto più crebbe dopo i successi la complicazione della realtà economica e politica dello stato, e negli stati confinanti mutarono le economie, gli orientamenti dei governi. Anche prima del pieno Rinascimento il potere estense fu « il più minacciato di tutti gli altri grandi e mediocri d'Italia » [2], e non solo nei termini della sua politica estera.

E giunti a questo punto potrebbe non sembrar più necessario avvertire che insieme agli argomenti dei rapporti umani, e per una conoscenza piena come quella che perseguiamo, vanno ben sempre richiamati in discorso gli argomenti della terra e delle acque. Ma se è vero che lo studio degli uomini e della terra e delle acque diviene ricco, e indispensabile, quanto più il campo della ricerca cresce di estensione e di articolazioni e il tema delle « vocazioni ambientali » per così dire si complica, in un rinnovato impegno del ricercatore, allora si potrà concordare sulla necessità che l'avvertenza venga ripresa: per sottolineare la fecondità del metodo nello studio non più solo dell'area ferrarese ma di tutto lo stato [3], e per avviare

[1] A. VASINA, *op. cit.*, p. 65.

[2] J. BURCKHARDT, *La civiltà del Rinascimento in Italia*, trad. ital. di D. VALBUSA, 4ª ed. accr. a cura di G. ZIPPEL, Firenze 1944, p. 53 (ed. Sansoni, Firenze 1968, con introd. di E. GARIN, p. 47).

[3] Sempre di L. GAMBI v. allora anche *Lo spazio ambientale del mondo contadino*, in *Cultura popolare nell'Emilia Romagna. Strutture rurali e vita contadina*, Silvana Editoriale d'Arte, Milano 1977, specie pp. 16, 22, 24; e con lui v. F. CAZZOLA, *Bonifiche e investimenti fondiari*, in *Storia dell'Emilia Romagna*, a cura di A. Berselli, vol. II, Edizioni Santerno, Imola 1977, specie pp. 210-211, e G. SANTINI, *Pavullo e il Frignano centrale: problemi e prospettive di ricerca*, in *Pavullo e il medio Frignano*, Aedes Muratoriana, Modena 1977, vol. I, p. 18.

un accenno alla formazione del potere politico estense oltre i tempi delle sue origini in quella sola area ferrarese.

2. L'affermazione estense

Un discorso sulla formazione del potere politico estense — non solo per queste pagine, ma intanto per queste pagine e cioè dal XIII secolo fino a quando nel 1452 Borso d'Este conseguì una prima volta il titolo ducale — porta con sé difficoltà molteplici, appena alleggerite da qualcuno fra i pur numerosi studi che quel potere ha avuto.

Fuori discussione che siano il dato delle proprietà terriere estensi fra il XII e il XIII secolo, e l'altro, che tali proprietà qualificarono la loro parte l'ascesa politica iniziale di quei campioni del privilegio che gli Estensi erano già, è evidente la necessità di accertare intorno a quei dati e nella indispensabile connessione con essi i caratteri economici e i caratteri politico-giuridici del restante privilegio laico e dell'ecclesiastico nel Ferrarese e nelle altre aree dello stato, i rapporti fra privilegiati e non privilegiati nelle varie terre che gli uni e gli altri abitavano, e molte altre cose.

Per tanta informazione ci soccorrono oggi solo notizie sparse, ancorché utili e magari illuminanti per una prima costruzione a maglie molto larghe del quadro da delineare; e perciò il divario fra il livello della storiografia che è stata prodotta sino a questi anni e il livello della storiografia che risulterebbe dalle ricerche che auspichiamo si profila assai ampio.

Nondimeno le notizie sparse ma utili e magari illuminanti consentono, nell'ovvia prudenza, una operazione di qualche iniziale positività. Il quadro a maglie molto larghe resterà a lungo il testimone di una condizione di studi che è stata deficitaria per troppo tempo; ma nei suoi limiti esso può avere un posto nella enunciazione delle nostre linee di ricerca e non è contestabile, perché là dove si trova interessato ad alcune di quelle linee non le contraddice, anzi talvolta vi contribuisce. Che si dia almeno una prima risposta alle domande che nascono osservando i modi e i tempi della formazione del potere estense fino al 1452 è, insomma, possibile; il solo modo per non raggiungere quella risposta sarebbe di accogliere le spiegazioni «eroiche» nelle quali certa informazione si attarda ancora, e per cui fu sempre e solo il genio politico estense a condurre innanzi le sorti del potere e dell'intero stato [1]. Alla risposta contribuiscono invece gli studiosi che più o meno direttamente se la proposero già prima d'ora: Sitta, ad esempio, e Balletti, e alcuni altri.

[1] Una prova di ciò si ha ancora in L. CHIAPPINI, *op. cit.*, che anzi insiste con molta frequenza su questa linea interpretativa.

Come le arti ferraresi si ristrutturarono, o poi si strutturarono, dall'affermazione estense duecentesca in avanti, è stato appunto ciò che Sitta si è chiesto in una ricerca ancora oggi non rifatta da alcuno; e il suo discorso, portato qui, è proprio uno di quelli che giovano meglio al nostro proposito perché consente l'indispensabile aggancio a situazioni che precedettero l'affermazione estense. Muovendosi infatti nel clima storiografico dal quale vennero poi anche le opinioni che abbiamo già avuto modo di ricordare; e cioè nel clima che apprezzava in sommo grado ogni testimonianza e magari ogni apparenza di testimonianza di una realtà medievale imprenditoriale, « borghese », alimento di produzioni e di commerci; Sitta, che aveva trovato solo scarse memorie di associazioni di arti a Ferrara prima degli Estensi [1], volle tuttavia convincersi che tali associazioni erano esistite ed erano divenute via via anche politicamente potenti, e sostenne la sua tesi rilevando nel maggior grado i duri limiti che nel secondo Duecento gli Estensi posero alle prerogative delle arti e dei mercanti ferraresi. Delle arti, egli scrisse, « noi crediamo che... colla loro potenza eccitassero soprattutto la gelosia del governo » [2].

Non occorre tuttavia sottovalutare alcuna presenza di arti a Ferrara prima degli Estensi, ma solo diffidare di ipotesi non seguite da prove sufficienti, per ricordare qui di nuovo il « paradosso » che Sestan rilevò nella storia di Ferrara e col quale abbiamo iniziato queste annotazioni, il paradosso di una città fatta prospera dai traffici e dove pure nessuna corporazione artigiana pesò sulla vita pubblica. Giudizio che è opposto a quello di Sitta ma che è più maturo del suo, fra l'altro per le molte ragioni del progresso degli studi dall'ultimo Ottocento ad oggi [3]. E giudizio in cui converge di fatto anche una lettura delle successive pagine di Sitta, che non faticò più quando cominciò a registrare il controllo crescente degli Estensi sulle arti, il consenso di queste al privilegio e al suo sostanziale predominio sulle libertà ancor dichiarate nei propri statuti e magari in statuti redatti e approvati dal principe molto tempo dopo gli inizi della affermazione politica estense [4].

Quel che sappiamo fino ad oggi delle arti ferraresi conferma dunque l'opinione che nella storia di Ferrara non ci sian state fratture al momento dell'affermazione estense. E che poi, dal secondo Duecento, l'« armonia di rapporti » fra i nuovi signori e le arti [5] si sia svolta con l'efficacia docu-

[1] P. SITTA, *Le Università delle Arti a Ferrara dal secolo XII al secolo XVIII,* in « Atti della Deputazione ferrarese di Storia patria », VIII, 1896, pp. 46-49.

[2] P. SITTA, *op. cit.*, pp. 50-55. La citazione nel testo è qui, p. 52.

[3] Conferma tale progresso anche G. G. AMBROSINI, *Diritto e società*, in *Storia d'Italia*, cit., pp. 339-340.

[4] P. SITTA, *op. cit.*, pp. 60-70.

[5] P. SITTA, *op. cit.*, p. 70.

mentata da Sitta, è un fatto che si colloca in un tema della massima importanza, dal momento che un'esatta valutazione di quell'armonia contribuisce alla conoscenza non solo dei punti di forza ma pure dei punti di debolezza del regime estense a Ferrara e nel rimanente stato, e quanto meglio tale armonia verrà misurata col progresso delle ricerche — in primo luogo confrontandola col rapporto fra le arti e i governi delle comunità e gli Estensi nelle altre aree dello stato —.

Le arti ferraresi legarono sempre di più le proprie sorti alle estensi. La convenienza economica e sociale che a fare questo ebbero coloro che fornivano al maggior privilegio i molti mezzi — dai più semplici ai più complessi, dai cibi alle splendide case e agli argomenti e artifici legali — della sua affermazione quotidiana a tutti i livelli del suo rapporto coi governati è tanto più comprensibile, quanto meglio si ricordi l'antichità consistente del privilegio, e non solo estense!, nell'area in cui quelle arti si erano formate e si trovarono poi principalmente ad agire.

E di quali altri aiuti — a loro volta essenziali per le vicende dei propri beni immobili e mobili, essenziali per l'esercizio del potere — il maggior privilegio si valse e progredì con loro sino al ducato di Borso, e ben oltre? È già noto quanto gli Estensi si giovarono degli ebrei, presenti a Ferrara almeno dal 1275, a Modena dal 1393, a Reggio dal 1413[1]: e qui accenniamo subito anche alle altre e maggiori comunità, in altre aree dello stato, perché l'importanza del rapporto Estensi-ebrei valse progressivamente in ogni area dello stato e non solo nella ferrarese.

Gli Estensi favorirono gli ebrei, notoriamente, più di ogni altro principe in Italia; li favorirono in una misura eccezionale per tempi nei quali il prestito a interesse incontrava ben sempre ancora opposizioni accanite, e le resistenze alla penetrazione politico-finanziaria del governo centrale nelle realtà comunali dello stato duravano anche vivaci. Ma gli Estensi avrebbero tenuto conto delle opinioni diffuse fra i cattolici dello stato — magari fra i cattolici delle arti — solo nel caso di complicazioni a quel proposito nel rapporto col potere papale — di cui erano vicari, per il governo di Ferrara, dal 1332 —, e a Roma l'importanza del denaro si valutò sempre più in altro modo da quello della predicazione ufficiale tra i fedeli; e delle esigenze di libertà delle comunità tennero conto, sì, ogniqualvolta ciò fu inevitabile nella lunga vicenda del rapporto con esse, ma ogni altra volta, e in ogni caso quando poterono ottenere il loro consenso in forma di denaro, non ebbero preoccupazioni per coinvolgerle in una condizione di cose che finiva per farli progredire come i maggiori beneficiari del rapporto. Grava-

[1] A. BALLETTI, *Gli Ebrei e gli Estensi*, Forni, Bologna 1969 (ristampa anastatica dell'edizione di Reggio Emilia, 1930), pp. 15-23.

vano, infatti, una o un'altra comunità: e là dove questa infine cedeva, e per pagare a loro si appoggiava agli ebrei perché non trovava denaro liquido in altra maniera, i favoriti erano loro che ottenevano il denaro e che avevano procurato l'insediamento ebraico nell'àmbito territoriale e di affari della comunità.

La fiscalità estense durò per secoli nel gioco: quella fiscalità, che costituì sempre un mezzo eccezionale per ogni sforzo di conquista del maggior privilegio nello stato. Gli Estensi proprietari di terre, di mulini, mercanti del sale che estraevano dalle valli di Comacchio seppur davvero non sempre in accordo coi veneziani; mercanti di grani e di carni; speculatori con gli affitti e coi traffici; in una parola veramente gli eredi della vita aristocratica di Ferrara così come della sua vita di affari anteriore alla loro conquista del potere [1], via via più presenti nelle vicende economiche e politiche del restante privilegio laico e per certi versi anche ecclesiastico nell'area ferrarese e di là nelle altre aree dello stato: furono organizzatori singolari, duramente capaci, del loro enorme giro di affari. Come non ricordare qui un fatto certamente significativo di tale capacità? Nel 1385 i ferraresi insorsero contro i troppi pesi pubblici che li gravavano e in particolare contro il rapacissimo giudice dei savi Tommaso da Tortona, che formalmente rappresentava il popolo ma più in concreto favoriva nel massimo grado ogni imposizione di tributi a vantaggio della famiglia estense; e il marchese Niccolò II, lasciando il giudice alla loro vendetta, prese per altro subito a prestito venticinquemila ducati da Francesco I Gonzaga signore di Mantova e cominciò i lavori per la costruzione del munito castello, che fu poi la residenza abituale sua e dei suoi successori a Ferrara, più tardi reso capace anche di un'ospitalità diversa, rinascimentalmente splendida, ma senza che si addolcissero le autoritarie ragioni dalle quali era stato prodotto. Metteremmo l'accento più su quella costruzione che non sulla stessa caccia del marchese ai responsabili dell'attentato al suo potere [2].

Con le proprie capacità e la propria lunga storia; con le arti ferraresi; con gli ebrei; gli Estensi lavorarono dunque al loro governo — che fu anche ben sempre i loro affari. E vi lavorarono coi giudici dei savi, che erano già stati gran parte della vita comunale ferrarese, vi lavorarono coi propri referendari e segretari e consiglieri e giudici: e cioè con gli uomini dei vari organismi della finanza e dell'economia, della politica, della giusti-

[1] Su quella eredità di affari v. l'accenno di R. Battaglia, *L'Ariosto e la critica idealistica*, in «Rinascita», marzo 1950, p. 145, col. II; torneremo sull'articolo di B., esempio di un approccio alla storia ferrarese francamente innovatore ancorché esposto a inevitabili correzioni.

[2] A. Frizzi, *Memorie per la storia di Ferrara*, 2ª ed., Ferrara, vol. III, 1850, pp. 368 sgg., ripreso da L. Chiappini, *op. cit.*, pp. 70-72 (ivi, p. 83, sul fatto che nel 1397 i venticinquemila ducati erano divenuti quarantaquattromila).

zia, che dal Duecento in poi essi trasformarono, istituirono, perfezionarono, per rafforzare sempre più dal centro il proprio complesso potere.

Uno dei modi per conoscere come essi riuscirono o non riuscirono, momento dopo momento, a costituire quel potere, può già essere suggerito da una storia istituzionale di quegli organismi: Valenti lo ha fatto sinora meglio di altri, era essenziale avvertire quando e come ogni istituzione nacque, e se cambiò funzioni, quale fu la composizione sociale dei suoi membri e via dicendo [1]. E va da sé che un tal modo può fondersi nella maniera più proficua con ogni storia non più o non soltanto istituzionale dei medesimi organismi, e con la più piena storia possibile di ogni «oggetto» del lavoro di tali organismi. Il risultato, che oggi si intravvede appena in qualche caso, non darebbe certo «tutta la storia» dello stato; ma è fuor di dubbio che a questa storia darebbe un contributo fondamentale e per molte e intrinseche ragioni. Ogni successo delle istituzioni estensi verrebbe misurato nella sua portata reale, e così ogni insuccesso. La via sarebbe meglio aperta alla conoscenza delle forze che di volta in volta consentirono con quel successo o lo patirono, provocarono l'insuccesso o almeno parteciparono al fatto; sarebbe meglio aperta anche alla conoscenza delle forze che di volta in volta rimasero estranee a successi e a insuccessi perché più capaci di contrastare o almeno di tenersi fuori dal gioco estense: beninteso non di esser capaci «in assoluto», poiché altrimenti non potremmo neppure considerarle nello stato, ma, appunto, di essere capaci nei confronti degli Estensi, che già più sopra abbiamo detto una delle trame più rilevanti ma non l'unica trama dello stato, tessuto di relazioni.

E poiché tutto ciò avrebbe consistenza critica solo quando avvenisse ai migliori possibili livelli di indagine economica politica giurisdizionale in ogni area e intorno ad ogni area dello stato, e nella valutazione più attenta di ogni vocazione ambientale, ecco allora che la serie dei passaggi da una rigorosa storia delle istituzioni a una compiuta storia dello stato sarebbe conclusa, col maggiore profitto e senza soluzioni di continuità fra un passaggio e l'altro.

[1] F. VALENTI, *Note storiche sulla cancelleria degli Estensi a Ferrara dalle origini alla metà del secolo XVI*, in «Bullettino» dell'«Archivio paleografico italiano», n. ser., II-III, 1956-1957, P. II, pp. 355 sgg.; ID., *I Consigli di governo presso gli Estensi dalle origini alla Devoluzione di Ferrara*, in *Studi in onore di Riccardo Filangieri*, L'arte tipografica, Napoli 1959, vol. II, pp. 17 sgg.

3. Privilegiati e non privilegiati

Il privilegio e i contadini

Roberto Battaglia notò già assai bene come nel *Diario ferrarese* dal 1409 al 1502 si vedessero insieme alle guerre e alle nozze dei principi i travagli del clima e dell'agricoltura, i fatti della produzione e dei prezzi: « c'è infatti, sotto le apparenze mutevoli della guerra e della pace, una continua lotta e non un idillio che la società ferrarese conduce verso la natura per la sua continua trasformazione. Ed è una lotta che nello sviluppo dell'agricoltura durante il Rinascimento ha proprie e singolari caratteristiche. Poiché... il nemico è... sempre presente e minaccioso alle porte stesse di Ferrara: è il regime idraulico del Po e del suo delta »; « ... le date delle inondazioni sono quelle delle sconfitte, le date delle bonifiche quelle delle vittorie » [1]. Piromalli si è poi rifatto facilmente a queste osservazioni [2]. E nell'ultimo Cinquecento, ma validissima per tutta la precedente storia del paese, era già stata rilevante la considerazione di Orazio della Rena segretario dell'oratore fiorentino a Ferrara, sul Po, che « con l'inondazioni sue si fa soggetti quei popoli occupandoli gran tempo a far argini e sponde » [3]. In questo, che è ben uno dei modi essenziali per studiare la storia del privilegio nello stato estense e innanzitutto proprio la storia del maggior privilegio e nell'area ferrarese, si procederà tanto più quanto meglio si avvertirà che il Po si faceva soggetti « i popoli » in misure diverse, molto diverse a seconda del grado della loro soggezione che non era solo alle acque, e quanto meglio si rileveranno i tempi — soprattutto dagli anni di Borso d'Este in avanti — della soggezione alle acque e della soggezione al privilegio.

Un altro dei modi essenziali è l'attenzione alle fortune politiche estensi là dove e quando esse acquistarono un innegabile ulteriore rilievo. La diffusione dei veneziani nella terraferma italiana contò sicuramente in quell'acquisto. Nel 1405 i veneziani erano subentrati a Francesco da Carrara nel dominio padovano, e allora governavano già Verona, Vicenza, Feltre, Belluno; nel 1420 si annetterono il Friuli, la Dalmazia, una parte dell'Istria e del patriarcato di Aquileia. Poi, per qualche decennio prima e dopo

[1] R. Battaglia, *op. cit.*, pp. 144-145 (Il *Diario ferrarese*, « di autori incerti », a cura di G. Pardi, è in « Rerum Italicarum Scriptores », 2ª ed., t. XXIV, P. VII, vol. I).

[2] A. Piromalli, *La cultura a Ferrara al tempo di Ludovico Ariosto*, La Nuova Italia, Firenze 1953, pp. 173 sgg.

[3] G. Agnelli, *Relazione dello stato di Ferrara di Orazio della Rena, 1589* [*-1590*], in « Atti e memorie della Deputazione ferrarese di Storia patria », VIII, 1896, p. 24 dell'estratto.

la fine nel 1453 dell'impero bizantino, la loro espansione nella terraferma fu frenata dalla crescente pressione turca sui paesi del Mediterraneo orientale, che rimanevano ancor sempre il loro principale campo d'azione e di attenzioni economiche e politiche; ma a Federico III d'Asburgo, agli interessi che egli esprimeva come imperatore di Germania e come capo della famiglia che era signora del Tirolo, la necessità di contenere i veneziani verso l'impero e verso i domini asburgici raccomandò intanto e fra le altre misure anche un appoggio politico più marcato allo stato estense come al maggior confinante meridionale della repubblica: i titoli di duca di Modena e di Reggio — feudi imperiali — e di conte di Rovigo, conferiti a Borso d'Este nel 1452, furono uno dei segni di quell'appoggio, che investì altresì Borso di Argenta, di S. Alberto, della riviera di Filo, del porto di Primaro e di Comacchio, e della Garfagnana e ancora di luoghi lucchesi, parmigiani, tortonesi.

A Roma, pur confermandosi Borso nel 1450 da Niccolò V, e nel 1459 da Pio II, come signore di Ferrara — feudo ecclesiastico — e della Romagna estense, si fu più lenti nella concessione del titolo ducale; ma nel 1471 Paolo II vi si decise e Borso divenne così anche duca di Ferrara: e intanto i contrasti già vecchi con Venezia per via del contrabbando ferrarese del sale che invece i veneziani volevano essere soli a controllare, i contrasti per i confini del Polesine di Rovigo, rincrudivano attraverso le mire di Venezia su quel Polesine.

L'esposta condizione politica dello stato e in esso in primo luogo della sua parte ferrarese, nonostante avesse già procurato altre volte rischi anche notevoli alla sua esistenza, fino a quel momento in sostanza gli giovò e soprattutto giovò alle sorti estensi e delle ormai non poche famiglie cointeressate a tali sorti. Gli anni di Borso, che governò dal 1450 al 1471 e seppe restar neutrale in un'Italia quanto mai turbolenta, e si tenne con la Francia di Carlo VII e poi di Luigi XI e con l'impero e coi papi, hanno già avuto più volte illustratori convinti delle capacità di quel principe, che furono molte e non solo in politica estera e che sarebbe anacronistico e ingenuo sottovalutare; ma è pur un fatto che « i popoli » soggetti al Po, e all'Estense, dal momento in cui questi fu fatto duca dall'imperatore e principe dell'impero e poi duca dal papa, « sovrano nei limiti dei suoi domini » per dirla con Astuti e con Ambrosini, si ritrovarono più che mai sudditi, in un « singolare fenomeno di reviviscenza degli istituti feudali »[1].

[1] G. G. Ambrosini, *op. cit.*, p. 358 e n. 1, riprendendo *La formazione dello stato moderno in Italia*, vol. I, di G. Astuti; l'affermazione di Ambrosini è in un discorso generale, che per altro si sostanzia proprio di casi come l'estense e pertanto qui vale.

E la reviviscenza, diciamo meglio la definizione ulteriore di forme giuridiche feudali, si compì nello stato estense in una coerenza tutta particolare con le vicende secolari che avevano consentito agli Estensi la loro affermazione duecentesca a Ferrara e poi la loro permanenza e i progressivi acquisti di potere economico e politico, sempre nell'arrischiata condizione generale di cose interne ed esterne allo stato di cui dicemmo già e per cui ripetiamo che il Po e in genere le acque, la terra, i veneziani, gli interessi imperiali e papali, i complessi giochi di potere degli altri governi del nord e del sud dell'Italia, parteciparono tutti per secoli alla vicenda che negli anni di Borso definì come non mai la condizione di una parte dello stato, e influì sul restante stato per allora e per gli anni venturi. Nell'opera positiva di bonificazione, che Borso e gli altri maggiori proprietari nobili svolsero con lui e che è certamente un merito di quel privilegio feudale, non si valuti subordinatamente al successo e come coinvolta in quello la partecipazione contadina, ma si veda tale partecipazione nei suoi caratteri di aiuto anche molto sofferto alla persistenza del privilegio; e a proposito di singoli fatti, come ad esempio la immissione del Santerno nel Po di Primaro che il duca Borso volle nel 1460, non si vedano solo le ragioni dell'idraulica e il vantaggio che dall'immissione ebbero Lugo e le campagne lughesi ma anche il danno che ne patì il Primaro [1], e che poi non tardò a manifestarsi con altri danni alle campagne confinanti, e a quei contadini sempre più che a quei signori.

Nel 1481 — duca Ercole I —, alla vigilia degli anni durissimi della guerra che finì per togliere allo stato estense il Polesine di Rovigo e altri non pochi luoghi a nord e ad est di Ferrara a favore dei veneziani, « le spesse grandini, e le inondazioni del Po accadute in quello e nell'antecedente anno, avevano indotta penuria di grano, ed assai l'avevano accresciuta i veneziani, i quali, senza trovar chi lo impedisse, seppero facilitarsi i vantaggi della futura guerra coll'acquistarne precedentemente quanto fu loro possibile sul Ferrarese, e ridurlo nel loro stato. Si avvide tardi il duca del disordine, e non gli rimase che il meschino ripiego di seminare gran quantità di rape in quell'autunno ». Due anni dopo, a Ferrara, « nove delle dieci parti del popolo rimasto in vita erano inferme... i più si pascevan d'erbe, e morivan parecchi di fame. Il duca stesso mangiava pane di mistura, e la duchessa co' suoi figliuoli per vivere si portò a Modena » [2].

[1] G. Soranzo, *op. cit.*, p. 97; e dopo di lui A. Veggiani, *L'influenza delle condizioni geologiche del sottosuolo sull'evoluzione della rete idrografica nell'area di Alfonsine (pianura ravennate)*, in « Studi romagnoli », XIX, 1968, p. 204, rifacendosi per altro a L. Gambi, *L'insediamento umano nella regione della bonifica romagnola*, in « Memorie di geografia antropica », III, 1948.

[2] A. Frizzi, *op. cit.*, vol. IV, 1848, pp. 120 e 147.

Già poco prima la fame crescente in Ferrara aveva indotto la duchessa a raccogliere frumento a Modena e a Reggio, « ma caricato che fu su le navi [1] per trasportarlo si sollevò nell'una e nell'altra città il popolo che ne penuriava e sel prese, indi si diede a saccheggiar molte case ricche, ed in Reggio corse pericolo il podestà d'essere ucciso » [2]. Alle crisi di sussistenza che travagliarono i modenesi in quel tempo ha accennato di recente Basini, che ha pure ricordato che nel 1482 « bande armate di rurali » saccheggiarono molti luoghi del distretto e poi tentarono di entrare nella stessa Modena [3]. E qualcosa è già stato scritto sulle lotte dei contadini e dei montanari reggiani contro Reggio e il governo estense, appunto nel 1483 e anche per quelle ragioni [4].

Dai redattori del *Diario ferrarese*, da Bernardino Zambotti e da Ugo Caleffini coi loro *Diari* anch'essi ben noti, a Frizzi e a Balletti, a Battaglia, a Piromalli, a Basini, l'attenzione ai fatti commisti della pace e della guerra, ai successi come alle difficoltà dei privilegiati, all'economia come alla politica, avvertì già motivi essenziali dell'ultimo Quattrocento nello stato estense: l'inizio delle perdite di territorio, gli effetti rovinosi seppure ancora contingenti dell'immiserimento e della peste nella stessa Ferrara, gli anni di carestia, i conflitti delle fazioni nobiliari intorno agli Estensi, le confermate differenze tra le parti e tra le classi dello stato, l'impegno militare estense portato a livelli eccezionali e coinvolto nella politica estera in una misura sempre più pesante. L'accenno ad Ercole d'Este costretto a mangiar pane di mistura, come non solo lui ma generalmente gli abitanti di Ferrara e delle altre comunità non facevano mentre la cosa era abituale per i lavoratori della terra e nei più normali tempi della pace, ricorda — e oggi ne sappiamo già molto più di Frizzi — che l'alimentazione era a sua volta un fatto politico, un rilevatore delle sperequazioni che operavano nello stato.

Intorno agli anni della guerra accaddero molte cose che la storiografia sinora ha narrato distesamente o ha appena toccato: ritornare su tutte potrà solo giovare a chi voglia veramente conoscere l'intero stato e non solo il presunto « secol d'oro » [5] che Leonello d'Este e poi Borso, ed anche Ercole fino alla guerra, avrebbero fatto godere ai ferraresi — e fra gli stessi ferraresi, poi, a quanti, se siamo informati che al momento della guerra i fratelli Giacomo Trotti giudice dei savi, Paolo Antonio Trotti

[1] È forse superfluo ricordare che un canale navigabile collegava Modena e Ferrara, potenziato dal 1442 con le acque derivate dallo Scoltenna: M. Zucchini, *op. cit.*, p. 84.

[2] A. Frizzi, *op. cit.*, vol. IV, pp. 135-136.

[3] G. L. Basini, *L'uomo e il pane. Risorse, consumi e carenze alimentari della popolazione modenese nel Cinque e Seicento*, Giuffrè, Milano 1970, pp. 42 n. 4, 64-65.

[4] A. Balletti, *Storia di Reggio nell'Emilia*, Reggio Emilia 1925, pp. 252-253.

[5] A. Frizzi, *op. cit.*, vol. IV, p. 115.

segretario e referendario ducale, Brandaligi Trotti camerlengo della duchessa, Galeazzo Trotti, « tutto maneggiavano, e tutto potevano in corte, ed avevano cumulate assai ricchezze, e, quindi, al solito, erano in odio al popolo »[1]? Al « secol d'oro » avevano contribuito invece i Trotti e l'opposto partito dei Contrari, degli Ariosto, dei Bevilacqua; contribuì Giovanni Romei[2]; contribuì Bonifacio Bevilacqua consigliere del duca e succeduto come giudice dei savi al Trotti nel 1482, quando, « il primo giorno in cui prese a reggere il Comune, trovatone l'erario esausto, gli prestò una riguardevol somma del proprio, e ne destinò una maggiore a provveder grano »; contribuì il clero, che gli Estensi avevano sempre più arricchito di chiese e di conventi e di case, di terre e di altre cospicue fonti di reddito, e che allora pagò « una tassa straordinaria su i beni ecclesiastici... senza opposizioni »[3] —.

Il « secol d'oro »: per chi?

La guerra coi veneziani non alterò nella sua maggiore sostanza la preminenza del privilegio estense nello stato, seppur si perdettero terre e ne conseguì una compressione dello sbocco ferrarese al mare[4], e il Po aggravò ancora le cose rompendo più volte in quegli anni[5]; ma un momento nella storia di tale preminenza fu ugualmente concluso perché allora la riacuita pressione veneziana, e le ambiguità allarmanti della nepotistica politica del papa Sisto IV e del potere curiale romano, colpirono quel privilegio in un altro e complementare campo della sua azione e cioè nella sua connessione economico-politica col privilegio dei principi fuori dello stato verso Bologna, verso la Romagna non estense, verso Parma e Milano e in altri àmbiti ancora. Dal 1482-84 l'esposta condizione dello stato estense fra gli altri stati d'Italia cominciò almeno per certi versi a valere negativamente per le sorti estensi che sino a quegli anni aveva favorito; il governo ducale fu stretto dall'esterno, indotto ad accentuare i tratti più costosi della sua realtà diplomatica e militare e quindi ancor più a definirsi nel potere feudalmente accresciuto dal 1452; molti studi mancano e si dovranno fare, ma altri soccorrono già per misurare una prima volta la strada che gli Estensi percorsero dopo l'84.

Il privilegio di nobili laici nei loro ducati, « di Modena e di Reggio » o « di Ferrara », continuò in molti casi a prosperare con loro valendosi di loro

[1] A. Frizzi, *op. cit.*, vol. IV, p. 118; e L. Chiappini, *op. cit.*, pp. 161-162, n. 18.

[2] Sul quale v. ora G. Tagliati, *Relazione tra la famiglia Romei e la corte estense nel secolo XV*, ne *Il Rinascimento nelle corti padane. Società e cultura,* De Donato, Bari 1977, pp. 61 sgg.

[3] A. Frizzi, *op. cit.*, vol. IV, pp. 118 e 133.

[4] Su quella compressione v. M. Ortolani, *op. cit.*, p. 17.

[5] A. Bottoni, *op. cit.*, pp. 45 e 47.

negli affari, provandosi a reggere comunità e province dello stato, traendo da loro infeudazioni di terre a volte anche appena bonificate e nobilizzazioni e via dicendo: e in tutte quelle occasioni il loro paternalismo antico ed espertissimo alimentò il clima che poi un cortigiano come Agostino Mosti avrebbe tanto rimpianto, il clima del vivere cavalleresco, dei ministri pochi e «creati secondo il cuore e senso» del principe, il clima di un'Italia di principi e così spesso reciprocamente imparentati [1].

Le parentele, magari anche strettissime, con gli Estensi o con altre famiglie della nobiltà dello stato o di altri stati, continuarono a loro volta a contribuire ai successi del privilegio laico — le opere che illustrano il fatto non mancano [2], ricerche in corso lo confermano e lo definiscono meglio —; e contribuirono alle affermazioni, quanto mai concrete esse pure, del privilegio ecclesiastico, molto connesso col laico [3]. Ma ancor più che per il laico, ogni discorso più disteso sul privilegio ecclesiastico richiederebbe attenzione alle componenti non locali delle sue fortune: perché nessuna delle quattro diocesi la cui sede vescovile era nello stato — a Comacchio, a Ferrara, a Modena, a Reggio — era interamente compresa nei confini dello stato o era libera dal peso di *enclaves* giurisdizionalmente estranee al potere del vescovo e connesse invece col potere papale romano, e perché quel privilegio ecclesiastico, e il diritto canonico di cui esso si valeva, contavano o potevano contare nelle relazioni fra i papi e gli Estensi e nella complessa realtà italiana ed extra-italiana del potere papale.

Nello stato continuò inoltre anche ad esservi il privilegio che pativa della forza estense, oppure che si teneva distante da quella forza nella stessa Ferrara e fuori, in tal caso valendosi all'occorrenza della non omogenea condizione giuridica della realtà politica estense e quanto più disponeva di titoli propri da contrapporre agli estensi — per esempio se era il privilegio di feudatari imperiali —; su quella articolata realtà, l'attenzione che si impone come indispensabile dev'essere più che mai molta e nuova, e proprio per gli anni successivi alla guerra con Venezia [4].

E v'è di più. Qualche studioso ha creduto di dover attribuire agli

[1] La relazione di Mosti, edita da A. Solerti, *La vita ferrarese nella prima metà del secolo decimosesto descritta da A. M.*, è in «Memorie della Deputazione di Storia patria per le province di Romagna», ser. III, X, 1892; per quel che si dice nel testo v. qui almeno le pp. 170-183, *passim*.

[2] Utile è fra le altre F. Pasini Frassoni, *Dizionario storico-araldico dell'antico ducato di Ferrara,* Forni, Bologna 1969 (ristampa anastatica dell'edizione di Roma 1914).

[3] In proposito v. ora A. Prosperi, *Le istituzioni ecclesiastiche e le idee religiose*, ne *Il Rinascimento nelle corti padane*, cit., pp. 128-129 e *passim*.

[4] Non si dimentichi allora, e non solo per quel che dice dell'area reggiana o di Modena, G. Chittolini, *Il particolarismo signorile e feudale in Emilia fra Quattro e Cinquecento*, ne *Il Rinascimento nelle corti padane*, cit., specie pp. 30 sgg.; e v. poi anche M. Berengo, *Conclusioni*, *ivi*, p. 610.

Estensi la creazione del più moderno potere politico-fiscale dell'Italia fra il Quattro e il Cinquecento — « è sorprendente constatare come, a differenza del sistema di tassazione più diffuso nell'Italia del Rinascimento, i maggiori redditi non provengano dalle imposte dirette, dai beni patrimoniali, ma dalle imposte indirette » [1] —; mentre è certo già oggi che l'impegno crescentemente oppressivo dei principi ferraresi, e dei numerosi membri legittimi o « naturali » della loro famiglia, su chiunque fosse loro suddito, sfruttò i contadini più di ogni altra classe o ceto o gruppo nello stato, sfruttò la terra, alla lunga alterò o non seppe più controllare i vantaggi iniziali delle bonifiche. Avere detto, come in sostanza disse Burckhardt, che l'estense fu il potere politico più « artificiale » fra quelli italiani del Rinascimento [2], può dunque lasciare ancora oggi allo studioso la tentazione di una sorta di ammirazione tecnica per i modi coi quali un tal potere tenne il campo nell'età di governi italiani sempre meno liberi, ma aggiunge in più alle altre la convinzione di una sfasatura crescente fra quella maniera di essere principi e altre maniere, operanti nei governi italiani negli anni che seguirono alla « guerra di Ferrara ». E l'affermazione di chi parlò già del « secol d'oro », e poi specificamente per gli anni 1471-1505 e dimentico per un momento della guerra scrisse che « non fu mai prima o dopo l'età di Ercole tanta festosità in Ferrara » [3], letta in questo contesto è sicuramente efficace per intendere quella condizione di sfasatura e per misurare gli abissi fra la festosità e la non-festosità a Ferrara e in tanti altri luoghi dello stato [4].

Che poi il 1509, l'anno delle realizzazioni della lega di Cambrai, sia stato anche l'ultimo della presenza del visdomino veneziano a Ferrara licenziandosi allora Francesco Doro dal duca Alfonso I d'Este, e che i ferraresi del cardinale Ippolito d'Este, vescovo di Ferrara, nella guerra contro i veneziani si siano visti in ogni grave caso venire meno l'aiuto dei « villani » [5]; che da quel tempo e dopo anni nuovamente positivi — il matrimonio di Alfonso con Lucrezia Borgia nel 1501! — i rapporti fra il governo estense e il governo papale siano tornati a guastarsi, e nel fuoco più che mai tormentato dell'Italia di Giulio II e poi di Leone X Alfonso

[1] R. Battaglia, *op. cit.*, p. 145, col. II. Ma v., oggettivamente *contra*, già J. Burckhardt, *op. cit.*, p. 53 (« tuttavia [a Ferrara] le imposizioni indirette almeno debbono avervi raggiunto un grado di sviluppo assai elevato e appena sopportabile ») – ed. 1968, p. 47 –.

[2] *Op. cit.*, p. 55 (ed. 1968, p. 49).

[3] A. Frizzi, *op. cit.*, vol. IV, p. 217.

[4] In proposito può valere anche P. Giuliani, *Privilegiati e sudditi a Ferrara: l'ultimo '400 nelle cronache contemporanee*, tesi di laurea di storia moderna discussa nel marzo 1975 presso la Facoltà di Lettere e Filosofia di Bologna (relatore L. Marini).

[5] A. Frizzi, *op. cit.*, vol. IV, pp. 234, 237-244.

abbia perduto nel 1510 Modena, dove nobili di grande e antico rilievo come i conti Francesco Maria e Gherardo Rangone si intesero con le forze pontificie, abbia perduto dal 1512 al '23 Reggio e abbia visto il pontefice assistere più di lui i reggiani contro le prevaricazioni dei feudatari circostanti [1], abbia patito il fatto che alla morte di Giulio II l'opposizione armata di abitanti della comunità e più di «villani» intorno ad essa ostacolò i francesi suoi alleati e favorì le forze papali ed alleate spagnole, abbia perduto nel 1521 quasi tutta la Garfagnana e il Frignano e Cento e Lugo e Bagnacavallo riottenendoli poi solo dopo che Leone morì, e generalmente sia stato costretto per lunghi anni ad avallare in concorrenza col papa i più vecchi spiriti di indipendenza dei montanari della montagna reggiana nei confronti di Reggio e a patire, in quella montagna e da quella montagna, attive presenze di feudatari e a parteggiare con «banditi» contro altri «banditi» almeno fino ai primi anni del papa Clemente VII e delle affermazioni di Carlo V in Italia: furono tutti accadimenti che provarono la sfasatura, e non sorprende nessuno che la prova avvenisse attraverso chiare conferme delle differenze sempre presenti nello stato.

Possiamo così, nell'acuirsi della drammaticità e della «artificialità» della condizione estense, definire fra la conclusione della guerra di Ferrara e il papato di Clemente VII un secondo periodo di quella condizione. Certo, a grandissime linee: ma una notizia come quella che fra il 1499 e il 1500 metà della signoria di Carpi passò dai Pio agli Estensi in diretto dominio, e i Pio ebbero in cambio dal duca Sassuolo, Fiorano e altri luoghi vicini del Modenese, oltre ad essere già nota non aggiunge nulla alla definizione del periodo, e uguale cosa si dica per acquisti come quello di Cotignola, già degli Sforza, che il re di Francia Luigi XII diede a Ercole I d'Este nel 1502, o come l'altro della Pieve e di Cento, successivo di poco. Qui non dobbiamo cercare conferme del fatto che il vecchio gioco feudale estense nei confronti dei minori vicini circostanti funzionava, né che durava — e quando durava — l'altro gioco degli isolati vantaggi territoriali di una politica estera tradizionale come quella filofrancese degli Estensi.

Tra gli accadimenti del secondo periodo ci sembrano più significativi le differenze nel privilegio e le sofferenze dei contadini, ci importano i fermenti dei feudatari e i travagli dei montanari e dei «villani» nel Reggiano —

[1] Infatti Giulio II stabilì nel 1512 che i feudatari non potessero gravare di alcun giuramento di fedeltà né di alcun peso i reggiani possessori di terre o di altri beni nelle loro giurisdizioni, dal momento che quelli pagavano già in Reggio su tali beni «i dazi, le gabelle e altri oneri»; ogni contestazione avrebbe dovuto essere portata dai reggiani dinanzi al governatore o a chi altri fosse nel momento il *maggior magistrato* presente in Reggio (A. BALLETTI, *op. cit.*, pp. 401-402).

tanto più quando sian da vedersi nella « lotta delle parti » che all'inizio degli anni Venti del Cinquecento agitò l'Appennino dal Pistoiese alla Garfagnana a Reggio, e sin verso Parma [1] —; ci sembrano significativi le opposizioni contadine alle comunità e al privilegio e i conflitti fra le maggiori famiglie a Modena, a Reggio, a Sassuolo, e altrove, quale che fosse il signore di tali luoghi e dal momento che la persistenza o la recrudescenza dei conflitti si alimentavano, certo, ma non nascevano, dall'ultimo signore. Non senza aspetti di paradosso, « significativo » diviene così anche ciò che più richiede nuove ricerche — come può dirsi per le vicende contadine frignanesi fra il Quattro e il Cinquecento [2] —: ma intanto è un fatto che quegli aspetti di paradosso non sono mai dissociati già oggi da conoscenze attendibili, e poi, se la posta in gioco è qui una considerazione non tradizionale dello stato estense, altro fatto certo è che almeno una prima individuazione del « significativo » dev'essere sempre tentata.

Ferrara, e le altre comunità dello stato

Il rapporto fra il privilegio e i contadini nella pianura e nella montagna dello stato estense durò anche fra il Quattro e il Cinquecento in una varietà di forme che attendono indagini nuove, ma qui si è già potuto ugualmente avvertire una prima volta la sua rilevanza e anche la rilevanza che esercitava sulle comunità, quando i « villani » eran più contrari ad esse, o nelle comunità, che i villani attaccavano o non aiutavano perché esse e non solo le campagne erano abitate dal privilegio.

L'opposizione contadini-comunità di per sé non dipendeva dall'opposizione dei contadini ai signori; il privilegio tuttavia oggettivamente la favorì e in più forme. Senza trascurare e anzi proprio non trascurando la considerazione della persistenza di politiche e giuridiche libertà comunali, e la considerazione dei mercanti non nobili e di ogni altra forza « borghese » nelle comunità e dalle comunità e in un'età non solo estense, né solo italiana, in cui duravano ancora e magari tornarono a crescere possibilità consistenti per le operazioni finanziarie ed economiche di quei borghesi, è certo che vi furono luoghi e tempi in cui più che in altri i borghesi si trovarono ad agire in una stretta connessione col privilegio, a partecipare

[1] M. Berengo, *Nobili e mercanti nella Lucca del Cinquecento*, Einaudi, Torino 1965, p. 103; e anche pp. 87, 342, 346 sgg., 356.

[2] Sulle quali v. per ora le equilibrate ma brevi pagine, con le opere citt., di E. V. Bernadskaja, *L'imposizione di tributi ai contadini dell'Italia settentrionale nei secoli XV e XVI (su documenti concernenti il Modenese)*, in *Studi in onore di Armando Sapori*, Istituto ed. Cisalpino, Milano 1957, vol. II, pp. 791-805.

— nel fatto — dello svolgimento delle sue fortune: a cominciare dai ferraresi e come anche Piromalli rilevò già [1]. La campagna dei signori e la comunità dei signori si fecero allora particolarmente sentire sulla comunità — e sulla campagna — dei mercanti e di quanti altri erano parte della comunità senza essere signori [2].

In questo discorso tornano a farsi ricordare le fortune degli ebrei, dal momento che nella ricerca delle possibilità di istituire banchi di credito nelle comunità quelli si mossero col principe estense, fra di lui e il governo dell'una o dell'altra comunità [3], favoriti più da lui che dai governi comunali [4]; e nelle comunità incontrando forse resistenze minori quanto era maggiore la presenza di signori meglio consonanti col potere del principe. E le pressioni dei minori osservanti sugli Estensi per ottenere i monti di pietà e contrastare gli ebrei, riuscendo nell'intento a Modena e a Reggio dal 1494 e a Ferrara dal 1507 e poi via via nello stato, sono certamente da studiarsi in misura più larga per conoscere meglio la realtà sociale delle comunità e per seguire da vicino il progredire delle affermazioni del clero nello stato [5]; ma già il fatto, noto, che gli ebrei ebbero sempre la meglio nella concorrenza coi monti [6], lascia intendere che la rilevanza del privilegio laico non andò certo diminuendo, ancorché avanzasse dove più e dove meno il privilegio ecclesiastico.

Gli ebrei favoriti — innanzitutto — dagli Estensi costituiscono per altro un tema che in primo luogo è legato alle sorti dei maggiori governanti nello stato; e poiché ci muoviamo qui fra il Quattro e il Cinquecento, se volessimo diffonderci anche sul mecenatismo estense di quel tempo e sul Rinascimento ferrarese dovremmo dire delle rilevanti affermazioni che la cultura ebraica ebbe allora a Ferrara e degli apporti che gli ebrei ebbero dai correligionari giunti a Ferrara dopo la cacciata dalla Spagna e dal Portogallo; ma il nostro impegno è diverso. Ricordiamo invece di nuovo Ferrara, teatro primo di quel mecenatismo e di quel Rinascimento, massima fra le comunità dello stato abitate dal privilegio. Ed ecco perciò s'impone la domanda, quale fu nel tempo del Rinascimento la condizione

[1] Nella sua *op. cit.*, che è però tutta da vedersi anche per le molte notizie sulle affermazioni borghesi nella comunità e non solo per il giudizio di fondo su di esse.

[2] Di nuovo per Ferrara, può contribuire a un momento di tale discorso F. Bocchi, *Uomini e terra nei borghi ferraresi nel catasto parcellare del 1494*, Ferrariae Decus, Ferrara 1976, specie là dove parla dei *notabili* presenti sul 33,08 per cento della terra dei borghi (pp. 89-92 e *Appendice I, gruppi sociali*).

[3] A. Balletti, *Gli Ebrei e gli Estensi*, cit., pp. 68, 105.

[4] V. già sopra, pp. 15-16.

[5] V. intanto sui monti A. Balletti, *op. cit.*, pp. 59 sgg., e, sempre di lui, *Il Santo Monte della Pietà di Reggio nell'Emilia*, Reggio nell'Emilia 1894, specie Cap. I, e *Appendice e documenti*, I-VII.

[6] A. Balletti, *Gli Ebrei e gli Estensi*, cit., pp. 62, 64.

della comunità ferrarese non tanto nei confronti degli Estensi e con essi del privilegio laico ed ecclesiastico bensì nei confronti delle altre comunità: domanda non semplificatrice, ancorché fossero moltissime le differenze tra le comunità, perché Ferrara appunto si innalzava sopra tutte con la somma dei caratteri che aveva formato nei lunghi secoli antecedenti e sino allora: di caratteri che anche demograficamente, urbanisticamente, erano del maggiore rilievo nello stato [1].

Ricerche di Sitta consentono già ora di farsi un'opinione del divario fra la condizione dei ferraresi e quella delle altre comunità nel campo delle arti molto legate agli Estensi, come vedemmo già e come potremmo continuare facilmente a vedere, e nel campo eccezionalmente vivace dell'attività finanziaria estense; e più sopra raccogliemmo ancora altri esempi del divario, circa i modi di approvvigionarsi di grani a Ferrara durante la guerra del 1482-84. Dei due fattori generali, entrambi nominati dal duca e scelti « per solito fra cittadini di nobile famiglia », e che dal 1472 erano al vertice dell'amministrazione finanziaria di tutti i luoghi che riconoscevano direttamente sopra di sé il potere del principe, uno curava l'andamento delle entrate e delle spese della sola Ferrara e l'altro curava entrate e spese di tutte le altre comunità, sulle quali molto più che su Ferrara si protendeva il pesante sistema degli appalti per la riscossione delle imposte e delle tasse a favore del fisco [2]. E per di più il primo fattore doveva tener conto delle altre varie condizioni di favore che la comunità ferrarese godeva, particolarmente quando, e così frequentemente, si pativano inondazioni, pestilenze, carestie e le immense spese delle pubbliche feste, e allora « il comune era quasi sempre aiutato dalla camera ducale, e in questi casi erano le contribuzioni della ricchezza dell'intero stato che venivano a vantaggio dei ferraresi », oppure quando cadevano sulla tavola della comunità certe briciole del fervore fiscale estense — ad esempio nei frequenti casi di « augumento del pane » nello stato o nella riscossione della *datea* dai proprietari e dai lavoratori della terra [3].

[1] Neppure a proposito di tali caratteri si dimentichi però quel che resta da studiare: dopo i dati sulla popolazione – per altro, solo del forese di Ferrara – forniti da G. Pardi, *Sulla popolazione del Ferrarese dopo la Devoluzione*, in « Atti e memorie della Deputazione ferrarese di Storia patria », XX, 1911, pp. 60-61, per il 1431, e dopo le altre sparse notizie su Ferrara di Pardi e di altri per i tempi successivi; e dal momento che un'indicazione come quella di Piromalli – « riescirebbe certamente molto utile a intendere pienamente i tempi di Ercole I e di Alfonso I uno studio minuto sui rapporti tra l'economia e lo sviluppo edilizio... » a Ferrara – è del tutto valida anche oggi, oltre le stesse ragioni che P. individuò per formularla (*op. cit.*, p. 47).

[2] P. Sitta, *Saggio sulle istituzioni finanziarie del ducato estense nei secoli XV e XVI*, in « Atti della Deputazione ferrarese di Storia patria », III, 1891, pp. 104 e 180-182.

[3] P. Sitta, *op. cit.*, pp. 108-109, 117 e n. 1, 164-165, 171.

La considerazione della presenza del privilegio nelle comunità sollecita poi anche lo studio dei luoghi in cui tale presenza era minore o era impiantata in modi più consoni agli interessi economici e sociali borghesi e non aristocratico-feudali o ecclesiastici, vale a dire sollecita anche lo studio dei luoghi diversi da Ferrara, e dalle altre comunità che almeno per qualche aspetto della propria vita erano strutturate come Ferrara. E allora innanzitutto è Reggio, è Modena, che si fanno innanzi all'osservatore con i loro traffici, con le loro arti e coi loro collegi, e generalmente con un passato e con un presente di produzioni e di commerci e di vita intellettuale e politica diversi dal passato e dal presente ferrarese anche là dove le maggiori glorie comunali si erano in qualche misura allontanate nel tempo; e sono le numerose comunità della montagna reggiana e modenese colle loro relazioni nello stato e fuori dello stato, su vie di comunicazione fra le più importanti dell'Italia del tempo: e sono esse, quanto più l'esposizione politica del potere estense divenne anche l'esposizione fisica di Ferrara, sede prima di quel potere, ai rischi crescenti dell'aggravamento delle condizioni della libertà italiana. Un'attenzione alle aree sud-occidentali e occidentali dello stato estense cresce, dunque, col crescere di quell'aggravamento, che non fu contemporaneo delle difficoltà dell'economia in Italia ma le precedette e non di poco.

In molti altri luoghi la presenza del privilegio si avvicinò invece alla misura che potremmo dire ferrarese, e magari la superò. E si potrà essere più certi del discorso dopo che si sarà misurato compiutamente nelle sue varie forme il rapporto fra comunità e signori, per esempio negli stati mediati i cui signori nella maggior parte dei casi erano in gara con gli Estensi per imitarli nella dispendiosissima arte di reggersi nel grande mare del privilegio del loro tempo e spesso non imitavano o imitavano assai poco — avendo mezzi assai inferiori ai loro — il loro modo di « restituire » ai governati della comunità principale del proprio stato almeno qualcuno dei frutti che ritraevano da questo: così fu tra gli altri per i sassolesi, retti dal 1500 dai Pio Estensi [1], e non tanto dissimilmente fu per gli abitanti di Scandiano retta dai Boiardi, ancorché questi fossero a volte più capaci di un'attenzione positiva alle sorti della comunità e dell'intero feudo [2]; sembra invece che le cose andassero un po' meglio per i vignolesi, della comunità e nello stato che i Contrari continuavano a reggere dall'inizio del Quattrocento [3].

Un complemento essenziale di tutto ciò dovrà poi venire da un nuovo o

[1] Su di loro vale per ora M. SCHENETTI, *op. cit.*, pp. 78 sgg.

[2] G. B. VENTURI, *Storia di Scandiano*, Modena 1822, specie pp. 95 sgg.

[3] D. BELLOJ, *De Vineolae moderniori statu chronica enarratio*, Modena 1872, pp. 3 sgg.

rinnovato studio di come vivessero i maggiori e i minori fruitori delle libertà nelle comunità direttamente governate da amministratori estensi o da privilegiati particolarmente vicini agli Estensi — per esempio dai Calcagnini a Fusignano, a Cavriago, a Maranello[1] —. Così una parte centrale dello stato, da Vignola e da Sassuolo e da Scandiano verso il nord, è interessata alle ricerche sugli stati mediati; altre parti, fra gli stati mediati e il Po e fra di essi e Ferrara e il mare Adriatico sino a comprendere la Romagna estense, sono interessate alle restanti ricerche.

I proletari nelle comunità

Che il privilegio fosse presente anche nelle comunità e non solo sui contadini non deve far dimenticare in ogni comunità il divario fra i privilegiati, i borghesi e generalmente i maggiori fruitori delle libertà, e i proletari e generalmente i minori fruitori delle libertà. Anche in questo discorso si può voler distinguere tra Ferrara e le altre comunità; e tuttavia la distinzione sembra essere meno pressante e forse, a guardare meglio, neppure conveniente.

Di qualunque comunità fosse, il proletariato si trovava infatti pur sempre a partecipare in qualche misura anche minima all'uno o all'altro dei tanti modi della preminenza della comunità sul proprio distretto o alla possibilità, che la comunità aveva più facilmente o meno difficilmente dei lavoratori della terra nel distretto, di contrastare la pressione dei feudatari dell'area in cui era o di principi di stati vicini e comunque del privilegio che era esterno al suo proprio, o che di volta in volta essa rendeva esterno al proprio. Inoltre, una qualunque ricerca sulle condizioni del proletariato di una comunità lo troverebbe in certi casi più impegnato e più sfruttato dal privilegio e dalle libertà dei preminenti nella comunità di quello di altre comunità dello stato — e magari quanto più era stretto il legame fra privilegio e libertà dei preminenti da un lato, governo estense dall'altro —, e altre volte meno impegnato e meno sfruttato. Il proletariato di Ferrara, quelli di ogni altra comunità, vivendo le vicende della propria comunità e in un'area o in un'altra dello stato ebbero proprie vicende: ma nessuno di essi può venire isolato e studiato solo per quelle vicende. Un discorso sui gruppi sociali, sulle classi in una comunità, va sempre svolto nell'attenzione a tutta la comunità. E la comunità va vista nel tessuto generale che di tempo in tempo fu suo e di tante altre realtà insieme; va vista nella propria area, va vista nello stato. Le condizioni di ogni proleta-

[1] V. ora su di essi A. G. Lodi e A. Spaggiari, *Introduzione* agli *Statuti di Maranello del 1475*, Aedes Muratoriana, Modena 1975, pp. 14 sgg.

riato si potranno conoscere bene solo quando saranno conosciute molto meglio di oggi le condizioni delle comunità. Questo lavoro è uno dei più necessari; e poiché non può realizzarsi in alcuna misura se non indagando, in ciò che fu ogni comunità nel corso della sua storia, proprio anche nelle differenze fra comunità e comunità, ne viene che la misura dell'attenzione alle differenze è pure la misura del soddisfacimento di quell'attenzione: il che ha poi anche un valore più generale e qui ormai scontato, dal momento che sottolineammo già ripetutamente la indispensabilità di un'indagine al tempo stesso totale e fortemente articolata nel più gran numero di analisi-sintesi particolari.

Al vertice del privilegio

Moralistica la contestazione del duca Ercole d'Este fatta da Ondadio Vitali — «lui s'è piato tuti li piaciri che li è parso e con musiche e con astrologie e negromancie, con pochissima audiencia al suo popolo» [1] —; moralistica la deplorazione guicciardiniana di Alfonso I — «... merita grandissima riprensione el duca di Ferrara faccendo mercatantie, monopoli e altre cose meccaniche che aspettano a fare a' privati» [2] —: nei traffici e nei piaceri gli Estensi erano impegnati da secoli e le loro sorti, se non toccavano in eguale diretta misura ogni parte dello stato, costituivano tuttavia in questo una presenza della corte e un conseguente rapporto fra «corte» e «paese» che può far ricordare, con minori dissensi, quanto ha scritto Trevor-Roper per cercar di comprendere le ragioni di crisi che ebbe poi non poca parte del Seicento europeo, e che per altri stati gli provocò già obiezioni ben note.

I minori dissensi vengono proprio dal fatto che l'organizzazione del potere estense era andata sempre più strutturandosi nelle molte forme economiche e sociali e amministrative e fiscali e culturali, delle quali ci è già occorso necessariamente di far cenno a più riprese e che ci occuperanno ancora ma senza indurci a una ridiffusione di notizie notissime; vengono dal fatto che in quelle molte forme il potere estense si era innalzato sempre più al vertice del privilegio nello stato, aveva coinvolto e continuava a coinvolgere nel proprio svolgimento molta altra grande nobiltà e molto alto clero, molta nobiltà minore e molto clero regolare, libertà di comunità, sudditi immediati e mediati, contrastando ogni protesta, opposizione, deplorazione, sofferenza e via dicendo. Uno stato nello stato, certo;

[1] In A. Frizzi, *op. cit.*, vol. IV, p. 160.

[2] F. Guicciardini, *Ricordi*, C 93, ed. critica a cura di R. Spongano, Sansoni, Firenze 1969 (ristampa anastatica della 1ª ed., 1951), p. 104.

che tuttavia, per la sua entità e «verticale» rilevanza, alimentava nel paese un rapporto con la corte che era di un'importanza oggettiva per le sue sorti politiche generali.

«Indubbiamente, nel XVI secolo i principi... si imposero a spese di qualcuno o di qualcosa, portando seco i mezzi necessari a rendere sicuro il loro nuovo potere, improvviso e usurpato... essi affermarono il loro dominio a spese delle più antiche istituzioni della civiltà europea, le città, e usarono come mezzo di conquista un nuovo strumento politico, la "corte rinascimentale"» [1]. È anche da qui che son nate le tante esatte obiezioni alla tesi di Trevor-Roper sul Seicento, ma è proprio da qui che si ricava *ex contrario* la possibilità di valersi con la necessaria discrezione della suggestiva relazione stabilita da Trevor-Roper fra corte e paese. Torniamo infatti a sottolineare, innanzitutto per l'area ferrarese e più largamente per quanto del privilegio e delle libertà consentiva nel paese con gli Estensi, non l'improvvisazione ma la lunga elaborazione del potere estense; per giungere allora a rovesciare la denuncia guicciardiniana — che aveva presenti ben altri uomini di traffici e di banche, e ben altri principi — nella constatazione che semmai lo stato estense continuava una propria antica storia dove i traffici non erano sempre delle comunità e dove il principe era il maggior trafficante ed era il più ricco fra tutti i signori dello stato [2], e dove la terra e le acque, la montagna e la pianura, le condizioni esterne della natura e dell'economia e della politica, vivevano col privilegio feudale ed ecclesiastico in una costruzione politica generale *sui generis* che sarebbe durata sino alla fine del Cinquecento, sino alla devoluzione di Ferrara alla santa sede, e che nel Seicento avrebbe poi ancora aggravato i propri caratteri economici e sociali e giuridici. Prima e dopo la devoluzione, quei caratteri possono interessare chi voglia richiamarsi, e sia pure nella libertà di una propria maniera di giudizio, alla tesi di Hobsbawm e dopo di lui di altri sulle persistenze di elementi feudali nel Seicento.

Corte e paese, innanzitutto corte e Ferrarese: il tema non impegna per altro solo uno stato o una parte di esso. Nel 1459, in viaggio verso Mantova, il papa Pio II stette a Ferrara più giorni con dodici cardinali e millecinquecento guardie a cavallo; «sostenne Borso tutte le spese non solo del pontefice ma de' principi, e ambasciatori, che qua concorsero in gran numero con sfoggiati corteggi. Basti il dire che il solo Gian Galeazzo Sforza, figlio di Francesco duca di Milano, che fu alloggiato in Belfiore, si

[1] H. R. TREVOR-ROPER, *La crisi generale del XVII secolo*, in ID., *Protestantesimo e trasformazione sociale*, Laterza, Bari 1969, p. 98.

[2] Solo un esempio: v. la notizia sui beni costituenti l'eredità di Alfonso I in P. SITTA, *op. cit.*, pp. 224-226.

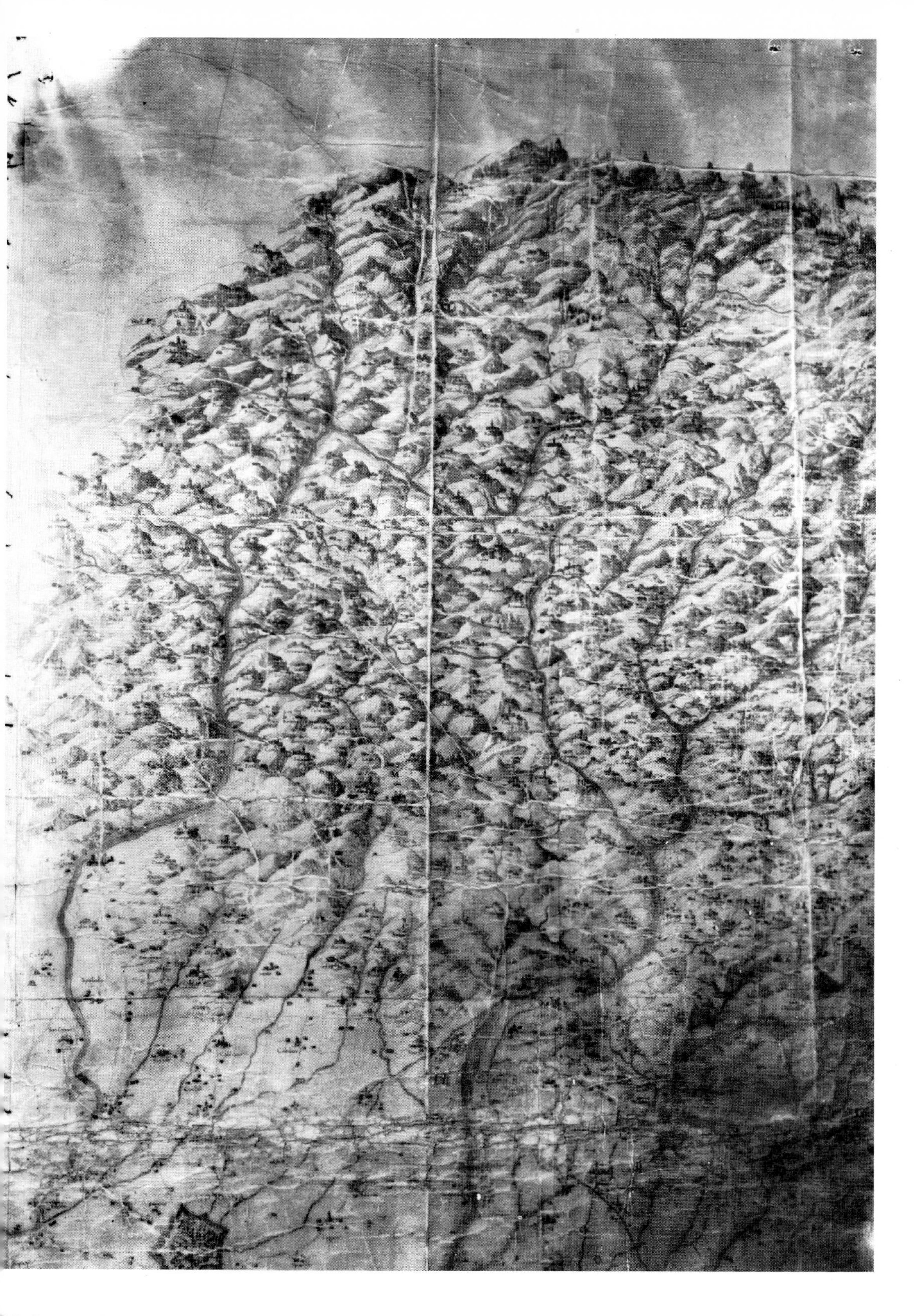

Modena e il Frignano nella carta inedita dello stato estense di Marco Antonio Pasi del 1571 (Modena, Archivio di Stato).

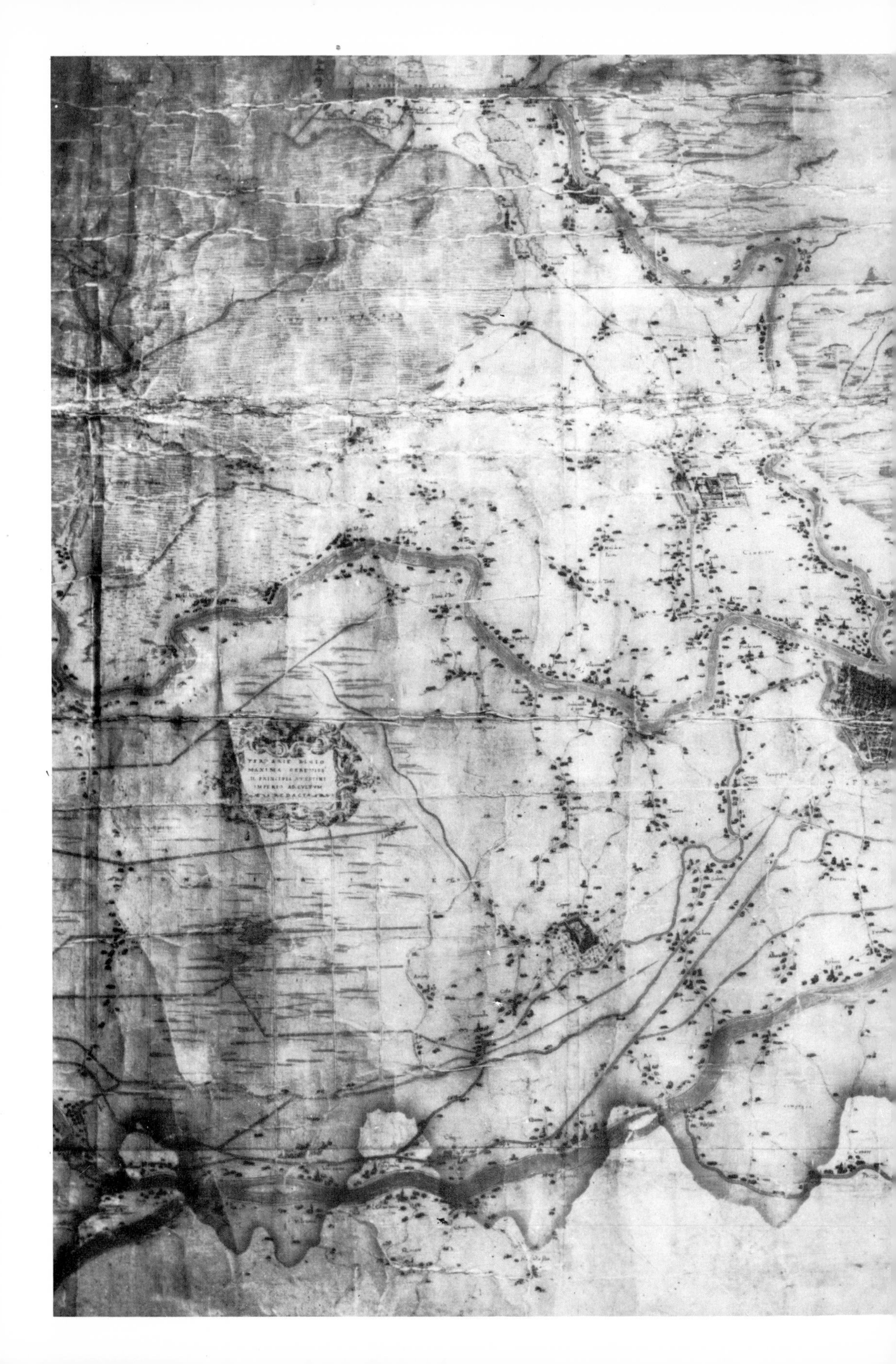

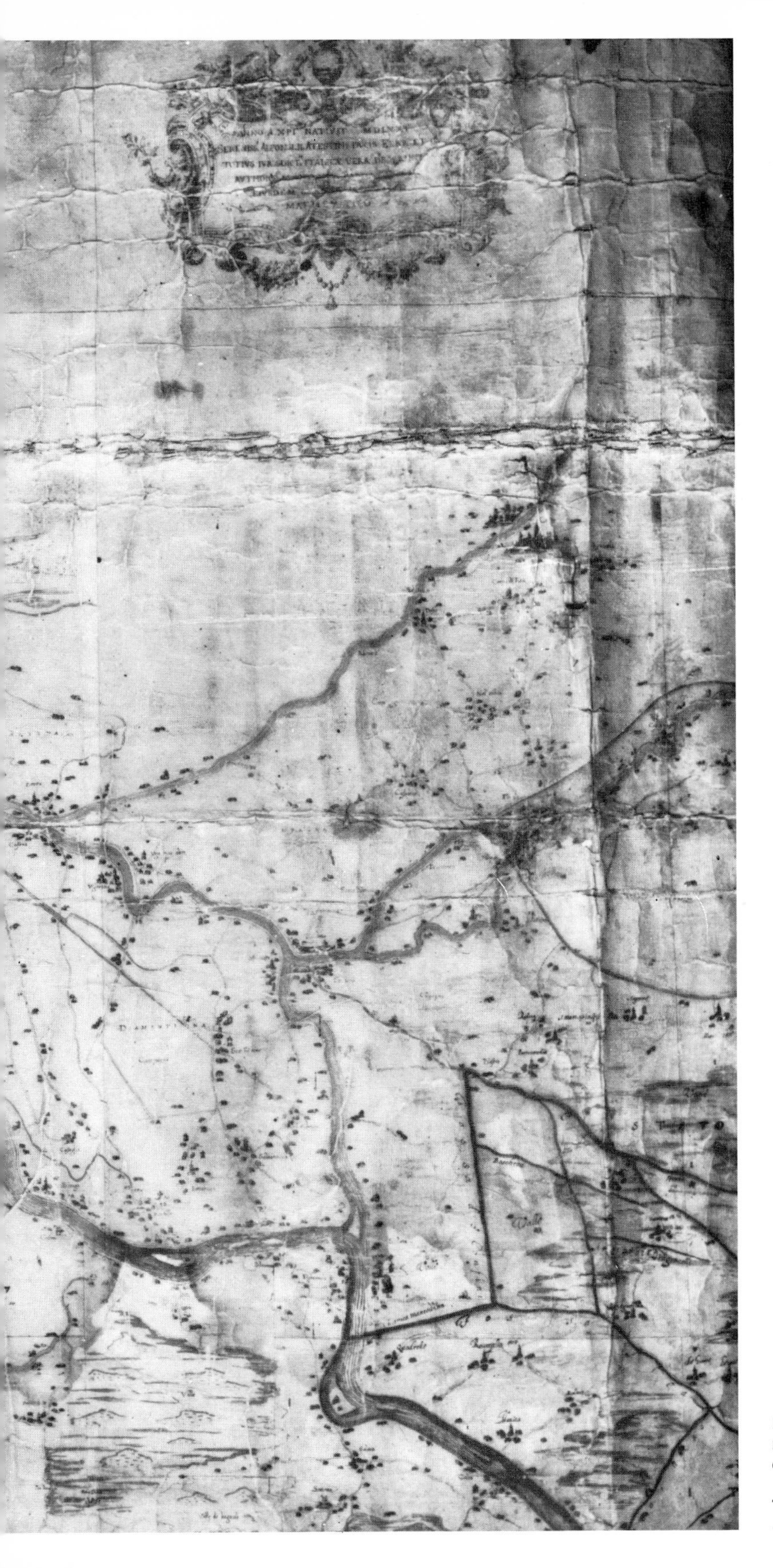

Particolare dell'area ferrarese nella carta inedita dello stato estense di Marco Antonio Pasi del 1571 (Modena, Archivio di Stato).

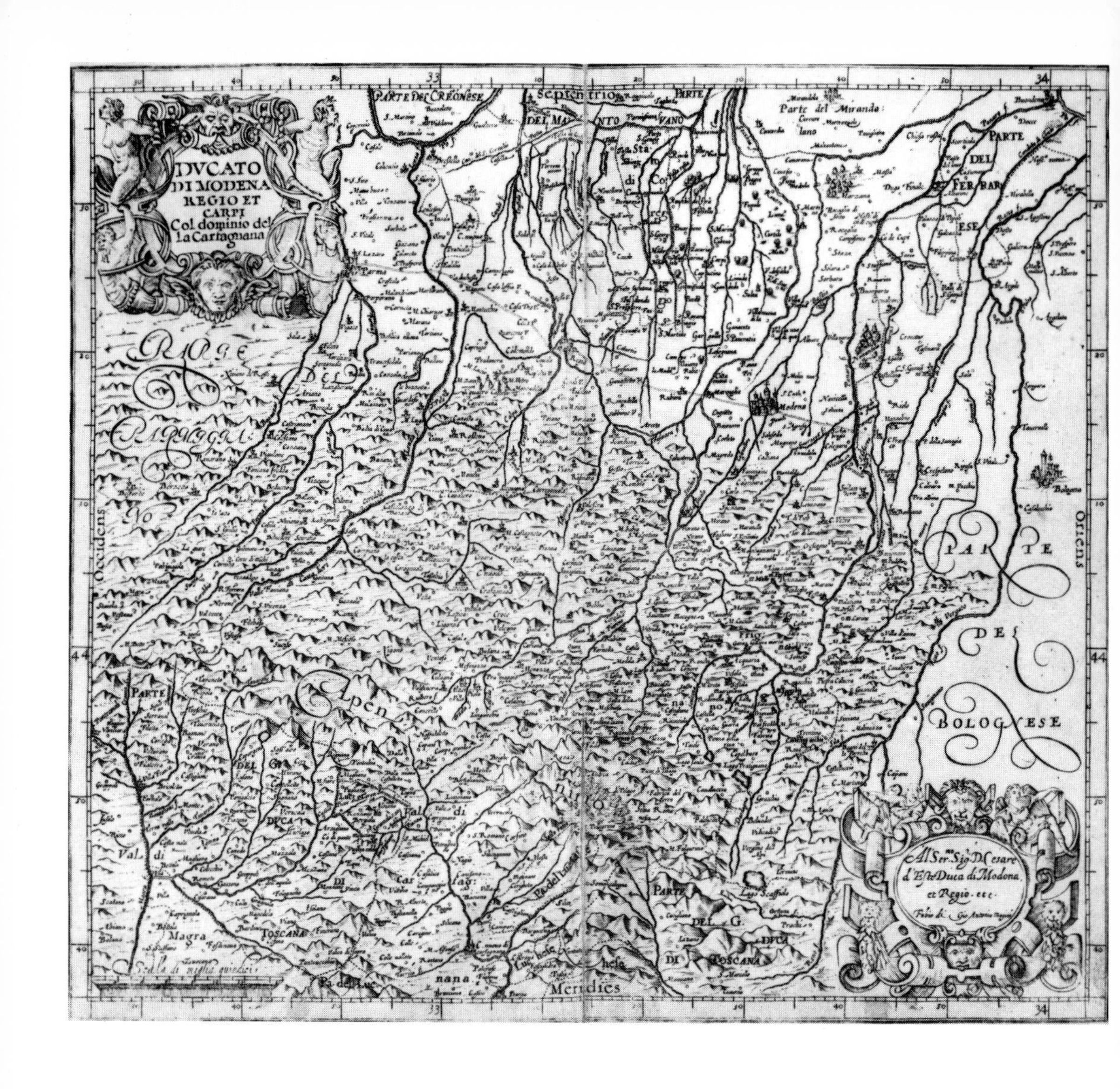

Lo stato estense in una carta dell'*Italia* di Giovanni Antonio Magini (Bologna 1620).

Reggio in una pianta prospettica di Justus Sadeler del 1620 circa (Modena, Biblioteca Estense, VI. V. 1. 2).

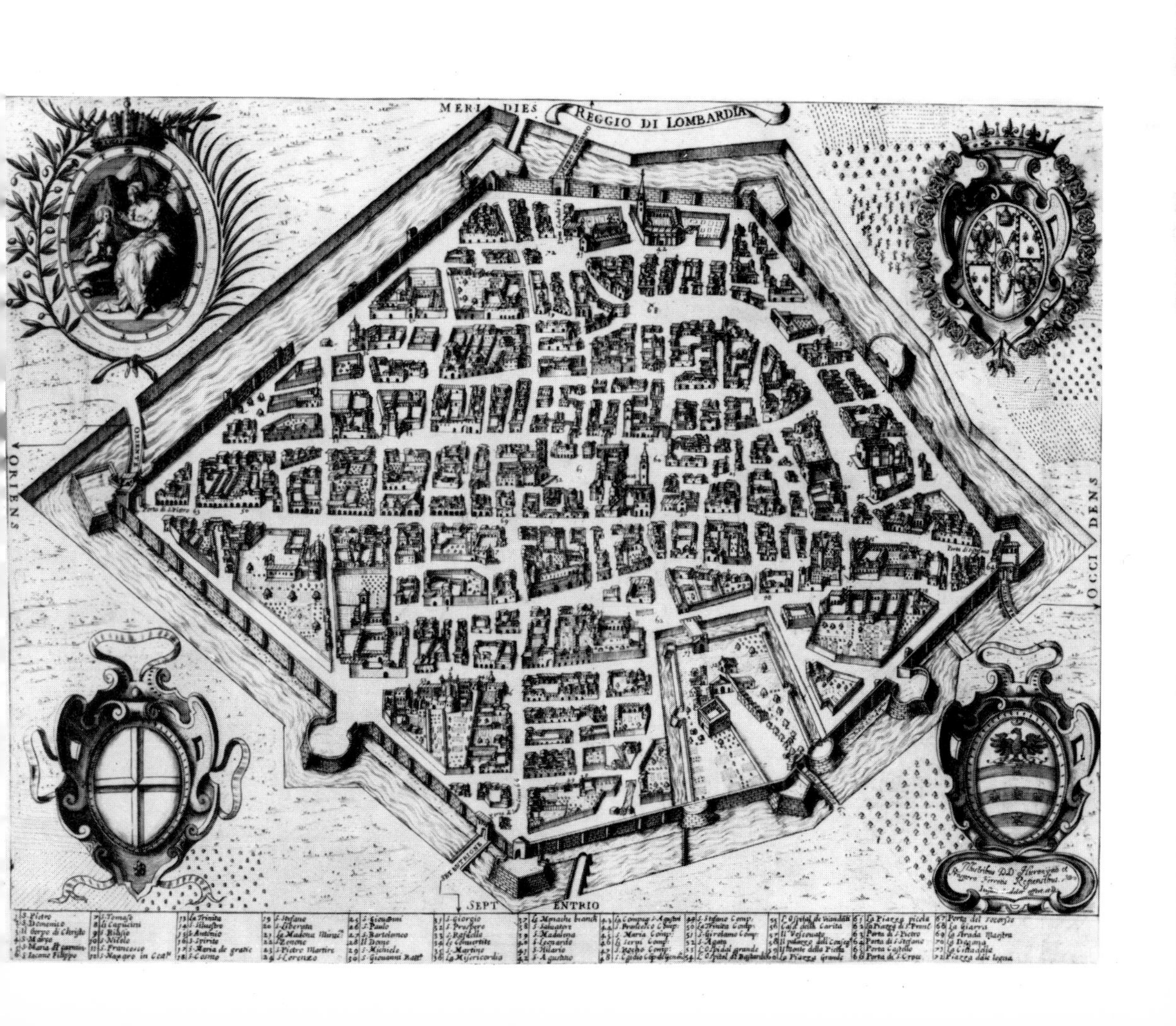

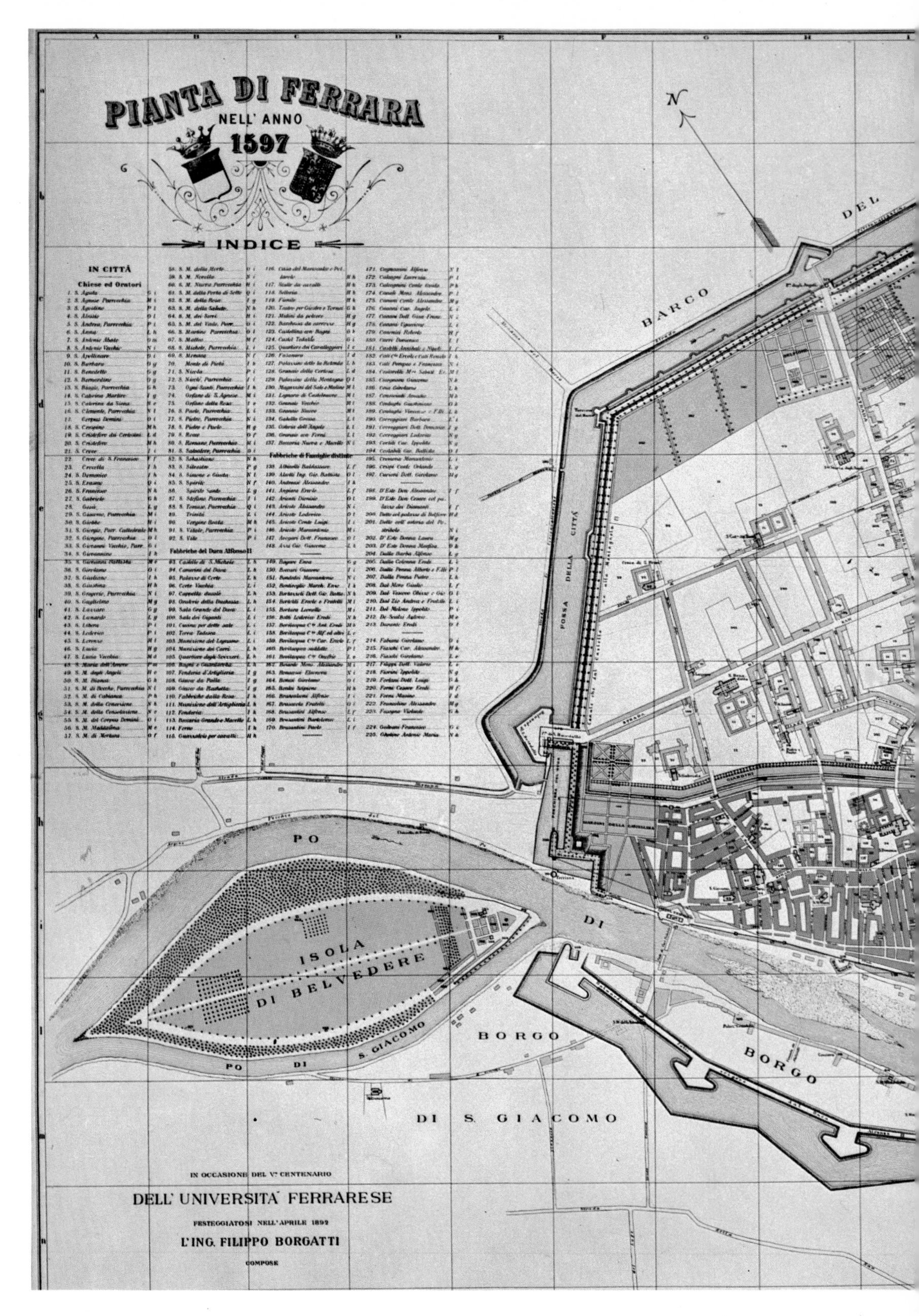

Ferrara estense in una pianta di Filippo Borgatti disegnata nel 1892; incisione del 1895. La pianta dà elementi per conoscere strutture della città anche molto anteriori alla data del 1597 indicata nel titolo.

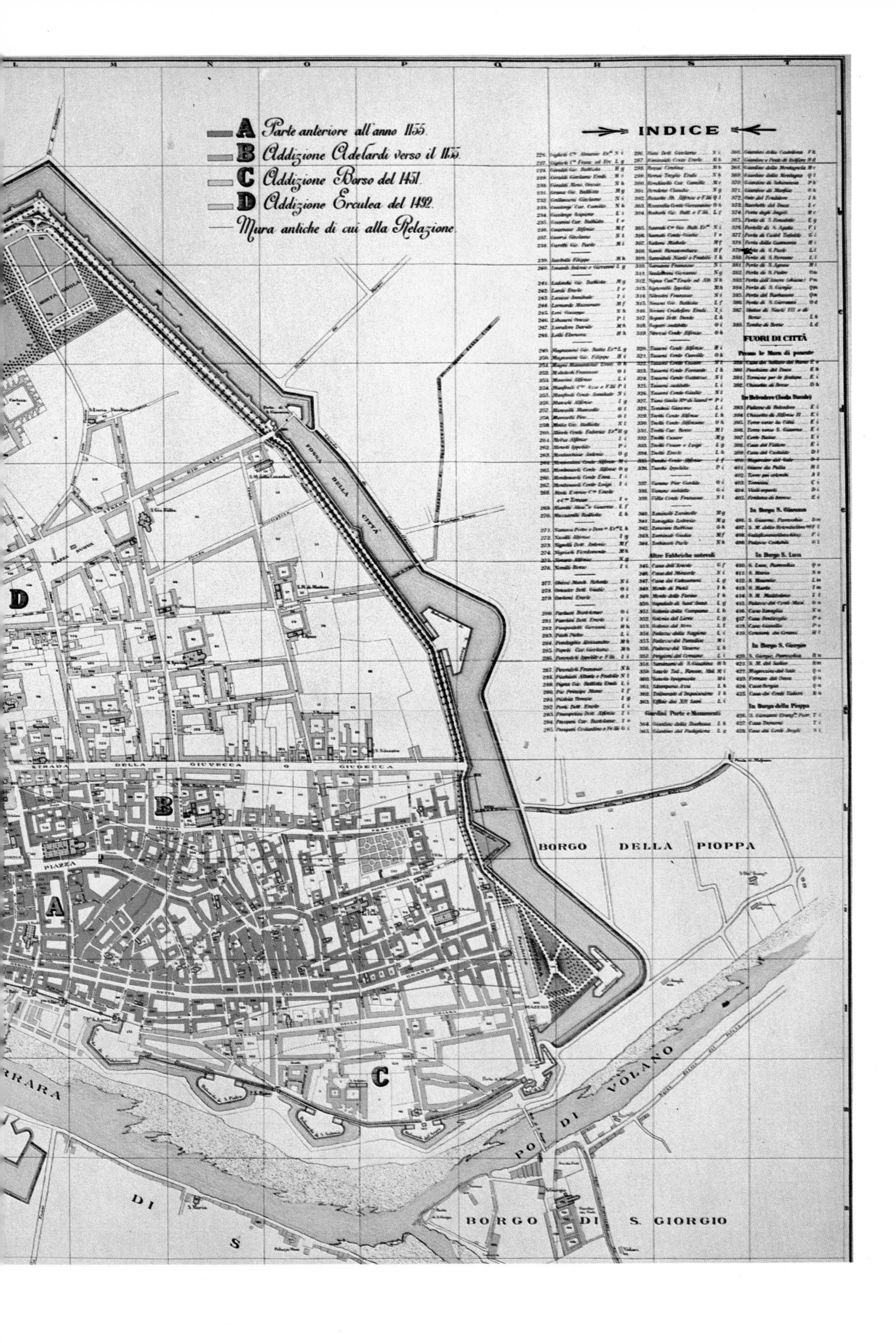

L M N O P Q R S T
A Parte anteriore all'anno 1135.
B Addizione Adelardi verso il 1135.
C Addizione Borso del 1451.
D Addizione Erculea del 1492.
Mura antiche di cui alla Relazione
INDICE
FUORI DI CITTÀ
FOSSA DELLA CITTÀ
STRADA DELLA GIUVECCA o GIUDECCA
PIAZZA
A
B
C
D
BORGO DELLA PIOPPA
PO DI VOLANO
BORGO DI S. GIORGIO

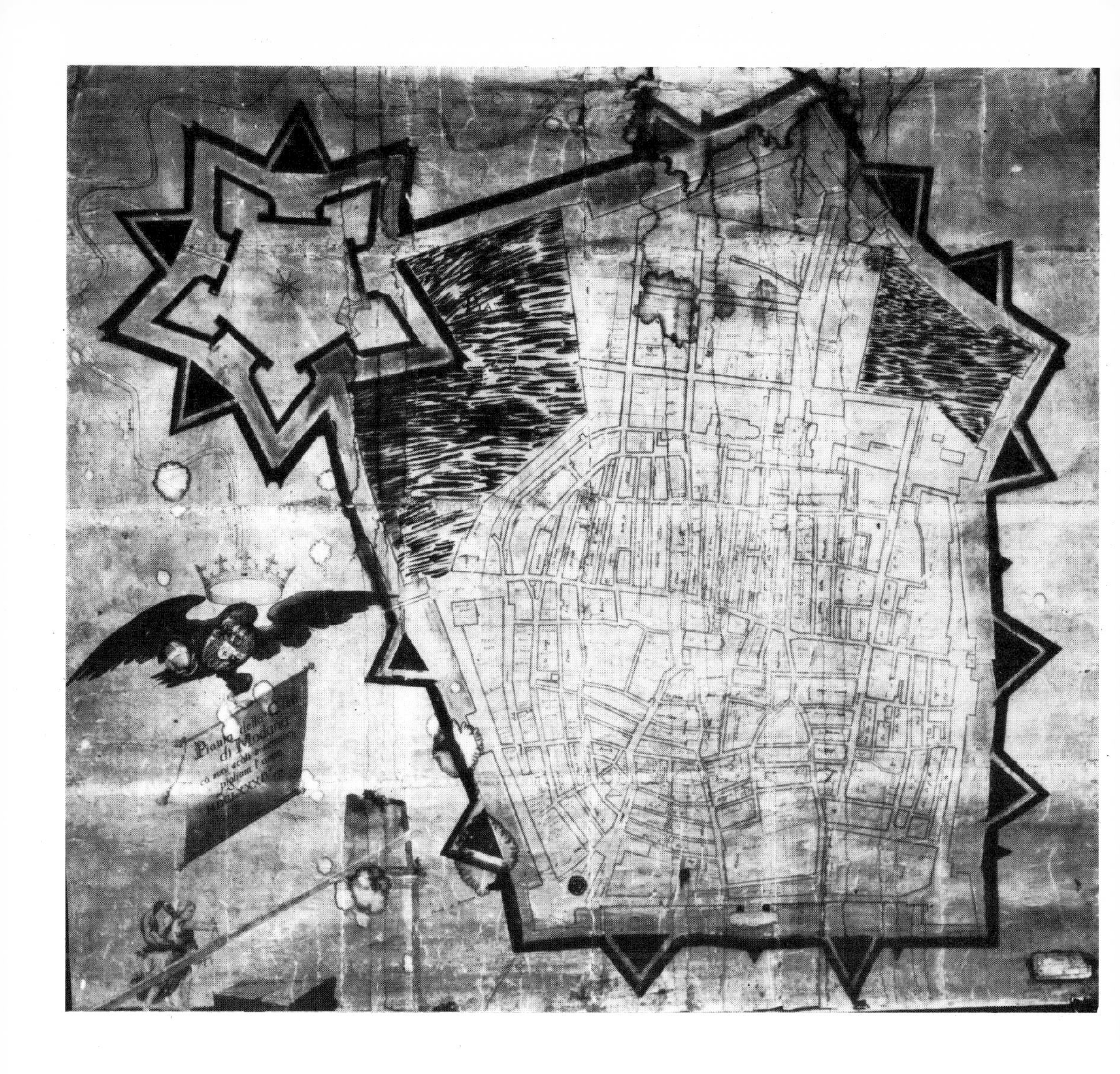

Modena in una pianta di Gian Battista Boccabadati del 1684 (Modena, Archivio di Stato). *A destra*: Lo stato estense in una carta di Domenico Vandelli del 1746 (Modena, Archivio di Stato).

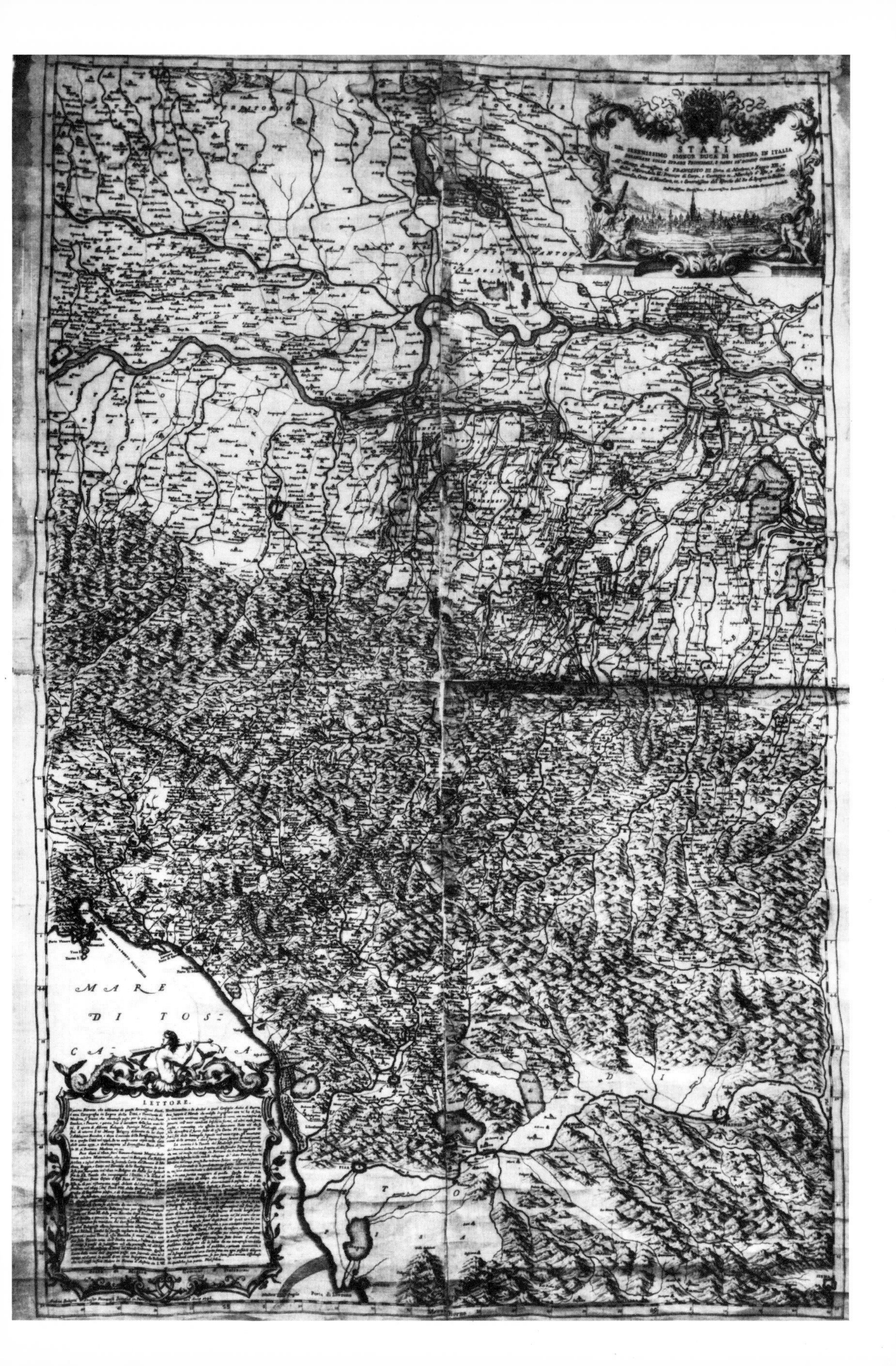
STATI
MARE
DI TOS-
CA NA
LETTORE

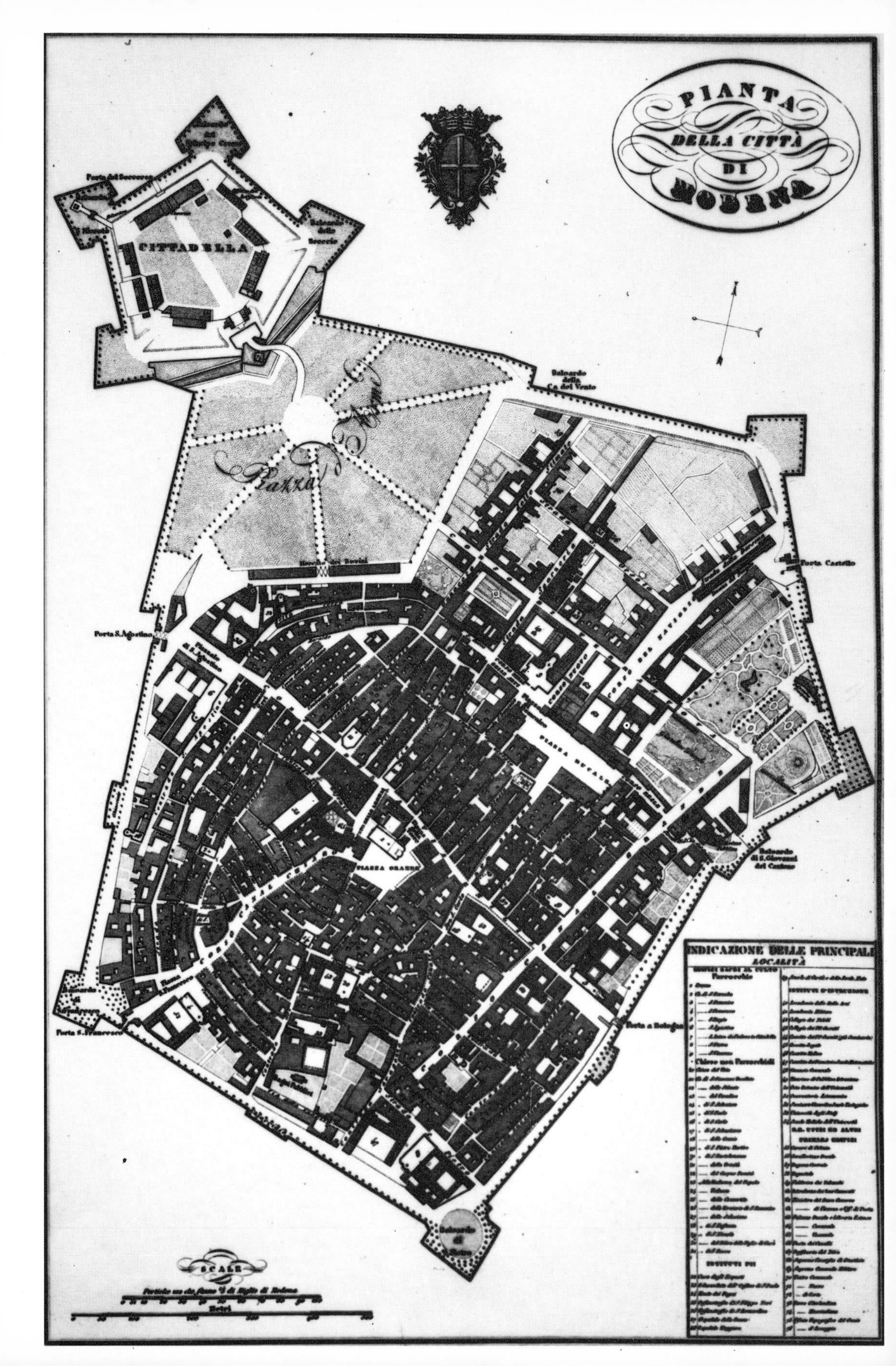
PIANTA
DELLA CITTÀ
DI
MODENA
CITTADELLA
Porta del Soccorso
Baluardo della Ca del Vento
Porta Castello
Porta S. Agostino
PIAZZA DUCALE
PIAZZA GRANDE
Baluardo di S. Giovanni del Cantone
Porta S. Francesco
Porta a Bologna
INDICAZIONE DELLE PRINCIPALI
LOCALITÀ
SCALE
Metri

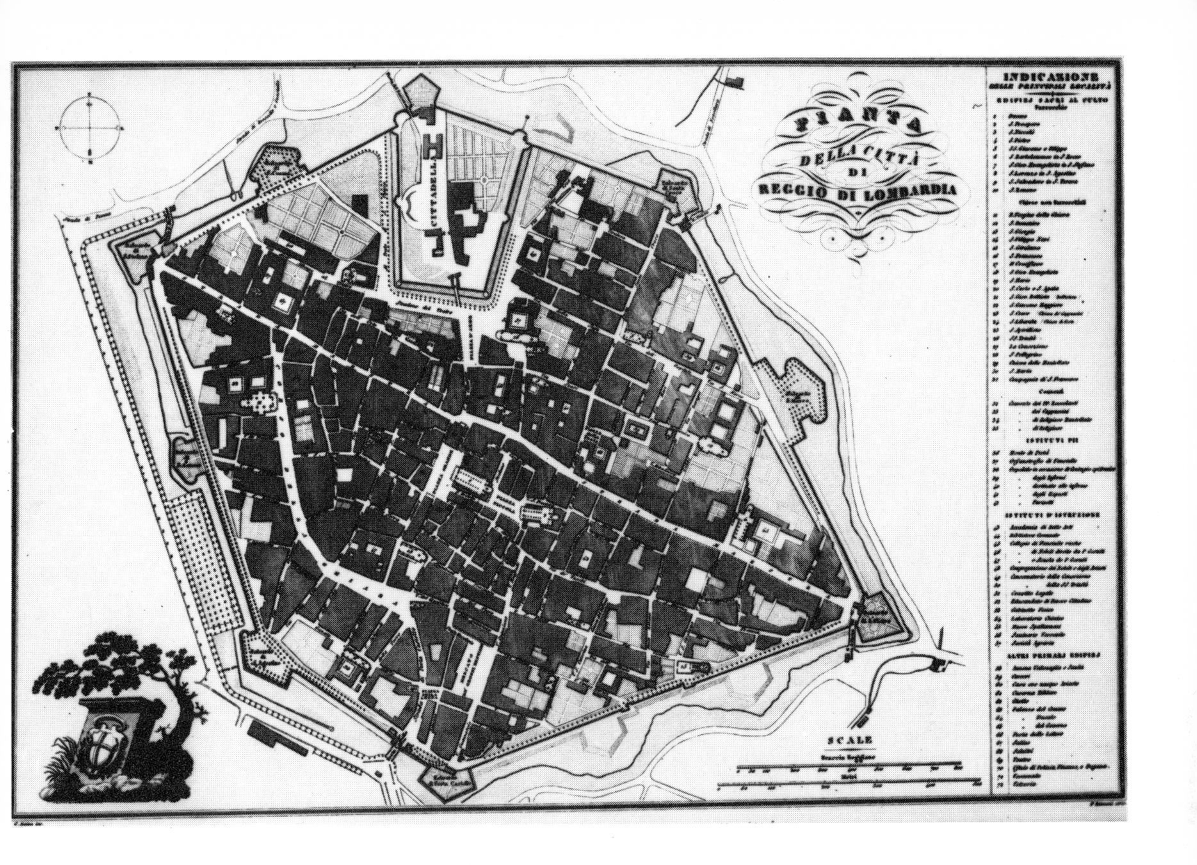

Reggio e, *a sinistra,* Modena in due piante dell'*Atlante geografico degli stati italiani* di A. Zuccagni-Orlandini (Firenze 1844, vol. II, *Stati estensi,* n. 1 e n. 2).

Lo stato estense in una carta di P. Micheli e G. Raffo del 1847 (Modena, Archivio di Stato).

trasse dietro 310 bocche». Nel 1469 l'imperatore Federico III d'Asburgo e il suo seguito stettero dodici giorni a Ferrara; l'ospitalità estense a tutti fu larga, e la seguì un'imposizione di una tassa straordinaria nello stato per rifarsi in qualche misura delle spese [1]. Sul «grandioso» Borso d'Este è già stato scritto abbastanza, e così su Ercole I dopo di lui e sulle sue «tre più gagliarde passioni»: gli spettacoli, i viaggi — a Venezia, a Mantova, a Lucca, a Milano, facilmente con centinaia di persone al seguito e di cavalli, di muli —, le grandi costruzioni — l'«addizione erculea» a Ferrara, con i venti palazzi e le dodici chiese che vi si costruirono in neppur dieci anni [2]! —. Ma v'erano poi ancora le spese enormi per le doti e per le nozze di Estensi e i conseguenti straordinari aggravi fiscali, come ad esempio nel 1490 per quattro matrimoni [3]; e accadeva così che i lettori del celebrato studio ferrarese si vedessero ridotte le retribuzioni e patissero per lunghi anni, magari addirittura dal 1496 al 1531 [4]. Arbitrio e giustizia; spese pubbliche e spese private; spese di denaro e vantaggi di potere politico, evidente fra tutti il caso delle nozze tra Alfonso d'Este e Lucrezia Borgia — che ricordammo già — quando per di più il governo estense ebbe dal papa Alessandro VI centomila ducati d'oro [5]; imprese del privilegio ecclesiastico più strettamente connesso col laico — è il caso di ricordare Ippolito d'Este, vescovo, cardinale, fratello di Alfonso I, e le sue qualità politiche e militari, le sue molte fortune e le sue efferatezze, le sue immense spese? —: nella continua commistione dei fatti dentro e fuori dello stato si realizzava innanzitutto l'Italia dei principi, il Rinascimento fu bene il loro tempo aureo e fra le sue vette vi fu certamente la Ferrara degli Estensi e di quanti prosperarono insieme a loro e sul restante dei tre ducati di Ferrara, di Modena e di Reggio.

In quel commisto clima la vendita che gli Estensi e particolarmente Ercole I fecero dei pubblici uffici nello stato, così come la facevano quasi tutti i governi del tempo e non solo in Italia e che altrove giovò anche molto a progressi borghesi antifeudali; l'incremento dato da Ercole I all'agricoltura e al commercio ma al tempo stesso i suoi interventi nelle proprietà altrui per accrescere l'estensione delle proprie celebrate «delizie» di Belriguardo, del Barco e via dicendo, gravando sulle comunità e sui contadini; le bonifiche nel Ferrarese, fra le altre quella della Sammartina, volute dai principi o da avveduti cortigiani: tutte quelle prove del privilegio sostanzialmente confermarono anche nell'Italia di Carlo V e di Clemente VII,

[1] A. Frizzi, *op. cit.*, vol. IV, pp. 31 e 65.
[2] A. Frizzi, *op. cit.*, vol. IV, pp. 86, 92-93, 153 e sgg.; L. Chiappini, *op. cit.*, p. 178.
[3] A. Frizzi, *op. cit.*, vol. IV, pp. 161-162.
[4] A. Frizzi, *op. cit.*, vol. IV, p. 166.
[5] A. Frizzi, *op. cit.*, vol. IV, pp. 205-208.

e nei suoi caratteri preminenti, il paese che Borso aveva trovato quando era succeduto a Leonello e poco dopo era divenuto duca. E dal momento che il luogo centrale delle affermazioni del privilegio da Borso ad Alfonso I era rimasto nell'area ferrarese, cioè in un'area in cui le forze della natura e degli uomini avevano continuato e continuavano a contrastarsi nonostante le bonifiche e nonostante gli interventi idraulici — anche il Lamone nel 1504, l'Idice nel 1522 o poco dopo, il Reno nel 1526 furono pericolosamente immessi nel Po di Primaro —, e i mezzi tecnici del tempo continuavano a non consentire risultati maggiori seppur impiegati senza preoccupazioni di denaro e di fatiche di sudditi, si continui anche per ciò a rilevare il dramma di un privilegio affermato e nondimeno minato dalle acque, dalla terra, dalle condizioni economiche e politiche in cui operava.

Capitolo II. **Libertà, privilegio, devoluzione**

1. Fortune di comunità

Nell'area reggiana

Ritornati gli Estensi a Reggio e a Modena e negli altri luoghi perduti nei decenni precedenti, ottenuta nel 1530 la seconda metà di Carpi da Carlo V che l'aveva confiscata durante la contestazione tra Alfonso I e i Pio, alcune parti della pluralistica realtà dello stato estense si avviarono a vivere più attive fortune borghesi.

Ciò accadde nell'area reggiana, nei luoghi che durante la dominazione pontificia in qualche misura avevano potuto allontanare da sé la pressione dei feudatari sulle libertà comunitarie e avevano potenziato arti vecchie e nuove, fra cui soprattutto quella della seta a Reggio; accadde a Reggio e a Castelnovo Monti e altrove, lungo il Crostolo e il Secchia, nei luoghi che allora costituirono meglio i propri mercati su vie di traffico essenziali non solo per loro o per altri nello stato, ma prima ancora per tanta parte della restante Italia.

Lo svolgimento delle fortune borghesi di quell'area venne infatti dalla sua « economia estera » prima che dalla sua collocazione nello stato — collocazione che ad essa aveva dato e poteva dare solo un contributo parziale —; e venne di là prima che dalla politica interna o estera del governo estense, anche dove questo proseguì l'impegno del dominio pontificio contro le ingerenze feudali nell'area.

Ma non ci si fermi a parlare di un « prima », e si distingua subito ulteriormente fra il comportamento degli interessati alle libertà comunitarie e il comportamento del maggior privilegio. Ercole II intervenne almeno due volte riconfermando le decisioni pontificie del 1512 contro i feudatari che non lasciavano portare a Reggio « né vitelli, né altra grassa, di maniera da produrre penuria e carestia »[1]. Dell'arte della seta, Alfonso I e poi Ercole II sostennero gli imprenditori, i mercanti: cinquanta iscritti all'arte nel 1551, e per i quali probabilmente lavoravano cinquecento telai[2] (i duchi non sostennero invece i produttori di bozzoli e tanto meno gli operai, secondo una linea d'azione protezionistica troppo evidente ed antica perché la dobbiamo commentare ancora). E insomma in più modi, non incoerenti, il governo mostrò di curarsi o senz'altro si curò di certe sorti reggiane. Tuttavia ogniqualvolta il confronto anche delle maggiori libertà col privilegio feudale esterno alle comunità si fece più largo, vale a dire politicamente più impegnativo, fu sempre quel privilegio ad avere la meglio, nella sua persistente, strutturale alleanza col privilegio estense.

« L'acqua è la vita della città », dissero al tempo di Ercole II gli anziani di Reggio — un corpo di quel consiglio generale —; essa serviva per macinare, irrigare, quindi anche per procurare erbe al bestiame, serviva per le arti della lana e delle tele e della seta; occorreva indispensabilmente e regolatamente a Reggio e al suo distretto. Alluvioni nel distretto, come quella del 1537 provocata dai confinanti Gonzaga che avevano fatto interrompere il corso del Crostolo, non costituivano un dramma ricorrente come nel Ferrarese perché nel Reggiano nei secoli precedenti si era già molto faticato contro le acque; tuttavia l'urgenza delle bonifiche era grande anche nella pianura reggiana. Ma occorreva intendersi col governo estense e coi principi degli stati confinanti — i Torelli e poi i Gonzaga a Guastalla e gli altri Gonzaga a Novellara —, occorreva intendersi coi feudatari circostanti Reggio. E accadeva che i Pio Estensi signori di Sassuolo, « contro una decisione ducale del 1536, irrigavano la maggior parte dello stato » — vale a dire del ducato di Reggio —; che i Boiardi signori di Scandiano « ricavavano utili, vendendo acque abusivamente derivate, e, contro i patti, impedivano il libero corso di quelle di Tresinaro »; che sul canale d'Enza, costruito nel 1462 e donato poi a Reggio da Alfonso I d'Este quando era caduto là il dominio pontificio, « i signori di Correggio — contro una convenzione del 1524 — pretendevano una maggior fornitura d'acqua, sicché la comunità durava gran fatica a reprimere gli abusi... ». Accadeva tutto ciò, « liti e processi ebbero luogo allora e dopo, ma la città ogni volta perdette qualche cosa, poiché i duchi preferivano venir a compromessi coi signori vicini »[3].

[1] Nel 1540 e nel '46: in A. Balletti, *Storia di Reggio*, cit., p. 402.

[2] Cosí calcolò già N. Campanini, *Ars siricea Regij. Vicende dell'arte della seta in Reggio nell'Emilia dal secolo XVI al secolo XIX*, Forni, Bologna 1973 (ristampa anastatica dell'edizione di Reggio nell'Emilia 1888), p. 120.

[3] O. Rombaldi, *Gli Estensi al governo di Reggio dal 1523 al 1859* (*ricerche*), Editrice Age, Reggio Emilia 1959, pp. 14 e 12-13.

In quel clima di compromessi coi signori interventi come quelli che abbiamo già ricordato di Ercole II nei confronti dei feudatari, che miravano a produrre in Reggio « penuria e carestia », non potevano avere successo. Ma si andò più innanzi, nella misura in cui i feudatari accrebbero la propria presenza sui reggiani esigendo tributi da quelli di loro che possedevano terre nei propri feudi e sostituendosi così al governo della comunità e al duca, impegnati a loro volta in quelle esazioni che volevano sottratte ai feudatari e a vantaggio delle finanze della comunità e del governo ducale. Il conflitto fra i reggiani che opponevano le proprie libertà e i feudatari che riproponevano sempre di più il diritto e la forza del proprio privilegio andò aggravandosi; dal 1550 i feudatari si fecero « sempre più fermi nelle rivendicazioni di un dominio che non patisse eccezioni o ingerenze » da parte di Reggio [1].

Da ciò non si ricava ancora e non si ricaverà mai che il potere estense cedesse in tutto al privilegio feudale della pianura e della montagna reggiana; ma è certo che le fortune borghesi di Reggio e delle altre comunità maggiori di quel ducato dovettero valersi delle proprie forze assai prima che di ogni aiuto estense. Le esportazioni di bestiame — il mercato di Reggio era « uno dei più famosi nell'Italia settentrionale, frequentato da lombardi, veneti e toscani » —, le altre di tele di canapa — quelle dirette nei paesi mantovani e veneti furono stimate nel 1546 produttrici di un reddito di circa ventimila scudi d'oro all'anno —, e dei vari prodotti dell'arte della seta, provarono innanzitutto la qualità e l'entità di una economia che nasceva da radici diverse da quelle estensi e generalmente del privilegio. Furono significative della stessa realtà le opposizioni reggiane, quando Alfonso I nel 1532 e nel '34 avrebbe voluto che le monete circolanti a Reggio avessero lo stesso corso che a Ferrara, perché il divario danneggiava le entrate ducali; « i banchieri reggiani furono costretti a destreggiarsi fra i cambi delle aree monetarie parmigiana, veneto-mantovana, ferrarese, modenese e bolognese, in modo da favorire i propri traffici » [2].

Se è certamente vero che « la storia economica della città e del ducato » di Reggio è ancora da scrivere [3], queste e altre notizie di Rombaldi concorrono ad essa con sicurezza. Ma su un punto, e cioè sul divario fra i maggiori e i minori fruitori delle libertà reggiane, fra i mercanti e gli operai e via dicendo, così come esso andò svolgendosi dal 1530, e sulle « premesse di più grave squilibrio e di più profonde alterazioni » che ciò

[1] O. Rombaldi, *op. cit.*, p. 21.
[2] O. Rombaldi, *op. cit.*, p. 19.
[3] O. Rombaldi, *op. cit.*, p. 5.

costituiva per le sorti generali della comunità [1], sottolineeremmo più di Rombaldi l'incidenza negativa dei fatti politici e militari che pure egli ricorda, e che coinvolsero anche Reggio e altre zone del Reggiano negli ultimi travagli estensi e generalmente italiani del conflitto franco-asburgico: per avvertire una volta di più la distanza fra la realtà borghese reggiana e la privilegiata estense, il conflitto reale fra l'economia estera reggiana e la politica estera ducale estense in special modo in quell'ultimo tempo di Ercole II.

E poi torniamo a ricordare la distanza fra le realtà borghesi a Reggio e nel Reggiano e le realtà montanare-contadine circostanti — anche della Garfagnana estense, e di stati vicini come Guastalla e Correggio —, distanza che magari tornò a farsi sentire con più forza nel 1557 quando gli spagnoli attaccarono zone del Reggiano, ma che già negli anni Quaranta ostacolava nella montagna i mercati di Castelnovo Monti e di Carpineti: anche in quei casi il governo estense non contrastò gli oppositori delle comunità [2].

Nella pluralità delle aree e delle classi sociali e dei poteri politici e giurisdizionali dello stato, e di quanti interessi avevano l'occhio a quello stato, la presenza di libertà di comunità continuò insomma ad essere un fatto che sollecitava ogni differenza tra le forze in campo. E perciò occorrerà insistere molto nell'ulteriore studio di tali libertà, di quelle già meno sconosciute e delle altre sinora trascurate.

Comunità e contadini

Nel 1535 i proprietari reggiani di terre nel distretto avvertirono che dal Milanese i loro mezzadri erano chiamati «con grandi offerte» e dunque li si sarebbe perduti, insistendo nelle imposizioni di tributi di guerra che Ercole II voleva fare anche su quei mezzadri contro i patti del 1409 fra Reggio e Niccolò III d'Este [3]. E a loro volta molti contadini del distretto e del restante ducato di Modena, dopo aver patito almeno cinque alluvioni dal 1530 [4], nel corso della carestia del '39 che fu gravissima nelle campagne modenesi non meno che nelle ferraresi e tutt'altro che isolata dall'inizio del Cinquecento [5] se ne andarono in Lombardia, soprattutto nel Pavese.

[1] O. Rombaldi, *op. cit.*, pp. 19-20.

[2] A. Balletti, *op. cit.*, p. 320; O. Rombaldi, *op. cit.*, p. 21; M. Berengo, *Nobili e mercanti*, cit., specie pp. 355-356.

[3] O. Rombaldi, *op. cit.*, pp. 20-21.

[4] V. l'*appendice seconda* in G. L. Basini, *L'uomo e il pane*, cit., pp. 128-129.

[5] Sulle altre carestie, dal 1502-3 in poi, v. G. L. Basini, *op. cit.*, p. 65.

Ciò che Basini riporta in proposito dal cronista Tomasino de' Bianchi è di molto interesse e bisogna rileggerlo: « molti contadini delle nostre ville del modenese se sono partiti e andati in Lombardia, chi a Pavia chi in altri lochi perché el dicono che el se ge fa pan grosso et che el ge dexagio de lavoranti »; « molti contadini del distretto et ducato di Modona se sono partiti con tutte le sue robe et famiglie et sono andati a stare in Lombardia e la maggior parte in quello de Pavia perché dicono che danno gli gnocchi ben informagiati con spetie e butero, a zapare a maggio, et più che le sue vigne le ligano cun la salciza gialla... » [1]. Con gli echi di una indubbia propaganda, ma anche di quella che era pur sempre la condizione della proprietà e della produttività della terra in tanti luoghi dello stato di Milano anche dopo gli Sforza e nonostante i travagli delle guerre, che duravano ormai da decenni su quello stato, nel cronista si ha una testimonianza vivace di una condizione diversa dove i proprietari nobili, o ecclesiastici, o borghesi, erano da abbandonare — e d'altra parte negli statuti di Modena del 1547 non si leggeva che i « rustici » erano « mirum in modum proclives ad inferenda damna patronis » [2]? —, e dove il governo estense confermava la sua linea di sempre quando avvertiva che nessuno aiutasse i contadini che se ne andavano [3].

I proprietari reggiani cercavano di resistere alle imposizioni ducali ma a loro volta non aggiungevano alla resistenza qualche atto di positivo favore per i mezzadri [4]; e se le acque urgevano su questi meno che sui mezzadri e generalmente su chi lavorava la terra nel Modenese, urgevano di più i feudatari del loro ducato.

Un discorso sui contadini nello stato estense vive insomma anche per il Cinquecento di testimonianze e di prime conoscenze che richiederanno, sì, e come già per i tempi anteriori, molte altre testimonianze e conoscenze e la maggiore attenzione a distinguere fra i vari modi di essere presenti sulla terra e di averne vantaggi o svantaggi economici e sociali, ma che indicano già ora e con frequenza una realtà difficile o difficilissima per molti di quei contadini; ed è già certo che in quella realtà, nel loro rapporto coi contadini, i proprietari borghesi vissero non solo le più generali ragioni di tempi di prevalente economia agricola in Italia e fuori, di tempi di crisi di sussistenza e di altre molte difficoltà intrinseche a quell'economia, ma

[1] In G. L. Basini, *op. cit.*, p. 14.

[2] In L. Cajumi, *Società e governo a Modena nel secondo Cinquecento*, tesi di laurea di storia moderna discussa nel marzo 1969 presso la Facoltà di Lettere e Filosofia di Bologna (relatore L. Marini), p. 87.

[3] G. L. Basini, *op. cit.*, p. 14, n. 7.

[4] Anche nel 1561, discutendosi per un nuovo e più equo estimo rurale, lamentarono le « infinite estorsioni ed inganni che essi contadini gli fanno », « la molesta unione con contadini »: in O. Rombaldi, *op. cit*, p. 28.

vissero con esse le proprie specifiche ragioni di uomini, che un privilegio quanto mai diffuso nello stato premeva o addirittura condizionava cointeressando le loro sorti alle proprie; per cui un discorso sui contadini nelle varie aree dello stato concorrerà spesso, la sua parte, a definire in un senso limitativo le fortune borghesi.

Nel Reggiano la proprietà feudale andò crescendo nella sua ingerenza negli affari delle comunità; nel Modenese comunità e contadini patirono di più per i movimenti di truppe francesi e soprattutto spagnole che afflissero anche dopo il 1530 quella pianura — e nel Frignano gli stessi feudatari ebbero per ciò complicata la vita, patteggiando a volte con quelle presenze militari e trovandosi poi in contrasto col governo estense di cui erano vassalli —. Altre alluvioni dopo il 1539 aggiunsero ulteriori difficoltà [1]. E alluvioni e movimenti di truppe, e una economia estera per qualche verso meno intensa della reggiana, fecero sì che a Modena e nelle altre comunità di quel ducato le fortune delle arti, dei mercati, dei traffici di merci e di denaro, e dei governi, si incrementassero dopo le reggiane e più nel secondo Cinquecento che nel primo.

Reggio, fra libertà e privilegio

Se anche nel secondo Cinquecento i mercanti dell'arte della seta, cui nel 1585 lavorava quasi un terzo dei reggiani e perciò più di quattromila persone, continuarono per qualche tempo ad essere i maggiori fruitori delle libertà della comunità, il loro divario dai produttori di bozzoli si fece via via meno netto; la commistione dei loro interessi con quelli dei proprietari di terre crebbe — Stefano Scaruffi morì nel 1581 lasciando un capitale di 24.633 scudi in sete, e di 37.080 scudi in case e poderi, la commistione era a volte cosa di una medesima persona —; ma soprattutto crebbero di intensità le speculazioni che i proprietari reggiani di terre fecero sul commercio dei grani giocando sulle esportazioni dal ducato e sui contrabbandi più larghi senza curarsi di carestie — del 1572-75, del 1590-93 — e delle stesse conseguenti cure estensi per porvi rimedio, agendo in accordo con feudatari e anche coi feudatari che non avevano cittadinanza in Reggio, manovrando la fame degli altri reggiani tanto più dal 1585 e cioè dopo che Alfonso II autorizzò la comunità a gestire l'approvvigionamento dei grani per Reggio, il suo distretto, il restante ducato, valendosi della congregazione dell'abbondanza: gli stessi anziani della comunità erano nel 1586 al centro di quest'ultima operazione.

La produttività dell'arte della seta crebbe fino al 1583 — già nel '77

[1] V. l'*appendice seconda* in G. L. Basini, *op. cit.*, pp. 129-130.

l'arte portava in Reggio « meglio di 70 o forse 80 mila scudi » [1] —, e crebbero i capitali investiti in essa dai lucchesi e le esportazioni, anche in Francia e in Germania e in Fiandra e in Spagna. Poi le molte conseguenze del vasto disordine monetario interno ed esterno al Reggiano e agli altri ducati estensi, l'aumento dei prezzi là dove non favorì ma recò danno ai traffici, la concorrenza di altre manifatture di seta fuori dello stato, il fiscalismo estense crescente già nell'ultimo decennio di Ercole II e poi soprattutto per le tante ragioni del governo di Alfonso — vi accenneremo a suo tempo — , provocarono una riduzione di quella produttività sempre più grave; ma a diminuirla furono anche le più ricche fortune dei reggiani proprietari di terre, fu l'avanzare della pressione dei feudatari sulla comunità e anzi sulle comunità del ducato. I Manfredi e i Canossa e molti altri signori del Reggiano ottennero dal duca dal 1565 una migliore definizione delle loro prerogative, sicché i loro feudi « acquistarono un carattere di maggior autonomia di fronte al potere pubblico » di Reggio e del governo estense [2]. Il consenso di duchi come Alfonso I ed Ercole II ai mercanti di seta si mutò progressivamente in un appoggio limitato nei suoi vantaggi economici e politici per quei mercanti; è un fatto, che soprattutto nel corso degli anni di Alfonso II « borghese » a Reggio significò via via meno di quel che aveva significato prima, anche se errerebbe chi volesse vedere in ciò un logoramento fatale delle libertà reggiane.

Non si arrivò a una morte di quelle libertà, ben sempre difese e tanto più quando già venivano a loro le insidie del governo estense [3], e altre insidie dal governo della diocesi di Reggio e dal clero ostile a contribuire a spese pubbliche e a regolamentare il proprio ruolo economico e politico-giuridico nel ducato, « obbediente solo alle disposizioni dei sinodi » e che spesso insisteva nei molti abusi — quanto abituali ancora e sempre anche in altri stati! — circa il possesso di armi e il profittare di lasciti e di testamenti e il trafficar biade senza licenza, e insomma insisteva in un uso assai largo delle proprie immunità [4].

Non si giunse a una morte delle libertà reggiane ma si avviò una trasformazione che incominciò pur sempre a modificare la loro qualità,

[1] In O. Rombaldi, *L'arte della seta a Reggio Emilia* [sic] *nel secolo XVI*, in *L'arte e l'industria della seta a Reggio Emilia, dal sec. XVI al sec. XIX*, Aedes Muratoriana, Modena 1968, p. 56.

[2] O. Rombaldi, *Gli Estensi al governo di Reggio*, cit., p. 34.

[3] Anche e certamente, ma non sempre, per mezzo dei governatori: ed è anche questo un discorso tutto da fare, uomo per uomo, famiglia per famiglia, privilegiato per privilegiato e non solo a Reggio ma in tutto lo stato; né il discorso si fermerebbe ai governatori, è ovvio, ma dovrebbe estendersi ad ogni altro « braccio » del potere estense. In conclusione si approfondirebbe la ricostruzione delle alleanze e delle differenze nel privilegio nello stato.

[4] O. Rombaldi, *op. cit.*, pp. 43-46; e anche A. Balletti, *op. cit.*, p. 351.

portando la terra e i feudatari e il clero come proprietario a contare di più nella vita economica e politica di Reggio e ad influenzare classi sociali e ideologie della comunità; mentre concorrevano a tanto anche le larghe bonifiche degli ultimi quarant'anni del secolo nel ducato [1], e le affittanze agricole subivano « notevoli aumenti » [2].

Dai borghesi mercanti o dai borghesi « gentiluomini » di Reggio; dai signori del ducato o dalle altre comunità meglio poste sulle maggiori vie del traffico dalla Toscana al ducato di Parma allo stato di Milano o alla terraferma veneta e su altre fuori e dentro lo stato estense — ma sempre sottolineandosi ogni differenza di interessi e di costumi da Ferrara! —; si continuò ad incrementare i traffici secondo le leggi e fuori delle leggi, e quei traffici continuarono ad essere di molti e importanti generi — dell'olio toscano e del ferro bresciano e delle tele e del bestiame e dei grani reggiani —, ma qualificarono sempre di più i loro operatori come gli uomini di una economia mista, di una economia del denaro e della terra, non « capitalistica », non tutta regolamentata da governi di comunità o di signori o estensi, non tutta libera per interessi di comunità o di signori, sollecitata da libertà di comunità e da condizioni di privilegio in una maniera sempre più connessa.

A Modena, le arti

Anche « la storia economica e sociale di Modena nel Cinque e nel Seicento è tutta da scrivere » [3]; ma i risultati di qualche indagine recente consentono di avvicinarsi a questa necessità meno sprovveduti di un tempo, e quanto più si continui a vedere Modena e il suo distretto e tutto il ducato nel più largo àmbito di questioni che stiamo considerando.

Contadini e montanari abbandonarono il ducato modenese anche nel corso del secondo Cinquecento: sempre colpiti per primi dalle alluvioni — ad esempio, nella pianura, del Secchia nel 1564 [4] — o dalle carestie — ad esempio nel 1551-52, nel '59-60, e dal '90 al '93 [5] —; oppressi dai feudatari (e in quei casi forse anche perché troppo numerosi nella realtà economica e politica in cui erano), giocati in ogni contrasto tra feudatari e

[1] In proposito v. O. ROMBALDI, *Storia di Novellara*, Editrice Age, Reggio Emilia 1967, pp. 147-175; e per nuovi dati archivistici anche S. CAMURRI, *La politica delle bonifiche nella pianura fra Crostolo e Secchia nella seconda metà del XVI secolo*, tesi di laurea di storia moderna discussa nel novembre 1973 presso la Facoltà di Lettere e Filosofia di Bologna (relatore L. Marini).

[2] Dopo il 1580: O. ROMBALDI, *Gli Estensi al governo di Reggio*, cit., p. 42.

[3] G. L. BASINI, *op. cit.*, p. 3.

[4] V. in L. CAJUMI, *op. cit.*, pp. 45-46, n. 2.

[5] G. L. BASINI, *op. cit.*, pp. 17 e 65.

duchi, tra comunità e feudatari; accolti a Modena sino a che le difficoltà portate dalla loro presenza non soverchiavano la comunità, poi cacciati senza esser messi in grado di riprendersi una volta ritornati sulle terre. A lasciare il ducato e lo stato per la Maremma toscana, o per molti altri luoghi di altri principi circostanti lo stato, li spinse in molti casi anche il fatto della guardia alle porte di Modena, che un certo numero di loro — nel 1580, settantotto [1] —, doveva fare ogni notte insieme ai soldati e che riusciva pesantissima alla loro esistenza, ai loro interessi. Eppure Alfonso II sapeva bene di quanta importanza era che lo stato fosse pieno « di grosso numero di persone », sapeva che la potestà del principe nasceva « dallo imperare a molti »: lo disse in una grida del 1565 e lo ripeté variamente molte altre volte, ma si limitò a dirlo.

A Modena le arti erano ventuna, e le maggiori furono quelle della seta e della lana e della canapa, dei calzolai e dei « pellizzari » e dei cartai e dei banchieri, dei « paroni » indispensabili al commercio e ad ogni spostamento anche di uomini sui canali modenesi e da Modena a Ferrara e a Venezia; esse furono le maggiori e generalmente quelle che progredirono di più nel corso degli ultimi decenni del secolo: il progresso fu di lavoro e di esportazioni, fu di arricchimento e di ricerca di un potere economico meglio raccolto in poche mani [2]. Monopolio dell'arte e possessi terrieri accresciuti caratterizzarono gli orientamenti più diffusi, fra gli altri tra i cartai e i banchieri; e poiché nel suo farsi una tale vicenda parrebbe esser divenuta qualche poco simile alla vicenda dei preminenti nelle arti reggiane, essa andrà molto seguita anche per questa ragione nei futuri studi, per misurarne i termini e verificare le somiglianze e studiare le dissomiglianze e comprendere quale fu la sua ipoteca maggiore o minore sul Seicento sempre più vicino e sulla realtà dello stato estense in quel secolo, con Modena per capitale e non più con Ferrara — è comunque già noto che se l'uva e il vino e l'acquavite, e il bestiame, addirittura si esportavano dal Modenese a Venezia e altrove, all'opposto la produzione di grani non bastò mai al consumo interno anche negli anni dei più abbondanti raccolti e fu proporzionalmente inferiore alla produzione reggiana [3] —.

La popolazione modenese era più numerosa della reggiana; negli anni Ottanta del Cinquecento la reggiana è stata variamente calcolata fra le

[1] L. Cajumi, *op. cit.*, p. 118.

[2] P. Fiorenzi, *Le arti a Modena (storia delle corporazioni d'arti e mestieri)*, Società Tipografica Modenese, Mucchi, Modena 1962, p. 94; G. L. Basini, *op. cit.*, p. 73; Id., *Tra contado e città: lanieri e setaioli a Modena nei secoli XVI e XVII*, in « Rivista di storia dell'agricoltura », XIII, 1973, n. 2, pp. 3-42, *passim*.

[3] G. L. Basini, *L'uomo e il pane*, cit., pp. 27, 43-47, 50, 58, 74; e anche p. 140.

13.500 circa e le 12.227 bocche[1], la modenese, in quel tempo di particolare « vitalità » delle sue arti e dei suoi commerci, fu sempre compresa fra le più che 18.000 e le 19.911 bocche[2]. Di conseguenza sembra che un confronto tra le arti della seta di Reggio e di Modena sia più favorevole alla prima, che proporzionalmente impiegava più persone della modenese, se una notizia, che abbiamo e che indica in 5.500 persone circa il numero complessivo degli addetti all'arte modenese e dei loro familiari, può essere confrontata con la reggiana[3]. Ma è più importante rilevare che la produzione di bozzoli del ducato alimentava solo una parte minore della fabbricazione complessiva di sete a Modena, per un massimo di 10.000 sulle 62.000 libbre lavorate « un anno per l'altro » e secondo la stessa notizia appena ricordata e nell'àmbito della sua utilizzazione; la seta che si importava pagava dazio a favore della camera ducale estense, il prodotto esportato pagava dazio alla stessa camera. « Nel 1571 venne portata nel pavaglione la quantità massima di seta per l'arco di anni che ci interessa, cioè 171.579,10 libbre, mentre il vertice più alto del valore trattato si ebbe nel 1584, e fu di lire 147.255,8,2 »[4]. « Nel 1577 erano in funzione 207 telai da velluto e 28 telai destinati ai lavori sottili (cendali, bavelline, ecc.) »[5].

Ed importa almeno altrettanto sapere che alle molto positive fortune dei borghesi imprenditori e mercanti dell'arte si interessarono anche nobili di famiglie antiche e largamente proprietarie di terre, come la marchesa Rangone con un filatoio nel suo feudo di Spilamberto e per quanto, in quel caso, gli interessi borghesi dell'arte mantenessero il loro controllo sull'iniziativa privilegiata[6]. Ciò è significativo, perché anche a proposito dell'arte della seta a Modena è così forse possibile osservare una qualche vicinanza alla medesima realtà che via via caratterizzò le fortune dell'arte della seta a Reggio lungo il secondo Cinquecento, una vicinanza che probabilmente fu meno marcata per quel che poteva essere la commistione degli interessi imprenditoriali e degli interessi terrieri nei preminenti dell'arte ma che esisté pur sempre, dal momento che in quei decenni mancò anche

[1] A. Balletti, *op. cit.*, p. 437 (per il 1585); O. Rombaldi, *op. cit.*, p. 43 (per il 1589).

[2] L. Cajumi, *op. cit.*, pp. 8-10 e 30-31; G. L. Basini, *op. cit.*, pp. 16-17.

[3] Questa infatti vale per il 1585, la modenese è sicuramente del secondo Cinquecento, svolge un discorso chiaramente non limitato ad un anno solo e sostanzialmente non si riferisce a momenti di difficoltà dell'arte; nondimeno è priva di data: v. L. Cajumi, *op. cit.*, pp. 64-65. L'ha poi ripresa G. L. Basini, *Tra contado e città*, cit., p. 12 (ma vi si legga 5.500 e non 4.500 persone).

[4] L. Cajumi, *op. cit.*, pp. 66-67.

[5] G. L. Basini, *op. cit.*, p. 13.

[6] L. Cajumi, *op. cit.*, pp. 67-68.

a Modena, come a Reggio, una condizione « capitalistica » dei preminenti dell'arte [1].

« Sottilissimi e molto inclinati al traffico » [2] quant'altri mai fra i modenesi, gli esponenti maggiori dell'arte furono premuti anch'essi dal progressivo sconcerto delle monete e dal fiscalismo estense e in tutto ciò da una carenza di denaro liquido che i banchieri e anche i banchieri ebrei dello stato non erano sufficienti a correggere per esser presi, a loro volta, nelle difficoltà crescenti di tanta economia e di tanta politica del governo di quello stato; e in ultima analisi essi furono premuti dalla sproporzione fra libertà e privilegio, fra borghesi e nobili feudatari, da una sproporzione che rendeva precario ogni loro rapporto coi produttori di bozzoli del Modenese o forestieri e con le maestranze dell'arte, e che, se non impediva la loro presenza nelle maggiori fiere del ducato e quindi a Finale e a Pavullo, né le altre loro affermazioni dentro e fuori dello stato e soprattutto sui mercati di Ferrara e di Mantova, a Venezia colle barche dei « paroni » e di là verso i paesi asburgici e nelle Fiandre e nel Levante, tuttavia restava grande.

Le fortune dell'arte modenese della lana non furono dissimili da quelle dell'arte della seta, o per dir meglio furono dissimili solo perché quantitativamente minori di esse per il numero delle persone impiegate e delle pezze di panno prodotte ogni anno, e per la minore area interessata dall'esportazione dei panni — i mercati dell'Italia settentrionale —. Ma le 400 famiglie e le 2.500 pezze di cui abbiamo notizia per l'ultimo Cinquecento, i dazi di cui godeva la camera ducale per i prodotti importati e necessari alla lavorazione dei tessuti e per i tessuti esportati [3], la presenza dell'arte nei mercati di Finale e di Pavullo, furono ugualmente fatti di rilevanza per l'economia borghese modenese.

Che poi gli interessi borghesi nel ducato non si conciliassero facilmente — e allora si pensi innanzitutto ai contrasti fra i lanaioli di Modena e quelli di Finale [4] —, è cosa che ricorda, sì, la presenza di altre comunità e la necessità di considerarle quando il discorso sulle fortune borghesi nel ducato sarà più largo, ma in primo luogo è cosa che conferma anche per il ducato modenese le difficoltà di ogni impresa economica non feudale e operante nella presenza del privilegio.

La comunità modenese risentì in vari modi delle difficoltà. Nel ducato erano anche i grossi feudi di Sassuolo ancor sempre coi Pio Estensi, di Spilamberto coi Rangone, di Vignola coi Contrari e dal 1577 coi Boncom-

[1] L. CAJUMI, *op. cit.*, pp. 69-71.
[2] O. DELLA RENA, *Relazione dello stato di Ferrara*, cit., p. 41.
[3] L. CAJUMI, *op. cit.*, pp. 71-75.
[4] Ripetute volte fra il 1563 e il '90: L. CAJUMI, *op. cit.*, pp. 74-75.

pagni, di Guiglia cogli Aldrovandi e poi con Ferrante Estense Tassoni, e v'era un numero finora non precisabile di altre terre minori tenute in feudo « da molti cavallieri et gentilhuomini », anche forestieri, nobilitati magari di recente dagli Estensi e più spesso da altri principi, quali i Farnese [1]. Lo « stato immediato » — i domini estensi diretti e quindi le libertà delle comunità ma al tempo stesso il privilegio estense sulle comunità — doveva quotidianamente convivere con lo « stato mediato » dei feudatari e quindi col privilegio che essi erano e che gli Estensi miravano a limitare solo in una certa misura e così come accadeva nel ducato reggiano. Il peso maggiore quello stato immediato lo patì dai Pio Estensi e dai loro abusi in fatto di acque e di terre e di colture e di ogni altro bene cui non pochi modenesi erano interessati [2]; il peso minore, forse, gli venne dai Boncompagni [3]. Se una parte della nobiltà viveva alla corte di Ferrara e non sulle proprie terre, grandi famiglie come i Rangone e i Boschetti e i Montecuccoli e i Sartori vivevano sulle proprie terre ed erano presenti nell'economia e nel governo modenesi; il loro interesse non li portava davvero a cedere prerogative proprie agli Estensi ed in quel modo la loro partecipazione alla vita modenese giovava al mantenimento delle differenze tra modenesi e ferraresi, tra comunità modenese e duchi, giovava alle libertà di Modena; ma all'interno di quel giovamento si svolgeva poi, ed era inevitabile, un sottile conflitto, una pressione perché le libertà mutassero sempre più dal loro vecchio carattere comunale ad un carattere diverso, signorile, privilegiato. La presenza di altri nobili, recenti, si collocava ancora vicino alle libertà più che al privilegio ma non si identificava con le libertà, e anche ciò alimentava il conflitto.

La storia sociale e politica di Modena nel secondo Cinquecento si svolse attraverso le affermazioni delle arti e la collaborazione dei nobili recenti e l'insinuazione del privilegio, così come si svolse tra le fughe dei contadini e nelle resistenze alla fiscalità [4] e soprattutto alle assolutistiche mire del potere estense [5], e generalmente nelle resistenze ad ogni giurisdizio-

[1] L. Cajumi, *op. cit.*, pp. 22 e 27-28.

[2] Anche per il secondo Cinquecento vale in proposito M. Schenetti, *Storia di Sassuolo*, cit., pp. 107-146, *passim*; ulteriori notizie dà L. Cajumi, *op. cit.*, pp. 151-157.

[3] Su *La comunità di Vignola dal 1577 al 1616* e quindi anche sui Boncompagni c'è ora la tesi di laurea di storia moderna di G. Donini, discussa nel marzo 1971 presso la Facoltà di Lettere e Filosofia di Bologna (relatore L. Marini).

[4] Nuovi dati sono in L. Cajumi, *op. cit.*, pp. 157-181, 119, e *passim.*

[5] A questo proposito, e ricollegandoci a quel che abbiamo scritto già sopra alla p. 41, n. 3, è da notarsi che nel suo rapporto coi modenesi Alfonso II « tese a diminuire progressivamente l'importanza del governatore » (L. Cajumi, *op. cit.*, p. 104), e non solo, diremmo, per le ragioni che C. suppone alle pp. 104-105.

ne che non fosse della comunità bensì feudale o ducale o ecclesiastica [1]; con questo abbiamo già detto che la comunità superò i maggiori pericoli e salvò le sue libertà più essenziali e giunse così alla fine del governo di Alfonso II nel 1597, ma non dimentichiamo di ricordare il più delicato momento che essa patì nel suo procedere, e cioè il tentativo chiaramente sovvertitore che fu compiuto nel 1567 da Regolo Rangone e da Fulvio Rangone e da alcuni altri modenesi per mutare il sistema di elezione dei conservatori in modo che la loro nomina — ed essi erano il vertice del potere politico della comunità — sarebbe dovuta venire dal principe estense, e al di sotto del potere del duca avrebbero governato Modena, di fatto, i Rangone [2].

2. « Oh mala nostra avventurosa etade! »

Il privilegio nell'area ferrarese

Dal mondo delle comunità, nelle quali i rappresentanti del governo estense si trovavano in maggiore o minore misura a fare i conti con le libertà economiche politiche e giuridiche definite in vecchi o rinnovati statuti o in altre forme, Ferrara era lontana, sia nei vantaggi pratici che negli svantaggi conseguenti a tale lontananza. Non ritorniamo su ciò; ma almeno diciamo che la sua conoscenza non avrebbe dovuto impedire negli studiosi una considerazione di tratti specifici o magari particolari della storia economica e sociale ferrarese, mentre invece con poche eccezioni è accaduto proprio questo. Piromalli ha mosso un poco le acque in proposito; Cazzola ha fatto di più — il suo impegno critico essendo appunto rivolto a quella specifica indagine —, anche per quella possidenza ferrarese che aveva terre nel Polesine di San Giorgio di Ferrara e per il secondo Cinquecento [3]. In conclusione rimane moltissimo da fare.

Occorrerebbero molte storie, di nobili e di borghesi ma non solo degli uni o solo degli altri, e nelle quali un'attenzione esperta ai fatti della

[1] L'ecclesiastica pesò tuttavia in una misura molto minore delle altre, almeno dopo gli anni del vescovado del cardinal Giovanni Morone e sebbene la presenza del clero e delle sue proprietà nella vita modenese di quel tempo sia andata crescendo: per gli anni Settanta si è anzi parlato di « ingerenza prepotente dei laici nelle rendite ecclesiastiche » (oltre che dell'incuria dei parroci): M. T. Rebucci, *Le visite pastorali dei vescovi di Modena: Giovanni Morone e Sisto Viadomini,* Aedes Muratoriana, Modena 1968, pp. 107, 114, 115; e v. inoltre G. Pistoni, *Origini e diffusione del cristianesimo nella valle della Rossenna*, ne *La valle della Rossenna,* Aedes Muratoriana, Modena 1967, p. 58 sul conte Cesare Montecuccoli e allo stesso proposito.

[2] Più ampiamente su ciò L. Cajumi, *op. cit.*, pp. 204-214.

[3] F. Cazzola, *La proprietà terriera nel Polesine di S. Giorgio di Ferrara nel secolo XVI*, Giuffrè, Milano 1970.

proprietà terriera e della speculazione e dei traffici, delle alleanze di economie e di affari politici e di orientamenti ideologici, colmasse infine le lacune di oggi e rendesse più concreta la raffigurazione, la definizione della vita di Ferrara e della campagna ferrarese, cioè della maggior sede delle esperienze che il rapporto fra « corte » e « paese » compiva nello stato e che nel Cinquecento non compì davvero lungo una linea continua di felice ascendenza — questo almeno, nelle sue linee generali, è noto —.

Ricordare che nel tempo di Alfonso I « pochissimi mercanti forestieri abitavano Ferrara », e che il loro numero crebbe invece dall'inizio del governo di Ercole II con « alquanti mercanti fiorentini, levantini, e più che più portughesi, quai de' loro denari, e d'altri dati loro da quello eccellentissimo duca, introdussero molti della loro nazione... »[1]; ricordare fra i nuovi mercanti e oltre di essi gli ebrei a Ferrara e nel Ferrarese e nella Romagna estense e le loro sorti, prospere anche nel tempo di Ercole II e discretamente ancora in quello di Alfonso II, e nonostante le opposizioni delle arti a Ferrara e le generali difficoltà del Ferrarese nel secondo Cinquecento e il clima non sempre facile insorto per loro con la riforma cattolica e il concilio di Trento; ricordare di nuovo Sitta per le sue notizie sulla vita finanziaria della comunità ferrarese e sulle arti, e l'arte della lana che almeno al 1550 non sembra fosse condotta in Ferrara molto bene[2], e l'arte della seta e il suo declino dal 1570 in poi per la fiscalità ducale e per la concorrenza lionese[3]; tutto ciò è necessario e in un maggior numero di pagine potrebbe volere più larghi discorsi. Ma le esigenze che abbiamo appena manifestato resterebbero ugualmente in piedi.

Oggi per esempio non siamo in grado di misurare quanto le quaranta rotte del Po di Primaro, avvenute dall'immissione in esso del torbido Reno al 1542[4], o le altre alluvioni del Po ad ovest di Ferrara negli anni di Ercole[5], e le successive degli anni di Alfonso II e che finirono per fare del Cinquecento il secolo peggiore per troppi uomini e terre e acque del Ferrarese e per molta economia della stessa Ferrara, abbiano colpito nella comunità la possidenza borghese relativamente alla possidenza estense o altrimenti privilegiata, e abbiano colpito questa relativamente a quella. Eppure dovremmo saperlo, per penetrare anche così nell'intrinsecità della relazione fra la campagna e Ferrara; dovremmo saperlo per comprendere

[1] A. Mosti, *Relazione*, cit., p. 184.

[2] V. *L'arte della lana in Ferrara nell'anno 1550, da un manoscritto della Biblioteca di Ferrara*, ecc., a cura di G. Ferraro, Ferrara 1876, *passim*.

[3] O. Rombaldi, *op. cit.*, pp. 40-41.

[4] G. Soranzo, *L'antico navigabile Po di Primaro*, cit., p. 98.

[5] V. l'*appendice seconda* in G. L. Basini, *L'uomo e il pane*, cit., pp. 128-129.

gli effetti a Ferrara della « peste grande » del 1528 [1], per definire un rapporto fra i possidenti e i diecimila « veri poveri » che fece tra le altre la carestia del 1539 e che i « ricchi, secolari ed ecclesiastici », dovettero aiutare [2], e per sapere oltre quelle narrate da Frizzi e con più sicurezza moltissime cose sulla disastrosa serie di scosse telluriche a Ferrara e nelle campagne ferraresi nel 1561 e poi tra il 1570 e il '91.

I soli fatti che intanto soccorrono sono quelli del privilegio, non certo là dove anch'essi hanno bisogno di nuova conoscenza [3] ma almeno dove si sa già che si distinguevano dalle fortune borghesi e le soverchiavano. Di essi, il più antico e il più costante furono anche nel Cinquecento le esenzioni che per i propri lavoratori si procuravano « molte famiglie nobili e buona parte degli enti ecclesiastici », e che alteravano nell'area ferrarese tutta l'efficienza del sistema di cura degli argini del Po e di ogni altro fiume o torrente o canale di scolo — e cioè dei « lavorieri del Po » —: « le controversie, le lamentele, le richieste di esenzione dai *Lavorieri* o di una riduzione del loro onere da parte dei proprietari non privilegiati, le battaglie politiche per la revoca delle esenzioni esistenti, riempiono di sé molte carte degli archivi ferraresi » [4].

Un altro fatto fu la bonifica dei più che ventitremila ettari del Polesine di San Giovanni Battista di Ferrara, perseguita da Ercole II e poi realizzata con una complessa operazione finanziaria e tecnica fra il 1563 e l'80 da Alfonso II e da Niccolò Estense Tassoni e da nobili e banchieri lucchesi e veneziani: con essa il patrimonio fondiario di nobili e di ecclesiastici presenti in quel Polesine diminuì in misura « lieve » a vantaggio di chi aveva preso parte all'impresa, « il patrimonio dei privati borghesi venne ulteriormente a ridursi » [5].

Va poi anche certamente ricordata la vastità dei possessi degli Estensi Tassoni, dei Costabili, dei Bevilacqua nel Polesine di San Giorgio di Ferrara, che era la parte del territorio ferrarese « più importante dal punto di vista agricolo-produttivo ». Quei possessi sono stati studiati da

[1] A. Mosti, *op. cit.*, p. 180.

[2] A. Frizzi, *Memorie*, cit., vol. IV, p. 337, ripreso da M. Zucchini, *L'agricoltura ferrarese*, cit., p. 94.

[3] Un solo esempio: una storia delle fortune economiche dei Trotti sarebbe tra le più fattibili almeno dal secondo Quattrocento (v. fra l'altro, per gli anni 1466-1573 e 1550-1606, le carte segnalate da O. Montenovesi, *La famiglia ferrarese Trotti e i suoi documenti nell'Archivio di Stato di Roma*, in « Archivi », ser. II, VIII, 1941, pp. 21-34); eppure manca. E non è chi non veda di quante verifiche sarebbero portatrici ricerche del genere, per la migliore intelligenza della stessa storia politica del privilegio.

[4] F. Cazzola, *op. cit.*, pp. 49, 51-52. Dello stesso C. v. poi anche *L'evoluzione contrattuale nelle campagne ferraresi del Cinquecento e le origini del patto di boaria*, ne *Il Rinascimento nelle corti padane*, cit., pp. 322-323.

[5] M. Zucchini, *op. cit.*, pp. 96-104.

Cazzola, che ha pure notato la dominante presenza di quelle famiglie su ogni altra nobile proprietaria terriera nel Ferrarese e altrove nello stato[1]. E allora, mentre facciamo nostre le osservazioni di Cazzola sulla necessità di tante nuove e più larghe ricerche per andare più innanzi nella definizione della proprietà fondiaria in aree e in stati[2], dovremmo anche guardare alla preminenza economica dei pochissimi all'interno stesso del campo del privilegio; ma questo è già un ulteriore discorso, che basterà avere accennato, e che contribuisce intanto pur sempre al discorso più generale sull'eminenza del privilegio nell'area ferrarese, e in essa nel Polesine di San Giorgio[3].

Il ricordo di questi pochi fatti non generi per altro impressioni di un privilegio dominatore sereno, né prima, né durante il secondo Cinquecento. Zucchini, Cazzola, non hanno detto mai alcunché di simile e prima di loro non lo hanno detto i migliori fra i vecchi studiosi e non lo hanno testimoniato le fonti. Dominio del privilegio nell'area ferrarese significò molte cose insieme e oltre al godimento più o meno intelligente di risorse economiche anche grandissime; non è necessario che ripetiamo quali altre cose significasse e si avverta piuttosto che già nel secondo Cinquecento non mancarono i testimoni della generalità di quelle cose: nella persistente struttura che legava la campagna a Ferrara e questa a quella, nella persistente struttura feudale, il privilegio era la propria economia e la propria realtà politica e poteva essere vicino o meno al privilegio estense, ma non viveva mai disgiunto dalle più generali condizioni economiche e politiche sue. E allora, guardandolo nella complessità della sua lunga storia nell'area ferrarese e nel restante stato, si comprendono le testimonianze coeve e si intendono gli studi moderni per quel che dicono e non oltre.

Si comprende perché gli ultimi tempi di Ercole II e i lunghi anni di Alfonso II abbiano sollecitato gli osservatori e gli studiosi. Quella drammaticità della condizione estense e del privilegio, cui ci siamo rifatti già più volte come a un punto fermo nella storia dello stato, allora andò crescendo; e da angolazioni diverse, critiche o politiche-contingenti o magari sentimentali, la considerarono coloro che non potevano ancora sapere che nel 1598 il ducato ferrarese sarebbe finito devoluto al potere papale — seppur lo pensassero quanto più si vide che Alfonso continuava a non avere figli, e che un tal fatto aggravava tutti gli altri e già antichi del rapporto Estensi-papato —, la considerarono coloro cui Alfonso e il ducato e magari tutto lo stato suscitavano altri timori prima di quello della

[1] F. Cazzola, *La proprietà terriera*, cit., pp. 8, 5, 17.
[2] F. Cazzola, *op. cit.*, pp. 5-8.
[3] F. Cazzola, *op. cit.*, *passim*, e ad es. pp. 37 e 39, 45 e 47, 49.

devoluzione, e finalmente la considerarono gli studiosi che sono venuti dopo la devoluzione. Che una simile drammaticità soverchiasse sempre di più anche la condizione borghese a Ferrara e nel Ferrarese non par dubbio, sebbene una certezza l'avremo solo dopo aver superato tanta attuale ignoranza.

Se lo stato potesse, o no, durare

L'interesse dei contemporanei ferraresi o forestieri di Ercole, e, più, di Alfonso, fu acuto particolarmente là dove era da vedersi se lo stato estense poteva durare, in tutto o in parte, dal momento che esso era innegabilmente ancor sempre di una strategica utilità per più governi in quell'Italia post rinascimentale e cattolica e per certi versi anche in quell'Europa; quei contemporanei osservarono e denunciarono molte cose al di sotto della condizione strategicamente positiva, e anzi avvertirono proprio la difficile sostanza di quella condizione per i duchi e per il restante privilegio.

Non fu una scoperta di Alvise Contarini ambasciatore straordinario del governo veneziano a Ferrara nel 1565 la constatazione della caratteristica, secondo lui stesso peculiare della casa estense, « d'usar ogn'industria e per dir così di voler cavar ogni avanzo dove che ha potuto, attendendo a molte cose forsi più convenienti a un diligente padre di famiglia ed a privato economico che a principe di stado »[1]; notiamo piuttosto l'analogia con la deplorazione di Guicciardini, almeno là dove anche Contarini lamentava negli Estensi e in quel momento in Alfonso II un rapporto fra cosa privata e cosa pubblica della quale proprio lui, veneziano, non avrebbe dovuto stupire. Ma se non fu una scoperta quella constatazione servì ugualmente, servì per fare i conti in tasca al principe e calcolare le sue entrate, le sue spese, e per vedere su chi gravavano le spese; importa allora leggere in Contarini e così pure in altri dopo di lui non il rilievo, consueto, dell'oppressione fiscale e privilegiata sui contadini, ma il rilievo della crescente oppressione di Alfonso sugli stessi nobili « gravati, fra l'altre cose, a far molte spese non tanto per publica utilità ed ornamento... quanto per pompa e per appetito del principe, essendo sforzati essi e le sue donne a comparir onoratamente e pomposamente alla corte... ; e di qui nasce che le feste di Ferrara compariscono così onoratamente, perché

[1] A. Contarini, *Relazione di A. C. ambasciatore straordinario al duca Alfonso II d'Este*, 1565, in *Relazioni degli ambasciatori veneti al Senato*, a cura di A. Segarizzi, Bari, vol. I, 1912, p. 7.

le spese sono fatte a costo di molti particolari, ma con l'ordine e comandamento d'un solo, ch'è il signor duca »[1].

Fu dunque il « comandamento » perseguito da Alfonso II e non solo nelle feste ad occupare l'osservatore veneziano già pochi anni dopo che il duca era succeduto a Ercole, non furono tanto le spese o la commistione di privato e di pubblico certamente nota a Contarini come normale nei governi del suo tempo. Il peso crescente della corte, anche sul paese privilegiato e in primo luogo su Ferrara e sul Ferrarese, si avvertiva da tutti i segni che proprio soprattutto a Ferrara si potevano cogliere; e quel peso crescente allarmò chi doveva ben sempre preferire, a sud del territorio della repubblica, uno stato estense a un'espansione dello stato pontificio o a qualunque altra novità.

« D'artegliaria e instrumenti da guerra sua eccellenza è fornita assai »: Emilio Maria Manolesso confermò al governo veneziano nel 1575 un fatto dei più noti di tutta la vita rinascimentale e post rinascimentale italiana, un fatto che per le guerre sostenute fra il Quattro e il Cinquecento, e più largamente per le frequenti condotte d'armi assunte dagli Estensi fuori dello stato, li aveva già resi famosi anche fuori d'Italia e illustrò lo stesso Alfonso II nella sua spedizione del 1566 in Ungheria per l'imperatore Massimiliano II d'Asburgo contro i turchi[2]. Ma la fama vecchia e nuova non aveva sempre reso del denaro ai duchi, spesso invece gli aveva richiesto sollecitazioni ingentissime anche per quello scopo delle risorse finanziarie innanzitutto del Ferrarese: Manolesso confermò a sua volta che le sollecitazioni duravano, ricordò l'odiatissimo Cristoforo Fabretti da Fiume appaltatore dei dazi e delle gabelle di Alfonso a Ferrara, rese conto di quel che si diceva delle ricchezze ducali e di quel che più realisticamente ritenevano in proposito « gli uomini di maggior giudizio »[3]: « e come il tesoro non è molto grande rispetto alle eccessive spese di guerra, così sua eccellenza ha poco il modo di cavar quantità grande di danari per vie estraordinarie, perché li popoli sudditi a sua eccellenza, se ben son ricchi assai di rendite... spendono però quanto hanno né sono industriosi, anzi la maggior parte de' traffichi e mercanzie sono in mano di ebrei »[4] — dove si avverta solo che i « popoli sudditi » non potevano essere che i ferraresi, almeno in primissimo luogo.

Nel 1584 Agostino Mosti rievocò dall'interno della sua lunga vicenda di cortigiano estense i primi tempi e gli ultimi che aveva vissuto nella

[1] A. Contarini, *op. cit.*, p. 6.

[2] E. M. Manolesso, *Relazione di Ferrara del signor E. M. M. fatta in Signoria di Venezia l'anno 1575*, in *Relazioni*, a cura di A. Segarizzi, cit., p. 33.

[3] E. M. Manolesso, *op. cit.*, pp. 31, 33, 35.

[4] E. M. Manolesso, *op. cit.*, p. 36.

corte e in Ferrara, contrappose con sentimentale insistenza gli uni agli altri, e pur fra confusioni e dimenticanze toccò anch'egli e anzi molto esplicitamente il tema dei maggiori pesi che il privilegio sopportava nella sua quotidiana e aumentata partecipazione al vecchio e « magnifico » gioco del potere estense: lo angustiavano il diminuito valore del denaro, le maggiori spese « in pagare tante sorte di servitori », l'arroganza di questi « tanti dissoluti, disobbedienti, e disleali, che trattano gli padroni come fossero loro coeguali »; lo preoccupava, e non contraddittoriamente, la contestazione che i figli « e non solo de' primi e secondi della città, ma di mercantetti ed artefici », facevano ai padri per ottenere una libertà di muoversi e di spendere un tempo impensabile; lo allarmava il lusso pericolosamente cresciuto e che guastava le ultime generazioni della nobiltà ferrarese.

« Per un ladro, omicidiale, una perversa creatura » dei primi decenni del Cinquecento e non solo a Ferrara, « oggi ne sono cresciuti a venti e trenta per cento e tanto empiono le pregioni, senza quei che con la fuga si salvano, che il fisco non può supplire alle esazioni e confiscazioni de' beni de' condannati, che quasi si può dire che questi straordinari sussidii ajutino la maggior parte delle spese e gravezze d'essi signori... »; ma l'evidente paradosso e le frequenti iperboli non nascondevano una coerente visione di fondo: a Ferrara e nel Ferrarese le cose non andavano più bene come un tempo per il tradizionale privilegio nobiliare ed estense, la confusione delle antiche condizioni sociali creava difficoltà ovunque e non portava a nulla che fosse migliore dell'ordine vecchio. Mosti vedeva anche « aggravato molto il povero contadino ». « Oh mala nostra avventurosa etade, non so... se noi altri... siamo per vedere successore alcuno di tanti nobili prencipi italiani morti, e che ora vanno morendo tuttavia » [1].

La preoccupazione del convinto cortigiano estense si precisava, netta, a venticinque anni dall'inizio del governo di Alfonso. Nelle pagine di Mosti mancò ogni accenno ad Antonio Montecatini o a Giovan Battista Laderchi, « forti personalità » di massimi collaboratori del duca nel governo [2], mancò ogni accenno a capacità politiche del privilegio in qualche modo valide a salvare il salvabile dell'età avventurosa. E in effetti, se non per il restante stato al quale il cortigiano non guardò mai e che aveva anche altre risorse, diverse dalle estensi, per il suo chiuso mondo estense-ferrarese il vertice costituito da Alfonso era il riferimento più tradizionale, l'incentivo e l'avallo più abituali ad ogni interesse proprio; senza quel vertice tutto sembrava ormai troppo difficile.

[1] A. Mosti, *op. cit., passim.*
[2] F. Valenti, *I Consigli di governo*, cit., p. 39.

« I ferraresi, in particolare, mostra l'esperienza esser delicatissimi et amicissimi dell'ozio... Fan gran conto d'esser tenuti nobili, e cercan con grande ambizione d'accrescersi onori e titoli... »: una lunga pagina di Orazio della Rena, che ricordammo già per le sue parole sulle inondazioni del Po, riprese nel 1590 le impressioni dei Contarini e dei Manolesso e dei Mosti [1]. Una diminuzione delle qualità di intraprendenza affaristica e politica manifestate dai ferraresi privilegiati fra il Quattro e il primo Cinquecento avanzò innegabilmente nel corso degli anni di Alfonso II, e osservatori veneziani, ferraresi. fiorentini, nelle loro valutazioni delle fortune estensi e privilegiate la rilevarono sostanzialmente concordi. Non si può non tener conto delle valutazioni e della concordanza: se è vero che non ad esse, né ad altri documenti del loro carattere, si può chiedere un ulteriore aiuto per quelle storie di nobili e di borghesi insieme di cui più sopra abbiamo dovuto ancora sottolineare la necessità, è accettabile che si parta da loro e da altri documenti come loro per avviare una considerazione del rapporto fra assolutismo ducale estense e privilegio nobiliare laico in quei decenni, innanzitutto a Ferrara e nel Ferrarese.

L'incessante forzatura estense di situazioni di ogni genere e di uomini e di mezzi per l'affermazione dominante del principe nello stato e dallo stato verso l'esterno continuava anche troppo evidentemente a stancare molte energie intorno a sé; così come continuava ad essere esposta ai rischi di resistenze all'accentramento, di fughe dall'accentramento, là dove la composita realtà dello stato lo consentiva meglio — lo provarono anche le congiure dei Pio di Sassuolo e di altri nel primo Cinquecento contro Alfonso I e poi contro Ercole II, e Alfonso II aggravò poi ogni cosa —.

Non riapriamo qui il discorso sulle opposizioni e sulle differenze nello stato, che in ogni caso non furono mai solo nobiliari. E anche, basti accennare al fatto che non solo nel Ferrarese degli Estensi ma pure in altri stati italiani del secondo Cinquecento ebbe inizio o addirittura proseguì da tempi anteriori un cedimento delle « virtù » che il privilegio aveva avuto nei suoi momenti di più politica collaborazione col potere centrale, per cui non solo nel Ferrarese e neppur solo in stati principeschi ma anche in repubbliche il governo centrale si trovò progressivamente a patire di difficoltà non incontrate prima, e che gli aprirono il diciassettesimo secolo con poche chiavi e non sempre sicure.

Per il momento importa di più seguire, almeno in una qualche prima forma, lo svolgimento del travaglio estense durante un tempo che continuava ad allontanarsi dalle fortune dei decenni più « festosi » e che già non eran stati festosi per tutti ma certo lo erano stati per il privilegio anche

[1] O. della Rena, *op. cit.*, p. 29.

politico e per i duchi; lo svolgimento di un travaglio dagli anni intorno al 1530, e che possiamo dire di un terzo tempo della condizione estense.

Non furono certamente colpa di Alfonso II i terremoti a Ferrara e nel Ferrarese, e neppure le grandinate frequentissime del 1573; i disastri delle inondazioni frequenti vennero innanzitutto da fatti vecchi, da responsabilità precedenti il governo di Alfonso — ad esempio la bonifica del Polesine di San Giovanni Battista di Ferrara fu assai tardiva[1] —, vennero anche dalla degradazione del paesaggio agrario montagnoso e collinare appenninico, dal « progressivo e diffusissimo diboscamento delle pendici appenniniche e delle prealpi che alimentavano i corsi d'acqua affluenti del Po »[2], e che fu una concausa certa delle rovine nelle terre più antiche dello stato estense; vennero dalle stesse bonifiche degli altri ducati, in primo luogo del Reggiano, per via della maggior massa d'acqua che non ristagnava più in quelle terre e si gettava molto più facilmente nel Po.

Il duca volle anzi, tra il 1569 e il '71, dei lavori per immettere acqua dal Po di Venezia nel Po di Primaro e così regolare in qualche possibile misura l'interrito Primaro; l'operazione fu di breve vantaggio[3] e nondimeno qui andava segnalata.

Tuttavia, la persistenza di Alfonso nel non mutare e anzi nell'aggravare il suo fare economico e politico fuori e dentro lo stato, nel non mutare il suo rapporto col privilegio e variamente col paese — una persistenza che solo un deterministico giudicare difenderebbe —; quell'andare cronologicamente avanti che si risolveva in un qualitativo regredire, sempre e anzi più che mai sulla pelle di tutte le libertà conculcate nello stato e in particolare nel Ferrarese, sempre e anzi più che mai sulla pelle dei contadini: questo fu colpa ed errore di Alfonso, e il privilegio — non innanzitutto dei Montecatini o dei Laderchi, ma dove fu più compartecipe del suo personalistico errare — preparò a sua volta a sé giorni magri e tristi. Leggiamo su di esso della Rena.

Una relazione sul paese e su Alfonso II

« Vivon quasi tutti d'entrata facendo poca stima di chi non la spende tutta; si reputan a vergogna il trafficare et chi attende al guadagno, ancorché fusse fatto col mercatar il grosso, non è tenuto gentiluomo fra loro; per questo presumono d'esser molto superiori a gentiluomini delle

[1] V. già il cenno di M. Zucchini, *op. cit.*, pp. 110-111.

[2] M. Zucchini, *op. cit.*, p. 110 (e generalmente A. De Maddalena, *Il mondo rurale italiano nel Cinque e nel Seicento*, ecc., in « Rivista storica italiana », LXXVI, 1964, p. 354); F. Cazzola, *op. cit.*, p. 19, su Giovan Battista Aleotti che denunciò già il fatto nel 1601.

[3] G. Soranzo, *op. cit.*, p. 99.

città mercantili, spendon volontieri et più che non han di rendita, però son sempre indebitati fino agli occhi, e, perché non hanno quasi altri denari che quei che tiran dalle sue raccolte di grani, sono molto spesso senza quattrini; tolgono a credenza assai, e pagano a ricolta col frumento sino ai barbieri; si vergognano a fare i fatti suoi per se stessi, però tengon la maggior parte mastri di casa, et agenti in buon numero... Par che abborrischino l'agricoltura, potendola molto bene esercitare nelle grandissime loro possessioni et con utile inestimabile per la quantità del terreno acquoso, che si potrebbe bonificare... Trovo che han grande invidia ai bolognesi, odio ai mantovani, diffidenza nei fiorentini et paura de' veneziani... Amano e riveriscono il lor principe con ogni affetto... Son vaghissimi di corteggiarlo... son cerimoniosi, ben creati, et sopratutto cortiggiani... »[1]. Con della Rena, Berengo ha già detto anche lui di quegli « alteri rappresentanti della nobiltà ferrarese »[2].

Il fiorentino della Rena non era molto impressionato dai palazzi e dalle chiese e dalle strade più famose di Ferrara, dove d'altro canto i terremoti facevano da anni grossi guasti; e anzi di Ferrara volle chiedersi « qual sia stata la cagione che, avendo così grasso e fertil territorio, non sia mai sorta a grandezze e di magnificenza e di abitatori »[3]. Egli sapeva benissimo che la sede della corte estense era anche la maggiore concentrazione di famiglie nobili e di clero e di ogni altra anima di tutto lo stato, e quelle anime calcolava, al 1590, in trentaquattromila[4]. Lo stato nelle sue molteplici parti gli era noto ad ogni livello; non mostrava di amare particolarmente nulla in esso ma sapeva fare confronti e individuò con chiarezza i tratti economici e sociali più positivi di talune di quelle parti. E perciò non è di scarsa importanza la risposta che diede alla sua stessa domanda, al suo « dubio ».

« Si potrebbe per avventura risolver con dire, che la cagione dell'esser sempre questa città non ostante la fecondità de' suoi campi stata in bassa condizione, è attribuita all'aver avuto et aver mancanza di danari, et all'aversi a provveder, dal vitto di pane in poi, d'ogni cosa fuora. Non entra in Ferrara altro denaro che quel che si cava da 20 m. moggia di grano, che v'è da vendere, e sedici o 18 mila scudi di scopete e altrettanto

[1] O. DELLA RENA, *op. cit.*, pp. 30-32.

[2] M. BERENGO, *op. cit.*, p. 255.

[3] O. DELLA RENA, *op. cit.*, pp. 36-41, 45.

[4] Per il 1598, M. ORTOLANI, *La pianura ferrarese*, cit., p. 61, ne ha calcolate trentasettemila in Ferrara e nei sobborghi; « all'inizio del Seicento », e cioè dopo la crisi conseguente alla devoluzione del ducato di Ferrara al governo papale, F. FARINELLI, *Ferrara*, in *Storia d'Italia*, cit., vol. VI, *Atlante*, Torino 1976, p. 380, ne ha ricordate trentacinquemila. Nello stato delle conoscenze in questa materia — v. già qui sopra, p. 28, n. 1 — i divari registrati non stupiscono, e piuttosto è da ribadire l'urgenza di ogni nuova ricerca in proposito.

di pesce; ma tutto questo è d'avvantaggio e forzata a mandarlo fuori, perché fuori bisogna che provvegga a tutto l'olio che consuma, bisogna che procacci tutte le cere e le specierie che gli son necessarie; di fuora li convien che facci venir pietre, legni, calcina e ferro per fabbricare, et di fuora è forzata far venire ciambelotti, panni bassi, saje e mercerie per vestire, et in questa maniera, cavando i denari dal suo e trasferendoli nel paese d'altri, per questo commercio s'impoverisce e si consuma, né può levarsi dalla solita mediocrità sua » [1].

Il principe era ormai « trascuratissimo nell'abbellir la città », e per l'ordinaria manutenzione faceva « affaticar i contadini et altri operarj suoi sudditi senza alcuna sorta di mercede... ». « Non è famiglia di contadini sul Ferrarese che non tenga continuamente un uomo et un par di buoi per servizio del duca et del comune, non dando ancora ricompensa alcuna delle case o de' terreni de' privati tanto ricchi quanto poveri, com'è avvenuto son pochi giorni nella nuova fortificazione che s'è fatta dalla banda del Po, ch'è bisognato mandar a terra e guastar fra l'altre molte case d'uomini poverissimi che non avevan altro al mondo e, benché le strida loro sieno arrivate fino al cielo, non han però avuto alcun riconoscimento di tanto danno » [2].

Se riprendiamo tutto ciò da Orazio della Rena è perché vi troviamo un singolare coronamento di tanta storia estense e privilegiata: è vero, in un osservatore che aveva sue politiche ragioni di parzialità di giudizio; ma di questo abbiamo già tenuto conto, così come di ogni altra parzialità e sapendo bene quali erano le forme di parzialità che circolavano nel composito stato a livelli ufficiali e ufficiosi, di operatori politici e di cronisti, e tanto più circolarono dopo che il Ferrarese divenne pontificio e la nobiltà meno politicamente rinunciataria lasciò Ferrara per Modena seguendo il duca Cesare succeduto ad Alfonso. Nel fiorentino erano presenti qualità notevoli, politiche e anche letterarie. Il suo ritratto di Alfonso, chiuso nel proprio mondo di principe che insisteva in una dimensione del potere rinascimentale, « magnifica » eppure lontana dalle festosità e dalle magnificenze di suoi antenati, quel ritratto è di una espressività e di una pertinenza all'uomo e al suo momento che sono di tanto maggior rilievo quanto più vengon fuori da un discorso ampio e ricco che precede e che segue, vengono fuori nel modo più normale dal normale impegno del relatore al proprio governo; e non si dirà che della Rena abbia fatto di Alfonso una descrizione leggera, o divertita, perché coglieva il duca a passeggio o a

[1] O. DELLA RENA, *op. cit.*, p. 45.
[2] O. DELLA RENA, *op. cit.*, p. 62.

tavola. Un'atmosfera alla Filippo II di Spagna sembra evocabile anche troppo facilmente.

« Quando è dentro nella città costuma levarsi a buon'ora il verno e la state; ma non però innanzi giorno, se il bisogno non lo ricerca, et subito comincia a negoziare, ode messa, e poi torna a negoziare di nuovo, va passeggiando per i giardini per far esercizio, i quali gli danno capacissima commodità, potendo partirsi dal suo castello et andar per tutto il circuito della città, dov'è la Montagna, la Montagnola et altre ombrose e dilettevoli strade, per terra, per acqua, in carrozza senza esser visto da alcuno; torna, poscia, et mangia la mattina sempre solo, non admettendo da gran pezzo in qua alcun de' suoi gentiluomini di tavola o camerieri segreti a mangiar seco; e mangiando ragiona alle volte con dolcissima dilettazione di raccontar le cose passate fatte da lui ma con tanto intervallo da una parola all'altra che a quei gentiluomini, che lo stanno ad ascoltare ritti et digiuni, vien molte [volte] l'ambascia » [1].

Gli anni successivi alla visita del fiorentino aggravarono ancora molte condizioni della vita di Ferrara e dell'agricoltura e perciò innanzitutto dei minori proprietari e dei contadini del Ferrarese, e di nuovo non sempre ciò fu imputabile al governo di Alfonso — e nondimeno si avverta che nel 1590 il duca « spese del proprio fino a 200.000 scudi » per far venire del frumento dalla Puglia e dalla Baviera e combattere la persistente carestia che opprimeva lo stato così come quasi tutta l'Italia, ma fece questo per Ferrara e solo molto molto limitatamente per la sua campagna [2]; e si ricordi che anche su quel frumento, e generalmente sulle enormi difficoltà per il pane a Ferrara, egli speculò o continuò a speculare con la più fredda larghezza, « aveva trovato il modo di alimentare non tanto la popolazione quanto la Camera ducale » [3] —. Fu allora che il teologo bolognese Gio. Battista Segni dedicò ai ferraresi due lunghi elenchi di consigli, di « reffugij per la carestia, uno de ricchi cittadini, l'altro de i poveri e miserabili »; nel suo *Discorso sopra la carestia e fame* egli disse come si poteva far « pane » dall'orzo, dal riso, dalle carni seccate e tritate, dalla saggina, dai torsi di cavolo... [4].

Piogge e rotte di fiumi — queste in particolare — continuarono dai vecchi tempi anteriori ad Alfonso o ispessirono tanto, che si potrebbe pensare ad alterazioni dello stesso clima seppure qui il discorso si faccia

[1] O. della Rena, *op. cit.*, p. 77.

[2] A. Frizzi, *op. cit.*, vol. IV, p. 434.

[3] F. Cazzola, *Il problema annonario nella Ferrara pontificia: il legato Serra e la congregazione dell'Abbondanza (1616-1622)*, estr. da « Annali della Facoltà di Lettere e Filosofia » dell'Università di Macerata, III-IV 1970-1971, Roma 1971, pp. 548-549 e note.

[4] I « reffugij » sono indicati nel *Discorso* (Ferrara 1591), alle pp. 40-42 e 42-44.

molto difficile[1]: con certezza ricordiamo le più immediate conseguenze dei sommovimenti della terra, le fuoruscite di « acqua nera e sabbia »[2], insomma gli sconvolgimenti della pianura ferrarese negli ultimi decenni, e pensiamo ai proseguenti effetti del disordine idraulico nell'Appennino e altrove sugli « alti monti » che alla metà del Cinquecento aveva già considerato il bolognese Leandro Alberti[3]. E l'assommarsi dei moti della terra e dei moti dei fiumi aiuterà la sua parte a comprendere perché lo stesso Polesine di San Giorgio di Ferrara cominciasse alla fine del secolo a patire nelle proprie colture[4].

Nella generale condizione economica e politica estera e interna del potere estense quegli sconvolgimenti e ogni altro disordine, responsabile o no che ne fosse Alfonso II, furono esiziali; e ovviamente ne ebbero danno le finanze medesime del duca, sebbene anche come proprietario terriero — il maggiore nel Ferrarese e in tutto lo stato — egli fosse stato sempre al di sopra di ogni altro proprietario e di ogni altra forma di privilegio. Ne ebbe danno l'agrario principe, lo speculatore, non perché avesse continuato ad attendere a molte cose più convenienti a « privato economico che a principe di stado », ma per tutto il chiuso assolutismo che aveva perseguito sempre, anche attraverso quelle molte cose.

3. Lo stato diminuito

Difficoltà estensi

L'immissione del Reno nel Po di Primaro nel 1526 avvenne nel quadro della politica estera di Alfonso I d'Este; l'operazione si discuteva da decenni fra il governo bolognese e l'estense; allora il duca la rese possibile, vivendo i suoi difficili rapporti col papa Clemente VII che era anche signore di Bologna.

I giudizi negativi che sono stati dati finora di quel fatto e anche per i danni, gravissimi, che poi se ne patirono nel Ferrarese, non hanno per

[1] La letteratura sull'argomento, da Braudel a Le Roy Ladurie e fra gli altri a M. Pinna, *Le variazioni del clima in epoca storica e i loro effetti sulla vita e le attività umane. Un tentativo di sintesi*, in « Bollettino della Società geografica italiana », ser. IX, vol. X, 1969, pp. 198-275, e più di recente alle sintesi di G. Cherubini, *La proprietà fondiaria nei secoli XV-XVI nella storiografia italiana*, in « Società e storia », I, 1978, pp. 14-20, e di nuovo di M. Pinna, *L'atmosfera e il clima*, U.T.E.T., Torino 1978, cap. X, sollecita tuttavia necessariamente anche un'attenzione alla terra, alle acque, dello stato estense.

[2] M. Zucchini, *op. cit.*, p. 105.

[3] Su di lui v. ora L. Gambi, *Per una rilettura di Biondo e Alberti, geografi*, ne *Il Rinascimento nelle corti padane*, cit., specie pp. 271-272.

[4] V. anche F. Cazzola, *op. cit.*, pp. 18-19.

altro sottolineato a sufficienza le condizioni specifiche del comportamento estense e hanno invece insistito su di esso con varie e ripetute deplorazioni; hanno lamentato moralisticamente, come dettata da una più o meno generica volontà di potere, una ricerca estense di prevalere su ogni altro modo di essere nello stato e perciò anche a costo di grandi errori nel campo delicatissimo delle acque, hanno presunto nei duchi una subordinazione dell'economia alla politica. O ancora, hanno preso le mosse, e in modo più o meno coperto, da anacronistiche valutazioni patriottiche antiestensi. Eppure non sono notizie nuove quella che Alfonso I fu di nuovo impegnato nel 1531 da questioni di acque tra mantovani e ferraresi nella terra di Melara [1], o l'altra che le immissioni nel Primaro durarono dopo il 1526 e dopo le rotte che abbiamo già ricordato più sopra anche noi, sicché nel '37 fu « recapitato » in quel fiume anche il Senio [2].

Nel loro ripetersi, nel loro incontrarsi da diverse provenienze, i giudizi negativi non hanno tuttavia fermato il cammino di una constatazione molto lontana dalla loro e che è questa: che la politica estera estense, nella pianura padana così diffusamente « feudo dei ricchi » [3], fu sempre una cosa sola con l'economia estera estense, e che più generalmente la politica e l'economia dei duchi vissero degli stessi caratteri di fondo, ebbero difficoltà sempre interconnesse. E se allora è anche vero che un tal discorso non riguarda solo gli Estensi e il loro rapporto col governo dello stato ecclesiastico o coi duchi di Mantova o col governo veneziano e via dicendo, né l'estense o quello di altri signori del tempo era il solo modo di vivere insieme economia e politica, si ricordi pur sempre la rilevanza del caso estense nell'Italia del Cinquecento e dunque la rilevanza della portata negativa di atti come l'immissione del Reno nel Po di Primaro.

Dal Primaro Ercole II d'Este cercò di deviare almeno il Santerno, che vi entrava dal 1460; ma il papa Paolo III doveva a sua volta impedire agli imolesi e ai bolognesi, dei quali nello stato pontificio non trascurava certo le sorti, i danni di un fiume che non guastasse più terre altrui: e così nel 1542 il duca sospese il proprio tentativo. Nello stesso giro di anni Ercole si occupò di risolvere i guai che procurava il Reno — anche la tenuta estense della Sammartina fu invasa dal fiume nel '42 —; il papa si impose di nuovo e nel '44 l'ingresso del Reno nel Po fu definito un'altra volta [4].

[1] M. ZUCCHINI, *op. cit.*, p. 96.

[2] M. ZUCCHINI, *op. cit.*, p. 96.

[3] E di certo, quanto più a Braudel è sembrato che tale sia stata « la regola nelle pianure del mondo mediterraneo »: F. BRAUDEL, *La Méditerranée et le monde méditerranéen à l'époque de Philippe II*, Armand Colin, Paris 1976, 3ª ed., t. I, p. 68.

[4] M. ZUCCHINI, *op. cit.*, pp. 95-96.

Ecco il punto. Si ricordi pure Alfonso I per i suoi « errori » idrologici, e magari anche perché si occupò di tante altre cose di guerra e di pace e non di acque; la questione tuttavia non fu mai di un solo momento, di un solo uomo; nello stato estense i governanti « errarono » nella misura stessa in cui nel corso del Cinquecento durarono nel tenere il vertice di una realtà economica e sociale e tecnica che era tutt'uno con la loro feudale preminenza. I « compromessi coi signori » nel Reggiano [1] e ogni altro compromesso in materia di acque venivano da quella maniera di voler durare; e nella permanenza di un tale sistema il condizionamento pontificio ebbe crescente buon gioco e non solo nelle questioni delle acque, per la forza che generalmente possedeva in quell'Italia sempre meno rinascimentale e perché gli Estensi seppero sempre meno sostenere il suo peso, anche per gli specifici errori che commisero proprio come vicari papali ogniqualvolta insistettero nel loro rapporto coi papi a danno degli altri rami medesimi della loro famiglia [2]. Sempre, le ragioni della loro economia e della loro politica li premettero, e confluirono infine nella situazione che li giocò.

Ercole II e gli statuti ferraresi

Nella storia del privilegio estense e delle sue difficoltà di economia e di politica daremmo qualche rilievo al 1534, che fu l'anno della seconda edizione a stampa degli statuti di Ferrara. Quegli statuti uscirono riformati dai giuristi dello studio e della corte, che Alfonso I aveva incaricato del lavoro; la riforma ordinò più modernamente la materia relativa alle funzioni pubbliche in Ferrara ma non alterò la sostanza degli ordinamenti anteriori, considerati nella prima edizione — 1476 — degli statuti; e almeno sino a quell'anno era stata innegabile la volontà della comunità ferrarese di curare innanzitutto le sorti dei propri membri laici, né può dirsi che Ercole I allora duca avesse inteso diversamente la condizione — se non economica — giuridica del clero ferrarese nei confronti dei laici.

L'edizione 1534 vide due novità. La prima fu che Ercole II volle estesa a tutte le comunità dei suoi domini diretti la riforma degli statuti di Ferrara, nel proposito di correggere, integrare, dunque modificare ogni altro statuto di quelle comunità; e qui non tanto importa che il proposito non avesse facili possibilità di attuazione per via delle resistenze degli interessati [3] e della diversità o lontananza fra loro dei domini estensi

[1] Sopra, p. 36.
[2] L. CHIAPPINI, *Gli Estensi*, cit., pp. 286, 311.
[3] Sulla negativa risposta nel 1535 di Reggio, feudo imperiale, v. O. ROMBALDI, *op. cit.*,

diretti, quanto importa avvertire o aver conferma del fatto che il privilegio estense mirava a contrastare le proprie difficoltà all'esterno dello stato con interventi nello stato di indubbio sapore assolutistico, mirava a stringere a proprio vantaggio il rapporto almeno con una parte del paese: perché — ecco la seconda novità — la decisione di Ercole II fu seguita da un fatto che non era mai accaduto prima di allora, e cioè dall'accettazione della nuova edizione degli statuti ferraresi che il clero nel 1535 compì, e specificando pure gli argomenti che lo riguardavano più da vicino e in cui non aveva trovato danno per sé — e si noti che anche nel 1534 gli statuti avevano accolto la bolla del papa Bonifacio IX sulle enfiteusi ecclesiastiche, già inserita nella edizione del 1476 e interpretata dagli *statutari* ferraresi come tale da non dover creare sperequazioni nella materia fra gli ecclesiastici e i laici ma, secondo un commentatore del secolo scorso, non sempre davvero interpretata nel necessario rispetto dei diritti del clero [1].

Non possiamo vedere slegata la seconda novità dalla prima. Il clero ferrarese si avvicinava al governo estense nel corso delle difficoltà che esso viveva e nelle quali il governo pontificio aveva non poca parte, e nel corso della almeno relativa ripresa di fortune borghesi in talune comunità dello stato, di cui dicemmo già e che il privilegio nobiliare contrastava e l'estense aiutava solo entro certi limiti.

Nel 1534-35 non accadde altro che occorra ricordare qui, negli anni successivi di Ercole si continuarono a vedere frutti più ordinari che straordinari della vicinanza tra il privilegio estense e l'ecclesiastico ferrarese. Ma furono ben sempre i frutti copiosi di un rapporto, dei cui due termini dobbiamo vedere innanzitutto i fini di economia e di politica interna allo stato che essi perseguivano. E dal momento che anche nel caso del clero ferrarese sarebbe un errore credere a una connivenza sempre stretta dei suoi interessi più quotidiani, più immediatamente pratici, e agrari nei vari Polesini e altrove, con gli interessi papali e curiali romani, come non vedere che l'alleanza Estensi-clero nel ducato di Ferrara a sua volta non giovava sempre alle più larghe sorti, alla politica estera, degli Estensi vicari papali? Né poté giovare a quelle sorti l'impiantarsi dei gesuiti a Ferrara dal 1551: per la vicinanza dell'ordine ai papi e dunque ai loro orientamenti in politica estera, e tanto più dopo che a Ercole II succedette con Alfonso II un principe che dilatò la sua azione politica in un teatro più vasto di quello di Ercole, e che anche a Ferrara in talune occasioni, come a proposi-

p. 22; sull'opposizione di Modena, anch'essa feudo imperiale, e sul suo positivo esito nel 1536, v. L. Cajumi, *op. cit.*, p. 91.

[1] C. Laderchi, *Appendice sesta. Lo statuto di Ferrara*, in A. Frizzi, *op. cit.*, vol. IV, pp. 475-491, *passim.*

to della nuova riforma degli statuti nel 1567 o più tardi nei confronti del vescovo Leoni, mostrò spiriti giurisdizionalisticamente ben definiti[1].

La devoluzione del ducato di Ferrara

Indubbiamente fu disinvolta l'affermazione nel 1565 del veneziano Contarini, per il quale, dimentico dei travagli vissuti dallo stato estense e particolarmente dal Ferrarese in tempi non lontanissimi del suo rapporto con la repubblica, il ducato di Ferrara dipendeva « ordinariamente dalla volontà de' papi, credendosi per il vero che quasi tutti i travagli che ha avuto quel stado li ha avuti dai pontefici... »[2]. Solo che il tanto di difesa di sé, che il lungo governo di Alfonso manifestò in certi casi, si realizzò in un contesto politico esterno, o magari interno a qualche area dello stato, non sempre interessato a limitare il potere papale nel mondo controriformistico del secondo Cinquecento, e magari molto interessato a sollecitarlo contro l'estense per le ragioni di una lotta personale — come fu il caso ripetutamente dei Medici, che si contrapponevano agli Estensi per ambizioni sulla Garfagnana e per questioni di titoli principeschi che li facessero emergere in Italia fra tutti ma in primo luogo sui duchi di Ferrara —; sicché l'elenco dei governi coi quali l'estense confinava e cioè, come scrisse nel 1575 Manolesso al governo veneziano, « con la Santa Sede, con il re cattolico, con Vostra Serenità, con i duchi di Fiorenza, Mantova e Parma, con la repubblica di Lucca, con li conti della Mirandola e signori di Correggio »[3], nella complessità dei motivi di ogni genere che faceva ricordare collegava Manolesso al pur disinvolto Contarini finendo a sua volta per individuare nel potere papale il maggior termine di confronto che il governo di Alfonso II si trovava dinanzi. Le questioni col duca per i confini col territorio pontificio bolognese, e per il sale di Comacchio, furono sì eccitate anche dal governo fiorentino che agì sui papi Pio IV, Pio V; ma quei papi e poi altri dopo di loro non cercavano che nuove o rinnovabili occasioni per stringere il più possibile da vicino il loro vassallo. E perciò quando di nuovo Manolesso, ritornando sul tema, aggiungeva che tuttavia un pontefice « giusto e desideroso del bene universale e non affatto dipendente dalla casa de' Medici » sarebbe stato allora « padre amorevole » del duca di Ferrara, o che altrimenti, « quando anco avesse mal animo, staria quieto... per gli offizi dell'imperatore, re di Spagna e di

[1] Su quelle occasioni, C. LADERCHI, *op. cit.*, p. 489; A. FRIZZI, *op. cit.*, vol. IV, p. 435. Sulle realizzazioni degli spiriti giurisdizionalistici di Alfonso a Reggio v. O. ROMBALDI, *op. cit.*, pp. 43-46.

[2] A. CONTARINI, *op. cit.*, p. 16.

[3] E. M. MANOLESSO, *op. cit.*, p. 36.

Vostra Serenità e finalmente per timore che 'l duca non faccia scendere i luterani aleman in Italia e non ponga in rischio il stato, reputazione ed autorità pontificia » [1], compiva chiaramente un'esercitazione politica e letteraria insieme, giocava sulla presunzione di giochi di forze per i quali in nessun caso erano reali le possibilità di azione antipapale di cui egli discorreva, e perciò supponeva gratuitamente che i contrasti fra i papi e gli Estensi avessero fine.

Orazio della Rena, poi, nel 1590, disse della condizione estense e di quella politica estera, considerò da vicino non più il papa ma lo stesso duca di Ferrara e particolarmente nel teatro primo della sua azione, quindi in Italia; e solo che noi richiamiamo nel suo linguaggio politico-diplomatico la storia del privilegio nello stato estense fino a quel momento, ci sarà anche facile misurare dalle sue radici la gravità della condizione in cui Alfonso si teneva nei confronti di tanta parte — e di quale! — della vita politica italiana. « Con il papa, con i veneziani, con il duca di Mantova et con quello di Parma o per emulazione, o per invecchiate mal'intelligenze, o per l'occasioni che s'hanno di discordie per la vicinità di confine, o per l'innato odio che portano i ferraresi ai mantovani et ad altri propinqui popoli, o per le paure, o per gli sdegni, o per le guerre e difidenze che sono occorse in altri tempi, par che conservi fino ad oggi ruggine e mala inclinazione e disposizione verso di loro »[2]: con i maggiori confinanti le cose stavano in quel modo e dopo l'osservatore fiorentino molti altri l'hanno confermato. Il contrasto papale-estense veniva già visto nei suoi vari termini negli anni stessi del suo maggiore svolgimento.

Se tuttavia anche nell'Italia dei principi la condizione estense era divenuta, in prevalenza, quella che abbiamo accennato, diciamo solo che la « tenuta » estense nel corso del Cinquecento nei confronti delle forze politiche opposte e in primo luogo del papato fu resa possibile dal fatto che ognuna di tali forze dovette pur sempre muoversi a sua volta in un contesto europeo di relazioni complesse, di incentivi ma anche di condizionamenti frenanti, per cui una Renata di Francia, moglie di Ercole II e madre di Alfonso II e figura notissima della religiosità eterodossa in Italia, oltre alle difficoltà incontrate nella stessa Ferrara non ne incontrò a livello papale, e i principi estensi poterono muoversi nel governo del ducato di Ferrara e sin verso la fine del secolo senza che il loro rapporto feudale col potere pontificio patisse alterazioni. I tempi dei timori guicciardiniani per l'esistenza del ducato — « chi non sa che se el papa piglia Ferrara, sarà

[1] E. M. Manolesso, *op. cit.*, pp. 36-38.
[2] O. della Rena, *op. cit.*, p. 71.

sempre obietto de' futuri pontefici lo insignorirsi di Toscana? »[1] — rimasero, a lungo, come sospesi, o magari senz'altro lontani.

Ma nell'Europa e nell'Italia dell'ultimo Cinquecento, morto appena Alfonso II e risolte o bene impostate questioni assai più difficili, al papa Clemente VIII e con lui a uomini come il cardinale Aldobrandini riuscì di concludere la lunga questione ferrarese: li sostennero opposizioni antiestensi popolari e di nobili nella stessa Ferrara, interessi mantovani antiestensi, il sostanziale consenso di Lucrezia d'Este, l'ancor più sostanziale consenso del re di Francia Enrico IV e il silenzio degli altri maggiori governi europei. Il corso della vicenda è notissimo a livello di storiografia politico-diplomatica e perciò non vi torneremo sopra; e se mai si troveranno ancora altri suoi documenti a quel livello non è da credere che verranno fuori novità di rilievo. Ma quel che occorre in ogni caso rilevare è che negli stessi anni Enrico IV si batteva per impedire che Ginevra perdesse la sua libertà: calvinistica la città del Lemano, cattolici Ferrara e il Ferrarese, per il Borbone non era questione di confessione religiosa ma di importanza per gli interessi generali della sua monarchia e della sua Francia; i duchi estensi avevano lasciato da alcuni decenni di cercare l'appoggio francese, che tuttavia da tempo era poco valido per loro; Ferrara era lontana, era in quell'Italia dove Enrico IV aveva già perduto il ben più vicino marchesato di Saluzzo — e proprio l'Aldobrandini trattò poco dopo a Lione la definitiva cessione del marchesato al governo sabaudo —; al re importavano ormai ben altri successi, ben altri acquisti e difese che non delle posizioni in Italia. Il suo favore all'operazione antiferrarese di Clemente VIII va visto nel suo gioco europeo, e ciò è cosa ovvia: ma lo si nota qui, per avvertire che neppure la devoluzione del ducato di Ferrara — e la cessione di Comacchio, e della Romagna estense — discese inevitabilmente dalla sola mancanza di eredi diretti di Alfonso II. Tutto finì per cospirarvi, gli errori e gli erramenti di Alfonso vi cospirarono, di fatto, molto, e necessaria fu anche la straordinaria congiuntura europea di quegli anni, vale a dire di nuovo, e conclusivamente, la conseguenza sullo stato estense di una somma di condizioni antiche, meno antiche, recenti e recentissime, esterne ad esso.

Lo stato fu ridotto ai ducati che erano feudi imperiali, e che l'imperatore Rodolfo II aveva riconfermato ad Alfonso nel 1594 senza fare questione di discendenti diretti e apprezzando invece quattrocentomila scudi. Esso discese così da 8.172 chilometri quadrati di superficie e da una popolazione di 432.000 unità a 4.672 chilometri quadrati di superficie e a una popola-

[1] F. Guicciardini, *Ricordi*, B 110, ed. cit., *Appendice*, p. 244, n. XXVI.

zione di 275.000 unità [1]. E l'antichissima partita fra il papato e l'impero fu segnata da un altro e piccolo punto, che almeno per qualche decennio sembrò poi aver semplificato molte cose in quella parte d'Italia, in quel settore sottoposto da secoli alle più diverse tensioni. La devoluzione di Ferrara al potere papale non segnò comunque un progresso sicuro di pace in tanta partita; e a sua volta dopo di allora lo stato estense — dal 1598 duca Cesare, del ramo estense di Montecchio — fu una realtà sempre più lontana da quella dei suoi lunghi tempi che avevano preceduto il 1598.

[1] K. J. Beloch, *Bevölkerungsgeschichte Italiens*, Walter De Gruyter und Co., vol. III, Berlin 1961, 2ª ed. riv., p. 364.

Capitolo III. **Nel secolo dell'avanzante depressione**

1. Terra e privilegio

I guasti della devoluzione

La perdita del ducato ferrarese e delle terre romagnole e di Comacchio fu per gli Estensi un secco danno economico, nella misura in cui essi dovettero rinunciare a numerosi e ricchi frutti del loro vario sfruttamento degli uomini e delle campagne e delle acque di quei luoghi, e del sale comacchiese e di ogni altro bene e commercio da quei luoghi nello stato e fuori di esso. Che ai duchi di Modena e di Reggio la « convenzione faentina » del 1598 abbia lasciato i beni allodiali del Ferrarese e della Romagna, il giuspatronato della prepositura di Pomposa e della Pieve di Bondeno e altre minori ricchezze, è certo cosa da non sottovalutare, seppure già negli anni immediatamente successivi quei beni cominciarono a correre rischi e talvolta a passare di mano; ma il più dell'economia estense nelle terre perdute fu perduto [1].

In misura diversa, e tuttavia comparativamente non molto minore, la devoluzione colpì l'economia del privilegio e generalmente di coloro che per decenni o anche per secoli avevano dominato più o meno insieme agli Estensi quelle terre. Soprattutto per altro essa colpì gli Estensi e i restanti privilegiati, e con loro generalmente i non subalterni del ducato ferrarese e dei rimanenti luoghi passati al governo papale, nella misura in cui li privò degli infiniti vantaggi del loro essere proprietari o trafficanti nell'ambiente in cui avevano agito sino allora, nel sistema sociale e politico e

[1] Sui « vasti possedimenti ducali nel Polesine di San Giorgio », prima del 1598, e poi al 1601, v. F. Cazzola, *La proprietà terriera*, cit., pp. 29-30. Sui beni allodiali estensi nel Ferrarese, amministrati dopo il 1598 da un « commissariato », v. anche F. Valenti, *Profilo storico dell'archivio segreto estense*, Società Tipografica Modenese, Modena 1953, p. 21 dell'estratto.

giurisdizionale che avevano formato o sostenuto durante il tempo anteriore al 1598 e in primo luogo proprio nelle terre perdute poi nel '98: e quanto onerosi i loro vantaggi fossero risentiti dai subalterni si vide anche nell'imminenza della convenzione, allora uno degli inviati estensi a Faenza giunse ad avvertire che i sudditi romagnoli urgevano per lasciare il dominio estense e passare al romano [1] — ed esagerasse pure un poco, l'avvertimento era fondato —.

La devoluzione, infine, colpì gli Estensi e gli altri privilegiati nella misura in cui accentuò le difficoltà della loro economia estera e delle loro possibilità politiche verso l'esterno. Perché se è vero che essi non avevano mai costituito, da soli, l'intero stato estense, è altrettanto vero che dopo il 1598 questo si ritrovò molto diverso e diminuito, in difficoltà oltre i termini già patiti nel Cinquecento e peggio nei decenni di Alfonso II.

Nello stato ridotto ai ducati di Modena e di Reggio, all'aspra Garfagnana estense e alla sua vicina podesteria di Varano, le secolari questioni delle acque e delle alluvioni e degli impaludamenti e delle difficoltà delle bonifiche ridussero il loro peso nell'economia e nella politica del governo, perché, appunto, la loro gravità si era manifestata nella misura maggiore per tutti gli interessati nelle terre perdute poi col 1598 — il basso Reggiano aveva avuto le sue maggiori sistemazioni idrauliche già nel secondo Cinquecento [2], e il basso Modenese aveva sì ancora i suoi problemi di acque dal Panaro e dal Secchia e dal Po, gravi soprattutto per il territorio di Finale più facilmente inondabile [3], ma non ne ebbe mai di così diffusi e impegnativi come quelli che avevano avuto le più basse terre ferraresi o di Romagna —. Per altro, la riduzione di quel peso non fu e non avrebbe mai potuto essere solo un fatto quantitativo.

Le rotte del Po del XII secolo avevano contribuito la loro parte a modificare nel Ferrarese il gioco delle forze a favore di quella privilegiata proprietà terriera; dopo tanto tempo e tanti svolgimenti di cose, ormai in piena storia dello stato, la devoluzione segnò l'inizio di nuove grosse modificazioni. Oltre le stesse ragioni economiche e politiche per cui il governo papale aveva mirato per tanto tempo alle terre ferraresi e alle altre che nel 1598 ebbe, la convenzione faentina impose agli Estensi e agli

[1] L. BALDUZZI, *L'istrumento finale della transazione di Faenza pel passaggio di Ferrara dagli Estensi alla S. Sede (13 gennaio 1598)*, in « Atti e memorie della R. Deputazione di Storia patria per le provincie di Romagna », ser. III, vol. IX, 1891, p. 84.

[2] V. sopra, p. 42.

[3] O. TASSI, *Una comunità dello stato estense nella crisi del Seicento: politica e società a San Felice*, tesi di laurea di storia moderna discussa nel marzo 1976 presso la Facoltà di Lettere e Filosofia di Bologna (relatore L. Marini), p. 73, n. 53; R. COCCÌA, *Terra, acque, governo: la comunità di Finale nel Seicento*, tesi di laurea di storia moderna discussa nel marzo '76 presso la stessa Facoltà e con lo stesso relatore, pp. 247-253.

altri con loro la necessità di far tutto un nuovo conto dei ducati di Modena e di Reggio. Dire che nello stato « ridotto », « diminuito », la pianura fu avvicinata alla montagna, non è solo una immagine; e così non fu solo questione di miglia quadrate e di numero di abitanti nel restante stato e per il governo. Si compì in realtà una dislocazione dei centri prevalenti nello stato, e in primo luogo il governo estense, che sappiamo un po' cosa fosse al momento della devoluzione, si trovò a dover fare un conto nuovissimo di quel che era allora la montagna come risultato del lungo rapporto nel tempo fra le sue vocazioni e il comportamento economico sociale politico degli uomini che l'avevano abitata e l'abitavano. Non bastò che da Modena, nuova capitale, quel governo volesse e dovesse sapere « di più » di quegli uomini. Esso fu mutato dalla devoluzione, dallo spostamento della capitale, dall'avvicinamento alla montagna. E in questa a sua volta nacquero mutamenti, che indussero in primo luogo il già antico privilegio feudale a usare meglio della montagna stessa, base del suo potere e cresciuta d'importanza, e perciò a usare meglio di tutta la gamma dei propri diritti. Non pensiamo solo o soprattutto alle vicende interne fra le classi della montagna e il governo; non pensiamo solo o soprattutto alla cresciuta importanza strategica, per il governo, della montagna per il suo confinare col granducato di Toscana e con la repubblica di Lucca, e col ducato di Parma e con l'accresciuta presenza papale dalla legazione di Bologna. Pensiamo a tutto ciò insieme e più generalmente ritorniamo a pensare al complessivo stato estense, mutato nella sua medesima articolazione, colpito con la devoluzione dalla verifica della debolezza della propria condizione economica e politica fra gli stati di un'Italia che seppure con ritmi diversi si allontanava dalle fortune rinascimentali dei suoi preminenti, e mentre fuori d'Italia nel restante d'Europa erano a loro volta in corso trasformazioni anche molto profonde, meno che mai « comode » per le economie e per i governi più deboli.

Da Ferrara e dal Ferrarese le famiglie nobili più interessate agli affari del potere estense si trasferirono col duca Cesare a Modena, e il duca le rimunerò via via con cariche e con terre in un gioco di infeudazioni e di ri-infeudazioni di cui conosciamo meglio che un tempo qualche significativo tratto. E quei trasferimenti non piacquero nei ducati ed eccitarono per anni reazioni vivaci, specie a Modena; e anche e più per altri versi non giovarono sempre al governo di Cesare, perché i privilegiati sopraggiunti non evitarono sempre collusioni anche pesanti con coloro che nei ducati erano meno vicini al principe.

Il gravissimo nodo degli accidenti del 1598 non venne più superato da nessun governo estense, nonostante gli acquisti che ai duchi accadde poi di fare cominciando dallo « stato di Sassuolo », tolto ai Pio nel 1599, e continuando col principato di Correggio fra il 1631 e il '59 e con altri luoghi nel corso del Settecento: terre, è vero, quasi sempre della pianura ed economicamente di qualche reddito per il governo, ma annesse sempre nel contesto della realtà conseguente alla devoluzione. Per gli Estensi, per lo stato nella sua generale condizione, dopo il 1598 iniziò un'altra storia. (Anche per lo stato sabaudo sarebbe cominciata nel 1603, dopo i trattati di Lione e di Saint-Julien, un'altra storia; il ricordo viene spontaneo ma deve cadere subito ogni tentazione di confronti fra le due vicende, perché in realtà esse furono somme di fatti contemporanei solo in pochi elementi, e troppo diversi invece nella loro sostanza e nei possibili sviluppi). Avviando quell'« altra storia » dello stato, e propria, Cesare già nel 1598 sostituì con uomini di sua maggiore fiducia i governatori dello stato, a Reggio a Brescello a Carpi a Rubiera a Finale a Sestola a Castelnuovo di Garfagnana; e continuò poi anche in altri campi e con qualche risultato positivo, come vedremo più avanti.

E dell'inizio difficilissimo, delle difficoltà non ordinarie del suo cammino, si tenga conto assai più di quel che d'ordinario non si faccia; perché se è comodo continuare a ripetere — si legge e si rilegge! — che egli non ebbe particolari qualità politiche, è più conveniente per capire chiedersi perché oltre a lui nessun altro del suo governo e in primo luogo Giovan Battista Laderchi segretario di stato, che di qualità politiche ne aveva già prima del 1598 a Ferrara con Alfonso II e durò poi capacissimo dal '98 alla morte nel 1618, volle o poté compiere e neppure proporre atti più assolutistici dei suoi all'interno dello stato, più autorevoli verso gli altri governi, in una parola più da principe e meno da interessato regolatore delle differenze antiche e nuove in ogni area dello stato.

Il difficile lavoro dei governatori

I nuovi governatori e gli altri che succedettero loro nel primo Seicento, per essere stati posti al vertice degli affari politici e militari della loro provincia o del loro governatorato, al vertice dell'ordine pubblico, al vertice della giustizia — allora, insieme ai podestà delle comunità —, ebbero largo e anche drammatico modo di rilevare com'erano le cose un po' dovunque o divenivano, dopo le novità del 1598, nel composito stato; ebbero tale modo più dei loro predecessori fra il Quattro e il Cinquecento — i capitani, che avevano avuto minori compiti —, o dei governatori che li avevano preceduti. Erano anche diversi fra di loro per qualità politiche, per l'antichità maggiore o minore della propria condizione sociale generalmente privilegiata; e così un conte Enea Montecuccoli che governò Carpi dal 1598 al 1614 confuse in molti casi il privilegiato, che era, col rappresentante del duca, mentre il marchese Ercole Rondinelli, che tenne il governo di Reggio dal 1598 al 1622 e fu certo il maggiore fra i governatori estensi del primo Seicento, patì più volte lo sconcerto di trovarsi assai meno « pro feudale » del duca o di Laderchi. Ma oltre le loro diversità, e con quelle, contarono nel travaglio dei governatori le infinite differenze, le tensioni fra privilegio e libertà un po' dovunque nello stato, il molto vario comportamento degli altri e minori rappresentanti ducali; con tutta la lunga storia dello stato e oltre di essa contarono le alterazioni del 1598, contò la contraddizione fra quel che il potere ducale chiedeva e quel che poi spesso realmente dava, contò un modo di essere estense che qualcuno volutamente disse già per allora « assolutistico-feudale » [1] — e perciò disorganico in se medesimo —, ma di cui occorre cercare ancora più anime, dentro lo stato, o operanti su di esso dal di fuori. Adeguatamente svolta, nella sua ricca dialettica, una storia dei governatori porterebbe già di per sé non poco avanti la conoscenza dello stato estense.

Garfagnana, Frignano, stato di Sassuolo

Nella sempre difficile Garfagnana, che espostamente concludeva a sud lo stato confinando per prima col territorio e col governo lucchese e con gli altri rischi del mondo toscano e non solo durante le due guerre notissime del 1602 e del '13 con Lucca, un'economia non povera, in prevalenza di allevamenti di bestiame grosso e di ovini, di produzione di formaggi, di castagne, di miniere di ferro, e di scambi nelle fiere che si tenevano in aprile e in settembre a Castelnuovo, sosteneva gli antichi particolarismi; e alla viva trama dei diritti locali continuava a giungere anche il favore di esponenti del potere estense. Nessun luogo consentiva con gli interessi del vicino, le comunità di Camporgiano e di Trassilico si opponevano ai capitani di ragione che da Castelnuovo tentavano di esercitare la giustizia nel paese, i podestà contrastavano l'azione del governatore. E a tutti i contrasti faceva da sfondo, non stranamente, il generale e calcolato confidare garfagnino « nella clemenza del serenissimo padrone » [2]. Lo stesso Laderchi dovette andare nel 1605 a Castelnuovo per cercar di capire meglio le cose.

A nord del crinale appenninico, e fiancheggiando la montagna reggiana,

[1] O. Rombaldi, *Gli Estensi al governo di Reggio*, cit., p. 72.

[2] Cosí Giovanni dall'Ara, notaio di Castelnuovo: cit. in R. Montagnani, *Giovan Battista Laderchi nel governo estense (1572-1618)*, Aedes Muratoriana, Modena 1977, p. 135. Su tutto v. la *Relazione degli stati del Serenissimo di Modona*, in Archivio di Stato, Modena, *Archivio per materie, descrizioni e relazioni dello stato estense, sec. XVI-XVII*, busta 1. a, cc. 25r-37r: la relazione è datata, di mano non coeva, sulla coperta, « fra il 1614 e il 1621 », ma una notizia alla c. 27v deve invece farla datare tra il 1616 e il 1621.

la varia realtà del Frignano « immediato » e « mediato », dalla vera e propria provincia frignanese incentrata in Sestola dov'era anche il governatore ma estesa fino a nord di Pavullo, alle « adiacenze » della provincia e così alle podesterie di Montefiorino e di Montetortore e di Gombola e di Medola-Rancidoro [1], e alla ramificata e sempre notevole potenza feudale dei Montecuccoli [2], quella varia realtà riprendeva il quadro garfagnino delle differenze e dei conflitti, delle tradizioni e delle spinte modificatrici, e lo complicava perché il Frignano era più esteso ed economicamente anche più importante e socialmente più articolato della Garfagnana, aveva a sua volta confini non facili per il governo estense — di nuovo col granducato di Toscana e con Lucca; e con la legazione pontificia di Bologna —, era un gran luogo di transiti e generalmente era un tessuto di realtà rilevanti nello stato. Della sua esistenza non si occupava il solo governo estense; ma ne seguivano con attenzione fortune e sfortune i vicini stati mediati di Scandiano e di Vignola, ed anche feudi come Bismantova, Carpineti, Monzone, Guiglia, ed altri. Il Frignano era importante per il Sassolese, dove il governatore estense cominciava ad organizzare non senza fatiche il diretto dominio di Cesare. Solamente fra il 1598 e il 1611, a cercare di reggere la varia realtà frignanese si succedettero a Sestola cinque governatori [3].

Dal sud garfagnino al nord di Pavullo il governo estense agiva dunque in spazi o su spazi difficili; e anche là dove si svolgeva sui domini immediati esso poteva sostanzialmente non oltre la misura in cui sapeva muoversi nel consenso del privilegio che gli era più o meno vicino, fosse di investitura estense o imperiale, laico o ecclesiastico; ed è pure evidente che doveva muoversi con sapienza anche nei confronti delle comunità di quei domini immediati, perché là tanto meno gli sarebbe stato possibile essere accentratore o fiscalmente troppo pesante. Non accadde dappertutto che delle comunità venissero infeudate perché troppo scomode da reggere, e non è da esagerare il caso di Brandola, Mocogno e Frassineti date in feudo nel 1622 al marchese ferrarese Camillo Zavaglia [4], dopo che Paolo

[1] V. in proposito P. Grillenzoni, *Il Frignano e gli Estensi dal Quattrocento al primo Seicento*, tesi di laurea di storia moderna discussa nel novembre 1976 presso la Facoltà di Lettere e Filosofia di Bologna (relatore L. Marini), carta I e pp. 3-8. Sulla entità della popolazione del governatorato di Sestola dalla fine del Cinquecento al 1626 – circa 15.000 abitanti – e della podesteria di Montefiorino al 1641 – 3781 abitanti – v. le prudenti note di D. Albani, *Il Frignano*, Società Tipografica Mareggiani, Bologna 1964, p. 67.

[2] Utile in proposito, con la carta I di P. Grillenzoni, *op. cit.*, è la carta dei feudi dello stato estense, 1598-1628, redatta da C. Montroni come allegato n. 4 del suo *Il governo di Cesare d'Este, duca di Modena*, tesi di laurea di storia moderna discussa nel febbraio 1970 presso la Facoltà di Lettere e Filosofia di Bologna (relatore L. Marini).

[3] R. Montagnani, *op. cit.*, p. 132.

[4] M. Schenetti, *Storia di Sassuolo*, cit., p. 170.

Brusantini governatore dello stato di Sassuolo aveva avvertito Cesare essere lassù, specie a Mocogno, « gente tutta, che tiene un poco del seditioso, et che vorria pretendere quasi di vivere a repubblica »[1]; il caso non è da esagerare ma non si deve neppure ritenerlo isolato, e lo si ricordi perciò a mo' di esempio di quel che abbiamo appena detto.

Dal nord di Pavullo al distretto modenese e a Modena, lo stato di Sassuolo era per la maggior parte circondato da feudi imperiali o estensi; quel che Brusantini ne riferì al duca nel 1603 va utilmente riletto, anche oggi, proprio innanzitutto per la analitica ricchezza dell'informazione a quel proposito. L'ex dominio sassolese dei Pio confinava, è vero, a sud col Frignano e a nord con ville modenesi; ma per tutto il restante dei suoi confini lo attorniavano il marchesato di Vignola tenuto dai Boncompagni duchi di Sora, Guiglia « del signor marchese Tassoni », Maranello « de' signori conti Calcagnini », Spilamberto e Levizzano « dei signori Rangoni », « la Vezza del signor marchese di Scandiano... Castellarano dell'eccellentissimo signor marchese d'Este », e poi terre del conte Trotti e altre dei conti Cesi e altre del conte Ferramonte Montecuccoli, e Rancidoro, Medola e Palagano dei conti Mosti: « ed ivi finisse il giro »[2]. Un giro, intorno a un territorio di trentasette miglia per dodici, che altri governatori avrebbero a loro volta potuto descrivere intorno alla propria provincia solo cambiando nomi di feudi e — ma non sempre — di signori laici o ecclesiastici, e di giurisdizioni e di fiumi e di strade; ma un giro, che con altrettanta facilità essi avrebbero potuto integrare con l'elenco delle proprietà delle varie diocesi e delle altre entità ecclesiastiche, magari soggette direttamente al potere papale, e da cui era di nuovo spezzata all'interno dei loro territori l'unità della giurisdizione estense e del loro lavoro.

Una relazione sullo stato

Una relazione sullo stato « del serenissimo di Modona », scritta fra il 1616 e il '21[3], ricordò i marchesati di San Martino, di Gualtieri, di Scandiano, di Bismantova, di Canossa, di Carpineti, di Busana, e signori come i Bentivoglio, i Thiene, i Bevilacqua; e ricordò gli altri marchesati e signori di cui aveva già fatto cenno Brusantini, « oltre alli due marchesati di Montecchio, e di Bazzano e Scurano », che allora non erano infeudati ma che lo furono poi di nuovo presto. « Gran numero di contee, tenute e

[1] P. BRUSANTINI, *Relazione dello stato di Sassuolo*, « di Sassuolo, li 4 aprile 1603 », in *Omaggio del municipio di Sassuolo per la solenne inaugurazione del nuovo ponte sul fiume Secchia, il dì 29 settembre 1872*, Sassuolo 1872, p. 49.

[2] P. BRUSANTINI, *op. cit.*, pp. 45-46.

[3] È quella già cit. sopra, p. 71, n. 2, a cui si rinvia anche per la datazione del documento.

riconosciute in feudo da molti cavalieri e gentil'huomini tanto forestieri come sudditi » di Cesare, si aggiungevano nello stato a quei marchesati [1].

Ora, qui non si vuole neppure tentare una ricognizione esauriente dei feudi nello stato estense del primo Seicento (e di ogni altro tempo), non da ultimo perché tale ricognizione ha avuto finora solo qualche elencazione in studi meno recenti e qualche sporadico avviamento in brevi studi recenti, e invece occorrerebbero ricerche molto spesso di lungo o di lunghissimo periodo per una conoscenza larga di tutta la feudalità laica ed ecclesiastica dello stato, famiglia per famiglia, proprietà per proprietà, contraente per contraente e contratto (agrario, dotale) per contratto, e via dicendo; non basterebbero i nomi delle terre e le date delle infeudazioni; la corografia tardo settecentesca di un Ricci, i repertori di un Tiraboschi o di altri nell'Ottocento, non bastano davvero. Qui si vuol dare piuttosto una prima idea della realtà che nello stato andò più e più dominando avanti nel Seicento né diminuì in seguito in apprezzabile misura, e sostanzialmente durò nelle sue forme sino al secondo Settecento. E una prima idea della realtà feudale in quello stato e in quel tempo è necessaria per accostarsi un po' meno oscuramente anche ai termini della proprietà terriera e del modo di condurla che ebbero gli Estensi: non ancora per sapere quale e quanta fosse una tal proprietà di volta in volta — nel 1605 Lelio Tolomei ambasciatore a Modena per conto di Ferdinando I de' Medici scrivendo del duca Cesare stimò « l'entrata del principe con i beni allodiali... intorno a dugento cinquanta mila scudi » [2], e anche la sua indicazione va verificata e concretata con molti dati —, ma almeno per sottolineare che anche per gli Estensi la terra fu particolarmente dopo il 1598 il maggior bene economico e per constatare di nuovo che insomma la terra divenne sempre di più l'alimento economico dei vari gradi del privilegio nello stato. In quale relazione con le arti e i conseguenti traffici delle comunità, col denaro borghese ed ebraico nello stato nel Seicento, si vedrà almeno per cenni più avanti; ma se intanto diciamo che la relazione fu di valore decrescente a tutto vantaggio del possesso terriero — e quindi anche e coinvolgentemente del possesso terriero dei proprietari delle comunità — diciamo pure che possiamo e anzi dobbiamo continuare nei nostri riferimenti al privilegio e alla terra.

« Tra l'Enza e il Crostolo è Gualtieri col suo marchesato » — riprendiamo a leggere la ricordata relazione dello stato estense; i marchesi erano i Bentivoglio —. Quel luogo aveva « un territorio fertilissimo et abbondan-

[1] *Relazione degli stati*, cit., c.1r.

[2] In A. Namias, *Storia di Modena e dei paesi circostanti*, p. I, Forni, Bologna 1969 (ristampa anastatica dell'edizione di Modena 1894), p. 326.

tissimo di formenti e d'ogn'altra sorte di grani », le messi, per la « grassezza e bontà de' terreni », rendevano « a ragione di dieci e dodeci per staio », grandinate o alluvioni erano rapidamente superate con nuove colture di « meleghe », di « migli », di fagioli, e l'anno successivo si tornava al frumento e alle sue ottime rese: « onde con ragione i signori Bentivogli v'hanno quell'amore et affetto che devono, cavandone hoggi il signor marchese Enzo da trenta mila scudi in circa d'entrata, e godendovi un palazzo regale » [1]. Il marchesato confinava col Reggiano ma altresì con Guastalla e con lo stato di Mantova e col ducato di Parma; e solleciterebbe un discorso anche questo fatto, dei grossi feudi che riducevano ai confini le risorse economiche e la sicurezza militare del governo centrale dello stato estense, favorivano il contrabbando di merci e delle monete di minor valore sempre a danno di quel governo e dei mercanti delle comunità dello stato, alimentavano o per lo meno giovavano agli uomini banditi dalla giustizia ducale; non entriamo in questo discorso se non per accenni, ma torniamo allora a ricordare almeno la maggiore feudalità della Garfagnana e del Frignano, non dimentichiamo il marchesato di Vignola [2], poniamo mente soprattutto alla montagna reggiana e ai tanti altri feudi del ducato di Reggio!

Ercole Rondinelli e il ducato di Reggio

In quella montagna, e sin verso Reggio e anche oltre nel ducato, era la massima concentrazione di feudi dello stato, una concentrazione imponente e crescente. L'autorità del « maggior magistrato » [3] nei confronti dei feudatari del ducato, e a pro dei reggiani possessori di terre nei feudi, non aveva mancato dal 1512 in poi di sostenere la comunità di Reggio contro chi avrebbe sempre voluto imporre ai proprietari della comunità coi loro affittuari, mezzadri, lavoratori giornalieri, di giurargli fedeltà, di sopportare da lui « qualsivoglia gravezza reale personale o mista » [4], di pagargli dazi, di consentire a vedersi sfuggire debitori o altri rei che si rifugiavano nelle sue terre e nella sua giurisdizione e si salvavano così dalla giustizia della comunità o da quella del governo estense. Tuttavia, le fortu-

[1] *Relazione degli stati*, cit., c. 18 r. e v.

[2] Con le buone ricerche di G. Donini, *La comunità di Vignola dal 1577 al 1616*, cit., e di M. Scurani, *La comunità di Vignola e i Boncompagni tra Sei e Settecento*, tesi di laurea di storia moderna discussa nel marzo 1973 presso la Facoltà di Lettere e Filosofia di Bologna (relatore L. Marini).

[3] V. sopra, p. 25.

[4] E. Rondinelli, *Informazione del governo di Reggio*, « fatta in Rivalta, e finita li 25 settembre 1622 », in Biblioteca municipale di Reggio Emilia, copia manoscritta del sec. XVIII, segnata: mss. regg. C 73, pp. 10-12.

ne reggiane del secondo Cinquecento avevano pur sempre dovuto fare i conti con quella feudalità e dal 1598 in avanti ciò si era aggravato: nessun testimone migliore del governatore Rondinelli può esser ricordato in proposito.

Già nel 1610 « i signori feudatarij sottoposti al maggior magistrato si unirono insieme », e accentuarono la lotta contro la condizione in cui i reggiani e il governatore continuavano a cercar di tenerli. Ed ecco subito un fatto da rilevare: fra gli incaricati da Cesare di esaminare i loro argomenti vi fu anche Laderchi, ma quel primo fra gli uomini del governo ducale possedeva proprio nel Reggiano il feudo di Montalto e la maggior parte del feudo di Albinea acquistato in due riprese dai Manfredi, e anche già per altri fatti si sapeva di suoi legami e dei suoi buonissimi rapporti col privilegio laico feudale nello stato[1]; sicché i reggiani avvertendo la cosa lo tennero subito per « sospettissimo », lo considerarono fra i probabili iniziatori della lotta stessa. E v'è di più — era tutto connesso! —: « oltre alle difficultà mosse dalli suddetti nobili per sottraersi dal maggiore magistrato hanno voluto gli uffiziali delle podestarie del ducato da alcun tempo in qua pretendere anch'essi di non avere a riconoscere il maggior magistrato, non avendo altro fondamento che quello della vicinità della residenza del principe, e del fomento che è stato dato loro da chi ha portato odio al suddetto magistrato ». Non è facile pensare che la loro migliore intenzione fosse quella di liberarsi da ogni controllo e tanto più da quello dei governatori nel ducato reggiano, per essere più vicini al controllo estense, se Rondinelli stesso, proprio scrivendo a Cesare, non riconosceva quell'intenzione e ricordava contro di essa autorità analoghe al maggior magistrato a Milano e a Parma.

Rondinelli per altro sapeva bene di non aver mai avuto « superiorità » su tutti i feudi del ducato di Reggio. I governatori non avevano superiorità, se non occasionale e su precise limitate indicazioni ducali, sugli stati mediati del ducato, e cioè sui feudi che gli Estensi nelle loro investiture avevano « del tutto divisi e separati » da Reggio e dall'autorità del maggior magistrato, quindi su Montecchio e su San Martino dal tempo di Alfonso II, su Scandiano « il quale ha veramente molte prerogative ma ne pretende anche di vantaggio », e su molte altre terre specie nella montagna reggiana (Rombaldi ne ricordò già un certo numero). Una tal condizione valeva in tutto lo stato e anche questo è un discorso che dovremmo poter svolgere, per esempio dicendo del marchesato di Vignola come ampie ricerche recenti ci permetterebbero di fare[2], ma torniamo alla *informa-*

[1] R. Montagnani, *op. cit.*, pp. 110, 137-138.
[2] Sono le già ricordate di G. Donini e di M. Scurani.

zione di Rondinelli e alla incompleta « superiorità » del governatore, da cui veniva pure che fosse incompleta, e più ridotta che mai nella montagna, l'organizzazione militare estense della provincia.

Rondinelli annotava che il numero delle infeudazioni era aumentato da quando egli era a Reggio, e dopo che da altrettanti anni aveva avuto inizio la dislocazione dei centri di maggior forza nello stato. Quel numero era andato aumentando anche nel restante dello stato; l'azione estense nel suo rapporto col mondo feudale produceva effetti coi quali si saldava negativamente avvolgendosi in una condizione di precarietà politica progressiva, e pagava anche così il prezzo della sua « nuova » esistenza. Si potrebbe cominciare a raccogliere già qui un primo gruppo di opinioni sul governo di Cesare e sui guasti patiti da esso per via della devoluzione.

I governatori di Reggio potevano poco, per altro, anche nei feudi sui quali avevano superiorità. I nuovi capitoli estensi del 1615 sulle milizie avevano già costretto il governatore del Frignano — si noti, proprio del Frignano — a diminuire le paghe dei suoi « birri », e difficoltà analoghe erano insorte altrove nello stato; e così pure nel ducato reggiano la « debolezza delle paghe del bargello e suoi sbirri » aveva fatto sì che tra l'altro essi non disponevano più di cavalli, e se gli occorreva uscire da Reggio uscivano « in poco numero », « e se non si fanno spalleggiare dalla cavallaria non hanno occhi per vedere li tristi e quelli che vivono male nel paese, e, quello che è peggio, per fare qualche guadagno fanno altrettanto nella città, approfittandosi coll'avere intelligenza con alcuni galantuomini licenziosi e con uomini faziosi e contumaci, facendosi loro pensionarij... ».

Rondinelli aveva già trovato molti « banditi e contumaci della Corte, vagabondi per lo più e malviventi », nei primi tempi del suo governo, a Rossena a San Polo a Quattro Castella a Gualtieri a Scandiano, cioè in terre feudali della bassa e dell'alta pianura del ducato, « separate » e no; e contro l'accoglimento di quei banditi da parte feudale aveva pur potuto fare via via qualcosa. Ma la montagna gli aveva sempre resistito, con tanta sua maggiore sofferenza in quanto non andavano così le cose sulla montagna di Parma o del granducato di Toscana — e perciò la reggiana ospitava anche chi fuggiva da quelle polizie —. Mancava, ed era sintomatico del modo estense di reggere la parte meridionale dello stato e in particolare il Reggiano, un « barigello di campagna »; quando occorreva dunque agire e si mandava fuori il bargello di Reggio, « non così tosto egli è entrato a' piedi delle montagne che per tutt'il resto si sa, ed i banditi fuggono e ritiransi ne' boschi e luoghi forti, ciò che lungamente è stato sperimentato con quel Giacomo Antonio Moncigoli dal Cereto dell'Alpe ultimamente morto, e con altri. Il migliore rimedio per rimediare e sradicare questi faziosi e banditi forastieri sarebbe di provvedere che così fatti capi facinorosi non fossero portati o prottetti da cavaglieri e feudatarij, e, quello che talvolta è peggio, da' ministri principali... ».

De hoc satis! Ma sarebbe facile continuare e far nomi di uomini e di intere famiglie in lotta in quei luoghi. È forse da commentare il ricordo, che leggiamo nello stesso Rondinelli, delle gride dei duchi contro i feudatari che ospitavano i « banditi dello stato suo » o i banditi di fuori? Vogliamo ricordare almeno i Manfredi tra i feudatari ostili a Rondinelli [1], così come altri dei loro avevano contrastato i suoi predecessori? Dopo quelli del Cinquecento, ordini ducali contro i contadini che abbandonavano lo stato e non avrebbero dovuto farlo spesseggiarono nel Seicento: ma a che pro, quando addirittura si aggravavano le condizioni della struttura economica e politica che era alla base delle fughe dalla terra così come era alla base di molto banditismo?

È per altro un fatto che anche il governatore di Reggio stava in quella struttura, egli che per di più aveva avuto Canossa in feudo insieme a Camillo Rondinelli fin dal 1593; le sue rigorose denunce e le sue lucide esigenze di razionalizzazione lo differenziavano notevolmente da molti altri e per esempio lo differenziarono sempre da Laderchi — e vogliamo pure vedervi una voce critica dell'impostazione che si era data da Modena al governo dello stato? —, nondimeno esse riuscivano infine molto più efficaci nelle rappresentazioni del male che nella ricerca dei rimedi. Fu sempre sostanziale anche la prudenza di Rondinelli nei confronti del privilegio ecclesiastico, e non sono da sopravvalutare i suoi contrasti col vescovo di Modena Claudio Rangone. Quella prudenza allora si incontrava direttamente con la prudenza di Cesare; e toccava l'apice nelle questioni che potevano alterare le relazioni col governo papale.

A quel punto nessuna difesa di « gentiluomini » era più in discussione, il privilegio laico andava aiutato a non commettere errori; i « gentiluomini », come i « capitani » e gli « stipendiati » del duca, importavano tutti insieme a Rondinelli quanto più il secolo controriformistico si faceva sentire. « Vi è poi ancora il fôro del S. Offizio e dell'Inquisizione, coi quali vogliono parimente i... nostri serenissimi principi che s'intendino li loro ministri e che gl'assistino e diano loro braccio, quando ne sono ricercati. E perché alcuni delli... padri inquisitori sogliono essere talora molto difficili e severi, è necessario di procurare di rendersegli confidenti ed amorevoli coll'onorarli e gratificarli in tutte le occasioni, e col mostrarsi loro pronti ad assisterli in ogni bisogno del S. Offizio; perché così si va acquistando tale credito con essi, che senza fare affronti alli gentiluomini, ed alli capitani ed alli stipendiati di Vostra Altezza, ogni volta che vogliono

[1] V. su di essi C. MONTRONI, *op. cit.*, pp. 255-256, n. 57.

trattare con essi vengono a dimandarli al governatore, il quale, senza rumore o pericolo di scandalo, li fa andare a fare l'obbedienza ». Di fronte al sant'ufficio, e oltre la possibile portata delle riserve mentali del governatore, si risaldava il cerchio degli esponenti maggiori del potere estense; di nuovo, non si può convenire con chi voglia ancora ridurre quel potere alle sole capacità o non capacità di Cesare [1].

La presenza feudale

I feudatari del Reggiano portarono via via la loro pressione anche sui « rusticali » delle terre dei proprietari di Reggio, sui rusticali « oppressi e distrutti d'ogni difesa », per ritornare poi di là sui proprietari; di quel gioco Balletti ricordò una testimonianza del 1647 [2], quando appunto il duca Francesco I d'Este si era mostrato già da tempo e anche più di Cesare favorevole alla feudalità, mentre crescevano anche per il proseguire della guerra dei Trent'anni le difficoltà militari finanziarie politiche del governo estense e di tutto lo stato. Ma quello stesso gioco prima di quella data aveva già avuto molte manifestazioni e altre ne ebbe in seguito; lo sappiamo da più parti e in special modo lo sappiamo per gli anni in cui Laura Martinozzi tenne la reggenza del governo nella minorità di Francesco II e pure cercò a volte di limitare il prepotere feudale non solo nel ducato di Reggio ma anche nel Modenese e altrove nello stato.

Dopo tanta secolare presenza feudale nello stato e a settantatre anni dalla devoluzione, nel 1671, Laura e i suoi collaboratori nel governo constatarono che i feudatari proibivano ormai ai propri sudditi di abitare fuori delle loro giurisdizioni, quindi in nessun altro luogo dello stato estense, e vietavano l'esportazione di derrate e di cose e i contratti e i testamenti se non per il tramite dei loro notai, proibivano di vendere beni ai forestieri e così danneggiavano anche il commercio dei domini estensi diretti, costringevano i sudditi a prestazioni a loro vantaggio – con carreggi e altre opere – oltre i termini di ogni patto: e qui bastino tali esempi di una realtà che ne consentirebbe molti altri e ne consentirà a tutti coloro che vorranno aggiungere le proprie alle ricerche già compiute.

Che in uno stato, così posseduto vieppiù dal privilegio, i « rusticali » dei borghesi e non borghesi delle comunità e i sudditi dei feudatari avessero vita difficile o difficilissima, sembrerebbe appena il caso di ricordare, quando già sappiamo un poco della loro condizione antecedentemente

[1] Tutto il cit. da E. Rondinelli è nella sua *op. cit.*, pp. 14, 15, 18, 19, 65-66, 51; ma il documento è beninteso tutto da vedere.

[2] A. Balletti, *Storia di Reggio*, cit., p. 402.

al 1598, e quando già dobbiamo sapere generalmente che cosa volle dire nel Seicento italiano essere non privilegiato, non borghese, ma subalterno e magari proprio subalterno nella più drammatica delle economie del secolo. Avremo tuttavia modo, più avanti, di ricordare almeno per qualche altro momento quella vita difficile o difficilissima, perché della terra diremo altro non appena diremo delle comunità. Qui piuttosto insistiamo nel rilevare la presenza feudale lungo tutto il Seicento, e quanto gli Estensi abbiano giostrato in essa e con quali rischi, se proprio i feudatari del Reggiano « ad altro non tendevano che di girare il ferro della giustizia col braccio imperiale » [1], e cioè tendevano a portare sempre più innanzi il loro già grandissimo vantaggio nello stato attribuendosi prerogative di feudatari imperiali e non estensi, per essere così più vicini a coloro che erano già feudatari imperiali nello stato e fuori.

E insistendo sul favore estense alla presenza feudale diamo almeno di esso qualche minimo saggio anche per i decenni del pieno Seicento, ricordando, dopo Cesare d'Este e per il solo Sassolese, Alfonso III che sottrasse Spezzano al governatore di Sassuolo e lo diede in feudo al modenese marchese G. Coccapani, e Francesco I che governò dal 1629 al '58 e cedette le podesterie di Formigine e di Corletto e di Casinalbo e di S. Zenone e di Montale al fratello Obizzo, diede Soliera al marchese Campori e Nirano al cavalier Dragoni e Corlo al marchese Calcagnini e Fiorano al marchese Alfonso Coccapani, il quale ultimo si tenne anche Spezzano restituendo per altro alla camera ducale i feudi di Giandeto e Onfiano nella montagna reggiana [2]; dopo di che dovremo anche ricordare che Francesco I unì a Sassuolo — per qualche anno, poi li cedette ai Montecuccoli — Pigneto e Prignano, rimasti vacanti dopo che ancora nel tempo di Cesare era morto Ercole Trotti e cioè l'ultimo dei Trotti che avevano tenuto in feudo quei luoghi [3]; e insomma dovremo dire e anzi ripetere che, sì, nel loro lavoro gli Estensi sembrarono continuare a trattare il campo della feudalità come ogni altro dei campi in cui la loro azione gli procurava il denaro occorrente alle loro sempre ricche e sempre povere casse, e che il commercio dei feudi aveva fatto parte del loro modo di essere nello stato anche prima di vedersi questo diminuito dalla devoluzione. Ma eviteremo di dire che dopo il 1598 essi semplicemente si gettarono di più nell'area modenese e nella reggiana e nel restante stato proseguendo il vecchio gioco! Lo stato diverso, e non solo diminuito, gli mutò il gioco.

Nel contesto del loro Seicento ha un preciso sapore ironico — chiun-

[1] Così il governo della comunità di Reggio nella cit. informazione del 1647 a Francesco I, in A. Balletti, *op. cit.*, p. 402.

[2] M. Schenetti, *op. cit.*, p. 183 e note.

[3] M. Schenetti, *op. cit.*, p. 184 e n. 66.

que l'abbia scritta — una lunga affermazione di un registro di feudi dell'archivio di stato di Modena [1]: « ha sempre havuta per antichissima consuetudine la serenissima casa d'Este d'infeudare le giuridicioni de' suoi stati con tanta ampiezza, che niun altro prencipe soprano d'Ittaglia pratica simili concesioni, posciaché, tratandosi d'infeudazioni libere da maggior maggistrato, come sono per lo più quelle sin hora infeudate, li feudetarij hanno il mero e misto impero, la tottal cognizione delle cause tutte, civilli e criminalli, sì nella prima instanza e seconda come nell'altra, fano sangue, possono far gride e proclamare a loro piaccere, graziare e comporre li dilliti commessi nel territorio a loro arbitrio, et, in ristretto, hanno l'autorità medesima che il serenissimo signor duca ha immediatamente ne' luoghi a lui soggetti; né l'Altezza sua ammette mai li ricorsi de' sudditi se non in caso di denegata giustizia et agravio evidente, che a quelli fosse fatto da' feudetarij per l'alto dominio che sempre resta e s'intende risservato; et in materia di cognizione di causa mai sua Altezza serenissima vi si intramette, se non ne' casi di veddove e puppilli », e nei casi relativi ad altre sue tradizionali prerogative — « il smaltimento del sale, le tasse, e le genti d'armi, restano riservate al prencipe, e come le altre imposte, o datij, che si trovano, mentre non siano concesse espressamente con le giuresditioni » —. Illuminanti parole, certo della seconda metà e forse anche degli ultimi anni del secolo [2], e quanto mai espressive!

Privilegio e abbandoni di terre

Abbiamo detto della montagna nello stato e abbiano già detto qualcosa della pianura: soprattutto le proprietà medie e grandi in mani nobili o ecclesiastiche e gli altri beni del privilegio — fossero dati, le prime e i secondi, in affitto, o a livello, o direttamente gestiti — crebbero o continuarono a crescere di numero anche nel distretto di Modena, crebbero nel marchesato di Vignola, dagli anni di Cesare in poi lungo tutto il Seicento [3]; i Thiene marchesi di Scandiano portarono particolarmente avanti il proprio potere sulla terra e sui traffici più redditizi del loro feudo, comprimendo le possibilità di vita dei sudditi, e qualcosa per questi migliorò forse e solo dal 1631, succedendo ai Thiene Enzo Bentivoglio — che allora lasciò Gualtieri — e poi Cornelio suo figlio, e passando poi il feudo

[1] Archivio di Stato, Modena, *Archivio camerale, Feudi, usi, livelli ecc., Registri di feudi* ecc., n. 146, p. 4 (già nella sua maggior parte, ma con molte differenze di trascrizione, in O. Rombaldi, *op. cit.*, pp. 74-75).

[2] Valgono per la datazione soprattutto le pp. 4-57 del *Registro* cit.

[3] Qualche notizia e nuove argomentazioni in proposito sono in M. Cattini, *Produzione, autoconsumo e mercato dei grani a San Felice sul Panaro (1590-1637)*, in « Rivista storica italiana », LXXXV, 1973, pp. 749, 717-718, 750, 752; M. Scurani, *op. cit.*, pp. 367 sgg.

a Luigi d'Este zio di Francesco I e dopo di allora rimanendo agli Estensi; una grossa comunità come San Felice fu infeudata nel 1648 ad Ascanio Pio di Savoia e ritornò agli Estensi solo nel 1673 [1]; l'infeudamento estense nel 1652 di Castelnovosotto al marchese Gherardini accrebbe la depressione in cui era già entrato quel luogo dopo le sue non scarse fortune agricole del secondo Cinquecento e ancora del primo Seicento [2].

La proprietà ecclesiastica è una realtà della quale sappiamo, pur sempre, meno delle altre nello stato; ma generalmente è noto che durante il Seicento crebbe ovunque nello stato immediato e nei domini mediati il numero delle chiese e dei conventi e dei monasteri e la loro ricchezza anche di terre, si impiantarono ordini religiosi di grande rilevanza e rapidamente capaci di possessi anche terrieri di non indifferente valore — come accadde per i gesuiti a Reggio dal 1607 —; e tutto poi favoriva le speculazioni dei laici non privilegiati, che si valevano degli ecclesiastici per evadere il carico fiscale, spesso troppo pesante perché gravante soprattutto su di loro.

A Reggio, nel 1614, la popolazione era di 14.774 bocche; e circa quel tempo i conventi erano dodici, i monasteri undici, le confraternite venti; insieme a loro « quasi un centinaio di chiese e di oratori » tenevano la comunità come « in una cerchia di devozioni » [3]. Le devozioni volevano dire altresì beni immobili e mobili; nel distretto di Reggio l'entità della proprietà terriera di chiese, di opere pie, verso la metà del Seicento era pari a due terzi di quella dei borghesi reggiani, e continuò ad aumentare lungo il secolo. Sempre a Reggio (ma non là soltanto!) si diffuse la vendita di carni riservate agli ecclesiastici.

Ma non è il caso di elencare anche i vantaggi « minori » che il privilegio ecclesiastico e il laico si procurarono o continuarono a procurarsi nel corso del secolo, né è necessario se non per un momento ricordare di nuovo il fatto del possesso di mulini da parte nobiliare; il ricordo vuol essere compiuto solo perché aggiunge qualcosa alla comparazione fra gli Estensi e la sempre più diffusa proprietà signorile vecchia e nuova, dal momento che in un paese a prevalente economia agraria i tanti mulini nelle mani della nobiltà che ne usava coi propri sudditi o li affittava ad altri privilegiati non erano un argomento da poco sotto più di un profilo — economico, finanziario, giudiziario — per sostenere quella nobiltà in ogni sua affermazione nello stato e verso gli Estensi. Minori o maggiori — e quindi non solo di mulini ma anche di forni, di osterie, di macelli, di tintorie, di diritti sulle acque, di dazi, di diritti sulla caccia e sulla pesca,

[1] O. Tassi, *op. cit.*, pp. 79, 109 n. 1, 322.
[2] O. Rombaldi, *op. cit.*, pp. 77-78.
[3] A. Balletti, *op. cit.*, p. 438.

di sfruttamento del sottosuolo e così via —, i vantaggi del privilegio crescevano su se medesimi, tanto più negli « stati mediati » come il marchesato di Vignola o i vari feudi dei Rangone o il marchesato di Scandiano e via dicendo. E là dove le loro conseguenze erano più negative per i sudditi, in primo luogo per i più oppressi fra i lavoratori della terra, ne venivano reazioni che disturbavano il privilegio ma per così dire non si limitavano a ciò e coinvolgevano anche le manifestazioni dello scontento rurale nelle terre estensi o nelle terre dei proprietari delle comunità.

Divennero più frequenti lungo il secolo gli abbandoni di terre feudali e di terre non feudali: dalla provincia estense del Frignano e dalle terre frignanesi dei Montecuccoli, dal marchesato di Lavacchio; dal Sanfeliciano per passare magari temporaneamente nel Modenese o fuori dello stato nel ducato di Mirandola, ma più spesso per andarsene una volta per tutte [1]; dal governatorato di Brescello, per esempio negli anni Trenta, verso il Parmigiano e il Mantovano [2]; dal marchesato di Vignola nel secondo Seicento e anche dopo verso il Bolognese e altrove [3]; dalle campagne di Finale nel Bolognese o in altri luoghi dello stato pontificio [4]. Nel governatorato di Sassuolo poco prima del 1670 crebbe il numero dei « banditi » [5], e quello fu il tempo della reggente Martinozzi e dell'incrudire della pressione feudale nei ducati di Modena e di Reggio. Ma la presenza di ogni forma di banditismo andò aumentando un po' ovunque nello stato, la « mala razza di gente » [6] non veniva tutta dalle sofferenze imposte dai proprietari di terre ma in grandissima parte veniva di là.

Anche delle fughe dalle terre immediate gli Estensi si allarmarono, come i feudatari si allarmarono delle fughe dalle proprie terre; ma non era stata questione di gride per gli Estensi e comunque di divieti loro o dei feudatari già nel Cinquecento, a maggior ragione non si corresse nulla in quel modo nel Seicento.

E fosse anche vero che non tutti gli abbandoni di terre erano fughe, e che durò anche nel Seicento l'emigrazione rurale da luogo a luogo non come reazione traumatica ma come ricerca « normale » di una vita meno cattiva e di contratti meno onerosi, magari di mitizzati « partiti grassissimi » [7]: ciò che spiega certi passaggi dalle terre di un signore alle terre di un altro, aiuta a capire come si uscisse dallo stato estense o non se ne

[1] M. Cattini, *op. cit.*, p. 751 n. 195, 723 e n. 103; O. Tassi, *op. cit.*, pp. 172, 217 n. 17.
[2] O. Rombaldi, *op. cit.*, p. 79.
[3] M. Scurani, *op. cit.*, pp. 84-85, 468-469.
[4] R. Coccìa, *op. cit.*, pp. 230-232.
[5] M. Schenetti, *op. cit.*, p. 200.
[6] Così Finale nel 1631: in R. Coccìa, *op. cit.*, p. 235, con la n. 36 di p. 244.
[7] R. Coccìa, *op. cit.*, p. 231.

uscisse neppure. Qui si può e anzi si deve rilevare, anche attraverso i minimi ricordi che si sono riportati, il fatto che in ogni caso contò più di ogni altro nella realtà generale dello stato e che fu l'impasto via via crescente nel secolo fra la presenza estense e quella degli altri privilegiati sulla terra.

Tale impasto aggravò il peso economico e politico delle questioni che la conduzione della terra coi suoi caratteri tecnologicamente spesso arretrati creava già di continuo nello stato. Dall'uno all'altro peso fu tutta una relazione di difficoltà e non solo dei pur evidenti oggettivi vantaggi di chi stava comunque in capo al gioco dei poteri e non in fondo ad esso. Perché, ad esempio e per fermarci a una domanda, perché nel corso del secolo dal confinante ducato di Parma si poté esercitare una non leggera pressione sull'economia terriera — e monetaria, e mercantile — dello stato estense, in primo luogo della sua area reggiana? Vennero anche da quella pressione i matrimoni di duchi estensi con principesse dei Farnese di Parma? Da Cesare in poi, ma non solo dai principi, mancarono risposte più vivaci ai guasti della devoluzione.

2. Le comunità nella crisi

Libertà

Un interessante durare delle comunità e in primo luogo dei loro maggiorenti nelle libertà proprie è il fatto essenziale della loro storia nel Seicento; si svolse nella provincia immediata del Frignano come nel Sassolese come nello stato mediato di Vignola — per fermare qui il cenno ai soli luoghi maggiori del sud dello stato, e ai più importanti, là, per i modenesi della nuova capitale —, si svolse nel nord del distretto modenese e nel Finalese e via via altrove nello stato fino a Reggio e alle comunità non infeudate di quel governo. Quel durare proseguì tuttavia sempre meno la realtà cinquecentesca — più del secondo Cinquecento — delle comunità dello stato e nell'Italia non ancora depressa come poi accadde.

Un po' dovunque si portarono tentativi da settori del governo centrale per diminuire di numero e di forza le risposte che generalmente le comunità avviarono ai mutamenti cominciati nello stato dopo il 1598: quei settori furono innanzitutto delle finanze, dei dazi. Si agì nelle province immediate come negli stati mediati. Ma alle difese delle comunità si portarono non di rado altri settori del governo, politicamente avveduti: una qualche dialettica articolazione nel gioco ramificato delle giurisdizioni e dei poteri avrebbe recato vantaggi all'economia del governo — comunità meno contrastate nel proprio essere avrebbero contribuito più facilmente alle richieste che gli venivano da Modena —, e non avrebbe tolto al governo di svolgere il proprio rapporto col privilegio.

Sostanza dell'economia prevalente vieppiù anche nelle comunità fu, di nuovo, la terra. E insomma ovunque nello stato si imposero lungo il Seicento i maggiori proprietari terrieri, fossero nobili o ecclesiastici o patrizi o borghesi, e quel che delle comunità visse con più fatica, o per lo meno restò in piedi come oasi, furono le arti. La montagna, la campagna, avvolsero via via le forme di vita economica che altra volta avevano tanto contribuito alla fortuna delle comunità e non solo delle comunità maggiori.

Governi nel Frignano estense

La terra sostenne, nelle comunità della provincia immediata del Frignano, i governi più « larghi » e i meno « larghi ». A Pavullo si svolgevano ogni anno « due grossissime fiere esenti », dove, secondo la relazione del 1616-21 sullo stato estense, conveniva « assaissima gente » ed erano « portate merci d'ogni sorte e condotte grandissime quantità d'animali grossi e minuti d'ogni specie, le quali v'hanno gran spaccio, e massimamente bellissimi buoi e manzolami ». La provincia era « assai fertile et abbondante, ma più di castagne, di pascoli, e d'animali, che di biade e d'uve »; vi era « abbondanza di capretti, d'agnelli, e di buon formaggi » [1]. Una ricerca attuale, e molto più attenta, non toglie la sua validità al rapido quadro dell'informatore ducale seicentesco e a volte lo integra positivamente — ad esempio a proposito dei boschi e del loro sfruttamento (« Fiumalbo in particolare alimentava la produzione dei cantieri navali di Livorno in modo costante »), a proposito dei bozzoli e della canapa e della lana, del mercato di Fanano e dell'altra fiera, « non esente », di Pavullo — [2].

Per l'informatore ducale le comunità frignanesi avevano « ampla autorità di risolvere le cose spettanti a gl'interessi publici », pur riunendosi i loro eletti in « parlamenti » nella rocca di Sestola alla presenza del governatore [3]. Uno di questi governatori, Flaminio Puglia, osservò nel 1607: « il consiglio di Fanano haveria bisogno a mio iuditio d'essere redotto a minore numero, poscia che dalla moltitudine de' consiglieri e dalla poca intelligentia che si scopre fra loro non manca di confusione » [4]. E il governatore Vencislao Cipriani rilevò per Sestola nel 1630 essere « cosa non solo inde-

[1] *Relazione degli stati*, cit., c. 24 r. e v.
[2] P. Grillenzoni, *op. cit.*, pp. 22-70; il passo cit. è alla p. 36.
[3] *Relazione degli stati*, cit., cc. 25 r. e 24 v.
[4] In P. Grillenzoni, *op. cit.*, p. 90.

cente, ma dannosa », il fatto dell'« imbossolare tutti gli huomini del comune, ricchi e poveri, atti e non atti a maneggi pubblici »: si sarebbero invece dovuti « imbossolare trentadoi huomini di detto comune c'habbino più estimo, dei quali s'habbia estrahere di sei in sei mesi il numero solito per il governo pubblico, e che finito il bussolo si faccia l'imbussolatione dello stesso numero, e che siano benestanti come di sopra » [1].

Gli statuti della podesteria di Sestola pubblicati nel 1622, e che riprendevano con pochi mutamenti non sostanziali quelli del 1536, manifestarono una preoccupazione per così dire parallela all'altra dei governatori estensi, e cioè quella di regolare il governo frignanese della provincia in modo che ne fossero esclusi gli « imperiti » e il potere fosse dei maggiori proprietari terrieri — laici, essendo da tempo molto ridotta la proprietà ecclesiastica – esponenti delle comunità e quindi al vertice della realtà della terra che sosteneva anche i più larghi governi locali deplorati dai governatori [2]; e Grillenzoni conferma almeno per gli anni dal 1554 al 1604 « lo scarso avvicendamento di uomini nuovi » nella guida del consiglio generale del Frignano, con gli Albinelli di Sestola, gli Ottonelli e i Magnanini di Fanano e via dicendo [3], quindi relativamente dimensiona o meglio precisa la misura dell'« ampla autorità » con cui le comunità secondo l'informatore ducale si reggevano perché non consta che dopo il 1604 l'avvicendamento sia divenuto più rapido — e si pensi solo ai danni che l'economia frignanese patì per le guerre di Garfagnana, e più avanti per la guerra di Castro [4] —. Ma anche in quegli statuti fu ugualmente innegabile la cura di contenere la presenza dei rappresentanti ducali nella provincia — dal governatore al giusdicente e via via agli altri ufficiali —, sicché le libertà frignanesi, le più larghe e le meno larghe, avessero da loro il minor danno possibile [5]. E gli statuti del 1622 durarono sino al 1771, quando uscì il *Codice* estense, e anche dopo di allora.

« *La Milano della montagna* »

Popolato « da dieci milla anime in circa », lo stato di Sassuolo perduto dai Pio giovò dopo di allora al governo estense ma giovò pure ai proprietari terrieri e ai mercanti modenesi, i cui interessi là prima del

[1] In P. Grillenzoni, *op. cit.*, p. 91.
[2] P. Grillenzoni, *op. cit.*, pp. 93-103, 105-108.
[3] P. Grillenzoni, *op. cit.*, p. 103, e Appendice VII.
[4] Per questa seconda v. qualche notizia nuova in F. Rebecchi, *Dalla peste del 1629-31 alla guerra di Castro: il Frignano e gli Estensi*, tesi di laurea di storia moderna discussa nel marzo 1975 presso la Facoltà di Lettere e Filosofia di Bologna (relatore L. Marini).
[5] P. Grillenzoni, *op. cit.*, pp. 104-105.

1599, fra l'altro per via dei dazi, avevano avuto più volte difficoltà ad essere soddisfatti — e si pensi anche a resistenze della varia economia di quello stato mediato nei confronti dell'intraprendenza modenese, non si pensi solo ad opposizioni antimodenesi volute o favorite dai Pio —. Agli inizi del Seicento lo stato rendeva grani, vini, castagne, olive, bestiami e pelli, carni di porco, bachi e sete, canapa, in una misura varia da luogo a luogo ma non poche volte anche abbondante e pur nei « travagli » provocati dal Secchia. A Sassuolo ogni martedì si teneva « un bellissimo mercato, a cui, per essere esente, vi concorre quantità di gente sì della montagna come del piano; vi si fanno contratti sì di grano come di bestiami di molto rilievo, dove ce n'è sempre in molta copia, et se n'espedisce gran quantità; et ciò perché non incontra mai o di rado che il monte et il piano sia fertile egualmente, ma per lo più, se uno ha dovizia di grano, l'altro se ne ritrova in necessità; per questo la terra, benché in sé povera, diviene abbondante, poiché tutti quasi attendono a mercatare... altri attendono a salare mezzeni et persutti di porco et li conducono a Vineggia in gran quantità; et molti [attendono] a bacchi...; di botteghe non solo ce ne sono d'ogni sorte per servizio della terra... ma anco per ajuto delle terre vicine »[1]. Dopo Brusantini e non senza vivacità un altro scrisse di quel medesimo mercato: « delle castagne non parlo, poi che con la commodità delle montagne vicine quasi vi rotolano da per loro, come fanno i formaggi »[2]. Ma a Sassuolo andava anche lentamente impiantandosi o re-impiantandosi qualche industria: un filatoio da seta vi nacque dal 1624 gestito dai modenesi Borelli e poi durò e progredì sin verso la fine del secolo; la cardatura della canapa crebbe di fortune e nel 1631 i « canapini » o « carzuolari » erano quaranta; un battirame cominciò a lavorare dal 1636 e lavorò poi sempre di più. Nel 1631 i sassolesi medesimi si ricordarono al duca Francesco I come « la Milano della montagna »[3].

Positivo l'acquisto, poiché i beni della terra e dei commerci e dei transiti erano poi altrettante forme di entrata per la camera ducale, e c'erano tre banchi di ebrei « assai comodi » a Sassuolo a Formigine a Spezzano[4], e dalle diecimila anime si traevano fanti e cavalieri e archibugieri per il servizio dei luoghi e del principe (ed era stata soppressa una *enclave* rilevante nel ducato di Modena, nello stato estense), il Sassolese aveva pur anche ai confini e gravanti sulle comunità molti feudatari, aveva dentro di sé situazioni non socialmente o politicamente comode: di queste realtà abbiamo già fatto cenno più sopra, ed esse contavano e contarono la

[1] P. Brusantini, *op. cit.*, pp. 46-48, 51-56, *passim*.
[2] *Relazione degli stati*, cit., c. 15 r.
[3] M. Schenetti, *op. cit.*, pp. 235-237, XXI e 155.
[4] P. Brusantini, *op. cit.*, p. 59.

loro parte nel modo del governo estense dopo la devoluzione: il Brusantini del 1603 è testimone significativo di queste difficoltà, è interessante ascoltarlo per le sue notizie e per le sue proposte.

I consiglieri della comunità di Sassuolo nel tempo dei Pio erano stati cinquantatré, e « de' primi della terra »; poi , per « mancamento d'huomini », erano discesi a quaranta; acquisito lo stato di Sassuolo al governo estense furono ridotti a trenta. Esplicito portatore del privilegio, vicino alle maggiori attenzioni economiche modenesi sul territorio sassolese, Brusantini dando a Cesare d'Este il nome dei trenta consiglieri scoperse indubbiamente un'ala dei governanti modenesi: « et perché potria forse parer stranno a Vostra Altezza che molti d'una medesima casa siano posti nel consiglio, et d'altri dove sono huomini atti non ce ne sia niuno, dirò le cagioni; quando fu ridotto al numero di trenta il consiglio, s'hebbe, et con ragione in tanta rivoluzione di cose, riguardo solo al servizio di Lei; onde quei che si tenevano di mente dubbia et d'animo non integro ne furono parte levati, et agli altri, che non parve così lecito levarli, vi furono contraposti di quei che si tenevano sicuri et di ferma fede »; « è scarso sì il numero delli atti ad essere uffiziali, che perciò è necessario che cada[no] ordinariamente in una o due delle case predette gli uffizi principali, onde ne rimoreggia il popolo et li chiamano quali tirrani... »[1].

A Brusantini la tirannia dei pochi non pareva d'altro canto correggibile se non con un suo perfezionamento: anche a Sassuolo occorrevano uomini « atti alli uffizi », e i capitoli del consiglio della comunità, risalendo ancora al tempo dei Pio, « quando in Sassuolo non ci erano dottori né gente di grado », andavano rifatti e uniformati a quelli modenesi, « poscia che ora par molto strano, a' dottori, che i mercanti et bottegaj precedino loro... »[2]. Ma il perfezionamento che superò i tempi dei Pio e si propose di dar maggior forza al potere estense in quei luoghi giunse poi solo nel 1689, e questo tempo non breve va fortemente notato.

L'accenno di Brusantini ai bottegai e ai mercanti, proprio perché espresso in negativo, non ha nulla di originale; l'opposizione al borghese cresceva anche nello stato estense in particolar modo dal secondo Cinquecento; occorre di nuovo ricordare in proposito Agostino Mosti e la sua grande distanza da « mercantetti ed artefici », la sua sofferenza per la commistione — oh! quanto pur sempre relativa! — delle condizioni sociali nello stato[3]. Brusantini non faceva che proseguire il suo discorso, ma dopo il 1598 questo non poteva non essere di segno più pesante. E così egli disse,

[1] P. Brusantini, *op. cit.*, pp. 51, 57-58.
[2] P. Brusantini, *op. cit.*, p. 58.
[3] V. sopra, p. 53.

degli abitanti di Soliera: « ragionano volontieri, né volontieri dicono uno bene dell'altro, peste oggidì a tutti i luoghi comune, al parer mio »; e della maggior parte degli abitanti di Formigine: « è gente di bassa mano, vogliono nulladimeno, sì come anche quegli degli altri luoghi, che le loro voci vagliano ne' consigli quanto quelle de' primi, né cederiano un puntino, sono anch'essi infettati del male detto di sopra, ma al fine si riducono a ciancie che non montano un frullo » [1]. L'infezione, per lui, era diffusa un po' dappertutto nei luoghi del suo governo.

È insomma evidente che — e non soltanto a Sassuolo — il Seicento proseguiva il Cinquecento anche là dove a uomini del potere estense e loro personale non appariva bene che dovesse proseguirlo, e cioè nella persistenza di un tessuto sociale diverso da quello del privilegio laico o dell'ecclesiastico. Il numero dei borghesi nei consigli delle comunità andò in vari casi diminuendo e quella fu in un modo o nell'altro una vittoria economica e politica del privilegio; ma non solo quegli uomini della proprietà terriera non privilegiata, e talvolta degli affari, almeno nel primo Seicento e non solo nel Sassolese o a Sassuolo pur diminuendo di numero durarono. Durò anche la « gente di bassa mano », durò benché oppresso il proletariato delle comunità e complicò ai privilegiati il loro itinerario nello stato.

Vignola, stato mediato

Nel marchesato dei Boncompagni la comunità di Vignola si governò durante il Seicento più nei vantaggi che negli svantaggi del suo essere il centro di un dominio mediato, innegabilmente preso fra i signori diretti e i « superiori » Estensi ma capace di muoversi in quella relazione-tensione. La costituivano agli inizi del secolo circa 900 persone [2] — Sassuolo nel 1603 ne aveva 1.437, Fanano e Sestola nel 1608 ne avevano rispettivamente 2.380 e 483 [3] —; e questo è un dato che ci richiama, con gli altri, alle realtà numeriche dello stato estense di allora dove solo Modena e Reggio erano decisamente più popolate, non è certo un dato che porti a trascurare una pur breve considerazione della maggiore comunità del marchesato: specie se si avverta che, al 1584, circa 8/9 della popolazione vignolese e pur con varie differenze fra di loro non erano privilegiati [4], e che alla fine del Seicento quella realtà non era sostanzialmente mutata [5].

[1] P. Brusantini, *op. cit.*, p. 47.
[2] G. Donini, *op. cit.*, p. 128.
[3] Per Sassuolo, P. Brusantini, *op. cit.*, p. 56; per Fanano e Sestola, P. Grillenzoni, *op. cit.*, tab. I.
[4] G. Donini, *op. cit.*, pp. 168 sgg. e 178-184.
[5] M. Scurani, *op. cit.*, pp. 155-167.

L'economia di Vignola si valeva di terreni più fertili di quelli delle altre comunità del marchesato, e perciò i cereali, la vite, il gelso, la canapa, in minore misura gli alberi da frutto, per qualche anno almeno (1617-20) anche il riso, sostennero la comunità e le consentirono talvolta proficue esportazioni, ad esempio di vini bianchi a Modena e a Bologna, e minuti ma frequenti commerci. Quell'economia si fondava altresì sul mercato settimanale e sull'annuale fiera settembrina di san Matteo, che fecero della comunità un vivace e fiscalmente favorito punto d'incontro degli interessi economici del marchesato e degli altri dei confinanti feudi di Spilamberto, di Guiglia, di San Cesario, e ne fecero non meno un punto d'incontro coi mercanti del basso Modenese e di Mirandola e di Mantova e di Ferrara, contribuirono a favorire l'attività ebraica nella comunità almeno sin verso il 1670. Muratori, fornai, fornaciai e altri artigiani diedero a quel che sappiamo più numerosi segni di sé nel secondo Seicento, affermandosi nella comunità e anche a volte in qualche modesta misura fra i possessori di terre.

La composizione del « consiglio di governo » vignolese risentì anche del fatto che la scarsa nobiltà del luogo, la quale per altro era e rimase col clero il maggior proprietario terriero, tendeva già dal secondo Cinquecento a vivere più a Modena che a Vignola e considerava gli uffici pubblici vignolesi soprattutto un onere, affidando di conseguenza funzioni di primaria importanza come quella di massaro ai « meccanici et contadini » che poi suscitavano le deplorazioni dei marchesi [1]. E se pure lungo il Seicento accadde che grossi proprietari nobili e altri non nobili — i Bazzani, gli Aureli, i Galvani — furono presenti nella vita pubblica vignolese collegando anzi a questa le loro fortune economiche, i membri del consiglio e il massaro della comunità si trovarono ad essere allora generalmente dei borghesi, medi o piccoli proprietari, e non li abbandonò facilmente almeno nella prima metà del secolo la preoccupazione di una scarsa funzionalità dell'organismo; cosicché essi a volte addirittura dovettero raccomandare che entrassero nel consiglio « tutti quelli che in detta terra si ritrovano atti et sufficienti per tal ufficio, et massime quelli che hanno avuto li loro padri in detto consiglio » [2]. Cioè osserviamo che lo « scarso avvicendamento di uomini nuovi », già rilevato qui sopra per il Frignano e per altro complessivamente meno scarso nella comunità di Vignola, fu dovuto nel secolo e per una parte magari non piccola alle forme dell'economia della terra e alla almeno relativa staticità demografica [3] e al poco dinamico

[1] Così infatti Giacomo Boncompagni nel 1593: in G. Donini, *op. cit.*, p. 165.
[2] 1609: in G. Donini, *op. cit.*, p. 301 *bis.*
[3] Buone osservazioni, e proprio per Vignola, sono di M. Scurani, *op. cit.*, pp. 75-85.

gioco sociale del tempo e dei luoghi, e dunque aveva e continuò ad avere ragioni strutturali che sarebbe ingenuo sottovalutare. Ai borghesi di Vignola, col secondo Seicento si unirono a volte nel consiglio alcuni artigiani — un Domenico Simonini, un Francesco Muratori, un Lorenzo Cavana, un Giovan Antonio Nostrini —.

Così composto il consiglio durò nel Seicento, e organizzò meglio il proprio lavoro anche nella misura in cui gli stipendi agli ufficiali più necessari alla comunità e in primo luogo al massaro crebbero — e ciò fu possibile nei decenni centrali del secolo —. Esso durò come l'insostituibile strumento di una forma di autogoverno: particolare, sì, di quello stato mediato che i Boncompagni fra presenze e assenze da Vignola — erano anche duchi di Sora — finirono pur tuttavia col reggere meglio di quanto non facessero nei propri luoghi altri feudatari estensi o imperiali; ma pur sempre governo di una comunità che proseguiva a sua volta una propria storia e una storia che era cominciata molto tempo prima dei Boncompagni. Quella storia teneva e tenne collegate le sue maggiori risorse economiche e sociali con quelle di non poche altre comunità vicine e meno vicine nello stato estense e fuori, e superò come quelle altre comunità anche le crisi più gravi della circolazione monetaria e della produzione granaria e della peste e degli effetti delle guerre e delle presenze di truppe forestiere, che perseguitarono lo stato estense seicentesco nella misura in cui il governo centrale e con esso il restante e maggior privilegio non vollero o non poterono o non seppero regolare altrimenti se medesimi e tutto lo stato; superò le crisi e giunse al Settecento col suo consiglio, e con un modesto e pur significativo aumento del numero dei suoi abitanti — circa 1.150, all'inizio del secolo —[1].

Il caso sanfeliciano

Modenesi possedevano terre anche nel distretto della comunità di San Felice; fra il 1608 e il '32 acquistarono la maggior parte delle oltre 3.700 biolche modenesi di terra — sulle 17.000 circa del territorio della comunità — che allora furono vendute a forestieri[2]. E si rilevi almeno nelle sue generalità quella presenza proprietaria anche in luoghi diversi dal distretto di Modena – a Sassuolo, a San Felice, e a Rubiera e altrove. Anche questa è una ricerca da proseguire ed è tanto più importante per gli anni successivi al 1598.

[1] Alle annotazioni compiute sin qui sulla storia di Vignola nel Seicento hanno sempre concorso le citt. ricerche di Donini e di Scurani, che sono perciò da vedersi tutte.

[2] M. Cattini, *op. cit.*, p. 742 e n. 161. Sull'estensione complessiva del territorio, e sulle ragioni delle vendite da parte di piccoli proprietari rovinati dalle carestie e da altri guai, v. O. Tassi, *op. cit.*, pp. 26 e 170.

Ma San Felice interessa anche di più e per un'altra ragione. La comunità fece parte dei domini estensi diretti fino al 1648, poi — l'abbiamo ricordato più sopra — fu ceduta in feudo ad Ascanio Pio di Savoia e rimase in quella condizione fino al 1673, poi ritornò agli Estensi; e coi podestà mandati da Modena, coi governatori rappresentanti del feudatario, di nuovo col podestà, salvo poche eccezioni riuscì ad avere quei politici intermediari dalla propria parte e a durare nella sua storia.

Il feudatario, giunto dal di fuori a godere di quel bene che Francesco I d'Este gli aveva concesso per assolvere a un grosso debito che aveva contratto con lui, non si legò con altre e più dure presenze del privilegio laico nello stato, e al di sopra dei propri diritti riconobbe meno difficilmente di quanto molti altri facessero il potere del duca; il suo dominio terminò abbastanza presto. Nei suoi anni, anch'egli durò nella positiva attenzione alle libertà sanfeliciane in cui già stava il governo estense: e fosse pur vero che all'attenzione positiva estense e piesca giovava la stessa posizione territoriale della comunità stretta fra problemi di acque molto delicati e problemi ancor più delicati di vicinanza con altri stati come Mirandola, Mantova, Ferrara, ciò aggiunge solo ragioni più locali alle ragioni generali di cui diciamo via via qualcosa, e che si assommavano tutte nella maniera di muoversi che il governo estense teneva e tenne durante il secolo nei confronti delle comunità [1].

Al di sotto, poi (e per così dire), del significato del caso sanfeliciano, qui non occorre diffondersi sulle colture prevalenti nel distretto di San Felice — i grani e i vini vi tenevano la maggior parte — né dire del bestiame grosso o dei legnami o delle poche attività artigianali e della (consueta) presenza di ebrei, e insomma analizzare le condizioni del terreno e le forme dell'economia agricola assolutamente dominante e le classi sociali, come altri ha già fatto in ricerche alle quali rimandiamo senz'altro e che sono fra le pochissime moderne sul basso Modenese [2]. Continuiamo piuttosto a rilevare che anche per il massaro di San Felice era indispensabi-

[1] O. TASSI, *op. cit.*, giova ora in nuova misura a questa considerazione di San Felice nel Seicento.

[2] V. dunque M. CATTINI, *op. cit.*; e si veda inoltre il suo *Congiuntura economica, gettiti fiscali ed indebitamento pubblico in un comune rurale del Basso Modenese, Finale, 1560-1660. Verifica di un modello interpretativo*, in « Review of the F. Braudel Center for the Study of Economies, Historical Systems, and Civilisations », New York, I, 2, Fall 1977, pp. 51-85: di qui tra l'altro è confermato che in precedenza era stata anticipata l'affermazione che già all'inizio del Seicento « il processo di smembramento e annientamento della piccola e media proprietà rurale » fosse giunto « alle estreme conseguenze » (M. CATTINI, *Crisi economica e alterazioni sociali. Conflitti e solidarietà in Valpadana tra Cinque e Seicento*, in « Rivista di storia dell'agricoltura », XIV, 1974, p. 51); anticipata per San Felice e per molti altri luoghi dello stato estense. Con Cattini v. poi anche O. TASSI, *op. cit.*, specie cap. III.

le essere decisamente solvibile di fronte alla comunità, e che perciò egli fu sempre un proprietario terriero, e di immobili, della maggiore o per lo meno di una media grandezza; dal 1645 il massaro si mutò nel priore ma non mutarono le sue funzioni. E poi, ricordiamo anche per San Felice la stabilità nel tempo delle presenze delle famiglie borghesi più ricche nel consiglio — di dodici membri — o fra i massari della comunità [1]; oggi, almeno per gli anni 1629-80, siamo informati analiticamente di ciò e i Campi, i Salani, i Lanzi, i Marzi, i Ferraresi, gli Agazzi, i Ferranti, i Pellizzari, vanno a collocarsi nel più largo elenco dei preminenti nei consigli delle comunità nello stato estense. E altresì importa sapere che — facendo tutt'uno la preminenza economica e la cura dell'autonomia — fra i consiglieri di San Felice dovevano esservene per statuto alcuni delle ville principali del distretto.

Ancora, importa sapere che anche a San Felice si cercò a volte di far ridurre dal duca il numero dei componenti il consiglio, per esempio nel 1632, quando, dopo « la peste et molte altre rovine di questo paese... estinta la maggior parte degli homini habili a maneggiar le cose pubbliche », si dovettero eleggere « molte persone notoriamente innabili et che assolutamente non sono a proposito, contadini »; possibile allora e per più ragioni che nella stessa comunità si pensasse di portare a sei soli i consiglieri, ma il podestà Filippo Malvolti denunciando la situazione al duca andò subito oltre e volle dire che secondo lui quattro consiglieri sarebbero bastati, « perché dil sicuro non ve ne sono che quattro idonei et habili » [2]. E nel 1643 reiterò la sua proposta [3]. Ma anche di questi tentativi importa dar conto solo nella misura e nel contesto generali delle cose dello stato, per cui essi non riuscirono a San Felice come non riuscirono altrove; e che « innabile » volesse dire probabilmente anche decaduto come proprietario [4] può confermare a sua volta tutto quel che abbiamo detto sinora.

La preminenza anche politica dei maggiori proprietari della comunità, a San Felice, come un po' dovunque nello stato, significò durata della comunità ma anche sua progressiva caratterizzazione in senso oligarchico — « una piramide dalla cuspide sottile e dalla base assai larga » [5] —, progressive difficoltà di ogni genere per i contadini più poveri. Quella preminenza va sempre rilevata perché non fu dello stesso carattere di quella del privilegio laico ed ecclesiastico, e contribuì la sua parte a definire una

[1] O. Tassi, *op. cit.*, pp. 94-106 sul consiglio; pp. 118-160, 168, e 300-317, sulle famiglie presenti nel consiglio.

[2] In O. Tassi, *op. cit.*, pp. 99-100.

[3] O. Tassi, *op. cit.*, pp. 100 e 115 n. 44.

[4] V. per vari casi in O. Tassi, *op. cit.*, pp. 136-138, 158 n. 20.

[5] O. Tassi, *op. cit.*, p. 214.

fisionomia generale dello stato estense seicentesco almeno relativamente articolata. Ma essa va vista altresì nella sua strutturale « parentela » col privilegio, quanto più la fonte prima delle sue fortune — la terra — fu la medesima delle fortune del privilegio. In questo senso i continui conflitti fra borghesi e nobili e fra borghesi e clero, e più in generale fra chi accettava e chi non accettava di sottostare ai pesi del fisco estense o del fisco della comunità, caratterizzarono pur sempre e per così dire la « storia soprastante », una parte e non tutta la storia sociale dello stato. Nella crescente depressione del secolo gli uomini della « storia sottostante » patirono sofferenze inenarrabili, e le patirono anche a San Felice, e quanto più furono del suo distretto e non della comunità.

Comunità e terra

A infeudazioni furono soggette anche altre comunità nello stato, in particolare nella montagna reggiana, e non solo San Felice e magari per tempi più lunghi; ma la generale istituzionale realtà delle comunità proseguì lungo il secolo la sua vita, oltre quei casi o finendo per recuperarli a sé.

Certo, proseguì quella vita con le molte specifiche vicende delle singole comunità, in condizioni ambientali diverse da luogo a luogo, da tempo a tempo. Ma prevalendo più e più nello stato l'economia e la politica della terra, e dunque anche per le comunità le ragioni del possesso terriero borghese o patrizio o nobiliare, qui non è il caso di continuare a considerare ogni comunità dello stato anche là dove i pochi studi moderni ce lo consentirebbero almeno in parte, e invece è il caso di fermarci sulle due comunità che erano anche i due maggiori centri dello stato e avevano intorno a sé i distretti più estesi e vissero più di ogni altro centro il bene e il male dello stato nel secolo. E il fermarci su Reggio e poi su Modena permetterà non tanto di ricordare alcuni particolari nuovi della vicenda generale [1], quanto piuttosto di riprendere per il Seicento il discorso del rapporto fra la terra e le comunità nello stato [2]; poiché non tutte le comunità erano solo o soprattutto rurali, e oggi è più che mai il caso di vedere un po' da vicino perché anche le comunità più ricche di arti — Reggio e Modena, certamente, ma pure Carpi con la seta e col truciolo, e

[1] Sulla quale v. pure le brevi considerazioni di L. MARINI, *Comunità, distretti, campagne in Italia nella prima età moderna: una proposta di ricerca*, in G. VIGNOCCHI, C. G. MOR, G. FASOLI, L. MARINI, F. VIOLI, G. SANTINI, *Storiografia e realtà giuridico-sociologiche dei territori rurali*, S.T.E.M. - Mucchi, Modena 1976 (estr. da « Atti e memorie della Accademia nazionale di scienze, lettere e arti di Modena », s. VI, vol. XVII, 1975), pp. 18-22.

[2] Discorso sottolineato anche già altrove, nell'ambito di questi interessi: v. L. MARINI, *Il governo estense nello stato estense*, ne *Il Rinascimento nelle corti padane*, cit.

Sassuolo e altre ancora — dopo i primissimi decenni del secolo accentuarono il loro interesse per la terra.

Si deve vedere se, restringendosi o venendo meno il volume delle loro esportazioni fuori dello stato per le modificazioni in atto nei paesi vicini e meno vicini d'Europa, al di fuori delle loro possibilità d'intervento, mercanti e banchieri e maestri delle arti, e anche i patrizi o i nobili, si volsero dalle comunità per quella ragione ad investire o ad investire di più il proprio denaro nella terra e nelle sue colture e nei traffici conseguenti, oppure se la diminuente redditività della terra per via delle progressive degradazioni dei suoli in più luoghi e delle carestie e delle pestilenze e dell'aumentante popolazione nelle campagne, e delle speculazioni e della fiscalità feudataria ed estense, finendo per ridurre i redditi dei proprietari e in ispecie dei più presenti anche nei governi delle comunità li abbia costretti ad investire o ad investire di più nella terra, ad arroccarsi anche politicamente di più nel possesso fondiario e immobiliare, a durare nel Seicento in quel modo, e gli abbia impedito di continuare nel modo anche vivacemente mercantile che in precedenza aveva caratterizzato almeno non pochi di loro e li aveva portati ancora così al primo Seicento: nelle comunità maggiori e tanto più nelle altre dello stato, e nelle une e nelle altre di più dopo il 1598, vale a dire per le ulteriori e specifiche ragioni della storia dello stato.

Diciamo subito che la nostra risposta al problema ritiene di non potersi disancorare dalla maggiore attenzione alla terra e a tutto quel che vi era connesso da sempre, nello stato e intorno ad esso, e tanto più a quel che vi fu connesso dopo la devoluzione. E perciò siamo anche d'accordo con chi ha visto prima della crisi delle arti una crisi della terra e diremmo meglio sulla terra — Romano generalmente nella storia d'Italia, Cazzola anche generalmente, ma con esperienze più specifiche di ricerca per luoghi già estensi e per altri ancora estensi fra Cinque e Seicento, Cattini per i luoghi dello stato che ha studiato e studia [1]. Tutto il discorso, certamente, è aperto, e in nessun caso si potrà credere di averlo risolto con soluzioni settoriali; ma proprio lo specifico caso dello stato estense induce ragionevolmente a ritenere che nella sua maggiore sostanza esso sia valido, e possa così contribuire a una valutazione non tradizionale delle comunità nello stato e di questo tutto, nel Seicento.

[1] Di R. ROMANO, v. almeno *L'Italia nella crisi del secolo XVII*, in ID., *Tra due crisi: l'Italia del Rinascimento*, Einaudi, Torino 1971; di F. CAZZOLA, *Il problema annonario nella Ferrara pontificia*, cit., pp. 541-546; di M. CATTINI, *Crisi economica e alterazioni sociali*, cit., p. 69 n. 80, a parziale revisione della tesi di Romano e favorevole a parlare di « due tempi di un'unica crisi provocata dalla costante insufficienza delle produzioni interne di derrate agricole »; ma di CATTINI sono da vedere, oltre a questo lavoro, *passim*, anche *Produzione, autoconsumo e mercato*, cit., e *Congiuntura economica*, cit.

Reggio: la commistione delle economie

Si è già potuto scrivere che l'istituzione a Reggio di una fiera di otto giorni, dal 29 aprile 1601 in avanti e favorita come sempre in quei casi da importanti esenzioni e ben frequentata anche da mercanti forestieri italiani e non italiani, rilevò «il carattere ormai prevalentemente agricolo» dell'economia del ducato reggiano, e attorno alla fiera ruotò da allora tutta quell'economia, a correzione parziale delle differenze crescenti lungo il Seicento fra gli interessi che prevalevano nel ducato fuori di Reggio e del suo distretto e gli interessi che prevalevano in questi — ma, prima, nella comunità —[1].

Vedemmo già come lungo il Cinquecento si fosse svolto il rapporto fra le libertà di Reggio e il privilegio così impegnato a contrastarle, a penetrarle, e più sopra abbiamo potuto dire qualcosa della rilevanza del privilegio nella montagna reggiana e intorno a Reggio, cresciuta dal Cinquecento nel Seicento. Che nelle dislocazioni vissute nello stato dopo il 1598 Reggio non abbia avuto i vantaggi che ebbe Modena, divenuta capitale, e abbia anzi risentito progressivamente della sperequazione insorta con Modena — a livello fiscale, rivelatore massimo di ogni sperequazione, e ad ogni altro livello tanto più quanto si allontanarono i tempi del governatore Rondinelli —, è cosa che sembra nota, ma è cosa altresì da riprendere per collocarla nella più larga dimensione dello studio di tutto lo stato.

Nella ripresa e nella più larga collocazione si vede meglio, allora, il farsi del rapporto fra le libertà reggiane e il privilegio nel Seicento, se ne vedono le modificazioni, si vede la crisi delle arti reggiane lungo il secolo e si comprende pure che in taluni momenti l'arte della seta abbia potuto riprendersi — dal 1632 e sin verso la guerra di Castro per interventi estensi, dal 1660 coi Guizzardi, dal 1678 coi Rineri e dal 1693 coi Guidotti — in correlazione con esigenze del privilegio non soddisfatte allora da altri mercati e non solo o soprattutto in correlazione con esigenze borghesi: ne fu prova anche la presenza in quel campo degli ebrei, da sempre gran mezzo estense per favorire le entrate ducali e il privilegio ben più che l'economia borghese nelle comunità[2]. In una parola si vede me-

[1] O. Rombaldi, *op. cit.*, p. 68, e p. 83 per nuovi interventi estensi a favore della fiera. Questa durò poi sino al 1861: A. Balletti, *op. cit.*, pp. 399-400.

[2] Su tutto ciò, e dopo N. Campanini, *Ars siricea Regij*, cit., capp. VI e VII *passim*, v. per altre notizie: O. Rombaldi, *op. cit.*, pp. 83-86; A. De Medici Bagnoli, M. Bertolani del Rio, V. Nironi ne *L'arte e l'industria della seta a Reggio*, cit., pp. 32, 36-37, 103-110 *passim*; e C. Poni, *All'origine del sistema di fabbrica: tecnologia e organizzazione produttiva dei mulini da seta nell'Italia settentrionale (sec. XVII-XVIII)*, in «Rivista storica italiana», LXXXVIII, 1976, pp. 483-484, 495-496.

glio di quel che si vedrebbe con analisi settoriali il progressivo incontro fra l'economia del denaro e l'economia della terra, fra le classi e all'interno delle classi.

Beninteso, tutto ciò accadde in un tempo lungo, e questo vuol essere meglio precisato. Diciamo allora che l'ulteriore commistione delle economie, l'incontro fra il denaro dei mercanti reggiani e quello degli ebrei di Reggio e altrove nel ducato [1] e quello dei privilegiati, là dove essi commerciavano i prodotti delle proprie terre e quant'altro gli accadeva di commerciare, l'incontro fra gli interessi dei proprietari terrieri borghesi e no della comunità e fuori di essa, non si realizzarono lungo una linea regolarmente più e più forte nel corso del secolo, ma dipesero anche dalle vicende che non risparmiavano sempre le stesse classi privilegiate e cioè dipesero anche dai danni delle guerre e degli acquartieramenti di soldati, dalle carestie e comunque dalle difficoltà più gravi della produzione di grani, dalle epidemie, dalle rotte dei fiumi, dipesero dal gioco della fiscalità estense e dallo svilimento crescente delle monete, insomma si realizzarono lungo una linea mossa e di consistenza diversa da momento a momento. Per andare verso una maggiore affermazione generale del privilegio, sì; del privilegio collegantesi via via meglio con l'oligarchia borghese e patrizia e nobiliare nella stessa comunità di Reggio e nelle altre del ducato quanto più il secolo avanzava e non si correggevano, né dentro lo stato estense né intorno ad esso, i mali peggiori che lo erano andati caratterizzando; del privilegio e della oligarchia, i quali si realizzarono sempre a spese del proletariato reggiano e del distretto e degli altri luoghi del ducato, sicché alla denuncia di Rondinelli nel 1622 — che nel corso del suo governo i proprietari reggiani avevano spesso « fatto mangiare il pane alla povertà a carissimo prezzo » [2] —, si può aggiungere facilmente il ricordo di quel che denunciarono le arti della comunità alla fine del secolo — che i proprietari facevano « mercanzia addosso il pubblico » [3] —: e queste annotazioni molto rapide bastano perché si avverta facilmente la gravità dello sfruttamento — che inoltre non fu mai il solo patito dai « poveri » — nel secolo tanto difficile.

Così affermati, privilegio e oligarchia durarono oltre il Seicento e perciò poi ne parleremo di nuovo. Ma intanto, e in primo luogo per Reggio, può definirsi almeno in qualche misura un accentuarsi del moto dell'affermazione, un inizio di quella accentuazione?

Diremmo di sì: il moto si accentuò verso la fine del secondo decennio del

[1] Nel 1669 v'erano a Reggio 162 famiglie ebree: A. BALLETTI, *op. cit.*, p. 467. Sugli ebrei a Reggio e nel Reggiano v. poi, e soprattutto, O. ROMBALDI, *op. cit.*, pp. 59-91, *passim*.

[2] E. RONDINELLI, *op. cit.*, p. 31.

[3] In O. ROMBALDI, *op. cit.*, p. 87.

secolo. « Rendendosi sempre più difficile reggere la cosa pubblica, anche di fronte alla minaccia dei feudatari, si formò una commissione di nove consiglieri che, sovrapponendosi al consiglio degli Anziani ed ai suoi organi, ed escludendo dalle sue sedute i rappresentanti del governo centrale, resse, contro gli statuti, per alcuni anni, la città (1616-19), valendosi, per lo studio e il disbrigo degli affari, di congregazioni estranee agli statuti, ma conformi alle consuetudini antiche. Il governatore, convinto che la rappresentanza pubblica fosse troppo numerosa e le sue deliberazioni troppo lente in ragione dei tempi, propose vari temperamenti tra il vecchio e il nuovo, al fine di ristabilire sul governo cittadino l'autorità del principe e di ricondurre l'amministrazione pubblica alla normalità, al che, finalmente, si arrivò quando si vide che né la sospensione né la riforma degli organi costituzionali potevano vincere un malessere che aveva le sue radici in un terreno più profondo... » [1]; a sua volta il ripristino delle consuete strutture politiche reggiane non era e non fu sufficiente.

Sull'esperimento reggiano del 1616-19 ci vorrà ancora dello studio. Ma intanto osserviamo almeno qualcosa che potrà contribuire ad esso. Dicemmo già che buona parte delle loro fortune i reggiani le avevano tratte dalla propria economia estera più che dal restante dello stato estense [2]. Dalle zecche di Mantova, di Guastalla, di Correggio non ancora estense, una quantità crescente di moneta bassa si diffuse a Reggio: la cosa fu denunciata più volte — dal governatore Rondinelli già nel 1599 —, ma né a Reggio né dal governo centrale vi si poté porre rimedio nonostante i tentativi compiuti. Il tentativo estense più serio si ebbe nel 1618, ma già nel '19 e almeno per la moneta bassa esso non era riuscito, « S. Anselmi di Mantova, S. Pietri di Guastalla, monete di Modena, soldi e sesini parmigiani ripresero a salire » [3].

A Reggio, dopo le massime affermazioni degli anni Ottanta del Cinquecento, l'arte della seta era in declino; le si chiudevano i mercati di Parma e di Bologna, di Mantova e di Ferrara, di Venezia e di Milano, di Francia. I produttori di bozzoli si volsero a vendere a Parma, dove invece l'arte fioriva. Anche operai dell'arte lasciarono nel 1618 Reggio per Parma [4].

E appunto si noti in particolare la presenza di Parma e di quel ducato nell'economia di Reggio e del Reggiano. « Parma... spogliò Reggio l'anno 1618, essendo state portate a spender colà tutte le monete ». Il contrabbando di olio e di farina da Cerreto col Parmigiano e con la Toscana non

[1] O. Rombaldi, *op. cit.*, p. 71.

[2] Sopra, pp. 38, 42.

[3] O. Rombaldi, *op. cit.*, pp. 62-63.

[4] G. L. Basini, *L'uomo e il pane*, cit., p. 79 n. 50 (riprendendo dalla *Cronaca* di G. B. Spaccini).

aveva atteso quei più difficili anni per manifestarsi. « Negli anni di carestia, da Castelnovo [Monti] veniva inoltrato verso il Parmigiano, la Liguria e la Toscana il grano fuggito dal resto del ducato... ». Nel marchesato di Montecchio i parmigiani, non solo i reggiani, possedevano terre, e ne possedevano nel territorio di Brescello. Castelnovosotto aveva « scambi commerciali intensi con Parma » e così si riempiva anche di monete erose. I parmigiani avevano terre nel Brescellese, e da Brescello erano continui i traffici con Parma [1].

A loro volta i proprietari brescellesi erano presenti nel Parmigiano, e generalmente va ricordato che non tutto era a senso unico nelle relazioni economiche fra le due aree confinanti. Ma sembra innegabile, per quel che finora si conosce, che la parte del leone fosse fatta in quei decenni dai parmigiani nel ducato di Reggio e non che accadesse il contrario. L'economia dei reggiani e di non poche altre comunità del ducato risentiva così delle condizioni migliori dell'economia parmigiana, e per altri versi risentiva del peso della feudalità e del restante privilegio nel ducato, nello stato. Il tentativo di un governo di eccezione a Reggio fra il 1616 e il '19 va certamente collocato in quella realtà, nella urgenza di resistere meglio alla doppia stretta. Che non sia riuscito non sorprende, e meno ancora sorprende che lo svilimento delle monete, accentuatosi in quegli anni e particolarmente nel 1618-19 e non solo a Reggio ma pressoché dappertutto nello stato — erano gli anni della crisi, notoriamente già individuata e per àmbiti molto più vasti in Italia e fuori in special modo dal 1619 e sin verso il '22 [2] —, sia poi durato anche nel Reggiano e abbia progredito nel restante del secolo insieme all'aumento dei prezzi e generalmente alle difficoltà dell'economia troppo legata alla terra e alla proprietà terriera e al privilegio, a quei modi di coltivazione e via dicendo. Ma non basta non sorprendersi, occorre dire almeno che dopo il 1616-19 ripresero più forti le difficoltà del governo di Reggio e in esso vennero avanti più gli uomini della terra che gli uomini delle arti, e fra quelli una oligarchia di proprietari, presenti da Reggio in più luoghi del ducato e anche altrove nello stato, mentre il consiglio della comunità si contraeva da quaranta a trenta membri — nel 1657; ma il fenomeno era in corso anche in altre comunità del Reggiano e per esempio a Rubiera, a Minozzo — e continuava a crescere sulla comunità la pressione politica e fiscale del governo centrale.

La popolazione di Reggio ricuperò dopo la peste del 1630 progressivamente la propria consistenza, che nel 1614, come ricordammo più sopra,

[1] In, o di, O. Rombaldi, *op. cit.*, pp. 64 e 73-74, 77-78.

[2] Aiuta a vedere lo stato estense nella crisi G. Vigo, *Manovre monetarie e crisi economica nello stato di Milano (1619-1622)*, in « Studi storici », XVII, 1976, 4, pp. 101-126.

era di 14.774 bocche [1], e dalle 9.400 unità del 1632 salì alle 15.589 del '95 [2]. Quanto poterono tuttavia su quella consistenza i mali del secolo, e più largamente la più lunga storia della comunità nello stato, se in un secolo e mezzo la popolazione aumentò in misura così scarsa — almeno, stando ai dati che abbiamo sinora — e non si fece sentire nel governo della comunità, e addirittura patì il progressivo arroccamento dei governanti su posizioni economiche e politiche via via più lontane dalle più borghesi del sedicesimo secolo!

L'oligarchia modenese

Nella constatazione della relativa stazionarietà della popolazione modenese dalla metà del Cinquecento alla fine del Seicento [3] — che sembrerebbe altresì, ma affrettatamente, richiamare analogie con la situazione reggiana — occorre portare più attenzione ai dati che si posseggono. Si deve infatti ricordare che le 19.911 unità del 1590 erano di bocche, non di anime [4], mentre le 20.505 unità che Basini ha indicato per il 1620 erano di anime [5]; ne viene così che le 18.071 anime del 1682 e le 18.025 anime del 1683, ultimi dati che abbiamo per il Seicento [6], non confortano la constatazione della stazionarietà, e ancor meno la confortano se si avverte che nello stesso secolo e mezzo la popolazione reggiana finì per crescere, seppure di poco, e non per diminuire.

Non è il caso di spingere avanti il discorso, dal momento che le nostre conoscenze demografiche su Reggio e su Modena e tanto più su altri luoghi dello stato sono ancor sempre affidate a ricerche parziali per quanto serie, e dal momento che della generale realtà demografica del secolo, in quell'Italia, sembra comunque impossibile vedere mutata l'immagine attuale di un tempo anche demograficamente depresso, con variazioni anche importanti intorno a fatti eccezionali — come la peste del 1630, per Modena e non solo per Reggio —, ma con variazioni scarse nel periodo lungo di un'economia di sostanziale sussistenza.

È invece il caso di capire perché proprio Modena, capitale dal 1598, luogo di trasferimenti di famiglie e di ricchezze dalla Ferrara estense, viva

[1] V. alla p. 82.

[2] O. ROMBALDI, *op. cit.*, p. 79 per il 1632, p. 88 per il 1695. Più larghe notizie sulla popolazione di Reggio dal 1686 al 1715 sono ora in A. BEDOGNI, *La popolazione a Reggio tra Sei e Settecento (1686-1715)*, tesi di laurea di storia moderna discussa nel marzo 1975 presso la Facoltà di Lettere e Filosofia di Bologna (relatore G. Tocci).

[3] G. L. BASINI, *op. cit.*, p. 23.

[4] Sopra, p. 44; G. L. BASINI, *op. cit.*, p. 18.

[5] G. L. BASINI, *op. cit.*, pp. 18 e n. a, 19.

[6] G. L. BASINI, *op. cit.*, pp. 18 e n. c, 20 e 22.

da allora anche di qualche maggiore attività urbanistica, ancora attive le sue arti della lana e della seta e delle tele sin verso il 1619 né in seguito per qualche decennio del tutto depresse nonostante ogni loro difficoltà [1], alla lunga si sia contenuta nella sua popolazione quando pure crescevano le fortune economiche e politiche dei suoi borghesi e dei suoi privilegiati, si diffondevano nel distretto e fuori di esso, si affermavano nella corte e nelle funzioni pubbliche nello stato.

Ma forse una risposta, almeno una prima risposta, non è difficile, e sta proprio nell'essere divenuta Modena dopo il 1598 il più accentuato luogo di incontro di interessi borghesi e di interessi privilegiati, dell'ascesa verso il feudo e verso il titolo nobiliare [2], il luogo maggiore del privilegio politico [3], la sede dei maggiori poteri politici e amministrativi e fiscali e giudiziari dello stato; e nel medesimo tempo nell'essersi trovata premuta dalle necessità particolarmente forti dei lavoratori della terra del distretto, dai ripetuti tentativi di inurbamento di quei lavoratori, dalle sollecitazioni del proletariato modenese [4]. La risposta va cercata nella concomitanza fra i due ordini di vicende, quindi nel risultato del suo svolgimento. E nella dominante economia terriera non solo generalmente dello stato, ma proprio in particolare del distretto modenese, lo svolgimento dipese in primo luogo dal frumento prodotto.

Nel distretto modenese la produzione di grani e, appunto, innanzitutto, di frumento, continuò ad essere anche dopo il 1598 insufficiente alle necessità della comunità e del distretto; continuò ad esserlo anche nelle annate migliori, e nello stato fu sempre comparativamente più scarsa della produzione reggiana e non solo della reggiana.

Le altre produzioni della terra del distretto e fra di esse l'uva; l'allevamento e il commercio del bestiame grosso; e ogni altra minore occasione di arricchimento e non solo di consumo, di esportazioni e di acquisto di denaro non vile, non bastarono mai a superare le difficoltà che la

[1] Su ciò, e in particolare sulle arti, v.: G. L. Basini, *Tra contado e città*, cit.; anche, Id., *L'uomo e il pane*, cit., *passim*, e *Sul mercato di Modena tra Cinque e Seicento. Prezzi e salari*, Giuffrè, Milano 1974, *passim*; inoltre v. C. Montroni, *op. cit.*, pp. 93 sgg.

[2] V. su ciò C. Montroni, *op. cit.*, pp. 181 sgg., per alcuni casi importanti nel tempo di Cesare.

[3] È sintomatico in proposito fra i tanti altri il fatto che nel 1626 sia sorto a Modena il *collegium nobilium*, che il conte Paolo Boschetti da tempo voleva istituire, e che esso sia sorto «col favore del duca e l'intervento finanziario del governo della comunità» (G. P. Brizzi, *La formazione della classe dirigente nel Sei-Settecento. I seminaria nobilium nell'Italia centro-settentrionale*, Il Mulino, Bologna 1976, p. 27). Su tale collegio nel Seicento, e oltre i dati del vecchio C. Campori, *Storia del collegio S. Carlo in Modena*, Modena 1878, il volume di Brizzi è da vedere, *passim*, con attenzione (per es. alle pp. 106 e 160-161).

[4] G. L. Basini, *Sul mercato di Modena*, cit., pp. 132 sgg., 145 sgg. (salariati edili, operai delle arti, e via dicendo).

scarsità di grani procurava. L'insufficienza di questi condizionò in molti modi, tutti connessi, la relazione fra il governo della comunità modenese e il governo ducale; Basini ha studiato già ampiamente alcuni di quei modi, Cattini e anche Tassi hanno portato altri contributi; e perciò qui riprendiamo solo alcuni tratti del discorso, in particolare non diciamo che fu « capitalistico » il portarsi dei proprietari terrieri modenesi anche fuori del distretto della comunità, e con una intensità di impegno finanziario superiore a quella che i proprietari terrieri di altre comunità ed aree dello stato realizzavano fuori dei loro distretti; ci sembra piuttosto — se anche già nel restante dello stato la crisi di redditività della terra faceva sentire il suo peso e come abbiamo ricordato più sopra [1] —, che le operazioni dei proprietari modenesi si siano svolte in conseguenza della loro necessità di correggere la condizione particolarmente deficitaria in grani del territorio del loro distretto, e tanto più in quanto il deficit si andò aggravando nel corso del secolo, in maggiore misura nella sua seconda metà.

Di nuovo Basini, d'altro canto, ha già bene qualificato l'essenza dell'economia monetaria modenese qual'era agli inizi del Seicento, ma come fu poi anche dopo: « l'importazione di grani assorbe gran parte della moneta pregiata disponibile; l'oro e l'argento, che già scarseggiano, tendono ad essere ancora più tesorizzati, non solo dal duca, ma da tutti i ceti ricchi della città, mentre per le necessità interne si ricorre alla coniazione di moneta bassa, praticamente priva di valore intrinseco » [2].

L'oligarchia modenese crebbe nella propria azione dopo la crisi che negli anni intorno al 1620 colpì la comunità e che fu, insieme, « carestia agricola, crisi artigianale, commerciale e monetaria », crisi congiunturale innestatasi probabilmente « su di un movimento di fondo in fase di svolta » [3] e cioè crisi sostanzialmente affine a quella reggiana e di altre aree circostanti nello stato e fuori nel Bolognese, nel Ferrarese, nel Mantovano [4]. La « stabilizzazione nel tempo delle rendite» [5] impegnò quindi e sempre più dopo di allora quella oligarchia. Il favore estense alle operazioni dei proprietari modenesi, le speculazioni dei duchi sui grani, che davvero non

[1] Alla p. 95.

[2] G. L. BASINI, *L'uomo e il pane*, cit., p. 78: ma v. pure tutto il cap. V (*Fabbisogno e consumo di grani a Modena e nel suo distretto*), pp. 49 sgg., il cap. VI (*Le crisi di sussistenza*), in specie pp. 74 sgg., e il cap. VII (*Prezzi del grano e salari*).

[3] G. L. BASINI, *op. cit.*, p. 78.

[4] G. L. BASINI, *op. cit.*, p. 79; F. CAZZOLA, *op. cit.*, p. 547. Sugli aspetti finanziari della crisi v. anche C. MONTRONI, *op. cit.*, pp. 139 sgg. Per una lettura più larga della vicenda e generalmente del « movimento di fondo » (sopra, nel testo, e n. 3) riv. G. VIGO, *op. cit.*

[5] F. CAZZOLA, *op. cit.*, p. 546: il discorso generale, che C. fa, sulla « classe politica che governa le città e gli stati italiani del Seicento » e sulle mete che essa perseguì, può sicuramente esser riferito al caso modenese.

mancarono da Modena così come prima si erano manifestate e intensamente da Ferrara, e insieme ad esse gli interventi dei sempre favoriti ebrei, che in notevole numero avevano lasciato Ferrara per Modena nel 1598: tutto aprirebbe semmai un capitolo su quanti oppressero i lavoratori della terra del distretto modenese nel Seicento[1], ma non può aprire un discorso su un capitalismo di là da venire. Piuttosto, ricordare le une e gli altri aiuta a comprendere le ragioni che i governanti di Modena poterono avere via via per contenere la popolazione della comunità.

3. Governo centrale e realtà dello stato

Il lavoro del governo

Nel contesto, del quale abbiamo detto sinora, è augurabilmente già abbastanza chiaro ciò che il governo estense fu nello stato dopo la devoluzione e almeno sino al primissimo Settecento. L'impianto di queste pagine, e la letteratura abbondante e nota che esiste da tempo anche sui duchi da Cesare a Rinaldo I e in qualche misura anche sulla reggente Laura Martinozzi (1662-74), impongono un rimando a tale letteratura nei termini in cui essa può corredare con le sue notizie il nostro discorso, o raccomandano altri studi, recenti o recentissimi e che allora vorremmo poter utilizzare di più.

Per il primo caso ricordiamo o meglio continuiamo a ricordare, per tutti, Chiappini[2]; per il secondo caso ricordiamo Montroni e anche Minardi[3], e Montagnani su Laderchi[4], e Grillenzoni su alcuni caratteri del governo estense nel Frignano del primo Seicento[5]: da questi autori l'attenzione è stata portata su uomini e su momenti di una più articolata maniera di condurre da Modena il governo dello stato, in particolare Montagnani ha messo a fuoco una prima volta una delle figure di maggior rilievo di quel governo fra Cinque e Seicento.

In ciò che svolgiamo qui, poi, certo vorremmo che fosse possibile

[1] Ripetutamente, su ciò: G. L. Basini, *op. cit.*, pp. 75 sgg., 51 sgg., e Id., *Sul mercato di Modena,* cit., *passim*; v. inoltre M. Cattini, *Produzione, autoconsumo e mercato,* cit., *passim.* Lo sfruttamento dei contadini avvenne anche nel campo del commercio della lana e in quello dei bozzoli: G. L. Basini, *Sul mercato di Modena,* cit., pp. 43-47.

[2] *Gli Estensi*, cit.

[3] C. Montroni, *op. cit.*; G. Minardi, *Governo e clero a Modena nel primo Seicento,* tesi di laurea di storia moderna discussa nel marzo 1969 presso la Facoltà di Lettere e Filosofia di Bologna (relatore L. Marini).

[4] *Op. cit.*

[5] *Op. cit.*

andare oltre, e dire di coloro che in qualche misura proseguirono nel Seicento l'azione di Laderchi, dire di Fulvio Testi e di Girolamo Graziani e di Bartolomeo Gatti, e degli altri come Rondinelli o almeno tali che richiamino alla nostra mente quel governatore. E con loro e oltre di loro vorremmo poter considerare tutti i podestà nelle comunità delle province immediate, i fattori generali, gli appaltatori di gabelle, gli ambasciatori estensi presso i vari governi in Italia e fuori. Ma su di loro mancano generalmente ancor oggi proprio le ricerche di cui avremmo bisogno [1] — dire che essi furono di solito nobili o borghesi aspiranti ad inserirsi fra i privilegiati apre appena il discorso! —, e intanto non ci vogliamo ridurre a degli elenchi di nomi, a dei cataloghi che non servirebbero a nessuno. Se per altro restiamo fuori dai campi più noti, e non possiamo ancora entrare nei meno noti, dobbiamo riprendere il nostro modo di essere attenti al governo centrale e ai suoi uomini e ricordare, almeno, le tappe salienti del loro procedere lungo il Seicento nelle loro relazioni con i privilegiati e con le comunità.

E così, innanzitutto, ritorniamo a dire del rinnovo dei governatori che Cesare d'Este compì nello stato nel 1598: primo modo per reimpostare il lavoro politico del governo centrale con le varie province, dopo la devoluzione e dopo la dislocazione non solo fisica patita allora da quel governo; e modo che si volle articolare ripartendosi i vari governatorati in castellanze, ognuna con un commissario [2].

Poi, annotiamo il fatto che nel 1603 fu compiuta una riforma generale di carattere amministrativo, tripartendosi allora lo stato in zone che dovevano essere curate alternativamente, l'uno dopo l'altro, dai maestri del conto, cioè da coloro che nel governo centrale attendevano agli affari della camera ducale; quelle zone si chiamarono « partimenti » [3].

Infine nel 1618-19, morto appena Laderchi, fu avviata un'altra riforma, che Laderchi aveva progettato da tempo. « Si ratificò e disciplinò definitivamente la carica dei "consiglieri e segretari di Stato", fissandone il numero a tre e stabilendo per di più che il territorio dello Stato venisse suddiviso a sua volta in tre parti — "Partimenti" — » (e si perfezionava così la riforma del 1603), « ciascuna delle quali doveva costituire, secondo un sistema di rotazione periodica, la particolare circoscrizione di ciascuno di essi. I tre ministri (ma naturalmente, in pratica, non furono sempre tre), oltre ad occuparsi quotidianamente di tutte le questioni relative al proprio "Partimento" e degli altri affari di Stato che venissero loro affidati, dovevano

[1] Ne cominciò alcune C. Montroni, *op. cit.*, specialmente dalla p. 246 in avanti (ma tutto il lavoro è da vedere, *passim*, a questo fine).

[2] L. Chiappini, *op. cit.*, p. 387.

[3] R. Montagnani, *op. cit.*, p. 120; e già C. Montroni, *op. cit.*, pp. 215, 243-244.

riunirsi settimanalmente in veste di Consiglio di Segnatura...; per di più, insieme ad altri personaggi, generalmente gentiluomini ("consiglieri di cappa e spada") per i quali la cosa rappresentava più che altro un titolo onorifico, costituivano quel "Consiglio di Stato" (detto ancora in certi casi "Consiglio segreto") che il principe convocava di quando in quando per discutere negozi politici di particolare importanza »[1].

E tuttavia non si giunse a una reale distinzione di lavoro fra il consiglio di segnatura e quello di stato: « la situazione continuò a trascinarsi pigramente in termini piuttosto equivoci, i due Consigli essendo praticamente l'uno il doppione dell'altro, fino all'istituzione del Supremo Consiglio di giustizia avvenuta nel 1761 »[2]. Con ciò è già detto molto anche sul tempo che seguì, e lungamente, agli anni 1618-19, che furono travagliati nello stato dalle pesanti ragioni di crisi congiunturale e strutturale di cui abbiamo già fatto cenno più sopra; ma è detto altresì, implicitamente, non poco anche a commento dei tentativi estensi di migliore organizzazione del potere politico centrale dal 1598 in poi, se vale il quadro delle forze economiche e sociali e politiche e giurisdizionali che appunto al 1598 e dopo di allora abbiamo considerato sin qui. Di nuovo, non riteniamo possibile spiegare la scarsa efficienza del sistema dei governatorati e delle castellanze con la mancanza di « un principe energico e risoluto » e con la presenza, a Modena, di uomini come Laderchi e generalmente di un impianto politico e amministrativo estense nel quale, si è voluto dire, pochi uomini spadroneggiavano[3]. Avremmo la stessa impossibilità se volessimo imputare a singoli esponenti del governo centrale la responsabilità della persistenza, anzi dell'aggravamento, delle loro difficoltà di curare l'una o l'altra parte dello stato in maniera da regolare questo, alla fine, in una qualche già assolutistica misura. Si osserverà invece che ben oltre gli anni del duca Cesare, ben oltre il decreto di Francesco I del 1630 « per lo buon governo delle comunità » dello stato[4], e oltre lo stesso Seicento, si durò nella tensione fra governo centrale e aree dello stato, province immediate e mediate e via dicendo; e non ripeteremo che ciò ebbe precise e diffuse e articolate ragioni.

Quindi non ci serve l'enunciazione breve o lunga dei propositi o magari degli atti estensi miranti dopo Cesare a significare intorno a sé una volontà assolutistica forse non contestabile, ma razionale solo nella realtà che a

[1] F. Valenti, *I Consigli di governo*, cit., pp. 39-40.
[2] F. Valenti, *op. cit.*, p. 40.
[3] L. Chiappini, *op. cit.*, p. 387.
[4] P. Grillenzoni, *op. cit.*, p. 92; e v. anche già M. A. Abelson, *Le strutture amministrative nel ducato di Modena e l'ideale del buon governo (1737-1755)*, trad. di C. Capra, in « Rivista storica italiana », LXXXI, 1969, p. 517.

grandi linee abbiamo intravisto e perciò razionale a rapsodiche iniziative, a successi di corto raggio. L'opera di Alfonso III (1628-29), duca per troppo breve tempo, in questo senso non si risolse che in tentativi, e l'azione di Francesco I nei non pochi anni suoi — 1629-58 —, a volte vigorosa, altre volte e come ricordammo già pro feudale [1] o contrastata dalla complessa realtà dello stato, fu ostacolata altresì dalle rovinose vicende che afflissero molta parte dello stato e le finanze estensi durante la guerra di Castro e quant'altro colpì lo stato sino al 1648 e poi ancora sino alla conclusione della lotta franco-ispana verso il 1659, a tutto partecipando lo stesso Francesco I oltre ogni ragionevole misura di principe in un piccolo stato dell'Italia padana seicentesca.

La «riputazione»

Il primo dei due duchi che abbiamo appena ricordato, Alfonso III, fu molto sensibile alla propria «riputazione»; Francesco I vi fu almeno altrettanto sensibile. Ma la stessa preoccupazione aveva avuto prima di loro il duca di Savoia Carlo Emanuele I, famoso ai loro occhi, significativo per i loro più alti individualistici «eroici» spiriti, al vertice di una somma di realtà economiche e politiche molto meno disorganiche di quelle che essi avevano intorno o già sotto di sé; eppure Carlo Emanuele I era finito nel 1630 con lo stato a pezzi [2]. Come era accaduto nel suo caso, anche la loro «riputazione» era cercata incongruamente, nella misura in cui per un verso voleva ancora dar corpo a ideali sollecitati da più memorie e di diversi tempi passati — feudali o signorili, rinascimentali, slegati o niente affatto slegati da precisi interessi economici speculativi, comunque di età più aperte alle loro personali iniziative —, e per l'altro verso mirava a consistere delle forme che almeno da Filippo II e da Enrico IV in poi erano andate illustrando con vario successo un più moderno modo di essere al vertice di uno stato.

L'incongrua ricerca esprimeva in sé tutte le differenti realtà dello stato estense, le storie delle sue parti diversamente acquisite e non omogeneamente riformate; e beninteso, là dove era meno incongrua esprimeva pure i successi del ricercato accentramento politico e fiscale e amministrativo e militare, perché le tripartizioni dello stato non furono solo volute ma altresì avviate a qualche parziale efficienza — tuttavia è significativo che un consulente di Cesare gli scrivesse a proposito dei progettati partimenti

[1] V. sopra, p. 80.

[2] Sui due duchi estensi v. L. Chiappini, *op. cit.*, pp. 391, 417, 418-422. Sul duca sabaudo v. L. Marini, *Carlo Emanuele I, duca di Savoia,* in Id., *Libertà e privilegio,* cit., pp. 285-342.

del 1619: « crederei che il più bell'ordine che si potesse servare in questa divisione fosse il non servar ordine alcuno » [1] —, e dal primo settembre '19 ogni partimento comprese domini immediati e luoghi infeudati, oltre ai « luoghi da scrivere fuori dello stato », cioè una parte degli affari esteri [2], riprendendosi in qualche modo, e meglio che nel 1603, le tradizionali partizioni del Modenese e del Reggiano e una somma delle altre parti da Carpi a Sassuolo al Frignano [3].

Neppure dimenticheremo che alla « riputazione » estense avevano giovato la lotta contro i Pio e l'acquisto di Sassuolo, e poi giovò l'acquisto del principato di Correggio [4], e valsero i matrimoni che imparentarono i duchi coi Medici e coi Savoia e con i Farnese duchi di Parma o altrimenti con i Barberini, un Alfonso IV col Mazzarino, un Rinaldo I con i principi di Brunswick-Lüneburg; quando pure tutto ciò avvenne nell'ambito dell'economia e della politica estere perseguite nel secolo soprattutto col governo di Parma e con i governi di Spagna, di Francia, dell'impero [5], vale a dire perseguite nell'àmbito di una rete di necessità di esistenza anche molto lontane dai tratti più tradizionali e inevitabilmente retorici della « riputazione ». Ma anche i tratti retorici servirono all'incongrua ricerca del maggiore prestigio, così come servì la ripetuta presenza estense nelle guerre che afflissero l'Italia nel Seicento e che rovinosamente incisero la loro parte nelle difficoltà economiche e finanziarie dei più nello stato.

L'incompleto assolutismo

Anche al di fuori delle spese eccezionali per i matrimoni e le guerre e via dicendo gli Estensi dopo il 1598 furono capacissimi nel continuare nella più esperta delle forme del loro assolutismo e cioè nelle imposizioni fiscali in primo luogo sui contadini e poi, dove più dove meno, sulle comunità, e furono altrettanto capaci nel continuare nelle regolamentazioni dei consumi primari sicché la camera ducale ne avesse finanziari vantaggi, e nell'istituire monopoli sempre nuovi e conseguenti appalti, anche a

[1] In C. Montroni, *op. cit.*, p. 224.

[2] C. Montroni, *op. cit.*, pp. 225 sgg.

[3] V. su tutto C. Montroni, *op. cit.*, allegato n. 3.

[4] Sul principato e sull'acquisto non si dimentichi F. Manzotti, *La fine del principato di Correggio nelle relazioni italo-imperiali del periodo italiano della guerra dei trent'anni*, in « Atti e memorie della Deputazione di Storia patria per le antiche provincie modenesi », ser. VIII, vol. IV, 1954, pp. 43-59.

[5] Resta di qualche utilità in proposito, e fra gli altri, G. Beltrami, *Il ducato di Modena tra Francia e Austria (Francesco II d'Este, 1674-1694)*, n. 12 della « Biblioteca della Deputazione di Storia patria per le antiche provincie modenesi », Aedes Muratoriana, Modena 1957.

forestieri, per la produzione e il commercio del ferro, del sapone, dei vetri, dell'acquavite, del cuoio, degli stracci per la carta.

Ma i vincolismi e i protezionismi e gli autoritarismi e le speculazioni, il consenso ancor sempre largo agli ebrei nonostante si cedesse con l'istituzione dei ghetti nelle comunità — nel 1638 a Modena, nel '69 a Reggio — alle controriformistiche opposizioni del privilegio ecclesiastico e dei mercanti cattolici finanziariamente indeboliti [1], tutto ciò e ogni altro modo analogo di premere sul paese, e le ragioni di ogni altra spesa, non erano ancora e per molti versi l'assolutismo come intanto si andava manifestando in altri e ben più avanzati governi fuori d'Italia — non in Spagna e neppure nell'impero — e come si manifestava per qualche organico verso, e in forme politiche pur differenti fra di loro, anche in Italia; i protezionismi e i matrimoni e le presenze nelle guerre confermavano la più tradizionale delle forme del governare estense e davvero non servivano a una strutturazione rinnovata delle varie realtà costituenti con propri modi lo stato e che magari, dopo il 1598, si erano allontanate ulteriormente dal centro di quello stato.

L'incompleto e immaturo assolutismo estense si accompagnava, per la forza stessa delle cose dello stato, con le forme varie degli assolutismi dei feudatari e con gli accentramenti di potere dei vescovi [2] e generalmente con la fortuna di questi e dell'inquisizione e del clero secolare e regolare, che, tutti, prosperarono sempre più nonostante gli sforzi almeno fiscalmente giurisdizionalistici di alcuni duchi estensi e in primo luogo di Francesco I, godettero di anni come quelli di Obizzo d'Este vescovo di Modena e di Rinaldo d'Este cardinale e vescovo di Reggio, e della reggente Laura Martinozzi, e del secondo Rinaldo d'Este cardinale a sua volta e che fu poi il duca Rinaldo I.

Quell'incompleto e immaturo assolutismo si accompagnò pure con gli oligarchici modi di governo delle comunità. E in conclusione esso durò nel Seicento come l'espressione maggiore di una realtà generale costituita da più vertici, continuò a non affermarsi sulla pluralità dei vertici. Che un Francesco II, duca dal 1662 ma a più pieno titolo dopo che divenne maggiorenne ed esautorò Laura Martinozzi e durò sino al '94, possa essere stato definito un « principe in genere poco sollecito del buon ordine del-

[1] V. sempre, su ciò, A. Balletti, *Gli Ebrei e gli Estensi,* cit., *passim* alle pp. 66-68, 79-83, 105-113, 116-122, 163, 171-186; e poi v. anche O. Rombaldi, *op. cit.*, pp. 63, 76, 79, 86, 88; G. L. Basini, *op. cit.*, pp. 97-98 n. 85, 145 n. 8.

[2] Per esempio a Modena, fra il 1565 e il 1659, passandosi dai plebani ai sostituti ai vicari foranei: G. Russo, *Il primo sinodo modenese dopo il concilio di Trento*, Aedes Muratoriana, Modena 1968 (estr. da « Atti e memorie della Deputazione di Storia patria per le antiche provincie modenesi », ser. X, vol. III, 1968), pp. 121-122.

l'amministrazione »[1], è un giudizio che il suo autore ci consentirà di intendere anche oltre i suoi termini più specifici, tanto persisteva in quell'amministrare una indeterminatezza antica, ed è un giudizio che oltre la persona ricorda un clima non ancora superato alla fine del Seicento e nonostante le tripartizioni dello stato e ogni altra forma del lavoro dei governanti. Di veramente certo, alla fine del Seicento, v'era nello stato un distacco che era andato crescendo nel corso del secolo fra i privilegiati e i maggiori proprietari borghesi da una parte e, dall'altra, i proletari delle comunità, i lavoratori della terra impoveriti dal « ritorno dei signori »[2]; un aggravato distacco fra i ricchi preminenti e la « tumultuosa indiscreta plebe », « l'indiscreto tumultuante popollazzo », di cui si era lagnato già nel 1674 l'abate reggiano Giacomo Certani[3].

[1] F. VALENTI, *Profilo storico*, cit., p. 28.

[2] S. WORMS, *Il problema della « decadenza » italiana nella recente storiografia*, in « Clio », XI, 1975, p. 112.

[3] In A. BALLETTI, *Storia di Reggio*, cit., pp. 458-459.

Capitolo IV. **Oligarchie alla prova**

1. Gli scompensi accresciuti

Nelle guerre del primo Settecento

L'occupazione asburgica di Comacchio e di quella contea dal maggio 1708, nel corso della guerra di successione spagnola e durante le nuove prove che il gran gioco delle tensioni fra il potere imperiale e il potere papale diede allora di sé, ebbe un rilievo che è ben noto nella storiografia politico-diplomatica degli equilibri fra i maggiori governi europei e nella storiografia delle idee del primo Settecento; la sua vicenda fu scandita dalle argomentazioni di crescente sapienza critica di un Ludovico Antonio Muratori per conto del duca Rinaldo I d'Este, e di un Goffredo Leibniz, così come la scandì l'accanita polemica curialistica di un Giusto Fontanini. Durava dal 1598 la questione se Comacchio fosse o no feudo imperiale, se gli Estensi avessero o no diritto a riavere quel paese perduto insieme al ducato di Ferrara; nondimeno i caratteri che essa acquistò fra il 1708 e il '25 furono per molti versi nuovi e di rilevanza eccezionale.

E risolvendosi quella rilevanza nel fatto che in conclusione Comacchio fosse restituita al papa, ne venne un colpo alla condizione internazionale estense che fu particolarmente significativo, poiché, all'apertura di un secolo che si mostrava già per vari segni più mosso del precedente nei confronti degli stati italiani, le disattese speranze di Rinaldo I e dei suoi più vicini rincrudirono la realtà già seicentesca, già in parte cinquecentesca, per certi versi ancora precedente e costituzionale all'impianto medesimo degli Estensi a Ferrara e poi nel restante del costituendo stato, rincrudirono cioè una condizione di precarietà politica antica verso l'esterno dello stato, a sua volta non mai disgiunta dalle precarietà all'interno e che almeno in qualche loro carattere abbiamo già rilevato ai tempi e ai luoghi più necessari alla conoscenza che cerchiamo di farci dell'intero stato.

Lo svolgimento della questione di Comacchio potrebbe anche e non oziosamente sollecitare una sua considerazione dentro l'immenso discorso del diritto e della forza, dell'ethos e del kratos in quel tempo molto caldo della prima età moderna europea, e più largamente nel tempo delle relazioni internazionali che i governi erano andati perfezionando via via e tanto più dalle paci della Westfalia in poi. Ma per quel che già sappiamo dello stato estense, e per l'economia di queste pagine, possiamo essere più brevi e più semplici, e realisticamente non ci stupiamo che le speranze estensi, i disegni di Rinaldo I di contare di più nei confronti dell'impero, si siano così contratti nel corso di pochi decenni e siano infine caduti.

Ma chiediamoci altresì quali poterono essere, per il governo di Rinaldo sino al 1737 e poi nelle possibilità di Francesco III suo figlio dal '37 in avanti, l'incidenza di una simile contrazione, poi l'incidenza della caduta.

Lo stato estense e il suo governo centrale erano già dei fragili vasi quando la guerra di successione spagnola ebbe inizio, sicché i franco-spagnoli entrarono a Modena e a Reggio e distrussero il forte di Brescello, che anche a Francesco Farnese duca di Parma premeva venisse distrutto, e poi forze imperiali occuparono Carpi e Correggio e Reggio e Modena — e intanto Rinaldo si era salvato a Bologna —. La guerra di successione polacca riportò i francesi a Modena e Rinaldo nuovamente a Bologna, mentre Francesco si rifugiava a Genova, e negli anni della guerra di successione austriaca gli austro-piemontesi furono a Modena e a Mirandola e Francesco III andò presso Padova e poi a Milano con gli spagnoli come capitano generale delle truppe di Lombardia, poi andò a Parigi per cercar di seguire i lavori conclusivi di quel conflitto che si risolse infine ad Acquisgrana nel 1748. Cioè lo stato estense fu percorso e ripercorso in quei decenni da amici e da nemici e sempre sfruttato e guastato in primo luogo nelle risorse delle sue pianure, quindi nei suoi beni maggiori seppur non sempre sufficienti alle necessità dei più che lo abitavano; e i duchi, lasciando il territorio dello stato o fuggendone non senza corredo anche ingente di ricchezze personali, poi tassando di più il paese al proprio ritorno, nel distacco oggettivo così come nelle nuove prove della loro sempre desta fiscalità confermarono la loro impotenza di principi, la loro distanza dai sudditi.

Certo, l'appoggio imperiale valse all'acquisto del ducato di Mirandola e del marchesato di Concordia nel 1710 — pur se ad un prezzo altissimo non proporzionato all'affare [1] —; e nel 1737 procurò in feudo ancor sem-

[1] Su ciò v. ora T. BAGNI, *Dai Pico agli Estensi. Politica e società nel ducato di Mirandola agli inizi del '700*, tesi di laurea di storia moderna discussa nel novembre 1976 presso la Facoltà di Lettere e Filosofia di Bologna (relatore L. Marini), specie pp. 23-24, 26-27, e note.

pre a Rinaldo I Novellara e Bagnolo. Tuttavia non solo può essere evidente anche già da questi accenni la sproporzione tra il sofferto dall'intero stato e l'ottenuto, che nel complesso fu di poco più di 60.000 biolche di terra e di 12-13.000 abitanti, ma è molto da rilevarsi il fatto che gli acquisti andarono in primo luogo ai duchi e alle loro operazioni di potere e valsero a far crescere di qualche altro poco la loro distanza dagli altri poteri economici e politici presenti nello stato — anche l'avvio e la prosecuzione dei lavori voluti dagli Estensi per la ricchissima villa di Rivalta dagli anni Venti in poi cadono nel discorso —; ed è inevitabile avvertire che gli acquisti e l'uso che i duchi ne fecero avvennero all'interno di un preciso impianto di condizionamenti che nella storia generale dell'Italia è ben noto. Proprio le « strette dell'Austria » in quel primo Settecento, nel complesso quadro dei mutamenti politici di vertice discussi più fuori che dentro la penisola e poi in gran parte realizzati in essa al nord come al centro e al sud, hanno infatti occupato e potranno ancora occupare stagioni della storiografia italiana e non solo italiana. L'insediamento asburgico in Lombardia e a Mantova dal 1706-8; l'esaurirsi del governo farnese a Parma e a Piacenza nel 1731 non davvero evitato dal matrimonio del 1728 fra Enrichetta d'Este, figlia di Rinaldo, e Antonio Farnese; il venir meno nel 1737 dell'ultimo Medici a Firenze, Gian Gastone; e il succedere ai Farnese di Carlo e poi dopo varie vicende di Filippo di Borbone, il succedere ai Medici di Francesco Stefano di Lorena: tutto segnò un'avanzata che insieme alla stretta papale e alla presenza veneziana al nord complicò sempre di più, intralciò, le restanti possibilità estensi di muoversi fuori dei confini dello stato, e anche, in questo, fuori dei domini direttamente posseduti.

E così, se già le cure estensi seicentesche per la « riputazione » non avevano avuto grande consistenza, quelle settecentesche di Rinaldo e poi di Francesco, infine di Ercole III, furono anche più minate. Veniva avanti una realtà pesante, che premeva sugli stessi tratti politicamente più consistenti del modo estense di governare e di muoversi nelle relazioni con i vari centri del privilegio e con le comunità nello stato. Né corresse le cose Ercole, figlio di Francesco e destinato a succedergli, quando nel 1741 sposò Maria Teresa Cybo erede del ducato di Massa: quel ducato continuò a reggersi con un proprio « supremo dicastero » e servì molto poco a rendere meno isolata la Garfagnana estense ancorché Francesco avviasse la costruzione di una strada da Modena a Massa attraverso quella provincia — fu la « via Vandelli » —, e a sua volta Ercole finì per guastarsi con la moglie e rimase senza figli maschi legittimi.

In un tale contesto certo s'imposero i tentativi di razionalizzazione del sistema interno di governo che Francesco III avviò; e s'impose una prudenza straordinaria nel campo sempre più pericoloso della politica estera. Cominciamo a intravvedere alcuni dei caratteri che l'azione estense svolse via via nello stato e fuori di esso lungo il secolo.

Mirandola e Concordia: le tensioni di un dominio nuovo

L'acquisto di Mirandola e di Concordia procurò inizialmente almeno 50.000 nuove biolche di terra allo stato estense, e circa 9.000 nuovi abitanti, 2.500 dei quali a Mirandola e 1.500 a Concordia; procurò buoni pascoli e bestiame grosso, frumento — seppur non sempre in quantità sufficiente allo stesso consumo interno di quei luoghi —, e mais, fave, uve e vini [1]: relativamente ad altre terre, e innanzitutto alle modenesi, il nuovo acquisto resse meglio anche i guasti degli anni più difficili dell'economia agricola dello stato nel Settecento [2].

Dal 1710 furono invece depresse le notevoli possibilità mercantili di Concordia, i cui nove mulini sul Secchia Rinaldo I aveva ottenuto nel '9 dagli imperiali che fossero demoliti, perché le loro chiuse contrastavano il corso del fiume e favorivano rotte e allagamenti nel Modenese: e si dovette giungere al '38 e a Francesco III perché almeno tre di quei mulini tornassero a lavorare, tuttavia la maggior parte dei grani del ducato e del marchesato continuò a dover essere portata a macinare nel Mantovano austriaco, con le conseguenze finanziarie e non solo finanziarie che si comprendono [3].

Ma non si rilevi questa differenza tra gli Estensi e i Pico che li avevano preceduti nel dominio di quei luoghi, dal momento che ogni discorso sulle acque e sulla loro regolamentazione nello stato estense non tenne mai solo o soprattutto di una volontà nemica di traffici e di denaro e invece s'impose come una condizione preliminare per ogni durevole presenza umana, quindi per lo svolgimento delle attività economiche primarie, s'impose come una condizione di fondo che abbiamo conosciuto essenziale dai più lontani tempi della vita dello stato. I Pico avevano avuto le loro ottime ragioni per favorire il lavoro dei mulini di Concordia, cioè nel proprio

[1] T. BAGNI, *op. cit.*, pp. 39-46 e note, 100 n. 40. In particolare, per i dati sulla estensione e sulla popolazione del nuovo acquisto e per il loro confronto coi dati di L. RICCI, *Corografia dei territori di Modena, Reggio e degli altri stati appartenenti alla casa d'Este,* Modena 1806, v. T. BAGNI, *op. cit.*, pp. 66-67 nn. 7-9.

[2] E. ZAVATTA, *Politica e società nella Mirandola estense del Settecento*, tesi di laurea di storia moderna discussa nel novembre 1976 presso la Facoltà di Lettere e Filosofia di Bologna (relatore L. Marini), pp. 32 sgg., 243.

[3] T. BAGNI, *op. cit.*, pp. 45-46 e note, 88-89 e note; E. ZAVATTA, *op. cit.*, p. 20. Sulla presenza del Mantovano nella realtà del nuovo acquisto v. pure qui avanti, p. 117.

minuscolo dominio; Rinaldo ne ebbe per contrastare quel lavoro e difendere una parte, benché piccola, dei propri domini assai più estesi.

Se per altro non si rileverà questa differenza tra gli Estensi e i Pico si dovrà pur constatare che la distruzione dei mulini riuscì ad un'ulteriore attenzione per le già dominanti forme dell'economia dello stato e innanzitutto del basso Modenese: di un'economia, appunto, terriera. E si dovrà andare più innanzi e rilevare che, al 1710, delle almeno 50.000 biolche mirandolesi-concordiesi i proprietari laici ne tenevano da 28 a 30.000, gli ecclesiastici ne tenevano circa 10.000, la camera ducale estense ne teneva il restante e lo affittava; e che al territorio mirandolese che abbiamo ricordato finora occorre aggiungere San Martino in Spino, feudo del vescovo di Reggio e solo nel 1749 infeudato — e non pienamente — a Francesco III, ed esso pure di netta economia agricola [1].

Nel 1723 i modenesi Taccoli, con Pietro, figlio del conte Achille primo governatore estense di Mirandola, e che allora Rinaldo I fece marchese, ebbero in feudo dal duca San Possidonio; nel '50 San Martino in Spino fu dato da Francesco III a Paolo Antonio Menafoglio suo fermiere generale; nel '67 il modenese marchese Giuseppe Paolucci ebbe dal duca, in feudo, Roncole [2]: le estensioni di quei territori — rispettivamente di 5.442, 13.721, 13.778 biolche al 1788 — alimenterebbero fra gli altri il discorso che verso il '90 fece l'avvocato mirandolese Giuseppe Luosi contro le « larghe possessioni » molto meno redditizie di quanto avrebbero potuto esserlo se suddivise e condotte da un maggior numero di persone [3] — un discorso, allora, che non si limiterebbe di certo al solo ducato di Mirandola —.

Nel nuovo acquisto, lungo il secolo, i luoghi immediati e i luoghi mediati svolsero dunque la propria vita, così come i tanti altri luoghi immediati e mediati la svolgevano nel restante stato in una persistenza di strutture che durava e durò, primo dei caratteri che dobbiamo continuare a rilevare. E dentro la persistenza delle strutture è appena il caso di ricordare quanto il privilegio, pars magna in esse, si batteva per durare, per rimanere dominante nel tessuto antico e larghissimo delle esenzioni da imposte, dai dazi e dai mille altri pesi del governo estense. Rinaldo I cominciò a intaccare i tratti ecclesiastici di quella realtà dal 1711 durante la questione di Comacchio e quel contrasto col governo papale, ma sarebbe errato voler riprendere a sopravvalutare — come è stato fatto altre volte — la portata del suo molto prudente giurisdizionalismo da allora in poi.

[1] T. Bagni, *op. cit.*, pp. 46-47 e 67 n. 10.

[2] E. Zavatta, *op. cit.*, pp. 89-92, 97-101, 104-105, con T. Bagni, *op. cit.*, p. 73 e n. 1. Su Roncole v. ancora G. Tiraboschi, *Dizionario topografico-storico degli stati estensi*, Forni, Bologna 1963 (ristampa anastatica dell'edizione di Modena 1821-1825), vol. II, p. 277.

[3] In O. Rombaldi, *Gli Estensi al governo di Reggio*, cit., pp. 114-115.

Mirandola nel 1710 ospitava gesuiti e minori francescani e agostiniani e serviti e ancora altri regolari, e ottanta monache di Santa Chiara, e gli uni e le altre amministravano possessioni e caseifici e altri beni e redditi nel ducato e nel Modenese e nel Mantovano; chiese di secolari e loro rendite completavano il quadro, che a Concordia non era meno vivace [1]. Nell'avanzare del secolo e degli interventi estensi e riformatori la presenza dei regolari a Mirandola si ridusse; tuttavia gli scolopi non lasciarono vuoto il posto lasciato dai gesuiti nell'insegnamento e quando quell'ordine nel '73 fu soppresso; e, ciò ch'è più, non si ridussero adeguatamente in qualità le prerogative del clero, e crebbe o per lo meno si conobbe meglio la presenza ecclesiastica nei gradi più alti della proprietà terriera, ed essa confermò la relazione che anche nel nuovo acquisto avvicinava progressivamente i vertici del privilegio ecclesiastico ai vertici del privilegio laico, al di sopra degli interventi estensi e delle riforme, in ogni momento più difficile di quelli e di queste [2].

La persistenza delle strutture a Mirandola — 2.517 abitanti al 1767 [3] — e a Concordia non fu meno evidente nell'organizzazione politica delle due comunità, che riprendeva a sua volta la realtà dominante anche nelle altre e più antiche comunità dello stato e innanzitutto aveva affinità con l'organizzazione di San Felice e di Finale [4] — in questa seconda gli abitanti al 1769 erano 4.429 [5] —. Anzi, nel caso di Mirandola si ebbe una radicalizzazione del sistema perché il consiglio di quel luogo, soppresso dai Pico per via delle loro lotte interne nel primo Cinquecento, quando fu ricostituito con dodici membri dal duca Francesco III nel 1738, e da allora in poi, fu composto da uomini di famiglie nobili di data più o meno antica ma ben sempre non « compromesse » con i traffici e con le arti (che pure ad un loro modesto livello anche a Mirandola duravano), e vissute e viventi dei redditi delle loro proprietà terriere — fra di esse furono i conti Greco (1.747 biolche secondo un biolcatico del 1755), i conti Panigadi (1.409 biolche), i conti Masetti (1.389 biolche), i conti Rosselli, Maffei, i Gallafasi —. La soppressione del governo di Concordia e la confluenza degli ordinamenti di quella comunità nei mirandolesi, compiute dallo stesso Francesco nel 1757, perfezionarono l'operazione del '38: al blocco di potere estense e pro estense occorreva la maggiore omogeneità possibile in

[1] T. Bagni, *op. cit.*, pp. 48-50 e note.

[2] Il processo è studiato da E. Zavatta, *op. cit.*, specialmente pp. 45-62, 145-151, e note, e *Appendice III* (*Estimi ecclesiastici,* 1738-1790), pp. 160-166.

[3] O. Rombaldi, *Contributo alla conoscenza della storia economica dei ducati estensi dal 1771 all'età napoleonica*, La Nazionale, Parma 1964, p. 21.

[4] E. Zavatta, *op. cit.*, pp. 168-176, *passim*, e note 6, 7, 11, 14 alle pp. 194-196.

[5] O. Rombaldi, *op. cit.*, p. 21.

quell'area, anche per via del suo confinare col Mantovano, del suo « continuo commercio » con tale paese, dei condizionamenti che di là si facevano sentire sulla sua economia e fra l'altro sulle tendenze-necessità migratorie di non pochi abitanti delle sue campagne [1].

Nel nuovo acquisto, poi, fra quel blocco di potere e ciò che di esso esprimevano Mirandola e Concordia, i governanti non ebbero sempre la vita facile; non l'ebbe il conte Achille Taccoli, investito da Rinaldo I nel 1710 di Valdalbero nel Frignano e che fu governatore dal 1711 al '22; e non l'ebbero i suoi successori, come lui nobili e legati agli Estensi — fra gli altri il conte Cesare della Palude (1749-55 e 1767-71); non l'ebbero i podestà, nobili talvolta, e scelti dal duca, tuttavia esposti al « sindacato » della comunità quando il loro ufficio si concludeva e almeno in questo simili ai podestà delle altre comunità dello stato; non l'ebbero gli ufficiali minori [2]. Come nel restante stato, anche a Mirandola e a Concordia i preminenti a qualunque titolo tennero per solito dinanzi a sé i diritti più che i doveri della realtà che essi erano e svolgevano nei confronti del governo centrale e del privilegio estense. E se qui per noi continua a non essere il caso di rappresentare analiticamente le tensioni che agivano nello stato, è certo che dovevamo almeno accennare alle tensioni di un dominio estense nuovo, ancorché piccolo e con una contrapposizione di forze meno grande che in altri luoghi o in altre aree dello stato [3].

Nuovo e vecchio a Novellara

Estensi dal 1737, Novellara e Bagnolo furono per lo stato un acquisto di estensione ancora minore del mirandolese-concordiese — erano circa un terzo del territorio di quelle, trent'anni dopo l'acquisto Novellara aveva ancora soltanto 1.422 abitanti [4] —, e soprattutto almeno per certi versi furono un acquisto meno positivo.

« Agli ultimi anni dei conti di Novellara, inetti al governo per deficienze intellettuali e fisiche, non furono risparmiati il tradimento e il veleno, nel fasto di una corte che consumava un patrimonio lungamente accumulato, nella esteriorità della religione largamente favorita ma non sentita, tra

[1] V. su tutto: T. Bagni, *op. cit.*, pp. 51, 58-64 e note; E. Zavatta, *op. cit.*, pp. 124-141, 168-188, e note. Sulle relazioni tra il Mirandolese e il Mantovano v. T. Bagni, *op. cit.*, pp. 89-90 e note, e E. Zavatta, *op cit.*, pp. 21, 35, 37, 67, 79-83, 86.

[2] T. Bagni, *op. cit.*, pp. 52-57 e note, 73-93 *passim* e note; E. Zavatta, *op. cit.*, pp. 170-172, 175-176, e note.

[3] Per andare oltre gli accenni v. T. Bagni, *op. cit.*, pp. 73 sgg., e E. Zavatta, *op. cit.*, *passim.*

[4] O. Rombaldi, *op. cit.*, p. 21.

l'indolenza dei sudditi avvezzi ad elemosinare e a ricevere assistenza »[1]. Vuole essere considerato soprattutto questo accenno di Rombaldi alla « indolenza dei sudditi ».

L'intenso favore al clero — alla sua economia e alla sua presenza sui fedeli — lungo tutto il tempo del dominio gonzaghesco dal 1371 in poi ed accentuatosi nel Seicento; le ripetute infiltrazioni gonzaghesche nel campo dei benefici ecclesiastici, che a quel favore non contraddicevano; furono proporzionalmente più grandi di quelli pur già così notevoli che si erano svolti e si svolgevano nello stato estense, perché, a sua volta, la supremazia del privilegio dei Gonzaga nella contea di Novellara su ogni altra realtà economica e sociale laica era divenuta proporzionalmente maggiore dell'estense nel complesso delle aree di quello stato. Le comunità di Novellara e di Bagnolo deperirono sempre di più nei confronti dei Gonzaga, autori delle maggiori imprese nella contea — fra le altre, di ripetute opere di bonifica e di trasformazioni fondiarie per cui via via la diffusa piccola proprietà novellarese quattrocentesca e anche la mezzadria cedettero il passo alla grande proprietà signorile e alla grande affittanza —, e generalmente sempre massimi operatori nell'economia e nella finanza del paese insieme a mercanti e a proprietari talvolta novellaresi ma più spesso, e con maggior rilevanza di capitali, ebrei, e poi reggiani e guastallesi e bolognesi. Il deperimento delle possibilità di vita e almeno di qualche progresso dei non privilegiati provocò ripetute emigrazioni dalla contea, mal contrastate dai principi[2].

Senza entrare qui in nessun discorso generale sul ruolo delle maggiori famiglie signorili nell'Italia padana — ancora agli inizi del Settecento i Gonzaga tenevano con loro rami anche Sabbioneta e Bozolo, Mantova, Castiglione, Guastalla, altre grandi famiglie si contrastavano e possedevano terre e altri beni nella pianura e nella montagna —, conteniamoci di nuovo e soltanto nell'osservazione che là dove era meno vivace il rapporto fra comunità e clero e nobiltà e principi, fra libertà e privilegio e a tutto vantaggio di questo, era maggiore il rischio di un salto di qualità negativo ad ogni brusco mutamento: negativo non solo per la parte già più debole (Rinaldo I acconsentì certo alle richieste più elementari dei nuovi sudditi ma la fiscalità estense e l'accentramento che si espressero da Modena su di essi li fiaccarono via via ulteriormente), ma negativo anche per la parte più forte, che nonostante i suoi noti caratteri di governo non era mai vissuta di pura fiscalità né aveva potuto sino allora essere assoluta più di tanto.

Inserito nelle strutture estensi il nuovo feudo ebbe sottoposti dal 1766

[1] O. Rombaldi, *Storia di Novellara*, cit., p. 248.
[2] V. su tutto, e in primo luogo, O. Rombaldi, *op. cit.*, *passim* agli anni nei vari capitoli.

i propri tributi alla « ferma generale »; e così il secolare impianto di esenzioni di assai vario genere ebbe fine, tra l'altro « furono poste in atto rigorose leggi daziarie ». Dal 1780 si cominciò a pagare l'estimo. Le soppressioni di conventi, che nel tardo Settecento il riformismo di Francesco III e poi di Ercole III realizzò con qualche intensità nello stato, privarono Novellara e Bagnolo delle presenze ecclesiastiche e dei vantaggi caritativi e assistenziali che la loro disastrata economia apprezzava da tanto tempo, e procurarono vasti appezzamenti di terreno già posseduti da serviti, da carmelitani, da gesuiti e via dicendo, in livello a un Senigaglia ebreo, in proprietà al conte Antonio Greppi, già tanto inserito anche nel mondo economico milanese e che ritroveremo ancora, più avanti, come uno dei massimi proprietari e speculatori nell'area basso reggiana e anche modenese del secondo Settecento [1].

Il maggior proprietario nel feudo continuò a rimanere per molto tempo una delle esponenti forse più tipiche del tradizionale privilegio nobiliare e cioè la duchessa di Massa, moglie di Ercole Rinaldo d'Este: alla metà del secolo, delle 9.415 biolche di superficie agraria novellarese circa 6.000 appartenevano a lei [2]. E intorno al 1780, su 15.400 biolche di terra censite in tutto il feudo, « 6150 appartenevano all'arciduca Ferdinando (beni ex Gonzaga), 1781 al marchese Riva, 332 al marchese di Bagno », poi v'erano le 1.307 del conte Greppi e le 691 allivellate al Senigaglia; con altre ancora, le biolche lavorate dai braccianti e dai mezzadri delle campagne di Novellara e di Bagnolo e i cui frutti in schiacciante misura non giovavano a loro erano 11.574 [3]. « Le entrate padronali — scrisse allora il priore, vertice del consiglio della comunità di Novellara — sortono dal paese che non può risentirne vantaggio alcuno. Rimangono a particolari possidenti biolche 3826. Il terreno posseduto da Novellaresi non è in modo veruno sufficiente a mantenere la soverchia popolazione... Quali arti possono mai fiorire ed esercitarsi almeno ove l'agricoltura non lascia denaro sufficiente a promuoverle? » [4]. L'indolenza dei sudditi acquistati nel 1737 da Rinaldo I continuò ad essere favorita, di fatto, anche dopo di allora; i vecchi e i nuovi modi estensi di operare finirono per non poter fare altro.

[1] O. Rombaldi, *op. cit.*, pp. 251-253.
[2] O. Rombaldi, *op. cit.*, p. 263; e v. *ivi* per gli altri maggiori proprietari e per i maggiori affittuari.
[3] O. Rombaldi, *op. cit.*, p. 266.
[4] Cit. in O. Rombaldi, *op. cit.*, p. 266. E v. pure, *ivi*, pp. 263 e 275-277, una « relazione dello stato dei beni allodiali sistenti nel territorio di Novellara », 1779.

Il privilegio nella « economica armonia » dello stato

Non accadde tuttavia solo nei luoghi di nuovo acquisto che il divario fra possidenti e non possidenti, fra privilegiati e non privilegiati, aumentasse: le testimonianze più diverse e i pochi studi di qualche merito che possediamo informano già con relativa sufficienza sulla diffusa realtà del fatto nello stato, in particolare durante il primo Settecento e in documentata prosecuzione delle vicende seicentesche. Nel divario crescente patirono danni le stesse più vecchie oligarchie delle comunità e si indebolirono ulteriormente le arti; per contro, la presenza ebraica proseguì e spesso accrebbe la propria incidenza economica e finanziaria un po' a tutti i livelli delle necessità dello stato.

Ma di quella presenza ebraica rimangono da studiare più a fondo i singoli massimi operatori e la qualità dei loro momenti di partecipazione alla vita delle classi e dei gruppi e dei poteri dello stato, è cioè da cogliersi la misura del loro muoversi fra il vecchio e il nuovo. Infatti, nel restante dello stato le cose non furono mai semplici o semplificate dal privilegio come nei territori acquistati col 1710 o col '37 o col '41; vennero avanti uomini formatisi nei campi della fiscalità estense o in quelli della proprietà terriera o nell'uno e nell'altro insieme — un Antonio Re a Reggio, per fare un nome solo —, e che progressivamente scalzarono gli uomini delle arti in crisi o dei traffici più bisognosi di maggiori capitali; ed è con essi, e non solo col privilegio o con la realtà comunitaria tradizionale, che bisogna studiare le affermazioni ebraiche settecentesche nello stato estense, è nel gioco delle inflazioni monetarie e delle connessioni nuove fra proprietà e capitali di più stati confinanti che occorre farlo. Nel medesimo tempo ciò renderà più valido anche parlare di borghesia nuova nelle comunità dello stato lungo il secolo, e farà comprendere meglio il ruolo di tale borghesia nel divario crescente cui abbiamo accennato sopra.

Alcuni dati possono intanto quantificare la realtà del privilegio nello stato del primo Settecento. Al 1737 lo stato, « con una popolazione di circa trecentomila abitanti, contava settemila sacerdoti, uno ogni quaranta abitanti, quarantadue monasteri femminili con 1.322 ospiti, 2.198 benefizi ed un patrimonio ecclesiastico ammontante a quattordici milioni di lire modenesi »: così ha riassunto Chiappini, e dopo di lui ha riassunto Pucci [1], dalle notizie in loro possesso, ma dopo le ricerche seguite ai loro lavori almeno per qualche luogo dello stato inclineremmo a ipotizzare un

[1] L. Chiappini, *Gli Estensi*, cit., p. 447; L. Pucci, *Lodovico Ricci dall'arte del buon governo alla finanza moderna, 1742-1799*, Giuffrè, Milano 1971, pp. 88-89.

quadro generale anche più favorevole al clero [1]. A sua volta, il *Catalogo delle città e luoghi principali dello stato di Modena*, elencando al 1750 i feudi e i signori che ne erano investiti, e le comunità con i loro borghi e le loro ville e sedi di governatori o di podestà o di giusdicenti, diede un numero di feudi quadruplo del numero di quelle comunità [2]: e fosse pure innegabile che le seconde erano, « in media, più grandi e più importanti » dei primi [3]. Anche allora i feudi erano in maggior quantità nel secondo partimento, cioè sostanzialmente nell'area reggiana [4].

Di una almeno relativa avanzata della nobiltà maggiore nel governo di Vignola, nei primi anni del Settecento, ha già detto qualcosa d'interessante Scurani [5]. A San Felice, famiglie eminenti come i Campi e i Lanzi continuarono anche nel corso del Settecento a consolidare il proprio potere economico e politico [6]. E cosa dire delle « truffe, che colpivano soprattutto gli artigiani e i mercanti », perpetrate nel primo Settecento modenese da nobili che vendevano i propri beni e poi facevano valere i titoli feudali di inalienabilità di quelli sicché le vendite erano nulle in diritto e in fatto? Poni ha già ripreso il tema anni fa dai propri interessi di ricerca e dalle informazioni muratoriane [7].

Di nuovo Abelson ha già dato ripetute conferme dell'importanza del privilegio nobiliare nello stato nei due decenni centrali del secolo studiati da lui, e, si badi, studiati con l'intento di documentare il progresso dell'esercizio del governo estense sulle forze centrifughe dei domini mediati e immediati, non con l'intento di approfondire l'esame di tali forze: ma chi conosca un poco la lunga storia di tutto lo stato non sottovaluterà la cautela delle stesse dichiarazioni programmatiche di Francesco III nel suo *Regolamento... per lo governo pubblico, civile, ed economico de' suoi dominii*, col quale nel 1741 egli si propose di organizzare meglio il potere che aveva ereditato nel '37 da Rinaldo I. I tre segretari di stato ancora a quella data dovevano « conservare, in tutto ciò che giustamente si possa estendere [sic], l'autorità nostra, senza prejudizio però mai dell'altrui, colla massima di tener viva quella economica armonia da cui dipende

[1] Può contribuire in proposito anche G. L. BASINI, *L'azienda agraria del monastero dei santi Pietro e Prospero di Reggio Emilia* (sic) (*sec. XVII-XVIII*). *Prime indagini*, in « Quaderni storici », 39 (settembre-dicembre 1978).

[2] Lo si veda in L. AMORTH, *Modena capitale. Storia di Modena e dei suoi duchi dal 1598 al 1860*, Aldo Martello, Milano 1967, pp. 195-204.

[3] M. A. ABELSON, *Le strutture amministrative*, cit., p. 504.

[4] *Catalogo*, cit., in L. AMORTH, *op. cit.*, pp. 199-201.

[5] M. SCURANI, *La comunità di Vignola e i Boncompagni*, cit., pp. 261-263.

[6] O. TASSI, *Una comunità dello stato estense*, cit., p. 157 n. 12.

[7] C. PONI, *Aspetti e problemi dell'agricoltura modenese dall'età delle riforme alla fine della restaurazione*, in *Aspetti e problemi del Risorgimento a Modena*, Società Tipografica Editrice Modenese, Modena 1963, pp. 3-4 dell'estratto.

molto la quiete e la tranquillità de' popoli... »[1]. Il consiglio di giustizia, che insieme al consiglio di segnatura costituiva la segnatura di giustizia e cioè la maggiore autorità giudiziaria dello stato dopo il duca, continuava anche allora specificamente a dirimere « i casi in cui fossero coinvolti membri delle classi privilegiate »[2].

Intorno al 1750 la presenza di nobili anche di antica data nelle massime funzioni del governo centrale, con un Ludovico Rangone primo segretario di stato e presidente del « magistrato delle acque e strade » e signore di Spilamberto e di Castelnuovo Rangone e di Campiglio, con un conte Borso Santagata segretario di stato e prefetto del « buon governo » e signore di Pontano, e con gli altri ricordati da Abelson e da Gramoli prima e dopo di quelli[3] e che le fonti largamente testimoniano, tale presenza, diremmo, era addirittura cresciuta di qualità se non anche di quantità in confronto ai tempi anteriori e in primo luogo in confronto ai tempi seguiti alla perdita dell'area ferrarese. Nel suo riformismo ricorrente fra una invasione dello stato e le assenze da questo e gli impegni pro imperiali, perfezionati dalla fine del 1753 con la reggenza della Lombardia, Francesco III confermò ben sempre e vistosamente la rilevanza del privilegio laico nello stato e ciò accadde fra l'altro nel '55, quando egli ripubblicò le *Provvisioni* del 1671 della duchessa Laura Martinozzi[4] e cioè una serie di limitazioni al prepotere dei feudatari sui loro sudditi, che la duchessa reggente aveva potuto molto più enunciare che realizzare, e che dopo di lei niente e nessuno aveva realizzato. Che dal 1755 le comunità dei luoghi infeudati potessero avviare azioni legali contro i propri signori là dove questi derogassero dai doveri assunti verso chi li aveva investiti del feudo — per altro muovendosi solo in accordo col magistrato del « buon governo » avviato dal duca nel '49 e definito meglio nel '54 —[5]; e che da quella data i feudatari dovessero sottoporre i registri della loro contabilità al magistrato quando il magistrato li richiedesse di ciò[6]; furono conferme delle intenzioni ducali di un reggimento meno decentrato, meno articolato, meno debole verso gli infiniti abusi del privilegio laico, non furono altro che segni di intenzioni.

[1] Cit. in M. A. Abelson, *op. cit.*, p. 507.

[2] M. A. Abelson, *op. cit.*, pp. 507-508.

[3] M. A. Abelson, *op. cit.*, p. 503 n. 5; M. Gramoli, *Nobiltà e corte a Modena nel tempo di Francesco III (1737-1780)*, tesi di laurea di storia moderna discussa nel giugno 1969 presso la Facoltà di Lettere e Filosofia di Bologna (relatore L. Marini), pp. 11 sgg.

[4] Sulle quali v. sopra, p. 79; e per l'atto di Francesco III v. M. A. Abelson, *op. cit.*, p. 518, n. 70.

[5] M. A. Abelson, *op. cit.*, pp. 512, 518-519 e 525 (*editto di sua Altezza serenissima per il buon governo e regolamento delle comunità de' suoi stati*, art. XXVIII).

[6] M. A. Abelson, *op. cit.*, p. 519.

E abbiamo fermato per un momento il discorso sui feudatari più restii al rapporto con gli Estensi, ma che dire, di nuovo, degli altri, dei meno restii, dei più attenti al rinnovarsi delle infeudazioni da parte dei duchi e magari interessati al governo ducale e partecipi della sua strutturazione? Che dire dei nobili nuovi, le cui fortune si erano svolte e si svolgevano non più anche nel rapporto coi papi e meno di un tempo nel rapporto con gli imperatori ma proprio soprattutto nel rapporto con i principi estensi? Particolarmente il Settecento fu il loro secolo, la relazione fra terra e privilegio li favorì allora anche più che nel Seicento.

E nei confronti del clero e delle sue proprietà e delle sue prerogative Francesco III che fece? Almeno sino al 1755 « in campo ecclesiastico... nulla fa pensare che il governo ducale si accingesse ad attuare delle riforme »[1]: Abelson è così anche più drastico di noi e di altri nell'accostarsi ai tempi e ai modi del giurisdizionalismo settecentesco estense[2].

E più in generale, fino al 1755 « la struttura politica e sociale del ducato non appare sostanzialmente intaccata dal riformismo del duca »[3]. Siamo ricondotti così al tema del divario fra i privilegiati e i non privilegiati. Ma prima di riavvicinarci ad esso dobbiamo guardare almeno per un momento alle comunità più antiche dello stato, alle comunità dei domini acquistati ben prima di Mirandola, di Novellara, di Massa, e quindi ai modi della loro durata dopo le sue manifestazioni seicentesche.

« *Economica armonia* » *e comunità*

La « economica armonia » che Francesco III agli inizi del suo governo considerava indispensabile nello stato comprendeva bene in sé con tutti gli altri anche i rapporti del potere centrale con le comunità; e chi abbia almeno una prima idea della varietà di quei rapporti coglierà l'importanza della raccomandazione ducale del 1741 ai segretari perché non attentassero agli statuti delle comunità[4], quindi alle loro libertà e a chi le esprimeva di più, caso per caso. La mappa dei rapporti, e, prima, di tutto ciò che concludeva ai vertici portatori delle libertà, è per il Settecento ancor più incompleta di quella che oggi è possibile disegnare per il XVII secolo e di

[1] M. A. ABELSON, *op. cit.*, p. 519.

[2] C. PONI, *op. cit.*, p. 18, almeno ricorda decisioni estensi del 1750 e 1751 perché il clero regolare e secolare denunciasse i terreni che possedeva e pagasse l'imposta prediale e poi anche quella sul bestiame, per la metà di ciò che dovevano pagare i proprietari laici; sugli studi di Salvioli, ai quali anche Poni si rifà, v. alle indicazioni bibliografiche in fine di questo lavoro.

[3] M. A. ABELSON, *op. cit.*, p. 511.

[4] M. A. ABELSON, *op. cit.*, p. 505.

cui abbiamo dato cenni a suo tempo [1]. Ma ricordando tali cenni e poi le difficoltà anche gravissime patite da non poche comunità durante le guerre del primo Settecento, considerando le differenti capacità e possibilità di ricupero delle une e delle altre dopo ogni guerra o altro accidente, è facile supporre una mappa relativamente semplificata, dove, al 1741, la « economica armonia » dipendeva più ancora che nel passato dalle comunità maggiori e dagli uomini che prevalevano in esse e condizionavano per primi i rapporti col potere fiscale, economico, politico estense. E per le connessioni già molto assestate fra i maggiori esponenti borghesi e patrizi delle libertà comunitarie, e degli uni e degli altri col privilegio laico e con l'ecclesiastico sulla base comune e sempre più dominante della proprietà terriera nell'intento di valersi ai propri fini del governo centrale ben più che nella disposizione a sottostare a quello, la raccomandazione di Francesco III di rispettare gli statuti delle comunità andò oltre le sue intenzioni e durò così anche dopo che era stata fatta, e l'editto ducale pubblicato nel 1755 « per il buon governo e regolamento delle comunità » dello stato e innanzitutto dei domini estensi immediati si trovò ad essere molto scarsamente in grado di intervenire davvero nel gioco delle connessioni e degli interessi particolari [2].

Poiché si voleva collegare in modo aperto al decreto col quale già nel 1630 Francesco I aveva mirato a impostare su basi più accentrate il « buon governo delle comunità » [3], e si richiamava ad esso quanto più tale decreto era andato poi disatteso nonostante i duchi lo avessero tenuto in piedi con regolari ripubblicazioni, l'editto di Francesco III era già di per sé un chiaro testimone di ciò che nella realtà quotidiana durava anche al 1755 della lunga storia delle comunità, e beninteso proprio e innanzitutto delle comunità dei domini immediati. I rappresentanti ducali nei consigli delle comunità dovevano opporsi alle deliberazioni che potessero « piegar a qualsivoglia privato interesse »; e « l'atto pratico » mostrava che nelle elezioni ai consigli si procedeva « talvolta... o mossi da parentele o spinti da strette amicizie o per altri privati riflessi », e magari non si facevano elezioni e si agiva « per arbitraria elezione e nomina, con vizioso scambio degl'uffizj ». Ma i rappresentanti ducali, anche per potersi opporre alle deliberazioni secondo loro discutibili, dovevano essere presenti all'intero dibattito: « vogliamo che non si possa discorrere o trattare dal consiglio alcuna cosa spettante al pubblico senza la presenza del predetto

[1] Sopra, pp. 84 sgg.

[2] L'*editto* – già cit. sopra – è in M. A. ABELSON, *op. cit.*, pp. 520-526; un commento di A. è *ivi*, pp. 517-519.

[3] V. sopra, p. 105.

nostro ministro, levando l'abuso in molti luoghi introdotto di chiamarlo solamente nell'atto della pallottazione... ».

Le comunità non dovevano far regali a nessun ministro, né ad altri, senza licenza del duca. Senza licenza del rappresentante ducale non dovevano più mandare a proprie spese loro uomini a Modena o altrove per trattare direttamente caso per caso le proprie questioni — « per far ambasciate, o trattar negozj, o per interesse di grazia, o di giustizia, o per altr'affare » —; e se poi avessero avuto ragioni per evitare quella licenza allora chiedessero direttamente al magistrato del buon governo di poter fare il viaggio, oppure nei casi più urgenti mandassero non più di due uomini che però il tesoriere della comunità avrebbe poi rimborsato solo col consenso del magistrato.

Appunto, la regola costantissima del caso per caso nel dominante statu quo aveva riempito di sé fino allora la vita delle comunità e di tutto lo stato! L'articolo XXVIII dell'editto informava i feudatari della necessità loro e dei loro ufficiali di « usare... ogni maggior vigilanza per la retta amministrazione » delle comunità dei loro feudi, « per non dar luogo a ricorsi delle comunità contro di loro ». Ancora al 1755 la regola del caso per caso dominava anche i rapporti fra quelle comunità e i feudatari [1].

Le assenze di Francesco III dallo stato dopo di allora non giovarono all'applicazione dell'editto e generalmente a contrastare il vecchio policentrismo, gli arroccati atavici poteri e prepoteri locali di qualsivoglia sorta. E rimanessero pure a Modena a reggere per il duca la cosa pubblica i Domenico Maria Giacobazzi — probabile redattore dell'editto [2] —, i Felice Antonio Bianchi, uomini, cioè, che il duca stesso aveva scelto o che in altri modi erano giunti a poter esprimere dal centro dello stato più moderni modi di vedere, secondo che accadeva e ormai da tempo anche in più stati italiani vicini o meno vicini all'estense, comunque avviatisi prima di esso e almeno in qualche proprio settore a svecchiamenti, a razionalizzazioni, a concentrazioni di energie illuminate. Della distanza fra quel che si realizzava altrove, e quel che ancora non si realizzava nello stato estense, come non ricordare la lunga responsabilità estense medesima, la pesante storia del privilegio estense fra tutti e su tutti gli altri privilegi dello stato, il suo perenne giocare fra privilegi e libertà, un gioco troppo spesso fatto di misure corte sia nella economia estera che nella interna, sia nella politica estera che nella interna?

[1] *Editto*, cit., pp. 521-525, artt. III, VI, XI, XIV, XIX, XX, XXVIII.
[2] M. A. Abelson, *op. cit.*, p. 517 n. 68.

Armonia e scompensi

Intorno alla metà del Settecento la « economica armonia » consisteva dunque innanzitutto della armonia dei vertici nei luoghi del privilegio e nei luoghi delle libertà dello stato; nonostante il suo carattere ben sempre relativo essa era maggiore che al 1598 o ai primi decenni del Seicento, era andata crescendo lungo quel secolo e dopo.

Le aree dello stato duravano differenti fra di loro; ed erano giunte a quel tempo non certo sopravvivendo all'opera accentratrice del governo estense ma invece forti delle qualità antiche e meno antiche di tanti loro uomini, collocati anche molto variamente nella loro realtà sociale ma capaci in ogni caso di opporsi agli accentramenti e di voler durare in una storia che innanzitutto potessero vivere come propria. Era tuttavia accaduto, in ogni area e nelle difficoltà economiche e politiche di un'epoca fra le più pesanti della storia dello stato e di molti altri stati d'Italia, che le capacità e le lotte avevano giovato infine e ben più che in epoche meno pesanti a coloro i quali avevano saputo reggere e superare meglio ogni peso.

E così le libertà nelle comunità si erano andate restringendo ai pochi, e nello stesso largo campo del privilegio, dove pure v'era più posto anche per chi era meno capace e meno forte, la concentrazione dei beni immobili e mobili e la possibilità concreta di agire all'interno del potere politico centrale si erano via via risolte in un numero di famiglie relativamente ristretto. Nel dominio dei vertici, il privilegio ecclesiastico non perdeva ancora posizioni materiali e tanto meno era moralmente a disagio, esso che in ogni suo luogo era da sempre costituito di vertici. Nelle sue scuole studiavano soprattutto i giovani nobili. Muratori non era rimasto isolato ma neppure si può dire che avesse potuto rompere le consolidatissime tradizioni che non erano certo solo culturali.

Poni ha già ripreso da Muratori il tema della responsabilità dei vertici, riassunti e potenziati dal governo centrale, nelle « espropriazioni fiscali dei contribuenti inadempienti, per cui contadini e artigiani, privati dei loro beni e quindi espulsi dal processo produttivo, andavano a ingrossare le già numerose schiere dei mendicanti » [1]. E ricordiamo con lui che nel 1714, scrivendo a proposito del *governo politico* nei suoi *Rudimenti di filosofia morale* per Francesco Maria d'Este — il futuro Francesco III —, Muratori sottolineava che « il molto popolo e il molto danaro d'un paese rende ricco ancora il principe... il popolo ricco è una possessione la più fruttuosa che possa avere il principe, ma se il principe non si cura d'ingrassare questo

[1] C. Poni, *op. cit.*, p. 8.

podere, pensando solo a ricavarne dell'entrata, anzi va tagliando oggi una e domani un'altra fila di alberi, ridurrà egli se stesso e il podere in miseria »[1]. Dal ricordo della posizione muratoriana noi siamo per altro riportati indietro nel tempo agli anni in cui Alfonso II ben sapeva che allo stato giovava essere pieno « di grosso numero di persone » e al principe giovava l'« imperare a molti »[2]; e prima e dopo di allora non mancano di certo le testimonianze della coscienza teorica e retorica alla quale anche Alfonso si era rifatto e altri si rifecero dopo di lui. Oltre la passione civile di Muratori, oltre le matrici del suo discorso rintracciabili nella storia di quella coscienza teorica e retorica, la realtà delle cose dello stato estense continuava a reggersi anche attraverso le fughe dalla terra e la mendicità degli uni, le espropriazioni fiscali e le espulsioni dal processo produttivo degli altri.

Opposto ai vertici, sottoposto ad essi, aumentava il numero dei non proprietari nelle campagne e degli artigiani, degli operai, spesso disoccupati, nelle comunità; cresceva la massa dei più deboli economicamente e socialmente, e più legati alle malesorti vecchie e nuove dell'ambiente fisico e delle malattie e dell'analfabetismo e via dicendo. Ciò si avvertiva di meno in alcune comunità, come Sassuolo e Carpi, stimolate da condizioni particolari e da occasioni particolari di produzioni e di esportazioni.

A Sassuolo la lavorazione della canapa durò dal Seicento e si perfezionò via via e rifornì i mercati del basso Modenese e « delle ville confinanti del Bolognese » e della montagna « dove i sassolesi tengono botteghe aperte » — come scrisse nel 1765 il governatore Domenico Maria Giacobazzi a Francesco III —; di là molta canapa lavorata (*garzuoli*) si esportava in Toscana[3]. Durò, sempre dal Seicento, il battirame; operarono vari follatoi; e riprese una notevole produzione di seta — lavorata dal 1751 all'uso di Piemonte — anche per mercati esteri; sorse nel 1785 un filatoio da lana; si lavorava il lino e se ne esportavano i prodotti finiti — per esempio alla fiera di Gonzaga —. E salì decisamente a maggiori fortune e a nuove qualità e varietà di pezzi la produzione di terraglie e di maioliche[4].

Ma Sassuolo non era stata detta per nulla già nel 1631 « la Milano della montagna »[5]; continuò ad esserlo anche nel Settecento e la favorì l'essere residenza estiva dei duchi e l'avervi i duchi anche per questo una

[1] L. A. Muratori, *Rudimenti*, cit., § *Del governo politico pel ser.mo principe di Modena Francesco Maria d'Este, 17 febbraio 1714*, in Id., *Scritti politici postumi*, a cura e con introduzione di B. Donati, Zanichelli, Bologna 1950, p. 91; ma tutte le pagine *del governo* sono da vedere. Sul passo cit. v. già C. Poni, *op. cit.*, *ivi*.

[2] V. sopra, p. 43.

[3] M. Schenetti, *Storia di Sassuolo*, cit., p. 239.

[4] Su tutto ciò v. M. Schenetti, *op. cit.*, pp. 239-243.

[5] V. sopra, p. 87.

particolare attenzione — il banchiere ebreo modenese Abraham Sanguinetti rilevò il filatoio da seta col preciso favore estense, il filatoio da lana fu impiantato dai modenesi Nizzoli e Boni che avevano già una fabbrica di panni a Modena [1] —, le giovò fra le altre la nuova strada da Modena a Massa. I suoi abitanti poterono crescere di numero dal Seicento — nel 1723 erano 3.200 [2] —.

E tuttavia molte cose pesarono anche sulla comunità sassolese nel corso del Settecento, dalle guerre alle epidemie — che colpirono gli animali dal 1711 al '13, gli uomini dal 1746 al '58 — alle carestie — nel 1766 —, al crescente peso fiscale che giunse fino all'imposizione nel 1768 del dazio sul sale, cosa mai avvenuta prima di allora. Una sopravvalutazione del caso sassolese nella realtà generale dello stato estense settecentesco sarebbe insomma del tutto fuori di posto, la terra con i suoi problemi di proprietà e di produzioni e di sfruttamento dei lavoratori durò anche nel Settecento come la condizione di fondo dell'economia sassolese e tanto più del governatorato di Sassuolo complessivamente.

A Carpi — 3.836 abitanti nel 1770, 4.519 nell'87, 4.812 nell'88 [3] — continuarono a crescere le fortune dell'arte del truciolo, quanto più la produzione dei « cappelli di truciolo » si impose sui mercati esteri e innanzitutto su quello di Londra; e ciò accadde proprio dagli inizi del Settecento in avanti. Lavoravano per l'arte circa quattrocento persone — nella grandissima maggioranza, donne —, poi v'era tutta una attività che sfuggiva al controllo dell'arte e si appoggiava al contrabbando col Mantovano e col Guastallese e contribuiva a sua volta a sostenere l'economia della comunità e di alcuni luoghi vicini ad essa.

Neanche quell'arte evitò periodi di crisi — uno si ebbe intorno al 1773 —, eppure essa era l'unica del genere in tutto lo stato. Le altre arti di Carpi furono le solite di un po' tutte le comunità dello stato e cioè quelle dei falegnami, dei « calzolari », dei muratori, dei fabbri, dei barbieri, dei « sartori » e via dicendo; alcune di esse erano più attive nel distretto che a Carpi — ricordiamo, al 1771, i falegnami e i « conzirini » di canapa [4] —; l'organizzazione corporativa non era o non era più di tutte o smise di esserlo per « naturale » decadenza nel corso del secolo. Ma accenniamo a

[1] M. Schenetti, *op. cit.*, pp. 239 e 240.

[2] M. Schenetti, *op. cit.*, p. 243 n. 285.

[3] Per il 1770: O. Rombaldi, *Contributo*, cit., p. 21; per l'87 e l'88: L. Vigetti, *I Francesi a Carpi (1796-1800). Economia e classi sociali*, tesi di laurea di storia moderna discussa nel marzo 1974 presso la Facoltà di Lettere e Filosofia di Bologna (relatore L. Marini), p. 41.

[4] Un rendiconto carpigiano di quell'anno al governo estense – più esattamente al « magistrato degli alloggi » che Lodovico Ricci cominciava a reggere – è in L. Vigetti, *op. cit.*, pp. 80-81.

quella realtà per sottolineare subito la necessità di distinguere in tutto lo stato fra le pochissime arti che, magari esportando ormai prodotti grezzi assai più che prodotti finiti — innanzitutto molta seta, e anche molta canapa —, proseguivano nel Settecento una storia di arti che era stata anche molto rilevante in altri tempi e aveva qualificato le migliori libertà delle comunità maggiori, e le altre e più numerose arti che tenevano in primo luogo della generale realtà agricola dello stato, anche delle fertili zone di molto Carpigiano; e sottolineiamo la distinzione di queste seconde dal sistema di fabbrica nel quale già dal Cinquecento si possono collocare le prime [1] — e ovviamente vedendo insieme l'organizzazione del lavoro e di impiego di capitali di tale sistema e il gioco delle libertà nelle comunità —, per ricordare di nuovo che, se la rilevanza delle prime nello stato non aveva neppure fra il Cinque e il Seicento sopravvanzato quella delle seconde, sempre maggiore si fece il divario fra le seconde e le prime lungo il Seicento e nel Settecento, e lo stato, pur nelle sue tante interne differenze, acquistò via via quei prevalenti caratteri agricoli e oligarchici che appunto stiamo considerando.

Ma l'accenno alla realtà carpigiana comporta anche un'altra osservazione: come a Sassuolo con la seta e con la lana, così a Carpi col truciolo accadde che si impegnassero soprattutto capitali modenesi: nel 1751 furono quelli dei banchieri e mercanti Norsa e Usiglio associati al carpigiano Carlo Scacchetti nella privativa che allora nacque sulla produzione dei cappelli per il mercato inglese; e nel '91 il rinnovo di quel contratto favorì un gruppo di tutti modenesi — Spezzani, Tini, Malmusi, Nizzoli, Boni —, dandogli il monopolio della produzione in cambio del pagamento di un canone annuo alla camera ducale [2]. Ora, questa dei capitali modenesi e anche dei capitali reggiani, che si impegnavano nello stato ovunque convenisse loro di più, è una vicenda che ci è già occorso di rilevare più volte in qualche suo tratto e dalle sporadiche ricerche finora compiute, ma è una vicenda di cui si può certo dire che nessuno l'ha ancora studiata adeguatamente e che è di complessità notevolissima, anche perché si sa già a grandi linee quanto si complicasse di apporti finanziari esterni allo stato. Ma un fatto è già chiaro, ed è che in nessun caso quei capitali e i loro apporti dall'esterno — o dalla finanza estense — valsero a tenere in forze le arti maggiori dello stato oltre il livello del rendimento e delle crisi che via via constatiamo, e che nel Settecento proprio a Modena e a Reggio diedero nuove prove di sé conclusivamente decadendo. Sicché in ultima

[1] In proposito si deve vedere C. Poni, *All'origine del sistema di fabbrica*, cit., in particolare alle pp. 491-496.

[2] L. Vigetti, *op. cit.*, pp. 59-60.

analisi anche di quei capitali si deve sapere che nello stato estense, e nel loro volume complessivo, essi si impegnarono o continuarono ad impegnarsi dal Seicento più nella terra che nelle arti, più nell'economia agricola che nel sistema di fabbrica o in altre meno moderne forme di produzione.

E così si capisce perché a Reggio l'arte della lana praticamente si estinguesse già nel primo Settecento e quella della seta contraesse la propria attività — « le caldaie per i filugelli, da 77 che erano nel 1685... scesero a 48 nel 1733 » [1], e nel '38 i mercanti iscritti all'arte della seta fossero solo più otto e non le decine dei tempi migliori [2] —; né queste notizie contrastano con l'altra che un Antonio Maria Trivelli e altri della sua famiglia illustrarono l'arte da allora e sino agli anni Ottanta con una produzione e un commercio, soprattutto verso l'estero, di tutto rispetto.

Infatti la popolazione reggiana, che superata la peste del 1630 aveva ripreso seppur scarsamente a crescere [3], dal 1695 al 1771 rimase pressoché stazionaria [4]: almeno risulta così dai dati che sono stati raccolti, e questo procurerebbe già, allora, una prima rappresentazione della reale crisi dei più nella comunità reggiana, dei più di fronte ai pochi dei vertici, compresi fra di loro i molto pochi delle arti.

Se poi la cosa fosse possibile, confrontando i dati della popolazione reggiana e quelli della popolazione modenese dal Seicento al secondo Settecento avremmo che, mentre i reggiani passarono da 15.589 nel 1695 a 15.816 nel 1771, i modenesi finalmente presero a salire di numero e passarono via via da 18.025 nel 1683 a 21.306 nel 1771 [5]. E in questo divario, non scarsissimo dato il precedente del regresso modenese seicentesco [6], non si potrebbe non vedere un effetto delle diverse storie di Reggio e di Modena, della loro contrapposizione, delle maggiori affermazioni della capitale nello stato, dall'ultimo Seicento in poi e nonostante i guai che afflissero anche la capitale in quel tempo, dalle guerre agli inurbamenti, e nonostante la volontà, non venuta meno, di controllare il numero degli abitanti modenesi. E sia pure d'obbligo essere prudenti in questo confronto, quanto più si tengono d'occhio i rilevamenti compiuti dal governo estense dal 1771 in poi e sui quali verremo a suo tempo, è certo che le diverse storie di Reggio e di Modena ci furono e non basterebbero revisioni

[1] O. Rombaldi, *Gli Estensi al governo di Reggio*, cit., p. 95.

[2] N. Campanini, *Ars siricea Regij*, cit., p. 182.

[3] V. sopra, p. 100.

[4] Secondo O. Rombaldi, *op. cit.*, p. 88, e Id., *Contributo*, cit., p. 9, tavola I, *popolazione*; per il 1712 v. A. Bedogni, *La popolazione a Reggio*, cit., pp. 78-81; per il 1769 v. L. Pucci, *op. cit.*, p. 20.

[5] Per il 1683 v. sopra, p. 100; i dati al 1771 di Reggio e di Modena sono in O. Rombaldi, *Contributo*, cit., p. 9, tav. I cit.

[6] V. su ciò sopra, p. 100.

di dati demografici a far rivedere tutte le altre notizie che abbiamo già su di esse.

Tornando ora al discorso sulle arti, annotiamo che anche a Modena non mancarono difficoltà per più di un'arte, persino a volte dei sartori e dei falegnami [1], e che però l'arte della lana non si estinse e l'arte della seta si resse un poco meglio che a Reggio; tuttavia la seta di là era soprattutto esportata, e grezza, e nell'esportazione contava molto il fatto che possedessero mulini da seta mercanti ebrei come Emanuele Sacerdoti, Angelo Fano e altri [2], l'arte e gli operai erano subordinati ai ritmi della crescente concorrenza dei paesi esteri ben più che agli incentivi di una richiesta sollecitata all'interno dello stato. Poni ha già potuto scrivere, per gli anni antecedenti al 1770, « che a Modena gli alti e i bassi dell'industria e i miseri salari avevano creato una situazione tale per cui neppure gli strati marginali della popolazione erano più disposti a lavorare nei filatoi » [3].

Insomma, dall'inizio del Settecento nello stato gli scompensi fra le classi e nelle classi si rafforzarono e crebbero. E se qui abbiamo dovuto limitarci a indicarli rapidamente in qualche loro sostanza bisogna pure aggiungere almeno che non sarebbe di poca utilità diffondersi su di essi e certo non solo con la lettura dei riformatori, pur informatori preziosi, ma piuttosto con la considerazione capillare delle carte ancora spesso inesplorate delle comunità della pianura e della montagna, e con la riconsiderazione delle carte più note della vita politica amministrativa e fiscale e giudiziaria del governo centrale e dei suoi organi diffusi con varia efficienza nello stato.

2. « Ragione » e « odierno sistema »: il « Codice » estense del 1771

Il Codice *e i feudatari*

Per Francesco III era certo che le « massime dell'equità e della ragione » reggevano la raccolta di leggi promulgate da lui da Milano il 26 aprile 1771 e poco dopo fatte pubblicare a Modena [4]. Quel « primo codice dell'illuminismo italiano » [5] doveva valere nei domini estensi immediati co-

[1] P. Fiorenzi, *Le arti a Modena*, cit., pp. 53, 67.

[2] C. Poni, *op. cit.*, p. 468 e n. 92. Sull'arte della seta a Modena fra il 1757 e il 1770 v. poi O. Rombaldi, *op. cit.*, p. 55, tav. 14.

[3] C. Poni, *op. cit.*, p. 482.

[4] *Codice di leggi e costituzioni per gli stati di sua Altezza serenissima*, tt. 2, Modena 1771: t. I, p. V.

[5] La ripresa di tale definizione, dalla letteratura più impegnata a studiare il *Codice* da Salvioli in poi, è in M. A. Abelson, *op. cit.*, p. 501.

me nei mediati, e tutti vi si dovevano uniformare, « qualunque persona e ceto, di che stato, qualità, prerogativa e condizione essere si voglia »[1]. Ciò che importava erano in primo luogo il bene e la felicità dei sudditi estensi[2]. E dal momento che si era giunti al *Codice* dopo aver proseguito negli anni successivi al 1755, o dopo aver finalmente iniziato, varie riforme parziali ma non di poco conto né sul piano interno né su quello estero — dall'apertura della biblioteca pubblica a Modena alle limitazioni del numero delle parrocchie e del numero delle feste religiose e alla soppressione di conventi, dalle realizzazioni di ulteriori opere pubbliche (strade, massima la « via Giardini » da Modena a Pistoia[3], canali, argini), all'apertura a Modena del « grande ospedale » e della « fabbrica de' panni » e dell'« albergo de' poveri » e all'istituzione della « generale opera pia de' poveri » —, l'importanza dell'impresa come ulteriore documento dello sforzo riformatore di Francesco e del gruppo dei più impegnati con lui nello stesso verso è fuori discussione. Fra quegli impegnati ricordiamo soprattutti Bartolomeo Valdrighi[4], ma tutto un clima, e molti altri uomini a Reggio e a Modena, dovrebbero essere ricordati.

Che cosa caratterizzò più profondamente quel massimo sforzo riformatore? Fuori dai vecchi entusiasmi della storiografia politico-giuridica, ma altresì fuori dal semplice e pur necessario ricordo della storia dello stato col suo peso sul presente, cerchiamo di cogliere almeno un poco la misura reale del discorso condensato nel *Codice* e dunque la sua relazione, sì, con la storia dello stato fino a quel momento, ma anche la sua risposta a tale storia, l'insieme delle possibilità nuove organizzate in esso. E fra le materie trattate nei cinque libri del *Codice* fermiamoci allora innanzitutto su quelle del terzo libro, più direttamente relative ai feudi e alle comunità e dunque di più urgente esame nella nostra considerazione dello stato.

Il bene e la felicità ricordati nel 1771 non erano la quiete e la tranquillità difesi trent'anni prima da Francesco III[5]; e l'equità e la ragione volevano certamente altro da ciò che avevano voluto la « economica armonia » del '41 e lo stesso spirito di quella, tante volte, anche dopo di allora. Negli anni milanesi, ormai già non pochi, Francesco aveva tratto indubbi stimoli a far progredire lo stato oltre le misure precedenti e oltre le misure antiche e tradizionali; e d'altro canto, e per far solo un esempio, poteva non aver

[1] *Codice*, cit., t. I, p. VII.

[2] *Codice*, cit., t. I, p. IV.

[3] Sulla quale ricordiamo solo, perché inedita, la recente ricerca di M. DINONI, *Le grandi strade del Settecento italiano: la via Giardini*, tesi di laurea di storia moderna discussa nel marzo 1974 presso la Facoltà di Lettere e Filosofia di Bologna (relatore L. Marini).

[4] Sul quale v., anche per la bibliografia che lo riguarda, L. PUCCI, *op. cit.*, pp. 29 n. 34, 38 n. 64, 85 e note 127 e 128.

[5] Sopra, p. 122.

dimenticato che ancora nel '65 i suoi « fedelissimi vassalli » avevano rifiutato di sottoporre i giudizi delle curie feudali al ducale consiglio di giustizia nelle cause di maggior peso [1]. Ma le esperienze fuori dello stato, le indicazioni che gli venivano dalla politica imperiale — e vogliamo dire le meno chiuse a difesa della grande aristocrazia fondiaria dei domini asburgici —, le stesse suggestioni a imitare altri principi e di riputazione più gloriosa della sua, si incontrassero pure con i più attenti riformatori che operavano a Modena nel governo centrale o intorno a quello — bastino i nomi di Salvatore Venturini intendente della giunta di giurisdizione sovrana fino al 1763 e poi per alcuni anni presidente del magistrato di agricoltura e commercio, e dell'abate Felice Antonio Bianchi, succeduto al conte Santagata nel '52 come intendente generale del buon governo e dal '68 ministro del dipartimento di giurisdizione sovrana [2] —, quanto in realtà potevano volere, quanto potevano significare di mutamenti realizzabili nello stato?

Il maggior campo di verifica di tali possibilità è certo nel *Codice* il dialogo con la realtà feudale, con i poteri dominanti nei luoghi mediati. Preoccupazioni già sottolineate molte altre volte e da secoli per le interferenze dei feudatari e dei loro ufficiali nelle prerogative riconosciute dai duchi ai propri sudditi diretti non mancarono davvero nel *Codice*, ma oltre la ripresa di vecchie norme si deve vedere quel che nel 1771 stava insieme a loro, e cioè il proposito estense di disciplinare innanzitutto la medesima condizione giuridica dei feudatari, organizzando il sistema ordinatamente al di sotto del potere ducale. « Ogni feudo avente annessa giurisdizione s'intenderà sempre retto, e proprio; e ciò avrà luogo tanto nelle concessioni feudali fatte in addietro, quanto in quelle da farsi in avvenire, quando espressamente non fosse stata o non venisse loro impressa altra forma nelle investiture » [3]. « Tanto nelle già fatte, che nelle infeudazioni da farsi, le clausole "per sé, e suoi eredi", o anche "per sé, eredi, e qualsivoglia successori", s'intenderanno de' soli figli e discendenti maschi agnati dell'investito, ed in conseguenza non faranno che il feudo suddetto possa giudicarsi ereditario » [4]. « I feudi giurisdizionali si giudicheranno sempre di loro natura individui, e così pure i feudi aventi annessa dignità o titolo di marchesato, contea, o signoria » [5]. Regole definivano i doveri dei privi-

[1] V. in particolare il loro *Promemoria che presentano ai tribunali delegati li fedelissimi vassalli di sua Altezza serenissima*, Milano 1765.

[2] Ma con più spazio non ci limiteremmo a dei nomi: su Venturini v. fra gli altri L. Pucci, *op. cit.*, pp. 46, 72 e *passim*: su Bianchi v. M. A. Abelson, *op. cit.*, p. 513, M. Gramoli, *op. cit.*. pp. 27 sgg., e L. Pucci, *op. cit.*, pp. 45, 84. Per gli anni che interessano qui, e con gli autori più attendibili che cita, Pucci è da vedersi *passim*.

[3] *Codice*, cit., L. III, tit. I, art. I: t. II, p. 1.

[4] *Codice*, cit., L. III, tit. I, art. II: t. II, p. 1.

[5] *Codice*, cit., L. III, tit. I, art. IV: t. II, p. 2.

legiati laici in materia di investiture — da « chiedersi e rinovarsi fra l'anno e giorno dal dì dell'aperta successione, o dell'avvenimento al trono d'alcuno de' nostri successori » [1] —; altre regole stabilivano i casi in cui per varie mancanze degli interessati il feudo sarebbe stato devoluto alla camera ducale [2].

I feudatari non dovevano recare disturbi ai sudditi diretti estensi e questi potevano lasciare il territorio di uno di loro per quello di un altro di loro, dovevano « poter estraere, portare e condur fuori della giurisdizione senza dinunzia, licenza o pagamento alcuno formenti, grani, ed ogn'altra sorta di legumi, uve, vini, legna così da opera come da fuoco, fasci, vincigli, foglia di mori, fieni, paglie, strami, vitelli, castrati, manzi, bovi ed ogni altra sorta di bestiami e loro pelli, ova, formaggio, butirro, sete, lini, canape, e qualsivoglia altra cosa... destinata al vitto ed uso umano »; chiunque di loro doveva poter « vendere, alienare, contrattare, dare in pagamento, ed in qualsivoglia altro modo disporre delle sue rendite e beni » [3].

I sudditi di un feudatario dovevano potersi convenire reciprocamente in giudizio anche fuori della sua giurisdizione, e generalmente il feudatario non doveva mai uscire dall'àmbito dei diritti riconosciutigli dal duca nell'investitura e perciò non doveva interferire nei contratti, nei testamenti, nelle alienazioni di beni dei sudditi suoi che agissero fuori della sua giurisdizione [4]. Ovvio che, a ciò contravvenendo, egli fosse privato del feudo [5].

Ma i sudditi diretti estensi così difesi nel *Codice* non dovevano mai uscire dallo stato. Al titolo VIII del secondo libro un articolo fra gli altri era chiarissimo in proposito: Francesco III vietava a tutti i sudditi, anche ai mediati, di « spatriare », pena la confisca dei beni e la perdita di ogni diritto; e la ragione del divieto era che egli voleva « tener popolato il paese » [6].

Non dovremmo tornare su questa volontà estense di tener popolato il paese, dovremmo avere tutti gli argomenti per ritenerla meno tradizionale di quanto invece sembra alla nostra memoria; e non dovremmo tornarvi perché è indubbio che circolava nel *Codice* una volontà estense larga, e non solo fatta di tradizione, di essere al vertice della vita dello stato, di conoscerla, di regolarla economicamente e giuridicamente, di diffondervi la

[1] *Codice*, cit., L. III, tit. I, art. IX: t. II, p. 4; e v. anche gli artt. X, XI, XII, XIII: *ivi*, pp. 4-6.
[2] *Codice*, cit., L. III, tit. I, art. XIV: t. II, pp. 6-7.
[3] *Codice*, cit., L. III, tit. II, art. XI: t. II, pp. 11-14.
[4] *Codice*, cit., L. III, tit. II, art. XI n. 4, XII, XIII; e v. anche gli artt. XIV, XV, XVI: t. II, pp. 14-18.
[5] *Codice*, cit., L. III, tit. II, art. XXII: t. II, pp. 20-21.
[6] *Codice*, cit., L. II, tit. VIII, art. XIII: t. I, pp. 239-240.

propria presenza per il progresso del paese. I frequenti, ricorrenti « vogliamo », i « vogliamo e ordiniamo », i « proibiamo », non erano che l'estrinsecazione più superficiale di quella volontà. E una lettura del *Codice* « particolare », vale a dire di chi conoscesse la storia dello stato estense meno della storia di altri governi riformatori in altri stati, e di questi nel loro complesso, anche in Italia, potrebbe informare ottimisticamente sulla misura dei rapporti definiti nel *Codice* perché valessero fra il duca e i feudatari, fra il duca e i sudditi immediati, fra la giustizia ducale e quella del privilegio — e delle comunità —, fra l'impianto fiscale estense e gli altri impianti analoghi nelle altre giurisdizioni dello stato; quella lettura perciò confonderebbe chi ritenesse meramente, o soprattutto, tradizionale, la preoccupazione estense di tener popolato lo stato. Conterebbero allora in questo verso gli stessi articoli che del *Codice* erano la parte meno nuova, come, fra i non pochi, uno a proposito dei « delinquenti » autori di reati commessi fuori del territorio del feudatario e che in nessun caso il feudatario doveva aiutare [1], sicché il duca, nei restanti e propri domini, infine li sorprendesse: per un qualche reale progresso del paese e in primo luogo della sua economia, e proprio per i più derelitti e più esposti alle tentazioni di lasciare lo stato, anche il rigoroso controllo dei delinquenti apparirebbe comprensibile.

A una lettura non « particolare » del *Codice* la volontà di tener popolato il paese non ricorda tuttavia solo o soprattutto la tradizione e dunque il lungo passato estense di opposizioni agli espatri, alle fughe, agli abbandoni di terre e di mestieri, alla frequente e troppo rapida identificazione fra miseria e delinquenza. Il ricordo induce anche a proseguire nella lettura del *Codice*. E per più strade esso rende meglio avvertiti nel registrare le eccezioni, le riserve mentali, le doppie facce della stessa legislazione rinnovata o nuovissima proprio nei confronti dei feudatari, e, per non uscire qui dal tema degli abitanti dello stato e del loro controllo anche in materia criminale, proprio a proposito dei giudici che avrebbero dovuto nei feudi e insieme ai feudatari collaborare col duca.

Si leggano ad esempio nel libro I due articoli del titolo II, *De' giusdicenti e cancellieri*: « rispetto ai soggetti da destinarsi per le giudicature dello stato mediato intendiamo che dai feudatarj vengano scelte persone di probità e di provata capacità, specialmente nella facoltà e pratica criminale, quali siano per lo meno notari riconosciuti abili da alcuno de' collegi de' nostri stati »; « e poiché in alcuni feudi la tenuità de' proventi non basta per mantenere in quei tribunali soggetti forniti dei menzionati requisiti, permettiamo che possano i feudatarj valersi, nell'amministrare giustizia, o

[1] *Codice*, cit., L. III, tit. II, art. XX: t. II, p. 20.

dei giudici della nostra rota ducale comodi e vicini a' loro rispettivi feudi, quali saranno incaricati a prestare ad essi l'opera loro in qualità di loro giusdicenti con totale indipendenza dal supremo governo, fuori solamente dei casi nei quali dovrebbe per disposizione di ragione dipenderne anche il particolar giusdicente del feudo, oppure si potranno valere di giusdicente di altro feudo comodo, ma che abbia i requisiti necessarj, come sopra » [1].

La doppia faccia — ma qui dovremmo già dire meglio la doppia realtà — si vedeva poi anche a proposito dell'espatrio senza « licenza » dallo stato, e della conseguente confisca dei beni dell'espatriato: « nei casi di confisco... si applicheranno i beni alla nostra ducal camera; quando però il caso avvenisse nello stato mediato, ed il feudatario prevenisse o facesse la causa, la metà del confisco di tutti i beni situati nel suo feudo spetterà alla camera feudale, e tutti gli altri saranno della nostra camera » [2].

Sempre il *Codice* stesso consente di andare più avanti nella lettura non « particolare ». E così innegabilmente si vede infine che un po' dovunque nelle sue pagine, e prima di tutto in molti articoli dei quattro titoli del libro III sui feudi, sui « diritti dei feudatarj e loro limiti », sulle successioni feudali e sulle devoluzioni dei feudi, si legge senza rischio di equivoci al di sotto della monarchica volontà estense che proprio il *Codice* in sostanza accoglieva ancora la realtà feudale che era nello stato, si legge che il secolare rapporto Estensi-feudatari, e pur volendolo il duca meglio regolare a vantaggio del proprio governo nello stato, rimaneva infine ugualmente ben vivo nella sua qualità economica e politica. Per cui, ed era inevitabile, anche la difesa estense dei sudditi immediati viene scoperta nella sua tradizionalità più riposta.

Veder dichiarato nel 1771 — e fosse pure nel 1771 dello stato estense —: « tutti i nostri vassalli investiti di feudo, che abbia annessa giurisdizione, godranno del mero e misto impero, podestà della spada e diritto di comando ed ubbidienza de' sudditi del loro feudo » [3]; « avranno in conseguenza l'arbitrio e la facoltà di punire e castigare i refrattarj e disubbidienti, e i rei di qualunque delitto, la cui cognizione non sia da queste nostre costituzioni privatamente riservata al supremo nostro consiglio di giustizia, e di quelli condannare e multare nelle pene dalle nostre o in loro difetto dalle leggi comuni prescritte, e quanto alle arbitrarie potranno stabilirle e decretarle mediante il loro tribunale... » [4]; « per la esecuzione

[1] *Codice*, cit., L. I, tit. II, artt. VI e VII: t. I, pp. 39-40.

[2] *Codice*, cit., L. II, tit. VIII, art. XVII: t. I, p. 243.

[3] *Codice*, cit., L. III, tit. II, art. I: t. II, p. 8.

[4] *Codice*, cit., L. III, tit. II, art. II: t. II, p. 8; quanto ai limiti (modesti) del giudicare, da parte del tribunale citato, e con l'accenno ai quali l'articolo conclude, v. nel *Codice*, cit., L. IV, tit. XV, l'art. III: t. II, pp. 156-157.

delle suddette pene sarà in loro balìa il procedervi con quella autorità, della quale, in forza delle loro investiture e della pratica, hanno finora usato »[1]; ebbene, leggere tutto ciò è abbastanza impressionante. Investiture, autorità, pratica, erano un crescendo di parole pesantissime, il quale avallava gli infiniti arbitri passati e presenti e futuri dei feudatari nello stato[2].

E beninteso il riconoscimento della feudalità non si fermava neppure lì, ma continuava, e per realizzarsi meglio arretrava anche nei confronti di leggi precedenti insistendo solo più su un punto e cioè sulle cause civili[3]. È noto che Francesco III visse dal 1751 in poi nella preoccupazione crescente « di una fine non molto lontana della sua dinastia », perché allora gli morì il figlio Benedetto e gli rimase solo Ercole con una sola figlia[4]; ma questa preoccupazione nel *Codice* si avverte solo a vantaggio della sopravvivenza della feudalità dello stato, almeno nel senso che il duca allora impegnò i più o meno incerti successori alla certa garanzia del suo ordine politico, e che tale ordine politico non mostrò assolutamente di voler andare oltre una qualche razionalizzazione delle grandi linee della realtà feudale dello stato.

Gli articoli sulle successioni feudali e quelli sulla devoluzione dei feudi, considerandoli per ciò che aggiungono al discorso già toccato sin qui, con le loro cautele e con le loro riserve a favore di chi avesse comunque diritti nella materia sono a loro volta esemplari di quel disegno estense[5]; e fra gli altri leggiamo l'articolo VI del titolo IV sulla devoluzione: « tutto ciò che non sarà espressamente compreso nelle investiture feudali si presumerà sempre allodiale, e però, nell'atto di prendersi dagli agnati o dal fisco il possesso del feudo, dovrà rendersi agli eredi dell'ultimo defonto in possessorio; salvo al fisco il diritto di provare successivamente il contrario in congruo giudizio petitorio »[6].

Coerentemente, il medesimo spirito pervadeva nel *Codice*, ad esempio, la gravissima realtà dei fedecommessi, che neppure al 1771 cessava di confermare la rilevanza economica e politica del privilegio laico nello stato — « nelle famiglie nobili investite di feudi giurisdizionali sarà permesso di ordinare primogeniture o fedecommessi progressivi anche oltre il quarto grado... »[7] —, e fosse pur vero che la sistemazione di quella realtà avviata dal *Codice* ricordava fra le altre anche le sollecitazioni del lontano Murato-

[1] *Codice*, cit., L. III, tit. II, art. III: t. II, p. 9.

[2] I successivi art. IV, V, VI, X del titolo II confermano tutto ciò: *Codice*, cit., t. II, pp. 9-11.

[3] *Codice*, cit., L. III, tit. II, art. VII: t. II, p. 10; e v. altresì l'art. VIII, *ivi*, p. 10.

[4] L. Chiappini, *op. cit.*, p. 465.

[5] *Codice*, cit., L. III, titt. III e IV: t, II, pp. 22-27.

[6] *Codice*, cit., L. III, tit. IV, art. VI: t. II, p. 26.

[7] *Codice*, cit., L. II, tit. XXXIII, art. VII: t. I, pp. 404-405.

ri [1], e in particolare mirava finalmente a contrastare gli eccessi che almeno dal XVII secolo avevano contribuito ad alterare in senso feudalizzante le già frastornate e ridotte possibilità economiche borghesi.

Non meraviglia certamente nessuno il fatto che l'equità e la ragione non fossero luoghi astratti del discorso riformatore più generale e non solo di quello di Francesco III e dei suoi collaboratori, e fossero invece gli strumenti ideologici intesi come i più adatti a definire attraverso il *Codice* una sistemazione delle cose dello stato innanzitutto dal punto di vista (diciamo, meglio, degli interessi) del potere centrale estense. È invece notevole che quel potere cogliesse così poco della lezione che pur mostrava di voler ascoltare dal generale discorso riformatore, e seguisse una linea di così straordinaria prudenza nei confronti delle maggiori realtà dello stato oltre la propria, e in primo luogo nei confronti della feudalità, specie se antica. Insomma nel *Codice* la risposta estense alla storia del privilegio laico nello stato fu una risposta di consenso alle ragioni proprie più conservatrici, e finì per confermare un pessimismo politico, una volontà di mutamenti non profondi, che forse venivano anche dalle preoccupazioni dinastiche di Francesco III ma più sicuramente venivano dal gran tempo che il potere estense aveva alle spalle e dal conto che esso faceva anche nel 1771 di quel tempo, della sua consistenza.

Il Codice *e le comunità*

Come i feudatari, anche le comunità contribuivano da sempre a costituire lo stato e per di più quelle, che di esso erano la parte immediata, erano il maggior sostegno delle continue necessità del potere centrale; perciò regolare meglio la loro vita, riformarle costringendole innanzitutto a superare le alterazioni oligarchiche dei propri ordinamenti, era quel che Francesco III aveva mirato a ottenere nel 1755 con i trenta articoli dell'*Editto* [2], e fu quel che a maggior ragione si propose nel '71 inserendo nel *Codice* quarantotto articoli *Del buon governo e regolamento delle comunità degli stati* [3]. Innegabili, nel nuovo saggio dell'attenzione estense verso le comunità, il potenziamento del discorso finanziario a pro del fisco e il potenziamento del discorso politico a favore di una maggiore presenza estense nei consigli e in ogni altro organismo del lavoro delle comunità, e su di essi.

Ma se nel 1755 le denunce ducali di quanto nelle comunità durava di

[1] Su ciò C. Poni, *Aspetti e problemi*, cit., pp. 4 e 22-23 e n. 69.
[2] V. sopra, p. 124.
[3] *Codice*, cit., L. III, tit. VII: t. II, pp. 35-63.

« troppo » autonomo nei confronti del potere estense erano state larghe e varie, e nel *Codice* furono relativamente meno larghe e meno varie, non per questo si dovrà ricavare che l'autorità estense dal tempo dell'*Editto* si fosse portata più addentro negli infiniti campi di azione delle comunità: non per questo e certo non perché siamo lontani dal sapere a sufficienza delle comunità dello stato anche negli anni dal '55 al '71, ma proprio perché ciò che sappiamo già e ciò che leggiamo nel *Codice* sono sufficienti a confermarci che molte libertà delle comunità avevano continuato a svolgersi anche dopo il '55. E come sarebbe potuto accadere altrimenti, in quella generale realtà dello stato?

Voler contrastare e superare « qualunque interesse privato » che nelle comunità si potesse manifestare trattandosi e concludendosi affari pubblici [1], e ogni calcolata fretta nel deliberare sulla testa degli assenti [2], e ogni arbitrio nella scelta di medici, maestri di scuola, cappellani e via dicendo [3]; voler regolare le ancor sempre troppo numerose « spedizioni » dalle comunità a Modena o altrove e che si muovevano al di fuori di ogni preliminare consenso del governo [4]; e ancora — e più — insistere perché il rappresentante ducale non fosse chiamato nelle deliberazioni del consiglio della comunità solo all'ultimo momento [5]; tutto riprendeva le intenzioni del 1755 e diceva più che a sufficienza che anche dopo di allora quei mali, quelle libertà d'azione, quelle prove di autonomia non avevano avuto fine [6]. L'articolo XIV, poi, riprendeva qualcosa dall'articolo XI dell'*Editto* del 1755 ma era nuovo nella sua formulazione complessiva ed era particolarmente esplicito nel denunciare ciò che non voleva più che accadesse: « resta assolutamente proibito il fare la scelta de' pubblici rappresentanti, o sia de' consiglieri, sindaci, ed altri uffiziali reggenti le comunità, coll'irregolare vizioso scambio degli uffizii, ma dovrà seguirne l'elezione per legittima estrazione o pallottazione; con espressa avvertenza che tra i suddetti uffiziali, reggenti, e pubblici rappresentanti da eleggersi in tale conformità, non si possano ammettere in un sol tempo due o più persone dell'istessa famiglia insieme conviventi, e nemmeno due o più fratelli benché divisi e separati » [7].

V'era poi anche dell'altro. Per l'articolo XV, nuovo a sua volta, i

1 *Codice*, cit., L. III, tit. VII, art. II: t. II, pp. 35-36.
2 *Codice*, cit., L. III, tit. VII, art. V: t. II, pp. 37-38.
3 *Codice*, cit., L. III, tit. VII, art. XIII: t. II, pp. 42-43.
4 *Codice*, cit., L. III, tit. VII, artt. XXXVIII e XXXIX: t. II, pp. 56-58.
5 *Codice*, cit., L. III, tit. VII, art. III: t. II, p. 36.
6 I citt. artt. II, III, V, XXXVIII e XXXIX del tit. VII corrispondono sostanzialmente agli artt. III, V, XIX e XX dell'*Editto* 1755 (in M. A. ABELSON, *op. cit.*, pp. 521-522 e 524).
7 *Codice*, cit., L. III, tit. VII, art. XIV: t. II, pp. 43-44. Per l'art. XI dell'*Editto* 1755 v. in M. A. ABELSON, *op. cit.*, p. 522.

ministri ducali nella comunità dovevano curare che il numero dei suoi rappresentanti nei consigli e negli altri organismi non fosse tenuto artificialmente al di sotto del previsto dai « capitoli e statuti particolari » della comunità stessa [1]; e in tal modo accadeva che al 1771 fosse l'autorità ducale a volere il pieno funzionamento degli organismi comunitari, e che volesse ciò in una maniera più completa e politicamente valida di quella che avevano mostrato di volere in passato altri del governo — ad esempio, nel primo Seicento [2] —.

Nel disposto dall'articolo non si vede solo la rete degli interessi locali, si avverte anche la rete degli interessi che insistevano per affermarsi dal centro politico dello stato e che, nel loro modo ancora e in critica misura « assolutistico-feudale » [3], avevano sì la mira alla riforma della vita delle comunità ma non l'avevano certo alla mortificazione, alla depressione di quella essenziale realtà dello stato. Ed è in quel senso che va inteso il fatto che nelle norme del 1771 sulle comunità, e nel contesto dell'intero *Codice*, la volontà del legislatore estense fu più manifesta ed espressa in numerosi articoli e definita più analiticamente che nel '55. Per altro, le resistenze a quella volontà, avvertite anche dal *Codice*, confermarono che continuava a durare molto o forse moltissimo di quel che attraverso tanto tempo aveva portato alla formazione delle oligarchie comunitarie. Antichi i feudi che lo stesso *Codice* teneva in maggiore considerazione, antiche le comunità preminenti come Modena e Reggio ma più ancora come le molte altre sparse nello stato, e meno vicine alle commistioni di interessi che operavano nelle preminenti ma dominate anche più di quelle dagli arbitri dei pochi e dai « viziosi scambi », al riformatore estense non fu possibile neppure nel 1771 impostare qualcosa di veramente molto superiore al bilancio delle riforme parziali già avviate e alla nuova definizione di ciò che voleva dal privilegio e dalle libertà comunitarie.

Il Codice *e l'economia dello stato*

Per tutto quel che sappiamo non sorprende molto, e nondimeno bisogna notarlo, che nei cinque libri del *Codice* si parli pochissimo delle arti e del commercio; non se ne parla neppure nella misura che forse avrebbe potuto mantenere un principe che già all'inizio degli anni Cinquanta, terminate le guerre di successione, era considerato « naturalmente disposto a tutto ciò che sente l'odore di commercio » [4].

[1] *Codice*, cit., L. III, tit. VII, art. XV: t. II, pp. 44-45.

[2] V. sopra, pp. 84-85.

[3] Su questa contraddittorietà v. già sopra, p. 71.

[4] Beltrame Cristiani a Giovanni Battista Bogino, da Milano, 14 dicembre 1751: in F. VENTURI, *Settecento riformatore. Da Muratori a Beccaria*, Einaudi, Torino 1969, p. 416.

Gettato là con qualche noncuranza nel titolo sulle comunità, era parecchio isolato il mercantilistico articolo XLIII — « sarà parimenti parte del Buon Governo il dare eccitamento alle comunità, e dare egli stesso gli opportuni provvedimenti affine di promovere in ogni luogo le arti, le manifatture, ed il commercio, dandoci conto de' mezzi che la cognizione ed esperienza, che dovrà prendere delle forze di ciascuna provincia, gli potrà suggerire, affine di avvantaggiare maggiormente la condizione de' nostri sudditi » [1]. Alle controversie che potevano insorgere nelle fiere e nei mercati il *Codice* dedicò tre brevi articoli, ancorché intesi tutti e tre a sveltire al massimo quella materia [2]. Un'attenzione tradizionale per i commerci esso la mostrò poi ancora stabilendo che nei luoghi e nei giorni delle fiere e dei mercati non si potessero arrestare per cause o per debiti civili coloro che vi convenivano, « eccettuati però i debiti fiscali e quelli fatti ne' suddetti luoghi e in tempi di fiera e mercato » [3]. Sui possibili fallimenti di mercanti, negozianti, banchieri, fu più diffuso [4], e non senza positiva attenzione ai creditori, certo non sempre borghesi, dei falliti — « i creditori del mercante e banchiere fallito non solo potranno, durante la di lui vita, conseguire il pagamento de' loro crediti sopra i frutti de' beni fedecommissarii o primogeniali di esso, ma anco sopra la proprietà de' medesimi dopo la morte dell'ultimo chiamato » [5].

Nel titolo IX del terzo libro, *Degli ebrei* [6], le norme sul ghetto e generalmente sui modi della vita degli ebrei in esso o in relazione ad esso furono ben più numerose dei pochi e cauti accenni alle possibilità che si riconoscevano agli ebrei fuori del ghetto di « prendere in affitto granari e magazzeni » o altri immobili, di « acquistar siti per i loro... filatoj tanto da acqua che da mano per lavorar sete » [7]; e si ribadì, « a riserva di quegli ebrei che ne avessero già ottenuta da Noi la permissione », il vecchio divieto di possedere « fuori del ghetto stabili di sorte alcuna in proprietà » [8]. Delle fortune anche ingentissime antiche e recenti e attuali dei molti ebrei, colonne innanzitutto dell'economia estense in ogni tempo, nel *Codice* non v'è traccia. Ma non si vuole rilevare questo nello stato dei duchi estensi, e che era pur sempre privilegiato e cattolico, e dove appena nel 1767 era accaduto che i monti di pietà ottenessero da Francesco III l'abolizione dei « banchi » degli ebrei — senza conseguenze pratiche, è

[1] *Codice*, cit., L. III, tit. VII, art. XLIII: t. II, p. 60.
[2] *Codice*, cit., L. I, tit. XIV, artt. I-III: t. I, pp. 96-97.
[3] *Codice*, cit., L. I, tit. X, art. X: t. I, p. 82.
[4] *Codice*, cit., L. I, tit. XXIX, artt. I-XXIII: t. I, pp. 155-167.
[5] *Codice*, cit., L. II, tit. XXXIII, art. XLI: t. I, p. 423.
[6] *Codice*, cit., L. III, tit. IX, artt. I-XXIII: t. II, pp. 67-78.
[7] *Codice*, cit., L. III, tit. IX, artt. III, XVI, XVII: t. II, pp. 68, 75, 76.
[8] *Codice*, cit., L. III, tit. IX, art. XVI: t. II, p. 75.

vero, ma il fatto resta —[1]. Si vuole piuttosto sottolineare di nuovo la discrezione con la quale nel *Codice* si accennò alle forme di economia che non erano in primo luogo della terra.

Erano aboliti i fedecommessi di scarsa entità perché non servivano ad altro che « ad intralciare con pubblico e privato pregiudizio la libertà del commercio »[2]; e si ostacolavano i diritti di manomorta sui beni dei sudditi estensi perché « meglio e più pienamente » si ristabilisse la libertà del commercio di quei beni[3]. Ma oltre ciò non v'erano poi in tutto il *Codice* altri echi significativi dell'importanza della libertà del commercio.

Sui fondi urbani, e molto più sui fondi rustici, l'impegno del legislatore fu invece preciso e anche quantitativamente diffuso. Di locazioni, di conduzioni, di servitù di fondi, di contratti di colonia parziaria e di livello, e di vendite e di testamenti, di crediti e di debiti e via dicendo, nel *Codice* e in particolare nel suo secondo libro si parlò con ampiezza. Non sorprende l'ampiezza e ancor meno sorprende la cura costante per gli interessi dei proprietari dei fondi, l'una e l'altra confermando semplicemente l'assoluta importanza della terra e della proprietà terriera nella storia dello stato. Ma se non v'è sorpresa, e v'è conferma, si estenda questa a ciò che abbiamo già considerato nel *Codice* a proposito dei feudatari e delle stesse comunità, e la si estenda a quel che è detto nel *Codice* delle manimorte e delle immunità e delle chiese e generalmente del privilegio ecclesiastico[4], nonostante il giurisdizionalismo estense, ispirato per di più dall'imperiale asburgico, avesse pur fatto i suoi passi dopo il 1755 nella materia fondiaria e nella locale e un poco anche nella fiscale del clero[5]. Quei passi, della cui rilevanza per altro proprio noi non dobbiamo sottovalutare nessun momento, non avevano tolto e nel *Codice* non tolsero che l'interlocutore ecclesiastico rimanesse molto importante nell'insieme dei dialoghi sui quali il sistema politico estense continuava a reggersi. Si trattava ben sempre della « Chiesa dei *possidenti* »[6]: la definizione di Orlandi va

[1] A. Balletti, *Gli Ebrei e gli Estensi*, cit., p. 71.

[2] *Codice*, cit., L. II, tit. XXXIII, art. XXXIII: t. I, p. 419.

[3] *Codice*, cit., L. II, tit. VII, art. XXIX: t. I, pp. 223-225.

[4] Sulle manimorte v. in primo luogo, nel *Codice*, cit.: L. II, tit. VII (t. I, pp. 204-231); sulle immunità ecclesiastiche v. *ivi*, L. IV, tit. VIII (t. II, pp. 125-131).

[5] Anche per gli anni sino al 1771, che importano qui, il giurisdizionalismo di Francesco III e degli altri governanti con lui è già stato abbastanza approfondito da Salvioli e dopo di lui da altri: per evitare qui elenchi di opere note basti rinviare a: C. Poni, *op. cit.*, pp. 18 sgg.; G. Orlandi, *Le campagne modenesi fra rivoluzione e restaurazione (1790-1815)*, Aedes Muratoriana, Modena 1967, pp. 20-26 e *passim* (con la *Ristretta notizia* sul magistrato della giurisdizione, 1764, in *Appendice I*, pp. 347-354); L. Pucci, *op. cit.*, p. 45 e *passim*; F. Venturi, *Settecento riformatore, II, La chiesa e la repubblica dentro i loro limiti, 1758-1774*, Einaudi, Torino 1976, specie pp. 98-100, 216, 219.

[6] G. Orlandi, *op. cit.*, p. 89.

intesa proprio in riferimento all'insieme dei dialoghi. E quell'interlocutore ecclesiastico, nonostante le riduzioni sofferte, era pur ancora fra i maggiori proprietari terrieri e di altri beni immobili nello stato, e nel *Codice* questo si sente anche nelle disposizioni più attente a controllarlo [1], e spesso si sente proprio per la preoccupata insistenza del controllo [2]. Come non ricordare, altresì, che nella vicina Parma l'eccezionale stagione del ministro Du Tillot era al suo termine, e che i vescovi in quel ducato erano « sempre più decisi a non pagare le tasse » [3]?

3. Tra riforme e rivolte

La « sommossa della Garfagnana »

Tradizioni di vario carattere ed età, ma sempre piuttosto pesanti per il governo estense, giocarono insieme alle novità che il riformismo di Francesco III cercava di imporre anche alla Garfagnana e resero particolarmente vigorosa e complessa la lunga agitazione di quella provincia dal maggio al luglio 1772.

Il plurisecolare interesse per la « patria », e la normale possibilità di valersi dei molti che per una ragione o per l'altra vivevano nella provincia o vi convergevano al di fuori dei controlli della giustizia estense, e che pure, contadini e montanari nella massima parte, quella giustizia finiva ogni volta per trattare con molta prudenza; la non meno antica autonomistica sapienza di superare i rappresentanti ducali in loco per rifarsi direttamente al principe — si gridò anche allora: « viva sua Altezza serenissima e muoia il malgoverno » —: tutto questo sostenne nel 1772 e vivacemente i capi famiglia di Castelnuovo e dei luoghi vicini riunitisi per protestare contro la carta bollata appena istituita e contro il dazio sul caffè e le *corvées* imposte per i lavori sulla via ducale da Modena a Castelnuovo a Massa, temendosi per di più come prossimi anche i dazi sul sale e sulla macina dei grani. E tutto questo sostenne subito dopo i contadini insorti e gli esponenti del banditismo più esperto, come Bartolomeo Azzi detto « il pantera ».

Che alla sommossa locale dessero fiato anche « dottori, ufficiali dell'eser-

[1] V. ad esempio la non leggera riserva a pro del luogo ecclesiastico immune (restituzione del feritore alla chiesa da cui è stato estratto, se il ferito non muore « entro i tempi dalle leggi stabiliti »): *Codice*, cit., L. IV, tit. VIII, art. V: t. II, p. 127.

[2] Come, in particolare, a proposito delle manimorte: v. fra i tanti l'art. XXXIII del tit. VII, L. II, *Codice*, cit., t. I, pp. 227-229.

[3] F. Venturi, *op. cit.*, p. 234.

cito, notai, cancellieri, archivisti, scritturali », tutti insieme « abbastanza amalgamati nell'odio comune contro la capitale », era per altro già un fatto che non teneva solo delle ostilità alla carta bollata e ai dazi e alle *corvées* o non vi teneva quasi per nulla. Quando l'insorgenza fu domata con le armi da Ercole d'Este figlio del duca e dalle milizie estensi, e si avviò il processo che la doveva concludere, si vide in breve che alle tradizioni locali garfagnine si erano largamente unite opposizioni antiestensi che non è sempre facile dire nuove; « affiorò una fittissima maglia di relazioni che si allungava da Firenze a Modena, a Parma, a Cremona, a Milano, in un diffuso movimento cospiratorio ». Tutta la storia della montagna nello stato estense, e non ultima la storia delle sperequazioni fiscali che quelle comunità continuavano gravemente a patire [1], e la storia delle difficoltà della politica estera sui confini meridionali e occidentali dello stato, si fecero sentire nel muoversi di quelle opposizioni; e in più certamente vi furono le opposizioni alle riforme, le volontà nuove di guastare ciò che da Milano e da Modena si cercava di fare di meno antiquato nel paese.

« Nonostante la teatralità dell'istruttoria, il processo finì con il perdono generale, già altre volte accordato in occasioni come queste, a condizione del "sincero ravvedimento". In realtà agli occhi del giudice si era rivelata una trama talmente vischiosa nella quale erano implicati come favoreggiatori o protettori tanti "bei nomi" di Modena, di Parma e di Firenze, che era apparso necessario insabbiare il tutto » [2].

La somma dei malumori e delle proteste e delle insorgenze piccole e meno piccole nella montagna e nella pianura continuò ad aumentare dopo quel generale perdono ai garfagnini. Tralasciamo il ricordo di altre contese, per un verso o per l'altro normali in ogni realtà dominantemente agraria e che impegnarono dei proprietari, per esempio nel 1770 a Montecchio d'Enza e nel '78 a San Martino in Spino. Ricordiamo invece che il tentativo lentamente perseguito dal governo centrale di sottoporre ad estimo i singoli diretti proprietari e non più le comunità continuava anche negli anni Settanta a escludere la Garfagnana e l'alto Modenese e l'alto Reggiano, e nella pianura acquisti più o meno recenti come i principati di Carpi e di Correggio o luoghi ricuperati dopo infeudazioni, come Finale, e che il permanere in tutti quei luoghi dei modi antichi di tassazione era avvertito dagli interessati come sempre meno sopportabile, perché squilibrato, e, s'intende, squilibrato a danno dei più deboli che erano molti.

Nella diffusa depressione delle energie mercantili, e più generalmente

[1] Nuovi dati su ciò sono in L. Pucci, *op. cit.*, p. 73.

[2] Sulla intera vicenda v. L. Pucci, *op. cit.*, pp. 60-61; v. anche, *ivi*, pp. 107-108.

nella scompensata realtà quotidiana della loro economia, cresceva il deficit di molte comunità e crescevano al tempo stesso le loro riserve nei confronti del duca, che si accollava quel deficit in cambio della riscossione di dazi e di altre loro tradizionali entrate; ed erano vive le loro opposizioni a quanto chiedevano i nuovi imprenditori, che premevano sul governo per poter mettere le mani anche sulle terre di loro comune proprietà: come non reagire alla « massima che i beni comunali debbano alienarsi in qualunque maniera », e alla convinzione che ogni alienazione del genere fosse un « partito utile assai alla popolazione, all'agricoltura e all'industria d'ogni sorta »[1]? L'estense era certamente un modo complementare alle disposizioni più accentratrici del *Codice* nel titolo sulle comunità, e anche per questo, e per la sua reale possibilità di insinuarsi nel contesto delle oligarchiche libertà comunitarie, esso eccitava in vari modi le opposizioni, le tensioni, anche e beninteso i municipalismi più vecchi.

Il campione di tutte le opposizioni era Reggio, e lo divenne sempre di più col progredire delle innovazioni da Modena. « La politica di rapina della dominante, la decadenza delle arti, il vassallaggio politico », ispirarono ad esempio la « popolare insurrezione » durante la fiera del maggio 1770[2], e nell'88 il *Prolegomeno alla riforma dei pii istituti* di Reggio, scritto là dalla commissione per la riforma; importanti in quella denuncia non solo la vecchia deplorazione per le difficoltà dell'arte della seta — giunte al maggior grado col ritiro, l'anno precedente, dei Trivelli[3] —, ma, forse anche di più, l'altra deplorazione delle deficienze tecniche dell'agricoltura reggiana, perché in essa era colpita tutta insieme la tradizionale possidenza agraria e la possidenza nuova degli speculatori che venivano avanti col favore ducale e di cui diremo fra poco qualcosa di più; sinistra la definizione dei maggiori centri dello stato come di « sepolcri luminosi che una moribonda nazione innalza per riporvi con decenza e con fasto le proprie ceneri », ma c'era del vero anche in essa e vi torneremo su presto[4].

[1] Così Giovan Battista Munarini, governatore della Garfagnana, nel maggio 1778: in A. Reggiani, *Sommosse contadine a Reggio e Modena (1796-99)*, comunicazione al convegno di studi su « Reggio e i territori estensi dall'antico regime all'età napoleonica » (Reggio Emilia, 18-20 marzo 1977), p. 4 n. 2 (il passo non ricorre più nella edizione degli atti del convegno, cit. avanti alla p. 146, n. 3.

[2] A. Balletti, *Storia di Reggio*, cit., pp. 528-532.

[3] N. Campanini, *op. cit.*, pp. 197, 200, 208-211.

[4] Sul *Prolegomeno*: L. Pucci, *op. cit.*, p. 67 e note.

I portatori e i beneficiari delle riforme

Nella generale condizione delle cose dello stato fu dunque normale la dominante attenzione di Francesco III e poi dal 1780 di Ercole III, e con loro al governo di uomini pur diversi fra loro come il marchese Gherardo Rangone, Lodovico Ricci e Giovan Battista Munarini e altri, per tutto ciò che di economico e di politico e di culturale teneva della proprietà terriera e delle sue possibilità per il perseguimento delle riforme più costruttive. Motivi dominanti dell'illuminismo fuori dello stato, interessi che a loro venivano dal proprio diretto partecipare di quella proprietà, sostennero sempre il lavoro dei riformatori. Il privilegio estense, e insieme, di fatto se non sempre nella migliore consonanza, il restante privilegio laico, insistettero anche dopo la pubblicazione del *Codice* nell'indirizzare le riforme contro la proprietà ecclesiastica [1] — estesa, ancora al 1786, per « più di una quarta parte de' fondi di questi dominii » [2] —. Le terre così rese libere valsero per i laici nobili patrizi o borghesi, e per gli ebrei, dello stato: gli uni e gli altri si gettarono negli acquisti il più possibile, nel Reggiano come nel Modenese e altrove [3]. Intanto venivano meno anche certi sforzi riformatori, massimo quello che aveva condotto alla « generale opera pia de' poveri » di Modena: e allora « si ebbe il saccheggio della stessa Opera Pia a vantaggio di fittavoli arricchiti, di nobili intraprendenti, di cittadini speculatori » [4]. A loro volta i capitali, borghesi e no, che la crisi delle arti rendeva sempre meno utilizzabili altrove, accrebbero il proprio impegno nella terra. Le speculazioni di forestieri bene addentro in gangli vitali della finanza e della fiscalità estense, come il conte Greppi e gli appaltatori della ferma generale estense per più anni dal 1766, si mossero sulla medesima strada. Gli uomini del governo centrale gestirono, attraverso molte vicende non sempre positive per loro e per le riforme, le molteplici spinte. E tutto ciò portò avanti progressivamente nuove energie imprenditoriali ed accresciuti investimenti nell'agricoltura.

Sempre soprattutto dopo il *Codice* continuarono a svolgersi o si svolsero ex novo anche altre riforme: di vari ordinamenti scolastici e per nuove

[1] G. Orlandi, *op. cit.*, pp. 26-33 e *passim* (col *Promemoria sopra la riduzione delle feste*, 1786, in *Appendice II*, pp. 355-360).

[2] Così Lodovico Ricci: in L. Pucci, *op. cit.*, p. 75.

[3] Soprattutti finora O. Rombaldi è da vedere per il tempo considerato: nel suo *Gli Estensi al governo di Reggio*, cit., pp. 97-119, *passim*; nel suo *Contributo*, cit., *passim* agli anni fino al 1796; e nel suo *L'economia dei territori dei ducati estensi*, in *Reggio e i territori estensi dall'antico regime all'età napoleonica*, Pratiche Editrice, Parma, 1979, vol. I, pp. 53-67, *passim*. Qualche ulteriore notizia è in A. Reggiani, *Sommosse contadine a Modena e Reggio (1796-99)*, in *Reggio e i territori estensi*, cit., pp. 253-254.

[4] C. Poni, *op. cit.*, p. 22.

biblioteche — finalmente anche a Reggio dal 1784-85 —, e dell'università modenese rinnovata nei programmi e negli uomini e dotata dei grandi beni immobili tolti ai gesuiti dopo la soppressione della compagnia nel 1773 [1]; a proposito del numero delle feste religiose e contro l'estensione dei diritti delle cacce che favorivano in eccesso il privilegio laico e danneggiavano le colture; contro l'ufficio di inquisitore, abolito nell'85; a pro dei « vagabondi » raccolti nell'« albergo delle arti » che nell'86 seguì all'« albergo de' poveri »; si lavorò altresì a terminare con i toscani la via Giardini [2], e a costruire lungo la via Emilia fra il 1786 e il '92 un ponte sul Secchia e uno sul Panaro [3]. Risparmiamoci per altro un elenco più lungo e più, o meno, riconducibile ai temi centralissimi dell'impegno riformatore, e torniamo invece un momento sulla lotta per la realizzazione di quei temi.

Bisogna tornare sulla lotta perché essa non fu da poco, e non lo fu soprattutto nel senso che i colpi patiti dalla parte riformatrice incisero nei risultati in una misura superiore a quella che registrarono altri riformatori in altri stati italiani. Gli accresciuti investimenti e le nuove energie, già accennati qui sopra, furono caratterizzati anche da tali colpi.

Il principe tendeva a caricarsi dei debiti delle comunità per averle poi meglio nelle proprie mani, ma il debito pubblico era nel secondo Settecento estense già eccezionalmente forte anche in conseguenza delle guerre sofferte nella prima metà del secolo, e delle disfunzioni non evitate dalla sempre più pesante, specie dal 1770 in poi [4], ma non mai perfetta macchina fiscale. Per pagare almeno qualche parte del debito il governo aveva sempre usato lanciare nuovi prestiti, e nel secondo Settecento continuò. Ora, i sottoscrittori dei prestiti continuando a loro volta ad essere « i proprietari feudali e borghesi, gli ebrei, i banchieri stranieri » [5], ne venne sempre che la loro presenza di fronte ai duchi e ai ministri ducali meglio avviati sulla via delle riforme persisteva tale da doversi tenere da quelli in molta considerazione, e non solo costituiva una ragione della resistenza delle comunità al principe là dove i sottoscrittori erano loro membri e giocavano fra loro e il principe, ma contava in ogni altra operazione che dello stato voleva vivere innanzitutto le tradizioni e le

[1] Qualche notizia nuova su ciò è in L. PUCCI, *op. cit.*, pp. 86-87 e n. 131; e v. anche pp. 34-35 e n. 47.

[2] « La strada risultava completamente ultimata nel 1779 »: D. STERPOS, *Le strade di grande comunicazione della Toscana verso il 1790* (*Archivio dell'Atlante storico italiano dell'età moderna*), Sansoni, Firenze 1977, p. 26.

[3] Sui due ponti D. STERPOS, dopo i suoi lavori precedenti e noti, è tornato ora ne *Le strade del ducato (1766-1814)*, in *Reggio e i territori estensi*, cit., pp. 219-232.

[4] O. ROMBALDI, *Contributo*, cit., p. 24.

[5] L. PUCCI, *op. cit.*, p. 82.

novità proprie, non le novità estensi e riformatrici. Il potenziamento del consiglio di economia, avviato da Francesco III nel 1776 per combattere meno faticosamente ogni battaglia fiscale e più generalmente economica del governo, fu un atto riformatore di molto rilievo e affidato agli uomini più rappresentativi del nuovo corso estense, e nel consiglio dal '77 si discusse persino « se il sovrano dovesse o non dovesse pagare le imposte per i suoi beni allodiali »[1]; ma un progetto per un nuovo estimo della pianura e della collina e quindi per una tassazione meno imprecisa dei proprietari laici ed ecclesiastici, elaborato da Ricci che si era valso pure dei pareri di Pietro Verri, nel '77 finì per arenarsi[2]; sempre Ricci in quel tempo non riuscì a venire a capo di nessuna responsabilità nel fallimento del « monte generale dei pegni » che vide implicate « quattordici delle più ricche e potenti famiglie modenesi »[3]; e nel '78 non passò il *piano de' tributi* preparato da Salvatore Venturini e certamente ostile a tutte le operazioni dei fermieri della ferma generale[4].

Fosse pur vero che in quegli ultimissimi dei tanti anni di governo di Francesco III le opposizioni alle novità avevano più campo, e fosse non meno vero che nella rete sempre varia degli organismi del governo estense v'erano anche uomini che dalle riforme più rilevanti avrebbero avuto danno[5]; e poi si sa che la lotta riformatrice non fu interrotta dalla successione di Ercole III a Francesco nel 1780. Ma registrare le sconfitte è indispensabile, anche perché la lotta proseguì ma a certi esiti cui mirava non poté giungere mai.

Giunse a livelli notevoli di progettazione e di parziale attuazione soprattutto nel 1787, quando fu istituita la camera dei conti che doveva controllare le entrate e le uscite del principe e « di qualsivoglia patrimonio pubblico » dello stato; dall'88, quando fu varata la riforma annonaria che finalmente rendeva più libero il commercio dei grani; e ancora dall'88 col nuovo catasto, che aveva ambizioni precise nei confronti dei troppi proprietari evasori fiscali, « voleva essere uno strumento di progresso agricolo », e fu attuato in parte negli anni seguenti[6].

[1] L. PUCCI, *op. cit.*, p. 82. La questione tuttavia non era nuovissima neppure a Modena, se già Muratori aveva inteso come « opinione tirannica » quella per cui i principi non erano soggetti alle leggi, e le aveva opposto il ben diverso criterio per cui le leggi erano dettate dalla ragione e dunque anche i principi alla ragione dovevano obbedire (L. A. MURATORI, *op. cit.*, pp. 83-84).

[2] Su ciò v. L. PUCCI, *op. cit.*, pp. 73-78.

[3] L. PUCCI, *op. cit.*, pp. 78-79.

[4] L. PUCCI, *op. cit.*, pp. 80 e sgg.

[5] Tali ad esempio erano i ministri ducali interessati a vario titolo nella ferma generale: v. su di essi L. PUCCI, *op. cit.*, pp. 78-79.

[6] V. in proposito L. PUCCI, *op. cit.*, pp. 110 e 144, 111 sgg. e 152 sgg., e sul catasto anche già PONI, *op. cit.*, pp. 29 e sgg.

Era certo molto significativo della realtà del paese il fatto che un Gherardo Rangone vedesse nell'agricoltura « il principio di ogni ricchezza, non solo, ma la vera e stabil base della prosperità », e che un Ricci considerasse « tanto più necessari gli agricoltori degli artefici », e che un Munarini deplorasse il durare degli sforzi a Modena per rilanciare le arti — « ora che da noi si comincia a provare fin dove può arrivare l'industria si sta malissimo », scrisse nel 1783 —[1]. L'attenzione che i riformatori portavano alla terra era comunque tutt'altra da quella che vi portavano i privilegiati e i borghesi più chiusi nel mondo vecchio di un *ancien régime* particolarmente radicato.

Ma bisogna aggiungere subito due osservazioni. L'una è che la camera dei conti e la riforma annonaria e il catasto nuovo giungevano tardi o anche tardissimo nella storia di quegli istituti in Italia e fuori. La seconda è che, l'un ritardo lavorando sull'altro, e su entrambi cominciando prestissimo a pesare l'Ottantanove francese, i livelli di progettazione e di parziale attuazione di quelle ultime riforme rimasero notevoli come testimonianza delle intelligenze migliori e più moderne dello stato ma non poterono valere nello svecchiamento intrapreso se non per una minoranza di operatori economici e per le loro fortune di grandi proprietari avviati, come non mai prima, a sfruttare la terra, anche potenziando colture nuove o di nuovo avviate come quella del riso — dal 1771[2] —, e aggravando nello stato in modi anche molto pesanti il male vecchissimo delle sofferenze contadine e delle fughe dalla terra e delle « spatriazioni »[3] — e intanto nella montagna continuò a non arrivare nulla delle riforme e meno che mai del nuovo catasto —.

Di tutto ciò, ripetiamolo, non si può fare carico ai riformatori nel governo né al duca Ercole III come singolo principe giunto al potere da pochi anni. Semplicemente, il contrasto fra il peso dei vari poteri costituiti e il peso dei nuovi poteri che si volevano costituire molto di più era già di per sé enorme, nel suo svolgimento sino all'ultimo non mancarono cedimenti più o meno tattici a favore dei poteri costituiti e antagonisti del nuovo e furono proprio del vertice del vecchio e del nuovo insieme — cioè del duca —, la rivoluzione avviata e poi trasformata e via via riuscita in

[1] In M. RABITTI, *Gherardo Rangone nel governo di Modena (1772-1796)*, tesi di laurea di storia moderna discussa nel luglio 1972 presso la Facoltà di Lettere e Filosofia di Bologna (relatore L. Marini), p. 71; in L. PUCCI, *op. cit.*, pp. 101, e 109 n. 13.

[2] Dopo O. ROMBALDI, *Gli Estensi al governo di Reggio*, cit., p. 103 e ID., *Contributo*, cit., p. 23, v. C. PONI, *op. cit.*, p. 31 (su risaie nel Carpigiano dal 1776), e L. PUCCI, *op. cit.*, p. 117 n. 2 (su risaie nel basso Modenese e nel basso Reggiano).

[3] Come hanno già provato: C. PONI, *op. cit.*, pp. 24-25; O. ROMBALDI, *Contributo*, cit., pp. 22-24 n. 5, 43 sgg.; G. ORLANDI, *op. cit.*, pp. 41-67 (con riprese da Rombaldi); L. PUCCI, *op. cit.*, *passim*; E. ZAVATTA, *op. cit.*, pp. 66-67; A. REGGIANI, *op. cit.*, pp. 254 sgg.

Francia e le sue conseguenze fuori della Francia anche sugli Asburgo e sugli stati italiani chiusero anche le fragili possibilità che il contrasto avesse col tempo, riformisticamente, esiti migliori. Si avvantaggiarono delle riforme singoli o famiglie come i Rangone e i Campori di Modena, Ricci e altri del governo, Antonio Veneri, Francesco Advocati e Vincenzo Linari di Reggio, i Bonasi nel Carpigiano [1], e certo altri ancora; e se anche qui come abbiamo già sempre fatto non daremo un elenco di nomi diciamo per altro che a beneficiare delle riforme furono in complesso pochi nell'intero stato, e non ancora in modi capitalistici [2], e anche per questo affacciati sul futuro con possibilità inevitabilmente minori delle altre che venivano avanti fuori dello stato in aree anche vaste dell'Italia padana. È già stato detto esattamente che « pesò sull'"etica professionale" dei nuovi ceti attivi il fatto che essi dovevano più il loro decollo al saccheggio delle terre comunali e dei conventi che al commercio, all'industria e allo sviluppo delle professioni liberali » [3]: il giudizio rende il suo peso quanto più lo si considera nella storia lunga delle famiglie e dei singoli, dei « nuovi ceti », nello stato. La Francia del direttorio e di Bonaparte si portò sull'Italia quando ancora nello stato estense troppe cose tenevano « le province nei vincoli di una società disuguale e contraria ai principii politici » [4].

Il nemico nello stato

Al 1796 e all'arrivo dei francesi nello stato giunsero i riformatori con i loro successi e le loro grosse difficoltà, giunsero i nuovi imprenditori e proprietari terrieri e il vecchio privilegio laico e il restante ecclesiastico; ma giunsero anche gli oppositori antiestensi e le varie fronde antiducali e antimodenesi della montagna e della pianura, giunsero gli artigiani senza lavoro e le aumentate masse dei contadini impoveriti: dobbiamo avere davanti agli occhi almeno in alcune sue linee essenziali anche questo secondo quadro.

Tutto si svolse in un considerevole aumento della popolazione di Modena e di Reggio e della campagna e anche più della montagna dello stato, particolarmente negli ultimi decenni del secolo; l'aumento è un fatto già accertato, e accertato meglio di tanti altri fatti dei tempi anteriori e di cui

[1] A. Galli, *Carpi sotto gli Estensi. L'intervento riformatore del XVIII secolo*, in A. Garuti, F. Magnanini e V. Savi, *Materiali per la storia urbana di Carpi*, Comune di C., Carpi 1977, p. 95.

[2] Sulle « reali difficoltà allo sviluppo capitalistico » nello stato estense di allora è riassuntivamente efficace L. Pucci, *op. cit.*, p. 121.

[3] L. Pucci, *op. cit.*, p. 119.

[4] Così lo stesso Ricci diceva dello stato quando lavorava al catasto: in L. Pucci, *op. cit.*, p. 153.

pure la demografia dello stato estense ha potuto avere sinora notizia. È anche noto che tale aumento non si limitò allo stato estense ma fu molto più diffuso, in Italia e fuori.

Beloch calcolò già la superficie complessiva dello stato, al 1790, in 5.264 chilometri quadrati [1]. Su quella superficie, raggiunta con l'acquisto della contea di Novellara, complessivamente la popolazione passò dalle circa 300.000 unità del 1737 alle poco più di 335.000 del '74 e alle poco più di 386.000 del '95, comprendendosi negli ultimi due dati anche i circa 20.000 abitanti del ducato di Massa [2].

L'aumento nelle province del Frignano, di Montese e di Montefiorino dal 1770 al '94 fu con quasi certezza assai inferiore ai dati che pur si hanno; sembra infatti insostenibile che i 52.330 abitanti delle tre province al 1770 siano saliti a 62.767 nel '94, non solo, ma non sembra neppure sostenibile che i 3.781 abitanti della podesteria di Montefiorino al 1641 [3] siano divenuti i 16.220 della provincia di Montefiorino al 1770 [4]. Beloch ha già supposto disparità nei criteri estensi di rilevamento dei dati e non solo di questi sulle tre province ma per tutto lo stato, Albani ha aggiunto sue considerazioni [5] per cui sarebbe più sensato calcolare la popolazione delle tre province al 1794 sulle 44.000 persone [6]: comunque nessuno ha ritenuto di negare un aumento anche consistente di quella popolazione [7].

Innegabile in tutto lo stato, l'aumento fu per altro di diversa entità fra Modena e Reggio e fra quelle due comunità e il restante dello stato. Modena passò dai 21.306 abitanti del 1771 ai 22.611 del '95 con un aumento percentuale complessivo del 6,1; Reggio passò dai 15.816 abitanti del '71 ai 17.675 del '95 con un aumento percentuale complessivo dell'11,7; il restante dello stato passò dai 271.503 abitanti del '71 ai 326.397 del '95 con un aumento percentuale complessivo del 20,2: da queste indicazioni è escluso il ducato di Massa dove sembra invece che la situazione demografica sia rimasta dal '74 al '90 « pressoché stazionaria » [8].

[1] K. J. Beloch, *Bevölkerungsgeschichte Italiens*, cit., p. 367.

[2] O. Rombaldi, *op. cit.*, p. 9, e tavola I cit. Sulla popolazione al 1737 v. sopra, p. 120.

[3] Sopra, p. 72, n. 1.

[4] V. per questi dati sulle tre province D. Albani, *Il Frignano*, cit., pp. 67-68.

[5] D. Albani, *op. cit.*, pp. 68-69.

[6] Riv. D. Albani, *op. cit.*, p. 68. I dati di Beloch sono nella sua *op. cit.*, vol. II, Berlin 1965, p. 281.

[7] Sulla popolazione di Fanano al 1773 – 2.610 abitanti, dai 2.350 del 1590 – v. O. Parisi, *Appunti su l'agricoltura della valle del Leo*, in *La valle del Leo*, Aedes Muratoriana, Modena 1971, p. 120.

[8] V., su tutto, O. Rombaldi, *op. cit.*, pp. 9-10 e tavole I – popolazione – e I – indici –.

Ora, che l'aumento del numero dei modenesi dal 1771 al '95 sia « un episodio senza rilievo nella storia demografica di un centro rimasto stazionario dal 1300 al 1800, già al principio del '300 la città aveva raggiunto la cifra di 22 mila abitanti » [1], è un fatto che diremmo vada invece inteso in due tempi: nel tempo lunghissimo può apparire indiscutibile, nel tempo breve non può essere accolto, perché dal '71 l'aumento ci fu e per di più si aggiunse al precedente dal 1683 [2]. Dal 1771 al '95 fu certo maggiore l'aumento reggiano, ma esso — e sempre se ci possiamo affidare a così pochi dati raccolti in tempi così diversi, come d'altro canto abbiamo già osservato più sopra [3] — seguiva ad una pressoché totale stazionarietà addirittura lungo settantasei anni, dal 1695 al 1771 [4].

Su tale stazionarietà vogliamo per altro ritornare: si pensi ad esempio che nell'ex ducato di Mirandola la popolazione complessiva, che nel 1697 era stata di 12.869 unità, passò a 12.773 unità nel 1767, e a 16.516 unità nel 1770, poi via via a 19.054 unità nel '94 [5]: fu mai possibile un incremento dal '67 al '70 di oltre 3.700 unità? È di nuovo inevitabile, con Beloch, pensare a diversi criteri di censimento — e a diverse possibilità di venire a capo del censimento stesso da parte di chi lo realizzò —; è sempre più evidente che occorre molta prudenza nella valutazione dei dati seicenteschi e degli altri dati, anteriori al 1771 [6].

Se poi i dati per gli anni 1771-95 sono più attendibili dei precedenti e più accettabili nei rapporti reciproci, allora — e proseguendo il discorso oltre le notizie su Modena e su Reggio — è possibile anche ricordare di nuovo l'ex ducato di Mirandola in quegli anni e con esso tutto il restante stato al di fuori di Modena e di Reggio — e, di nuovo, di Massa —. Perché il ricordo del restante stato conduce a fermarsi sull'aumento di popolazione, del 20,2 per cento, che vi si compì, e che divenne più rapido dal 1786. Nel generale accrescimento della popolazione dello stato, che

[1] O. Rombaldi, *op. cit.*, p. 10.

[2] V. sopra, p. 130.

[3] V. sopra, pp. 130 e 100.

[4] V. sopra, p. 130.

[5] K. J. Beloch, *op. cit.*, vol. III, p. 366; vol. II, p. 281. Più dati e argomenti circa la popolazione del « ducato » di Mirandola sono in E. Zavatta, *op. cit.*, pp. 39-45.

[6] Su tutta la materia, e se non a domande troppo puntuali certo a molte e più larghe domande sulla popolazione in Italia nel XVIII secolo, ha avviato buone risposte il convegno della Società italiana di demografia storica – « La ripresa demografica del Settecento », Bologna, aprile 1979 –, relatori A. Bellettini, M. Livi Bacci e L. Del Panta, G. Delille, C. Corsini, D. Demarco; i vecchi dati di Beloch e ogni altro successivo hanno sempre indicato finora la ripresa, l'hanno pure in qualche misura ragionata – v. per tutti A. Bellettini, *La popolazione italiana dall'inizio dell'era volgare ai giorni nostri. Valutazioni e tendenze*, in *Storia d'Italia*, vol. V, *I documenti*, I, Einaudi, Torino 1973, pp. 514 sgg. –, ma non l'hanno ancora documentata come invece abbiamo bisogno che accada.

nel suo complesso era decisamente rurale, l'accrescimento maggiore si ebbe per l'appunto fuori dei due maggiori centri, i più alti quozienti di mortalità si ebbero nei « sepolcri luminosi » di Modena e di Reggio [1]. Almeno nel distretto modenese [2] — anche a prova dello sfruttamento esercitato dal capitale modenese su di esso —, e in qualche misura anche nel Carpigiano e nel Sassolese, la popolazione fu impegnata via via nel Settecento e anche più che nel Seicento da una attività manifatturiera integratrice delle risorse dell'agricoltura; ciò non mutò il rapporto arti-agricoltura nell'insieme dello stato ma può contribuire a spiegare — e a volte, forse, in concordanza col diminuito prezzo dei grani in taluni anni — che la natalità sia stata ben più alta fuori che non dentro Reggio e Modena.

Quali e quante altre spiegazioni si potranno aggiungere, è certo che la struttura economica e politica dello stato estense non poteva reggere a sufficienza nessun aumento e tanto meno quello più vigoroso fuori di Modena e di Reggio. E che per di più il fenomeno dell'aumento abbia interessato anche altri stati e non solo l'estense aggiunge nuova importanza alla vicenda estense, perché esso incise progressivamente su tutti i piani della vita degli stati e in tutti i modi di quel tempo di *ancien régime*; più si conoscerà dunque tale incidenza, meglio si valuterà il fenomeno anche nel suo svolgimento nello stato estense. Tuttavia, in attesa che ai buoni ma pochi studi dei demografi sul Settecento italiano e non italiano utili a noi ne seguano altri, non è impossibile né troppo provvisorio considerare gli effetti che ebbe l'aumento del numero degli abitanti nello stato estense e su coloro che dal suo esterno seguivano le sue vicende; mentre il governo di Francesco III e poi di Ercole III reiterava le sue « grida » contro le « spatriazioni », come faceva da secoli, e aveva ribadito nel *Codice* la sua volontà di tenere popolato il paese — ci fosse o non ci fosse per tutti un posto sufficiente nello stato —.

L'aumento del numero giovò a coloro che attraverso le riforme erano arrivati a possedere più terra e che miravano ad ottenere da essa il maggior rendimento, anche per battersi meglio con i produttori degli stati vicini e già avvantaggiati dal migliore livello che spesso l'economia agricola possedeva in quegli stati — pensiamo soprattutto alle aree lombarde e mantovane e parmigiane e bolognesi —. Giovò, nel senso che impose uno sfruttamento più intenso dei lavoratori, quindi mise in crisi non pochi mezzadri e rese più frequente il bracciantato e ne aggravò le condizioni.

Ad altre realtà quell'aumento invece non giovò. In particolare, esso appesantì le difficoltà che avevano già sempre avuto le comunità dello

[1] V. già sopra, p. 145; e poi O. ROMBALDI, *op. cit.*, pp. 17-21.
[2] O. ROMBALDI, *op. cit.*, pp. 55-56, per gli anni 1757-70.

stato e che si erano aggravate dal primo Seicento; tutti coloro, infatti, che danneggiati da carestie o da altri guai più o meno naturali o da sfruttamenti di proprietari, e via dicendo, non « spatriavano » o non si davano in qualche forma a vivere nella montagna o nella pianura fuori delle leggi, cercarono sempre di più di ricoverarsi nelle strade e nei portici e nelle case dei luoghi più abitati — e massimamente a Reggio e a Modena, qui più che mai! —, così che i proprietari e i poteri economici e politici delle comunità e il principe stesso finalmente si occupassero di loro, « poveri », « mendicanti », « oziosi », insomma il problema di maggior rilevanza sociale nello stato — e in tanti altri di quella età pre-industriale —.

Una risposta al problema continuò a essere data come per il passato, ingiungendosi cioè ai rifugiati di lasciare le comunità; ma vi fu anche una seconda risposta, più consona agli orientamenti riformatori del secolo e che consisté nell'« albergo de' poveri », nella « fabbrica de' panni », nell'« albergo delle arti », eretti a Modena e già da noi ricordati poco sopra: là alcune centinaia di poveri ebbero ospitalità e lavorarono, e altre volte furono mandati fuori a lavorare la terra. Ma si rinnovassero pure, per via delle frequenti fughe e di altri accidenti non meno comuni, quelle poche centinaia di poveri restarono sempre un numero bassissimo al confronto con le migliaia di diseredati che continuarono a gravare in Modena e in Reggio [1] o a formarsi e a riformarsi e a vagare nello stato. E il vagare e le fughe denunciarono ogni volta la sproporzione fra l'entità del problema e i rimedi tentati; e il problema restò in piedi, a minare la sua parte quegli ultimi decenni estensi prima del crollo del 1796.

Altre mine continuarono a venire da Reggio, svolgendosi là una vita intellettuale assai meno favorita dal potere estense di quella modenese, e anche per ciò molto meno condizionata dalle commistioni col potere che invece a Modena erano andate crescendo nel secolo, e più libera di ascoltare le voci di altri fatti e di altre proposte economiche e politiche dal di fuori dello stato; e contemporaneamente ispessendosi anche le opposizioni al riformismo estense ogniqualvolta nel suo lavoro si individuavano le sempre temute sperequazioni a danno della comunità.

Così accadde nel 1791, quando si seppe che nelle operazioni per il nuovo catasto l'area reggiana della pianura e della collina veniva ad essere molto più colpita della analoga modenese [2], e accadde sempre di più mano a mano che le vicende francesi interessarono l'Italia. Nel 1792 il consenso degli ebrei reggiani « al nuovo ordine di cose tentato in Fran-

[1] Per questo v. L. Pucci, *op. cit.*, pp. 123-124, n. 29.
[2] Su ciò v. L. Pucci, *op. cit.*, pp. 159 e 161-162.

cia » era noto al governo estense [1]. Particolarmente dal 1793 Giovanni Paradisi, figlio di Agostino e impegnato fisiocratico, ricercatore in tal senso e da tempo di quanto riteneva occorresse al Reggiano, e altri con lui, come un Antonio Re fratello dell'agronomo Filippo, tutti in vario modo attenti alle possibilità che la grande rivoluzione poteva offrirgli per superare la vecchia storia del ducato e avviarne una ben più moderna, fecero una certa scuola intorno a sé, rinnovarono i contenuti di molta opposizione reggiana anti-modenese.

E, com'era ben normale che accadesse, si collegarono con altri nello stato e in primo luogo con borghesi e con nobili e con ecclesiastici di Modena quali il dottor Carlo Bosellini e il conte Cesare Tassoni e i canonici Contri, in un generale « partito dei terroristi » che la polizia ducale naturalmente cercò di tener d'occhio. Non possiamo seguire uomini e momenti come altri hanno già fatto; tuttavia è impossibile trascurare che l'arresto nel gennaio 1793 di Bosellini accertò intese fra di lui e Ignazio Trivelli [2], dei Trivelli reggiani che erano stati mercanti di seta fino al 1787 e che dall'81 Ercole III aveva nobilitato [3]; quel Trivelli era ben collegato da tempo con la più aggiornata speculazione del denaro e sulla terra interessata al Reggiano e anche al Modenese dai più avanzati luoghi economici e finanziari delle maggiori aree confinanti.

Tutto si aggravò nello stato col modificarsi della situazione generale in cui lo stato era sempre più involto. Persino la « massima che i principi abbiano bisogno di sudditi » fu vista come una « massima senz'altro francese, in quanto che non distingue tra i sudditi utili e la canaglia »: l'opinione del parroco di Monteombraro espressa nell'aprile 1795 al vescovo di Modena Tiburzio Cortese [4] può valere come un esempio fra i mille del modo che la situazione ebbe di alterarsi dal lato dell'opposizione clericale al governo estense. Il governo, poi, mostrò qualche segno di voler diminuire la sua pressione sul clero e ricercare un'intesa con i vescovi dello stato, ma erano segni troppo scoperti e che non potevano avere successo; e così accadde fra l'altro che nell'ottobre 1794 Munarini si fece chiedere dal vescovo di Modena, in una sua risposta su alcune questioni: « si è più pensato a mettere in sicuro la ragione di stato, o il deposito base della medesima ? » [5].

A Carpi già prima dell'arrivo dei francesi nel 1796 era attivo « un

[1] In O. Rombaldi, *Gli Estensi al governo di Reggio*, cit., p. 117.

[2] L. Pucci, *op. cit.*, p. 172.

[3] Su Antonio Maria Trivelli v. sopra, p. 130; su Ignazio T. v. N. Campanini, *op. cit.*, pp. 197, 200 e sgg.

[4] In G. Orlandi, *op. cit.*, p. 146.

[5] In G. Orlandi, *op. cit.*, *Appendice VI*, p. 381.

circolo repubblicano-democratico» al quale aderivano più di duecento fra medi borghesi e operai, specie dell'arte del truciolo [1]: l'esempio in tal caso è di come si muovesse un'altra opposizione. I disoccupati dell'arte della seta a Modena e a Reggio [2], le loro famiglie, contavano anch'essi sempre di più nel fermento antiestense e pro francese; del malcontento del proletariato reggiano e della sua «gravissima miseria» [3], della situazione di Novellara «dolorosa e pericolosa» nel 1795 e da tempo [4], dei contadini poveri e questuanti, non diciamo altro.

Agli inizi del maggio 1796 Ercole III fuggì a Venezia con molto denaro e lasciando a Modena un consiglio di governo guidato dal marchese Gherardo Rangone; il 19 giugno Bonaparte fu a Modena; fra il 30 giugno e il 16 luglio da Reggio si avviò un personale discorso di quella comunità con i rappresentanti della Francia per superare il lunghissimo tempo del rapporto con gli Estensi e riavere da quei rappresentanti e per loro mezzo dal direttorio il godimento delle libertà più antiche, e cioè di quelle che erano in piedi al 1409 quando in Reggio eran riusciti ad affermarsi gli Estensi. «La notte del 25 agosto Reggio si sollevava e dichiarava decaduto il governo ducale. Fu una rivoluzione praticamente guidata dalla piccola nobiltà e dai ceti intermedi, resa operante dall'appoggio dei dragoni francesi... Il 29, 30, 31 agosto anche a Modena scoppiavano dei tumulti... Anche qui, come a Reggio, si trattò soltanto in parte di un moto popolare. La massa d'urto fu costituita da facchini, garzoni, artigiani, parrucchieri, amanuensi e segretari, ma i loro "deputati" continuavano ad essere dottori, avvocati, marchesi» [5].

Tra il consiglio di governo lasciato dal duca e quei deputati si fece avanti il governo della comunità modenese, per cercar di recuperare — come i reggiani! — le libertà anteriori al tempo estense. Non rileviamo tanto, a questo punto, l'anacronismo di chiedere il ricupero di condizioni che erano già state almeno parzialmente perdute prima del passaggio agli Estensi; piuttosto rileviamo come, dopo tanta vita nello stato estense, la maggiore conquista cui si mirava era il potenziamento delle libertà che si volevano ricordare come quelle che avevano fatto la propria migliore fortuna politica e non solo economica nell'età pre-estense; cioè avvertiamo

[1] L. Pucci, *op. cit.*, p. 173. «Gli artigiani sono per lo più tutti poveri...», la massima parte di loro, se perdeva un giorno di lavoro, non sapeva come vivere il giorno dopo: così il curato Vincenzo Gardini al vescovo di Carpi Carlo Belloni nel 1795, in L. Vigetti, *op. cit.*, p. 190. Sui dazi e sulle addizioni, e generalmente sul peso fiscale estense su Carpi, v. *ivi*, pp. 96-99.

[2] Sulle sorti dell'arte a Reggio dopo i Trivelli, 1787-1796, v. ampiamente N. Campanini, *op. cit.*, pp. 215-245, e anche O. Rombaldi, *Contributo*, cit., pp. 58-61.

[3] V. in O. Rombaldi, *Gli Estensi al governo di Reggio*, cit., p. 116.

[4] In O. Rombaldi, *Storia di Novellara*, cit., p. 270; e 269-270.

[5] L. Pucci, *op. cit.*, pp. 181-182.

come al 1796 accadde che la comunità cercò un ritorno e per di più utopistico a età lontane, e che solo in secondo luogo riconobbe i propri esponenti migliori e la loro qualità di uomini affacciati sul futuro e non sul passato. I ministri ducali ancora operanti a Modena lamentarono in quel tempo che il luogo fosse pieno di reggiani, e che i reggiani si adoprassero anche nella campagna per favorire la rivolta contro la capitale. Ma il commento più efficace a quel che stava accadendo, e che ebbe una prima conclusione mentre Modena veniva occupata dai francesi nell'ottobre 1796, fu di Lodovico Ricci, che constatò « l'inquietudine nel popolo per lo decremento continuo de' salari, per l'ammirazione de' piaceri, delle morbidezze delle classi superiori, sempre maggiori » [1].

Dal 15 ottobre insorsero un'altra volta i garfagnini, e quella volta non più contro il governo estense, e spinti allora dall'« amore per il comando dei poveri sopra i ricchi »; il « pantera » tornò in azione [2]. Chiudiamo qui il racconto delle vicende dello stato nel Settecento: perché il vecchio tempo non cedeva davvero dovunque il passo al nuovo, ma si trasferiva in esso con molte e varie forze, anche controrivoluzionarie e che non agivano solo nelle aree più remote dello stato ma duravano pure nelle meno remote e magari nelle più centrali, a confermare la durata delle strutture più tradizionali, capaci di particolare resistenza.

[1] In L. Pucci, *op. cit.*, p. 185.
[2] Su ciò L. Pucci, *op. cit.*, pp. 198-199.

Capitolo V. **Le straordinarie tensioni e i loro esiti**

1. Nell'Italia francese e napoleonica

La fine di Ercole III

Fuori dello stato, Ercole III si distaccò rapidamente dalle attenzioni riformatrici che aveva svolto durante il suo governo. In pochissimi mesi consumò la fiducia che aveva riposto nel marchese Gherardo Rangone e nel consiglio di governo presieduto da lui, e Rangone non sopportò a lungo che il duca ritenesse lui e gli altri ministri « fermi e coraggiosi » solo ai suoi danni, « irresoluti, pieghevoli e condiscendenti all'eccesso verso i sudditi », convinti del « falso principio » che l'Estense dovesse sostenere la sua parte delle contribuzioni di guerra che i francesi esigevano sempre più pesantemente [1]; sicché finì a sua volta per andarsene da Modena, mentre i francesi ai primi di ottobre di quel 1796 si attestavano più direttamente nell'ex capitale, e a Reggio gli animatori della repubblica proclamata nell'agosto continuavano nel loro proposito di consumare il proprio distacco dai modenesi e da ogni struttura politica dello stato precedente, mirando, insieme, a richiamare a sé tutte le giurisdizioni feudali dell'ex ducato reggiano.

Anche Rinaldo I d'Este e poi Francesco III nel primo Settecento avevano più volte fuggito le invasioni portandosi fuori dei loro domini; e certamente a sua volta Ercole III ritenne di porre al sicuro con la propria persona l'essenza stessa della maggiore tradizione politica dello stato, e ritenne altrettanto legittimo salvare la maggior quantità di denaro e di altri beni pubblici e non solo suoi privati, in una commistione antichissima di valori arroccati intorno alla sua riputazione. Dal canto suo Gherardo Rangone, che nel 1792 per evitare i « furori di Francia » aveva venduto una

[1] In M. Rabitti, *Gherardo Rangone*, cit., pp. 136-137.

terra che possedeva in Boemia ed aveva acquistato un « ampio stabilimento » in Pennsylvania, e poi aveva abbandonato quell'idea di lasciare addirittura l'Europa e forse non l'aveva abbandonata per la sola e sofferta perdita del primogenito mandato a perfezionare l'acquisto e morto di febbre gialla a Filadelfia [1], quando risolse il suo rapporto col duca andò a Venezia e successivamente a Vienna dove rimase sino alla morte nel 1815: e un tal fatto confermò anche di più il suo orientamento di fondo e i suoi limiti di pur impegnato riformatore. Il contrasto suo e degli altri del consiglio con Ercole III non rimase però contenuto nella rete delle tradizioni.

Non ripetiamo alcunché sulla vicenda che coinvolse la penisola italiana e i tanti suoi stati fra Sette e Ottocento, svolgendosi la rivoluzione in Francia e poi l'età napoleonica. Da quel tempo, ad oggi, si sono succedute e rinnovate innumerevoli occasioni di considerazione di quella vicenda e di ricerca delle lezioni, anche molto diverse fra loro, ricavabili via via di là per la realtà della penisola — si badi, per una realtà che vogliamo tuttavia ricordare come difficile, sovente, da confrontarsi con altre fuori dei suoi vari confini, perché in più àmbiti e piani non contemporanea con esse —.

Se per altro qui non v'è luogo per riandare alle considerazioni e alle ricerche, v'è di sicuro almeno il luogo per avvertire che nel gioco, pur raro, delle contemporaneità e delle occasioni d'incontro fra proprietari, speculatori, reggiani o modenesi o comunque delle aree già estensi più tesi al profitto, e gli operatori economici più preparati da tempo e che dal di fuori dell'ex stato estense subito con le prime presenze francesi avevano cominciato a venire avanti, e così nel mondo dei princìpi e delle realizzazioni del 1789 e nei loro primi esiti in Italia, Ercole III e Rangone e gli altri come lui non si ritrovarono affatto, si mossero fra le manifestazioni del nuovo con evidente anacronismo.

Con i francesi a Modena dall'ottobre 1796 lavorò un comitato di governo di sette membri e soppresse subito le giurisdizioni feudali e i titoli nobiliari, cercò di sostituire con strumenti più adeguati la ferma generale, abolì le corporazioni religiose rimaste. Poi si andò oltre. Più o meno decisamente che si fosse, ormai, nel paese, contro Ercole III, nessun vertice politico intendeva riportare indietro l'uno o l'altro momento della storia dello stato fino a quegli ultimi mesi, e un vertice nuovo stava bene sul capo dei reggiani e dei modenesi. Alla metà di ottobre fu così proclamata a Modena la confederazione cispadana, che volle riunire insieme per la prima volta quanti abitavano i territori gravitanti su Bologna, su Ferrara, su Modena e su Reggio. Se tuttavia Bonaparte perseguiva per

[1] G. B. Venturi, *Memoria intorno alla vita del marchese Gherardo Rangone letta al cesareo-regio istituto di scienze in Milano il giorno XIX dicembre MDCCCXVI*, Modena 1818, p. 42.

sé e per il direttorio il disegno di aggregazioni in Italia, la cispadana fu anche il frutto di una volontà locale anche reggiana, e modenese, di uscire almeno per certi versi dalle intenzioni autonomistiche tradizionali e più chiuse. Il frutto ebbe inoltre, e presto, qualche ulteriore maturazione.

L'abolizione della nobiltà decisa dalla cispadana confermò una linea non nuovissima, il tricolore deciso a Reggio nel gennaio 1797, poco dopo che la confederazione si era trasformata in repubblica, significò già di più: si andava avanti, i vecchi progetti di minori impacci alle relazioni economiche fra gli stati e di minori frazionamenti della carta politica italiana — anche la storia settecentesca della penisola ne aveva già annoverato più d'uno, e anche nella prima metà del secolo —, quei progetti venivano ricuperati, e trasformati da portatori nuovi. Il riconoscimento agli ebrei delle libertà civili e quindi anche del legittimo esercizio dei diritti politici fu compiuto sulla stessa via, ma l'aggregazione dell'ex stato estense alla Lombardia nel maggio 1797, la rifusione due mesi dopo della cispadana nella repubblica cisalpina, dislocarono a Milano e non più a Modena o a Reggio o a Bologna le attese e a volte le persone dei nuovi portatori.

E a questo punto, se non staremo troppo a ricordare che alcuni fra gli uomini anche già attivi nelle riforme del tempo estense passarono a Milano a sostenere il nuovissimo ordine di cose, ciò accadrà perché un Lodovico Ricci alle finanze, un Carlo Testi agli affari esteri, un Giovanni Paradisi fra i direttori della cisalpina, e con loro altri, e i collaboratori, procurarono sempre meno un qualche reale soddisfacimento alle aspettative modenesi o reggiane o di altri luoghi già estensi e alle altre, insorte nei repubblicani italiani fra il 1796 e il '97. Nell'ex stato estense si continuò dov'era meglio possibile sulle nuove strade, per cui ad esempio a Reggio la commissione di arti e di commercio poté dire nel 1798: «i pregiudizi introdotti nei governi di ferro han caricata la società di certi individui sedicenti nobili, che si vergognano d'esser utili a se stessi e alla sua patria col lavoro» [1]. Tuttavia il nuovo corso della storia di molte parti della penisola si svolse e superò rapidamente ogni corso che lo aveva preceduto, e poté portare con sé sempre meno gli interessati a lasciare indietro nel tempo la storia meno moderna dello stato già estense.

In questo, la storia meno moderna aveva già sempre continuato con le controrivoluzionarie manifestazioni in Garfagnana [2] e con molte altre di varia rilevanza a Mirandola e a Concordia e a San Possidonio e a Camposanto e a Novellara, a Cavriago e a Cella e a Sant'Ilario [3], e poi continuò,

[1] In O. Rombaldi, *Contributo*, cit., p. 122.

[2] V. già sopra, p. 157.

[3] L. Pucci, *Lodovico Ricci*, cit., pp. 192-193, 194, 197, 203, 205, 219; A. Reggiani, *Sommosse contadine*, cit., specie pp. 262 sgg. Sulla vicenda di Cavriago è poi ancor sempre

in primo luogo patrimonio dei nobili e degli ecclesiastici e dei lavoratori della terra per i quali il corso nuovo più o meno rapidamente non aveva mostrato e mostrò sempre meno volti sufficienti a farlo preferire al tradizionale, e neppure alle sofferenze più tradizionali e cioè più pesanti delle molte vittime del non ancora morto *ancien régime*. Qui non occorrerà sottolineare quanto fossero diverse tali ragioni le une dalle altre [1], né ricordare che almeno nei primi tempi il nuovo corso della storia interessò anche degli ecclesiastici e dei nobili e certe speranze contadine — e artigiane — di sorti migliori [2]. Molto presto ogni differenza tornò a cedere almeno nel fatto della massiccia opposizione.

Il duca, passato poi da Venezia a Treviso, rimase là anche quando i francesi dal giugno 1799 al giugno 1800 dovettero lasciare i dipartimenti del Panaro e del Crostolo, vale a dire i territori ex estensi diretti e indiretti che avevano via via ordinato così dal '96 al '98 riprendendo più o meno esattamente i confini dell'area modenese e dell'area reggiana dei tempi anteriori, e comprendendo nel primo dipartimento anche la Garfagnana, e nel secondo Massa e Carrara. Ai francesi subentrarono gli austriaci e governarono con una giunta, poi con una « reggenza imperial-regia provvisoria », per i ducati già estensi. Per altro l'intenso travaglio militare e politico generale europeo continuò anche allora ad escludere per Ercole III motivi di speranza in una ricostituzione del potere estense a Modena; e quando nell'ottobre 1803 Ercole morì, ultimo dei principi discendenti da Cesare d'Este, i francesi erano a loro volta subentrati agli austriaci e la cisalpina s'era mutata nella repubblica italiana di Napoleone e di Francesco Melzi d'Eril.

Carlo Testi, Achille Fontanelli, Giuseppe Luosi, stavano a Milano in quel governo e ciò mantenne ancora qualche legame fra il potere repubblicano e i dipartimenti del Panaro e del Crostolo ripristinati e via via riveduti nei confini, sottoposti, dal tempo della repubblica italiana, a un succedersi di prefetti e di loro collaboratori quanto mai colcolato [3], di uomini scelti fra « coloro che avevano occupato l'ala moderata dello schieramento democratico ai tempi delle rivolte di Reggio e Modena e dei successivi congressi cispadani » [4]. Ma non si andò più avanti, né si andò

da vedere O. Rombaldi, *L'insurrezione dei rustici e i giacobini reggiani (29-30 giugno 1797)*, in « Bollettino del Museo del Risorgimento », Bologna, V. 1960, specie pp. 866 sgg.

[1] V. tuttavia sulle loro ultime manifestazioni almeno A. Reggiani, *op. cit.*, *passim*, e ancora G. Orlandi, *Le campagne modenesi*, cit., *passim*.

[2] Su ciò v. pure A. Reggiani, *op. cit.*, pp. 261 sgg., specie p. 264; anche G. Orlandi, *op. cit.*, pp. 278 sgg.

[3] E che ora ha studiato con nuova attenzione L. Antonielli, *Le prefetture del Crostolo e del Panaro (1802-1814)*, in *Reggio e i territori estensi*, cit., pp. 149-175.

[4] L. Antonielli, *op. cit.*, p. 156.

fuori dai legami fra i pochi; aumentò col tempo anche il divario dentro i gruppi successivi di patrioti reggiani o modenesi e via dicendo, aumentarono le distanze fra quelli e i reggitori sempre più moderati dei dipartimenti; il moderatismo, che nei suoi tratti economici e sociali era tutto rivolto al sostegno della possidenza agraria laica, si precisò ulteriormente quando alla repubblica seguì il regno d'Italia con Napoleone re ed Eugenio Beauharnais viceré — sempre, a Milano —.

Le fortune sulla terra: tradizione e capitalismo

Nella concentrazione di interessi per la terra e per i capitali relativi alla sua proprietà e alle altre forme della sua valorizzazione — impegno che la presenza francese favorì anche e talvolta soprattutto portando alla confisca di certe grandissime proprietà nobiliari come quella di Maria Beatrice Cybo nel Novellarese, e di molti possessi ecclesiastici, e generalmente alla vendita di ogni bene confiscato come « bene nazionale » [1]; e impegno che a loro volta la costituzione della cispadana e le costituzioni successive definirono anche formalmente —, progredirono innanzitutto i proprietari e gli affittuari più capaci della pianura nell'area reggiana e nell'area modenese, proseguendo in più casi il lavoro che essi medesimi o altri come loro avevano avviato prima del 1796. Si trasformarono così « nude ghiare del Crostolo » e « terreni selvaggi » in risaie — a ovest e a est del Crostolo, ad Albareto, a Sassuolo e a Vignola, a Spilamberto —, li si trasformò in coltivazioni di viti e di grani e di patate, in orti, in nuovi impianti di gelsi e di olmi e di aceri, in più numerosi prati; si perfezionarono strumenti di lavoro — fra cui l'erpice —; si costruirono nuovi fabbricati rurali e nuovi scoli per le acque; si allevò più bestiame grosso.

Di quei proprietari e di quegli affittuari, e delle fortune degli uni e degli altri, abbiamo già da tempo notizie più o meno sparse e valutazioni comunque pertinenti [2]; dati recentissimi ora consentono di misurarne meglio la presenza fra gli anni immediatamente precedenti il 1796 e la fine del regno italico nel 1814.

Circa le sorti della pianura reggiana e dei suoi possidenti Spaggiari

[1] Su tale vendita ora sono da vedersi: O. ROMBALDI, *Agricoltori e agricoltura dei dipartimenti del Panaro e del Crostolo*, in « Contributi », I, 1977, pp. 54 sgg.; ID., *L'economia dei territori dei ducati estensi*, cit., pp. 68 sgg., note e tavole relative.

[2] Ricordiamo qui almeno alcuni fra gli autori di esse: C. PONI, *Aspetti e problemi*, cit., pp. 33 sgg.; O. ROMBALDI, *Contributo*, cit., pp. 40-42, 88 sgg., 116 sgg.; ID., *Storia di Novellara*, cit., pp. 281-290 e note; L. VIGETTI, *I Francesi a Carpi*, cit., specie capp. V e VI; V. CESTELLI, *Il Carpigiano nell'età napoleonica: economia e società*, tesi di laurea di storia moderna discussa nel marzo 1975 presso la Facoltà di Lettere e Filosofia di Bologna (relatore L. Marini), specie capp. III e IV.

informa, così [1], che delle 226.792 biolche complessive considerate da lui i privati possedettero una quantità via via maggiore: il 68,24 per cento nel 1791, l'82,80 per cento nel 1804, l'88,28 per cento nel 1814. Dei privati piccoli proprietari — da 0,1 a 34 biolche — i borghesi crebbero da 2506 proprietà con 18.957 biolche a 2830 proprietà con 29.720 biolche e a 3123 proprietà con 31.552 biolche, vale a dire passarono dal 63,07 al 74,82 all'82,28 per cento di tutta la proprietà della loro categoria; dei privati medi proprietari — da 34 a 340 biolche — i borghesi crebbero da 597 a 762 a 816 proprietà, da 56.568 a 64.513 a 78.101 biolche, dal 59,02 al 64,57 al 74,54 per cento della proprietà complessiva della categoria; e dei privati grandi proprietari — di oltre 340 biolche — i borghesi crebbero con un ritmo di particolare rilievo da 20 a 45 a 57 proprietà, da 13.522 a 29.727 a 40.197 biolche, dal 13,40 al 34,10 al 48,03 per cento della proprietà complessiva della categoria.

Patirono le diminuzioni di proprietà più rilevanti i nobili medi proprietari — dalle 67 proprietà con 12.714 biolche del 1791 alle 59 proprietà con 8751 biolche del 1814 —, gli ecclesiastici piccoli proprietari, dopo il 1804, gli altri ecclesiastici medi proprietari sempre più rapidamente dal 1791 in poi, gli ecclesiastici grandi proprietari, che addirittura nel 1814 risultarono scomparsi. A loro volta perdettero quota via via gli enti ecclesiastici secolari di ogni categoria, e scomparvero i regolari.

Tennero invece parecchie delle proprie posizioni i nobili grandi proprietari, che erano giunti in forze ancora al 1796. Essi passarono da 32 proprietà nel 1791 a 31 proprietà nel 1804 a 30 proprietà nel 1814, da 34.177 a 34.290 a 27.012 biolche, dal 33,87 al 39,34 al 32,29 per cento della loro categoria, favoriti dal moderatismo che caratterizzava il regno italico e beneficiando di qualche proficua concentrazione di proprietà; avendo 32 proprietà sulle 104 della categoria nel 1791, e 31 proprietà su 109 nel 1804, si trovarono così nel 1814 ad averne ancora 30 su 108, quindi mantennero, dal 30,77 per cento della categoria — e come numero di proprietà — posseduto nel 1791, il 28,44 nel 1804 e il 27,78 per cento nel 1814.

La sostanziale tenuta della grande proprietà nobiliare nella pianura reggiana è un dato che non va sconnesso dall'aumentata presenza borghese fra i piccoli, i medi, i grandi proprietari, e che non va sconnesso neppure dalla restante presenza nobiliare fra i proprietari, seppur questa diminuì fra il 1796 e il 1814; guardiamo infatti innanzitutto all'insieme della proprietà privata in quella pianura, e, poiché essa per l'appunto nel suo

[1] F. SPAGGIARI, *La distribuzione della proprietà fondiaria nella pianura reggiana (1791-1814)*, in *Reggio e i territori estensi*, cit., tabb. 1 A-9 C. Nel discorso di Spaggiari mancano i dati « per la zona di alta pianura compresa tra i comuni di Cavriago, Quattro Castella, San Polo, Sant'Ilario » (*ivi*, p. 200, n. 11).

insieme aumentò, cerchiamo di vedere se l'aumento fu anche della modernità dei modi e dei rapporti di produzione. Abbiamo infatti già detto sopra delle trasformazioni di terreni, delle colture nuove o intensificate, delle nuove costruzioni. Quelle novità non furono solo quantitative, è certo; ma di che segno furono i loro tratti qualitativi?

Per ciò che sappiamo, oggi meglio di ieri, sembra chiaro che nella maggior parte dei casi l'accresciuta presenza proprietaria privata non si realizzò ancora con caratteri capitalistici. I « rilevanti meccanismi di tipo usuraio » [1], che minavano da gran tempo e a danno del non proprietario i tradizionali contratti di mezzadria e molti affitti, cedettero il passo almeno in qualche iniziale misura dinanzi a modi certamente più razionali di condurre la proprietà e di realizzare la produzione e di soddisfare lo smercio dei prodotti; ma la maggiore razionalità accentuò l'indebitarsi già ricorrente di non pochi mezzadri e affittuari, e in particolare aggravò le condizioni di lavoro e di vita dei subordinati agli affittuari e ai mezzadri, ed esposti più o meno completamente ad ogni loro ricerca per parare i colpi subiti a propria volta da chi possedeva la terra. Insomma i « terreni selvaggi » si ridussero e dalla terra e dal bestiame si ricavò di più; ma il prezzo per quei risultati fu pagato il più delle volte in moneta ancora antica e non in moneta nuova.

Appunto per il Reggiano sono stati ricordati da poco fra i medi e fra i grandi proprietari borghesi del 1796-1814 «i volti nuovi dei Corbelli e dei Ferrarini, dei Levi e dei Carmi » [2], e fra i nobili recentissimi i Trivelli e gli Spalletti che avviarono « nelle proprie terre migliorie e trasformazioni fondiarie » [3]; ma si son pure ricordati gli « atteggiamenti vecchi » di altri e non pochi volti, condividenti « l'assenteismo fondiario tipico della tradizionale classe egemone » [4]. Per il Carpigiano Cestelli ha ricordato i Benassi, i Benzi, i Namias, i Rossi, a loro volta grandi proprietari borghesi e « rappresentanti di una borghesia mercantile ed usuraia, volta non al miglioramento della produzione agricola... ma alla semplice speculazione » [5]. Degli « speculatori Montanari, Nasi e Panisi » nel Novellarese dopo il 1800 disse già Rombaldi [6].

[1] M. M. Butera, *Forme di conduzione e problemi sociali nella pianura reggiana (1770-1820)*, in *Reggio e i territori estensi*, cit., p. 235. Per un tentativo compiuto nel 1797 dall'affittuario Francesco Barbieri, di Stuffione, che cercò di escomiare undici famiglie di mezzadri e di ridurle a prestarsi « alla coltivazione degli effetti loro per le mercedi », v. C. Poni, *op. cit.*, p. 38.

[2] M. M. Butera, *op. cit.*, pp. 249.

[3] C. Capra, *Società e Stato nell'età napoleonica*, in *Reggio e i territori estensi*, cit., p. 27.

[4] M. M. Butera, *op. cit.*, *ivi*.

[5] V. Cestelli, *op. cit.*, pp. 135-141.

[6] *Storia di Novellara*, cit., p. 285.

Di qualche « progressivo, seppur timido innestarsi di elementi capitalistici, come il lento, ma graduale estendersi di risaie e prati condotti in economia » e che accennò a prime forme di allontanamento dalla mezzadria e ad un « crescente ricorso al lavoro salariato », Butera ha detto da poco [1]. Ma di nuovo, guardando agli affittuari investiti dai proprietari di quei nuovi impegni colturali e tecnici, la stessa ha ritenuto di dover « escludere la possibilità di riconoscere in queste condotte i caratteri tipici dell'affittanza capitalistica », per essere tali affittuari « mercanti, esattori d'imposte, negozianti, più spesso fornai, "vendifarina", mugnai, per nulla interessati ad accrescere sostanzialmente la produttività del fondo locato, ma solo a ricavarne prodotti per i loro commerci in modo diretto e, il più delle volte, con colture di rapina », e frequentemente col subaffitto [2]; e ha poi anche detto della « esasperazione dei consueti orientamenti produttivi, nel senso di un'ulteriore espansione della cerealicoltura a scapito di boschi, pascoli e incolti » [3], e ha aggiunto che « ancora sul volgere del periodo napoleonico... assai arretrata appare l'evoluzione capitalistica delle altre terre dell'ex ducato estense » [4].

Rombaldi ha sinora accertato 374 acquirenti di beni nazionali a Modena dal 1798 al 1813, per 52.646 biolche, e 309 acquirenti a Reggio nello stesso periodo di tempo, per 25.089 biolche; inoltre nel Reggiano l'ospedale grande della misericordia di Parma acquistò 5.018 biolche [5]. Alle 82.754 biolche complessive devono poi essere aggiunte le terre della montagna e della pianura « di cui non fu indicata l'estensione » nei documenti che Rombaldi ha visto [6], e vanno aggiunti altresì le case, i livelli e i censi rilevati per il dipartimento del Crostolo [7], ma non ancora per quello del Panaro. Il numero di acquirenti e di acquisti che sinora conosciamo per l'area modenese, i nomi carichi di tradizione dei Rangone e dei Campori e dei Carandini e dei Molza e dei Cesi e di molti altri, non significarono né produssero un impegno economico e politico nettamente superiore e cioè più moderno di quello realizzato là prima dell'arrivo dei francesi. Più o meno costretti a sostenere col proprio denaro e con gli altri propri mezzi la presenza francese nello stato, i nobili nella massima parte dei casi

[1] M. M. BUTERA, *op. cit.*, p. 246; e v. anche O. ROMBALDI, *Agricoltori e agricoltura*, cit., pp. 69-71.

[2] M. M. BUTERA, *op. cit.*, pp. 246-247; e v. ivi, pp. 246-248, per i nomi ricordati di Reggio, di Modena, e di altri luoghi, e per gli altri nomi del « folto gruppo dei fideiussori ».

[3] M. M. BUTERA, *op. cit.*, pp. 250-251.

[4] M. M. BUTERA, *op. cit.*, p. 251, n. 37.

[5] O. ROMBALDI, *L'economia dei territori dei ducati estensi*, cit., p. 70 e n. 43; per i nomi e per i singoli acquisti v. le tavole 4, 5, 6 alle pp. 80-95.

[6] O. ROMBALDI, *op. cit.*, p. 70.

[7] O. ROMBALDI, *op. cit.*, pp. 70 e 75-76.

acquistarono beni nazionali per ricuperare ciò che avevano speso, non per « inserirsi nel vortice delle vendite ». Aumentò ancora l'interesse per la proprietà fondiaria, ma solo di rado si ebbero adeguamenti o tentati adeguamenti dei proprietari ai livelli di impegno del tempo nel quale essi si trovavano pure a vivere [1].

La non contemporaneità dei più fra di essi, anche nell'area modenese, nei confronti di molti operatori economici del loro stesso campo nel restante dell'Italia francese, e in specie del regno italico, può esaltare maggiormente i pochi e contemporanei a quegli altri operatori — fra di essi un Giulio Cesare Ferrari, un Antonio Veneri —, non contribuisce invece a un giudizio complessivamente meno limitativo della qualità delle esperienze compiute in vaste parti dell'ex stato estense fra il 1796 e il 1814.

L'allargamento del mercato, che le nuove esperienze avevano portato o portarono via via con sé, fu insomma accolto o comunque inteso nell'insieme ad ulteriore vantaggio finanziario ed economico e politico di gruppi che nella loro composizione dominante non si rinnovarono a sufficienza, sicché non si posero in grado di concretare una più moderna qualità della propria presenza in un mondo che pure per tanti versi cambiava e stimolava a cambiamenti; e premendo, ancor più che prima del 1796, sui lavoratori, quei possidenti vecchi e nuovi prepararono anche a sé un futuro di difficoltà economiche e politiche più possibili che se avessero tratto migliori vantaggi dalle esperienze loro offerte in quegli anni eccezionali.

La presenza ancora cresciuta, dopo il 1796, dei Sacerdoti, dei Formiggini, degli Usiglio, e generalmente degli ebrei modenesi e reggiani e di altri luoghi dei dipartimenti nella proprietà terriera e più vivamente nel commercio [2], a sua volta confermò una delle massime tradizioni di tutta la vita dell'ex stato, e si trattasse pure della sua tradizione meno municipale, anzi notoriamente della tradizione più ricca di agganci col mondo esterno dei traffici e del denaro. E se novità vi furono in quelle fortune ebraiche, il cui internazionalismo ancora crebbe, si trattò di novità per così dire a sé stanti, svolgentisi per le vie di una storia che non aveva mai avuto connotazioni innanzitutto dettate in singoli stati.

L'ulteriore decadenza delle arti

« Il trafficante non coltiverà mai il patriottismo puro e sincero... la ricchezza della nazione non consiste già nel denaro, il quale non si consu-

[1] O. Rombaldi, *op. cit.*, pp. 70-71.

[2] Nuovi dati in O. Rombaldi, *Agricoltori e agricoltura*, cit., *passim*; Id., *L'economia dei territori dei ducati estensi*, cit., pp. 71-74 e tavole 5 e 6.

ma, ma bensì nelle derrate che si consumano »[1]; i disoccupati o i sottoccupati dovevano attendere la loro occasione di lavoro nell'ordine agrario dei moderati, altrimenti erano visti come incapaci, rissosi, pericolosi a sé e al loro prossimo. Nella condizione proprietaria, che disconosceva le arti e i commerci e celebrava la terra, e che già patì sempre nel suo interno e verso l'esterno dei limiti di modernità di cui abbiamo visto qui sopra alcuni tratti, e che si svolse necessariamente nella continua immensa macchina napoleonica fiscale e di guerra; in quella condizione o necessariamente in relazione con essa; lo spazio per ciò che essa disconosceva fu ogni volta trovato con molta fatica, e sappiamo quanto si fosse andato riducendo già prima del 1796.

Ferdinando Porro, prefetto del dipartimento del Crostolo dal 1809, non disse cose nuovissime quando nell'11 scrisse da Reggio: « arricchite queste famiglie con la seta, abbandonarono la mercatura ed impiegarono i vistosi loro capitali nell'acquisto di grandi proprietà fondiarie, dedicandosi alle speculazioni dell'agricoltura, e da quell'epoca la vita della città riportò un colpo mortale. Migliaia di operai rimasero senza lavoro in preda alla miseria, e il commercio estero rivolse altrove le sue corrispondenze, per cui a poco a poco la lavorazione della seta si ridusse a pochissimi oggetti e quasi tutti di semplice consumo interno della provincia. Col progresso del tempo, venendo meno ogni giorno gli operai di qualche abilità, giacché la scarsezza del travaglio non alletta più ad apprendere il mestiere, ed essendo perfezionate le manifatture nei vicini paesi, che offrono allo speculatore un maggiore interesse a fare colà le sue provviste, le piccole lavorazioni si sono ristrette e vanno giorno per giorno decadendo, come osservasi in questi ultimi tre anni »[2]. In quel dipartimento, ancora nel 1809 non c'erano macchine per lavorare la canapa — che in parte era importata —, e nel 1811 non v'era nessuna manifattura di lana[3]. A Modena la ditta Nizzoli e Boni occupava nel 1811 per la lavorazione della lana solo più un centinaio di persone, e sempre a Modena anche la lavorazione della seta — molto spesso in mani ebraiche — si ridusse progressivamente, e così

[1] Così nel 1799 il reggiano Giacomo Lamberti: in O. Rombaldi, *Gli Estensi al governo di Reggio*, cit., pp. 122-123; su di lui, « grosso nome del periodo cisalpino », v. pure L. Antonielli, *op. cit.*, p. 155.

[2] In O. Rombaldi, *Contributo*, cit., p. 112. Sulla ulteriore crisi delle manifatture reggiane di seta dopo il 1796 v. ancor sempre N. Campanini, *Ars siricea Regij*, cit., pp. 256 sgg.

[3] Una qualche piccola attività, anche con non meglio precisate « macchine » inventate dall'arciprete Platesteiner di Luzzara in una scuola di carità per fanciulle da lui istituita e dove si filavano il lino, la canapa, il cotone, lane, e nel 1811 lavoravano 118 persone, fu già per altro ricordata da O. Rombaldi, *Gli Estensi al governo di Reggio*, cit., p. 132, n. 27.

accadde a Spilamberto e a Sassuolo: anche il blocco continentale cospirò a danneggiarla [1].

Che Modena anche dopo il blocco continentale o proprio in conseguenza di esso fosse rimasta o fosse divenuta un luogo importante di transito di merci da e per la Francia e le province illiriche e la Baviera e la Germania, da e per il nord e l'ovest e il sud dell'Italia, è cosa che fu registrata a suo tempo e che dev'esserlo certamente anche ora [2], ma almeno sin qui non risulta che abbia significato un fatto che incise positivamente nell'economia dell'ex capitale.

Con i suoi accenni alla terra, al commercio estero, agli speculatori, all'impoverimento degli operai, il prefetto del dipartimento del Crostolo insomma riassunse anche la realtà di molta altra parte dei luoghi già estensi. L'incontro fra le storie di quei luoghi anteriori al 1796 e già all'89, e le storie più avanzate e non da poco tempo di luoghi vicini e meno vicini fu accennato anche da quel riassunto, ma non c'è bisogno di insistere su di esso più che tanto, le differenze fra le une e le altre storie non possono avere bisogno di ulteriori notizie perché fanno parte delle comuni conoscenze sulla storia d'Italia fra il Sette e l'Ottocento, fra l'*ancien régime* e la restaurazione seguita alla fine di Napoleone in Italia e fuori.

La presenza francese e le guerre comportarono pure qualche intensificazione di produzioni e di vendite, « le grandissime chiamate per servizio delle armate francesi » accrebbero fortemente lo smercio dell'acquavite e del vino già nel 1796 e nel '97, la stessa cosa accadde con le calzature [3]. La diffusione delle risaie si giovò degli sbocchi aperti dall'appartenenza della pianura reggiana e della modenese alla repubblica cisalpina e poi via via agli altri nuovi organismi fino al regno italico. In una delle due concerie di pellami sorte a Reggio, nella ditta Bianchi e Borini che aveva introdotto la concia alla francese, lavorarono anche otto operai francesi con gli altri a trattare « corami d'ogni sorta, pelli di vitello, capra, montone per scarpe e stivali, pelli colorate e pelletterie per finimento ». « Bottiglie ad uso di Francia » si presero a produrre a Reggio; là, e a Modena, sorsero fabbriche di vetri più vitali delle precedenti che si erano tenute su in primo luogo perché aiutate dal favore estense. Scope e stuoie furono

[1] V. su tutto O. ROMBALDI, *Contributo*, cit., pp. 108-115; e ancora G. BOCCOLARI, *Aspetti dell'industria e del commercio a Modena dall'età napoleonica al 1859*, in *Aspetti e problemi del Risorgimento a Modena*, cit., pp. 72 sgg., e C. PONI, *op. cit.*, p. 40.

[2] O. ROMBALDI, *op. cit.*, p. 120.

[3] V. in O. ROMBALDI, *op. cit.*, p. 88. Sull'acquavite prodotta nel Carpigiano ed esportata dal 1796 in poi v. pure e in particolare L. VIGETTI, *op. cit.*, pp. 152-153, e V. CESTELLI, *op. cit.*, pp. 60, 70-71, 109.

prodotte in numero crescente nella pianura reggiana, ed esportate in quantità anche notevole. I carpigiani cappelli di truciolo, quando non vennero più mandati in Inghilterra, vennero esportati in Francia, e per quella manifattura nel 1808 lavoravano 600 persone a Carpi e 150 nelle ville vicine [1].

Ma la presenza francese non va misurata — se mai ciò fosse già possibile — solo per qualche incremento che comportò nell'economia dei dipartimenti o per il decremento anche notevole che provocò in taluni suoi luoghi e in modi più o meno diretti, per cui ad esempio l'aumentato dazio sul rame creò difficoltà serie alla produzione in rame che si faceva a Montecchio e a Sassuolo [2], nel dipartimento del Panaro dal 1806 aumentò l'introduzione di prodotti francesi, le diminuite possibilità di certe vie di traffico danneggiarono a Carrara l'industria del marmo e a Massa la lavorazione delle pelli, il commercio dei reggiani con i parmigiani, annessi all'impero napoleonico e non al regno d'Italia, si fermò [3], e generalmente divennero presto « moltissimi i generi e le manifatture che s'introducono dall'impero nel regno d'Italia » [4].

Nei casi positivi, e in questi e in altri non positivi, occorre sempre vedere l'economia dell'ex stato estense nei suoi legami con l'economia regolata dagli interessi francesi, dalle vicende francesi, ancorché non solo da esse. (Il peso di non poche importazioni dalla Toscana e dalla Germania e da Venezia non aveva forse una sua storia, antica, nella quale la storia delle importazioni dalla Francia era entrata spesso molto più tardi?). Né il discorso si potrebbe fermare alle relazioni fra le economie. Così come il contrabbando, che risentì vistosamente degli svantaggi e dei vantaggi di quelle relazioni, potrebbe venir preso in esame solo dentro di esse.

E forse sarebbe già sufficiente l'accenno al contrabbando per riportare il discorso nei termini generali che richiede la considerazione degli anni 1796-1814 nell'ex stato estense, quindi per riportarlo sui « divari fra le storie » di cui dicevamo anche poco fa qui sopra. Si deve andare, infatti, oltre la considerazione delle fortune sulla terra e delle varie sorti delle arti e dei traffici; e ci si deve diffondere almeno un poco sui dissensi che la

[1] Su tutto v. O. Rombaldi, *op. cit.*, pp. 100 e 115-116. Sulla produzione dei cappelli di truciolo sono più particolarmente da vedere L. Vigetti, *op. cit.*, pp. 66-76, e V. Cestelli, *op. cit.*, pp. 74 e 78-90, 153-161. Un cenno è anche nel contributo di G. Boccolari in L. Amorth, *Modena capitale*, cit., p. 281 (sull'imprenditore Giuseppe Menotti), e che è una ripresa dallo stesso Boccolari, *Aspetti dell'industria*, cit., p. 75.

[2] O. Rombaldi, *op. cit.*, p. 116.

[3] O. Rombaldi, *Gli Estensi al governo di Reggio*, cit., pp. 124-125; Id., *Contributo*, cit., pp. 118, 119.

[4] In O. Rombaldi, *Contributo*, cit., p. 119.

storia nuova e quella meno nuova dei possidenti e dei governanti provocarono nei dipartimenti fra i proletari di ogni luogo, anche a rilevazione e a conferma di tanta altra e non proletaria opposizione. Allora, i divari fra le storie saranno visti finalmente e con una completezza almeno relativa nel loro spessore, e perciò nei caratteri con i quali l'ex stato estense si trovò ad affrontare dal 1814 la realtà subito pesante della Restaurazione.

I dissensi, le insorgenze

« L'amore per il comando dei poveri sopra i ricchi » manifestatosi nell'autunno 1796 in Garfagnana segnalò al tempo stesso un'opposizione alla storia nuova e un'ennesima conferma della volontà di una storia propria dei più fra i garfagnini stessi. I tanti giovani, che affollarono l'università modenese da quel tempo in avanti e che una informazione singolarmente efficace descrisse poi al governo imperiale a Vienna [1], mostrarono a loro volta e in forme diverse anche in relazione alla loro provenienza un amore non scarso per affermazioni sociali prima non raggiungibili. I rustici di Cavriago nell'estate 1797 si opposero ai nuovi contratti e alle nuove risaie che aumentavano il loro sfruttamento, ma quella, e ogni altra protesta del genere in quel tempo, non fu certo slegata dalla tradizione delle proteste e delle reazioni alla storia padronale dei tempi anteriori al '96 nello stato. Fermiamoci un momento ed osserviamo che un elenco dei dissensi e delle insorgenze dal 1796 in poi, magari una registrazione cronologicamente ordinata degli uni e delle altre, non sarebbero operazioni corrette perché raccoglierebbero in un'unica sede memorie di fatti anche diversi, ognuno con una propria età e dunque con una propria qualità.

E tuttavia non sarebbe neppure il caso di moltiplicare gli elenchi e la registrazione delle qualità. Date le molte e varie vicende delle aree e in esse delle classi, e dei governi, dello stato, per i tempi sino al 1796 l'operazione sarebbe corretta. Lo sarebbe anche per i tempi successivi di quelle aree. E per altro essa qui non sarebbe sufficiente. Urge infatti di più rilevare le linee comuni dei dissensi e delle insorgenze dal 1796 in poi, e fra di esse le linee dei dissensi e delle insorgenze che si manifestarono tra i proletari della campagna e della montagna, perché quelle linee furono il nuovo che contò di più in tutto un àmbito dei divari fra le storie, e a noi qui preme appunto continuare a caratterizzare i divari.

Beninteso anche il vecchio contribuì al nuovo. Se per esempio la fiscali-

[1] Nel 1799: è in O. Rombaldi, *Gli Estensi al governo di Reggio*, cit., p. 120; ripresa ora da C. Capra, *op. cit.*, p. 15.

tà impiantatasi nei luoghi già estensi colpì fin dall'inizio i montanari molto più che gli stessi contadini della pianura [1], certo il fatto si innestò sui tempi precedenti il 1796 [2]. La concomitanza di carestie, requisizioni militari, operazioni di speculatori, fiscalità del governo centrale, quante volte si era già data prima del 1796? Ed essa aveva reso tutti quei momenti « particolarmente inquieti » per i più poveri, come poi accadde nel 1801 e nel 1802 [3]. Le diserzioni degli arruolati a forza erano sempre state cosa normale nell'*ancien régime* e lo furono anche nello spesseggiare delle imprese di Bonaparte e dopo il colpo di stato che il generale fece nel novembre 1799.

E inoltre: che sovente i « briganti », i « banditi », siano stati sostenuti dal consenso di popolazioni contadine o montanare, non siano stati denunciati da chi pure nelle municipalità avrebbe dovuto farlo, può ricordarci fra gli altri le popolazioni e anche i « birri », i quali nel Reggiano del governatore Rondinelli non si comportavano molto diversamente dalle guardie campestri e dai sindaci che prima e dopo il 1809 spesso non seppero, non videro, non agirono. E se l'appoggio ai dissenzienti più attivi, armati, antifrancesi, fu dei più in intere regioni, ciò accadde perché esso si valse anche di tutte le storie precedenti dei dissensi e delle lontananze oggettive dai privilegiati, e dai borghesi più vicini a loro, che avevano qualificato per secoli e pur nei suoi momenti specificamente diversi l'uno dall'altro la realtà generale dello stato estense. Nei dipartimenti del Panaro e del Crostolo certa protesta riprese bene anche i vecchi diritti comunitari sui pascoli e sui boschi, che le nuove leggi sulla proprietà, aggiungendosi magari a riforme del tempo estense, contribuivano a loro volta ad alterare, e in altri casi si rivolse contro abolizioni mancate di diritti feudali, e insisté sempre nella distruzione di archivi comunali e parrocchiali e dei vari registri che altrimenti avrebbero rivelato età, imposte e tasse da pagare, doveri e non diritti di vario genere: allora il vecchio contribuì al nuovo nella misura in cui ricordandogli la propria efficace pericolosità lo animò a lotte più intense.

Certo, dal 1796 le diserzioni divennero sempre più numerose; e divennero più frequenti i tumulti anche nei centri maggiori — nel 1801-2 a Reggio, a Modena, a Sassuolo, a San Felice; e lasciamo di ricordarne altri per quel tempo e per gli anni successivi —. Soprattutto si intensificò il va e vieni degli « oziosi », dei « discoli », dei « vagabondi » fra un luogo e

[1] L. Pucci, *op. cit.*, p. 234; Id., *Indagini sul brigantaggio nel dipartimento del Panaro e del Crostolo*, in *Reggio e i territori estensi*, cit., p. 275.
[2] E dei quali abbiamo detto più sopra: v.
[3] L. Pucci, *Indagini*, cit., pp. 275-276.

l'altro dei dipartimenti, e cioè il brigantaggio divenne sempre più diffuso e più impegnativo per quanti se ne dovettero occupare.

La maggiore o minore « tradizionalità », così come l'aumento numerico dei fatti che l'ordine costituitosi via via dal 1796 temeva e doveva affrontare, non valsero tuttavia solo ad un semplice uso o ricupero del vecchio e da parti anche opposte; nel clima insorto col '96 furono avviati rifusioni, mutamenti di qualità. Non stupisce dunque che sia stato violento, cioè che abbia provocato non soltanto resistenze ma almeno degli inizi di trasformazioni, « l'impatto dell'ordine napoleonico con quella fascia di popolazione tradizionalmente itinerante come braccianti stagionali, braccianti girovaghi, pastori, raccoglitori di bachi da seta, mendicanti, randagi di professione, pellegrini, lavandai, rivenduglioli ambulanti, conciacanape, spazzacamini, portatori d'acqua, carbonai, pettinari, calzolai, bottai » [1]; e integriamo pure ancora tutto ciò col ricordo di ogni altro componente, anche dei meno itineranti, delle masse rurali e proletarie urbane incessantemente richieste del consenso più rischioso e cioè di quello della vita stessa per la maggior gloria dei possidenti e della Francia. « La maggior parte dei coscritti sono contadini, ortolani, braccianti, artigiani, mentre i possidenti sono meno dell'1% » [2]. Ogni forma di dissenso alimentò il distacco dal potere che reggeva i dipartimenti; si andò dai molti modi per eludere legalmente la coscrizione — Schiaffino ha detto in proposito cose nuove di avvertito interesse [3] —, alle fughe in luoghi sicuri, alla partecipazione a bande armate.

L'incrudire del potere aggravò ogni dissenso, le sue incapacità o impossibilità — per esempio nella Garfagnana [4]! — favorirono lo stesso risultato. I luoghi sicuri per quanti sfuggivano al potere, o gli si opponevano decisamente, si moltiplicarono; valli, paludi, boschi nella pianura e nella montagna, testimonianze anche di quelle differenze fisico-ambientali antiche e meno antiche delle quali non dobbiamo mai dimenticare l'incidenza su ogni altra realtà, sostennero le fughe e le lotte. Le bande crebbero di numero e di componenti, agirono nell'ex stato e dal di fuori su di esso.

I tempi più caldi dei dissensi durarono in una loro prima fase sino agli inizi del 1806; nell'ottobre del '5 il prefetto del dipartimento del Panaro Gaudenzio Maria Caccia poté addirittura scrivere che negli ultimi due

[1] L. Pucci, *op. cit.*, p. 276.

[2] L. Pucci, *op. cit.*, p. 277.

[3] A. Schiaffino, *Coscrizione e nuzialità in età napoleonica*, in *Reggio e i territori estensi*, cit., pp. 179-196. Sulla « sostituzione », che permetteva agli abbienti di sottrarsi pagando al servizio militare e quindi favoriva di nuovo i possidenti, v. L. Pucci, *op. cit.*, *ivi*.

[4] V. in proposito, e sulla cessione della Garfagnana allo stato di Lucca nel 1806, L. Antonielli, *op. cit.*, pp. 157-161, 167-168.

mesi gli omicidi nei cantoni della montagna erano aumentati di numero, « e sembra quasi che il carattere degli abitanti siasi cambiato »[1]; nel gennaio del '6 egli segnalò « una banda di fuorusciti armati di fucile », e che erano passati per Castellarano diretti a Sassuolo senza essere ostacolati da nessuno[2]. E quante altre testimonianze sarebbe facile raccogliere in proposito! I dissensi ripresero poi ad acuirsi dagli inizi del 1809 nella montagna modenese, poi dal maggio a Reggio e a Modena e nella loro campagna anche per via del dazio sul macinato allora imposto. E si svolsero poi anch'essi sempre legati strettamente con le sorti di tutti i dipartimenti e non dei due soli che seguiamo di più, collegati con ogni momento della presenza francese in Italia e fuori e delle reazioni ad essa austro-imperiali, inglesi, ecclesiastico-pontificie — nella maggior misura, queste, dopo che Pio VII fu arrestato e portato in Francia nel luglio 1809.

L'ampiezza, la capillarità del fatto del dissentire, la sua incidenza nel rapporto con i possidenti e con i governi moderati e a loro danno, oggi più che mai sono fuori di ogni discussione; il loro peso negativo nello svolgersi della storia dei possidenti e dei governi moderati dentro e fuori dello stato ex estense è già ben conosciuto. Ed esattamente, in quella negatività non è stata vista la modernità che non c'era, e si è detto bene che nei dissenzienti, negli insorgenti stessi, di solito mancò « una coscienza sociale e politica esprimibile nella speranza, nell'utopia o nella disperazione »[3]; si è stati prudenti quando pur si è creduto di dire che « in profondità », ma ancora oscuramente, era la questione della proprietà della terra quella che veniva avanti[4]; si è ricordato di nuovo quanto convissero con le altre e più personali ragioni dei dissenzienti le ragioni dei più forti e tradizionali oppositori laici ed ecclesiastici ai tratti più nuovi dell'età avviatasi col 1796.

« Dopo il 1809 non fu più possibile riportare la tranquillità sulla montagna, ormai zona endemica di moti e infestata da gruppi armati di renitenti alla leva »[5]. E se andò un po' meglio per i francesi e per i governanti moderati nella pianura, per altro anche nel corso del 1811 e almeno intorno a Modena durò « la presenza di un avanzo di que' miserabili che si erano immaginati di poter disciogliere le legittime autorità »[6], e in seguito crebbero ovunque le già croniche difficoltà del reclutamento. Stan-

[1] In L. Antonielli, *op. cit.*, p. 167.
[2] In L. Antonielli, *op. cit.*, p. 169.
[3] L. Pucci, *op. cit.*, p. 279.
[4] L. Pucci, *op. cit.*, p. 285.
[5] L. Antonielli, *op. cit.*, p. 171.
[6] Così il consigliere della prefettura, Vincenzo Besini, nel febbraio 1812: in L. Antonielli, *op. cit.*, p. 172.

chi per altro anche molti possidenti, premuti da tanti e vari pesi che gli riusciva sempre meno di mantenere l'interesse un tempo insorto in loro per il nuovo regime, si arrivò alle più gravi difficoltà napoleoniche e alla caduta finale del regno italico in una certa inevitabile confusione di parti: ma ricordando tutto diciamo che le forme, con cui proprio il divario tra vecchio e nuovo giunse al 1814, non risultarono davvero confuse. Nel loro crescere, i dissensi e le insorgenze dei proletari definirono almeno in negativo e aspramente come non mai tutta una fascia di divari tra vecchio e nuovo nei territori già estensi.

I divari fra le storie

Il 4 ottobre 1796 da Milano Bonaparte denunciò l'armistizio che era valso fino allora con Ercole III, e poco dopo la presenza francese a Modena cambiò decisamente di segno; ma per motivare il superamento dell'armistizio si disse fra l'altro in quella dichiarazione che il duca, « lungi dal rientrare nei suoi stati », ne era rimasto e ne continuava a rimanere assente[1]. Il comitato di governo che si impiantò così volle rassicurare del proprio rispetto per il cattolicesimo e per la proprietà i contadini e i possidenti, e il 16 ottobre rivolse un appello in tal senso indirizzandolo ai « cittadini dello stato di Modena »[2]. Gli ebrei di Modena e di Reggio, disse il 2 dicembre una grida rivolta a loro, dovevano ormai « concorrere al governo puramente temporale di questi stati »[3]. Con Lodovico Ricci, passato a Milano, il 23 maggio 1797 Compagnoni lamentò il peso fiscale instauratosi con la presenza francese, e che tendeva « a svuotare lo stato di ogni genere senza pagamento di dazi »[4].

« È accorsa all'università una moltitudine di giovani soverchia ed enormemente sproporzionata alla popolazione di questi stati », disse nel 1799 l'informazione a Vienna che ricordammo già; e aggiunse: « furono difatti allievi dell'università quelli che più di ogni altro si abbandonarono alla rivoluzione in Modena e in Reggio e nelle altre città, terre e luoghi dello stato »[5]. Lasciamo di osservare — non è più necessario — quanto fosse affrettata e manchevole l'affermazione sui rivoluzionari, continuiamo invece a seguire i modi di nominare i domini già estensi. E così leggiamo che sempre nel 1799 a Reggio persistevano contro gli austro imperiali le

[1] In L. Amorth, *op. cit.*, p. 271.

[2] In L. Pucci, *Lodovico Ricci*, cit., p. 192.

[3] In A. Balletti, *Gli Ebrei e gli Estensi*, cit., p. 232.

[4] In L. Pucci, *op. cit.*, p. 220.

[5] In O. Rombaldi, *op. cit.*, p. 120.

azioni dei « democratici », i quali oltre tutto mantenevano « corrispondenza coi loro simili sparsi nello stato e nei paesi vicini... » [1].

« L'inconveniente che risulta dalla confinazione dello stato di Parma — osservò nel 1807 la camera di commercio di Modena — si è che le daziarie francesi in detto stato non ammettono transito... » [2].

Ossequiando a Vienna Francesco IV d'Austria Este, nuovo duca dopo la fine del regno italico, i modenesi recatisi là esaltarono le vittorie contro la Francia napoleonica e i vittoriosi, che nel febbraio 1814 avevano « preso possesso degli stati estensi » [3].

Neppure qui vogliamo fare degli elenchi, e tuttavia è certo che abbiamo ricordato linguaggi di governanti pro francesi e linguaggi di conservatori, modenesi o reggiani o di altri luoghi già estensi, e cioè abbiamo ricordato linguaggi di uomini che avevano vissuto o vivevano in misura diversa le esperienze nuovissime e la tradizione. Su un termine chiave come la parola « stato » quegli uomini concordarono. Pur nella inevitabile rapidità di questi accenni, crediamo di poter sottolineare la concordanza e vorremmo solo poterla provare più a lungo. Essa collegò molti negli ex domini estensi, significò una persistenza di modi di intendere che non era davvero superficiale. Ai sostenitori più convinti della novità impostasi allo stato nel 1796 essa non impedì di usare un linguaggio diverso e di parlare di patria, di nazione, di repubblica o di dipartimento e di cantone, ma quei sostenitori furono in molto minor numero. Un confronto tra i linguaggi usati dagli autori delle varie posizioni economiche e politiche e intellettuali operanti negli ex domini estensi dal 1796 al 1814 è indispensabile per la sua parte nella considerazione di ciò che allora mutò e di ciò che non mutò in quei domini.

Il confronto tra i linguaggi richiama gli altri confronti che nella misura del possibile abbiamo già compiuto relativamente alle realtà dei governi, della economia terriera e delle manifatture e dei traffici, dei dissensi e delle insorgenze, dopo il 1796. Qui, il richiamo può esser ripreso un momento per una conclusione generale.

E una conclusione generale è certamente tentata di rifarsi al progresso della proprietà terriera borghese, alla tenuta della grande proprietà terriera nobiliare, e, di contro, all'aggravata distanza da esse dei più fra gli abitanti della campagna e della montagna: vale a dire agli accadimenti di maggior rilievo che si compirono fra il 1796 e il 1814 nella realtà economico-sociale dell'ex stato estense in conseguenza di vicende eccezionali, non

[1] In O. Rombaldi, *op. cit.*, p. 135.
[2] In O. Rombaldi, *op. cit.*, pp. 124-125.
[3] In L. Amorth, *op. cit.*, p. 290.

compatibili con la massima parte dei ritmi che pure anche con innegabile modernità avevano segnato quella realtà e le altre realtà politiche e intellettuali dello stato fino al '96. Nei luoghi, già estensi, dal 1796 si vissero divari crescenti fra le maggiori fortune che vi si affermavano e le maggiori fortune degli altri e già più avanzati luoghi dell'Italia di quell'età napoleonica; e al disotto di tali divari se ne vissero altri, fra i più e fra i meno consonanti con le esperienze che la nuova età comportava, e fra i consonanti e gli oppositori. Venuta meno con la fine del governo estense una delle strutture dello stato, ed entrate le altre strutture in esperienze prima impensabili o comunque non possibili e nelle relazioni con altre realtà economiche e con altri poteri politici, non diciamo che allo stato « estense » seguì dal 1796 uno stato diverso, ricordiamo piuttosto di nuovo che l'ex stato estense fu via via composto e ricomposto di realtà economico-politiche diverse e più complesse e talora più vaste — e nel 1806 Massa e Carrara e la Garfagnana già estense furono date allo stato di Lucca, e al dipartimento del Crostolo e sino al 1811 fu annessa la Lunigiana che gli Estensi non avevano mai governato; sempre nel '6 a quel dipartimento fu annesso l'ex ducato di Guastalla tolto a Parma, e nell'11 gli furono annessi i « territori imperiali al di qua dell'Enza » [1]. E per di più, l'ex stato estense fece parte via via di altri stati e per un tempo che nel 1814 era ancora troppo breve per rendere possibile alle varie anime dei suoi lunghi decenni anteriori al 1796 una qualche rifusione in una realtà statale almeno relativamente organica e, così, nuova.

Dal 1796 al 1814 l'ex stato estense visse fra novità e continuità. Per gli uomini suoi che meglio tennero delle novità ideologiche e politiche, per loro e per gli altri che parteciparono meglio delle novità economiche — le une e le altre portate avanti dalla rivoluzione giunta dal di fuori —, le esperienze compiute e anche se spesso « moderate » riuscirono progressivamente anche molto forti; le involuzioni di un Antonio Re, di un Venceslao Spalletti Trivelli, e di qualche altro, verso la fine del regno italico, sono già note e certamente hanno il loro significato come testimonianze delle difficoltà profonde che le vecchie realtà dello stato avevano continuato a opporre cogliendo ogni occasione, tuttavia esse non fermarono la formazione degli altri, il loro portarsi in campi neppure pensabili prima del 1796. Invece per gli uomini dell'ex stato estense, che in modi anche diversi tennero delle tradizioni godute sino al 1796, dovremmo parlare di un loro permanere nella continuità di cui si erano alimentati sempre e in una misura in ogni caso preminente. Infine, dobbiamo riparlare di novità se ricordiamo la straordinaria opposizione dei moltissimi della campagna e

[1] L. Antonielli, *op. cit.*, *ivi*.

della montagna dell'ex stato, e dei proletari delle municipalità, svolta contro i governi succeduti all'estense.

Ma ecco, appunto, che le diverse novità, e ogni forma di continuità, si compirono da luoghi o in luoghi dell'ex stato, non ne coinvolsero mai quell'intero tessuto che lo aveva articolatamente costituito fino al 1796. L'ex stato non divenne un altro stato. Le continuità ne interessarono parti anche rilevantissime e le novità ne portarono avanti caratteri di grande rilievo, ma la sproporzione fra i tempi successivi e quelli anteriori al 1796, la direzione diversa delle esperienze di novità e delle esperienze di continuità, segnarono un'epoca che solo in astratto un qualunque gioco del nuovo-non nuovo potrebbe credere di cogliere in unità.

L'unità fu rifatta bruscamente da Francesco IV d'Austria Este, perché negli « stati estensi », in cui entrò nel luglio 1814, egli tolse ogni ragione di continuare a vivere le contrastanti esperienze degli anni che avevano visto l'assenza di Ercole III e poi le sue attese viennesi. Ridotto ad un'anima sola, non rinacque neppure lo stato dei tempi anteriori al 1796. Quello di Francesco IV fu uno stato nuovo, dove si definirono pesantemente i temi più coerenti della restaurazione avviata in Europa da quanti erano riusciti infine a vincere Napoleone e quella sua Francia.

2. Lo « stato perfetto » di Francesco IV

Le « paterne cure », gli « amatissimi sudditi » [1]

L'opposizione asburgica agli effetti della presenza francese e napoleonica in Italia, i più illiberali spiriti della Restaurazione incipiente volti anch'essi al ritorno austriaco in Italia, convennero nel governo che Francesco IV d'Austria Este cominciò a realizzare dal luglio 1814, una volta giunto a Modena per reggere le province di Modena e di Reggio e della Garfagnana — ordinate ciascuna con un proprio governatore — e le province della Lunigiana e del Frignano — ordinate ciascuna con un proprio delegato —.

Il nuovo duca era nato a Milano nel 1779; il padre, l'arciduca Ferdinando di Lorena, era un Asburgo, figlio dell'imperatrice Maria Teresa e fratello di Maria Antonietta poi decapitata in Francia nel '93; la madre era Maria Beatrice d'Este Cybo, erede del ducato di Massa e poi duchessa dal '90 al '96 e poi di nuovo dal maggio 1814, figlia di Maria Teresa Cybo e di Ercole III. Francesco si trovò per quella ragione di parentela con

[1] Dal proclama di Francesco IV, 28 agosto 1814, agli abitanti delle sue province: in L. Amorth, *op. cit.*, p. 317.

l'Estense ad essere destinato da Vienna al governo di Modena e di Reggio e insomma a una sorta di successione ad Ercole. Ma veniva ben poco da una qualche organica tradizione politica estense, potremmo dire anzi che di fronte a una tale tradizione egli era veramente un uomo nuovo.

Sino al 1814 egli era sempre vissuto in piena orbita asburgica e antifrancese; nel 1810 aveva intensamente cercato di animare varie forze, anche inglesi, a una liberazione dell'Italia dai francesi, poi aveva mirato a far insorgere i dalmati contro Napoleone; l'aveva fermato ogni volta proprio il governo asburgico, ma ciò non aveva scosso le sue convinzioni e il suo lealismo. Nel 1812 aveva sposato la nipote Maria Beatrice Vittoria di Savoia, figlia di una sua sorella e del re di Sardegna Vittorio Emanuele I — e degli orientamenti politici di quel re non staremo a dire nulla! —.

Se era uomo nuovo nei confronti dei principi estensi, tale cioè da non sentire l'importanza di muoversi almeno con qualcuna delle forme di equilibrio che l'uno dopo l'altro i principi avevano posseduto e per cui avevano potuto fino al 1796 reggersi nello stato come nei confronti di ogni forza esterna ad esso, Francesco IV giunse ugualmente a Modena ben capace di legare intorno a sé in primo luogo le forze meno moderne dell'economia e della politica delle aree, che, dopo essere state direttamente o indirettamente estensi, avevano vissuto e in più misure sofferto i tempi seguiti a quella lunga età. In quel suo radicatissimo spirito si leggono bene il suo incontro a Nonantola nel luglio 1814 con l'abate commendatario dell'abbazia, che era Francesco Maria d'Este vescovo di Reggio, e poi il suo incontro a Modena col vescovo Tiburzio Cortese e cioè con l'uomo che nell'ottobre 1794 aveva chiesto a Giovan Battista Munarini se valutasse a sufficienza l'importanza del « deposito base » della « ragione di stato », quindi l'importanza del consenso cattolico al governo di Ercole III [1].

In quel medesimo spirito si deve leggere anche il successivo incontro fra il duca e il papa Pio VII nel giugno 1815 a Modena, superato da poco anche l'ultimo pericolo che gli intenti di restaurazione avevano corso durante la breve impresa di Gioacchino Murat da Napoli a Modena al Po a Tolentino; e si comprende il rilievo che ebbe per Francesco IV il « convegno di famiglia » che riunì a Modena nel successivo dicembre sua sorella Maria Luisa, moglie di Francesco I imperatore d'Austria, e la madre e vari altri fratelli e sorelle [2].

E poi si pensi al rifiuto della gran maggioranza delle leggi degli anni 1796-1814, e alla progressiva ingerenza nel lavoro dei consigli delle comu-

[1] Sopra, p. 155.
[2] V. su tutto L. AMORTH, *op. cit.*, pp. 299-302.

nità e nella riduzione del numero di quelli e di queste; si ricordi il rapido ritorno alle « antiche investiture » per cui Francesco IV rese di nuovo possibile assumere i vecchi titoli feudali [1]; si intenda nella sua portata più riduttiva il ripristino del *Codice* del 1771, pericolosamente inteso nei suoi caratteri già di per sé meno avanzati.

I gesuiti richiamati a Modena nel 1821, e da allora in poi sempre attivi là, ad esempio nel grande convitto dove dal '44 passarono a svolgere il loro insegnamento; e generalmente il consenso cattolico ricercato ad ogni suo possibile livello e oltre i contatti con le gerarchie — massimo quello con Luigi Reggianini vescovo di Modena dal '37 [2] —; sono a loro volta da ricordare fra i componenti sostanziali delle strutture politiche e ideologiche del nuovo sistema. Diventa così sempre più comprensibile la partecipazione di Francesco IV ai congressi che la « santa alleanza » tenne a Troppau e a Lubiana nel 1820 e nel '21, e nei quali il duca austro estense si batté con impegno non ordinario: egli che cercava intensamente di combattere ogni pericolo di carboneria e di altri nemici del suo ordine e così mandò poi a morte don Giuseppe Andreoli, egli che nel maggio '22 patì l'uccisione del capo della sua polizia Giulio Besini. E diventa più che mai comprensibile il programma politico esposto da lui al congresso di Verona nel 1822 e per il quale, fra l'altro, gli studenti, temuti come tradizionale fomite di agitazioni e molto attivi anche nell'università modenese, dovevano essere non solo nel suo stato e come egli faceva già ma in ogni stato della Restaurazione ridotti di numero e tenuti in luoghi diversi: il censo delle loro famiglie, il controllo della stampa e beninteso per il loro bene, dovevano importare ai principi particolarmente. Da allora rimase ancor libero il numero degli studenti che nello stato austro estense si laureavano in medicina, ma fu molto controllato il numero degli studenti che si laureavano in legge: non più di dodici fra di essi potevano concludere ogni anno i propri studi [3], la macchina politica e amministrativa del governo di Francesco IV doveva poter contare sul reclutamento di persone sicure.

I ricercatori di una continuità

« Convengasi di buona fede che se dall'una banda il sistema feudale, soprattutto quello de' secoli più antichi, rompeva quella libertà di circola-

[1] Su ciò v. G. B. VENTURI, *Storia di Scandiano*, cit., p. 131; e su di lui torneremo fra poco.

[2] V. in proposito e fra gli altri A. BERSELLI, *Movimenti politici e sociali a Modena dal 1796 al 1859*, in *Aspetti e problemi del Risorgimento a Modena*, cit., pp. 42-43.

[3] C. G. MOR e P. DI PIETRO, *Storia dell'università di Modena*, Olschki, Firenze 1975, vol. I, p. 122.

zione ed armonia di governo che rendono lo stato generale più forte, sopra tutto quando questo abbia un capo attivo ed intelligente, dall'altra banda molti dei feudatarii dotati di talento hanno creato e messo in fiore diversi paesi, che senza l'attività e l'industria de' loro particolari governanti sarebbon rimasti privi di nome e di forza. Di ciò l'Europa tutta somministra chiari e frequentissimi esempii»; Scandiano, che Ercole III aveva fatto nel 1795 *terra nobile* e che nel febbraio 1815 Francesco IV confermò in tale condizione, era uno di quegli esempi [1].

Gian Battista Venturi nel 1822 ricordò la vicenda di Scandiano così come ricordò il ritorno alle antiche investiture compiuto da Francesco IV « nel suo stato » [2]; la terra, la proprietà terriera, lo avevano già interessato molto anche nel secondo Settecento modenese e nel clima riformatore cui egli aveva contribuito. Altri allora avevano potuto essergli superiori con un diverso senso del progresso; ma qui registriamo il suo orientamento e come lo mantenne dopo il 1796, e come se ne valse per scrivere la sua partecipe biografia del proprietario terriero, e nobile, già ministro di Ercole III, Gherardo Rangone, poco prima di scrivere la sua storia di Scandiano [3].

Accenniamo a lui e vorremmo potere almeno svolgere altri accenni su altri, poiché v'è tutto un discorso da ricuperare ed è quello di chi volle sottolineare, come Venturi, quanto del mondo anteriore al 1796 era passato nel mondo iniziato nel 1814 e che cercò, insomma, il continuo e non il diverso fra le due età; ma lasciamo il discorso a maggiori spazi e avvertiamo soltanto che in esso si celò ben sempre una forzatura aperta dell'interpretazione della complessa realtà, avvertiamo che si arroccò anche in certi intellettuali e non solo nei pratici della possidenza agraria la volontà di trascurare ogni memoria di esperienze diverse compiute nei luoghi già estensi fra il 1796 e il 1814. Non meno di altri Venturi forzò quando chiamò « suo stato » i luoghi nei quali Francesco IV si era insediato nel '14; e aggrava ancora la forzatura il fatto che egli vedesse quei luoghi come parte di « un regno d'Italia grande e indipendente », magari con Francesco re, nel largo quadro di una egemonia austriaca sulla penisola [4].

E con coloro che forzarono sarebbe da considerare oltre i semplici accenni il reggiano e nobile Antonio Re, già sostenitore dell'« ala moderata » durante la cispadana e la cisalpina, e che da consigliere della prefettura del Crostolo negli anni 1805-1809 seppe subito diventare nel nuovo regime governatore di Reggio; e sarebbe da considerare l'avvocato Vincen-

[1] G. B. Venturi, *op. cit.*, pp. 122-123.
[2] G. B. Venturi, *op. cit.*, p. 131, e già sopra, p.
[3] È la sua *Memoria intorno alla vita del marchese Gherardo Rangone*, cit.
[4] V. su ciò O. Rombaldi, *op. cit.*, pp. 135-136.

zo Besini, attivo nelle amministrazioni dipartimentali della prima e della seconda cisalpina, poi consultore di finanza con gli austro-imperiali a Modena nella loro occupazione del 1799-1800, poi di nuovo dal 1805 con i francesi e con i moderati del regno italico presente nella prefettura del Panaro come consigliere, e infine segretario a Modena della reggenza istituita dagli austriaci non appena il regno italico cadde. Con Re e con Besini si potrebbero ricordare altri, « gruppi di potere locale buoni per tutti i regimi », ha detto Antonielli [1]; ma noi li diremmo, piuttosto, buoni ad aggiungersi agli intellettuali e ai pratici ricercatori della continuità fra tempi tanto diversi.

L'arrischiata ricerca

Innegabile insomma e in più àmbiti quella ricerca, è bene un fatto che lo stato di Francesco IV non si costituì solo di una continuità o di una somma di continuità che finivano via via per incontrarsi e legarsi al potere del duca e alle forze esterne che lo sostenevano; in quella costituzione esso incorse in precisi rischi e non solo nei rischi eccitati dai carbonari o da altri e liberali o democratici oppositori ma nei rischi di un'asfissia della sua medesima realtà di classe, perché non poteva reggere, tanto meno alla lunga, ignorando persino le strutture dello stato di Francesco III e di Ercole III e soffocando ogni energia non regolabile nella misura « casalinga ed economica » [2], che invece si era impiantata a Modena.

L'annessione del ducato di Massa nel 1829, quando morì la sua ultima duchessa Maria Beatrice d'Este Cybo, e lo stesso acquisto del ducato di Guastalla dal governo di Parma concordato nel '44 in cambio di altri luoghi e mentre a sud del crinale appenninico Barga e Pietrasanta sarebbero divenute toscane, definirono meglio di prima certi rapporti o accrebbero poi dal '47 — divenuto operante l'accordo del '44 — lo stato austro estense di popolazione e di risorse, ma accaddero o cominciarono a svolgersi nella medesima condizione politica generale in cui si svolgeva tutto il restante del casalingo ed economico governo di Francesco IV, e perciò non condussero a nessuna novità per quel governo e per le sorti politiche dello stato.

Francesco e i suoi ministri tolsero ogni restrizione sulle manimorte, e riconobbero ai nobili e agli ecclesiastici il principio che ad essi era dovuto un indennizzo per i beni confiscatigli dal 1796 e poi dispersi fra nuovi proprietari. Poi nel 1825 andarono più avanti, e accordarono adeguate

[1] *Op. cit.*, p. 175; su Re e su Besini *ivi*, pp. 166 sgg.
[2] L'espressione è già cit. in L. Amorth, *op. cit.*, p. 289.

indennità alle famiglie nobili che avevano perduto i feudi nel periodo francese; « i vecchi gruppi nobiliari e feudali facevano intanto notevoli sforzi per tornare in possesso delle proprietà confiscate » [1]. Il duca aggiunse via via nuovi titoli feudali ai vecchi titoli, al suo regime importava sommamente comporre il meglio possibile i proprietari in un grande insieme politicamente privilegiato. E coi nuovi titoli egli poteva controllare meglio anche le affermazioni borghesi nel campo della proprietà terriera, e meno o più recenti, e là dove il moderatismo di quei borghesi non apparisse sufficiente.

Ai privilegiati e ai moderati si andò inoltre incontro con una imposta fondiaria assai mite; solo ai conduttori di risaie si impose una sovrimposta di coltivazione, ma le risaie erano fra le poche realtà economiche dello stato capitalisticamente produttive, e il fatto che siano andate crescendo di numero e di estensione complessiva è una conferma in più del favore austro estense per i proprietari [2]. Tutta una serie di provvedimenti mirò poi a favorire anche i minori proprietari, i produttori minori [3].

Ai privilegiati e ai moderati si andò poi anche incontro, e nel medesimo contesto, con una quantità di imposte indirette sopra dogane, tabacchi, sali, latte, concia delle pelli, polveri, carte da gioco e su altro ancora, che erano complessivamente molto meno miti e gravavano soprattutto sugli altri abitanti della montagna e della pianura dello stato. E si andò incontro ai privilegiati e ai moderati con un'azione costantemente riduttiva di ogni spunto d'impresa manifatturiera e commerciale che potesse alterare anche di poco e in un verso meno statico l'ordine economico e politico instaurato.

Stette benissimo in quell'azione fin dal suo principio il ritorno in vigore del *Codice* del 1771, servì egregiamente la concomitante soppressione del codice di commercio napoleonico; e fu quanto mai significativa l'opposizione agli ebrei, che dovettero tornare nei ghetti e furono poi via via ostacolati in molti modi nelle loro libertà e nelle loro operazioni economiche, videro cadere molte loro speranze « come aride foglie al vento della reazione » [4].

La stessa prosecuzione delle industrie meglio in piedi alla fine del regno italico fu in più casi danneggiata; non la aggravarono solo carestie come quella che lo stato patì nel 1815-17 o altre successive — ad esempio nel '43 —; essa fu colpita proprio dalla politica instaurata da Francesco IV. In proposito Boccolari ha già dato più prove di quelle che potremmo

[1] C. Poni, *op. cit.*, p. 42.
[2] C. Poni, *op. cit.*, pp. 43-45.
[3] C. Poni, *op. cit.*, pp. 50-51.
[4] A. Balletti, *op. cit.*, p. 244.

ospitare qui [1]. Noi ricorderemo solo che, decaduta sempre di più la tessitura della seta, nell'area modenese e più nella reggiana durò invece ancora la filatura della seta e non senza qualche sviluppo, che favorì in primo luogo gli imprenditori mercanti; e fece qualche progresso la tessitura del cotone e della canapa, specie nel Sassolese: ma nell'un caso e nell'altro non si superò il livello dell'artigianato domestico e rurale o, al più, della piccola azienda.

Il duca poté incuriosirsi all'impiego del vapore avviato da Ciro Menotti nella sua filanda di Saliceto Panaro dal 1823 al '25 [2], pose qualche attenzione anche finanziaria alla fabbrica di cappelli di truciolo dello stesso Menotti a Carpi, così come ascoltò qualche volta i discorsi di affari di Enrico Misley; ma presto Menotti e Misley incorsero nei suoi ben noti rigori politici e giudiziari quando tentarono, nel '31 — e dopo la rivoluzione del luglio del '30 a Parigi —, di suscitare sollevazioni contro di lui a Modena e a Carpi, a Mirandola, a Sassuolo, a Fiorano e altrove, però con esiti molto scarsi e molto temporanei e ritorsioni austriache e conseguenze anche pesantissime per taluni accusati, drammatiche per Menotti e per altri [3]. Frequentemente, prima e dopo il 1831 Francesco IV bloccò le richieste di aiuti che gli giungevano anche da fuori dello stato per nuove imprese, negò sussidi a imprese già esistenti. L'industria del truciolo per molto tempo dopo il 1831 si riprese solo parzialmente [4].

Lo «*stato perfetto*»

Tutto ciò, e ogni altra cosa che potremmo dire in argomento, non impedì e anzi favorì subito dagli inizi del governo di Francesco IV la nascita di istituzioni come le case di lavoro a Modena e a Reggio, dove, in «uno spirito naturalmente caritativo», adulti e meno adulti poveri lavoravano la canapa e percepivano «compensi quanto mai esigui» [5], o come i monti annonari, poi dal 1845 «monte annonario perpetuo», che dovevano contrastare le speculazioni sul prezzo del frumento nello stato e regola-

[1] E perciò lo si veda direttamente nel suo *Aspetti dell'industria*, cit., pp. 85 e sgg.

[2] G. Boccolari, *op. cit.*, pp. 87-88.

[3] Vincenzo Borelli fu messo a morte con Menotti il 26 maggio 1831; Giuseppe Ricci (nipote di Lodovico Ricci: v. L. Pucci, *op. cit.*, p. 26) li seguì poco dopo con ulteriori imputazioni. Dei Sassolesi impegnati nel '31 contro Francesco IV v. le notizie che dà M. Schenetti, *Storia di Sassuolo*, cit., pp. 304-308. Sui moti del '31 c'è tutta una letteratura particolarmente ricca, sulla quale v. fra le altre le indicazioni di L. Amorth, *op. cit.*, specie pp. 454-456, e con lui dei restanti autori ricordati per quel tempo qui in fine nella nota bibliografica generale.

[4] G. Boccolari, *op. cit.*, pp. 90-91.

[5] G. Boccolari in L. Amorth, *op. cit.*, pp. 320 e 322.

re quel prezzo compensando gli anni di maggior produzione con gli altri[1]: vale a dire nacquero istituzioni che ritornavano ad alcuni aspetti del tempo di Francesco III o di Ercole III e per di più vi ritornavano in un contesto paternalistico fortemente più chiuso.

In quel medesimo contesto si comprende lo spesseggiare di opere pubbliche, del quale beneficiarono strade sull'Appennino — ma quella della « Foce a Giovo » costruita fra il 1819 e il '24 andò presto in disuso[2] — e strade nella campagna, ponti, sistemazioni urbanistiche in più luoghi e principalmente a Modena[3], anche a Pavullo.

Il duca fu sempre nello stato il proprietario più ricco di terre e di beni immobili; e inoltre si illustrò per la cura particolare e non priva di connotazioni capitalistiche che ebbe per i boschi, giungendo nel 1838 a decidere di acquistarli tutti ed evitare così l'irrazionale sfruttamento a cui li sottoponevano le comunità proprietarie[4]. E considerandosi al vertice di ogni realtà dello stato egli si consentì pure speculazioni ingenti attraverso il controllo monopolistico di lavorazioni molto lucrative, come, fra le altre, quelle dei tabacchi e delle pelli[5], e si consentì di possedere un crescente numero di risaie e di partecipare così di nuovo di un'attività capitalistica dello stato in prosecuzione di ciò che era accaduto già prima del 1796, e poi nei modi che sappiamo fino al 1814.

Il nettissimo prevalere del duca al vertice della ristretta piramide ebbe ancora altre manifestazioni e altre conseguenze. Le esigenze del governo e della corte contribuirono a far crescere il numero dei possessori di titoli di nobiltà particolarmente a Modena; e insomma — anche su questo si vorrebbe riprendere un più largo discorso — molte cose tornarono ad aumentare le distanze di Modena nei confronti di Reggio e com'era già accaduto dal 1598 in poi nel tempo estense. E di tale ricorrente possibilità di richiami al tempo estense si avverta ogni volta di più il significato negativo per le sorti del potere austro estense e delle classi che nello stato gli erano più vicine.

Che nello stato, dal 1814, aumentasse di nuovo e molto preoccupantemente il numero dei poveri e dei « delinquenti », in primo luogo nelle basse zone dove i progressi capitalistici dei proprietari attraverso le colture e le bonifiche e l'allevamento del bestiame furono maggiori; che il favore del duca per i boschi, risolvendosi di fatto in una loro espropriazio-

[1] G. BOCCOLARI, *Aspetti dell'industria*, cit., pp. 99-100; per il Reggiano v. O. ROMBALDI, *op. cit.*, p. 139.

[2] V. in proposito D. ALBANI, *Il Frignano*, cit., p. 126.

[3] Un quadro vivace di ciò è in L. AMORTH, *op. cit.*, pp. 328 sgg.

[4] C. PONI, *op. cit.*, pp. 51-52.

[5] G. BOCCOLARI in L. AMORTH, *op. cit.*, p. 322.

ne[1], fosse una ragione di più per allontanare i coltivatori e i pastori delle comunità della montagna da una qualche attenzione positiva al nuovo governo — e fra le altre fu lunga l'opposizione nel Frignano e in special modo di Fiumalbo —[2]; che crescesse il disordine delle monete — 62 forestiere nel 1819, 79 nel '23, « contro solo 7 di antico conio estense » e nessuna estense nuova[3] — e danneggiasse innanzitutto ogni già precaria attività mercantile, ad esempio — ed era cosa non nuova — nelle relazioni fra il Reggiano e il Parmense; che le importazioni continuassero come prima del 1796 a prevalere sulle esportazioni — di sete, di bestiami e di carni lavorate e di latticini, di vini e di acquavite —: ecco solo alcuni altri argomenti per continuare a dire di quella negatività.

E dal momento che si sono già rilevati, a qualificare l'azione di Francesco IV, « l'organicità e lo sviluppo di un sistema... per arginare ogni influenza rivoluzionaria ed attuare lo *stato perfetto* sottoposto all'assolutismo » del principe[4], anche se dobbiamo trascurare la considerazione dei collaboratori del duca in tale impresa, e non possiamo fermarci su Monaldo Leopardi che fece anche a Modena le sue prove di impegnato reazionario, e non riprenderemo a considerare il reazionarismo notissimo di Antonio Capece Minutolo principe di Canosa e la sua grandissima stima per il duca austro estense e le sue relazioni con lui[5]; se rinunciamo, insomma, a dire ancora del duca e del suo tempo, ci sembra che l'espressione *stato perfetto* valga molto bene per raccogliere in brevissimo spazio ogni ricordo dei caratteri che lo stato avrebbe dovuto acquistare per via degli interessi autoritariamente estranei di Francesco IV e degli interessi meno moderni operanti nelle sue strutture economiche e sociali, nel tempo di governo del duca dal 1814 al '46.

[1] Infatti non si pagò alle comunità il valore del bosco « acquistato », ma lo si trattenne nelle casse della camera ducale e se ne pagò alle comunità solo il 5 per cento; inoltre si ridussero i diritti tradizionali di pascolo e si proibì il taglio della legna: C. Poni, *op. cit.*, p. 52.

[2] C. Poni, *op. cit.*, pp. 51-52.

[3] G. Boccolari in L. Amorth, *op. cit.*, pp. 325 e 341 n. 4.

[4] L. Amorth, *op. cit.*, p. 337.

[5] « Iddio lo moltiplichi e lo renda il principe perfetto di tutti i governi della terra », così ad esempio egli scrisse nel 1822 a Giuseppe Torelli: in W. Maturi, *Il principe di Canosa*, Le Monnier, Firenze 1944, p. 189.

3. La fine e i modi

Comunità; campagna, montagna: note sulla popolazione

Diminuita la popolazione di Reggio dai 17.675 abitanti del 1795 [1] ai 15.355 del 1818 [2], aumentata seppur di poco nello stesso periodo la popolazione di Modena dai 22.611 abitanti del 1795 [3] ai 23.822 del 1818 [4], poi dal 1818 non solo a Modena ma anche a Reggio il numero degli abitanti andò crescendo. Alla fine del 1846 essi erano a Reggio 17.905 e a Modena 28.406, con una progressione, dal '18, e in entrambi i casi, piuttosto regolare [5].

Ma nel decennio 1821-30 a Reggio si ebbero 3.634 nati e 4.107 morti [6], mentre nel « circondario » (distretto) reggiano gli abitanti divenivano anche comparativamente più numerosi, dai 26.367 nel '21 (i reggiani allora erano 15.567) a 31.269 nel '30 (i reggiani allora erano 16.656) [7]. Possiamo quindi ricordare di nuovo la denuncia reggiana del 1788, i « sepolcri luminosi » così fortemente deplorati allora [8]? E alle ragioni che già constatammo, e che è molto probabile non siano venute meno nel tempo francese né dopo, crediamo si debbano aggiungere le conseguenze dell'aggravato distacco fra Modena e Reggio avviatosi col dominio austro estense.

Se la popolazione modenese non diminuì e anzi crebbe dopo il 1795 e più accertatamente dal 1818, anche nel circondario della capitale accadde però che gli abitanti crescessero di numero comparativamente di più: furono calcolati in 24.486 nel 1818 (e i modenesi allora, torniamo a ricordarlo, erano 23.822) [9], in 28.700 nel '30 (i modenesi allora erano 25.540) [10], in 37.877 nel '46 (e i modenesi allora erano 28.406) [11]. Sempre nel 1846 gli abitanti del circondario di Reggio erano saliti a

[1] Sopra, p. 151.

[2] Archivio di Stato, Modena, *Austro Estense, Ragioneria del Ministero delle Finanze,* Serie I, *Effetti generali,* busta VII.

[3] Sopra, p. 151.

[4] Archivio di Stato, Modena, *ibidem.*

[5] Archivio di Stato, Modena, *Austro Estense, Ministero Affari Esteri* (*atti generali*), tit. XXI, *Popolazione*, Rub. 2. a: *Statistica*, busta 476 bis.

[6] O. Rombaldi, *op. cit.*, p. 141.

[7] Archivio di Stato, Modena, *ibidem.*

[8] V. sopra, p. 145, e poi p. 153.

[9] Archivio di Stato, Modena, *Austro Estense, Ragioneria*, cit., *ibidem.*

[10] Archivio di Stato, Modena, *Austro Estense, Ministero Affari esteri*, cit., *ibidem.*

[11] Archivio di Stato, Modena, *ibidem.*

36.443 (mentre i reggiani erano 17.905)[1]. Circa il 1848 oltre novemila reggiani vennero « dichiarati miserabili, dai loro parroci »[2].

E a questo punto importa anche di più sapere che dai 366.683 abitanti dell'intero stato estense nel 1795 (esclusi gli abitanti di Massa e Carrara)[3], si passò nel 1815 nello stato austro estense e secondo i dati di Boccolari a 379.437 abitanti (sempre esclusi quelli di Massa e Carrara)[4], e si passò nel '45 a 481.696 abitanti (e a 510.876 comprendendo quelli di Massa e Carrara)[5]; per continuare su tale linea anche nel tempo di Francesco V e così vedere ancora accentuarsi il fatto che stiamo brevemente considerando: alla fine del '47 gli abitanti dello stato — compresi allora anche quelli dell'ex ducato di Guastalla — erano 575.410 su 6.019 chilometri quadrati[6], e secondo l'ultimo censimento austro estense del '58 essi giunsero a 609.989 (a 555.055 sottraendo il numero di quelli dell'ex ducato di Guastalla)[7]. E per ricordare nello stato anche altri luoghi e non solo Reggio e Modena e i loro distretti diremo che le province del Frignano — circa 44.000 abitanti nel 1794[8] — nel 1847 raggiunsero i 59.897 abitanti[9]; e un incremento ulteriore vi si compì dopo che anche là e altrove nello stato furono superate le conseguenze della carestia del 1853-54 e del colera del '55-56[10]. Nelle altre zone dell'Appennino la popolazione aumentò a sua volta, in primo luogo nella montagna reggiana[11].

In tutto ciò, i reggiani nel 1857 erano 17.989 e cioè pochissimi più che nel '46, gli abitanti del loro circondario erano 37.193: e cioè comparativamente, e seppur di poco, il loro numero in confronto a quello dei reggiani aveva continuato a crescere[12].

E dunque la realtà ricordata dai numeri mostra che ci fu in ogni caso una sproporzione crescente fra la popolazione — in comunità o sparsa — della campagna e della montagna, e la popolazione delle maggiori comuni-

1 Archivio di Stato, Modena, *ibidem*.

2 O. Rombaldi, *op. cit.*, p. 143.

3 O. Rombaldi, *Contributo*, cit., p. 9, tav. I.

4 G. Boccolari, *Aspetti dell'industria*, cit., p. 112, tab. I.

5 G. Boccolari, *op. cit.*, *ivi.*

6 C. Roncaglia, *Statistica generale degli stati estensi*, vol. II, *Popolazione agricoltura prodotti e loro consumazione e commercio a tutto l'anno 1847*, Modena 1850, p. 98; degli abitanti censiti 362.895 erano della « pianura » (km^2 2412), e 212.515 erano della « montagna » (km^2 3607).

7 G. Boccolari, *op. cit.*, *ivi.*

8 Sopra, p. 151.

9 D. Albani, *op. cit.*, pp. 69 e 72.

10 D. Albani, *op. cit.*, p. 73.

11 D. Albani, *op. cit.*, *ivi.* Lo spopolamento progressivo dell'Appennino settentrionale incise in quella realtà e in quella della pianura solo dopo la fine del regime austro estense.

12 O. Rombaldi, *Gli Estensi al governo di Reggio*, cit., p. 141.

tà. Si vorrebbe tuttavia continuare nella ricerca. La tentazione è di tutto un discorso nuovo, e lungo nel tempo, sul rapporto fra interessi dominanti e popolazione in ogni luogo dello stato e secondo le ragioni specifiche di ogni luogo oltre che secondo ragioni più larghe. È la tentazione di un discorso finalmente organico: potremo farlo insieme ai geografi storici, agli storici dell'economia, agli storici quantitativi, ai demografi?

I potenziali ostili

La realtà medesima del loro essere portò il governo di Francesco IV e poi quello del figlio Francesco V a trascurare non eccezionalmente ma normalmente i potenziali ostili che duravano e si accumulavano fuori delle maggiori comunità. A loro volta, e con i duchi austro estensi, i più fra i possidenti, pure in una loro ricerca di possibili progressi di classe, continuarono a valersi troppo poco di contratti che non fossero quelli tradizionali di mezzadria, si curarono troppo poco di migliorare nella sostanza le colture e di trovare capitali freschi e di incentivare per la loro parte industrie nuove, e cioè non legate soltanto o soprattutto all'economia agricola. L'incontro fra governo e possidenti diede di tutto ciò anche nel tempo di Francesco V prove pesanti.

Così accadde, fra l'altro, che fra il 1847 e il '48 i contadini del distretto minacciarono armati di entrare in Reggio e di saccheggiare quanto gli riuscisse, « uomini affamati, per cui in Reggio tutto si temeva »; « l'undici gennaio 300 e più contadini fuori di porta Castello in attitudine minacciosa chiedevano lavoro e pane », e a Francesco V, che accorse e fece distribuire denaro e ammettere molti al lavoro, « alcuni capi del tumulto rivolsero la parola con arroganza ». La conclusione di ciò furono l'arresto di « sette od otto » di quei capi e il tattico ammansimento cui si ridussero da se stessi gli altri richiedenti [1].

Nel marzo 1848 « una folla di contadini, braccianti e campagnoli », invasero gli oltre quattrocento ettari del bosco ducale della Saliceta presso San Felice e ne distrussero in pochi giorni la ricca selvaggina; i fertili prati ducali « de' livelli di Soliera », che in parte erano stati sistemati a risaia, furono anch'essi danneggiati e molto riso fu asportato. Perseguiti e puniti i rurali invasori, a quelli della Saliceta toccarono i pesi maggiori con mesi di carcere, multe, obblighi di rifusioni di danni [2].

[1] Dalla cronaca di P. Fantuzzi in O. Rombaldi, *op. cit.*, pp. 143-144.

[2] C. Poni, *op. cit.*, p. 53 e note 157 e 158 (ma leggi: 1848, non 1849). Sull'estensione del bosco della Saliceta e sulla sua vicenda generale prima e dopo il 1848 v. R. Savioli, *L'amministrazione e l'utilizzazione della foresta di Lovoleto nella bassa pianura modenese nei secoli XIV-XV*, tesi di laurea di storia medievale discussa nel novembre 1977 presso la

Alle agitazioni e alle invasioni — potremmo ricordarne altre a Mirandola, a Carpi, a Sassuolo, nel Carrarese — si giunse nello straordinario clima che allora in Italia e fuori si avviava a concludere la Restaurazione e per il quale accadde che dal marzo all'agosto 1848 il duca lasciasse il territorio dello stato, e a Modena reggiani, modenesi, guastallesi, cercassero di convivere in un « governo provvisorio delle due provincie di Modena e Reggio » senza infine riuscirvi [1]. Ma se è vero che le incertezze di cui il nuovo governo patì vennero da più parti e da lontano, ebbero cioè radici di gran lunga antecedenti al potere austro estense, e che i successi di quel governo, come cacciare i gesuiti — che poi il duca rivolle nel 1850 —, o riportare gli ebrei al godimento dei diritti civili e politici — che poi il duca tolse loro di nuovo —, furono possibili all'interno di un orientamento borghese e moderato che aveva anch'esso un'età precisa e più antica dell'austro estense, ricordiamo ben sempre che nella pluralità delle parti in presenza e nella loro varia età il regime austro estense contò, e molto, con i propri caratteri, che per certi versi erano chiari strumenti di complicazioni ulteriori; e perciò rileviamo sempre almeno i caratteri e gli strumenti che importarono nella realtà così centrale che stiamo considerando, rileviamo lo specifico incentivo che a taluni fatti del 1848 nello stato diede l'azione che Francesco IV aveva svolto negli acquisti di terre e sui boschi delle comunità, rileviamo il confermato divario fra possidenti e lavoratori della terra e generalmente la trascuratezza austro estense dei potenziali ostili diffusi a più livelli e in più àmbiti nello stato dagli anni di Francesco IV.

Dopo il 1848 quella trascuratezza contribuì al « ladroneccio campestre » nel Novellarese [2] ma non là soltanto, contribuì al fermento delle comunità garfagnine sicché nel marzo '58 Francesco V sostituì con altri tutti quei sindaci; e contribuì alla rivolta del Massese e del Carrarese nella primavera del '59. Sottolineiamo di nuovo ciò, per quanto fossero anche molte altre e più o meno antiche o recentissime le ragioni del dissenso che allora esplose in Garfagnana o nei territori annessi dal 1829, né venissero solo dal governo ducale l'aggravarsi della disoccupazione nello stato e la sordità dei più fra i proprietari dinanzi a quel fatto e ai bassi salari di tanti lavoratori e ad altro ancora.

E insomma, così avviato e svolto da Francesco IV e così mantenuto da Francesco V il regime austro estense, in una realtà economica e politica

Facoltà di Lettere e Filosofia di Bologna (relatore V. Fumagalli). Nel 1812 il bosco era di 405 ettari, e nel 1893 era di circa 490 ettari (*ivi*, p. 123).

[1] Su ciò, G. Bertuzzi, *Giuseppe Malmusi e lo scioglimento del governo provvisorio modenese nel 1848*, Stabilimento Poligrafico Artioli, Modena 1966, specie pp. 26, 27, 29-30.

[2] In O. Rombaldi, *Storia di Novellara*, cit., p. 302.

internazionale che invece era mossa da più forze e cambiava, quel regime si salvò sempre meno all'interno e all'esterno dei territori soggetti, non gli valsero comportamenti mercantilistici e atti legislativi anche di qualche rilievo, la stessa lega doganale del 1852 con i governi di Vienna e di Parma rivelò presto i propri limiti eppure da Modena — non invece da Parma — vi si volle insistere: l'esportazione dei vini, delle uve e delle altre derrate agricole dallo stato, giovava con gli alti prezzi di quelle ai « grossi proprietari fondiari », ma gravava « sui piccoli possidenti, sugli stipendiati e sugli operai, privi di difesa » [1].

Nell'Italia del Risorgimento, in un'Europa toccata anche fortemente dai tanti fatti del 1848, Francesco V seguì una via segnata e non diciamo nulla della sua coerenza, delle sue convinzioni profonde indiscutibili [2]: ricordiamo solo che l'11 giugno 1859 egli lasciò Modena e tutto lo stato per sempre, e che già pochissimi anni dopo ebbe a scrivere che l'imperatore d'Austria lo teneva ormai come uomo inutile — « il capo di mia famiglia non sa cosa farsi di me... » [3].

La via segnata lo formò e lo condusse a perdere il potere, non il fatto che egli avesse voluto reggere uno stato piccolo. « La dissoluzione attuale rende per se stessa impossibile l'esistenza di stati piccoli ed impossibile la fedeltà futura, giacché si vede che chi è fedele viene sacrificato dal nemico e dall'amico » [4]: così egli volle dire nel 1863 e quel suo errore non poteva esser corretto da considerazioni svolte nell'àmbito della medesima ottica — « sinceramente parlando non so credere possibile né desiderabile per nessuno il risorgimento di stati piccoli... che sono più poveri e deboli di qualunque società industriale dei tempi moderni » [5] —. Che cosa egli aveva fatto per intervenire nella povertà e nella debolezza del « suo » stato, come era intervenuto nella ricchezza e nella forza di alcuni luoghi economici e sociali del suo stato? Le forze borghesi che il nuovo corso delle cose liberò via via dal 1859 fra gli abitanti dell'ex stato diedero poi a lui, e oltre di lui alla storia dell'Italia unita, una prima risposta. Altra e più pesante venne da coloro che il regime suo e del padre aveva confermato, aggravatamente, fra le classi subalterne.

[1] O. Rombaldi, *op. cit.*, p. 301. Un giudizio parzialmente diverso – concatenazione di vantaggi anche per gli operai – ha dato G. Boccolari, *op. cit.*, p. 107. Ma si veda più ampiamente su tutta la vicenda O. Rombaldi, *La lega austro-estense-parmigiana*, in *Aspetti e problemi del Risorgimento a Modena*, cit., pp. 301-335.

[2] Fra gli altri v. in proposito G. Bertuzzi, *Sul pensiero politico di Francesco V d'Austria d'Este arciduca austriaco e principe italiano,* in *Modena e l'unità d'Italia*, Aedes Muratoriana, Modena 1960, pp. 12-24; e A. Berselli, *op. cit.*, pp. 44 sgg.

[3] A Teodoro Bayard de Volo, da Bassano, 14 dicembre 1863: in L. Amorth, *op. cit.*, p. 409.

[4] Allo stesso, 9 settembre 1863: in L. Amorth, *op. cit.*, *ivi.*

[5] Allo stesso, 3 giugno 1871: in L. Amorth, *op. cit.*, p. 419.

Entrambe le risposte si avviarono per altro con un ritardo che non era grave solo in confronto ad altri paesi europei, ma era grave anche in confronto ad altri luoghi, e magari vicini, dell'Italia. Certo, assolutamente non ogni ragione di ritardo poté imputarsi al regime austro estense! Parlammo già di oligarchie alla prova e non le vedemmo superare certi loro tempi lunghi e certe soglie; abbiamo visto quale complessa realtà si articolò fra il 1796 e il 1814 e come di nuovo furono più d'una le soglie non varcate. Ma la riduzione delle possibilità nuove e meno nuove giunte al 1814 fu opera costante del regime austro estense e ciò fu cosa gravissima, perché proprio allora dal restante d'Europa ci si apriva verso l'Italia, e seppure lentamente, come non era mai accaduto prima.

Bibliografia

STUDI

A) I contributi meno recenti

Per un'attenzione allo stato estense, così come abbiamo cominciato a realizzarla negli ultimi anni (L. Marini, *Per una storia dello stato estense. I. Dal Quattrocento all'ultimo Cinquecento*, Pàtron, Bologna 1973), gli studi che raccogliamo in questo paragrafo e gli altri ai quali rinviamo di qui recano certamente un loro contributo; ma prima di ricordarli occorrono almeno alcune brevissime annotazioni, che richiamino nei propri termini generali i loro caratteri positivi e i meno positivi.

Dei secondi abbiamo già avuto modo più sopra di dire qualcosa, discutendo, di alcuni lavori e ancorché a volte solo per accenni, le matrici metodologiche e le conseguenze che ne erano venute sul piano delle interpretazioni. Così pure abbiamo già visto che da nessun lavoro e in nessun momento fu mai superato l'impegno magari anche largo per singoli luoghi o gruppi di luoghi, per singoli tempi, questioni, figure della storia dello stato, e che non si è mai mirato a cercare di rendere la complessità di tale storia.

Dobbiamo tuttavia sottolineare che anche nei suoi caratteri meno positivi la storiografia che ricordiamo qui ha avuto e continua ad avere una funzione informativa, talvolta notevole, e che le nostre pagine necessariamente non hanno sempre potuto mettere a frutto nella quantità necessaria; perciò ne ridaremo notizia, o la daremo per quelle opere, analoghe, e che prima d'ora non abbiamo avuto modo di indicare.

1) *La realtà fisico-ambientale*

Discorsi sparsi o meno sparsi sulla realtà fisico-ambientale, innanzitutto dell'area ferrarese e romagnola-estense, non mancano fra le prime né fra le seconde di tali opere. Con M. Ortolani, *La pianura ferrarese*, in « Memorie di geografia economica », VIII, 1956, vol. XV; e per alcuni suoi motivi con L. GAMBI, *L'insediamento umano nella regione della bonifica romagnola*, in « Memorie di geografia antropica », III, 1948; ricordiamo allora: F. L. BERTOLDI, *Memorie del Po di Primaro*, Ferrara 1785; ID., *Memorie per la storia del Reno di Bologna*, Ferrara 1807; E. LOMBARDINI, *Dei cangiamenti cui soggiacque l'idraulica condizione del Po nel territorio di Ferrara*, Milano 1852; ID., *Della condizione idraulica della pianura subappennina fra l'Enza e il Panaro*, Milano 1865; A. BOTTONI, *Appunti storici sulle rotte del basso Po dai tempi romani a tutto il 1839 e relazione di quelle di Guarda e di Revere nel 1872*, Ferrara 1873; per alcuni elementi anche L. FANO, *La grande bonificazione ferrarese*, Ferrara 1910, e A. MORI, *Le antiche bonifiche della Bassa Reggiana*, Parma 1923; poi: P. NICCOLINI, *Il territorio ferrarese*, Roma 1926; L. FANO, *Vicende idrauliche del Polesine di Ferrara*, in « Atti e memorie della Deputazione ferrarese di Storia patria », XXX, 1936; A. DRAGHETTI, *L'ambiente fisico della bassa pianura padana*, in *Agricoltura e disoccupazione. I. I braccianti della bassa pianura padana*, a cura di G. MEDICI e G. ORLANDO, Zanichelli, Bologna 1952; C. TOSATTI, *Il corso medio e inferiore del fiume Secchia nel Medioevo*, S.T.E.M., Modena 1956; G. SORANZO, *L'antico navigabile Po di Primaro nella vita economica e politica del Delta padano,* Vita e Pensiero, Milano 1964; L. VEGGI e A. RONCUZZI, *Considerazioni sulle antiche foci padane e sul Po di Primaro,* in « Studi romagnoli », XIX, 1968; A. VEGGIANI, *L'influenza delle condizioni geologiche del sottosuolo sull'evoluzione della rete idrografica nell'area di Alfonsine* (*pianura ravennate*), *ibidem*. Ma anche in altri lavori non è difficile trovare qualche sensibilità per il rapporto terra-uomini nelle aree dello stato, e per il ricorrente conflitto fra le acque e gli uomini: specie per i tempi sino al XVI secolo avanzato, in cui, e tanto sovente, il rapporto fu assai più spesso uno scontro e il conflitto ebbe le sue manifestazioni maggiori.

2) *Storie di luoghi*

Quanto alle « storie » di luoghi, alle narrazioni anche ampie, che magari per lungo tempo hanno costituito il maggior alimento per l'informazione di molti lettori, ricordiamo subito alcune fra le prove più note e per i luoghi più rilevanti. Per Ferrara ricordiamo A. FRIZZI, *Memorie per la storia di Ferrara*, voll. I-V, Ferrara 1791-1809, e in 2ª ed., a cura di C. LADERCHI, Ferrara 1847-1848 (con lui, in appendice al suo vol. II, Ferrara 1848, e poi a sé, Ferrara 1851, G. ANTONELLI, *Saggio di una bibliografia storica ferrarese*); dopo Frizzi, e per qualche notizia dai suoi primi tempi al XVI secolo, A. PESARO, *Memorie storiche sulla comunità israelitica ferrarese*, Ferrara 1878-80 (in rist. anastatica: Forni, Bologna 1967); G. PARDI, *Sulla popolazione del Ferrarese dopo la Devoluzione*, in « Atti e memorie della Deputazione ferrarese di Storia patria », XX, 1911, per le indicazioni che dà sui tempi anteriori al 1598; e con Pardi soprattutti K. J. BELOCH, *Bevölkerungsgeschichte Italiens*, 2ª ed. riv., Walter De Gruyter und Co., voll. II e III, Berlin 1965 e 1961. Su Modena:

A. Crespellani, *La zecca di Modena nei periodi comunale ed estense corredata di tavole e documenti*, Modena 1884 (ora rist. da Nummorum auctiones, S.A., Lugano 1978); A. Namias, *Storia di Modena e dei paesi circostanti*, P. I., Modena 1894 (in ristampa anastatica: Forni, Bologna 1969); E. P. Vicini, *I podestà di Modena. Serie cronologica dal 1336 al 1796*, in « Atti e memorie della Deputazione di Storia patria per le antiche province modenesi » (d'ora in poi: AMDM), ser. V, voll. X, 1917, e XI, 1918; Id., *Profilo storico della città di Modena*, Modena 1937; e sempre con K. J. Beloch, *op. cit.* Per le vicende reggiane valgono ancora: U. Bassi, *Reggio nell'Emilia alla fine del secolo XVIII (1796-1799)*, Reggio nell'Emilia 1895; G. Cavatorti, *Uno sguardo a Reggio di Lombardia nel '700*, Firenze 1903; e soprattutto valgono i lavori di A. Balletti, fra i quali i seguenti: *Le mura di Reggio dell'Emilia*, Reggio Emilia 1917 (in rist. anastatica, con prefazione e appendice di V. Nironi: Forni, Bologna 1971), e *Storia di Reggio nell'Emilia*, Reggio Emilia 1925; sempre con K. J. Beloch, *op. cit.* Per Carpi, dopo G. Maggi, *Memorie historiche della città di Carpi*, Carpi MDCCVII (in rist. fotomeccanica: Forni, Bologna 1968), v. le *Memorie storiche e documenti sulla città e sull'antico principato di Carpi*, voll. I-XI, Carpi, Modena, 1877-1931, con gli altri studi di cui alla *Bibliografia essenziale* in *Materiali per la storia urbana di Carpi*, Comune di Carpi, C. 1977, pp. 221-224. Su Finale: C. Frassoni, *Memorie del Finale di Lombardia*, Modena 1778 (in rist. anastatica: Forni, Bologna 1974); U. Baldoni, *Storia di Finale Emilia. Capi: podestà e vicari*, Bologna 1928. Su San Felice: P. Costa Giani, *Memorie storiche di San Felice sul Panaro*, Modena 1890. Su Sassuolo: M. Schenetti, *Storia di Sassuolo centro della valle del Secchia*, Aedes Muratoriana, Modena 1966. E su Mirandola, su Concordia: G. Veronesi, *Quadro storico della Mirandola e della Concordia*, Modena 1847; F. I. Papotti, *Annali o memorie storiche della Mirandola*, t. II, Mirandola 1877; F. Ceretti, *Dei podestà, dei luogotenenti, degli auditori e dei governatori dell'antico ducato della Mirandola*, Mirandola 1898.

3) *Le aree di dominio estense*

E poi ricordiamo altri lavori, come i precedenti di interessi e di età diversi, giovevoli ad una prima considerazione di più luoghi in aree di dominio estense diretto o indiretto. In particolare, sul Frignano: C. Campori, *Notizie storiche del Frignano*, Modena 1886; V. Santi, *Vicende politiche e civili*, ne *L'Appennino modenese*, Bologna 1896; I. Malaguzzi Valeri, *Costituzione e statuti*, *ibidem*; A. Sorbelli, *Il Comune rurale dell'Appennino emiliano nei secoli XIV e XV*, Bologna 1910; N. Pedrocchi, *Storia di Fanano*, a cura di A. Sorbelli, Fanano 1927; G. Corni, *Il castello di Monfestino e il suo territorio*, Artioli, Modena 1950. E sulla Garfagnana estense (ormai appena da ricordare D. Pacchi, *Ricerche istoriche sulla provincia della Garfagnana*, Modena 1785): C. De Stefani, *Ordini amministrativi dei comuni di Garfagnana dal XII al XVIII secolo*, in « Archivio storico italiano », ser. V, t. IX, 1892; Id., *Storia dei comuni di Garfagnana*, in AMDM, ser. VII, vol. II, 1925; e per il primo Cinquecento anche L. Migliorini, *L'Ariosto e la Garfagnana. Notizie storiche*, in « Atti e memorie della Deputazione ferrarese di Storia patria », XV, 1904; e M. Catalano, *Vita di Ludovico Ariosto ricostruita su nuovi documenti,* vol. I, Genève 1930, pp. 535 sgg. Su Scandiano e su quel marchesato v. almeno G. B. Venturi, *Storia di Scandiano*, Modena 1822. E su Vignola, e su quel marchesato: D. Belloj, *De Vineolae moderniori statu chronica enarratio*, Modena 1872 (trad. it. *Del più moderno stato di Vignola*, a cura di B. Soli, Modena 1935); A. Crespellani, *Memorie storiche vignolesi*, Modena 1872; A. Plessi, *Istorie vignolesi*, Vignola 1885; B. Soli, *Quadri di storia vignolese,* Modena 1933. Infine, generalmente e in primo luogo per la montagna dello stato, è ancor sempre da citare almeno G. Natali, *La repubblica cispadana e l'abolizione dei feudi (1796-1797)*, in « Atti e memorie della R. Deputazione di Storia patria per l'Emilia e la Romagna », III, 1938.

4) *L'economia dello stato*

Con poche e parziali eccezioni, nei lavori ricordati in (b) e in (c) sono rari e sparsi i dati di carattere economico. Fra le eccezioni sono certamente da porre: P. Sitta, *Le Università delle arti a Ferrara dal secolo XII al secolo XVIII*, in « Atti della Deputazione ferrarese di Storia patria », VIII, 1896; L. Fano, *La grande bonificazione ferrarese*, cit. sopra in (a); A. Mori, *Le antiche bonifiche della Bassa Reggiana*, cit. sopra in (a); P. Niccolini, *Ferrara agricola. Cenni storici e statistici*, Ferrara 1926; e il più recente F. Carullo, *Lo storico bosco della Mesola,* in « Monti e boschi », V, 1953. L'arte reggiana della seta ebbe già nel secolo scorso buone attenzioni da N. Campanini, *Ars siricea Regij. Vicende dell'arte della seta in Reggio nell'Emilia dal secolo XVI al secolo XIX*, Reggio nell'Emilia 1888 (in ristampa anastatica: Forni, Bologna 1973). Le arti modenesi ebbero sempre una considerazione molto saltuaria, fino a che ne ha tentato un primo panorama P. Fiorenzi, *Le arti a Modena* (*Storia delle corporazioni d'arti e mestieri*), S.T.E.M., Modena 1962. Sul truciolo carpigiano uscì A. G. Spinelli, *Memorie sull'arte del truciolo in Carpi*, Modena 1905 (ripreso poi brevemente da S. Cappello e A. Prandi, *Carpi: tradizione e sviluppo*, Il Mulino, Bologna 1973, cap. II). Potremmo ancora ricordare, per il loro contenuto critico e per essere usciti alla fine della storia che abbiamo studiato: A. Caprari, *Sulle risaie degli stati estensi, ricerche e studi*, Modena 1852, e L. Sormani Moretti, *Dell'industria agricola, manufatturiera e commerciale nel ducato di Modena, ecc. Studi e proposte*, Milano 1858.

5) *Le classi privilegiate*

E che dire della vecchia storiografia sulle classi privilegiate? Questa *Nota* non può davvero incorporare le indicazioni numerosissime che si possono trarre innanzitutto da uno spoglio sistematico degli « Atti e memorie » della Deputazione di Storia patria di Ferrara e degli « Atti e memorie » della Deputazione di Storia patria di Modena, dalle riviste e dagli studi locali di ogni qualità, dalle stesse bibliografie pur già selettive di L. CHIAPPINI, *Gli Estensi*, Dall'Oglio, Milano 1967, di L. AMORTH, *Modena capitale. Storia di Modena e dei suoi duchi dal 1598 al 1860*, Aldo Martello, Milano 1967, di L. AMORTH, G. BOCCOLARI, C. ROLI GUIDETTI, *Residenze estensi*, Artioli, Modena 1973. Oltre alle storie, ricordate qui sopra, facciamo allora cenno almeno a qualcuno dei maggiori repertori e ad alcuni fra gli studi che illustrarono meglio le famiglie più rilevanti e i preminenti in esse: da F. CONTI, *Illustrazioni delle più cospicue e nobili famiglie ferraresi tanto estinte quanto viventi fino all'anno 1800*, Ferrara 1852, a F. PASINI FRASSONI, *Dizionario storico-araldico dell'antico ducato di Ferrara*, Roma 1914 (in rist. anastatica: Forni, Bologna 1969), e dopo i suoi lavori precedenti, per es. sui Trotti; a L. N. CITTADELLA, *I Guarini, famiglia nobile di Ferrara oriunda di Verona*, Bologna 1870; allo stesso L. N. CITTADELLA, *Appunti intorno agli Ariosti*, Ferrara 1874; e, sempre per Ferrara e quell'area e per la Romagna estense, sugli Ariosti, sui Bevilacqua, sui Calcagnini, a P. LITTA e L. PASSERINI, *Famiglie celebri italiane*, Milano e Torino 1819-1883, nei voll. VII e VIII, e sui Mosti e sui Costabili a L. BORSARI, *Memorie sulle famiglie Mosti e Costabili*, Bologna 1838, e sui Trotti ancora a O. MONTENOVESI, *La famiglia ferrarese Trotti e i suoi documenti nell'archivio di stato di Roma*, in « Archivi », ser. II, VIII, 1941. Per il restante dello stato ricordiamo di nuovo P. LITTA e L. PASSERINI, *op. cit.* (sui Boiardo, sui Contrari, sui da Correggio, sui Fogliani, sui Rangone); poi: C. CAMPORI, *Cesare Montecuccoli*, in AMDM, V, 1870; ID., *Il conte Alfonso Montecuccoli, ibidem*, VII, 1874; ID., *Raimondo Montecuccoli, la sua famiglia, i suoi tempi*, Firenze 1876; A. PLESSI, *Istorie vignolesi* cit.; L. RANGONI - MACHIAVELLI, *Notizie sull'origine dei feudi e titoli della famiglia Rangoni*, Roma 1909; ID., *Notizie sulla famiglia Rangoni di Modena*, Roma 1909; T. SANDONINI, *Il generale Raimondo Montecuccoli e la sua famiglia: note storico-biografiche*, Modena 1914; G. FREGNI, *Della famiglia dei marchesi Montecuccoli*, Modena 1917; A. CREMONA - CASOLI, *Storie di alcune famiglie nobili reggiane ed accenni a loro partecipazione ai moti del 1831*, Reggio Emilia 1931; B. SOLI, *Quadri di storia vignolese: Estensi e Contrari, la famiglia Brighenti*, Modena 1933. Infine per tutto lo stato è sempre da vedersi V. SPRETI, *Enciclopedia storico-nobiliare italiana*, voll. I-VI, 1ª rist., Milano 1928-1932, e *Appendice*, parte I, Milano 1935.

Fin qui abbiamo ricordato i privilegiati laici; ma nelle stesse opere che parlano di loro, e alle quali abbiamo fatto diretto o indiretto riferimento, si ritrovano di continuo notizie di ogni sorta sui privilegiati ecclesiastici secolari e regolari, sulla realtà che essi costituirono in ogni momento nelle diocesi, nelle abbazie e altrove ai vari livelli della loro multiforme presenza nello stato: notizie sugli aspetti più apertamente politici di tale presenza, sugli aspetti economico-sociali, su taluni aspetti confessionali. Per una conoscenza più interna di questi ultimi vale tuttavia una più specifica storiografia, di livello molto vario e di cui indichiamo almeno alcuni titoli: per Ferrara da L. BAROTTI, *Serie de' vescovi ed arcivescovi di Ferrara*, Ferrara 1781, a L. MELUZZI, *Gli arcivescovi di Ferrara*, Scuola prof. tip. sordomuti, Bologna 1970; per Modena da P. B. CASOLI, *La chiesa negli stati estensi e il vescovo di Modena Luigi Reggianini (1838-1848)*, Milano 1902, a B. VIGNATO, *L'ordine domenicano a Modena (secc. XVII-XIX). Memorie storiche*, vol. I, Tip. Compositori, Bologna 1946, vol. II, Comitato pro restauri S. Domenico, Modena 1949, a M. T. REBUCCI, *Le visite pastorali dei vescovi di Modena: Giovanni Morone e Sisto Viadomini*, Aedes Muratoriana, Modena 1968, a G. RUSSO, *Il primo sinodo modenese dopo il concilio di Trento*, Aedes Muratoriana, Modena 1968 (e anche in AMDM, ser. X, vol. III, 1968), a L. MELUZZI, *Gli arcivescovi di Modena,* Scuola prof. tip. sordomuti, Bologna 1969; per Reggio, G. SACCANI, *I vescovi di Reggio Emilia. Cronotassi*, Reggio 1902; per Carpi da P. GUAITOLI, *Diario sacro per la città e diocesi di Carpi*, Carpi 1840-42, a E. TIRELLI, *La chiesa e il convento dei conventuali di S. Francesco in Carpi*, Carpi 1907; e infine, per il Frignano: E. BERTI, *Vicende e condizioni ecclesiastiche*, ne *L'Appennino modenese,* cit.; G. PISTONI, *Origini e diffusione del cristianesimo nella valle della Rossenna*, ne *La valle della Rossenna*, Aedes Muratoriana, Modena 1967; ID., *La Pieve di Fanano: struttura e vita dalle origini a noi*, ne *La valle del Leo*, Aedes Muratoriana, Modena 1971; F. GAVIOLI, *Gli abbati commendatari di Frassinoro (1429-1585)*, in *Frassinoro e le valli del Dolo e del Dragone*, Aedes Muratoriana, Modena 1972.

Più specifica, o meno, anche la storiografia sul mondo ecclesiastico nello stato estense, e della quale parliamo qui, si è generalmente incontrata con la storiografia sul mondo privilegiato laico ed in entrambe ha dominato un interesse rivolto innanzitutto alla considerazione del proprio oggetto nel generale ambito del suo rapporto con i suoi vertici, fossero i papi, o gli imperatori, o gli Estensi, o principi di stati confinanti, e nel consenso agli uni o agli altri, nel dissenso dagli uni o dagli altri: in ogni caso intendendo lo stato come qualificato dal privilegio in tutto lo spessore delle sue realtà ed ancorché non si ricostruisse mai, neppure per tentativi, la vita del privilegio dalle sue origini al suo tramonto nello stato. La frequente caratterizzazione erudita di tale storiografia si è svolta a conferma di quella generale dimensione metodologica e dei vari momenti delle sue capacità di realizzazione del proprio impegno.

Ed è anche per questa ragione che di ogni cenno sulle ricostruzioni di momenti politico-culturali del privilegio preferiamo lasciar carico alle bibliografie che abbiamo già citato sopra in inizio di (e) — specie gli « Atti e memorie » di Ferrara e di Modena han continuato a volte ad ospitare in proposito degli studi anche dopo gli anni qui maggiormente ricordati —; tali ricostruzioni sono molto lontane dal poter contribuire a una storia moderna dello stato, valutarle porterebbe lontano dalla condizione critica di questa *Nota* perché dovrebbe prescindere dalla metodologia che per tale storia riteniamo necessaria.

6) *Gli Estensi*

Alla storiografia sul privilegio si accompagnò, si connesse, la storiografia sugli Estensi, come quella negandosi a una reale comprensione dal loro interno delle molteplici realtà dello stato. In questa operazione, per altro, e data la rilevanza medesima del suo assunto, essa andò sovente oltre i tratti della storiografia sul privilegio, e qui dunque è posta in un suo luogo specifico, dove è confortata da una tradizione anche troppo lunga ed ampia ma incontestabilmente ricca delle giustificazioni che sino ad oggi le ha fornito più di un interesse, pratico o critico, volta a volta politico o politico-giuridico o politico-fiscale o politico-amministrativo, politico-culturale e via dicendo.

Tanto meno a proposito degli Estensi – dei principi, degli altri membri della grande famiglia, dei rami collaterali della stessa – potremmo ripercorrere l'itinerario bibliografico che abbiamo già detto non possibile qui sopra parlando del privilegio laico e del privilegio ecclesiastico. E va da sé che ci conteniamo ben sempre nella considerazione dei contributi diretti e utili al discorso da ogni luogo della storiografia sullo stato estense, evitiamo annotazioni da opere meno specifiche e di altre storiografie su altri stati, su altre grandi famiglie. Per ciò stesso, inoltre, non potremmo riproporre qui neppur solo le opere che in passato toccarono momenti delle maggiori questioni del governo estense, da quelle sulla guerra di Ferrara a quelle sul nodo eccezionalmente importante della devoluzione del 1598 alle altre sulle guerre della Garfagnana e sulla guerra di Castro e sulle successive vicende politico-internazionali e militari estensi nel Seicento, alle altre della questione di Comacchio e via via infine alle altre sul 1796-97, sui tempi della presenza francese, dell'età napoleonica, della Restaurazione, specie sui moti del 1831 e poi sugli ultimi duchi austro-estensi.

Sarà dunque inevitabile, dopo un semplice rinvio alle raccolte e ai repertori e alle bibliografie già indicati sopra in (e), e generalmente a quanto abbiamo ricordato finora, ridare notizia di alcuni lavori che abbiamo avuto occasione di citare a suo tempo e darla di altri, pochi e con libertà seppur non senza certezza che in più di un caso la loro notizia sia da sottolineare, e, sempre, che sia utile. Nell'ordine, ecco dunque: G. B. Venturi, *Relazioni dei governatori estensi in Reggio al duca Ercole I in Ferrara (1482-1499)*, in AMDM, ser. III, vol. II, 1883-1884; P. Sitta, *Saggio sulle istituzioni finanziarie del ducato estense nei secoli XV e XVI*, in « Atti della Deputazione ferrarese di Storia patria », III, 1891; L. Balduzzi, *L'istrumento finale della transazione di Faenza pel passaggio di Ferrara dagli Estensi alla santa sede (13 gennaio 1598)*, in « Atti e memorie della r. Deputazione di Storia patria per le provincie di Romagna », ser. III, vol. IX, 1891; G. Salvioli, *Miscellanea di legislazione estense,* Palermo 1898; Id., *La legislazione di Francesco III duca di Modena*, in AMDM, ser. IV, vol. IX, 1899; L. Simeoni, *L'assorbimento austriaco del ducato estense e la politica dei duchi Rinaldo e Francesco III*, Modena 1919; Id., *Francesco I d'Este e la politica italiana del Mazarino*, Bologna 1922; G. Pardi, *Sulle cause della devoluzione di Ferrara alla Santa sede*, in « Atti e memorie della Deputazione ferrarese di Storia patria », XXIV, 1922; G. Piccinini, *L'invasione spagnuola dello stato estense e l'assedio di Reggio (1655)*, Reggio Emilia 1925; B. Donati, *La formazione del codice estense del 1771 e altre riforme nel ducato a seguito dell'opera di L. A. Muratori,* Modena 1930; A. Balletti, *Gli Ebrei e gli Estensi*, Reggio Emilia 1930 (in rist. anastatica: Forni, Bologna 1969); L. Bulferetti, *L'assolutismo illuminato in Italia (1700-1789)*, Milano 1944; L. Sandri, *La questione di Comacchio attraverso le carte del card. Galeazzo Marescotti*, in « Rivista di storia della chiesa in Italia », IV, 1950; F. Manzotti, *La fine del principato di Correggio nelle relazioni italo-imperiali del periodo italiano della guerra dei trent'anni*, in AMDM, ser. VIII, vol. IV, 1954; G. Quazza, *Il problema italiano alla vigilia delle riforme (1720-1738)*, in « Annuario dell'Istituto storico italiano per l'età moderna e contemporanea », VI, 1954, specie pp. 25-30; F. Manzotti, *Alcuni aspetti della politica economico-sociale di Francesco IV e Francesco V d'Este a Reggio*, in « Rassegna storica del Risorgimento », XLIV, 1957; G. Beltrami, *Il ducato di Modena tra Francia e Austria (Francesco II d'Este, 1674-1694)*, n. 12 della « Biblioteca della Deputazione di Storia patria per le antiche province modenesi », Aedes Muratoriana, Modena 1957; F. Valenti, *Note storiche sulla cancelleria degli Estensi a Ferrara dalle origini alla metà del secolo XVI*, in « Bullettino » dell'« Archivio paleografico italiano », n. ser., II-III, 1956-57, p. II; Id., *I consigli di governo presso gli Estensi dalle origini alla devoluzione di Ferrara*, in *Studi in onore di Riccardo Filangieri*, L'arte tipografica, Napoli 1959; I. Farneti, *L'evoluzione della giustizia a Ferrara (repubblica-ducato-governo pontificio)*, in « Atti della Accademia delle scienze di Ferrara », XXXV, 1959; A. Gasparini, *Cesare d'Este e Clemente VIII*, S.T.E.M., Modena 1960; G. Bertuzzi, *Sul pensiero politico di Francesco V d'Austria Este arciduca austriaco e principe italiano,* in *Modena e l'unità d'Italia*, Aedes Muratoriana, Modena 1960; A. Morselli, *Crisi e tramonto del ducato austro-estense*, Coop. tipografi, Modena 1961; O. Rombaldi, *La lega austro-estense-parmigiana,* in *Aspetti e problemi del Risorgimento a Modena,* S.T.E.M., Modena 1963; F. Valenti, *Il carteggio di padre Girolamo Papino informatore estense dal concilio di Trento durante il periodo bolognese*, estr. dall'« Archivio storico italiano », 1966, Olschki, Firenze 1966; G. Bertuzzi, *Giuseppe Malmusi e lo scioglimento del governo provvisorio modenese nel 1848*, Artioli, Modena 1966; L. Chiappini, *Borso d'Este, duca di Modena, Reggio e Ferrara*, in *Dizionario biografico degli italiani*, XIII, Ist. Encicl. Italiana, Roma 1971; W. L. Gundersheimer, *Ferrara. The Style of a Renaissance Despotism*, University Press, Princeton 1973 (con la recensione di E. Sestan in « Rivista storica italiana », XC, 1978).

S'intenda inoltre ben sempre che sono da ricordare particolarmente qui di nuovo i già citt. L. Chiappini, *Gli Estensi*, L. Amorth, *Modena capitale*, e anche L. Amorth, G. Boccolari, C. Roli Guidetti, *Residenze estensi*. E oltre queste, e oltre le precedenti citt., come trascurare la memoria di più antiche attenzioni alle fortune estensi nello stato e fra di esse almeno di J. BURCKHARDT, *La civiltà del Rinascimento in Italia,* trad. it. di D. VALBUSA, nuova ed. riv. e corretta, Sansoni, Firenze 1968 – per non ripensare a Guicciardini e insomma per negarsi ad ogni tentazione di un lungo discorso organico su ogni tratto dell'interesse per gli Estensi dal Rinascimento in poi –; come dimenticare che i Frizzi, i Balletti, i Rombaldi e gli altri già citati in questa *Nota*, per i loro campi di ricerche non rivolte innanzitutto agli Estensi, fecero spesso agli Estensi un gran posto? È facile concludere, qui, invitando a osservare quanto e in quanti modi, di proposito o meno, la storiografia di cui abbiamo dato sinora dei cenni abbia lasciato spazio agli studi che sono poi venuti avanti per una diversa e meno incompleta conoscenza dello stato estense. Cominciamo ora a dire qualcosa di tali studi.

B) PER UNA CONOSCENZA NUOVA

Beninteso, tali studi non sono tutti recentissimi e anche fra di loro – non necessariamente per la varietà dei temi, che pure c'è – si registra una certa commistione di tempi cronologici, poiché le metodologie nascono e si svolgono con una loro propria libertà ed è bene che accada così. E poi, un R. BATTAGLIA, *L'Ariosto e la critica idealistica,* in «Rinascita», marzo 1950; un A. PIROMALLI, *La cultura a Ferrara al tempo di Ludovico Ariosto*, La Nuova Italia, Firenze 1953 (2ª ed., Bulzoni, Roma 1975); un C. G. MOR, *Storia della Università di Modena,* S.T.E.M., Modena 1953 (poi con P. Di PIETRO, *Storia* cit., 2 voll., Olschki, Firenze 1975); un E. SESTAN, *Le origini delle signorie cittadine: un problema storico esaurito?* (1962: poi in ID., *Italia medievale*, E.S.I., Napoli 1966); infine e sul tempo di Francesco IV d'Austria Este un W. MATURI, *Il principe di Canosa,* Le Monnier, Firenze 1944: essendo in grado felicemente di farsi leggere anche in tempi successivi e diversi hanno già avuto più età, più datazioni. E nondimeno non stupisce che la massima parte degli studi di cui diremo ora sia uscita negli ultimi quindici anni, quando cioè finalmente, da più orizzonti, interessi critici rinnovati e altri nuovi hanno avvicinato meglio o hanno cominciato ad avvicinare lo stato estense e a fare su di esso almeno alcune loro buone prove.

1) *Un primo gruppo di prove*

Un primo gruppo di queste prove, di vario livello e comunque meritevoli di attenzione, hanno dato via via i seguenti: O. ROMBALDI, *Gli Estensi al governo di Reggio dal 1523 al 1859 (ricerche)*, Editrice A.G.E., Reggio Emilia 1959; O. PARISI, *I valichi transappenninici dal Frignano alla Toscana,* in «Rassegna frignanese», 1959, n. 2, e 1960, n. 1; O. ROMBALDI, *L'insurrezione dei rustici e i giacobini reggiani (29-30 giugno 1797)*, in «Bollettino del museo del Risorgimento », Bologna, V, 1960; G. BOCCOLARI, *Aspetti dell'industria e del commercio a Modena dall'età napoleonica al 1859*, in *Aspetti e problemi del Risorgimento a Modena*, cit. sopra (in I, f); A. BERSELLI, *Movimenti politici e sociali a Modena dal 1796 al 1859*, *ibidem*; P. DOMENICHINI, *Sull'attività bancaria nel Modenese nella prima metà dell'800*, *ibidem*; O. ROMBALDI, *Contributo alla conoscenza della storia economica dei ducati estensi dal 1771 all'età napoleonica*, La Nazionale, Parma 1964; R. BONETTI, *L'agricoltura reggiana nel periodo pre-unitario*, ne *Il Risorgimento a Reggio*, La Nazionale, Parma 1964; S. FANGAREGGI, *La magistratura nel regime estense*, *ibidem*; O. ROMBALDI, *Della mezzadria nel Reggiano, a proposito del saggio sopra la storia dell'agricoltura di F. Re*, in « Rivista di storia dell'agricoltura », V, 1965; ID., *Manifatture a Massa e a Carrara all'inizio del sec. XIX*, in AMDM, ser. X, vol. II, 1967; ID., *Storia di Novellara*, Editrice A.G.E., Reggio Emilia 1967; M. ZUCCHINI, *L'agricoltura ferrarese attraverso i secoli. Lineamenti storici*, Volpe, Roma 1967; M. BERTOLANI Del RIO, *Dal castello di Fabbrico alla « filanda » di Reggio la famiglia Guidotti benemerita nell'arte della seta*, ne *L'arte e l'industria della seta a Reggio Emilia, dal sec. XVI al sec. XIX*, Aedes Muratoriana, Modena 1968; O. ROMBALDI, *L'arte della seta a Reggio Emilia nel secolo XVI*, *ibidem*; V. NIRONI, *L'industria della seta e l'utilizzazione industriale dell'acqua nella città di Reggio Emilia prima dell'anno 1660*, *ibidem*; M. A. ABELSON, *Le strutture amministrative nel ducato di Modena e l'ideale del buon governo (1737-1755)*, trad. di C. CAPRA, in « Rivista storica italiana », LXXXI, 1969; ID., *Il magistrato del buon governo e l'opposizione contro il dispotismo illuminato nel ducato di Modena (1748-1755)*, trad. di C. CAPRA, in AMDM, ser. X, vol. VI, 1971; O. PARISI, *Appunti su l'agricoltura della valle del Leo*, in *La valle del Leo*, Aedes Muratoriana, Modena 1971; A. VASINA, *La Romagna estense. Genesi e sviluppo dal Medioevo all'età moderna*, in « Studi romagnoli », XXI, 1970 (ma 1973); M. ZUCCHINI, *Contratti e patti agrari nel Ferrarese dal Medio Evo al secolo XX*, in « Rivista di economia agraria », XXVIII, 1973; G. BOCCOLARI, *Note storiche su Monfestino*, ne *La valle del Tiepido*, Aedes Muratoriana, Modena 1973; W. ANGELINI, V. MARCHETTI, T. ASCARI, su vari della famiglia *Calcagnini* in *Dizionario biografico degli italiani* cit., vol. XVI, Roma 1973; M. CATTINI, *Crisi economica e alterazioni sociali. Conflitti e solidarietà in Valpadana tra Cinque e Seicento*, in « Rivista di storia dell'agricoltura », XIV, 1974; F. POLLASTRI, *L'arte dei marangoni e l'arte dei muratori a Modena (XV-XVI secolo)*, in AMDM, ser. X, vol. IX, 1974; V. BELLEI, *Le strutture giuridico-governative nello stato di Modena alla fine del XVIII secolo*, *ibidem*, ser. X, vol. X, 1975; F. FARINELLI, *Ferrara*, in *Storia d'Italia*, vol. VI, *Atlante*, Einaudi, Torino 1976; A. GALLI, *Carpi sotto gli Estensi. L'intervento riformatore del XVIII secolo*, in A. GARUTI, F. MAGNANINI, V. SAVI, *Materiali per la storia urbana di Carpi*, Comune di C., Carpi 1977; O. ROMBALDI, *Il Frignano e Modena durante il governo pontificio (1510-1527)*, in *Pavullo e il medio Frignano*, Aedes Muratoriana, Modena 1977, vol. I; G. PEDRAZZOLI ZAGNI, *La cronaca del Frignano di Lorenzo Gigli*, *ibidem*; L. LEONELLI, *Il Frignano nel periodo francese (1796-1814)*, *ibidem*; N. JACOPETTI IRCAS e M. RUBINI, *Massa e Carrara da Maria Teresa alla costituzione della repubblica*, Linograf S.N.C., Cremona 1977.

2) *Più recenti impostazioni di ricerca*

Un secondo gruppo di prove, ancora su momenti della storia dello stato o confluenti in quella da opere su altri stati o non solo su stati, si è mosso nell'intento solitamente riuscito di affrontare con validi mezzi temi nuovi o temi tradizionali in modo nuovo, a cominciare da E. V. BERNADSKAJA, *L'imposizione di tributi ai contadini dell'Italia settentrionale nei secoli XV e XVI (su documenti concernenti il Modenese)*, in *Studi in onore di Armando Sapori*, Istituto ed. Cisalpino, Milano 1957, vol. II; da G. SANTINI, *I comuni di valle del Medioevo. La costituzione federale del Frignano (dalle origini all'autonomia politica)*, Giuffrè, Milano 1960; da C. PONI, *Aspetti e problemi dell'agricoltura modenese dall'età delle riforme alla fine della Restaurazione*, in *Aspetti e problemi del Risorgimento a Modena*, cit. sopra (in I, f); da D. ALBANI, *Il Frignano*, Società tipografica Mareggiani, Bologna 1964; per continuare con questi o con altri autori in un gruppo, si deve notarlo, piuttosto ristretto, e cioè con: G. L. BASINI, *Zecca e monete a Modena nei secoli XVI e XVII*, La Nazionale, Parma 1967; ID., *Monete e cambi a Reggio Emilia nel Cinque e Seicento*, La Nazionale, Parma 1967; F. CAZZOLA, *Polemiche e contrasti per l'istituzione dell'arte della seta a Ferrara (1595-1620)*, in « Economia e storia », XIV, 1967; G. L. BASINI, *L'uomo e il pane. Risorse, consumi e carenze alimentari della popolazione modenese nel Cinque e Seicento*, Giuffrè, Milano 1970; F. CAZZOLA, *La proprietà terriera nel Polesine di S. Giorgio di Ferrara nel secolo XVI*, Giuffrè, Milano 1970; ID., *Il problema annonario nella Ferrara pontificia: il legato Serra e la congregazione dell'Abbondanza (1616-1622)*, in « Annali della Facoltà di Lettere e Filosofia » dell'Università di Macerata, III-IV, 1970-1971; G. L. BASINI, *Tra contado e città: lanieri e setaioli a Modena nei secoli XVI e XVII*, in « Rivista di storia dell'agricoltura », XIII, 1973, n. 2; M. CATTINI, *Produzione, autoconsumo e mercato dei grani a San Felice sul Panaro (1590-1637)*, in « Rivista storica italiana », LXXXV, 1973; G. L. BASINI, *Sul mercato di Modena tra Cinque e Seicento. Prezzi e salari*, Giuffrè, Milano 1974; G. CHERUBINI, *La società dell'Appennino settentrionale (secoli XIII-XV)*, in ID., *Signori, contadini, borghesi. Ricerche sulla società italiana del basso Medioevo*, La Nuova Italia, Firenze 1974; A. BEDOGNI, *La popolazione a Reggio tra Sei e Settecento (1686-1715)*, tesi di laurea di storia moderna discussa nel marzo 1975 presso la Facoltà di Lettere e Filosofia di Bologna (relatore G. Tocci); F. BOCCHI, *Uomini e terra nei borghi ferraresi nel catasto parcellare del 1494*, Ferrariae Decus, Ferrara 1976; M. CATTINI, *Congiuntura economica, gettiti fiscali ed indebitamento pubblico in un comune rurale del Basso Modenese, Finale, 1560-1660. Verifica di un modello interpretativo*, in « Review of the F. Braudel Center for the Study of Economies, Historical Systems and Civilisations », New York, I, 2, Fall 1977:

R. Savioli, *L'amministrazione e l'utilizzazione della foresta di Lovoleto nella bassa pianura modenese nei secoli XIV-XV*, tesi di laurea di storia medievale discussa nel novembre 1977 presso la Facoltà di Lettere e Filosofia di Bologna (relatore G. Fumagalli); G. Santini, *Pavullo e il Frignano centrale: problemi e prospettive di ricerca*, in *Pavullo e il medio Frignano*, cit. sopra (in II, a); G. L. Basini, *L'azienda agraria del monastero dei santi Pietro e Prospero di Reggio Emilia (sec. XVII-XVIII). Prime indagini*, in « Quaderni storici », 39 (settembre-dicembre 1978). Nello stesso discorso, e per altri ambiti, ricordiamo: G. Orlandi, *Le campagne modenesi fra rivoluzione e restaurazione (1790-1815)*, Aedes Muratoriana, Modena 1967; L. Pucci, *Lodovico Ricci dall'arte del buon governo alla finanza moderna, 1742-1799*, Giuffrè, Milano 1971 (particolarmente ricco di buona bibliografia, comprese buone tesi di laurea della Facoltà di Economia e Commercio di Bologna; relatore L. Dal Pane); A. Uguzzoni, *Per un'analisi delle parlate rurali dell'Appennino modenese*, in « Modena », LXXVIII, supplemento n. 6-1972.

A tali prove si devono connettere gli apporti e le suggestioni che in misura più diretta o meno, ma sempre pertinentemente, sono venute alla storia dello stato estense da: F. Braudel, *La Méditerranée et le monde méditerranéen à l'époque de Philippe II*, Armand Colin, Paris 1949 (3ª ed., tt. 2, Armand Colin, Paris 1976); F. Venturi, *Agostino Paradisi*, *Lodovico Ricci*, in *Illuministi italiani*, t. VII, *Riformatori delle antiche repubbliche, dei ducati, dello stato pontificio e delle isole*, a cura di G. Giarrizzo, G. F. Torcellan, F. Venturi, Ricciardi, Milano-Napoli 1965; M. Berengo, *Nobili e mercanti nella Lucca del Cinquecento*, Einaudi, Torino 1965 (reprint 1974); G. L. Basini, *Finanza pubblica ed aspetti economici negli stati italiani del Cinque e del Seicento*, Studium Parmense, Parma 1969; F. Venturi, *Settecento riformatore. Da Muratori a Beccaria*, Einaudi, Torino 1969, e Id., *Settecento riformatore*, II, *La chiesa e la repubblica dentro i loro limiti, 1758-1774*, Einaudi, Torino 1976; R. Romano, *L'Italia nella crisi del secolo XVII*, in Id., *Tra due crisi: l'Italia del Rinascimento*, Einaudi, Torino 1971; L. Gambi, *I valori storici dei quadri ambientali*, in *Storia d'Italia* cit., vol. I, *I caratteri originali*, Einaudi, Torino 1972; L. Marini, *Comunità, distretti, campagne in Italia nella prima età moderna: una proposta di ricerca*, in G. Vignocchi, C. G. Mor, G. Fasoli, L. Marini, F. Violi, G. Santini, *Storiografia e realtà giuridico-sociologiche dei territori rurali*, S.T.E.M., Modena (1976) (estr. da « Atti e memorie della Accademia nazionale di scienze, lettere e arti di Modena », ser. VI, vol. XVII, 1975); G. Vigo, *Manovre monetarie e crisi economica nello stato di Milano 1619-1622)*, in « Studi storici », XVII, 1976; C. Poni, *All'origine del sistema di fabbrica: tecnologia e organizzazione produttiva dei mulini da seta nell'Italia settentrionale (sec. XVII-XVIII)*, in « Rivista storica italiana », LXXXVIII, 1976; G. P. Brizzi, *La formazione della classe dirigente nel Sei-Settecento. I seminaria nobilium nell'Italia centro-settentrionale*, Il Mulino, Bologna 1976.

3) *Lo stato come tessuto di relazioni*

Infine ha cominciato a formarsi un terzo gruppo di lavori, di buona qualità e in alcuni casi anche particolarmente seri, e interessati alla problematica che via via ha poi avuto una prima forma nel nostro *Per una storia dello stato estense* già cit. e ora nelle pagine che questa *Nota* conclude: nelle quali pagine ha continuato a cercar di prendere corpo l'idea dello stato come forma generale dei rapporti fra vocazioni ambientali naturali e realtà umane sociali, o, in altre parole e in quella sua forma, come tessuto di relazioni; vale a dire ha continuato a cercar di prendere corpo un'impostazione di ricerca partita molto tempo prima e impegnatasi pure su altri stati.

L'attenzione degli autori di cui vogliamo qui dare conto, e il loro impegno, hanno dato frutti che almeno parzialmente hanno potuto esser rielaborati in certi luoghi del nostro discorso; la tesi di laurea di Montagnani, rielaborata, è poi uscita a stampa, in altri casi la rielaborazione per la stampa si sta realizzando.

Ecco, dunque, i lavori, tutti tesi di laurea di storia moderna discusse presso la Facoltà di Lettere e Filosofia di Bologna, relatore L. Marini: L. CAJUMI, *Società e governo a Modena nel secondo Cinquecento*, marzo 1969; G. MINARDI, *Governo e clero a Modena nel primo Seicento*, marzo 1969; M. GRAMOLI, *Nobiltà e corte a Modena nel tempo di Francesco III (1737-1780)*, giugno 1969; C. MONTRONI, *Il governo di Cesare d'Este, duca di Modena*, febbraio 1970; G. DONINI, *La comunità di Vignola dal 1577 al 1616*, marzo 1971; M. RABITTI, *Gherardo Rangone nel governo di Modena (1772-1796)*, luglio 1972; M. SCURANI, *La comunità di Vignola e i Boncompagni tra Sei e Settecento*, marzo 1973; S. CAMURRI, *La politica delle bonifiche nella pianura fra Crostolo e Secchia nella seconda metà del XVI secolo*, novembre 1973; L. VIGETTI, *I francesi a Carpi (1796-1800). Economia e classi sociali*, marzo 1974; M. DINONI, *Le grandi strade del Settecento italiano: la via Giardini*, marzo 1974; F. REBECCHI, *Dalla peste del 1629-31 alla guerra di Castro: il Frignano e gli Estensi*, marzo 1975; P. GIULIANI, *Privilegiati e sudditi a Ferrara: l'ultimo '400 nelle cronache contemporanee*, marzo 1975; V. CESTELLI, *Il Carpigiano nell'età napoleonica: economia e società*, marzo 1975; O. TASSI, *Una comunità dello stato estense nella crisi del Seicento: politica e società a San Felice*, marzo 1976; R. COCCÌA, *Terra, acque, governo: la comunità di Finale nel Seicento*, marzo 1976; P. GRILLENZONI, *Il Frignano e gli Estensi dal Quattrocento al primo Seicento*, novembre 1976; T. BAGNI, *Dai Pico agli Estensi. Politica e società nel ducato di Mirandola agli inizi del '700*, novembre 1976; E. ZAVATTA, *Politica e società nella Mirandola estense del Settecento,* novembre 1976; R. MONTAGNANI, *Giovan Battista Laderchi nel governo estense (1572-1618)*, novembre 1976, poi ripreso e uscito presso la Aedes Muratoriana, Modena 1977.

A questi lavori è da accomunarsi G. TAGLIATI, *Relazione tra la famiglia*

Romei e la corte estense nel secolo XV, ne *Il Rinascimento nelle corti padane. Società e cultura,* De Donato, Bari 1977.

C) Gli ultimi risultati critici

E oggi, ai lavori raccolti sopra nel par. II non v'è molto da aggiungere. Del secondo volume della *Storia della Emilia Romagna* a cura di A. Berselli (Edizioni Santerno, Imola 1977), possono valere momenti o pagine dei pur rapidi profili di A. Biondi, *I ducati dell'Emilia occidentale nel periodo dell'antico regime*, di G. Tocci, *Le legazioni di Romagna e di Ferrara dal XVI al XVIII secolo*, e di F. Cazzola, *Bonifiche e investimenti fondiari*; e certo il volume è un po' tutto da vedere là dove i suoi autori portano a un bilancio di conoscenze che giovano ad ambientare anche un discorso su uno solo degli stati formatisi nel passato dell'attuale regione, e dove le loro indicazioni bibliografiche aggiornano o integrano quelle dei lavori che abbiamo citato qui.

Alla stessa ambientazione, e talvolta alla riproposizione di tematiche ancora lontane dall'essere accolte dai più, contribuiscono i saggi di L. Gambi, *Lo spazio ambientale del mondo contadino*, di F. Cazzola, *Le bonifiche*, di G. Cherubini, *La montagna del passato*, di F. Landi, *I contratti agrari*, di F. Violi, *Gli attrezzi del lavoro contadino* – con le loro note bibliografiche –, in *Cultura popolare nell'Emilia Romagna. Strutture rurali e vita contadina,* Silvana Editoriale d'Arte, Milano 1977.

Più nuovi risultati critici e altri rinnovati — utili, nell'un caso e anche nell'altro, a un discorso come il nostro — sono venuti poi da due convegni.

Dal primo, su « Società e cultura al tempo di Ludovico Ariosto » (Reggio Emilia-Ferrara, 22-26 ottobre 1975), è nato *Il Rinascimento nelle corti padane. Società e cultura* (già cit. qui in II, c), e di esso ricordiamo anzitutto i contributi di G. Chittolini, *Il particolarismo signorile e feudale in Emilia fra Quattro e Cinquecento*, di L. Marini, *Il governo estense nello stato estense*, di G. Tagliati, *Relazione tra la famiglia Romei e la corte estense nel secolo XV* (già cit. sopra in II, c), di O. Rombaldi, *Terre di abati e di signori nella pianura di Reggio al tempo dell'Ariosto*, di A. Prosperi, *Le istituzioni ecclesiastiche e le idee religiose,* di S. Peyronel, *I conventi maschili e il problema della predicazione nella Modena di Giovanni Morone*, di L. Gambi, *Per una rilettura di Biondo e Alberti, geografi,* di F. Cazzola, *L'evoluzione contrattuale nelle campagne ferraresi nel Cinquecento e le origini del patto di boaría*, e le *Conclusioni* di M. Berengo: ma tutto il volume è da vedere, anche per le integrazioni bibliografiche, generalmente buone, che consente.

Dal secondo convegno, su « Reggio e i territori estensi dall'antico regime all'età napoleonica » (Reggio Emilia, 18-20 marzo 1977), abbiamo ora due volumi con lo stesso titolo (Pratiche Editrice, Parma 1979); e soprattutto i lavori di C. Capra, *Società e Stato nell'età napoleonica*, di O. Rombaldi, *L'economia dei territori dei ducati estensi*, di L. Antonielli, *Le prefetture del Crostolo e del*

Panaro (1802-1814), di A. SCHIAFFINO, *Coscrizione e nuzialità in età napoleonica*, di F. SPAGGIARI, *La distribuzione della proprietà fondiaria nella pianura reggiana (1791-1814)*), di D. STERPOS, *Le strade del ducato (1766-1814)*, di M. M. BUTERA, *Forme di conduzione e problemi sociali nella pianura reggiana (1770-1820)*, di A. REGGIANI, *Sommosse contadine a Modena e Reggio (1796-99)*, di L. PUCCI, *Indagini sul brigantaggio nei dipartimenti del Panaro e del Crostolo* – tutti, nel vol. I –, e quelli di G. P. BRIZZI, *Un'istituzione educativa d'antico regime tra rivoluzione e restaurazione sociale: il Collegio di Modena* – nel vol. II –, ma anche gli altri studi dei due volumi, e le *Conclusioni* di M. BERENGO, devono essere tenuti senz'altro presenti in una moderna considerazione dello stato estense fra Sette e Ottocento.

A ciò si aggiungano le ricerche uscite finora sulla nuova rivista « Contributi » di Reggio Emilia, fra le altre quella di O. ROMBALDI, *Agricoltori e agricoltura dei dipartimenti del Panaro e del Crostolo* (a. I, n. 2, luglio-dicembre 1977), e quella di A. BIONDI, *Tommasino Lancellotti, la città e la chiesa a Modena (1537-1554)* (a. II, n. 3, gennaio-giugno 1978). Si aggiunga, sulla popolazione di Carpi nel corso del XVII secolo, A. BELLETTINI, *Ricerche sulle crisi demografiche del Seicento*, in « Società e storia », I (1978). E si aggiungano S. PEYRONEL, *Speranze e crisi nel Cinquecento modenese. Tensioni religiose e vita cittadina ai tempi di Giovanni Morone*, Angeli, Milano 1979, e il volume di M. M. BUTERA su *Filippo Re*, di imminente pubblicazione presso Angeli, Milano. Infine si ricordi il convegno su « Società, politica e cultura a Carpi ai tempi di Alberto III Pio » (Carpi, 19-21 maggio 1978), dove sono state presentate alcune relazioni di sicuro supporto anche per una migliore conoscenza di Carpi e del Carpigiano dal momento dell'acquisto estense in poi: F. BOCCHI, *I catasti di Carpi: note per la loro utilizzazione storiografica*; A. I. PINI, *Commercio, artigianato e credito nella Carpi di Alberto III Pio e l'istituzione del monte di pietà (1492)*; A. PRANDI, *Il patrimonio fondiario dei Pio nello « stato » di Carpi fra Quattro e Cinquecento*; G. ZARRI, *La proprietà ecclesiastica a Carpi tra il Quattro e il Cinquecento.*

Si vede, così, che intorno a più questioni della storia dello stato estense si è avviato negli ultimi anni e prosegue fruttuosamente un lavoro quasi sempre molto lontano dalla varia letteratura che abbia ricordato in questa *Nota* (I.) Nondimeno il fatto che anche la maggior parte di questi nuovi studi si siano contenuti in loro propri ambiti, senza porsi il problema di come contribuire a impostare una storia dello stato come oggetto di un proposito critico in sé compiuto, se non è né potrebbe essere ragione di astratte valutazioni limitative della loro specifica qualità è certamente invece ragione di una riflessione di altro ordine: che siamo ancor sempre agli inizi di una vera storia dello stato. Occorre continuare con indagini come quelle segnalate in (II, c); occorre, più generalmente, portare ad un incontro sempre più concreto i frutti delle ricerche nuove e le fonti ancora inesplorate o non bene esplorate, indispensabili per quella vera storia.

FONTI

Un discorso sulle fonti diviene a questo punto più che mai necessario, e tuttavia meno che mai la sua indispensabilità può essere richiamata in termini quantitativi o soprattutto quantitativi.

Già l'elaborazione di un *atlante* – nel significato che il termine ha nel sesto volume della *Storia d'Italia*, Einaudi, Torino 1976, p. XI, e cioè di una « raccolta di materiali visivi attinenti alla storia », in questo caso dello stato estense, e come « apertura di nuovi temi » di tale storia –; già questa elaborazione, oltre l'impegno che in passato gli autori di studi idrografici e geografici e storico-economici portarono su luoghi e su aree dello stato, oltre l'attenzione varia ma non mai trascurabile che hanno svolto in proposito i ricercatori ricordati da noi qui sopra – in (II), soprattutto (b) e (c) –; e infine oltre la nostra attenzione e la documentazione personale, pur già notevole, che siamo andati raccogliendo in materia; questa elaborazione dunque appare ancora oggi lacunosa, e da riprendersi ai suoi vari livelli con ulteriori ricerche in tutti gli archivi e nelle biblioteche dell'ex stato e di ogni altro luogo fuori di esso e dal quale ci si interessò ai luoghi dello stato in un così lungo arco di tempo.

Evitiamo perciò la tentazione di dare anche solo un primo elenco delle carte e delle piante che sinora abbiamo potuto conoscere: dai primi saggi dal XIII al XVI secolo per il Ferrarese e per il Polesine (sui quali v.: *Il Polesine dalla guerra di Ferrara al taglio di Porto Viro, 1482-1604. Carte geografiche, mappe, disegni*, a cura di A. MAZZETTI, Accademia dei Concordi, Rovigo 1977) all'impresa eccezionale di un Marco Antonio PASI (due particolari della sua grande carta dello stato sono qui sopra nel nostro contributo; v. inoltre A. CHIAPPINI, *Il territorio ferrarese nella carta inedita dei ducati estensi di Marco Antonio Pasi (1571)*, in « Deputazione provinciale ferrarese di Storia patria. Atti e memorie », ser. III, vol. XIII, 1973); dalla rappresentazione del territorio modenese fatta nel 1571 da Alberto BALUGOLA a quella del basso Reggiano prima e dopo la bonifica di Cornelio Bentivoglio; dai lavori di Bartolomeo GNOLI, di Giovanni Antonio MAGINI, dei due BLAEU, di Gian Battista BOCCABADATI, a quelli di Domenico VANDELLI e ad altri ed eccellenti del primo Ottocento; dalle piante complete o parziali di Ferrara e di Modena e di Reggio (di Giovan Battista SPACCINI, 1545, di Justus SADELER, di G. B. BOCCABADATI, di Giovan Battista BALDINI, di Francesco SOSSAJ, di Attilio ZUCCAGNI ORLANDINI, di Filippo BORGATTI, e di non pochi altri (ad esempio è notevole la pianta anonima di « Modena: Canalchiaro e dintorni », 1622), alle carte e alle piante di molti altri luoghi della montagna e della pianura e di terre e di fiumi e di canali, di castelli e di strade; dentro e fuori dello stato; redatte col realismo di impegnati interessi di economia e di governo, come prime prove di ancora incerti disegnatori o come ottime prove di autori capaci, o altrimenti come risultato di dominanti interessi della fantasia e dei commerci dell'arte. Oltre ogni elenco, una raccolta organica e un impiego sistematico critico di tali fonti andranno perseguiti nello svolgimento della problematica di cui si parla qui.

Anche gli statuti sono numerosi: conosciamo fra gli altri quelli di Ferrara, di Modena, di Reggio, del Frignano e poi di suoi luoghi – Fiumalbo, Polinago, Medola, Rancidoro, Pavullo, Fanano, Sestola e altri –, dei feudi frignanesi dei Montecuccoli, di comunità della Garfagnana, di Sassuolo, di Maranello, di Finale, di Brescello, di San Felice, di Vignola, di Carpi, di Mirandola; per non parlare degli statuti delle arti e delle molte altre carte che ogni discorso, su qualsivoglia statuto, comporta. Ma anche in questo campo non diamo degli elenchi, così come non ne abbiamo dati delle carte e delle piante; i repertori di fondi e bibliografici, le grandi raccolte di « atti e memorie », molti dei lavori citt. sopra in (I) e in (II) e in (III), il *Dizionario topografico-storico degli stati estensi* di G. TIRABOSCHI, voll. 2, Modena 1821-1825 (in rist. anastatica: Forni, Bologna 1963), possono contribuire ad avviare tali elenchi. È fuori di dubbio che riprendere daccapo la considerazione di ogni statuto è indispensabile, quindi s'impone anche a questo proposito un lavoro sistematico e nuovo.

Non cambia di segno neppure un discorso sulle cronache. Sono anch'esse molto numerose, di autori quanto mai diversi gli uni dagli altri, hanno titoli e strutture diversissimi; la loro validità nei confronti di un progetto di conoscenza come il nostro non può che essere, di caso in caso, molto differente. Inedito ed edito significano ben sempre qualcosa, se ricordiamo che generalmente non è stato solo per qualche forma di curiosità o di mecenatismo sprecato ma per interessi anche oggi molto validi che si sono pubblicate in tutto o in parte alcune cronache; ma anche l'inedito va tutto rivisto prima di tornare a decidere che non è il caso di pubblicarlo! Delle cronache, inedite o edite, ricordiamo allora almeno qualche autore o, se anonime, qualche titolo: per Ferrara il *Diario ferrarese dal 1409 al 1502*, il *Chronicon estense*, le *Memorie spettanti alla vita di Alfonso II*, e Bernardino ZAMBOTTI, Ugo CALEFFINI, Ondadio VITALI (Hondedio di Vitale); per Modena Giuseppe FRANCHINI, Alessandro TASSONI, Iacopino de' BIANCHI, Tomasino de' BIANCHI, Giovan Francesco PLOTI, Giovan Battista SPACCINI, Vincenzo COLOMBO, Alfonso e Ortensio COLOMBO, Geminiano CAMONCHI, Carlo CASSIO, Fulvio CORFINI, Antonio ROVATTI, Francesco SOSSAJ; per Reggio Ercole RUBINI, Febo Antonio DENAGLIA, Luigi VIANI; per Carpi Gasparo POZZUOLI, Girolamo BALUGOLA, Alfonso PICCIOLI e Cesare BENETTI, Natale MARRI, Eustachio CABASSI, Alfonso MENOTTI, Giuseppe SALTINI; e per San Felice almeno O. CAVICCHIONI, per Mirandola G. Francesco PICCININI, per il Frignano Lorenzo GIGLI. E qui ci fermiamo; anche sulle cronache si dovranno per altro continuare più forme di attenzione.

E tuttavia: come potremmo proseguire anche solo per accenni il discorso che abbiamo avviato! Lo studio del terreno – e del clima –, quello degli statuti, delle cronache specie là dove più pertinenti alla considerazione di libertà locali, conducono subito a pensare ad ogni testimonianza della vita delle comunità e dei loro distretti, delle campagne, dei lavoratori della terra, e dunque agli archivi, alle biblioteche, alle raccolte di altre notizie ed ogni volta a fondi pubblici e privati, che non solo a Ferrara e a Modena e a Reggio e a Carpi e a San Felice e a Mirandola, a Fanano e a Pavullo e a Sestola, a Castelnovo Monti, a Castelnuovo di Garfagnana, a Vignola e altrove nei luoghi di diretto o di indiretto dominio estense, di dominio feudale o talvolta ecclesiastico, contengono quelle testimonianze, il più delle volte ancora completamente inesplorate. E proprio a questo proposito parlare di notizie sulle fonti, o almeno di prime indicazioni su di esse, si rivela pressoché impossibile.

Per altri versi è poi impossibile riaffrontare le stesse testimonianze più note e cioè quelle dei più vari momenti dell'opera dei governanti maggiori e minori dello stato, estensi o della feudalità laica o della feudalità ecclesiastica, coordinati a fini comuni o agenti per fini anche molto diversi nei confronti reciproci e nei confronti dei loro vari subalterni. Edito e inedito divengono di nuovo subito termini a volte poco significativi.

La difficoltà principale di ogni ricordo sta nel fatto che uno studioso moderno della storia dello stato vuole poter arrivare a tutte le fonti, vuole sapere di geologia e di idraulica, di terreni e di acque e di strade, di agricoltura, di estimi, di catasti, e di arti e di traffici, di zecche e di monete e di prezzi, di realizzazioni urbanistiche; vuole sapere di politica e di amministrazione, di leggi e di patti e di abusi; vuole sapere di teorie e di pratiche, di tradizioni di ogni qualità: ed ogni fonte più che mai può rispondergli in più tempi successivi e con informazioni diverse, magari ogni volta preziose.

Non ritorniamo allora a dire di cronisti o di altri contemporanei di qualche vicenda della storia dello stato, dei quali più direttamente ci siamo valsi anche noi – dunque, di presenze anche di molto rilievo –: in un elenco molto sparso, di Ludovico Ariosto, di Francesco Guicciardini, di Tomasino de' Bianchi, di Agostino Mosti, di Alvise Contarini, di Emilio Maria Manolesso, di Orazio della Rena, di Gio. Battista Segni, di Giovan Battista Laderchi, di Giovan Battista Spaccini, di Lelio Tolomei, di Paolo Brusantini, di Ercole Rondinelli, di Ludovico Antonio Muratori, di Lodovico Ricci, di Filippo Re, di Gian Battista Venturi, e di altri anche anonimi autori di informazioni significative. Non ripetiamo titoli di relazioni, di memorie, di editti, di codici (come l'estense del 1771), che abbiamo potuto mettere un poco a frutto. Neppure fermiamoci sulle *Corografie* come quelle di un RICCI o poi di uno ZUCCAGNI ORLANDINI, sui *Dizionari* come quello di un TIRABOSCHI, sulla *Statistica generale degli stati estensi* di un RONCAGLIA.

A questo punto soccorrono le guide archivistiche, i repertori, ogni altro strumento del genere e in una parola l'impegno di chi in primo luogo ha lavorato e lavora a preparare a sé e agli altri il terreno per qualsiasi ricerca. In proposito, oggi le cose per lo stato estense sono migliori anche solo di pochi anni fa: ricordammo già nel 1973 la sintesi di F. VALENTI, *Modena*, per la *Guida generale degli archivi di stato italiani* (in *Per una storia dello stato estense* – cit. sopra in I –, p. 6): non uscita, poi, allora, e ancora accresciuta, è ora imminente. Di F. VALENTI, si vedano intanto *Profilo storico dell'archivio segreto estense*, Società tipografica modenese, Modena 1953, e *Panorama dell'ar-*

chivio di stato di Modena, S.T.E.M., Modena 1963. Per la stessa *Guida generale* sono in preparazione le pagine su *Ferrara*.

E poi si vedano i seguenti: F. Violi, *Introduzione alle fonti della storia locale nel Modenese*, Aedes Muratoriana, Modena 1965; *I libri parrocchiali della diocesi di Reggio Emilia*, a cura di G. Badini e F. Milani, La fotocromo emiliana, Bologna 1973; A. Spaggiari, *Gli statuti della Garfagnana conservati nell'archivio di stato di Modena*, in « Fonti e studi del Corpus membranarum italicarum », X, *Lucca archivistica storica economica*, Il centro di ricerca editore, Roma 1973; Id., *Carte relative al commissariato di L. Ariosto in Garfagnana presso l'archivio di stato di Modena*, in « Bollettino storico reggiano », XXVIII, 1974; S. Giacobazzi, *Gli archivi parrocchiali del Frignano: un invito per future ricerche*, ne *La montagna modenese. Fatti problemi opinioni*, numero unico di « Consulta frignanese », Pavullo (1974); A. Spaggiari, *Documenti riguardanti la Lunigiana nell'archivio di stato di Modena*, in « Cronaca e storia di val di Magra », V, 1976; *Repertorio archivistico per i territori ex-estensi*, a cura di G. Plessi e G. Badini, La fotocromo emiliana, Bologna 1977: con un'importante bibliografia specifica e informazioni molto ricche dagli archivi civili pubblici e privati e dagli archivi ecclesiastici dello stato estense, in particolare, ma non soltanto, per gli anni 1749-1829.

Col ricordo di questi ultimi strumenti di lavoro possiamo concludere la nostra *Nota*.

IL DUCATO DI PARMA E PIACENZA

di

Giovanni Tocci

Capitolo I. **La nascita del ducato**

Prima del ducato

Le infauste « guerre d'Italia » così esiziali per le sorti degli stati italiani, anche di quelli che nell'ultimo Quattrocento si erano dati istituzioni e strutture politiche di una qualche solidità, non potevano aver lasciato indenni città e territori che si trovassero in aree di influenze assai indecise e in condizioni giuridiche indefinite. E questo non tanto per quanto contro di loro poté essere fatto dagli eserciti imperiali e francesi e « nazionali » nell'intricato avvicendarsi di occupazioni, di passaggi, di temporanei acquartieramenti, di battaglie più o meno cruente, ma per quanto contro di loro fu fatto dai successivi « signori » della penisola che su quelle città e su quei territori vennero in progresso di tempo a rivendicare la propria autorità, il proprio diritto di dominio.

Il Piacentino ed il Parmense rientravano indubbiamente in questa triste casistica di aree facilmente contese tra chi « signoreggiava » nel Milanese e nelle limitrofe aree di una Lombardia difficilmente inscrivibile in precisi confini geografici e politici. La Lombardia, si può dire, cominciava assai a Nord e si prolungava lungo l'asse della pianura padana, a cominciare da Piacenza appunto, sino a sud e sud-est, sino, tanto per intenderci, a Reggio, città propriamente detta « di Lombardia ».

È ovvio che tale indefinitezza, o elasticità, di confini rifletteva la estremamente varia, mutevole vicenda politica degli stati italiani tra Quattro e Cinquecento, era la conseguenza dello strutturarsi delle forme politiche, e, prima ancora, delle qualità dei loro modi d'essere economico e sociale e del loro vicendevole rapportarsi in un gioco politico che non si limitava a determinare il pur importante passaggio dalle signorie ai principati, ma che portava, almeno nei casi più rilevanti, alla costituzione di quelle entità statali a cui, un po' astrattamente, forse, si è soliti dare l'etichetta di « stati rinascimentali ».

Certamente a porsi in una condizione di « stato » ambivano in molti, e non soltanto i pochi, relativamente parlando, signori che pretendevano d'averne il diritto o presumevano d'averne la possibilità, fondando l'uno o l'altra sulle ragioni della natura della loro signoria o sul credito della propria forza economica e politica; ma erano anche le città e più generalmente « i popoli » a volere una loro collocazione meno aleatoria di quella venutasi a creare con la crisi istituzionale dello « stato signorile » e che le guerre d'Italia erano valse a evidenziare in maniera drammatica. « Farsi stato » voleva dire spesso, e in modo assai semplice, darsi una più sicura organizzazione politica entro la quale le attività economiche, per solito le più tradizionali e quindi facilmente le più peculiari, trovassero modo di esplicarsi in un riassestato equilibrio di rapporti sociali tra gruppi e ceti che pur talvolta rinnovati continuavano, dall'era comunal-feudale, a determinare la vita politica delle città e dei loro territori, molto meno, o meno bene certamente, la vita nelle più interne campagne o nelle veramente lontane montagne, terreno eletto ancora di una feudalità che lì manteneva le sue radici, anche se spesso già attiva e presente nelle città, dove per solito era attenta a spiare e a riconoscere le nuove vie, se di nuove ve n'erano, per meglio garantirsi nella propria area di privilegio.

Indubbiamente farsi stato, all'inizio del secolo XVI, era divenuto ancor più difficile per molte aree della penisola; tanto più lo era come nel caso di Parma e Piacenza, quando il ducato di Milano, al quale le loro sorti erano strettamente legate, venne a trovarsi al centro delle ambizioni della monarchia francese e delle rivendicazioni dell'impero e al centro delle attenzioni degli altri stati regionali che la pace di Lodi del 1454 aveva indicato come gli elementi fondamentali del « sistema » politico italiano.

Parma e Piacenza, per altro, va ricordato, nella loro difficile posizione erano anche parte di quella che con termine quanto mai impreciso e allusivo si chiama « Emilia » e in cui già alla fine del Quattrocento si era registrato un « vuoto di potenza... » solo in parte riempito dal comune di Bologna e dal ducato estense... in parte dal dilagare in territorio emiliano di più forti stati confinanti: quello milanese fino a Parma, e con pretese di alta sovranità anche su Reggio; Firenze, sul crinale degli Appennini; il piccolo marchesato di Mantova sui territori lungo il Po[1]. E non meno condizionante, se pur più lontano, era l'interesse che mostravano per questa area e per le implicazioni politiche delle sue vicende lo stato della chiesa e la repubblica di Venezia.

È probabile che da questa situazione difficile traesse origine la « debolez-

[1] G. Chittolini, *Il particolarismo signorile e feudale in Emilia fra Quattro e Cinquecento*, in *Il Rinascimento nelle corti padane. Società e cultura*, De Donato, Bari 1977, p. 24.

za delle strutture statali » che cercavano di reggere i territori della « Lombardia di qua dal Po » (secondo la definizione che dell'area emiliana da Piacenza a Modena davano l'Alberti e il Biondo;) ma è pur da chiedersi come e quanto non abbia contribuito ad accrescere le difficoltà la somma di situazioni economiche e sociali che si sogliono qualificare come espressioni del particolarismo signorile e feudale e che, per la loro preminenza nel vario istituirsi di rapporti all'interno dell'area considerata, finirono per qualificare *tout court* un modo d'essere generale dello stato, che noi dovremmo vedere di volta in volta per quello che fu o riuscì ad essere e non come quello che non riuscì ad essere (stato regionale o rinascimentale o altro che si voglia dire).

Il fatto che i principi avvertissero « più saldi punti di appoggio per il loro potere nei patti e negli accordi bilaterali stabiliti con le varie forze particolaristiche, che non negli strumenti di governo » che essi stessi venivano creando e che « le strutture giurisdizionali, amministrative, finanziarie dei nuovi Stati » fossero « come erose e svuotate all'interno da innumerevoli privilegi, deroghe, esenzioni, immunità, concessioni particolari » rientrava nella oggettiva dialettica politica tra il potere sforzesco e il potere feudale locale, dove il potere dell'uno si alimentava, per così dire, delle impotenze dell'altro e dove, crediamo, rimaneva molto sfumato e quasi sullo sfondo il proposito di realizzare « un edificio organico e compatto » [1] che è quanto dire un forte e grande stato regionale.

Alle sollecitazioni del presente, che era momento di crisi certamente istituzionale, ma anche, più generalmente, di rapporti internazionali, le strutture politiche, indubbiamente instabili, dell'area piacentina e parmense rispondevano con le forze più significative, che erano quelle della feudalità e non delle libertà comunali. Per allora esse erano le forze che condizionavano la esistenza e la vita dello stato, anche se non erano le sole — e, appunto per questo, il loro imporsi non era pacifico; certamente non erano forze, che, data la logica politica assunta, potessero garantire stabilità di situazioni; ciò che a loro importava che durasse era l'esercizio di un sempre riconfermato privilegio; e le forme di privilegio e le sue applicazioni politiche erano le più varie possibili.

Era, allora, abbastanza indifferente per la nobiltà feudale chi avesse, nel mutare delle circostanze, l'autorità per riconfermare quel privilegio; l'importante era di assicurarsi che ne avesse la volontà politica, che era quanto dire il tornaconto, e quando questa assicurazione non venisse in modo esplicito la si poteva in qualche modo affrettare o sollecitare ricordando all'occasionale signore dei territori parmense e piacentino che per conserva-

[1] G. Chittolini, *Il particolarismo,* cit., p. 25.

re quegli stati — come allora si diceva — occorreva contare sulla nobiltà feudale.

Così i primi dodici anni del Cinquecento videro la presenza francese quasi ininterrotta sui territori del futuro ducato, e poi seguirono lunghi anni, con brevi parentesi, di governo pontificio, ma, sostanzialmente, all'interno le cose non erano cambiate dall'ultimo Quattrocento quando « la comunità di Parma lamentava che i tre quarti del suo territorio fossero infeudati, sottratti alla giurisdizione delle magistrature urbane e alla amministrazione dei magistrati ducali residenti in città » e quando anche intorno a Piacenza il cerchio della feudalità si stringeva in modo particolarmente soffocante. Chittolini registra per quel periodo un infittirsi della rete di giurisdizioni feudali e signorili e ne dà una acuta, intelligente spiegazione[1]. Questa condizione preesistente alla creazione del ducato farnesiano va sempre ricordata per capire come esso poté costituirsi ed evolversi.

La presenza francese (1500-1512)

Gli anni della presenza francese a Parma e a Piacenza (1500-1512) riuscirono particolarmente gravosi per le comunità; i dominatori avevano imposto una taglia di trentamila scudi alla sola città di Parma e nuove imposizioni vennero ad aggiungersi per consentire a Luigi XII di condurre, da Milano, la sua intensa attività politica nella penisola e tendente a far pesare l'influenza francese ancor più a sud. La storia di quegli anni è piena di testimonianze che le comunità non rinunciavano a far giungere al senato milanese le proprie insistenti richieste di un maggiore rispetto per le antiche libertà, ma quale accoglienza potevano avere quando all'interno del territorio quelle libertà erano calpestate e vorremmo dire vanificate dalla prepotente e amplissima giurisdizione feudale?

Certamente entro le mura delle città, e segnatamente di Piacenza e di Parma, pesava molto più la presenza fisica dei francesi che si abbandonavano, come registra un cronista, a « porcose disonestà »; ma ai malumori della popolazione si ovviava con le consuete, oppiacee distrazioni dei tornei, delle feste, che i governatori organizzavano anche come pretesto per nuove collette, sicché nella « festosità » generale, e che doveva passare

[1] Chittolini sostiene, con buon fondamento, che l'infeudazione rappresentava « un sistema di governo mediato, attraverso la delega di funzioni giurisdizionali e amministrative ai feudatari »; si configurava, cioè, un feudo « sempre meglio definito e disciplinato, inserito nella struttura istituzionale dello stato, distretto territoriale e amministrativo più che nucleo di autonomo potere politico ». Questa relativa « devitalizzazione » del feudo avrebbe moltiplicato le infeudazioni specialmente nelle zone periferiche dello stato sforzesco (G. CHITTOLINI, *Il particolarismo*, cit., pp. 28-29).

poi, a livelli organizzativi più codificati, nella tradizione della corte farnesiana, così come lo era stata nella corte estense del secondo Quattrocento [1], si stemperavano le insoddisfazioni dei ceti meno abbienti, che non per questo cessavano dall'essere decimati dalla fame alle porte dei conventi, insufficienti a sopperire all'indigenza generale. La comunità cercava nei suoi angusti limiti di agibilità politica di porre rimedi, ma lo spettacolo era quanto mai contradditorio: da una parte «i torzon di verze eran zucharo» per i poveri e dall'altra uscivano grida contro il lusso smodato, in particolare delle donne della buona società che avevan da tener desta l'attenzione non sgradita, anche se talvolta troppo galante, degli ufficiali transalpini.

Gli eventi principali di quegli anni (lega di Cambrai, battaglia di Agnadello, Lega Santa, battaglia di Ravenna) ridussero le due città né più né meno che a capisaldi militari nella strategia dei francesi.

Il governo dei papi

Dopo la battaglia di Ravenna, Giulio II iniziava una vasta operazione di recupero di territori e di città nell'area padana, e con la ben nota sua spregiudicatezza, e contro ogni patto, si impossessava di Reggio, Parma e Piacenza, facendo valere la motivazione, assai poco convincente sul piano diplomatico, che quelle città erano tanto religiose da non poter desiderare altro governo che quello pontificio. Solo Parma mostrò di voler resistere, ma la dissuasero gli occasionali alleati che Giulio II si era procacciato per la bisogna: alle porte della città giunsero infatti quegli Amorotto, e quei Bretti e Carpineto, famosi «briganti» reggiani che mostrandosi devoti alla chiesa, si costituirono una temporanea immunità.

L'esercito papale, costituito per massima parte, di siffatte bande (ma in realtà non era l'unico), gravò con la sua presenza non meno delle truppe francesi, sino alla morte di Giulio II, avvenuta il 1513, anno in cui il duca di Milano, Massimiliano, figlio di Ludovico il Moro, recuperava Parma, sia pure per poco, poiché, per garantirsi l'appoggio della chiesa contro il re di Francia, cedeva al nuovo pontefice Parma e Piacenza dietro pagamento di 42.000 scudi. È da segnalare, quasi come anticipazione delle sorti delle due città che il pontefice Leone X, Medici, contava di creare uno stato per suo fratello Giuliano.

[1] Cfr. L. Marini, *Per una storia dello stato estense. I. Dal Quattrocento all'ultimo Cinquecento*, Pàtron, Bologna 1973, p. 65 e la tesi di laurea di R. Giannotti, *Non ci fu mai tanta festosità in Ferrara...: l'ultimo '400 nelle cronache contemporanee*, discussa nell'a.a. 1973-74 presso la Facoltà di Lettere e Filosofia dell'Università di Bologna, relatore il prof. Lino Marini.

Negli anni del governo pontificio Parma recuperava decoro esterno (ma già nel suo breve periodo Giulio II aveva fatto riaprire l'università, aveva istituito nuove biblioteche, favorito gli studi), ma non tranquillità; il clero — in aumento — diventava ancor più corrotto e prepotente; la feudalità alimentava disordini, istigando le popolazioni contro il nuovo governo. L'opera del pontefice, intesa a creare un nuovo stato, naufragava tuttavia quando nel '15 a Luigi XII succedeva sul trono di Francia Francesco I; dopo la battaglia di Marignano i francesi recuperavano il Milanese. Il papa che aveva aderito alla lega antifrancese con la Spagna, l'impero e gli svizzeri, perdeva di nuovo Parma e Piacenza che tornavano ad essere aggregate a Milano; perdeva anche Reggio e Modena assegnate agli Estensi. Si riapriva una parentesi di 6 anni sotto il dominio francese.

Le guerre d'Italia passarono, in definitiva, come un turbine sulle due città infelicemente esposte alle ambizioni e alle violenze di vicini assai più potenti; la mancanza di una identità nonché politica, territoriale di Parma e di Piacenza ebbe un peso assai decisivo nel travagliato esistere delle due città. Piacenza, più di Parma, per essere assai vicina a Milano e sulla direttrice dei traffici di Milano con Genova, si apprestava a diventare una piazzaforte, un avamposto militare.

Parma, invece, sin da quegli anni pure incerti, si andava assestando urbanisticamente preparandosi a divenire la sede di un governo. È vero, le tre « squadre », ovvero le tre fazioni nobiliari che da tempo rendevano inquieta la vita cittadina, continuavano a combattersi; ma nel '21 poteva già sorgere il tempio grandioso della Steccata, simbolo di una presenza già sicura e duratura: quella del clero. L'ipoteca della chiesa, per così dire, trovava una sua espressione materializzata, ancorché artistica.

Nel tempo in cui si iniziava il duello tra Francesco I e Carlo V Parma conobbe nel 1521, un terribile assedio. Credendo di liberarsi dal male francese, i parmigiani facilitarono l'ingresso in città degli imperiali e degli spagnoli. Si dovette registrare un orrendo saccheggio. Dopo alterne vicende, per la capitolazione di Milano agli Spagnoli, i francesi lasciavano ancora una volta Parma al pontefice. Questi era Leone X, che, morendo il 1° dicembre del '21, non ebbe modo di rallegrarsi del riacquisto.

Il 4 dello stesso mese Francesco Guicciardini — commissario e governatore apostolico — veniva a prendere possesso della città preparando la difesa contro le truppe del Lautrec. Si preparava così un ben più lungo e duro assedio in occasione del quale il Guicciardini mostrò di essere accorto e sagace stratega. Vincendo l'opposizione di una comunità esausta e disposta a cedere, organizzò la difesa in modo tanto esemplare che nel momento cruciale si videro a fianco di Domenico Marenghi di Soragna (il Riccio da Parma della disfida di Barletta) anche 400 ecclesiastici partecipare alla mischia per ricacciare gli assalitori. Il 21 dicembre del '21 rimase una data memorabile per Parma; ovviamente non si poté evitare il peso rincrudito degli alloggiamenti delle truppe, sotto il governo di Adriano VI.

Seguiva un tentativo di recupero di Francesco I, ma la battaglia di Pavia se faceva tramontare i suoi sogni, allarmava assai i principi italiani per lo strapotere di cui veniva di colpo a godere Carlo V. Le conseguenze sono note. Nel '27 c'era il passaggio dei lanzichenecchi del Frundsberg a Borgo S. Donnino (l'odierna Fidenza); giungeva l'eco dell'orrendo sacco di Roma e a qualcuno l'eco delle gesta di un tal Pier Luigi Farnese che nell'assedio di Castel S. Angelo stava dalla parte degli imperiali, salvo poi schierarsi a difesa del palazzo Farnese contro i medesimi! Il grave trauma del sacco di Roma parve ricomporsi nelle trattative di Bologna; tra i cardinali legati inviati da Clemente VII si metteva già in luce Alessandro Farnese, il futuro Paolo III.

Nel volgere di quelle vicende il 1528 fu segnalato come anno di peste (ma cento anni più tardi le vittime sarebbero state ancora di più); si approfittò dell'occasione per erigere un'altra chiesa in Parma, quella di S. Rocco. La città ebbe anche l'onore il 27 ottobre del '28 di ospitare Carlo V, che fu abbondantemente omaggiato del già famoso grana.

La visita di Carlo V ebbe come risultato importante quello di definire la condizione di Reggio e di Modena che furono aggiudicate agli Estensi, mentre Parma e Piacenza, però staccate dal resto dello stato, erano riconosciute alla chiesa. Da questo fatto, probabilmente, derivarono le difficoltà di governo di questi territori, per i quali si mostrò assai per tempo l'insufficienza del governo legatizio.

Rimase emblematico in quel giro d'anni il comportamento del clero parmense nei confronti del commissario papale Vincenzo Gavina da Imola a cui era stato demandato l'incarico di imporre e di esigere due nuove decime. Il clero insorse in modo inaspettatamente violento; inseguì il malcapitato commissario — che di suo non doveva essere un semplice innocente esecutore di ordini — fin dentro il palazzo arcivescovile facendone orrendo scempio. L'episodio accadeva il 30 agosto 1532; ovviamente la città era colpita da interdetto. Dopo due mesi si concesse il perdono ma dietro consistente esborso di donativi da parte del clero. Non per questo i torbidi cessavano [1].

[1] T. Bazzi e U. Benassi, *Storia di Parma,* Battei, Parma 1908, p. 146 e U. Benassi, *Storia di Parma,* Forni (rist. an. dell'ed. di Parma 1899-1906), Bologna 1971, vol. V, pp. 279-290; cfr. anche A. Prosperi, *Dall'investitura papale alla santificazione del potere. Appunti per una ricerca sui primi Farnese e le istituzioni ecclesiastiche a Parma* in *Le corti farnesiane di Parma e Piacenza* 1545-1622, I, *Potere e società nello stato farnesiano,* a cura di M. A. Romani, Bulzoni, Roma 1978, pp. 161-188, in particolare le pp. 168-169.

Nel settembre del '34 moriva Clemente VII e, dopo assai breve conclave, fu eletto Paolo III, il Farnese[1].

Uno stato opera d'artificio

La città di Parma inviò al nuovo pontefice una ambasceria per il consueto giuramento di fedeltà e per ottenere l'approvazione di nuovi *capitoli.* Fu accolto come un segno di buon auspicio che la concessione di capitoli fosse più larga che in passato. Tuttavia la comunità non sapeva ancora come il nuovo pontefice avrebbe affrontato i reali problemi della nuova parte dello stato. La nobiltà, soprattutto nel contado, si agitava non poco. Nel 1536 il conte Lodovico Rangone cercava di impadronirsi di Zibello e Roccabianca, dando origine ad una piccola guerra a sedare la quale fu inviato Pier Luigi Farnese, nominato capitano generale della chiesa e gonfaloniere[2].

Fu indubbiamente per il figlio ambizioso del pontefice un impatto interessante con la nobiltà locale, dal quale dovette quanto meno riportare una impressione abbastanza spiacevole. Ancora nel '38 si registrava una ribellione dei fierissimi Rossi; Giulio Rossi rapiva la figlia del conte di Colorno, Roberto Ambrogio Sanseverino, cercando poi, con l'aiuto di Pier Maria Rossi, signore di Basilicanova, di prendere Colorno. Fu in quella occasione che si riaccesero le lotte civili tra i rossiani e i loro nemici. A stento riuscì a ricomporre le liti il governatore cardinale de' Medici, il quale non trovava di meglio che consigliare al papa l'abolizione di ogni forma di autonomia cittadina come perniciosa alla tranquillità e alla sicurezza dello stato.

Che la vita a Parma fosse poco tranquilla se ne avvide il pontefice in persona quando il 23 marzo del '38 ebbe a passare per Parma; accolto festosamente, mentre si snodava il corteo, essendo « insorta lite fra chi pretendeva la mula pontificia, si venne ad una baruffa tale, che il mastro di stalla vi restò morto; e il papa con tutti i cardinali spaventati scappò a nascondersi in duomo ».

In quella occasione il papa aveva voluto visitare i territori sui quali andava meditando di realizzare quello stato che non era riuscito al Medici; ed era abbastanza noto quanto « gagliardo fosse, per non dir di più, anche in Paolo III il prurito di portare la sua casa ad onori sublimi di principato » e « di fabbricare in Pier Luigi Farnese suo figlio un gran principe ».

[1] Sulla elezione di Paolo III v. T. Bazzi e U. Benassi, *Storia,* cit.; pp. 147-148 ed E. Nasalli Rocca, *I Farnese,* Dall'Oglio, Varese 1969, pp. 34-37.

[2] T. Bazzi e U. Benassi, *Storia,* cit., p. 149.

Fu per questo « prurito » che egli, per quanto provato nel fisico dalla sua febbrile attività, volle incontrarsi con l'imperatore a Busseto nel giugno del '43, « dimenticando » come commenta il Muratori « il decoro della sua sublime dignità » correndo « dietro all'augusto Carlo, che poi si sbrigò presto di lui »[1].

La trama del Farnese doveva essere tuttavia resistente se, nonostante la manifestata insofferenza, l'imperatore non poté che ritardare di due anni incirca la realizzazione dei piani farnesiani. E va ricordato che Paolo III aveva patito di un « prurito » anche più ambizioso, quale era stato quello di aver pensato al ducato di Milano come possibile stato per il suo amatissimo figlio. Si era definitivamente dissuaso dopo la morte del duca di Orleans che era il candidato imperiale, e dopo di che Milano era entrata direttamente nell'orbita spagnola.

I maggiori ostacoli alla creazione del ducato, in effetti, non gli vennero dall'imperatore, che aveva troppi interessi internazionali da valutare prima di inimicarsi definitivamente il pontefice. Gli vennero dai membri del sacro collegio cardinalizio, dalla stessa curia romana che vedeva di malocchio « questo tal quale smembramento di due nobili e insigni città dalla camera pontificia ». Le trattative per estorcere il consenso dell'imperatore, che vantava diritti sulle due città come feudi imperiali appunto, furono non facili. « Carlo non disapprovò apertamente l'atto meditato, ma neppure l'approvò, come quegli che vedeva il papa disporre sì francamente di uno stato che i suoi ministri gli rappresentavano occupato indebitamente da Giulio II e da Leone X, e parte del ducato milanese, giacché insussistente pretensione era quella di spacciar Parma e Piacenza per città dell'esarcato. Oltracciò mirava l'imperadore di mal occhio Pier Luigi, e mal soffriva che piuttosto a lui che ad Ottavio suo genero, si facesse un sì ragguardevol dono »[2].

Quanto alle insoddisfazioni della camera apostolica Paolo III pensava di tacitarle con la restituzione ad essa di Nepi e Camerino « facendo conoscere l'evidente guadagno che ad essa risultava dal permutare que' due paesi con Parma e Piacenza, perché costava di molto il mantenimento di queste città, siccome separate dagli Stati della Chiesa, e in pericolo d'essere assorbite dai vicini; laddove le rendite di Camerino, senza spese, unite al censo annuo di novemila ducati d'oro (altri dicono di più) che si voleva imporre alle suddette due città, avrebbero fatto maggior prò all'erario papale »[3].

[1] L. A. Muratori, *Annali d'Italia dal principio dell'era volgare sino all'anno 1750*, Antonelli, Venezia 1834, vol. XLVIII, p. 161.

[2] L. A. Muratori, *Annali*, cit., p. 237.

[3] L. A. Muratori, *Annali*, cit., p. 238.

Di là dalla evidente riprovazione del Muratori di fronte alla politica nepotistica del Farnese, per cui egli tralascia di ricordare « altri raggiri ed altre speciose ragioni che furono adoperate, per indorare questa pillola... »[1], resta il fatto che a livello diplomatico il Farnese dovette condurre assai bene la cosa; di fronte aveva gente di primissimo ordine, i collaboratori di Carlo V, e attorno a sé, più che con sé, aveva cardinali non lealissimi né facilmente addomesticabili nonostante la grande efficacia del suo molto denaro; del resto anche cardinali insospettabili come il Pallavicino manifestarono la propria opposizione. Ciò non bastò ad evitare che con la bolla datata il 26 agosto 1545 Paolo III concedesse l'investitura dei ducati di Parma e Piacenza al figlio Pier Luigi[2]. Ciò significava la separazione delle due città dallo stato della chiesa.

Parma, che dai papi precedenti — a partire da Giulio II — aveva avuto sempre riconfermata la formale promessa di non essere disgiunta, protestò, ma l'opinione pubblica si adattò ben presto alla nuova situazione per la stanchezza provocata dalla anarchia e dai disordini, sia della nobiltà sia del clero.

[1] L. A. MURATORI, *Annali*, cit., p. 238.

[2] T. BAZZI e U. BENASSI, *Storia*, cit., p. 150 (dove è indicato come data il 16 settembre 1545, che fu in realtà la data della pubblicazione della bolla) e G. DREI, *I Farnese. Grandezza e decadenza di una dinastia italiana*, Libreria dello Stato, Roma 1954, p. 38; cfr. pure E. NASALLI ROCCA, *I Farnese*, cit., p. 46 e M. CARAVALE e A. CARACCIOLO, *Lo stato pontificio da Martino V a Pio IX*, in *Storia d'Italia*, diretta da G. Galasso, vol. XIV, Utet, Torino 1978, pp. 237-265.

Capitolo II. **La prima età farnesiana (1545-1646)**

1. Da Pier Luigi ad Alessandro: i Farnese in cerca dello stato

Pier Luigi si mette in proprio

Nelle intenzioni di Paolo III e secondo il dettato della bolla di investitura il nuovo duca avrebbe dovuto configurarsi come una sorta di vassallo con limitata giurisdizione, e dunque pienamente controllabile dal potere che l'aveva artificiosamente creato, con quello spirito di inventiva che, se aveva caratterizzato da sempre il nepotismo, mai però si era estrinsecato in una maniera così clamorosa. Ma tant'è che anche da semplice cardinale il Farnese era stato magnifico signore, audace e dissacrante quanto glielo potevano consentire una non comune intelligenza e un non comune patrimonio, sapientemente amministrato e straordinariamente accresciuto [1].

Il figlio Pier Luigi mostrava d'aver molto ereditato dal padre quanto ad ambizione, spregiudicatezza ed intelligenza; meno parrebbe quanto ad equilibrio e capacità diplomatiche; in passato la storiografia molto si dilungò anche sulla eredità di una concupiscenza, di una sensualità vissuta con scarso equilibrio e convenienza. È certo che di fare le funzioni di legato laico per un sia pur tanto padre, Pier Luigi non ebbe mai le intenzioni, né mai cercò di nascondere i propri intendimenti.

È probabile che la volontà di Pier Luigi di non avere tutori o di agire per delega non sfuggisse all'imperatore, che pure si disse in segreta intesa con il pontefice per l'assegnazione del ducato; certo è che la simpatia mostrata subito da Pier Luigi per la monarchia francese nella occasione della congiura di Gian Luigi Fieschi contro il Doria, ispirata appunto dalla Francia, e le « pratiche di stretta confidenza » di Paolo III sempre coi

[1] T. Bazzi e U. Benassi, *Storia*, cit., p. 148, G. Drei, *I Farnese*, cit., p. 12 e E. Nasalli Rocca, *I Farnese*, cit., pp. 31-32.

francesi (tanto da realizzare il matrimonio tra Orazio Farnese e Diana di Poitiers figlia naturale del re di Francia), fecero sì che Carlo V covasse « un tarlo di sdegno e di vendetta » contro Pier Luigi [1].

Questi il 23 settembre del 1545 riceveva dal vescovo di Casale, commissario apostolico, l'investitura in forma solenne nella cittadella di Piacenza; la cerimonia si svolgeva alla presenza dei deputati delle comunità e di circa una cinquantina di feudatari, che prestarono giuramento di fedeltà.

Indubbiamente Pier Luigi aveva fretta di entrare nel pieno esercizio del potere conferitogli e di mostrare come quello stato che i confinanti avevano visto « spuntare in un sol giorno come un fungo » per il favorevole corso di quella che il cardinal Gonzaga chiamava, con molta invidia, la « fortunazza paolina », potesse diventare qualcosa di duraturo e di veramente degno di un principe [2].

Intanto egli non si faceva illusioni sul vero animo di Carlo V che per il momento non solo ostentava indifferenza, ma addirittura consigliava al governatore di Milano, marchese del Vasto, di astenersi da qualunque forma di protesta. Il duca pertanto inviava presso l'imperatore, a Bruxelles, il suo segretario Paolo Pietro Guidi, in sostituzione di Annibal Caro che era ammalato, per chiedere — e in ciò lo aveva consigliato il Filareto — l'approvazione dell'investitura.

Il Guidi aveva avuto il preciso incarico di operare con dignità e di non mostrare « d'essere andato per mendicare »; fu ricevuto il 27 agosto e si deve dire che egli operò al meglio riferendosi a Pier Luigi come al « duca di Castro » [3] e non « di Parma e Piacenza », per ovvie ragioni di diplomazia, e sottolineando che Ottavio, candidato dell'imperatore, e suo genero, era troppo giovane e inesperto per reggere le sorti di un nuovo stato.

Carlo V si comportò come in precedenza gli era occorso a Busseto; stette sulle generali, rinviò ogni decisione al ritorno del suo ministro Andelot da Roma dove era stato inviato per un giro di ricognizione, e un generico e non compromettente « non mancheremo contentarlo dove potremo » fu il laconico viatico per il Guidi [4].

Il duca, dal suo canto, aveva provveduto a stringere rapporti diplomatici con le corti ed i governi più importanti. Presso Carlo V inviò Vincenzo Boncambi, che di passaggio si fermò alla corte di Francia per assicurare il nuovo re di Francia, Enrico II, della favorevole inclinazione verso di lui del Farnese. Solo Venezia riconobbe immediatamente il nuovo stato, contando che potesse esserle di vantaggio contro i Francesi ma anche contro

[1] L. A. Muratori, *Annali*, cit., p. 253,
[2] G. Drei, *I Farnese*, cit., p. 41.
[3] G. Drei, *I Farnese*, cit., p. 40.
[4] G. Drei, *I Farnese*, cit., p. 41.

l'impero; fu la prima, infatti, ad accogliere il rappresentante ufficiale farnesiano.

Piacenza capitale

Piacenza si affrettò a preparare le onoranze al principe fin dall'agosto '45, ma anche i parmigiani si dettero da fare, tant'è che pareva una gara d'appalto per garantirsi il ruolo di capitale, una gara che in verità proseguì ancora per vari anni e che anche a situazione definita, sotto i successivi Farnese, riaffiorava a testimonianza più che di una rivalità, della rispettiva gloriosa tradizione comunale.

La scelta della capitale fu dunque il primo atto politico di Pier Luigi e cadde su Piacenza come era da attendersi da un principe che aveva una non trascurabile esperienza militare, e che poneva le necessità della difesa e della strategia innanzi a tutto. Parma restava, per così dire, in lista d'attesa. In tutto il suo breve periodo di governo Pier Luigi visitò Parma una sola volta, sostandovi per quasi tutto il dicembre del '45.

La scelta di Piacenza non era fatta, però, soltanto in funzione strategica per controllare meglio i rapporti con il Milanese, con Genova, con il Piemonte, ma perché da lì meglio poteva controllare la nobiltà riottosa e in continua lotta contro le comunità; ed era su questo fronte che il potere centrale doveva recuperare autorità dopo l'atteggiamento assai remissivo tenuto dagli ultimi pontefici, distratti da cure più romane e internazionali e spesse volte messi in difficoltà, come almeno per un caso s'è ricordato, da un clero assai numeroso e turbolento [1].

Il confronto con la nobiltà

Era davvero una massiccia presenza quella della nobiltà feudale nei territori del ducato se è vero che essi risultavano « per circa i 2/3 costituiti dai loro feudi » [2]. La mappa feudale e amministrativa che Letizia Arcangeli è andata ricostruendo in questi ultimi tempi [3] ci dice di una situazione assai complessa; « nella pianura e nella bassa collina piacentina, feudi di dimensioni assai ridotte... si intrecciavano a ville non infeudate ». I possessori erano i rappresentanti delle principali famiglie di Piacenza: Anguissola, Landi, Scotti, Fontana che erano anche gli arbitri della vita

[1] Cfr. qui a pag. 221.

[2] L. Arcangeli, *Feudatari e duca negli stati farnesiani (1545-1587)* in *Il Rinascimento nelle corti padane*, cit., p. 77.

[3] L. Arcangeli, *Feudatari e duca*, cit., p. 77, nota 2.

politica cittadina, dove il consiglio della comunità funzionava come mero strumento del loro potere.

Il ruolo della città si faceva sentire meno verso la montagna e verso le aree periferiche del territorio piacentino; là si affermava — a livelli diversi — una maggiore autonomia giurisdizionale e fiscale attorno a centri come Fiorenzuola, Castelsangiovanni, Borgonuovo, Castellarquato. Scarsa la presenza dei più forti casati (la più grossa eccezione i Landi su Bardi e Compiano) con rappresentanza nel consiglio cittadino; per la maggior parte in queste aree erano presenti i Pallavicino, che a Piacenza venivano considerati forensi e poi i Dal Verme, gli Sforza (di Borgonuovo e di Santafiora), gli Sforza Fogliani, nobili il cui insediamento era stato favorito in età precedente dai duchi di Milano [1].

Nel Parmense la situazione era diversa perché « il minore sviluppo economico... ne aveva limitato le capacità di penetrazione nel contado ». Accadeva così che i feudi « tendevano ad assumere il carattere di piccoli stati, gravitanti intorno alla sede del signore, ed eran dominati da poche e assai potenti famiglie decisamente superiori a quelle piacentine per nobiltà e ricchezza » [2]. Pallavicino e Rossi su tutti, i quali, pur esclusi dal consiglio cittadino, condizionavano non poco la vita politica della città.

Certamente resta ancora da studiare meglio, e l'Arcangeli lo sa più di altri, « la contrapposizione tra città e feudatari sotto il profilo giurisdizionale, istituzionale e fiscale », ma intanto non è poco aver constatato « come la potenza dei feudatari affondasse le sue radici non solo nei rapporti con gli *homines* dei feudi, ma anche nell'appoggio delle fazioni cittadine » [3]. Ecco perché sin dalle prime « guerre d'Italia » quel « ritorno alla fazione », di cui ha scritto recentemente Giorgio Chittolini, in questa area aveva assunto un carattere feudale. In particolare sulla montagna « la feudalità aveva mostrato appieno la sua persistente capacità di agire come centro di aggregazione, mobilitando forze in grado di influenzare in maniera determinante l'andamento locale della guerra e le possibilità di conservazione dello stato. I maggiori tra i feudatari attraverso queste lotte eran tornati a perseguire il mito del piccolo stato signorile ». Esemplari al proposito le vicende dei Rossi [4].

Altro ulteriore momento del potenziamento dell'autonomia è rappresentato dalla vivace politica matrimoniale tra i grandi feudatari con le famiglie dell'area padana, mentre si allentavano i legami con quelle lombardo-

[1] L. Arcangeli, *Feudatari e duca*, cit., pp. 78-79.
[2] L. Arcangeli, *Feudatari e duca*, cit., p. 79.
[3] L. Arcangeli, *Feudatari e duca*, cit., p. 80.
[4] L. Arcangeli, *Feudatari e duca*, cit., p. 80 e per i Rossi v. G. Chittolini, *Il particolarismo*, cit., pp. 43-46.

milanesi fin dal declino del potere sforzesco. Tra gli altri erano assai presenti in questi contratti i Gonzaga che tendevano a imparentarsi coi Torelli, Pallavicini, Rossi, Anguissola, Scotti.

Aveva in una certa misura giovato alle fortune di queste famiglie la debolezza del potere centrale durante gli anni del governo pontificio; è vero che in qualche occasione la prepotenza dei feudatari era stata combattuta anche con le armi (vi aveva fatto, come si è visto, la sua esperienza anche Pier Luigi), ed è vero che in tali circostanze le città avevano sostenuto il potere centrale, ma non era stato quel potere troppo permissivo? Non si era reso partecipe il cardinal di Trani nel concistoro del 19 agosto del '45, al momento di decidere sulla investitura a Pier Luigi del Parmense e del Piacentino, del disappunto di quei « tanti e sì onorati signori, ricchi gentiluomini e franchi cavalieri che come si gloriano d'essere vassalli di questa Santa Sede così sempre si dorranno et a grave ingiuria si recheranno di esser da altri signoreggiati... e di esser levati dalla libertà ecclesiastica et fatti vassalli di Signori temporali e perpetui »[1]? E lo stesso Paolo III non raccomanderà al figlio di « gratificare » la nobiltà[2]?

Intanto si era dato che Pier Luigi nel suo stato trovasse forte e in modo preoccupante, anche sul piano militare, la nobiltà.

Più forte e più pericolosa gli pareva la nobiltà piacentina, arroccata nelle dimore avite, nei suoi feudi, lontani fisicamente, e non solo, dalle città. Appellandosi a leggi precedenti Pier Luigi cercò di portare in città i nobili che nel contado costituivano una latente forza centrifuga, un ostacolo alla progressiva centralizzazione della vita politica dello stato. A tal fine egli decretava che quanti tra i nobili avessero una rendita di oltre 200 lire imperiali dovessero vivere in città; in caso contrario avrebbero perduti i beni e la cittadinanza; coloro che non avevano abitazioni urbane dovevano provvedere a costruirne una, e perché questa iniziativa non si risolvesse in una alterazione della fisionomia urbanistica della città, creò una congregazione di edili[3].

Era indubbiamente un procedere piuttosto sbrigativo, e Paolo III stesso ebbe ad avvertirlo che tale atteggiamento avrebbe potuto eccitargli contro molti malumori. Pier Luigi non ritenne di dover cambiare linea e nel febbraio del '46 ingiungeva a quei nobili che ancora non avevano provveduto a trasferirsi in città di farlo nel termine perentorio di 8 giorni[4].

È chiaro che l'intento principale del duca non era più, e solo, la

[1] L. Arcangeli, *Feudatari e duca*, cit., p. 77.
[2] L. Arcangeli, *Feudatari e duca*, cit., p. 82.
[3] T. Bazzi e U. Benassi, *Storia*, cit., p. 172.
[4] G. Drei, *I Farnese*, cit., p. 49.

volontà di controllare da vicino la nobiltà, o di crearsi una corte sorvegliabile. Lo stato di recente costituzione non aveva né una salda organizzazione né immediate possibilità di affermazione entro l'area consistente del privilegio feudale, un'area che i nobili mostravano di voler rafforzare e non di far semplicemente sopravvivere; certamente meno preoccupazioni, o quasi nulle, gli potevano venire dalle comunità, che avevano accettato la soluzione del ducato come un modo per uscire dalla condizione di permanente instabilità che aveva caratterizzato il primo Cinquecento.

A Pier Luigi, per farsi valere su di un piano organizzativo, prima, e politico generale poi, occorreva una disponibilità di mezzi finanziari, che non poteva venirgli soltanto dalle sue fortune private o dalla amministrazione di territori ancora piagati dalle vicende belliche dell'età di Carlo V. Gli « otto giorni » dati alla nobiltà riluttante e altri pretesti diedero modo al duca di passare alla spoliazione di Cortemaggiore a danno dei Pallavicino, di togliere Poviglio ai Gonzaga, Romagnese ai Dal Verme, Calestano e Borgo Val di Taro ai Fieschi; d'un colpo si procurava mezzi finanziari e deprimeva il potere di quelle famiglie.

Il nascere delle opposizioni

È pur vero che, così agendo, procurava uno scossone troppo violento nell'assetto sociale e politico dei suoi domini, e di ciò avrebbe pagato un altissimo prezzo. Resta innegabile, tuttavia, che dai suoi provvedimenti traspare la volontà di condurre innanzi anche l'opera di organizzazione dello stato, sentito come qualcosa di nuovo, di diverso da ciò che la situazione antecedente gli offriva; traspare anche la volontà di affermazione di quel « nuovo » principe per la quale si erano bruciate le speranze e le fortune di non pochi uomini politici della penisola dalla discesa di Carlo VIII in avanti.

Pier Luigi era, se si può dire, fin troppo « nuovo »; la sua ascesa era recente, come relativamente recente quella dell'intera famiglia[1], e singolare comunque era stata l'acquisizione del ducato, che fu qualcosa di più complesso di una semplice operazione di stampo nepotistico. Si intrecciavano, in quella operazione, e condizionarono poi l'azione politica del Farnese, e dei suoi successori, il ruolo del papato, i rapporti con l'impero (che non aveva deposto affatto i propositi di un recupero di quelle terre), i rapporti con gli spagnoli, incomodi vicini di là dal Po. Cercare l'affermazione attraverso l'assolutismo individualistico era aleatorio; le forze da sfidare erano molte e consistenti, preparate e allenate dalla ormai lunga battaglia

[1] Per la ascesa della famiglia Farnese v. E. NASALLI ROCCA, *I Farnese*, cit., pp. 27-58.

che dalla elezione a imperatore di Carlo V si era venuta svolgendo, per gran parte, anche sui territori italiani.

I margini per l'affermazione di una fortuna, pur aiutata dalla natura leonina e volpina di Pier Luigi, restavano assai stretti. Nondimeno egli la tentò, trascinatovi probabilmente dalla vena guerresca dei Farnese, che se fu presente, e di gran qualità, nei primi rampolli della dinastia non si spense del tutto, almeno a livello di intenzioni, neppure nei tardi epigoni delle glorie farnesiane.

Non a caso la costituzione di un esercito efficiente fu una delle prime cure del duca. In aggiunta alle truppe papali già in servizio nello stato, egli creò cinque compagnie di duecento fanti ciascuna nelle due città di Parma e di Piacenza. Si provvide di una guardia del corpo e soprattutto diede mano ad una serie di opere di fortificazione; la maggiore e la più grandiosa fu la costruzione del castello di Piacenza. Quest'opera che vide un impegno straordinario di lavoratori e di progettatori (si susseguirono il Giannelli, il Buonarroti e infine l'espertissimo in materia, il Sangallo) divenne l'emblema delle intenzioni politiche di Pier Luigi, la testimonianza del suo potere, proprio mentre cercava di svuotare i castelli gloriosi e munitissimi della periferia dello stato.

Il malumore dei nobili trovò anche nella costruzione del castello un motivo in più per alimentarsi, e non tanto per il fatto che l'impiego di oltre 3.000 uomini veniva a privare di colpo i feudi di numerose braccia, quanto perché Pier Luigi, contemporaneamente, imponeva la drastica riduzione delle opere di difesa nei loro castelli. La fortezza piacentina si ergeva così a simbolo di una sovranità del tutto nuova per quei luoghi avvezzi a dipendere da una autorità lontana, generalmente debole, talvolta addirittura inconsistente, come all'epoca del dominio pontificio di recente memoria.

Del resto anche altri elementi della popolazione videro di malocchio la costruzione del castello di Piacenza, perché ciò significava imposizioni di nuove contribuzioni, nonostante che il Farnese, in molti atti legislativi, mostrasse di voler favorire i ceti popolari per garantirsene l'appoggio contro la feudalità[1].

Per una linea antifeudale

In Parma e Piacenza Pier Luigi aveva trovato un sistema di governo per così dire misto, poiché accanto alle magistrature pontificie (legato, vicelegato, governatore) vivevano ancora quelle cittadine (consiglio genera-

[1] G. Drei, *I Farnese*, cit., p. 50.

le, anzianato, podestà, fiscali, avogadro, referendario, congregazioni varie); queste ultime avrebbero dovuto tutelare le libertà comunali, che in realtà erano un lontano ricordo.

Il duca cercò subito di sovrapporsi tanto ai feudatari quanto ai cittadini, e più generalmente di ridurre tutti alla condizione di sudditi. A sé, infatti, riserbò il potere di riconfermare le investiture nobiliari e di concederne di nuove, ma anche di approvare e di modificare gli statuti[1]. In questo compito l'esser stato creato dall'alto e l'esser giunto al potere non emergendo da una lotta tra pari, consentiva al Farnese di far valere maggiormente la propria sovranità, anche se questa estraneità al tessuto sociale e all'ordine nobiliare doveva inevitabilmente costituire un ulteriore elemento di dissidio con la feudalità, in particolar modo con quella piacentina più fiera e superba del proprio glorioso passato fatto di progressive acquisizioni nell'area, vasta, del privilegio.

Al fine di approntare efficienti apparati di governo, che non si discostassero troppo da quella che poteva essere la tradizione per dir così « lombarda », egli inviò il suo principale collaboratore, Annibal Caro, a studiare la costituzione del governo milanese.

Probabilmente ispirandosi a quella e ad altre contemporanee egli creò una « segreteria di stato » composta di 5 membri che furono uomini di eletta cultura: Filareto, Caro, Ranieri, Monterchi, Guarnerio[2]; creò anche un « consiglio ducale » segreto che era composto da alcuni dei membri della segreteria scelti di volta in volta a seconda delle necessità. La particolare situazione in cui Pier Luigi si trovò ad organizzare l'esercizio del potere fece sì che nelle prime costituzioni farnesiane permanesse una certa indeterminatezza delle funzioni e spesso una vera e propria confusione dei poteri attribuiti alle magistrature[3].

In Parma e in Piacenza, in luogo del podestà, nominato dal consiglio generale della comunità e che aveva il supremo potere giudiziario, il duca nominò un suo podestà, o governatore, al quale però non era attribuita l'amministrazione della giustizia, e che faceva da tramite tra il consiglio ducale e le magistrature comunitative. La giustizia era affidata a un « consiglio di giustizia e grazia » composto di 7 giureconsulti; lo presiedeva il duca, e la ragione era abbastanza ovvia, quando si pensi che il consiglio decideva in particolare delle cause coi feudatari.

Si può dire che ogni provvedimento legislativo del periodo di Pier Luigi fosse finalizzato alla riduzione del potere feudale; in questo senso

[1] G. Drei, *I Farnese*, cit., p. 43.
[2] G. Drei, *I Farnese*, cit., p. 43.
[3] G. Drei, *I Farnese*, cit., pp. 43-44.

andava anche la conferma del decreto del « maggior magistrato », che limitando le giurisdizioni feudali faceva passare un considerevole numero di abitanti delle campagne sotto la diretta giurisdizione ducale[1]; e a fini sostanzialmente identici si ispiravano i compartiti del '45 per il territorio parmense e quello del '46 per il piacentino, operazioni di perequazione fiscale che tuttavia valevano molto più come mezzi per limitare i privilegi, dal momento che imponevano denunzie dei beni e delle rendite a tutti i sudditi, compresi quelli abitanti nei feudi.

Del resto una delle prime preoccupazioni del governo ducale era stata quella di fare un censimento generale della popolazione, dal quale era risultato che il ducato, globalmente, contava 266.640 abitanti così distribuiti: 142.217 nel Parmense (19.592 in città, 97.123 nel territorio, altri 25.502 nel così detto « stato Pallavicino », di cui si dirà più avanti) e 124.433 nel Piacentino (26.800 in città, 97.633 nel territorio che era comprensivo anche dello « stato dei Landi » del quale avremo occasione di parlare più in specifico nelle pagine seguenti).

Le iniziative ostentatamente filopopolari e dunque antifeudali del primo duca prese fin dal primo momento del suo insediamento nel ducato allarmarono il vecchio e accorto pontefice Farnese, che esortava il duca, attraverso il fido Filareto, di badare « più a stabilirsi che all'utile » e che gli conveniva mantenere lo stato con quella mitezza di governo che avevano usato i pontefici e in particolare coi feudatari che erano « più potenti di quei di Ferrara e soliti vivere sotto il soave giogo della Chiesa »[2]; il papa aveva ritardato la formalizzazione della bolla d'investitura perché sperava di limitare i poteri giurisdizionali del duca, ben conoscendone il temperamento e le idee, ma non vi riuscì; finì per concedergli perfino il diritto sul sale, che pure intendeva conservare, come regalia, alla camera apostolica. Pier Luigi, d'altro canto, gli rubava l'iniziativa esponendosi in maniera clamorosa come quando chiese ai Pallavicino di provare i loro diritti sulle saline e sui pozzi di Salsomaggiore e di Salsominore di cui essi erano padroni da lungo tempo. Anche in quell'occasione Paolo III fece giungere invano al figlio le sue lagnanze[3].

Probabilmente Paolo III indovinava quali minacce potessero addensarsi sulla testa del figlio, memore come egli era della riottosità della feudalità di quei territori, ma quanto a credere che con la passata mitezza si sarebbe meglio conservato lo stato il pontefice forse si illudeva, e comunque è certo che Pier Luigi, pur con tutte le contraddizioni e i limiti della

[1] G. Drei, *I Farnese*, cit., pp. 49-50; cfr. E. Nasalli Rocca, *I Farnese*, cit., p. 71 e L. Arcangeli, *Feudatari e duca,* cit., pp. 93-94.

[2] G. Drei, *I Farnese*, cit., p. 46.

[3] G. Drei, *I Farnese*, cit., p. 47.

sua azione, perseguiva un programma politico e una opera di rafforzamento del potere più moderni di quelli ai quali era rimasto ancorato suo padre.

Gli pareva, tanto per esemplificare, irrinunciabile una entrata come quella costituita dai diritti sul sale; acquistandola egli veniva a indebolire il potere di una famiglia per altre fortune già assai influente, e a fornire le casse ducali di entrate di cui massimamente aveva bisogno nel momento di costituzione dello stato. Ché se Paolo III aveva inventato letteralmente questo stato come opera d'artificio, Pier Luigi doveva conquistarselo e questo voleva dire conoscerne le componenti e dominare la somma di condizioni economiche sociali giuridiche che lo qualificavano.

La congiura

Se il risentimento dei feudatari creò una diffusa opposizione al governo ducale, a determinare la fine di Pier Luigi contribuì in modo decisivo la reazione spagnola, come a dire in quel momento anche imperiale, che nel governatore di Milano, Ferrante Gonzaga, trovò lo strumento più adatto per opporsi al rafforzamento, antimperiale e antimilanese, del Farnese. Anche contro di lui pare che Pier Luigi avesse diretto il suo zelo antifeudale impedendogli di ottenere il marchesato di Soragna, « perloché » narra il Muratori « il Gonzaga fece quanti mali uffizi poté contro di lui alla corte dell'imperadore ». E certamente l'avallo di Carlo V non dovette mancare, per quanto dei preparativi della congiura, delle intese, del numero e dei nomi dei partecipanti, non si sapesse poi che l'essenziale [1].

Sta di fatto che i congiurati che si esposero in prima persona erano « tutti della primaria nobiltà di Piacenza » insofferenti ormai della « briglia » e del « rigore » usati dal duca [2]; erano Giovanni Anguissola, conte di Vigolzone e di Grazzano, Girolamo Pallavicino marchese di Scipione, il conte Agostino Landi, il nobile Gian Luigi Confalonieri [3]; ma non mancarono nomi di elementi non nobiliari [4], il che testimonia da un lato della larga influenza di cui ancora godevano i feudatari e dall'altro dell'allargamento della opposizione al governo ducale in quei gruppi sociali che il fiscalismo maggiormente colpiva.

Quel che è pure certo è che la congiura non si poté configurare come frutto di intrighi di corte; di fatto la corte non era ancora nata attorno a Pier Luigi e gli elementi che in qualche modo costituivano lo *staff* dei suoi collaboratori erano per la più parte forestieri, per i quali è anche compren-

[1] L. A. Muratori, *Annali*, cit., p. 255; cfr. G. Drei, *I Farnese*, cit., p. 68.
[2] L. A. Muratori, *Annali*, cit., p. 255.
[3] G. Drei, *I Farnese*, cit., p. 67.
[4] Cfr. G. Drei, *I Farnese*, cit., p. 68.

sibile che si nutrisse ostilità da parte di chi si era trovato escluso da una più diretta partecipazione al potere.

L'avventura politica di Pier Luigi terminava nel tragico 10 settembre 1547.

A quella giornata non aveva partecipato la nobiltà parmense ed è un fatto da ricordare, non solo perché rappresentò uno dei fattori determinanti per le fortune di Parma (dalla morte di Pier Luigi i duchi negli atti ufficiali si dissero «di Parma e Piacenza» e non più «di Piacenza e Parma» — anche se l'inversione dei nomi avveniva ogni qualvolta un Farnese si trovava o nell'una o nell'altra città!), ma anche perché mostrava che lo stato, anche socialmente, e pur rimanendo nella sfera del privilegio, era *anceps*, e difficilmente governabile.

La morte di Pier Luigi, per altro, non risolse i problemi della feudalità, né fugò le preoccupazioni degli spagnoli insediati nel Milanese. Le vicende che seguirono il 10 settembre valsero a sottolineare le incertezze di Carlo V, dello stesso pontefice che reagì, tutto sommato, abbastanza debolmente[1] e perfino del Gonzaga che dopo aver occupato Piacenza non osò attaccare seriamente Parma. È probabile che la nobiltà piacentina riuscisse incomoda comunque anche all'imperatore e agli spagnoli; per questi ultimi, in fondo, i vantaggi furono d'ordine pressoché esclusivamente strategico; molto più consistenti, invece, quelli conseguiti dagli esecutori del piano. Agostino Landi ebbe in principato Val di Taro che si aggiungeva ai già cospicui possedimenti in quella valle omonima e in quella del Ceno; il Pallavicino acquistava Cortemaggiore; l'Anguissola divenne governatore di Pavia e di Como, rinunciando per questa sua nuova collocazione politica ad ampliamenti dei suoi feudi in Val di Nure. I provvedimenti di Pier Luigi contro la feudalità, almeno nel Piacentino e sino alla restituzione della città nel 1556 con il trattato di Gand[2], furono sospesi o quanto meno restarono inoperanti. E anche il nuovo duca, Ottavio, riprese la lotta politica antifeudale solo quando lo stato si era di nuovo consolidato e sotto il segno della protezione spagnola.

Ottavio padre della patria

L'incertezza del Gonzaga nel conquistare Parma, dove invano si attese una rivolta contro i Farnese, fu sfruttata per tempo da Ottavio, il figlio di Pier Luigi che si era già acquistata fama ed esperienza militare, ma anche diplomatica, tra la corte di Paolo III e quella di Carlo V[3].

[1] G. Drei, *I Farnese*, cit., pp. 72-80.
[2] G. Drei, *I Farnese*, cit., pp. 104-105.
[3] G. Drei, *I Farnese*, cit., pp. 56-58.

Egli corse a prendere possesso della città che diveniva così fortunosamente capitale dello stato, e sia pure, al momento, di uno stato mutilo.

Va ricordato che Ottavio, aveva sposato Margherita d'Austria, figlia naturale di Carlo V e già stata sposa di Alessandro de' Medici, ucciso dal cugino Lorenzino; va ricordato perché, nonostante ogni spregiudicatezza possibile, un tale legame valeva a determinare la politica imperiale nell'area padana, area verso la quale gravitava Milano, e cioè anche personalisticamente il Gonzaga il quale, se avesse osato giungere a Parma, avrebbe avuto altre tentazioni, quali i possedimenti dei Gonzagheschi e degli Estensi. Si sarebbe prospettato un ampliamento pericoloso per il generale equilibrio negli stati italiani. Né per quanto debole, il pontefice sarebbe rimasto a guardare, né con lui la Francia, né, per altro verso, Venezia.

Intanto il pontefice pensava a rivendicare i diritti della chiesa su Parma e Piacenza, e, se quest'ultima al presente era persa, a Parma egli inviò una sua guarnigione al comando di Camillo Orsini con l'ordine per Ottavio di lasciare la città. La fiera opposizione del nipote che, rinserrato nel munito castello di Torchiara, preparava la resistenza, fu certamente uno dei gesti che salvarono il ducato dalla reintegrazione, e, pur di salvarlo, Ottavio non esitò a richiedere garanzie a quel Carlo che aveva lasciato mano libera agli uccisori di Pier Luigi. Ma Carlo era pur sempre il padre di Margherita...

Quanto al pontefice, fiaccato dagli eventi drammatici e dalla ribellione di Ottavio, e convinto dall'opera abile e persuasiva del nipote cardinal Alessandro, fratello maggiore di Ottavio e già avviato alle sue grosse fortune curiali[1], si adattò allo stato di fatto, ancora una volta, diremmo, vinto dalla affettività per la sua stirpe.

Le ultime amarezze, in ogni caso, contribuirono non poco a condurre a morte, nel 1549 — il 10 settembre, anniversario della congiura! —, questo grande pontefice che lasciava dietro di sé un'opera di indubbio rilievo, che se di contraddizioni aveva patito era stato di quelle medesime contraddizioni o difficoltà che avevano connotato l'intera età di Carlo V.

Il nuovo pontefice, Giulio III, un Dal Monte, che nella elezione aveva beneficiato dell'appoggio determinante del cardinale Alessandro Farnese, ratificò il possesso di Parma da parte di Ottavio e questi, il 25 febbraio del 1550, poteva fare il suo ingresso nella città, che ben poteva essere detta « fedelissima » e degna di diventare la sede dello stato.

Certamente era solo l'inizio della lunga faticosa opera politico-diplomatica di Ottavio che tra imperiali, francesi, spagnoli, papali seppe destreggiarsi con abilità giocando al meglio, si potrebbe dire, le vocazioni politiche

[1] E. Nasalli Rocca, *I Farnese*, cit., pp. 103-108.

del suo stato che erano quelle di suscitare, è vero, ambizioni molteplici, ma proprio per questo anche gravi imbarazzi in chi si esponesse più del dovuto. In sostanza, che il ducato rimanesse al Farnese dovette parere la soluzione migliore a tutti i contendenti; indubbiamente il merito di Ottavio fu proprio quello di essere riuscito a convincere di una verità tanto semplice, e tanto utile alla sua famiglia, i suoi potenti interlocutori.

È pur vero che aveva dovuto ricorrere anche alle armi. Di fronte al persistente rifiuto di Carlo V di riconoscere la legittimità del riacquisto di Parma, Ottavio si era spregiudicatamente appoggiato a Enrico II di Francia; le trattative, che dovevano essere formalizzate il 20 marzo 1551, non furono condotte tanto segretamente se l'imperatore poté venirne a conoscenza[1].

A parare l'inevitabile guerra Giulio III offrì ad Ottavio uno scambio con il ducato di Camerino, garantendo una rendita di 13.000 scudi. Per la seconda volta Ottavio mostrò la fermezza necessaria con un secco rifiuto e si accese così la guerra di Parma, che per un anno circa assorbì denari e forze in gran quantità ai contendenti. Il 29 aprile del '52 il papa, tuttavia, raggiungeva separatamente un'intesa con la Francia che costringeva l'imperatore a deporre le armi il 10 maggio successivo. Almeno politicamente, si trattava di un grosso successo per Ottavio. E della pace aveva non poco bisogno, visto che lo stato viveva in quel tempo forti tensioni interne.

La nobiltà irrequieta

Ad alimentarle, in quell'anno sciagurato di guerra, ma poi ancora per il periodo dal '52 al '56, furono al solito i nobili feudatari, che erano andati progressivamente riaffermando la loro tendenza autonomistica, forti certamente dell'appoggio imperiale, di cui si invocava e si riconosceva come unica l'alta sovranità, ma forti anche, in alcuni momenti, delle iniziative del papa che scomunicando Ottavio in armi aveva consentito un più aperto atteggiamento di sfida e di ribellione.

D'altra parte la tregua che aveva concluso la guerra di Parma, nonostante le reintegrazioni di cui aveva beneficiato Ottavio, autorizzava i feudatari a « godere il suo ». Ce n'era quanto bastava perché si seguisse l'esempio di un Rossi che già prima della guerra aveva ripreso a fortificare, contro ogni bando ducale, i suoi castelli e a tramare per un trionfo anche in città della parte rossiana[2].

[1] T. Bazzi e U. Benassi, *Storia*, cit., pp. 181-182 e più diffusamente G. Drei, *I Farnese*, cit., pp. 91-93. Su questo e sulla imminente guerra di Parma v. M. Caravale e A. Caracciolo, *Lo stato pontificio*, cit., pp. 275-277.

[2] L. Arcangeli, *Feudatari e duca*, cit., p. 83.

Si tornò a parlare, quasi nostalgicamente, di complotti « ghibellini »[1]. Ma seguivano poi due fatti decisivi: l'abdicazione di Carlo V e l'intesa tra Ottavio e Filippo II con il trattato di Gand.

Saranno proprio i feudatari maggiori a capire che il tempo dell'autonomia era tramontato e che era meglio, seguendo i consigli degli spagnoli, « trattar concordia » con Ottavio il quale dava ormai la netta sensazione di stare « fermo » nel suo potere. Ne era segno eloquente il fatto che il 15 settembre del '56, per il trattato di Gand, si recuperasse Piacenza e il suo territorio se pure con l'obbligo spiacevole di mantenere nella fortezza eretta da suo padre una guarnigione spagnola, destinata a rimanervi sino al 5 luglio 1585, quando fu ritirata, in compenso degli eccezionali servigi militari di Alessandro in terra fiamminga[2].

Che nel tempo di Ottavio la posizione dei Farnese si venisse consolidando è abbastanza noto; valsero soprattutto a rafforzare il prestigio europeo della dinastia il ruolo di Margherita d'Austria quale governatrice dei Paesi Bassi dal 1559 al 1568 e il matrimonio tra il generale Alessandro e Maria di Portogallo.

Morendo il 18 settembre 1586, Ottavio lasciava uno stato indubbiamente più forte e meglio caratterizzato di quanto non lo avesse trovato nel 1547. Erano stati quarant'anni circa di governo in cui non solo i Farnese avevano accumulato tanta esperienza quanto la loro non antica ascesa sino a quel momento non aveva loro consentito, ma soprattutto furono anni in cui lo stato nelle sue varie componenti economiche, sociali, amministrative e politiche aveva conseguito un assetto più stabile. Restava pur sempre un piccolo stato italiano, meno piccolo soltanto della repubblica di Lucca; e con ciò vogliamo tener vivo un discorso che ci pare non secondario, quello sulla fortuna di un piccolo stato nell'età moderna, o quanto meno sulle ragioni della sua sopravvivenza. Indubbiamente questo piccolo stato, per l'intelligenza politica di Ottavio e di altri membri della sua famiglia, seppe orientarsi nella politica europea — anche in ciò spinto dalla necessità, appunto perché piccolo, di sopravvivere — in un momento di crisi e di sbandamento quale fu quello determinato dalla abdicazione di Carlo V. Accettare la logica dell'egemonia spagnola, lasciando con l'olocausto di Orazio in terra di Francia[3] un'alleanza ormai insicura per le vicende interne che di lì a poco avrebbero travagliato la più vecchia monarchia d'Europa con le guerre di religione, significava per il ducato di Parma e Piacenza, e per i Farnese, collocarsi in una posizione prestigiosa. Ma in

[1] L. Arcangeli, *Feudatari e duca*, cit., pp. 83-84.

[2] G. Drei, *I Farnese*, cit., pp. 104-105 e p. 123; cfr. T. Bazzi e U. Benassi, *Storia*, cit., p. 185.

[3] G. Drei, *I Farnese*, cit., p. 95 e E. Nasalli Rocca, *I Farnese*, cit., pp. 109-110.

proporzione alla grandezza dell'alleato si accrescevano anche le inimicizie e i pericoli...

La congiura dei Landi

L'antica ambizione della dinastia trovava in siffatta condizione un ulteriore elemento, uno stimolo in più, e non piccolo, a cercare nella gestione dello stato una politica ancora più coerentemente assolutistica, sia pure con le limitazioni che ai duchi venivano dall'essere in *quello* stato.
Alludiamo qui alla linea antifeudale già inaugurata da Pier Luigi, che se voleva significare accentramento non era certamente ammodernamento dello stato. Antifeudalesimo sì, ma inteso come lotta al privilegio nobiliare là dove esso diveniva concorrenziale e limitativo per il potere ducale; nulla, cioè, che si configurasse come lotta contro le strutture feudali.
Per quanto possano valere, nella loro rischiosità, i paralleli, si potrebbe dire che i Farnese furono antibaronali né più né meno di come lo furono gli spagnoli nel viceregno napoletano. Il loro stato, come quello e come altri di eguale matrice in Italia, ripeteva in sé connotati e strutture feudali, lasciava ancora larghi spazi al particolarismo, se pur cercava di realizzare forme di accentramento. Quella linea antifeudale, alla quale i Farnese aderirono come ad una loro costante politica, doveva trovare il momento di più compiuta espressione e di maggior radicalizzazione con Ranuccio I nel 1611-12, ma intanto, dopo la sanguinosa congiura contro Pier Luigi, vissuta da Ottavio indirettamente, un'altra ne aveva ordito Claudio Landi attorno al 1580. Ottavio riuscì a scoprirla e dunque si salvò; si salvò anche il Landi, graziato per la protezione che godeva da parte spagnola per essere governatore di Lodi; furono colpite figure minori e non protette come il conte Giovanni Maria Scotti, il cavaliere Giambattista Anguissola, il giovane conte Mario Landi e i due sacerdoti Pompeo Landi e Giulio Volpe. I nomi, almeno dei primi tre, erano di prestigio e l'esempio, dunque, valse a far trionfare la giustizia ducale.
Ottavio, in quella occasione, raggiungeva anche un altro importante risultato, l'acquisto di Borgotaro, già dei Fieschi in età medievale e che lo stesso Pier Luigi aveva occupato dopo la congiura di Gian Luigi Fieschi, ma poi perduto nel '47. Manovre antilandesche da parte farnesiana ne erano state intessute molto prima del 1580 e, probabilmente, la congiura dei Landi fu in qualche modo « provocata » e l'affare poi gonfiato abilmente. In ogni caso si trattava di un feudo ampio, ricco, con i castelli posti sulle direttrici commerciali più importanti dello stato verso la Toscana e il Genovesato [1].

[1] G. Drei, *I Farnese*, cit., pp. 124-126 ed E. Nasalli Rocca, *I Farnese*, cit., pp. 86-87.

Un governo moderato

Non è da pensare, tuttavia, che Ottavio durante il suo governo perseguisse la politica delle confische e delle spoliazioni con quella decisa brutalità che aveva contraddistinto il primo duca. Egli, indubbiamente, fu assai cauto e moderato, più attento alla evoluzione dei tempi, meno favorevoli, dal '56, alla feudalità e più abile nell'inserirsi nel rapporto fra feudatari e comunità, per restringere l'area giurisdizionale degli uni senza recuperi degli antichi spazi delle libertà cittadine; non era un'alternativa, quella delle autonomie comunali, che potesse giovargli. Quelle autonomie, egli non pensò neppure a deprimerle; gli bastava, realisticamente, lasciarle depresse com'erano già, almeno rispetto all'età medievale. In qualche caso se ne giovò per il suo rafforzamento, per il rassodamento della giurisdizione ducale.

Anticipando in questo Ranuccio I, egli recuperò nella misura in cui appunto poteva servirlo, il decreto detto « del maggior magistrato », istituto risalente al 1441 ma che, specialmente nel corso del primo Cinquecento, non aveva avuto né chiara, né facile applicazione. Per esso si attribuiva al giudice cittadino la composizione delle liti tra i feudatari e i loro sudditi; Ottavio lo riportava in vita, ma poi mostrava di voler far pesare, di là dal valore del decreto, la sua discrezionalità in « un abile gioco delle parti » — come ricorda l'Arcangeli — che gli consentisse di apparire come necessario a un tempo ai feudatari e ai loro *homines*[1]. Si può dire che prima della congiura dei Landi, Ottavio, più che a spogliarla dei privilegi, tendeva a controllare la vecchia nobiltà; non cercava neppure di colpire al cuore il potere feudale, e vale a dire la giurisdizione, di cui, come ogni signore di qualunque paese, anche i nobili del ducato erano gelosissimi. L'opera sua fu sottile, diretta ad erodere quella giurisdizione, a svuotarla, aggregandola al carro di quella ducale; di qui la scelta di Ottavio di battere la via delle transazioni, degli accordi, dei patti, in un agire politico duttile e pratico.

Non era neppure alieno dal creare legami di parentela con quella nobiltà. Una sua figlia naturale andava sposa ad un Pallavicino di Zibello che egli poi sostenne quando si trattò di dare un erede all'estinta linea dei Pallavicino sui ricchi feudi di Busseto, Cortemaggiore e Fiorenzuola che costituivano il così detto « stato Pallavicino »[2].

Più risoluto egli fu nei confronti dei feudatari installati sulle zone di confine per evitare che si perpetuassero le subdole manovre d'intesa con i vicini poco fidati, tra i quali particolarmente attivi i Gonzaga di Novella-

[1] L. Arcangeli, *Feudatari e duca*, cit., p. 93.
[2] G. Drei, *I Farnese*, cit., pp. 126-127 e L. Arcangeli, *Feudatari e duca*, cit., p. 91.

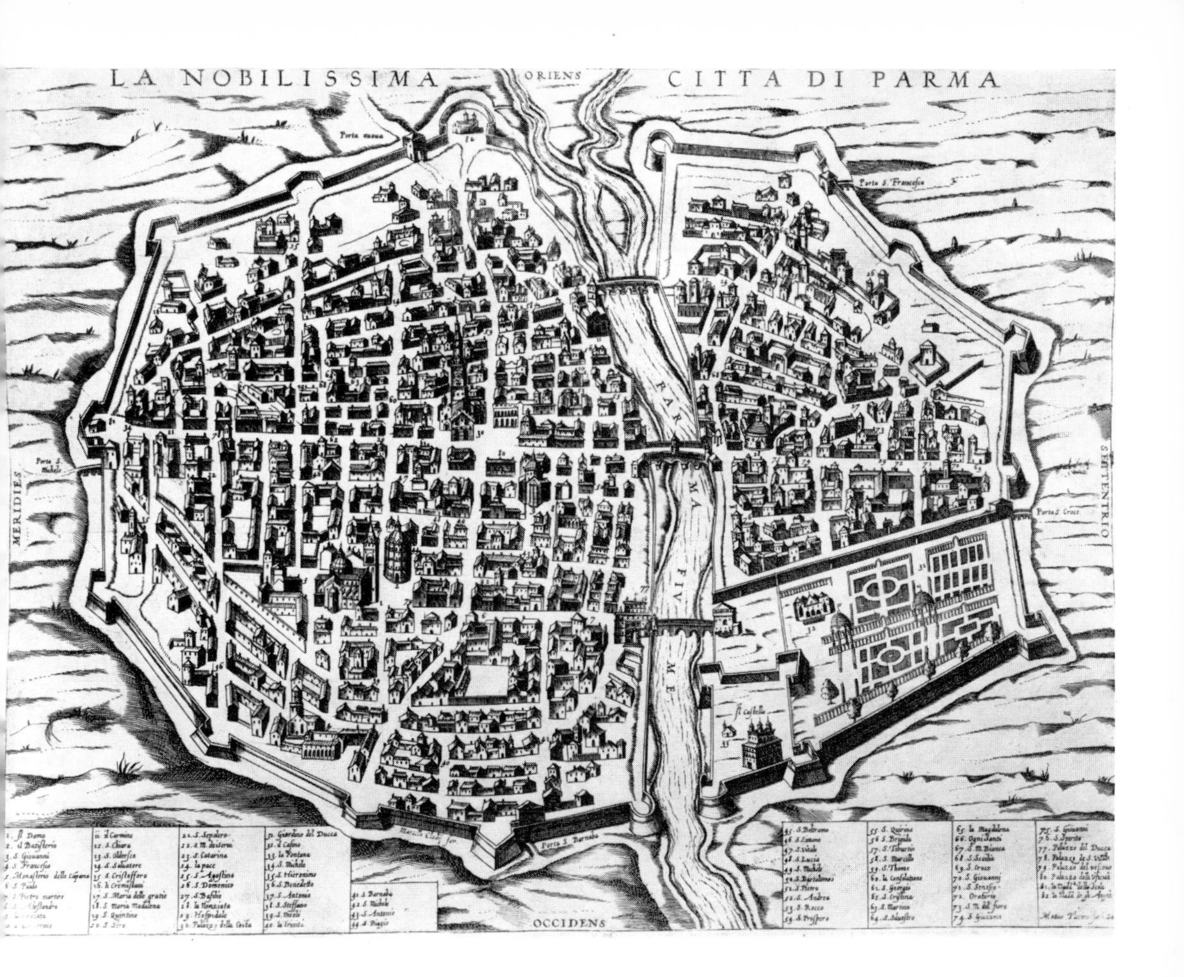

Parma in una pianta prospettica di Matteo Fiorini del secolo XVII.

DVCATO DI PARMA
ET PIACENZA
MARCHESATO PALAVICINO
ET STATI IN VAL DI TARRO
MARE LIGUSTICO
Golfo della Spezza
Lunigiana Stato di Carara
GRAN DVCA
AL SERENISSIMO SIGNORE
MIO SIG.ET PRON COL.NO
IL PRENCIPE
FRANCESCO MARIA
FARNESI
Milia uinti Italiane comuni
Occidente
Oriente

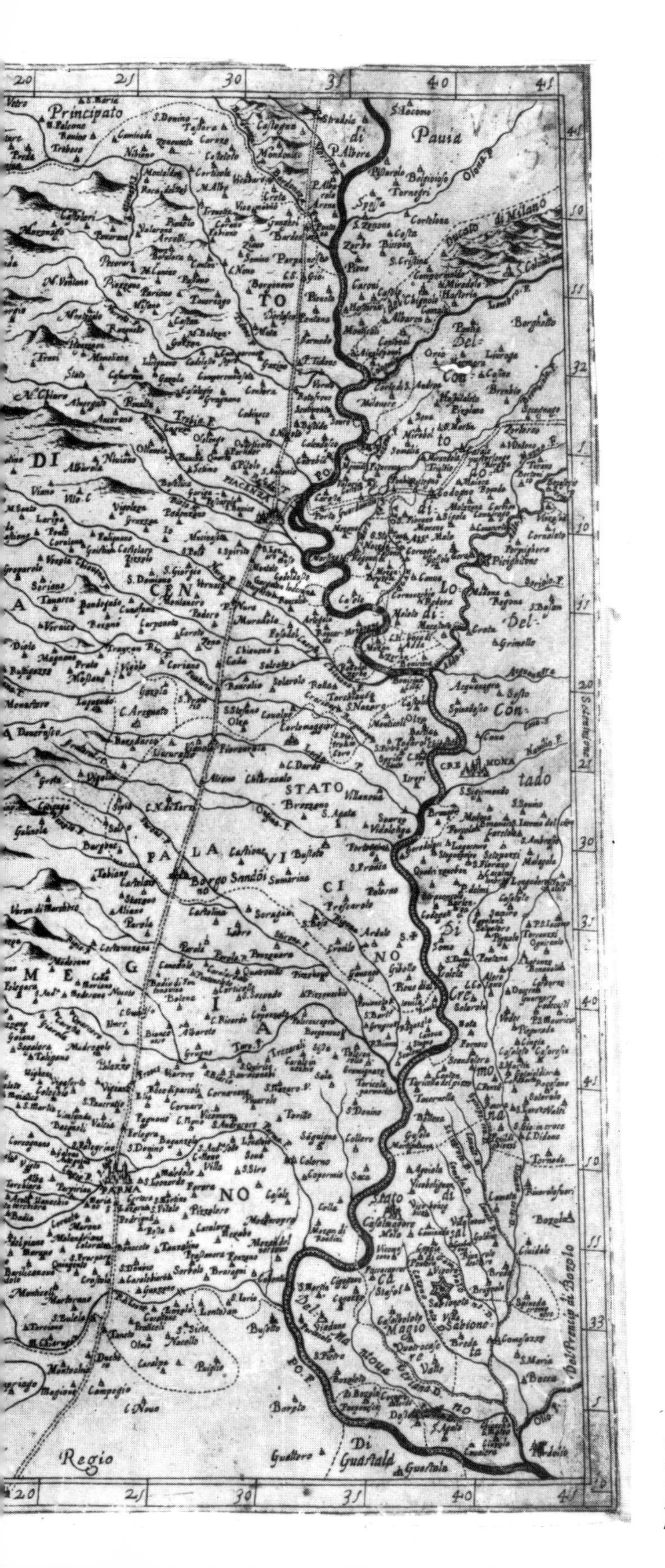

Il Ducato di Parma e Piacenza in una carta di Giovanni Battista Baratteri del secolo XVII (Parma, Archivio di Stato, *Raccolta di mappe e disegni*, vol. 1, n. 5).

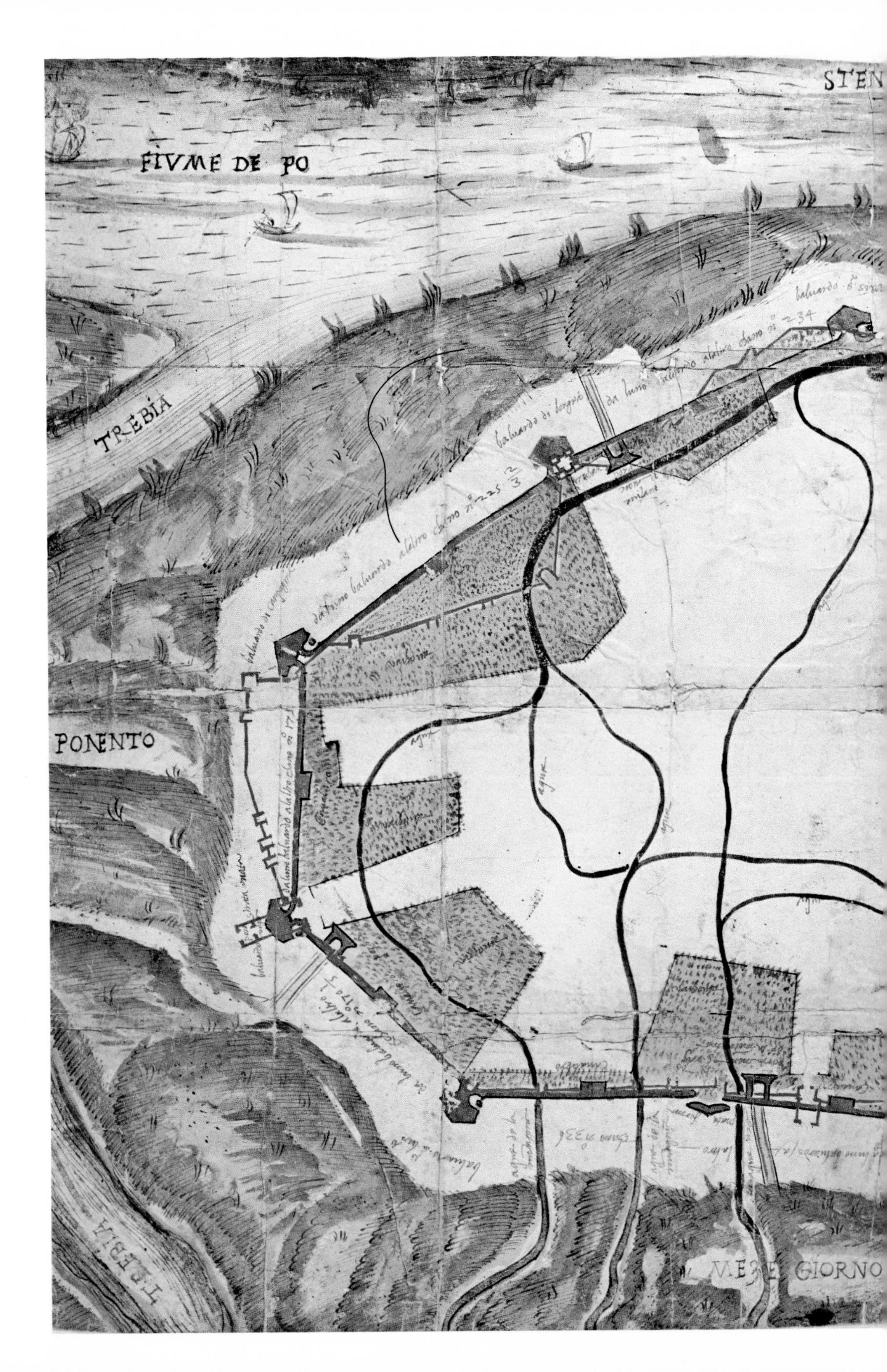

FIVME DE PO
STEN
TREBIA
PONENTO
TREBIA
MEZE GIORNO

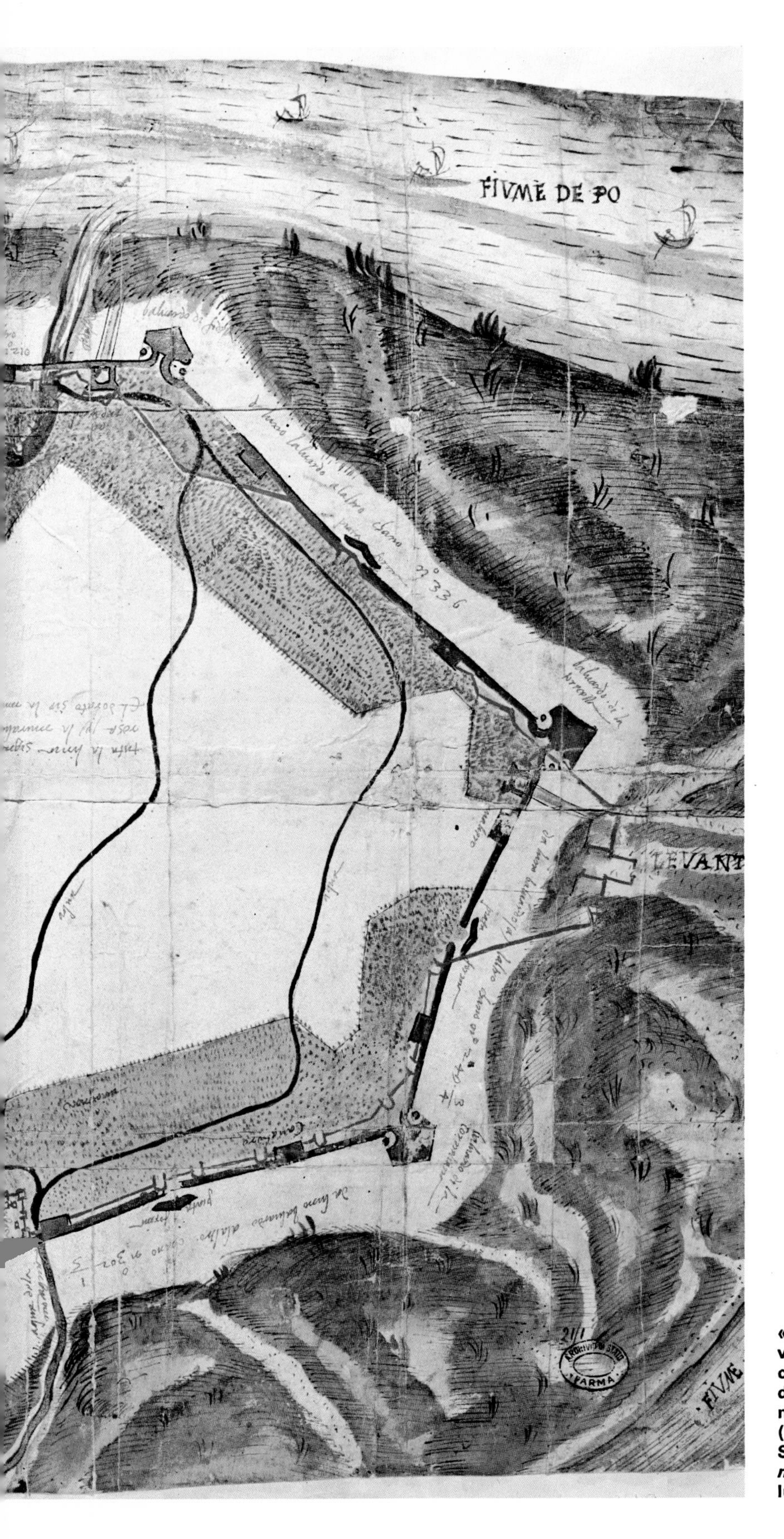

« Pianta delle mura vecchie e nuove della città di Piacenza »; disegno colorato anonimo del secolo XVI (Parma, Archivio di Stato, *Raccolta di mappe e disegni*, volume 21, n. 1).

Piacenza in una pianta prospettica di Matteo Fiorini del secolo XVII (Parma, Archivio di Stato, *Raccolta di mappe e disegni*, vol. 21, n. 10). *A destra*: Parma e il Parmigiano in una carta di F. Canali del secolo XVII (Ivi, *Raccolta di mappe e disegni*, vol. 1, n. 9).

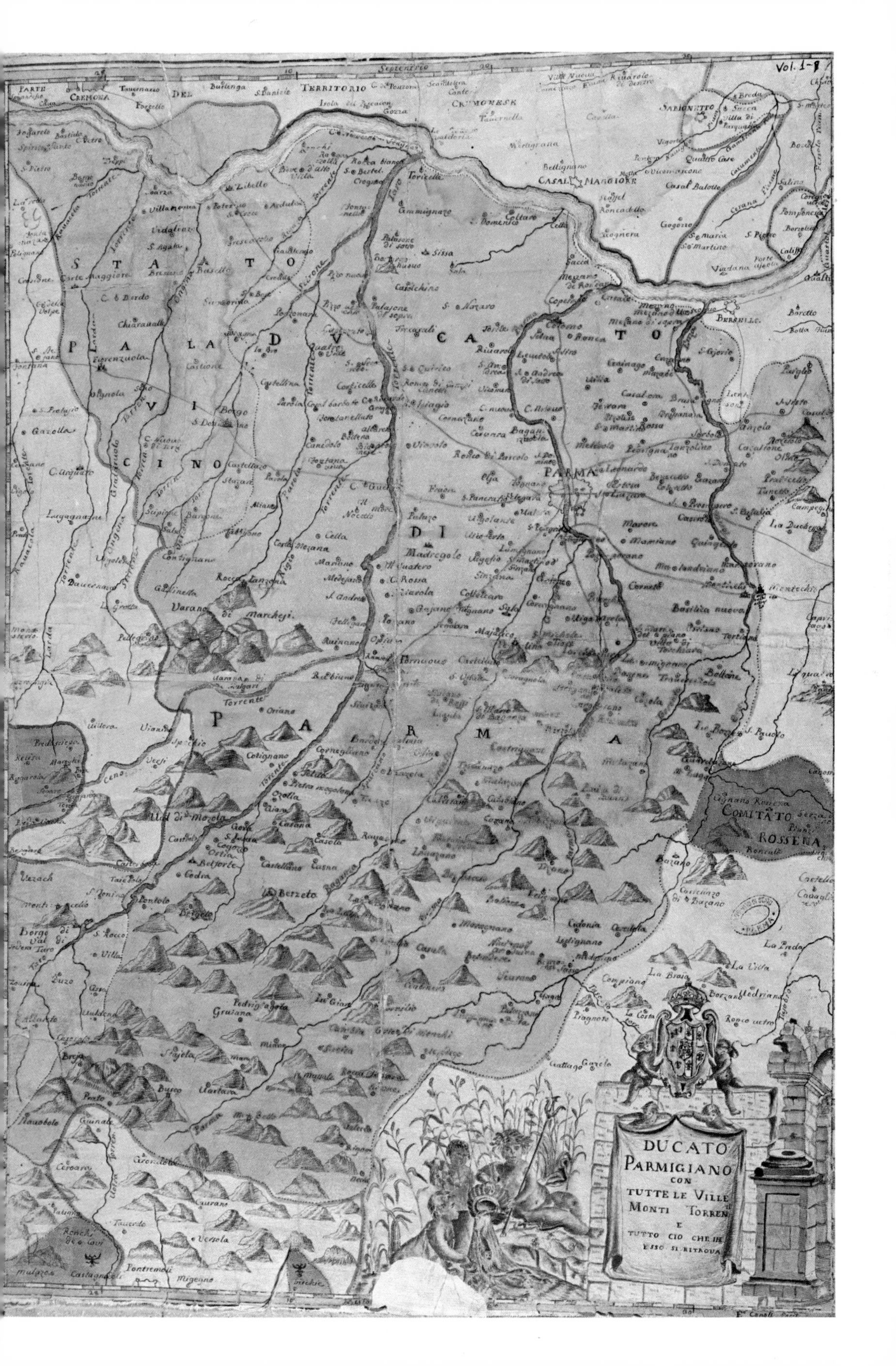

Vol. 1-9
Septentrio
TERRITORIO
CREMONESE
CREMONA
SABIONETTO
CASAL MAGGIORE
BERSELLO
PARMA
STATO
PALLAVICINO
DUCATO
DI
PARMA
COMITATO ROSSENA
Fornuovo
Madregolo
Borgo S. Donino
Fiorenzuola
Varano di Marchesi
Berzeto
Pontremoli
DUCATO
PARMIGIANO
CON
TUTTE LE VILLE
MONTI TORREN
E
TUTTO CIO CHE IN
ESSO SI RITROVA

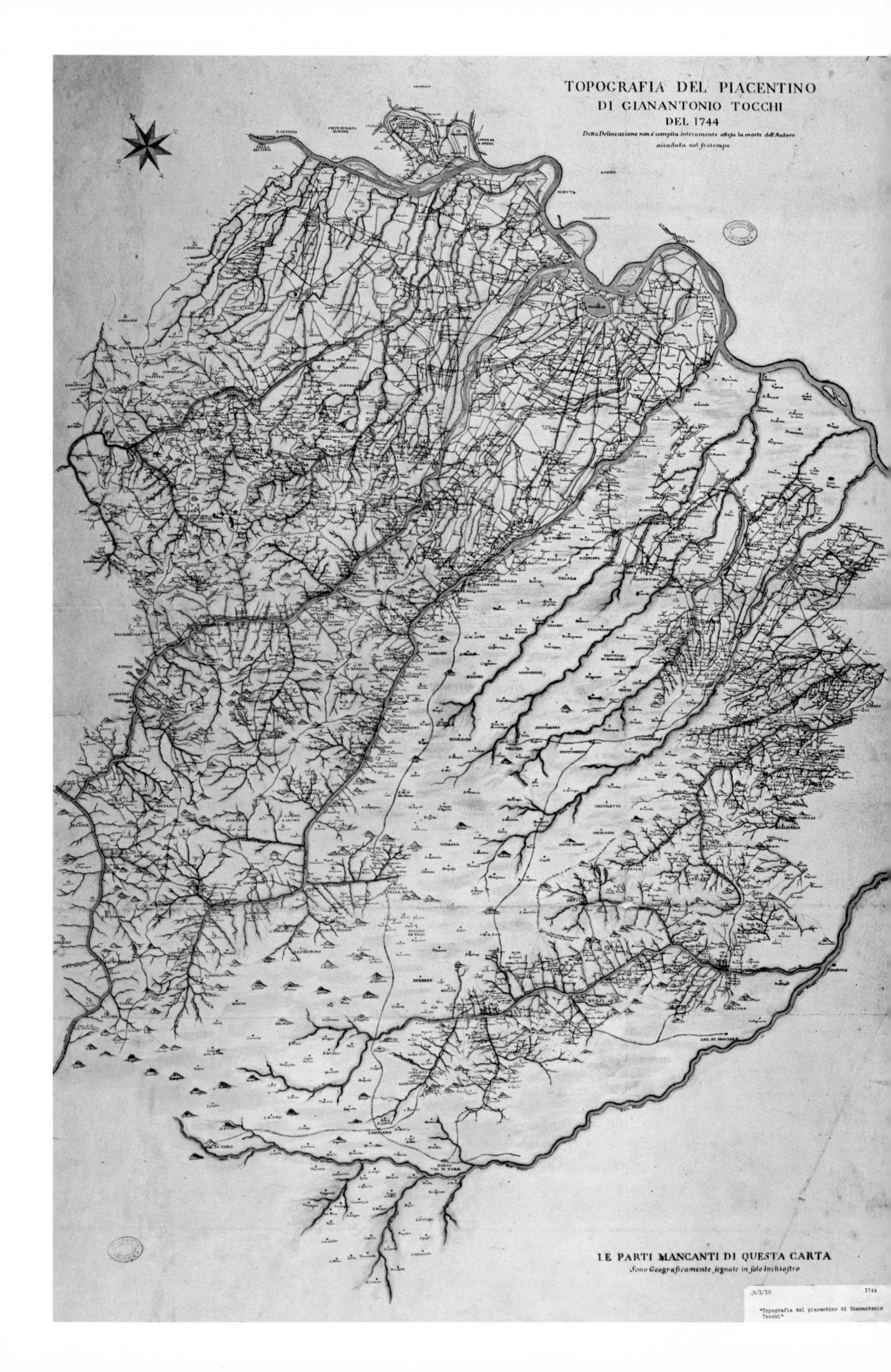
TOPOGRAFIA DEL PIACENTINO
DI GIANANTONIO TOCCHI
DEL 1744
Detta Delineazione non é compita interamente atteſa la morte dell'Autore
accaduta nel fratempo
LE PARTI MANCANTI DI QUESTA CARTA
Sono Geograficamente ſegnate in ſolo Inchioſtro

Parma in una pianta di A. Sanseverini del 1805 (Parma, Archivio di Stato, *Raccolta di mappe e disegni*, vol. 2, n. 21). *A sinistra*: Piacenza e il Piacentino in una carta di G. Tocchi del 1744 (Ivi, *Raccolta di mappe e disegni*, vol. 1, n. 10).

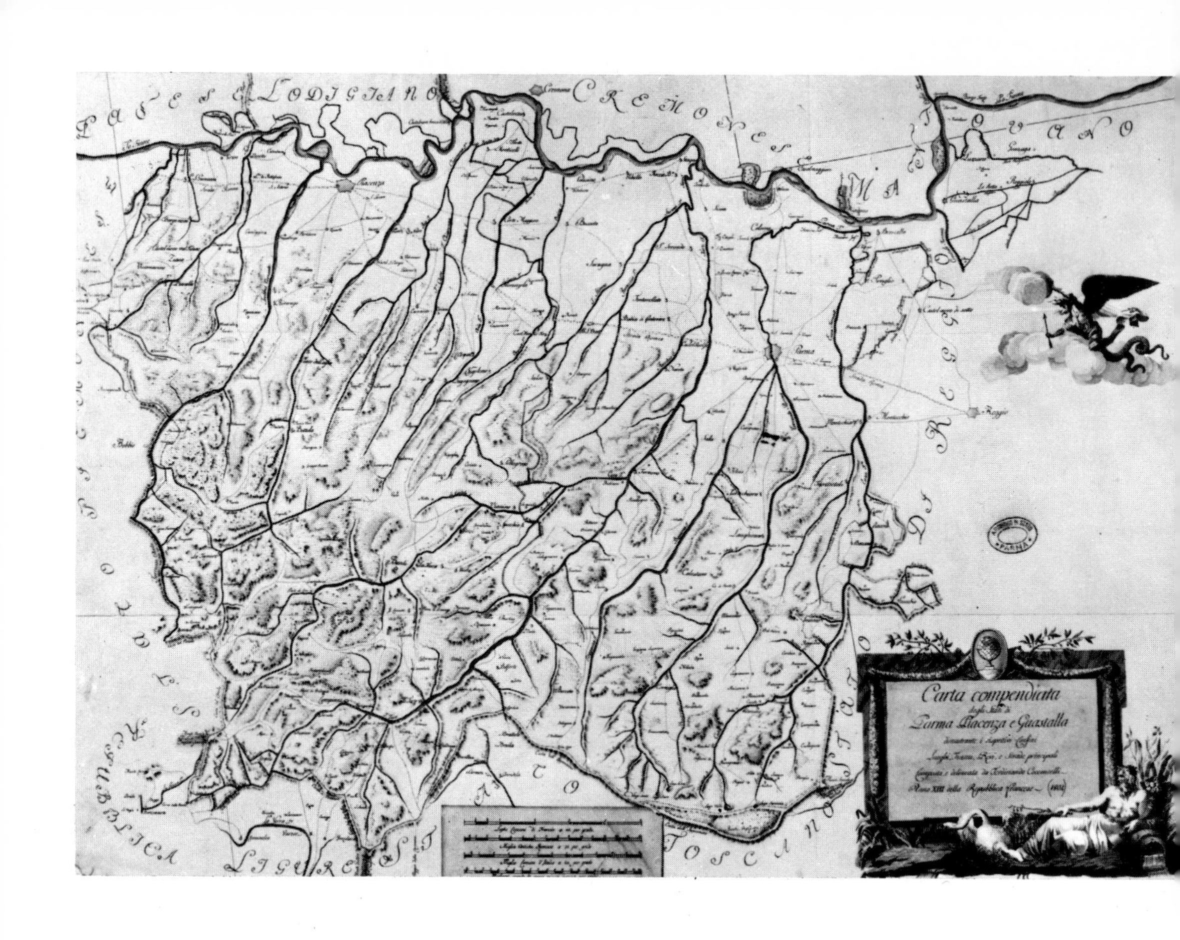

Il Ducato di Parma e Piacenza in una carta di Ferdinando Cocconcelli del 1804 (Parma, Archivio di Stato, *Raccolta di mappe e disegni*, vol. 1, n. 14).

ra. Ma anche quando procedeva alla confisca di piccoli feudi, egli solitamente li rinfeudava a suoi collaboratori, già impegnati nella amministrazione dello stato; che era un modo di risolvere le sempre presenti preoccupazioni finanziarie, ma anche un modo per costituirsi una base più larga di consenso, in un tempo in cui era ancora difficile per i Farnese creare un preciso punto di riferimento quale poteva essere una corte. Per crearla, infatti, occorreva potervi attrarre gli elementi più rappresentativi della nobiltà indigena; ma l'operazione per allora era aleatoria. Molti della nobiltà piacentina soprattutto, dopo la congiura del '47 e dopo la guerra di Parma, erano emigrati altrove, e tra i rimasti era ancora forte la propensione a vivere nei castelli, come quel tal Troilo Rossi che a San Secondo viveva « più regalmente che da privato signore » [1].

D'altra parte la stessa amministrazione era ancora nella sua fase di costituzione e non c'era ancora in essa nulla che potesse sollecitare le ambizioni « politiche » di elementi nobiliari.

Molti fra questi, poi, restarono al di fuori di ogni possibile influenza della politica ducale, relegati nei loro feudi di montagna; Ottavio non si volle giovare dei decreti paterni sul domicilio coatto in città, preoccupato com'era di definire la costituzione politica della parte del ducato che più drammaticamente aveva vissuto le vicende dell'età di Carlo V nel segno dell'instabilità e del particolarismo.

Verso una "costituzione"

I successi nella organizzazione dello stato, specialmente dopo il faticoso salvataggio operato da Ottavio e dopo il recupero di Piacenza (che avvenne tra l'altro all'insegna della insoddisfazione di quella città per il suo diminuito prestigio — la capitale, infatti, restò Parma) e delle altre pertinenze perdute dopo il '47 e all'epoca della guerra di Parma, si registrarono quasi esclusivamente nell'ambito amministrativo.

Certamente da Pier Luigi a Ranuccio I si svolse il maggiore impegno legislativo, costituzionale, per così dire, dei Farnese, nell'apprezzabile sforzo di approntare strumenti di governo che si adeguassero, in qualche modo, al mutare dei tempi e agli esempi delle monarchie più prestigiose d'Europa. Tuttavia, volendo anticipare qualche riflessione, ci pare di poter affermare che quell'impegno rimase sul terreno giuridico-formale; le riforme giuridiche e amministrative erano perseguite senza che si dessero concrete possibilità di mutare le strutture portanti dell'economia e della società.

[1] L. Arcangeli, *Feudatari e duca*, cit., p. 86.

Si determinava uno iato permanente tra istituzioni e situazioni reali che solo nell'epoca del riformismo settecentesco si cercò, in parte, di colmare. Nondimeno il giudizio per come nel tempo di Ottavio fu cercata una integrazione fra istituzioni e strutture economico-sociali non può essere del tutto negativo. L'acquisizione piena di un consenso alla volontà di dare un preciso volto allo stato non era agevole da ottenere; il consenso poteva essere, e fu, vario quanto varie erano le situazioni sociali; troppo spesso intervennero a frenarlo ragioni di politica estera, che mai sono da trascurare nella storia di un ducato padano, e tanto più nella prima età moderna.

S'è detto che le premesse per la formazione di una efficiente burocrazia erano state poste da Pier Luigi. Se poté essere impopolare l'aver chiamato agli uffici più importanti e più prestigiosi personaggi non locali, è certo però che i collaboratori del duca erano stati uomini di cultura e intelligenti diplomatici. È vero che nel novero dei collaboratori di Pier Luigi era mancato un vero e proprio giurista, esperto di diritto pubblico, ma ciò non aveva impedito al duca di definire alcune vertenze in modo deciso; e questo non solo per la sua spregiudicatezza, ma anche per la incertezza del diritto o dei diritti feudali.

Ottavio intensificò gli interventi nel ramo che si potrebbe definire del « buon governo »; lo induceva, tra i tanti motivi, anche quello di aver stabilito in Parma la capitale, e senza ripensamenti, ché per Piacenza l'avversione non fu poca, nonostante le intenzioni di un suo recupero coltivato da Margherita [1].

Nel 1558 Ottavio ricostituì il consiglio di giustizia attribuendogli funzioni miste e costituendolo con i governatori e con gli uditori [2]. Era un organismo che come tribunale supremo mancava di un superiore controllo, ma Ottavio pensava che bastasse a garantirne l'imparzialità il fatto che i suoi componenti, i governatori, al pari dei membri della segreteria e delle maggiori magistrature, erano scelti tra forestieri.

Altro ufficio importante era quello del divieto, deputato alla regolamentazione dell'annona, ma sul quale torneremo più avanti [3].

Nell'ambito della strutturazione degli apparati di governo, ma anche nella linea che alcuni storici hanno detto « filopopolare » dei Farnese [4], è da vedersi la rinnovazione generale del catasto nel 1558 e una sua ulteriore revisione nel 1583. Certamente quella linea coincideva con una logica di recupero finanziario di quanto indebitamente i privilegiati sottraevano

[1] B. Adorni, *L'architettura farnesiana a Parma. 1545-1630*, Battei, Parma 1974, p. 33.
[2] E. Nasalli Rocca, *I Farnese*, cit., p. 89.
[3] Cfr. G. Drei, *I Farnese*, cit., p. 50.
[4] E. Nasalli Rocca, *I Farnese*, cit., pp. 89-90.

al fisco, ma essa non si risolveva poi in una serie di iniziative atte a liberare le forze economiche e sociali più vive dello stato.

L'accentramento, o se si vuole, l'assolutismo farnesiano passava, come si è visto, attraverso la riduzione dei grandi feudi e delle grandi aree del privilegio, ma non attraverso la sistematica distruzione del privilegio, ovunque e comunque esso si mostrasse. Ed era d'altra parte inevitabile che accadesse di non agire diversamente a chi era di quel privilegio massimo esponente e massimo fruitore, come appunto furono i Farnese, in ciò assai vicini a quanto si era determinato in limitrofe aree padane, nello stato estense per esempio[1], ma con l'aggravante diremmo che i Farnese, a differenza degli Estensi, non erano un prodotto del tessuto sociale, ed ancor prima economico, di quella che si era costituita, dall'esterno, come area del loro potere. Ogni tentativo di integrazione, per quanto spinto, era destinato a fallire.

Del resto anche l'opera di fondazione dell'ordinamento giuridico e amministrativo, per riprendere il discorso, nasceva con un equivoco fondamentale; le istituzioni pre-esistenti, per quanto ormai inoperanti e anacronistiche, furono lasciate in vita per un fine genericamente opportunistico, in cui si immiseriva ogni vero senso politico.

Incapaci di giungere ad una omogeneizzazione della pratica amministrativa tra comunità e potere centrale, i Farnese lasciarono con ciò stesso languire la vita delle comunità, mentre la liquidazione del grande privilegio avveniva attraverso il contraddittorio fenomeno di parcellizzazione del privilegio stesso attuato con il vieto sistema delle nuove infeudazioni. Male comune a tante società e a tanti poteri dell'*ancien régime*, il feudo in quanto istituzione non veniva messo in discussione. Di nuovi modi di « definizione ulteriore di forme giuridiche feudali » ha parlato per lo stato estense il Marini[2]; anche nello stato farnesiano continuerà la moltiplicazione delle infeudazioni e un motivo per fermare quel processo non sarà neppure la congiura dei Sanvitale[3].

[1] L. MARINI, *Per una storia*, cit., pp. 26-35 e ID., *Il governo estense nello stato estense*, in *Il Rinascimento nelle corti padane*, cit., pp. 53-60.

[2] L. MARINI, *Per una storia*, cit., p. 42.

[3] L. ARCANGELI, *Feudatari e duca*, cit., p. 95; per i problemi più specificamente giurisdizionali cfr. ID., *Giurisdizioni feudali e organizzazione territoriale nel Ducato di Parma (1545-1587)* in *Le corti farnesiane di Parma e Piacenza. 1545-1622*, I, cit., pp. 91-148, dove alcuni esempi sollecitano una rilettura di G. CHITTOLINI, *Infeudazioni e politica feudale nel ducato visconteo-sforzesco*, in « Quaderni storici », n. 19 (gennaio-aprile 1972), pp. 57-130.

Il confronto con la realtà

Non è facile per un periodo di assestamento come quello del governo di Ottavio ricomporre in un quadro unitario le iniziative prese a livelli amministrativi diversi, con competenze ancora non definite, in una società entro la quale assai stentatamente si delineavano le linee di tendenza di un'economia che non fosse soltanto quella agricola (e anche in questo ambito resta problematica l'individuazione di una struttura della agricoltura e della proprietà fondiaria in qualche modo peculiare, parmense o piacentina che dir si voglia). Stretta fra le ragioni di dominio della dinastia e il complesso tessuto di interrelazioni fra le più diverse componenti dello stato, condizionata all'esterno dal mutare continuo dei rapporti con altre economie e con altre intenzioni politiche, impedita dal vincolismo protezionistico del potere centrale e dalle pastoie di una sempre rinascente condizione feudale, l'economia delle città e dei centri minori viveva di esasperati tentativi di recupero di quelle dimensioni ormai mitiche che aveva conosciuto nell'età dei liberi comuni e ancora, e in modo soddisfacente, al tempo della signoria sforzesca.

I ceti imprenditoriali, le attività artigianali, le iniziative commerciali, il capitale stesso erano, per così dire, costretti a cercarsi continuamente nuove vie, ad aprirsele quasi tra le sconnessioni e le contraddizioni di una organizzazione politica approssimativa.

Gli statuti cittadini, gli statuti delle arti continuavano ad essere ricordati e riconfermati nella loro fissità, e le poche eccezioni non mutavano gran che il quadro generale[1], mentre gride e decreti, bandi e leggi ducali tendenti a scalfire, se non a modificare situazioni sclerotizzate dalla consuetudine e dalla gelosa rivendicazione di anacronistiche libertà, si susseguivano con iterazione martellante, testimonianza eloquente della inefficacia, sul piano pratico operativo, di propositi dettati, senza dubbio, da una esigenza elementare di razionalizzazione degli atti di governo.

Per il tempo di Ottavio sono senz'altro da ricordare, ma premettiamo subito che sono ricordi rapsodici perché rapsodico era il tenore dei provvedimenti, alcuni interventi nel settore dell'economia, favoriti in qualche caso dalla relativa quiete di cui si poté godere nel ducato dal '56 in avanti; e furono la istituzione a Parma dell'ufficio dei « cavamenti », che sovraintendeva alla regolamentazione e al riassetto della rete idrologica, dei ponti e delle strade, e a Piacenza, che già aveva una tradizione nel settore, la creazione di un « commissario d'acque » da affiancare al « referendario », figura che aveva avuto un ruolo importante, riconosciuto dagli

[1] G. Drei, *I Farnese*, cit., pp. 143-144 ed E. Nasalli Rocca, *I Farnese*, cit., p. 90.

statuti, nella vigilanza sul Trebbia e sui suoi numerosi affluenti[1]. Ma anche qui quanto non intralciava il complesso dei sopravviventi diritti feudali in materia d'acque! L'editto sulle acque irrigue del 1587 era certo meritorio, ma quale applicazione pratica poteva trovare nella quotidiana realtà delle pianure possedute dalla vecchia e nuova feudalità? Solo momenti di paura collettiva, e di comune disperazione come la grande inondazione del 1571, a seguito dello straripamento del Parma, del Taro e del Po parevano cancellare le differenze, i particolarismi, le rivendicazioni del privilegio laico ed ecclesiastico[2]. Fu in quella occasione luttuosa, infatti, che l'ufficio dei cavamenti di Parma riuscì a prelevare una quota contributiva dal clero, che per legge avrebbe dovuto farlo anche in tempi normali, non « calamitosi »[3].

I Farnese, come si avrà occasione di dire più diffusamente, seguiranno una politica economica di stampo protezionistico; cercheranno, e lo aveva iniziato già Pier Luigi con le saline di Salsomaggiore e di Salsominore, a rivendicare al potere centrale la gestione di determinate attività, per sottrarle all'esercizio della nobiltà feudale che le possedeva ab immemorabili. Tuttavia, proprio per le ragioni connesse alla loro difficile esistenza, e in particolare nella seconda metà del Cinquecento, subordineranno quella gestione alle supreme ragioni di una fiscalità, che diverrà il fattore determinante della loro politica nello stato.

Di qui nasceva la contraddittoria situazione di far rinascere, in un clima e in un tempo di « illibertà » — gli anni fra il '60 e l'80 — quelle attività, come l'industria della lana, della seta, dei velluti, che avevano prosperato in ben altre condizioni generali.

Così pure restarono deludenti i risultati che si ottennero dallo sfruttamento delle miniere di ferro dell'alta Val di Nure, acquistate dai vecchi proprietari, i conti Nicelli; non bastava invocare un nuovo diritto, per cui le ricchezze del sottosuolo erano rivendicate al duca, se poi la loro gestione veniva appaltata, a condizioni onerose, a qualche audace e disponibile imprenditore[4]!

Gli ebrei

Strutture sociali e politiche, in definitiva, impedivano la circolazione di capitale, e forse, prima ancora, ne rendevano difficile la costituzione. Ha un suo significato, in questo senso, che nello stato voluto da Paolo III, il

[1] E. Nasalli Rocca, *I Farnese*, cit., p. 90.
[2] G. Drei, *I Farnese*, cit., p. 145.
[3] G. Drei, *I Farnese*, cit., p. 146.
[4] E. Nasalli Rocca, *I Farnese*, cit., p. 91.

promotore del concilio tridentino e dove non marginalmente, ne vivrà lo spirito controriformistico, si tollerasse la presenza ebraica.

Nel 1562 fu proprio Ottavio a concedere agli ebrei l'esercizio per 12 anni di 16 banchi feneratizi in altrettante località (8 nel Piacentino e 8 nel Parmense), con l'esclusione delle due città principali[1]. La curia romana confermava la concessione ducale tre anni dopo; la prorogava, poi, nel 1578 ma per un numero minore di paesi: nel Piacentino a Fiorenzuola, Cortemaggiore, Monticelli d'Ongina; nel Parmense a Colorno, Roccabianca, Borgo San Donnino, Busseto e Soragna. Le proroghe furono rinnovate sino alla rivoluzione francese[2].

Tuttavia non ci risulta che gli ebrei nello stato farnesiano assumessero quel ruolo così importante e primario che avevano avuto nel vicino stato estense, e questo non certamente per le limitazioni di cui pativano e che erano comuni per ogni luogo (divieto di possedere immobili e in particolare nelle due città di Parma e di Piacenza, divieto di servirsi di fantesche cristiane nel giorno di sabato, ecc.), ma probabilmente perché di essi non si giovò mai direttamente, come invece nel caso degli Este, il potere ducale[3]. I Farnese, si potrebbe dire, ebbero sempre una mentalità da redditieri, e in particolare vivevano e difesero questo loro modo di vivere, di rendite dai loro feudi, di Castro e Ronciglione, dai feudi abruzzesi recati in dote da Margherita d'Austria, come pure da pensioni o appannaggi da parte delle corti al cui traino legarono di volta in volta la loro politica.

Un ceto imprenditoriale vero e proprio non fu mai favorito, né essi cercarono mai alleanze con nuclei più o meno consistenti di borghesia manifatturiera o commerciale. Dinastia forestiera, si valse preferibilmente, come si avrà occasione di dire, di capitale e di operatori forestieri.

Le fiere di Piacenza

Neppure le tanto celebrate e frequentatissime fiere dei cambi di Piacenza offrirono ai Farnese l'opportunità di trovare nuove vie per dare spessore e vitalità all'economia del ducato. Si potrebbe dire, senza esagerazione, che il ruolo di Ottavio si esaurì nella concessione fatta il 21 novembre del 1579, con un suo diploma, a che si trasportassero a Piacenza le fiere che sino ad allora erano state tenute a Besançon. La richiesta che gli era stata fatta dai negozianti e operatori genovesi, milanesi e toscani metteva Piacen-

[1] G. Drei, *I Farnese*, cit., p. 144.
[2] G. Drei, *I Farnese*, cit., p. 144.
[3] Cfr. L. Marini, *Per uno studio*, cit., p. 31.

za nella condizione di poter beneficiare della presenza dei maggiori « capitalisti » del tempo, di ospitare un meccanismo che consentiva d'essere al centro del sistema economico, e monetario in particolare, europeo. Eppure non risulta che di questa opportunità il duca, e i suoi successori, sapessero giovarsi avviando iniziative che andassero oltre i tentativi già ricordati.

Il duca fungeva da garante della sicurezza e della funzionalità dei servizi, se così si può dire: concedeva i salvacondotti, stabiliva le esenzioni dai dazi, concedeva immunità, provvedeva alla incolumità fisica dei partecipanti alle fiere.

Chi invece gestiva la fiera in ogni suo momento organizzativo e operativo erano i genovesi, tant'è che si parlava brevemente di « fiere genovesi » più che di Piacenza, così come precedentemente essi avevano dominato a Besançon e a Chambery.

Al magistrato della fiera, che era nominato dalla repubblica di Genova, e non al duca certamente, si pagavano le cauzioni per le operazioni più tipiche delle fiere, e cioè l'accettazione e la eventuale compensazione delle cambiali, la contrattazione e la fissazione del corso dei cambi.

D'altra parte il carattere estremamente raffinato di tali operazioni (solo più tardi, e quando tali operazioni avevano subito una flessione per la concorrenza della borsa di Amsterdam, si avrà anche una vera e propria presenza di mercanzie) costituiva un fattore negativo per il ceto mercantile locale, indubbiamente assai modesto nelle sue possibilità economiche generali e in ogni caso più legato alle contrattazioni di tipo tradizionale. Certamente nel numero relativamente non alto di banchieri che erano presenti quattro volte l'anno a Piacenza (non furono mai più di 125), i « locali » non figuravano.

L'enorme volume di affari, che secondo i dati del Davanzati toccava i 37 milioni di scudi d'oro l'anno e più tardi, a detta del Peri, i 48 milioni, passava come una sorta di ricchezza fantasma dinanzi ai piacentini[1].

Si può dire, con una semplificazione un po' rude, che come Piacenza era destinata ad essere un avamposto strategico, più che dei duchi, della Spagna, presente nelle vicende del ducato più di altri, così Piacenza rappresentava tra '500-'600 la banca della Spagna, se è vero che i genovesi, attraverso le fiere piacentine portavano a termine le loro complicate, e talvolta arrischiatissime o spregiudicatissime operazioni che consentivano il rastrellamento degli enormi capitali di cui la Spagna aveva constantemente bisogno per la sua politica europea.

[1] G. Luzzatto, *Storia economica dell'età moderna e contemporanea. Parte I. L'età moderna,* Cedam, Padova 1955, p. 126.

Alessandro: un duca assente

I legami con la Spagna dovevano farsi particolarmente stretti con il terzo duca, e per quanto non si debba particolarmente sottolineare, come invece ha sempre fatto la storiografia politico-diplomatica, il ruolo militare di Alessandro, pur tuttavia il suo servizio reso al di fuori del suo stato, riuscì determinante, e sia pure in una valutazione non propriamente positiva, della sua azione politica. Molto influì certamente questa dislocazione del duca sulla costituzione di gruppi di forza, ancora nobiliari, all'interno dello stato incoraggiati e orientati in senso antispagnolo, questa volta, perché diventare antispagnoli voleva facilmente dire essere oppositori del duca. E questi era spagnolizzato quanti altri mai.

In Alessandro non c'era una mera « inclinazione » per la Spagna. In lui vi era qualcosa di più profondo e di più radicato di un semplice allineamento politico come era stato per Ottavio. Si trattò, infatti, di uno stile di vita, di una cultura, di una educazione assorbita fin dalla prima infanzia, trascorsa in condizione di dorata prigionia, come ostaggio, a garanzia delle clausole contenute nel trattato di Gand[1].

Le circostanze in cui venne a trovarsi coinvolto giovanissimo (appena quindicenne avrebbe partecipato alla battaglia di S. Quintino) esaltarono in lui le innate doti militari; molto gli giovò la consuetudine dei generali spagnoli e massimamente di Giovanni d'Austria, fratello della madre Margherita, ma non è da dimenticare neppure che suo padre Ottavio era stato ottimo guerriero, illustratosi nel '44 alla presa di Algeri. Dire che Alessandro esordì a Lepanto è ricordare, per altro, un battesimo veramente degno di un condottiero che più che rinverdire la tradizione italiana dei capitani di ventura anticipava per molti versi le concezioni tattiche dei grandi generali secenteschi. Basti ricordare la presa di Anversa, celebratissima nella storia militare, e che politicamente valse il ritiro della guarnigione spagnola dalla cittadella di Piacenza. Tuttavia questo suo impegno e la sua fortuna militare, furono anche le ragioni che tennero lontano dal suo ducato Alessandro; lo sostituiva come esecutore dei suoi ordini il figlio Ranuccio, che mostrò subito buone capacità di governo. « Parma » — come per antonomasia era chiamato Alessandro nei documenti diplomatici, nelle relazioni degli ambasciatori e nelle cronache, — governò da lontano, il che vuol dire che spesse volte trascurò lo stato. Il ducato probabilmente rimase poca cosa per le sue ambizioni spagnolesche e si dovette alla sagacia del giovane Ranuccio, reggente di fatto, se i danni recati allo stato non furono rimarchevoli.

[1] G. Drei, *I Farnese,* cit., pp. 104-105.

Fossero vere o false le voci che circolarono su di un sogno monarchico sui Paesi Bassi da parte di Alessandro, è certo che il respiro delle sue imprese pareva assai più largo di quello che gli avrebbe consentito il governo diretto del suo ducato, e indubbiamente valevano a nutrire i suoi ideali il consenso e la gratitudine della cattolicità, tanto che in lui, sia pure in una prospettiva anacronistica, si poté vedere il possibile capo di una crociata contro il Turco; ma di sue ambizioni monarchiche si parlò anche a proposito del Portogallo[1].

Dunque Alessandro fu soprattutto il generale integrato nel sistema politico della Spagna di Filippo II, e ciò che egli fece per il ducato di Parma e Piacenza se in qualche caso fu cosa di rilievo, si inseriva per altro nella tradizione farnesiana. Si trattò di un ulteriore rafforzamento dell'amministrazione, delle finanze, del fisco, della giustizia. Sono del 1587 e del 1588 due editti intesi ad eliminare ogni forma di angaria feudale in materia di acque e di sperequazione fiscale per i proprietari di fondi[2].

È del 1589 la riforma del consiglio di giustizia e grazia, che da allora veniva ad esercitare funzioni di controllo e di revisione dell'operato delle magistrature di primo grado, mediante la separazione personale tra le cariche e la scelta di tre membri su cinque fatta tra cittadini forestieri ed ovviando così alle incongruenze di Ottavio.

Sempre sulla linea di Pier Luigi e di Ottavio, anche Alessandro provvide, e diremmo anche con modi più autoritari, alla depressione della nobiltà feudale, che nella acquisizione del così detto « stato Pallavicino » ebbe il momento di più forte impegno. Si trattava di una sorta di *enclave* che si frapponeva alla continuità territoriale dello stato in una zona tra le più ricche tra Parma e Piacenza, nel tratto della pianura tra il Po e la via Emilia.

La vicenda, intessuta di intrighi matrimoniali tra Sforza Pallavicino, Sforza Farnese e Farnese, ma anche fitta di intrighi giuridici — a motivo di clausole testamentarie dubbie di Girolamo Pallavicino, morto nel 1580 —, e che solo nel 1633 troverà anche un chiarimento sul piano giuridico formale a pro' dei Farnese[3], diede la misura della ferma volontà accentratrice di Alessandro, che con un atto di forza si procurò, prima che la legge gliene riconoscesse il diritto, l'ambito possesso di quelle terre.

Dopo quell'acquisto ai Farnese sfuggiva ancora il pieno dominio sullo stato dei Landi, perché, se Borgotaro era stata acquistata da Ottavio, Bardi e Compiano erano ancora della potente famiglia. Neppure l'aspro

[1] E. Nasalli Rocca, *I Farnese*, cit., p. 129.
[2] G. Drei, *I Farnese*, cit., p. 145.
[3] E. Nasalli Rocca, *I Farnese*, cit., pp. 128-129.

governo di Ranuccio riuscirà ad incamerare quei feudi, sui quali poteva vantare solo una « ragione » per concessione imperiale. Occorrerà giungere alla fine del Seicento quando i Farnese avranno Bardi e Compiano, dopo l'estinzione dei Landi, dai Doria Pamphili.

Nel breve arco di sei anni Alessandro, per quanto concerne la politica interna del ducato, non lasciò altri segni rimarchevoli; va ricordato però che le imprese militari, anche per le ben note difficoltà finanziarie di Filippo II, pesarono spesso direttamente sul Farnese che ricorreva, allora, ai suoi sudditi gravandoli di pesi straordinari, operazione che specialmente negli ultimi tempi di offuscamento della stella di Alessandro non poteva dirsi bilanciata neppure dal prestigio internazionale del duca [1].

2. Ranuccio I: un diritto per lo stato

Ragion di stato e piccolo stato

Che tra Cinque e Seicento da casa Farnese venisse fuori una figura come quella di Ranuccio I è parso a molti storici come un segno dell'affermarsi nel ducato di una ragion di stato, per opera della quale le basi giuridiche, ma anche quelle economiche e sociali, dello stato poterono trovare una più compiuta realizzazione, un più deciso rassodamento, soprattutto per la politica di dura repressione contro le forze della feudalità.

In realtà, anche se la statura di Ranuccio non è da sottovalutare come invece una storiografia moraleggiante ha fatto, non è neppure facile attribuire a questo duca un preciso disegno politico esemplato su una ideologia del potere, quale l'assimilazione del suo agire politico ai criteri della ragion di stato comporterebbe. Rischiando di ripeterci, ribadiamo che i molti, troppi condizionamenti ai quali un piccolo stato, collocato in una zona di grandi frizioni, era esposto, non consentivano la elaborazione di una linea politica precisa e tanto meno di stampo assolutistico.

Il tempo in cui Ranuccio governò non fu breve. Se consideriamo che praticamente egli sostituì suo padre fin dal 1586, la sua esperienza risultò alla fine più che trentennale, ed in termini di storia europea furono anni densi di avvenimenti e di trasformazioni profonde. Paradossalmente si può dire che non ci fu punto di osservazione migliore dei piccoli stati italiani per seguire le vicende della grande politica europea. Parma e Piacenza erano addirittura in una delle posizioni più comode.

Papato, Impero, Paesi Bassi, Francia, Spagna, per non dire degli stati italiani finitimi, erano presenti in varia misura, ma spesso contemporanea-

[1] G. Drei, *I Farnese*, cit., pp. 139-141.

mente, nei maneggi diplomatici dei ministri farnesiani, nei matrimoni dei duchi, nella vita economica dello stato. Ma con ciò non si vuol dire che il ducato fu sempre inconsapevole strumento di una politica che più in alto e altrove dettava le proprie ragioni; né si può affermare semplicisticamente che, piccolo stato, sopravvisse perché tornava conto alle grandi potenze mantenerlo in vita per i giochi complessi, dei quali i duchi in realtà partecipavano per via mediata.

Una sua vita autonoma, una sua esistenza, una sua strutturazione il piccolo ducato ebbe certamente, in particolare proprio nella prima età farnesiana: e a conferirgliela furono indubbiamente Pier Luigi, Ottavio e Ranuccio I; per capire allora quella fisionomia dello stato occorre recuperare le ragioni interne che facevano del ducato *quello* stato e non la somma di altre situazioni, esterne soltanto; e anche nel momento in cui si vanno a ricercare i condizionamenti dal di fuori, bisogna capire *dove* e *come* si innestavano, come venivano recepiti e interpretati dal potere centrale, ovunque e comunque esso venisse ad individuarsi.

Certo non è facile, nella fattispecie di uno stato non solo composito ma artificiosamente creato, individuare le basi del potere, i centri del consenso e del dissenso; dire da chi e come fosse costituita una classe dirigente; come si ponesse il rapporto tra il potere centrale, tendenzialmente assoluto, e le autonomie cittadine; come si saldassero (se si saldavano!) gli interessi e le aspirazioni degli abitanti della montagna e della pianura... in breve: è difficile riconoscere lo stato stesso, e allora parlare di un sistema farnesiano, di ragion di stato, quasi che i Farnese fossero pervenuti ad una sistematica definizione di una teoria politica, più che di una semplice prassi, è indubbiamente di scarsa utilità. L'unico filo conduttore che possa farci approdare a qualche risultato diverso delle retoriche, agiografiche, o, cambiando segno, moralistiche considerazioni sull'opera dei Farnese, è a nostro avviso, quello costituito dalla ricognizione delle varie strutture su cui di volta in volta, cercò una crescita il potere dei duchi, con un deciso recupero di quegli elementi che la storiografia tradizionale, politico-diplomatico-dinastica, ha costantemente ricacciato sullo sfondo o più spesso ignorato.

Non sottovaluteremo certamente l'adesione dei duchi a princìpi politici che circolavano soprattutto nel XVII secolo, ma l'attenzione maggiore dovrebbe essere rivolta alla prassi politica nel suo farsi, nel suo determinarsi; una attenzione che la storiografia sul ducato di Parma e Piacenza ha riservato quasi esclusivamente all'età delle riforme e all'attività del Du Tillot, ma che se vale in linea di principio deve valere tanto più per un secolo come il Seicento, che dopo Ranuccio I vide una decisa flessione delle fortune della famiglia, e soprattutto dello stato nelle sue varie componenti.

La personalizzazione della politica

Ranunccio fu dei Farnese quello che poté valersi ancora di una collaborazione qualificata, e di più uomini; successivamente anche i ministeriali, per intenderci, parvero meno dotati e facilmente assoggettabili da figure emergenti nell'*entourage* ducale.

Presso Ranuccio operarono Bartolomeo Riva, tesoriere generale ma di fatto primo consigliere del duca, Cosimo Masi, soprattutto nei primi anni di apprendistato di Ranuccio, il nobile letterato Pomponio Torelli, il futuro cardinale di Parma Papirio Picedi che nella storia dei rapporti tra potere laico e potere ecclesiastico di quell'età ebbe un ruolo primario; e poi il fratello del duca, il cardinale Odoardo, Alessandro Sforza, Alessandro Anguissola, Niccolò Cesis.

Questi uomini non gli giovarono certo per ridare corpo alle ormai tramontate pretese sulla corona di Portogallo (sua madre era Maria di Braganza) o per correre dietro ai fantastici sogni d'una impresa in Albania che gli fece balenare un tal Giovanni Remes[1], né per assecondarlo in quella serie di curiose manie che fecero di lui, almeno a livello di cronaca minore, un principe sospeso tra ragion di stato e superstizione[2]! Più concretamente i Riva, i Torelli, i Masi, i Picedi contribuirono a indirizzare il duca nella definizione delle strutture amministrative, giuridiche dello stato, nella scelta, non sempre agevole, di una politica estera che non fosse di mera acquiescenza ai disegni politici di Spagna, Francia, impero, papato.

Intanto uno dei suoi primi problemi fu quello di un matrimonio che lo imparentasse con qualche potente famiglia o che lo facesse comunque rientrare nell'orbita delle forze politiche più determinanti. Non fu scelta facile.

Nel 1586 e nel 1595 erano comparsi addirittura due « pareri » politici; il primo, anonimo, ma certamente nato in ambiente curiale, prospettava un legame con la famiglia di Sisto V, e più che indicare i vantaggi elencava i possibili danni che avrebbero potuto venire da soluzioni contrarie alla volontà del pontefice[3]; il secondo, proposto da Vincenzo Querini, vescovo di Carpi, suggeriva l'opportunità di un avvicinamento alla repubbli-

[1] G. Drei, *I Farnese*, cit., p. 171.
[2] G. Drei, *I Farnese*, cit., pp. 170-171.
[3] G. Drei, *I Farnese*, cit., p. 168.

ca di Venezia in funzione antispagnola e l'unione con una nipote del granduca di Toscana; si sperava così di rasserenare i rapporti su quel versante che non era mai stato dei più tranquilli. Ed è noto che la Spagna aveva invece sempre alimentato la vecchia ruggine fra Farnese e Medici. Ma bastava appunto che la Spagna non fosse favorevole a questa seconda soluzione perché Ranuccio, convinto filospagnolo, non la tenesse in alcun conto.

Ranuccio andò orientandosi, invece, verso il papato; e quando nel 1597, essendo Clemente VIII in Ferrara, Ranuccio era andato in quella città per ossequiarlo con un seguito di oltre 100 tra feudatari e cavalieri, 760 tra paggi e staffieri, innumerevoli servitori, soldati e gran quantità di approvvigionamenti, aveva voluto offrire una immagine quasi regale di sé e della propria corte, ormai stabilita e magnifica; ma di là dalla coreografia aveva voluto saggiare gli umori del papa, che era pur sempre quegli che gli aveva conferito il gonfalonierato della chiesa, carica imprescindibile per la stirpe farnesiana.

L'incontro dava i suoi frutti quando Ranuccio, il 7 maggio del '99, sposava Margherita Aldobrandini, nipote di Clemente VII; la fanciulla, tredicenne, portava in casa Farnese una ricca dote, ma anche la fatale pinguedine.

Si ricorderà che da quell'unione stentò molto a nascere un successore, e questo turbò non poco il duca; quando nel 1610 nasceva, ma sordomuto, il sospirato primogenito, Alessandro, parve che la dinastia e il ducato stessero per estinguersi. Nel 1612, il 28 aprile, nasceva invece Odoardo, togliendo Ranuccio dalle angustie per la successione, alla quale, per altro aveva provveduto, ma in modo piuttosto contestato e ulteriormente contestabile nell'ipotesi di una estinzione della linea diretta, attraverso la legittimazione di un figlio naturale, Ottavio, avuto dalla nobile Briseide Ceretoli[1].

La grande congiura

Le premesse della congiura che fu detta « dei Sanvitale » si erano venute delineando ancora una volta, a seguito delle vicende politiche « milanesi »; un altro governatore di Milano, infatti, ebbe la sua parte importante nell'alimentare il serpeggiante ed endemico scontento della nobiltà del ducato, e questa volta anche della sua parte parmense, e tanto più negli anni in cui le « constitutiones » avevano recato un ulteriore elemento di controllo delle magistrature sulla vita pubblica, una maggiore centralizzazio-

[1] G. Drei, *I Farnese*, cit., p. 172.

ne del potere e, di conseguenza una sempre più risentita strozzatura dei margini di agibilità della giurisdizione feudale.

Il vicino governatore di Milano spiava, ma non era una novità, le opportunità per vedere crescere le difficoltà di un duca, più « fermo » che mai nel suo stato. Ed eguali trame andava intessendo l'altro nemico di confine, il Gonzaga.

I motivi di dissidio avevano per altro cominciato a manifestarsi in modo evidente attorno al 1601, quando il governatore di Milano, quel Fuentes che era già stato acerrimo nemico personale di Alessandro nei Paesi Bassi, cercò di ottenere da Ranuccio Novara, che Carlo V aveva dato nel 1538 a Pier Luigi per la ragguardevole somma di 225.000 scudi d'oro, con riserva di recupero, per i successori del marchesato di Milano, a parità di somma e, in più, il semplice pagamento di eventuali indennizzi.

Il Fuentes cercava di far valere la riserva contro ogni parere di Ranuccio, geloso di Novara come degli altri feudi posseduti in altre parti della penisola. Nel 1602 il duca, con suo stupore, ma anche con offesa irritazione, si vide offrire dal Fuentes la somma bella e pronta. Cercò di resistere, contrattando uno scambio con Pontremoli, che avrebbe aperto al ducato una agognata via verso il mare, ma invano [1].

Quando il Fuentes mostrò d'essere pronto per una occupazione militare, ed eventualmente per una guerra, Ranuccio dovette cedere, e poco valse anche la sua più giusta protesta per quegli scudi d'oro, indubbiamente svalutati dal lontano 1538!

Da allora il Fuentes era stato guardato da Ranuccio sempre con gran sospetto e certamente doveva riuscirgli assai sgradita la grande dimestichezza che verso il governatore aveva la contessa di Colorno, Barbara Sanseverino, specialmente da quando il Fuentes era intervenuto a suo favore contro lo stesso duca, intenzionato a recuperare — con speciose ragioni — il ricco feudo di Colorno.

Se nel 1610 Ranuccio si vide di colpo liberato dall'incomodo vicino, che in quell'anno moriva, e sul fronte della politica internazionale si preannunciavano tempi fausti per la Spagna, specialmente dopo la morte — sempre in quell'anno — di Enrico IV, una delusione assai forte venne ad amareggiarlo. Non era la prima volta che un Farnese progettava di acquistare meriti con la Spagna, sempre piuttosto avara — bisogna dire — con quei duchi; Ranuccio, per via del suo provato lealismo, sperava di poter aspirare al governatorato di Milano. Rimase, appunto, solo una speranza.

In quella situazione, nel 1611, veniva scoperta, quasi fortuitamente, la

[1] G. Drei, *I Farnese*, cit., p. 177.

vasta congiura dei Sanvitale, che con ogni probabilità fu certamente ordita, ma, al pari di quella dei Landi, anche abilmente « montata » e in modo clamoroso, vuoi per l'elevato numero di nobili che pagarono « esemplarmente » sul patibolo la loro partecipazione, vuoi per il prestigio di quanti altri, non residenti nel ducato, vi furono implicati, e, non ultimo motivo, per il risultato finale che fu il cospicuo bottino (ché tale è da considerarsi il frutto della repressione) costituito dagli incameramenti di feudi ricchissimi e di ingenti patrimoni privati.

Val la pena di ricordare che al 1612 Ranuccio giungeva dopo una lunga serie di provvedimenti e di condanne contro i privilegi nobiliari, abusivi e non, iniziata nel 1596[1]. Certamente la volontà di affermare la propria autorità all'interno e all'esterno — specialmente nei confronti dei nemici Gonzaga (l'atavico odio per essi era stato rinfocolato dalle recenti e disonoranti vicende di Margherita, sorella di Ranuccio, andata sfortunatissima sposa a Vincenzo Gonzaga) — era un punto fermo nella politica di Ranuccio; ma emergeva sempre più chiara la volontà di recuperare diritti che non fossero di mero prestigio ma che si traducessero anche in un consolidamento economico del ducato[2].

In questa logica rientravano le limitazioni del 1606 dei diritti di caccia[3] e quelle più pesanti, del 1602, relative alla proibizione fatta ai nobili di assentarsi, senza validi motivi, dal ducato, nel quale dovevano in ogni caso rientrare entro il termine di due mesi, pena la confisca dei beni.

Altri hanno già narrato le particolari vicende di questa congiura, che mai definita probabilmente nei suoi piani aveva assunto una sua credibilità solo per la sconsideratezza di Gianfrancesco Sanvitale[4]. A Ranuccio, con essa, veniva offerta la possibilità di mettere le mani su Colorno — una sorta di rivincita postuma sul Fuentes —; si trattava di far rientrare sotto il dominio diretto un altro « stato », divenuto, per di più, sede di una piccola corte alternativa a quella ducale, che ruotava attorno a Barbara, l'ultima dei Sanseverino, dama d'indubbio fascino e frequentata assai dal Gonzaga e dalla migliore nobiltà del ducato, oltre che dal Fuentes.

Ranuccio, consigliato in questo da Bartolomeo e da Cesare Riva, aveva seguito fino ad allora la via del cavillo giuridico, sostenendo la nullità del passaggio del feudo per linea femminile, nonostante che Ottavio si fosse espresso in maniera favorevole[5]. Si diffuse la voce, al proposito, che Ranuccio fosse riuscito a comperare un parere dal collegio dei dottori in legge della

[1] E. Nasalli Rocca, *I Farnese*, cit., p. 137 e G. Drei, *I Farnese*, cit., p. 179.
[2] E. Nasalli Rocca, *I Farnese*, cit., pp. 130-131.
[3] G. Drei, *I Farnese*, cit., p. 179.
[4] G. Drei, *I Farnese*, cit., p. 183.
[5] G. Drei, *I Farnese*, cit., pp. 180-181 e E. Nasalli Rocca, *I Farnese*, cit., pp. 142-144.

prestigiosa università di Padova; ma poi nel ducato il supremo consiglio di giustizia, che doveva ratificare la decisione definitiva, aveva iniziato una procedura laboriosa che aveva messo a dura prova la pazienza di Ranuccio. Non si sa se tanto impegno nascesse da una reale necessità di studiare il caso, e dunque da un atteggiamento di indipendenza nei confronti delle pressioni ducali, o se fosse il risultato di sotterranee manovre dei feudatari interessati per ritardare o annullare una sentenza sfavorevole.

Gianfrancesco Sanvitale, detto il duchino di Sala, risparmiò ulteriori attese dando forma di congiura a quello che era lo stato di generale insoddisfazione della nobiltà; ma troppe famiglie furono coinvolte nel suo intrigo perché fosse garantita la segretezza dell'impresa, o semplicemente delle intenzioni.

Sta di fatto che a Ranuccio si offrì il modo di una radicale soluzione, per di più vestita di legalità.

L'esempio, come si sa, fu tremendo, e passò alle cronache del tempo come « la gran giustizia ».

I Sanseverino, i Sanvitale, i Torelli, gli Scotti, i Malaspina, i Masi, furono tra le famiglie più prestigiose che videro loro membri salire il patibolo o subire durissime condanne; implicati nel processo, anche se non perseguiti e condannati perché di altri stati, furono lo stesso duca di Modena, il conte di Canossa, il principe Pico della Mirandola, i conti di Correggio, i Gonzaga, probabilmente il granduca di Toscana. Ché tanta partecipazione, e diremmo qualificata, configurasse, al di là delle lotte interne del ducato, anche il costituirsi di un largo movimento di dissenso antispagnolo è probabile; e i Farnese, indubbiamente legati al carro della politica spagnola, non erano amati.

I congiurati poterono supporre che si trattasse dello stato filospagnolo più debole e più vulnerabile, ma la fermezza di Ranuccio diede una smentita, che valse, se non altro, a rendere, per un po', meno debole la posizione del ducato. Esso ne usciva rafforzato economicamente proprio mentre si portavano avanti anche importanti riforme fiscali[1].

Delle confische beneficiò soprattutto la corte, centro della vita del ducato nel bene e nel male, nel suo splendido mecenatismo che era imprescindibile elemento di prestigio a cui ambivano le piccole dinastie italiane tra Cinque e Seicento, nel lusso talvolta sfrenato e comunque sempre sproporzionato alle reali possibilità economiche del paese, e il cui prezzo era pagato, attraverso collette e imposizioni straordinarie, dalle classi subalterne.

Colorno divenne da quel tempo la perla del ducato e nel corso del

[1] E. Nasalli Rocca, *I Farnese*, cit., pp. 147-148.

secolo sarà trasformata in una piccola Versailles; ma era altresì con il suo territorio un acquisto strategico importantissimo, posta come era sul Po, al punto di confluenza delle vie di traffico con il Cremonese e con lo stato gonzaghesco, e sede di un traghetto nodale per i traffici con la Lombardia [1].

E con Colorno ci fu l'acquisto di Sala, di Montechiarugolo, di Rossena. La grande nobiltà perdeva definitivamente le sue roccheforti e si adattava a gravitare attorno alla corte, mentre il duca, anche dopo di allora, continuò a concedere, dietro ricchi esborsi, titoli nobiliari a piccoli feudi, ricreando una feudalità senza tradizioni e senza prospettive politiche, facilmente controllabile. Il « sistema » farnesiano, quale che fosse, per il momento « teneva » e l'indirizzo politico di Ranuccio era perfettamente in sintonia con il secolo.

Le "constitutiones"

È evidente che nel 1611 non si era avuto solo un momento di particolare radicalizzazione del dissenso nobiliare contro il duca; recuperando una linea che già la feudalità piacentina del '47 aveva indicato, anche i partecipanti materiali alla congiura dei Sanvitale, e i loro sostenitori avevano espresso una compatta reazione di una parte della società contro l'indirizzo centralizzatore del duca. Questo si era manifestato certamente nel suo aspetto più provocatorio nelle disposizioni contro il privilegio nobiliare, ma era ancor più pericolosamente operante, a livello più largo, nelle strutture amministrative, nell'ordinamento giuridico, nell'organizzazione economica.

Non è un caso che la data delle « constitutiones » di Ranuccio I sia il 1594 e che la serie di attacchi alla feudalità inizi, come già ricordammo, subito dopo. Alla nobiltà non poteva sfuggire che non si trattava solo di un confronto tra potere centrale e privilegio; era in atto anche l'instaurazione di un nuovo rapporto tra quel potere e il governo delle comunità. Un governo, questo, che, per quanto debole, esisteva; certo, si era progressivamente indebolito proprio per l'erosione operata ai suoi danni dalla crescente influenza delle giurisdizioni feudali, ma le magistrature cittadine, gli statuti delle comunità, nella loro sopravvivenza, quale che fosse, ricordavano che esisteva un'area che rappresentava altre componenti economiche e sociali dello stato.

Ranuccio con le « costituzioni » le riorganizzò non per rafforzarle in

[1] E. Nasalli Rocca, *I Farnese*, cit., p. 141.

funzione antifeudale, ma per finalizzarne l'esistenza alla definizione meno precaria dello stato in cui intendeva affermarsi.

Il potere centrale doveva crearsi, tra l'autonomia feudale e le libertà comunali, un suo preciso ambito giurisdizionale; a questo servirono le « constitutiones », alle quali Ranuccio arrivò, probabilmente, anche per aver vissuto la sua esperienza di reggente di fatto, al tempo di Alessandro; un tempo di assenza, come si è detto, del depositario della sovranità e quindi un tempo contrassegnato da più decise spinte centrifughe; Ranuccio, si potrebbe dire, definì con la sanzione del diritto ciò che più pragmaticamente Ottavio aveva fatto negli anni precedenti la congiura dei Landi. Era, come ha notato il Nasalli Rocca, l'affermazione del diritto pubblico su istituti e ordinamenti che si configuravano come espressione di un particolarismo giuridico (statuti comunali e statuti delle corporazioni). Tuttavia per comprendere come quel diritto servisse a dare fisionomia unitaria allo stato nella precisa direzione di una sua gestione per molti aspetti patrimonialistica, vanno ricordati alcuni punti fondamentali delle « constitutiones » ranucciane. L'istituzione dei governatori nelle due principali città innanzitutto, punto di incontro delle attività economiche e delle espressioni politiche più significative. Essi rappresentavano il potere centrale, ma nello stesso tempo erano membri del « consiglio di giustizia e grazia », che, ancora una volta, veniva ritoccato; e mentre con Ottavio aveva potuto esistere anche nella curiosa situazione di un organo che si autocontrollava, ora, per non poter essere nessuno dei due governatori a capo di quel consiglio, si configurava come un organo garantito nella sua autonomia, ma tuttavia controllato dalla sua interdipendenza con altri istituti. Soprattutto questa sua interdipendenza, per quel che significava allargamento della giurisdizione ducale, era un baluardo eretto contro la giurisdizione feudale.

I poteri conferiti ai governatori erano pochi ma essenziali, e determinanti nella vita economica dello stato. Ad essi spettava, infatti, il compito di sorvegliare gli istituti annonari, che regolavano i meccanismi fondamentali su cui si fondava l'economia di « sussistenza » delle varie parti dello stato, e su cui riposava la tranquillità delle popolazioni urbane, innanzitutto, e poi di quelle rurali, del piano e della montagna. Quando i duchi, per le loro scelte politiche, si avvieranno verso la sistematica affermazione di un mercantilismo reso più greve e soffocante dalla forzata limitatezza dei mezzi e degli spazi di agibilità politica del ducato, quel controllo, attuato attraverso i governatori, sarà ulteriormente riaffermato e difeso.

Le congregazioni, che presiedevano ai diversi momenti della vita amministrativa ed economica urbana ed extraurbana, avevano anch'esse il controllo più attento da parte dei governatori. Poiché la partecipazione dei vari ordini sociali alle varie magistrature era conservata nelle forme stabilite dagli statuti, il governatore controllava di fatto la vita politica e civile delle città e dei comuni.

Là dove, poi, le tradizioni di libertà erano più forti e resistenti, come nel caso di Piacenza, il consiglio generale della comunità e l'anzianato potevano convocarsi soltanto con il consenso del governatore, che partecipava anche alla formazione dell'ordine del giorno per le sedute e dava precise direttive sullo svolgimento dei lavori, e in ogni caso esaminava le delibere prima di renderle esecutive. È evidente il *vulnus* che veniva così inferto alle magistrature cittadine, ma è anche vero che una tale ingerenza del potere centrale era resa possibile dalla debolezza delle comunità, che era, in particolare, debolezza economica.

L'attività fiscale, un tempo autonomamente gestita dal consiglio generale e dall'anzianato, veniva ora diretta dal governatore; e così si dica della politica degli interventi a seguito di calamità naturali, di eventi bellici, di carestie ed epidemie.

Perfino la concessione della cittadinanza, rimasta anche nel periodo del dominio pontificio in potere del consiglio generale delle comunità, divenne prerogativa del duca, che si limitava a non discostarsi troppo dalle norme statutarie su tale materia.

Accadde che, particolarmente nei periodi di reggenza, si tentasse da parte dei piacentini soprattutto, come i più dediti ai commerci e quindi i più interessati al ripristino delle libertà, una qualche forma di ribellione; ma allora giunse pronta la reazione; così quando per non pagare alcune nuove gravezze i piacentini si agitarono al tempo della minorità di Odoardo, il reggente cardinale, suo zio, raccomandò al governatore di quella città: « in ogni altra occasione nella quale conoscerete che codesti anziani si vogliono troppo, non mancherete di reprimerli »[1]. Ma in genere non ci furono grosse rivolte; come scriveva in una sua relazione un inviato lucchese, nel 1586, al suo governo, il magistrato degli anziani delle città ducali rappresentava « piuttosto l'insegne d'una estinta republica che l'autorità o giurisdizione d'un vivente et ingente dominio »[2].

Il potere centrale, nel bene e nel male, si rendeva responsabile, attraverso i suoi strumenti di governo, di ogni aspetto della vita dello stato; ed è significativa, al proposito, l'attenzione che Ranuccio pose alla organizzazione della magistratura delle camere ducali, la quale assumendo « le più

[1] U. BENASSI, *Guglielmo Du Tillot. Un ministro riformatore del secolo XVIII. Contributo alla storia dell'epoca delle riforme, parte I*, estratto dall'« Archivio storico per le province parmensi », Parma 1916, p. 77, nota 5.

[2] U. BENASSI, *Guglielmo Du Tillot*, cit., p. 77.

ampie funzioni in materia di diritti pubblici fiscali», divenne quasi il simbolo dell'accentramento che lo stato farnesiano andò realizzando tra Cinque e Seicento.

È evidente che l'attribuzione al duca di così ampie facoltà nel settore amministrativo e fiscale finì per mettere fuori gioco, e per sempre, giurisdizione feudale e giurisdizioni comunali, e poiché a partire dal successore di Ranuccio, si apriva per l'Europa intera e dunque, e in forma assai grave, anche per il ducato di Parma e Piacenza, il lungo periodo della recessione economica, ritmata da guerre, carestie e pesti, la vita economica dello stato si trovò subordinata alla politica personalistica dei duchi e condizionata dal peso assai grave della corte.

La corte, la capitale, l'architettura

Tra le conseguenze, infatti, della grande giustizia del 1612, vi fu il polarizzarsi della nobiltà superstite e di quella di nuova creazione attorno alla corte. Questa, che sino al tempo di Ranuccio era rimasta piuttosto indefinita, trovò allora le strutture più adatte ad una sua progressiva costituzione come centro delle forme più ufficiali della vita politica del ducato. Nella strategia di Ranuccio la corte era elemento indispensabile, e non soltanto per ovvie ragioni di prestigio, ma perché essa divenne luogo e momento di ideale unificazione di quella pluralità di situazioni e di tendenze che le costituzioni avevano via via omogeneizzato ad altri livelli.

Certo, quella unificazione spesso finì per essere più apparente che reale, poiché lo scarto tra corte e paese anziché colmarsi venne sempre più aumentando — e tanto più quando i duchi non ebbero più la statura dei primi Farnese né la possibilità di affermare un proprio ruolo politico —, ma al tempo di Ranuccio I ebbe modo di realizzarsi in larga misura e di rappresentare, in proiezione, la coerenza del disegno politico del duca.

A Parma e a Piacenza, quando giunsero i Farnese, mancava tutto perché potesse formarsi una corte. Mancavano le strutture edilizie di primaria importanza o anche semplicemente « adattabili alle esigenze funzionali e di rappresentanza della residenza ducale »[1]. I primi tre duchi si adattarono in qualche modo, anche perché le esigenze di difesa dei primi anni e la ricerca di una stabilità in quelli seguenti poneva in secondo piano l'esigenza di una dimora e di una corte del massimo decoro.

Giocò una parte importante anche l'indecisione di dove stabilire la

[1] B. Adorni, *L'architettura farnesiana*, cit., p. 33; sulla corte farnesiana, nei suoi vari aspetti, v. ora *Le corti farnesiane di Parma e Piacenza. 1545-1622*, cit., e il volume II: *Forma e istituzioni della produzione culturale*, a cura di Amedeo Quondam, Bulzoni, Roma 1978.

capitale dello stato; la soluzione di alternare la residenza nell'una e nell'altra città portò alla costruzione di due sedi, di due palazzi, a Piacenza e a Parma; là fu il palazzo Farnese e qui un palazzo ducale al quale fu aggregato, successivamente, il mastodontico complesso della Pilotta. E il completamento di queste opere fu opera pressoché esclusiva di Ranuccio; i lavori per il palazzo di Piacenza, infatti, voluti più che da Ottavio da sua moglie Margherita d'Austria, erano rimasti interrotti nel 1568, dopo che la duchessa si era ritirata a vivere i suoi ultimi anni nei suoi feudi d'Abruzzo[1]. Alessandro, come era ovvio, aveva pensato più a fortificare la cittadella che a dar lavoro ad architetti civili e a decoratori (che furono anzi licenziati), ma quel duca d'altra parte non aveva affatto bisogno di una residenza, né di una corte!

A Ranuccio, vero fondatore dello stato, come è stato detto[2], una capitale e una corte si rendevano indispensabili. E tuttavia nel creare e l'una e l'altra procedette conseguentemente al suo agire politico. Parma, ormai confermata nel suo ruolo di capitale, divenne anche la sede preferita della corte. Ma come il potere del duca si era affermato in opposizione alla nobiltà feudale e nell'evidente distacco dagli organismi che rappresentavano i ceti cittadini, così l'architettura farnesiana non incise sul tessuto urbanistico della capitale; produsse le sue opere per la corte e non per il resto della città.

Il palazzo ducale e il giardino sorsero ai margini della città e la Pilotta, i cui lavori iniziarono nel 1602, se è vero che incise sulla struttura della città, lo fece in modo « autoritario » dilacerando la maglia urbanistica e risolvendosi in un intervento fuori scala e in definitiva estraneo o meglio contrapposto alla città[3].

Nulla dunque che ricordasse, in qualche modo, l'addizione erculea degli Estensi a Ferrara, ché gli interventi, numerosi, dei duchi — da Ottavio a Ranuccio — sui quartieri parmensi d'oltre torrente furono dettati da ragioni elementari di decoro urbano e dal fatto che in quell'area si andava sviluppando, appunto, lo spazio di residenza della nobiltà.

Ranuccio, secondo la tradizione, avrebbe avuto non solo il ruolo del committente nella erezione della Pilotta, ma anche quello di progettatore e di collaboratore, con il che continuava una tendenza di famiglia se è vero che Pier Luigi aveva avuto gran parte nella ristrutturazione dei castelli di Castro e di Nepi, e nella fondazione del castello di Piacenza; e che Alessandro, il quale aveva studiato architettura con il Paciotto, aveva

[1] B. Adorni, *L'architettura farnesiana*, cit., p. 33, nota 2.
[2] E. Nasalli Rocca, *I Farnese*, cit., p. 136.
[3] B. Adorni, *L'architettura farnesiana*, cit., p. 35.

dato un contributo alla progettazione della cittadella di Piacenza e scritto un trattato, rimasto inedito, di architettura civile e militare[1].

Ranuccio seguiva quasi quotidianamente i lavori alla Pilotta, che fu, secondo alcuni, il suo Escuriale (un accostamento che rinviava ad altri azzardati paralleli con Filippo II!), ma essi non furono mai completati. Praticamente si bloccarono nel 1611 e soltanto nel 1618 la grande sala d'armi veniva trasformata nel celebre teatro Farnese, anch'esso in funzione della corte. Qualche tentativo fu compiuto quando nel 1622 giunse da Roma il Rainaldi con un suo progetto per la facciata della Pilotta, ma nel 1624 tutti i cantieri cessarono di lavorare; a varie riprese, nei tempi successivi, si fecero modifiche, aggiunte, ma senza un piano preciso.

Non a caso gli interventi dei vari Moschino, Battistelli, Magnani, Rainaldi e, prima di essi, del Bressani e dello Smeraldi, sono difficilmente identificabili. Abbastanza per tempo la Pilotta assunse l'aspetto di « agglomerato » e poi di « immensa rovina »; testimonianza emblematica di una volontà di affermazione, di uno sforzo superiore alle reali possibilità di uno stato e di una dinastia che, pure, con Ranuccio, aveva trovato l'espressione più organica e più coerente.

La politica culturale

L'importanza che aveva per Ranuccio la formulazione di un organico diritto in funzione del rafforzamento dello stato, si vide anche da altri suoi interventi, da altre sue attenzioni; alla rinascita dell'antico studio parmense innanzi tutto, che non fu dunque solo il risultato del suo più complessivo mecenatismo. Significava ridare spinta agli studi della retorica, della teologia, della filosofia naturale certamente, perché lo studio poté risorgere con la collaborazione dei gesuiti, presenti nel ducato dai tempi di Ottavio che li aveva chiamati nel 1564, dopo qualche iniziale diffidenza, e largamente beneficiati; ma anche gli studi di medicina e di diritto avevano un ruolo assai importante.

Il diritto aveva bisogno di essere spiegato, diffuso largamente perché si creasse una nuova coscienza, un nuovo senso del « pubblico » se non ancora dello stato, perché si avvertisse che il potere del duca aveva un sicuro fondamento giuridico. È probabile che i primi tempi non vedessero grandi progressi in questo campo, se, come abbiamo ricordato, Ranuccio dovette ricorrere, alla prima seria difficoltà, al parere del collegio dei giuristi padovani, ma è sicuro che l'editoria dava il suo prezioso contribu-

[1] B. Adorni, *L'architettura farnesiana*, cit., p. 35, nota 4.

to per la diffusione della scienza giuridica, non meno che per altre discipline umanistiche e religiose.

A Parma i Viotti, apprezzati e prosperi editori, facevano uscire dai loro torchi una abbondante produzione.

Presenti a Parma fin dai primi del Cinquecento essi avevano goduto di ampi privilegi da parte di Pier Luigi, di Ottavio, di Alessandro, e ai tempi di Ranuccio avevano una loro bottega nel palazzo del governatore. Seth Viotti aveva avuto dal primo duca il privilegio di stampare e smerciare tutti gli atti a stampa del governo e di usare lo stemma farnesiano come fregio; suo figlio Erasmo, dal 1579, aveva provveduto ad allargare l'azienda paterna tanto da possedere tre cartiere e, ovviamente, la privativa per l'acquisto degli stracci [1].

Soltanto al tempo di Ranuccio II la loro attività entrò in crisi e non a caso furono anni di decadenza dello studio parmense e più generalmente di ogni espressione cultural-politica nello stato.

A Piacenza, anche se non nella misura dei Viotti, operarono pregevolmente i Bazachi, anch'essi stampatori legati all'ambiente ducale, avendo avuto il privilegio di stampare per conto della camera ducale residente a Piacenza.

La politica culturale di Ranuccio I si valse, come detto, largamente dei gesuiti, i quali, oltre che l'insegnamento universitario, controllavano anche quello impartito nei collegi che, numerosi, Ranuccio volle erigere nelle due città. Di essi i più prestigiosi restavano il collegio di S. Rocco, che però era destinato alla istruzione dei gesuiti, e quello « dei nobili » istituito nel 1601 e che ebbe lunga vita, e nel quale, come in analoghi istituti d'istruzione anche posteriori, si formavano i giovani destinati, per appartenenza di ceto, a formare i quadri di una « classe dirigente » [2].

Sempre connessa con la vocazione giuridica di Ranuccio, si ebbe nei suoi anni la formazione dell'archivio farnesiano, affidandone la direzione nel 1593 a Pietro Zangrandi. I documenti, gli atti vari delle magistrature dello stato trovavano qui la loro collocazione; ma vi furono depositate anche le relazioni dei collaboratori ducali accreditati presso le corti straniere, nonché gli atti dei processi criminali. Fu senza dubbio una iniziativa tra le più meritorie di Ranuccio e a ragione ebbe poi a dolersi il Du Tillot del trasferimento a Napoli di quel prezioso archivio operato da Carlo di Borbone nel 1734; nella sua opera di ristrutturazione della amministrazione

[1] G. Drei, *I Farnese*, cit., pp. 163-164.

[2] Cfr. G. P. Brizzi, *La formazione della classe dirigente nel Sei-Settecento. I « seminaria nobilium » nell'Italia centro settentrionale*, Il Mulino, Bologna 1976, *passim* e Id., *Le istituzioni educative e culturali: Università e collegi*, in *Storia della Emilia Romagna*, II, *L'età moderna*, a cura di Aldo Berselli, edizioni Santerno, Imola 1977, pp. 443-461.

e delle finanze gli veniva a mancare lo strumento più prezioso, in particolare proprio il complesso delle costituzioni ranucciane, vero monumento della sapienza giuridica dello stato farnesiano [1].

3. Odoardo: il ducato nella crisi del Seicento

Crisi e decadenza

Alla morte di Ranuccio resse le sorti del ducato, nella minore età di Odoardo, lo zio cardinale, Odoardo anch'egli, e dopo di lui la madre Margherita.

Questo periodo della vita del ducato si apriva agli inizi di grossi rivolgimenti nella politica europea. Anche se in una posizione di secondo piano, Parma e Piacenza vissero le vicende della guerra dei trent'anni, un conflitto che com'è noto lasciò segni profondi non solo per la sua vastità, per la cruenza delle battaglie, per i disastrosi effetti (epidemie, carestie, dissanguamenti finanziari, crisi economiche), ma anche per quanto significò in termini di riassetto politico dell'Europa.

Non si trattò, per altro, soltanto del cambio di guardia fra Spagna e Francia nella *leadership* del sistema politico europeo, ma di profonde trasformazioni nelle istituzioni sociali e politiche di molti stati, nella organizzazione economica, nel mondo della cultura e dello spirito.

Rivolte popolari, nelle campagne e nelle città, ultimi sussulti della lunga lotta per la pacificazione religiosa, affermazione e consolidamento del commercio per le vie atlantiche, primi consistenti tentativi di rivoluzioni agrarie, accanto a massicci fenomeni di « rifeudalizzazione », forme di ulteriore accentramento del potere, decadenza politica della nobiltà, ascesa di nuovi ceti imprenditoriali...

Il tutto ha trovato, negli ultimi anni, una sistemazione a livello storiografico vuoi sotto l'etichetta di « crisi del XVII secolo », vuoi sotto l'altra, più recente, di « secolo di ferro »; e come tutte le « sistemazioni » storiografiche d'una qualche serietà non è affatto pacifica. Non è qui il luogo per priproporla nei suoi termini, ma vogliamo tenerla presente per ricordarci che l'organizzazione della vita economica sociale e politica degli stati europei, già attorno agli anni '60 del Seicento, non era certamente più quella di 70 anni prima, come non era più quello il *trend* demografico, né quello economico, né gli uomini (se con questo termine vogliamo intendere il loro pensiero, la loro cultura, la loro visione del mondo); crisi al di

[1] U. BENASSI, *Guglielmo Du Tillot*, cit., pp. 69-70.

fuori e al di dentro dell'uomo, delle strutture e delle ideologie, crisi, è stato detto, anche di una coscienza collettiva, europea.

I riflessi si avvertivano in modo drammatico non solo nelle grandi formazioni statali, nell'area delle grandi evolute forme di vita sociale e politica, ma anche nelle piccole formazioni statali, che, nate in altra epoca, si vollero, o furono fatte, sopravvivere ovviamente al prezzo di un adeguamento pieno di contraddizioni, per quella commistione di vecchio e di nuovo che irrimediabilmente portavano con sé.

Per gli stati italiani tutto ciò volle dire, stando almeno ai risultati di una consolidata tradizione storiografica, incanalarsi sui binari della « decadenza », che doveva durare sino all'emergere di nuovi fermenti, faticosamente ricomponibili in una unità, nel periodo delle riforme.

Nel ducato di Parma e Piacenza la vera e propria età della decadenza si ebbe con Ranuccio II e con Francesco, ma indubbiamente, di là dalle connessioni più generali con la crisi del Seicento, contribuì non poco ad avviarla — già prima — la politica di Odoardo.

Non è certo agevole, nella grande povertà di studi e di ricerche che angustiano la storiografia del ducato, qualificare e quantificare la partecipazione, per così dire, dello stato farnesiano alla « crisi » europea, così come riesce difficile intendersi sui termini del suo progressivo « decadere ». Paradossalmente, è meno comodo studiare un piccolo stato italiano di una qualunque altra grossa entità statale [1].

La « piccolezza » non è semplificazione dei problemi e tanto più quando ci si trovi in presenza, come nella fattispecie, di un ducato in maggiore o minore, ma costante sempre, dipendenza dalle grandi monarchie di una Europa che si andava avviando, nell'esplodere di profonde lacerazioni, verso la realizzazione di un sistema di stati che meglio potessero reggere ai contraccolpi delle trasformazioni che a varia intensità, la agitavano dall'interno.

I piccoli stati, repubbliche o ducati che fossero, nel Seicento erano già antichi, e antiquati, fossili di quei principati la cui realizzazione nell'età rinascimentale, non era andata spesso oltre le intenzioni e le audaci realizzazioni; portatori dunque di crisi non superate, venivano ulteriormente sospinti ai margini della vita politica europea.

[1] L'unico impegnato lavoro sulla crisi economica del ducato fra Cinque e Seicento è quello di M. A. ROMANI, *Nella spirale di una crisi. Popolazione, mercato e prezzi a Parma tra Cinque e Seicento*, Giuffrè, Milano 1975; per le implicazioni sulla gestione delle finanze nel periodo farnesiano cfr. ID., *Finanza pubblica e potere politico; il caso dei Farnese (1545-1593)*, in *Le corti farnesiane di Parma e Piacenza. 1545-1622*, I, cit., pp. 3-41.

Tra Francia e Spagna: ovvero le illusioni di Odoardo

L'attività politica di Odoardo è di tipo diverso da quella del padre e dei predecessori in genere. Può apparire ovvio ma una delle ragioni principali può stare nell'aver governato, come già detto, nel Seicento della crisi. Il rilievo che al suo tempo acquistano la politica matrimoniale e l'attività diplomatica è decisamente diverso, per qualità, da situazioni precedenti, solo in apparenza simili. Anche la sua personalità, pur se ripete tendenze familiari, quali il gusto, l'inclinazione per le gesta militari, ha risvolti nuovi; la decisione, la caparbietà, la spregiudicatezza dei Farnese in lui divennero spesso puntigliosità e senso dell'onore che, rischiando l'oleografia, diremmo spagnoleschi.

La fastosità della corte e della vita di corte acquistano modi, regole, manifestazioni codificate ormai presso le maggiori corti europee; ed è secondo quei codici che Odoardo viene educato dal conte Vicedomini [1]. Finì per farsi di sé e del proprio ruolo un concetto più alto di quanto la sua condizione e quella del ducato non gli consentissero.

Più di una volta fu salvato da congiunture favorevoli, da interventi provvidenziali di potenti alleati, ché, diversamente, lo stato sarebbe andato perso sin da allora. Tuttavia, quasi emblematicamente, del mutato corso della fortuna farnesiana Odoardo recava in sé i segni premonitori; la pinguedine degli Aldobrandini, mero fattore esteriore, diveniva con lui il simbolo della decadenza fisica dei duchi, e questa un suo qualche ruolo nella più generale condizione dello stato avrebbe avuto certamente.

Attento ai legami politici, Odoardo sposava Margherita de' Medici. Era un modo per garantirsi una contiguità tranquilla di rapporti con la Toscana, ma anche per riavvicinarsi ai Gonzaga di Mantova, anch'essi legati ai Medici. Rinsaldava poi la posizione con il matrimonio della sorella Maria, andata sposa a Francesco I d'Este; mai i confini erano parsi più sicuri e le sontuosissime nozze, di cui le cronache dell'epoca ci hanno lasciato stupite descrizioni, celebrate a Firenze e festeggiate di nuovo a Parma nel 1628 con grande concorso di nobiltà e di principi, dovettero servire a dare un'immagine di questa felice condizione politica del ducato.

Di lì a poco, tuttavia, l'orizzonte politico, e non solo politico, del ducato doveva oscurarsi. Ai confini premeva la questione della successione di Mantova. Il duca Gonzaga Nevers pressato dagli Spagnoli cercava anche l'aiuto dei Farnese. Ciò implicava una novità grossissima; abbandonare la tradizionale alleanza con la Spagna. Il lavorio diplomatico, soprattutto del vescovo di Piacenza Alessandro Scappi, fu inteso a salvaguardare lo

[1] E. NASALLI ROCCA, *I Farnese,* cit., p. 160.

stato anche dal drammatico, e già tristemente sperimentato, passaggio e acquartieramento di truppe straniere[1]. Il Piacentino in particolare era il territorio più esposto per la sua vicinanza alla Lombardia e per i suoi passaggi sul Po.

Fu dichiarata così una neutralità, che se favoriva gli ex nemici Gonzaga, mutava, come detto, il rapporto con la Spagna.

La caduta di Mantova, sotto l'urto dell'esercito imperiale, nel 1629, fece precipitare la situazione; a ciò si aggiunse il flagello della peste, che imperversò sino al 1631 e che dette occasioni, come vedremo, di misurare le debolezze del governo farnesiano, o meglio il progressivo distacco del duca da quelle che avrebbero dovuto costituire, invece, le basi del suo potere. Distacco che solo in parte può essere spiegato dalla costante ricerca di una affermazione politica personale da parte di Odoardo, e molto più potrebbe trovare ragioni nelle disfunzioni di una amministrazione sufficientemente fornita di strumenti, grazie alla costituzione ranucciana, ma paralizzata, in realtà, dalla qualità dei rapporti economici e giuridici che di fatto venivano a determinarsi in uno stato feudalmente strutturato e continuamente riconfermato in tale struttura per le necessità finanziarie della corte e della politica ducale.

Certamente dall'iniziativa personale nascevano, invece, le opzioni politiche che portarono Odoardo, in contrasto con il lealismo filospagnolo di suo padre, a farsi strumento della politica francese.

Se all'epoca del suo matrimonio con la Medici, insidiato dalle mene del Richelieu e di Maria de' Medici, che lavorava a pro' di Gastone d'Orleans, Odoardo aveva avuto abbastanza orgoglio per difendere la sua scelta, nel '32-'33 non ebbe sufficiente realismo per misurare le proprie forze e l'opportunità delle sue iniziative.

Richelieu da lontano controllava e manovrava all'occorrenza l'ambizioso duca probabilmente attraverso il francese Jacopo Gaufrido, un modesto uomo di lettere che aveva saputo insinuarsi nelle simpatie di Odoardo sino a ricoprire la carica di segretario ducale[2].

Per quindici anni Gaufrido ebbe una parte di rilievo nelle imprese d'armi e nelle manovre diplomatiche della corte farnesiana.

Odoardo aveva inaugurato il nuovo corso con un netto rifiuto opposto alla Spagna, che intendeva porre di nuovo un presidio militare nel castello di Piacenza, e con il clamoroso e un po' plateale rinvio a Madrid, nel '33, delle insegne del « toson d'oro » una onorificenza che veniva puntualmen-

[1] G. Drei, *I Farnese*, cit., p. 202 e E. Nasalli Rocca, *I Farnese*, cit., pp. 162-163.

[2] E. Nasalli Rocca, *I Farnese*, cit., p. 164 e G. Drei, *I Farnese*, cit., p. 204.

te riconfermata ai duchi come pegno per la loro lealtà; forse agì anche il ricordo di un ugual gesto da parte di Ottavio[1].

Subito dopo, Odoardo, il 20 aprile, si impegnava con la Francia ad apprestare un esercito di 5000 fanti e di 500 cavalli da tenere pronto per appoggiare, in caso di necessità, le forze francesi. Di fatto era la partecipazione alla guerra, e certamente non poteva sottrarsi se già vi erano impegnati gli Este, i Gonzaga; nel '35 aderiranno anche i Savoia. La diplomazia francese aveva lavorato bene.

Odoardo fu semplicemente prodigo anche nei preparativi militari e dimentico di ciò che aveva significato per le misere popolazioni del ducato il flagello della peste, moltiplicò le contribuzioni, i sussidi, le gabelle, sordo alle lagnanze che le comunità, grandi e piccole, facevano giungere quotidianamente.

Non lo fermarono neppure le prese di posizione di Urbano VIII, che, ricordandogli d'essere suo signore, gli intimava di deporre le armi, né quelle della Spagna che provvedeva al sequestro dei beni farnesiani d'Abruzzo; non lo convinse a mutare orientamento la triste esibizione di sé come uomo d'armi in occasione della sconfitta di Rottofreno del 26 giugno 1636.

Provvidero a salvarlo, e con lui lo stato, il pontefice e il granduca di Toscana; la pace di Piacenza, del 4 febbraio 1637, vedeva Odoardo tornare sotto la tutela spagnola.

La prima guerra di Castro

Gli effetti di quelle vicende, però, non si conclusero con la pace. Il prezzo pagato per il suo «rovesciamento delle alleanze», era stato per Odoardo piuttosto alto. Non essendogli bastati i massicci prelievi fiscali operati all'interno del ducato, egli aveva dovuto indebitarsi con i Siri, banchieri romani, che già avevano sovvenuto Ranuccio in modo cospicuo. I debiti erano garantiti sui beni che i Farnese possedevano quasi alle porte di Roma nel feudo di Castro e Ronciglione, concesso sin dal 1536 da Paolo III a Pier Luigi e ai suoi discendenti.

Lo costituivano le terre di Nepi, Capo di Monte, Vesenzo, Tosco, Pigneno, Morano, Pranzano, Arlena, Civitella, Valerano, Corchiano, Fabbrica, Borghetto e Acquasparta, e per quanto i Farnese vi avessero dedicato cure particolari, le rendite di quel feudo non erano sufficienti per far fronte agli impegni assunti dal duca che ammontavano, assieme ai debiti ereditati da Ranuccio, alla ragguardevole somma di un milione e trecentomi-

[1] E. Nasalli Rocca, *I Farnese*, cit., p. 164 e G. Drei, *I Farnese*, cit., p. 204.

la scudi. Com'era d'uso, Odoardo aveva potuto, per quella somma, emettere, in varie riprese, dei prestiti, le cui cedole, o « luoghi di monte », erano garantite sul capitale e sugli interessi del feudo suddetto.

I Siri avevano accettato nel 1638 di condurre in affitto la gestione di quelle terre per un annuo canone d'affitto di 97.000 scudi, ma si dovettero ricredere sulla vantaggiosità dell'operazione se l'anno seguente fecero sapere al duca di voler rescindere il contratto. In questo atteggiamento dei banchieri romani ebbero forse un ruolo importante, al fine di esasperare la situazione e giungere alla liquidazione del feudo, i nipoti di Urbano VIII, gli intriganti Antonio, Taddeo e Francesco Barberini, grandi avversari dei Farnese e delle loro fortune romane.

Un tentativo d'intesa favorito dal pontefice, tra il novembre del '39 e il gennaio del '40, naufragò miseramente per la arroganza di Odoardo che andò a provocare, si può dire, i Barberini in casa loro [1]. E di più, lasciata Roma, provvide a fortificare Castro, dando motivo al papa e ai suoi mentori di prendere una serie di provvedimenti economici contro Castro; il 20 marzo del '40 veniva infatti revocato il privilegio concesso ai Farnese per il quale la strada maestra tra Roma e la Toscana passava da Ronciglione con gran vantaggio per l'economia locale; essa veniva deviata per Sutri. Conseguenza immediata fu l'abbandono del territorio da parte di circa un terzo della popolazione. Il 21 marzo veniva revocato il privilegio di libera esportazione dei grani da Castro. L'anno successivo seguiva un « monitorio » con il quale si ingiungeva a Odoardo di atterrare le opere di fortificazione. Il rifiuto opposto al pontefice si fondava sulla speranza di poter contare ancora sull'appoggio della Francia, e in tal senso doveva animarlo Gaufrido; ma la Francia non si mostrò al momento interessata alle sorti di Castro, che la camera apostolica, rompendo gli indugi, fece occupare nell'ottobre del '41 dalle truppe pontificie.

Solo col delinearsi della guerra Venezia, il granduca di Toscana e la Francia si decisero ad appoggiare il Farnese. Questi, ultimati per l'ennesima volta i preparativi, il 10 settembre del '42 muoveva con il suo esercito di 3500 fanti ed altrettanti cavalieri contro le truppe del papa, guidate, fra gli altri, dai Barberini. Riuscì ad Odoardo di compiere una tranquilla traversata dell'Italia centro-settentrionale attraverso i territori dello stato pontificio sino ad Acquapendente, dove pose le tende temporeggiando inspiegabilmente e perdendo così l'occasione per concludere favorevolmente l'impresa [2]. Non aveva mancato, un po' goffamente, di organizzare uno

[1] E. Nasalli Rocca, *I Farnese,* cit., p. 167 e G. Drei, *I Farnese,* cit., pp. 207-208; cfr. anche M. Caravale e A. Caracciolo, *Lo stato pontificio,* cit., pp. 438-440.

[2] G. Drei, *I Farnese,* cit., p. 210.

sbarco sulle coste laziali; all'uopo aveva armato a Genova 9 vascelli con 2500 fanti, ma una tempesta disperse questa « invincibile armata » in sedicesimo.

Dopo qualche mese in cui la guerra si trascinò stancamente, e realizzando come unico risultato la sistematica distruzione delle campagne e l'ulteriore immiserimento delle popolazioni, la Francia del Mazzarino riuscì a far concludere a Venezia la pace tra la repubblica veneta, il granduca di Toscana, il duca d'Este e il papa; e, separatamente, tra il papa e il Farnese. Praticamente si tornava alla situazione precedente; il Farnese poteva ritenersi soddisfatto, ma in realtà rimaneva insoluto il problema dei suoi debiti, dilazionati per altri otto anni, rimanevano vivi i malumori dei montisti, e il destino di Castro era solo rinviato di non molti anni.

Merita d'essere ricordato un dato; ai protagonisti questa guerra all'italiana era costata globalmente 12 milioni di scudi!

Le vie di comunicazione

Nel suo vocabolario topografico dei ducati di Parma, Piacenza e Guastalla il Molossi annotava, nel 1832-34, a proposito della viabilità: « le strade non corrispondono in generale ai bisogni delle interne ed esterne comunicazioni, massimamente quelle di montagna. Ed anche le migliori che traversano la pianura hanno molto da invidiare a quelle del regno Lombardo-Veneto »[1].

Si trattava dunque di un problema non risolto neppure dopo l'epoca delle riforme settecentesche, del governo napoleonico, dell'età di Maria Luigia, che pure avevano, in misura diversa, affrontato importanti lavori di pubblica utilità, ivi compreso quello delle comunicazioni. Un problema secolare.

Nell'età farnesiana, tra Cinque e Seicento, lo si era affrontato; ma in modo più impegnato negli anni di Ranuccio I, quando il duca poté valersi di quell'interessante personaggio che fu l'ingegnere Smeraldo Smeraldi[2]. Ma è pur vero che molto dipese dall'interesse che il duca aveva per il miglioramento delle condizioni economiche del ducato. Senza far torto alle sporadiche e modeste iniziative dei suoi successori, egli rimase l'unico duca che avesse avuto un sua « politica delle strade ». L'ufficio del « ma-

[1] L. Molossi, *Vocabolario topografico dei ducati di Parma, Piacenza e Guastalla*, Tipografia Ducale, Parma 1832-1834, p. XV.

[2] V. la assai interessante tesi di A. M. Pellicciari, *Comunicazioni stradali nel ducato di Parma durante il Seicento*, discussa presso la Facoltà di Magistero dell'Università di Bologna nell'a.a. 1965-66, relatore il prof. Paolo Prodi, pp. 58-68.

stro delle strade» era stato creato da lui, e da lui era stata ricostituita più razionalmente la «congregazione dei cavamenti».

Il massimo sforzo per migliorare la viabilità coincise con quel decennio, a partire dal 1600, che vide il più prospero fiorire delle fiere di Piacenza. Se, come si è rilevato, gli elementi locali non erano tra i protagonisti di quelle fiere, Ranuccio si adoperò perché tutto nel settore dei servizi contribuisse a mantenere vivo il flusso di operatori economici, e più tardi anche di mercanzie, in quella città. Sia pure indirettamente le fiere costituivano un grosso motivo di incentivazione per l'economia del ducato. Inoltre, darsi una rete stradale funzionale avrebbe accresciuto il prestigio del ducato, se è vero che il granduca di Toscana e la repubblica di Genova facevano ogni premura al Farnese perché completasse sui suoi territori, sul versante appenninico in particolare, quelle strade che nei loro stati erano mantenute in buone condizioni, con soddisfazione dei mercanti che le transitavano. E i mercanti, lo sapeva anche Ranuccio, erano esportatori di impressioni di viaggio d'ogni tipo e certamente non avevano l'ultimo posto quelle relative ai comodi, o agli incomodi, dei loro viaggi per le terre del ducato. Le relazioni di viaggiatori a vario titolo, mercanti o ambasciatori che fossero, ne erano piene.

Smeraldo Smeraldi si adoperò per trent'anni nel suo infaticabile andare e venire dalla pianura alla montagna, dal Po ai torrenti montani per compiere ricognizioni geologiche, per stampare mappe, studiare progetti; la testimonianza del suo lavoro è ancora ben viva nell'archivio di stato di Parma [1].

Val la pena di ricordare, sia pur brevemente, quali erano le strade più importanti del ducato.

..... *in pianura*

Nella pianura innanzi tutto la gloriosa via Emilia, detta anche Claudia [2], che era sufficientemente larga e ben tenuta come si conveniva all'arteria di maggior traffico e destinata ai passaggi delle personalità politiche più illustri. Tuttavia, tra Cinque e Seicento, aveva ancora un grande difetto; mancava di ponti sufficientemente solidi e larghi; nel tratto da Parma a Reggio anche il fondo lasciava a desiderare; lo Smeraldi nel primo decennio del XVII secolo vi dedicò cure assidue e gli interventi della congregazione dei cavamenti furono frequenti; successivamente al 1626,

[1] Per le fonti d'archivio usate, e ancora sfruttabili per ulteriori ricerche, v. A. M. Pellicciari, *Comunicazioni stradali*, cit., pp. 208-211.

[2] A. M. Pellicciari, *Comunicazioni stradali*, cit., pp. 118-138.

invece, si lavorò assai meno, e ciò fu dovuto — come accadde per il resto del territorio — alle conseguenze della peste del 1629-30 e delle guerre dissennate di Odoardo.

Più agevole risultava il transito nel tratto da Parma verso Piacenza; era il tratto più battuto, frequentato dai funzionari governativi, dallo stesso duca e dalla sua corte nei frequenti trasferimenti di sede per le celebrazioni di matrimoni, di vittorie o semplicemente per i carnevali (sino a che l'austerità dei costumi e le strettezze economiche non costrinsero i più accaniti gaudenti della corte a trasferirsi nella più permissiva Reggio); era il tratto di maggior transito per i mercanti, per i trasportatori di derrate alimentari dall'una all'altra città. Ma anche da questa parte, e per giunta sull'imprevedibile Taro, mancava un ponte!

Si attraversava il fiume con una « nave », che traghettava uomini, carri, merci, animali dietro pagamento di un pedaggio che variava a seconda della difficoltà del momento, e la difficoltà era determinata dal regime del fiume. Erano esenti da ogni pedaggio, come dai dazi che si imponevano sulle merci trasportate, solo i « lettori » e gli studenti dello studio parmense[1].

La mancanza dei ponti era la piaga più diffusa e più grave in un territorio, come quello del ducato, solcato da numerosi corsi d'acqua (fiumi, torrenti, canali, fossi); alla loro costruzione si opponeva non solo l'alto costo dei manufatti e della loro manutenzione, ma anche i sopravvissuti diritti feudali di passo che solo in parte erano stati aboliti con il recupero di ampi feudi; chi poteva crearsi nel bel mezzo di una via di transito la fonte per una entrata non vi rinunciava facilmente; d'altra parte era lo stesso duca che concedeva a privati la gestione di passi, guadi, ponti, canali navigabili, con le relative « gabelle ».

Altre due strade del piano mettevano in comunicazione Parma con Cremona e con Mantova.

Di grande importanza per il ducato, e in particolare per il duca, era la strada che portava a Colorno, specialmente dal momento in cui il feudo fu tolto ai Sanseverino-Sanvitale e passò al duca che ne fece la sua residenza estiva. Ma anche prima dell'acquisto di Colorno lo Smeraldi vi aveva lavorato e ne aveva cavato fuori una strada « bellissima comoda e utile », nel tratto che da Colorno portava al Po. A differenza delle altre, era una strada senza curve e tortuosità[2].

Di discreta importanza erano pure le due strade che portavano a Fontanellato e a Busseto.

[1] A. M. Pellicciari, *Comunicazioni stradali*, cit., p. 128.
[2] A. M. Pellicciari, *Comunicazioni stradali*, cit., pp. 158-160.

Verso sud si diramavano le strade per la montagna e per i passi appenninici. La strada per Traversetolo verso la Val d'Enza, e di là verso il Reggiano, e la « stradella di Guardasone » che si dirigeva poi a Basilicanova.

Dal ponte Dettaro (detto anche di Attila) in Parma si dipartiva la strada per Langhirano, rifatta poi nel 1633. Importantissima la strada per Fornovo che portava alle diramazioni per la Toscana e la Liguria, e tuttavia sempre in pessime condizioni, nonostante i frequenti lavori. Il Taro, che le correva a fianco, sovente ne erodeva i margini facendola franare.

Prima di Collecchio una stradella conduceva a Sala, dove i duchi avevano le loro ricche riserve di caccia [1].

..... *in montagna*

Le strade di montagna erano pressoché impraticabili ma le esigenze delle comunicazioni le rendevano lo stesso frequentate nonostante i rischi che i viaggiatori, con carri o anche solo a piedi, dovevano correre.

Le opere di manutenzione risultavano pressoché vane e difficili per il trasporto in sede di materiali da costruzione. Certamente non erano transitabili se non di giorno (anche per il pericolo dei predoni) e nella buona stagione. D'inverno erano frequenti le « libie » ovvero le slavine. In generale i tracciati delle vie di montagna mutavano; un tracciato stabile presentava quello della strada del Bardone, famosa specialmente in età medievale.

Altra arteria montana importante per le comunicazioni con l'estero era quella che conduceva, attraverso Borgotaro e il passo delle Cento Croci, in Liguria, chiamata del « groppo di Gorro ».

La strada di monte Bardone, che prendeva il nome dal massiccio che si innalza tra Fornovo e Pontremoli, sarebbe stata percorsa secondo varie tradizioni e testimonianze da personaggi illustri; da Annibale a Carlo Magno a Carlo VIII; affacciava sulla valle del Magra. Decaduta alla fine del medioevo, i Farnese non la curarono, tanto che nessuna grida fa cenno di lavori o di transiti per essa; lo Smeraldi la ricorda una volta come « totalmente inaccessibile per li fanghi » [2]. Dall'altro versante, invece, il comune di Pontremoli la proteggeva con leggi precise; ne è fatta menzione negli statuti della città, editi nel 1571 dai fratelli Viotti. Il tracciato nel '600 fu disegnato più in basso rispetto al periodo precedente.

Più che altro per la via Bardone passavano truppe di eserciti.

La strada del « groppo di Gorro » era di tal rilievo che, a detta dello

[1] A. M. Pellicciari, *Comunicazioni stradali*, cit., p. 160.
[2] A. M. Pellicciari, *Comunicazioni stradali*, cit., p. 187.

Smeraldi, vi era stato istituito un servizio pubblico. Tuttavia, anche in questo caso, era sul versante genovese che il viaggio diveniva più agevole e sicuro; proprio da parte genovese giungerà a Ranuccio II, nel 1660, il consiglio di sistemare meglio il tratto parmense, e di creare un naviglio per prolungare le comunicazioni sino al Po, il che avrebbe consentito di fare il viaggio tra Genova e l'Adriatico nel termine di tre giorni[1]!

Il rifiuto del duca fu motivato dal timore di offrire ai francesi l'opportunità « di venire in Toscana in carrozza »; e in un certo senso Ranuccio II non aveva torto. La consuetudine, iniziata a fine secolo, di far passare truppe e di pretendere « quartieri », non era il miglior incentivo per le opere pubbliche; e se le truppe passavano anche con strade sconnesse e anche senza, perché pensare a progetti così ambiziosi?

Ranuccio II si contentava di qualche riparazione modesta, perché gli era noto, tramite il suo ingegnere civile Cristoforo Albertini che la strada del « groppo di Gorro » creava « incommodo a' passeggeri, scredito al governo, discapito ai dazi e pregiudizio alla città; le condotte delle mercantie ritardano e quelle che devono essere inviate presso altre città fanno altre strade »; il duca, in quel caso, mostrava di addossare la responsabilità maggiore all'incuria dei comuni interessati; per la cronaca aggiungiamo che nel 1685 si attuò il progetto dell'Albertini che era quello di portare più in basso la sede stradale, troppo inerpicata sul dorso della montagna; ma la cosa non riuscì al meglio, se al primo autunno le piogge gonfiarono il fiume che inondando la strada provocò irreparabili danni. La strada fu riportata nella sede originaria[2].

Nella seconda metà del Seicento si diradarono sempre più gli interventi a favore delle comunicazioni; addirittura pare che non esistessero più ponti transitabili; chi viaggiava era costretto a guadare i corsi d'acqua in modi spesso fortunosi. Nella cronaca del sacerdote Paolo Gozzi si ricordava, per il 1714, un bagno fuori programma della coppia ducale (Francesco e Dorotea Sofia) diretta alla volta di Piacenza; ad accoglierli, senza danni, furono le acque dello Stirone[3].

Nel corso del secolo, per altro un po' dappertutto, in Italia e fuori d'Italia, si andava prospettando una alternativa alle comunicazioni stradali con la costruzione dei canali navigabili.

[1] A. M. PELLICCIARI, *Comunicazioni stradali*, cit., 195.
[2] A. M. PELLICCIARI, *Comunicazioni stradali*, cit., pp. 196-197.
[3] A. M. PELLICCIARI, *Comunicazioni stradali*, cit., p. 205.

Il canale naviglio di Parma

Nei territori del ducato la via d'acqua naturale e preferenziale era ovviamente costituita dal Po, ma esso serviva esclusivamente lungo la zona di confine con la Lombardia e per questo vedeva nascere frequenti liti per l'esazione delle gabelle; era la via attraverso la quale da Milano e da Torino si viaggiava alla volta di Reggio, Modena, Mantova, Venezia. Più frequentato era il « porto » di Piacenza, ma anche Parma ne aveva uno a Sacca; tuttavia non doveva essere molto comodo se già da tempo alla comunità era venuto il proposito di costruire un canale navigabile che andasse dalla città al Po. Modena disponeva di un simile vantaggio.

Parma nel '200 aveva anch'essa costruito un naviglio che attraverso i territori di Paradigna, S. Martino de' Bocci, Pizzolese, Gainago si congiungeva al torrente Parma a Colorno; caduto in disuso, fu ripristinato nel 1421, ma per la scarsezza delle acque, per gli interrimenti e per le spese eccessive di arginatura, fu abbandonato. All'arrivo dei Farnese si pensò di ripristinarlo ancora, ma una perizia fatta dal bolognese Gian Maria Cambi dissuase la comunità dall'impresa [1].

Nel 1628, al tempo di Odoardo, una grida — in data 19 agosto — annunciava il proposito di riaprire il canale; si ricordava, fra l'altro, che anche ai passati duchi la cosa non era stata possibile « per vari accidenti e anco perché parve difficile di poter, senza qualche sconcerto, cavare dal pubblico la somma delli denari, ch'erano necessari, per ridurre questa opera alla perfetione » [2]. Era iniziata negli stati dell'Italia settentrionale, la febbre della canalizzazione e non è un paradosso che essa coincidesse con l'età della recessione economica del Seicento; probabilmente era appunto questa che spingeva a trovare nuovi mezzi per ravvivare i traffici, languenti, tra le molte ragioni, anche per le difficoltà, sopra ricordate, della viabilità.

I canali, infatti, potevano consentire i traffici in qualunque stagione, là dove le strade, come è noto, erano praticabili solo pochi mesi all'anno. Dalla grida è evidente che i termini del problema erano ben chiari ai promotori del progetto; se ne elencavano tutti i vantaggi; celerità dei viaggi, minore spesa, benefici per l'irrigazione, funzione bonificatrice per i territori attraversati, maggiore abbondanza di pesce. Se ne tacevano in realtà anche gli eventuali motivi di liti (sottrazione d'acqua ai canali che alimentavano i numerosi mulini, con conseguenti reazioni dei proprietari di questi ultimi e che per solito erano feudatari o comunità; costi di

[1] A. M. Pellicciari, *Comunicazioni stradali*, cit., p. 173.

[2] A. M. Pellicciari, *Comunicazioni stradali*, cit., pp. 173-174 e nota 44.

manutenzione; rischi di interrimenti, ecc.) ma il progetto andava sostenuto; si prospettava, allo scopo, la larga disponibilità del duca che metteva a disposizione parte dei suoi beni personali per non far gravare eccessivamente la spesa sugli abitanti del contado e delle piccole comunità interessate; si prometteva di non ritoccare le tariffe e di rimborsare con giusto prezzo i proprietari dei terreni espropriati [1].

I lavori iniziarono sotto i migliori auspici quell'anno medesimo; i proprietari dei terreni « adiacenti » avevano già cominciato ad abbattere gli alberi, coloni e soldati a scavare il terreno, il tracciato era già segnato da una lunga teoria di pali che andava dalla città a Colorno, quando di lì a poco la grande peste « manzoniana » venne a devastare quelle contrade.

I lavori furono parzialmente ripresi lungo il medesimo tracciato (sulla sinistra della Parma, a partire da porta S. Croce) attorno al 1660, ma con scarso successo. Il progetto doveva ancora sedurre i collaboratori del Du Tillot, ma il naviglio rimase un sogno, così come era rimasto un sogno una strada nuova e comoda per Genova [2].

[1] A. M. Pelliciari, *Comunicazioni stradali*, cit., p. 176.

[2] Cfr. su questo problema G. Fiori, *I tentativi farnesiani e borbonici di espansione verso Genova*, in « Archivio storico per le province parmensi », ser. IV, XVIII, 1966, pp. 325-350.

Capitolo III. **La seconda età farnesiana (1646-1731)**

1. Nell'età della decadenza: il tempo di Ranuccio II

La seconda guerra di Castro

Di un placido tramonto della famiglia seguito all'avvento di Ranuccio II parla il Nasalli Rocca nella sua storia dei Farnese[1].

A tale giudizio ci pare che lo storico piacentino sia stato portato dalla sua non celata simpatia per la dinastia e da una più generale adesione del suo spirito aristocratico alle vicende della nobiltà italiana nell'età moderna. Se con quella immagine egli ha inteso alludere, come crediamo, alla relativa pace di cui le popolazioni poterono godere in questa età, e non ad altro, l'espressione si carica della tristezza, della mediocrità che indubbiamente connotavano il ritmo della vita interna dello stato.

In realtà si era nel pieno dell'età della decadenza, e se decadere per il potere di una dinastia voleva significare perdita di prestigio e minori possibilità economiche e politiche, per gli abitanti dello stato, e soprattutto per quanti da sempre erano rimasti esclusi dai vari livelli del privilegio, decadenza voleva dire ulteriore tragico immiserimento.

I pochi e scarni studi dedicati alle condizioni dell'agricoltura, delle arti, del commercio, a quelle che costituivano le basi materiali del potere, offrono, sia pure nella loro brevità, una testimonianza del generale progressivo illanguidimento delle forze dello stato; e poco ci giova allora sapere che su quel languore una dinastia si sfaceva senza sussulti tra la pinguedine dei suoi membri e la vacuità della corte. I giardini di delizia, i carnevali, le feste, i tornei, le accademie, le parate, le cacce erano il patetico, ma forse sarebbe meglio dire l'irritante scenario dietro il quale si celava, male, l'impotenza degli ultimi duchi.

[1] E. Nasalli Rocca, *I Farnese*, cit., p. 185 e pp. 204-205.

Anche il governo di Ranuccio II iniziò con una reggenza, della madre e dello zio cardinale Francesco, che aveva ricevuto la porpora in occasione della pacificazione tra Odoardo e Innocenzo X. Della passata amministrazione era rimasto ben presente e in prima fila il francese Gaufrido, nobilitato anzi con i titoli di marchese di Castelguelfo e di conte di Felino, fatto cittadino piacentino, maritato con una Anguissola (e tutto ciò non si sa con quanto disappunto della nobiltà piacentina!), largamente beneficiato da Odoardo di cui aveva assecondato le ambizioni e le avventatezze.

Egli aveva soppiantato nell'esercizio del potere elementi anche validi della nobiltà locale, come gli Scotti e gli Asinelli, antesignano in ciò del comportamento che avrebbero tenuto più avanti, e sia pure in ben altre dimensioni, l'Alberoni prima e il Du Tillot poi. Come quelli anche Gaufrido avrebbe pagato di persona gli errori politici, non tutti suoi, una volta che i malumori dell'aristocrazia e di alcuni membri della corte avessero avuto modo di coagularsi attorno a questioni e a personaggi in grado di contrastare la personalità del primo ministro. Questi sarà, nella fattispecie, eliminato con gli intrighi di Francesco Serafini, un lucchese ormai cittadino piacentino assai ascoltato dalla vedova di Odoardo.

Agli inizi del nuovo governo, tuttavia, dovette essere proprio il Gaufrido, fatto accorto dalle vicende di Odoardo, a suggerire una politica di calcolata neutralità al nuovo duca, calcolata perché la posizione strategica del ducato rendeva problematica ogni presa di posizione fra le molteplici forze in campo, sollecitate, in un intenso e talvolta imprevedibile lavoro diplomatico, a stringere o a mutare alleanza con le due potenze più influenti nell'area padana, Spagna e Francia.

Le vicende di quegli anni se è vero, come è stato osservato, che salvarono da grossi guai i Farnese e sia pure al prezzo della importante intesa con la Francia (si profilava di nuovo un atteggiamento filospagnolo dopo le plateali prese di posizione di Odoardo), il ducato ebbe da affrontare in modo definitivo la questione di Castro.

L'aver lasciato in modo abbastanza netto l'alleanza della Francia — e ciò nonostante la presenza del francese Gaufrido alla corte farnese — fu per lo meno esiziale al duca per la sorte del suo feudo laziale. Ma in realtà è piuttosto difficile dire dove e quando il Farnese avesse sbagliato tenuto conto della sempre più diminuita autonomia politica del ducato...

Intanto i debiti di cui era gravato il feudo di Castro non venivano pagati. Di più, imprudentemente, Ranuccio continuava a fortificare Castro irritando il pontefice che già aveva motivi di lagnanza nei confronti di questo suo vassallo per la pretesa di voler nominare i vescovi di Parma, di

Piacenza e di Borgo San Donnino pur non esistendo al proposito alcun concordato[1].

Chi però preparava la fine delle fortune laziali dei Farnese erano i montisti, istigati dal cardinale segretario di stato Panciroli e da Olimpia Pamphili, cognata del papa, la quale aveva con Ranuccio II risentimenti personali per avere questi concorso a dare in moglie a suo figlio, Camillo Pamphili, la principessa di Rossano, matrimonio a cui ella si era sempre opposta.

Ranuccio fece un vano tentativo tramite il suo rappresentante a Milano, Pier Giorgio Lampugnani, affinché la Spagna, verso la quale i Farnese vantavano dei crediti, si caricasse i debiti di Castro. Il papa dal suo canto, rompendo gli indugi, nel gennaio del 1649 faceva occupare Castro per conto della camera apostolica, senza che il presidio ducale, affidato a Sansone Spinelli, si opponesse[2].

Si stava cercando, da più parti, di comporre la questione (al solito si impegnavano Modena, il granduca di Toscana, la Spagna — e ciascuno per garantire la propria posizione) quando a far precipitare la situazione giunse l'uccisione del vescovo di Castro, il barnabita Cristoforo Giarda.

Si mormorò, ovviamente, in ambienti romani, che si fosse eseguita la volontà del duca di Parma avverso alla sua nomina, e in particolare si accusò Gaufrido. Non poteva, comunque, esserci occasione migliore per riprendere le ostilità.

La Francia, diffidando ormai del Farnese, si tenne in disparte e il pontefice, sicuro da questo lato, dopo aver spiegato al sacro collegio dei cardinali che doveva agire con mano militare, stante la necessità di difendere gli interessi della santa sede, passò, il 10 luglio, all'assedio di Castro.

Neppure la Spagna volle impegnarsi e in sostanza stette a guardare, mentre la Francia, per evitare sorprese ai suoi territori attorno a Piombino, inviava nel Tirreno una sua flotta ad incrociare dinanzi alle coste.

I due contendenti, in pratica, furono lasciati liberi di affrontarsi. Comandava le truppe ducali il Gaufrido in persona, avendo il Serafini scarsa fiducia nell'impresa; a S. Pietro in Casale, presso Bologna, il 13 agosto del '49, i ducali venivano posti in fuga; il 2 settembre Castro, nonostante l'impegno della guarnigione, affidata al comando del nobile piacentino Sansone Spinelli, capitolava. Castro e Ronciglione erano incamerati dalla chiesa e il duca si obbligava a soddisfare i montisti entro 8 anni col versamento, in una sola rata, di 1.700.000 scudi romani, somma equivalente al valore dei beni incamerati, cosa che consentiva di far valere il diritto di

[1] G. Drei, *I Farnese*, cit., p. 221.
[2] G. Drei, *I Farnese*, cit., pp. 221-222.

recupero. Quest'ultima clausola rappresentava il frutto dell'intervento mediatore della Spagna, che in tal modo cercava di legarsi il Farnese e di non spiacere al papa. Lo stato pontificio poteva così dopo lunga attesa eliminare lo « stato » di Castro e presso la curia la nobiltà romana vide affievolirsi definitivamente la presenza dei Farnese, in passato prepotente e per vigore di personalità e per numero di membri. Ogni residua pretesa su Castro fu poi decisamente e seccamente troncata da Clemente IX nel 1667[1].

Gli strascichi dell'infausta vicenda, com'è naturale, si risentirono al vertice del potere e se non potevano toccare la persona del duca, trovarono nel Gaufrido il capro espiatorio, e sia pure con le responsabilità che egli certamente ebbe.

Contro di lui si scatenò la reazione dei suoi nemici di corte e dell'aristocrazia piacentina; l'8 gennaio del '50 la sua testa cadeva sul patibolo, per soddisfazione anche della curia romana che non aveva mai apprezzato le intromissioni in faccende ecclesiastiche di questo personaggio che, nelle esagerate relazioni romane, appariva come un pericoloso costruttore di una « nuova Ginevra »![2].

Non è escluso che a chiedere la testa di Gaufrido si adoprassero anche emissari della corte di Madrid, che, per la politica del segretario ducale, aveva visto indebolito, e sia pure di non molto, il proprio prestigio nell'area parmense[3].

È certo che la fine del ministro non costituì una bella pagina, come si suol dire, nella storia del ducato; e non per esprimere un giudizio moralistico, ma perché il processo e la condanna di Gaufrido furono rivelatori della pochezza politica del duca e di quanti attorno a lui partecipavano del potere.

Al posto del Gaufrido venne chiamato il filospagnolo Pier Giorgio Lampugnani, al cui fianco restava però l'influente, anche se non amato, Serafini e per circa tre anni l'influenza spagnola tornò a farsi sentire in modo determinante, tanto quanto, durò, sino al '53, l'eclissi politica del Mazzarino.

[1] G. Drei, *I Farnese*, cit., pp. 223-230 ed E. Nasalli Rocca, *I Farnese*, cit., pp. 192-193; furono vani i tentativi compiuti con ostinazione dai Farnese sino al 1693, anno in cui la questione praticamente cadde per essere venuto meno il benché minimo interessamento da parte della Francia.

[2] G. Drei, *I Farnese*, cit., p. 224.

[3] E. Nasalli Rocca, *I Farnese*, cit., pp. 190-191.

L'acquisto di Bardi e Compiano

Si è scritto che Ranuccio II fu un principe « senza storia » e Nasalli Rocca non ha mancato di compiere un tentativo di riabilitazione parlando di una accorta arte di governare pacificamente, intesa al consolidamento di casa Farnese. Cosa ci fosse in realtà da consolidare non si vede; tutt'al più a Ranuccio II riuscì di non urtare ulteriormente le suscettibilità della Francia e della Spagna; e se rifiutò di agganciarsi al Mazzarino sposandone, come questi intendeva, una nipote [1], non appoggiò gli spagnoli nell'assedio che questi posero a Reggio nel 1655. Formalmente ciò consentì a Ranuccio di partecipare alla pace dei Pirenei, ma poiché a muoverlo erano ancora le pretese sul territorio di Castro — discorso ormai chiuso e per il quale nessuna potenza aveva voglia di andare più in là di sostegni morali — quella partecipazione non si può neppure definire un successo diplomatico. Infine la ostinazione con la quale Ranuccio cercò ancora negli anni a seguire consensi per un recupero dell'antico possesso (particolarmente vicino a speranze più concrete egli fu al tempo dei duri scontri tra Luigi XIV e Roma — lo faceva sperare il suo matrimonio con Margherita Violante, figlia della sorella di Luigi XIII e del duca di Savoia —) mostrava la sua incapacità di rinnovare gli schemi della politica farnesiana.

Gli riuscì invece di acquisire al ducato i territori di Bardi e di Compiano, che assieme alla già recuperata Borgotaro avevano costituito lo stato dei Landi. Bardi e Compiano, posti com'erano nella montagna tra il Piacentino, il Parmense, la Liguria, la Lunigiana, non potevano non costituire un arricchimento per la camera ducale, dal punto di vista soprattutto commerciale. Come già ricordato, fu l'estinzione della famiglia Landi a favorire l'acquisto, portato a termine dopo non brevi trattative, in quanto occorreva formalizzare anche da un punto di vista giuridico la presa di possesso di quelli che erano due feudi imperiali. In ogni caso i Doria Pamphili, che avevano ereditato Bardi e Compiano da Polissena Landi, vendettero, senza troppi ripensamenti, un territorio ormai troppo lontano dal centro degli interessi della famiglia che, già ligure, era nel Seicento divenuta, anche per unioni matrimoniali, famiglia romana con ricchi patrimoni nel Mezzogiorno d'Italia [2].

L'8 giugno 1682 veniva stipulata la vendita, che riceveva, poi, la sanzione imperiale nel settembre di quello stesso anno. Che con tale atto i Farnese divenissero feudatari imperiali ha rilievo soltanto perché questa fu la condizione che giustificò da allora in avanti la richiesta di alloggiamen-

[1] E. Nasalli Rocca, *I Farnese*, cit., p. 191.

[2] E. Nasalli Rocca, *I Farnese*, cit., pp. 193-196 e G. Drei, *I Farnese*, cit., pp. 230-231.

ti militari, di passaggi di truppe, di sussidi per il loro mantenimento da parte imperiale!

Il peso politico del ducato non poteva certo essere affidato ad una investitura che le ragioni della nuova politica settecentesca dovevano realisticamente ignorare o al massimo riesumare nei momenti in cui giovasse per violare tranquillamente i diritti del piccolo stato farnesiano.

Una "mala eredità": gli acquartieramenti

Non valse a mutare il rapporto con gli imperiali neppure il matrimonio del figlio di Ranuccio, Odoardo, morto poi appena venticinquenne, con la figlia dell'elettore palatino, Dorotea Sofia di Neuburg (sue sorelle erano la regina di Portogallo, la regina di Spagna e la stessa imperatrice). Che si trattasse di un matrimonio ben visto da Vienna per gettare le basi di una propria maggiore influenza negli stati italiani, è assai probabile. Che a Ranuccio non ne venissero, invece, vantaggi tangibili e piuttosto grossi incomodi, è testimoniato dal reiterato fenomeno del passaggio, e acquartieramento, delle truppe alemanne, che diverrà una sorta di sciagura permanente per gli stati italiani della pianura padana, tra il Sei-Settecento.

Poco giovò a creare le basi per un fronte antiasburgico l'alleanza segreta che nel 1691 il re di Francia riuscì a stringere con Ranuccio, con il duca di Modena, con Mantova e la Toscana; le truppe alemanne, cioè imperiali, divennero sinonimo di collette, di contribuzioni straordinarie (« solite » erano però dette in molti documenti dell'epoca!), di vessazioni subite dalle popolazioni delle città e del contado[1].

Quando Ranuccio volle esporre a Leopoldo le sue lagnanze, gli si ricordò che egli, con l'acquisto di Bardi e Compiano, e forse anche per il possesso dell'ex « stato Pallavicino », era feudatario imperiale, con tutte le conseguenze che ciò implicava. Eguale risposta fu data al pontefice che se non altro veniva a rivendicare la sua sovranità. Si trattava di una vera e propria occupazione militare, sia pure di forze alleate... A merito di Ranuccio si può ricordare l'insistenza con cui cercò di liberarsi da quel peso, ma più che qualche promessa — mai mantenuta — di indennizzo, egli non ottenne. Così, quando moriva, nel 1694, lasciava in eredità l'intera questione in tutti i suoi drammatici risvolti.

[1] E. Nasalli Rocca, *I Farnese*, cit., pp. 196-199.

2. Francesco: la diplomazia a tutela dello stato

Un triste esordio

Oltre che l'eredità degli acquartieramenti, Ranuccio II lasciava a Francesco altre passività. Le casse dell'erario erano pressoché svuotate per la dispendiosità della corte; è vero, c'erano le rendite degli ecclesiastici, ma in massima parte erano tutelate da innumerevoli immunità; c'era da pagare l'annuo tributo a Roma; da tacitare i banchieri genovesi per un grosso debito contratto all'epoca del fastoso matrimonio di Odoardo. Ridotta in strettezze, la corte aveva impegnato gli ori alla zecca di Milano e lo stesso tesoro ducale si trovava impegnato al « monte » di Bologna!

Le truppe alemanne per sgomberare i territori avevano preteso il pagamento di un taglione di ben 300.000 doppie da tutti gli stati su cui si erano acquartierate e al ducato farnesiano era toccata una quota di 36.000 doppie [1].

Di più erano gli anni in cui i conflitti suscitati in Europa dalla politica di Luigi XIV andavano assumendo nuove dimensioni, coinvolgendo nella spirale della guerra tutti gli stati; grandi o piccoli che fossero.

Francesco Farnese, legato, anche per aver sposato la cognata rimasta vedova, agli Asburgo, non poté, ad onta di vari tentativi, affrancarsi dalla servitù degli alloggiamenti militari; cercò anche la via delle relazioni diplomatiche di maggior respiro, se pure all'inizio con scarso successo — come alle trattative di Ryswyck dove aveva fatto portare dal suo rappresentante, Bartolomeo Pighetti, l'obsoleta questione di Castro...

Fu proprio in questo suo intendere la politica dal punto di vista delle trattative diplomatiche che lo fece incontrare con l'Alberoni, personaggio che rimase indubbiamente in costante rapporto, anche negli anni dei grandi maneggi madrileni, con la corte farnesiana in cui aveva trovato la sua prima collocazione. E fu a lui, grande *maître* di matrimoni, che i Farnese dovettero gli ultimi clamorosi colpi d'artificio in materia di politica matrimoniale.

Nelle grandi trame: l'Alberoni

L'ascesa dell'Alberoni prese il via dall'epoca in cui i territori del ducato, scoppiata la guerra di successione spagnola, si trovarono occupati non solo dalle consuete truppe alemanne al comando di Eugenio di Savoia, che

[1] G. DREI, *I Farnese*, cit., p. 247 e T. BAZZI e U. BENASSI, *Storia*, cit., pp. 241-242.

con la sua tattica temporeggiatrice prolungò assai la sua permanenza sul territorio farnesiano, ma anche da quelle gallispane, come si dissero le truppe dei collegati Spagnoli e Francesi. Il giovane prelato, allora abate, fu inviato come emissario ducale al quartier generale del Vendôme, che comandava le truppe francesi e spagnole. Entrato nelle sue grazie, l'Alberoni lavorò per quattro anni a pro' dei Farnese e quando il suo protettore francese tornò a Parigi, egli lo seguì, maturando preziose esperienze che avrebbe messe a frutto anni più tardi.

Francesco, in quegli anni in cui Alberoni poté inviare precise direttive da Parigi e che lo ponevano in grado di condurre avanti la sua politica di precaria neutralità, affrontò, con sufficiente tranquillità, le difficoltà in cui venne a trovarsi, ma quando poi le truppe gallispane abbandonarono l'Italia settentrionale, rimase di nuovo alla mercé delle truppe tedesche.

Di più risorgeva la questione della sovranità sul ducato, mai risolta per il contemporaneo sopravvivere di tesi imperiali e di tesi pontificie. Il papa, d'altro canto, ancora recentemente, nel 1701-2, aveva innalzato le sue insegne sulle città di Parma e Piacenza, a monito degli aggressori imperiali e allora Francesco non aveva potuto opporsi alla cosa, anche se ciò implicava un riconoscimento delle pretese papali. L'imperatore, per parte sua, non rinunciava a quello che era un sopravvissuto « fodro legale », né era disposto a legittimare la supremazia della chiesa che, di fatto, se non *de jure*, aveva trasformato Parma e Piacenza in un ducato per i membri della dinastia di Paolo III [1].

Ne conseguì che, in un anno cruciale come il 1706, Francesco dovette impegnarsi per il pagamento di 140.000 fiorini per il mantenimento delle truppe del principe Eugenio; allora la cosa si complicò terribilmente perché a pagare fu chiamato anche il clero. Il papa protestò vivacemente, ma con scarso successo; il momento era decisamente favorevole alle sorti imperiali, anche per quanto concerneva il riconoscimento del successore al trono di Spagna, a cui furono costretti la maggior parte degli stati italiani (Genova, la Toscana, Lucca, Modena, Parma e Piacenza).

Vi fu una questione controversa dei diritti sul ducato farnesiano che alimentò una nutrita pubblicistica tra il 1707-8, con punte molto vivaci; assai singolare, ma anche realistica per certi aspetti, la posizione assunta e sostenuta dal piacentino Nicoli che prospettava, con brillante spirito di mediazione, la tesi dell'autonomia del ducato [2]!

Era la tesi più realistica o, se si vuole, più salomonica e che teneva conto della condizione di fatto, ma fu confutata dalle due parti in contra-

[1] E. Nasalli Rocca, *I Farnese*, cit., p. 216.
[2] E. Nasalli Rocca, *I Farnese*, cit., p. 217.

sto. Gli eventi militari poi parvero far piegare al peggio le sorti di Francesco.

Gli imperiali, padroni del campo, avevano costretto le pur esigue forze pontificie a provvedere alla difesa del Ferrarese e al duca fu chiesto, come alternativa alla occupazione, il riconoscimento della feudalità imperiale dei suoi possedimenti, tanto più umiliante per Francesco perché richiesta per via mediata, attraverso il senato milanese, ormai asburgico, che considerava Parma e Piacenza pertinenze dell'ex ducato di Milano.

L'orgoglio, che già altri Farnese avevano mostrato di avere, fece resistere Francesco sino agli eventi del 1711, quando la morte dell'imperatore sciolse il nodo della successione spagnola, ponendo su quel trono il fino allora contestato Filippo V di Borbone e a Vienna il fratello del defunto imperatore che lasciò l'incomodo trono madrileno.

Al seguito del Borbone si trovava l'Alberoni, e di qui prese il via l'ultima fase della dinastia farnese, ricca di prestigio se non di acquisti politici reali. Mai i Farnese avevano avuto presso una corte straniera, o presso una ambasciata, un uomo di tale talento, di tale abilità e con tante altissime aderenze; mai neppure un uomo così incline all'intrigo!

Significava, per altro, dopo anni di politica alternativamente filofrancese e filospagnola, un deciso ritorno alla tradizione più antica di una alleanza spagnola.

Dietro l'esempio dello scaltro Alberoni parve rianimarsi anche la corte ducale nelle figure del tesoriere, Ignazio Rocca, e di altri collaboratori come Landi, Sanseverino, Casali, Beretti, Pighetti, Gazzola[1]. Si celebrò, così, il matrimonio del secolo, quello tra il re di Spagna Filippo V e la figlia di Odoardo, il fratello di Francesco morto nel 1693. La prospettiva per la Spagna era di tornare direttamente sui territori italiani con la prole di Elisabetta e, prima ancora, con Elisabetta stessa, essendo ormai sempre più probabile l'estinzione della dinastia Farnese per linea maschile. Le nozze furono celebrate in Parma il 25 agosto 1714.

Una successione discussa

Del periodo alberoniano si è scritto molto; di una partecipazione ai suoi piani dell'ambizioso duca Francesco si può certamente parlare, ma diremmo che non va sopravvalutato il peso di questa partecipazione. La crisi del 1717, che portò all'occupazione della Sardegna da parte delle truppe spagnole, e quella del 1718, che condusse all'occupazione di Palermo, prepararono momenti di grande rischio per il duca, che si salvò, e

[1] E. Nasalli Rocca, *I Farnese,* cit., p. 220.

salvò il ducato, sacrificando l'Alberoni; questi in realtà pagava anche le trame dello Scotti alla corte di Spagna, pagava errori suoi; e d'altra parte fu assai meschina la persecuzione di cui Francesco fece oggetto Alberoni per alcuni anni ancora [1].

Che a queste frenesie diplomatiche e politiche conducesse la paura della estinzione della dinastia, paura non infondata, è assai probabile. Il trattato dell'Aia del 1720 aveva già previsto la successione per Carlo, il figlio di Elisabetta, mentre Antonio Farnese, fratello del duca, non pareva dare ascolto ai consigli matrimoniali né del pontefice né dello stesso imperatore, preoccupato per un eventuale ritorno degli spagnoli sui confini del Milanese.

Ad una successione a pro' di Carlo, d'altro canto, Francesco parve adattarsi, e in questa prospettiva tessé le sue ultime trame internazionali che facevano perno, ovviamente, sulla regina di Spagna, ma che non approdarono a nulla in quanto il trattato di Vienna del 1725 veniva a far tramontare le aspirazioni farnesiane sulla Toscana, su Castro (ancora!) e su Ponza; né con esso venivano soddisfatte le più legittime richieste di indennizzo per gli alloggiamenti delle truppe nell'ultimo trentennio. Francesco moriva nel 1727, lasciando di sé, almeno ai sudditi, un non malvagio ricordo [2].

3. Antonio: l'estinzione della dinastia

Le difficoltà del matrimonio

L'ultimo principe Farnese, nato da Ranuccio II e da Maria d'Este, aveva assistito, si può dire, all'ultimo tentativo di governo veramente impegnato della dinastia; Francesco, in verità, giocando l'arma della diplomazia come le strettezze del suo stato gli consentivano, aveva mostrato di voler salvare il ducato, la cui esistenza era divenuta, nel mutato clima internazionale, quanto mai precaria.

Di Antonio le cronache ricordarono un « grand tour » attraverso gli stati italiani ed europei più presenti sulla scena politica italiana. A Torino, a Parigi, a Londra, in Olanda, a Vienna, a Roma; due anni e più spesi in un modo, a quel che si vide, assai poco fruttuoso. Certamente il costo dovette incidere non poco sulle già critiche condizioni finanziarie del ducato, e Francesco, che dalle visite alle corti e ai governi stranieri si ripromet-

[1] E. Nasalli Rocca, *I Farnese*, cit., p. 225 e T. Bazzi e U. Benassi, *Storia*, cit., pp. 253-254.

[2] E. Nasalli Rocca, *I Farnese*, cit., pp. 226-227.

teva un contributo alla soluzione delle sue difficoltà, e in particolare di quelle derivantigli dagli acquartieramenti militari, dovette essere non poco contrariato [1].

Ma Antonio era nato nella corte e per la vita di corte; nelle manifestazioni più tipiche di quella vita egli lasciò scorrere quasi fatalisticamente la sua esistenza, e quando alle soglie del quarantottesimo anno egli si vide a capo dello stato dovette provare indubbiamente un certo disagio. Nel suo breve governo egli tentò almeno di offrire di sé un'immagine bonaria, assecondando le tendenze più conformiste del suo ducato abitato abbondantemente dal clero.

Fu appunto dal clero e dallo stesso pontefice che gli giunsero le sollecitazioni per provvedere, sino a che l'età lo consentiva, alla continuazione della dinastia. Clemente XI fin dal 1720 gli aveva ricordato l'opportunità, che per una dinastia come quella Farnese poteva dirsi una necessità, di prendere moglie; e tanto più il pontefice era preoccupato quanto più crescevano le premure e i progetti delle varie corti europee [2]. Difficilmente si sarebbe trovata, nel Settecento, un'altra famiglia disposta a governare il ducato sotto l'alto patronato della curia; già gli stessi Farnese non erano stati sempre esemplari per abnegazione figliale!

Tra le possibili consorti che avrebbero indirizzato ad una soluzione sufficientemente garantita il problema successorio, il papa aveva pensato ad una figlia di Giovanni Sobieski e più tardi ad una nipote di Eugenio di Savoia; ma erano già cadute intanto candidature illustri: una Condé, una Borghese, una principessa di Lichtenstein... [3].

Antonio convolò, finalmente, alle necessarie nozze con Enrichetta, figlia terzogenita di Rinaldo d'Este duca di Modena, il 5 febbraio 1728. Quasi inevitabile fu lo sfarzo profuso nell'occasione. Ne sperimentò l'eccezionalità, ancora una volta, il comune di Parma che, per quanto indebitato, non poté sottrarsi al donativo « spontaneo » di 70.000 genoine, prese a prestito dai banchieri genovesi, che dai primi del Seicento avevano monopolizzato l'attività creditizia a pro' della corte e delle casse pubbliche del ducato [4]. Parma pagava ben cara la sua privilegiata condizione di essere la capitale e la residenza pressoché abituale della corte!

Anche Piacenza ebbe l'onore delle attenzioni di questo duca, gaudente irrefrenabile, che faceva follie per i carnevali, i tornei, le pubbliche rappresentazioni, i concerti, i balli, i banchetti. Nel 1730, infatti, ad Antonio venne l'encomiabile pensiero di veder risorgere le ormai morte fiere piacen-

[1] G. Drei, *I Farnese*, cit., p. 279-280 ed E. Nasalli Rocca, *I Farnese*, cit., pp. 236-237.
[2] G. Drei, *I Farnese*, cit., p. 282.
[3] T. Bazzi e U. Benassi, *Storia*, cit., pp. 265-266.
[4] T. Bazzi e U. Benassi, *Storia*, cit., p. 267.

tine, non più tenute da circa trent'anni. Si risolse in un motivo in più per soggiornare a lungo con vari ospiti di riguardo nella città [1].

Era il duca delle cose iniziate e mai condotte avanti; alcune, in verità, rimasero poco più che dei progetti per la sua scomparsa, repentina anche se prevedibile data l'enorme pinguedine da cui fu afflitto, ma da cui non pensò mai di guarire con un tenore di vita più igienico.

Meritorio fu il suo tentativo di alleviare le condizioni dei contadini esonerandoli dagli obblighi delle « pattuglie » che, istituite per difendersi dalle soldataglie in costante dimora nel ducato, sottraevano molte braccia all'agricoltura; promosse la gelsicoltura per sostenere le attività economiche più fiorenti del ducato; favorì l'apicoltura per evitare le troppo dispendiose importazioni di cera (e con l'altissimo numero di chiese esistenti nello stato era una voce assai rilevante!); ma rimasero soltanto buoni propositi [2].

Infatti ben tristi tempi si andavano preparando. Il pontefice e l'imperatore si contendevano il giuramento di omaggio da parte di Antonio; mai la questione era stata così importante, e così complicata dalle più recenti ambizioni; la lega sottoscritta tra Francia, Spagna, Inghilterra e Olanda nel 1729 gettava le basi per preparare il terreno ai pretendenti della dinastia spagnola, proponendo al Farnese un presidio spagnolo — in funzione antimperiale — che comunque avrebbe giurato fedeltà al duca.

Il 18 gennaio 1731, all'ennesima indigestione, moriva poco eroicamente l'ultimo duca.

Il suo testamento restava una testimonianza tragicomica del suo governo. Lasciava, infatti, erede universale il « ventre pregnante » di Enrichetta, che egli suppose d'aver reso gravida.

Una maternità impossibile

Alla corte di Antonio si costituì una reggenza formata da Enrichetta, il vescovo di Parma Camillo Marazzani, il conte Odoardo Anviti e primo segretario di stato, il conte Federico Dal Verme, il conte Jacopo Sanvitale e il conte Artaserse Baiardi.

Si andava brevemente delineando una situazione paradossale; una sorta di opera buffa recitata all'ombra del teatro Farnese.

Secondo il trattato di Londra del 1718 [3] spettava alla prole di Elisabetta Farnese la successione al ducato di Parma e al granducato di Toscana, entrambi essendo feudi imperiali. Ma da Milano giunse il conte Carlo

[1] T. Bazzi e U. Benassi, *Storia*, cit., p. 268.

[2] T. Bazzi e U. Benassi, *Storia*, cit., pp. 269-270 e G. Drei, *I Farnese*, cit., p. 285.

[3] T. Bazzi e U. Benassi, *Storia*, cit., p. 315; cfr. E. Nasalli Rocca, *I Farnese*, cit. p. 24.

Francesco Stampa, plenipotenziario dell'imperatore, a prendere possesso del ducato sotto gli auspici dell'imperatore e in nome di don Carlo infante di Spagna, primogenito di Elisabetta. Mentre il consiglio generale di Parma prestava giuramento alla duchessa, i tedeschi occupavano Parma e Piacenza.

Il papa, dal suo canto, aveva ordinato alle sue truppe in Bologna di andare a prendere possesso del suo feudo; preceduto tuttavia dagli imperiali, inviò monsignor Jacopo Oddi, nominato suo commissario generale, a protestare presso Vienna, Parigi e Madrid. Questa missione non ebbe buon esito e allora il papa ritirò dalla corte di Vienna il cardinal legato Grimaldi, suo nunzio[1].

I tentativi più vari di soluzione si intrecciavano intorno alla figura patetica di Enrichetta, che non si decideva, e forse non poteva farlo, a partorire. Dopo una famosa visita di cinque levatrici insospettabili, sottoposte a tutti i giuramenti del caso, e che aveva stabilito la maternità effettiva della duchessa, l'interessata principale, il 13 settembre del '31, ammise di non attendere nulla!

Immediatamente lo Stampa si dichiarò amministratore interinale dei ducati a nome di Carlo; Enrichetta usciva praticamente dalla scena; il pontefice continuava a protestare invano[2].

Prima di Aquisgrana

Il 29 dicembre 1731 le diciassette comunità del ducato prestavano giuramento all'infante don Carlo nella persona dei suoi rappresentanti, la duchessa Dorotea Sofia di Neuburg inviata a controllare direttamente la situazione e il conte Paolo Zambeccari, plenipotenziario del granduca di Toscana, al quale pure era affidato l'infante ancora minorenne. Lo Stampa e gli imperiali partirono; Dorotea assunse la reggenza a nome del nipote, sciogliendo il consiglio di reggenza precedente.

Carlo giungeva poi a Parma il 9 ottobre del 1732[3].

La sua permanenza, come è noto, fu assai breve; nel febbraio del 1734 partiva per acquistarsi il ben più importante regno di Napoli; partì dopo aver spogliato di tutti i capolavori d'arte e di tutti i tesori il palazzo ducale e le pinacoteche di Parma e di Piacenza. Si portò via anche l'archivio farnesiano, e questo fu un grave danno perché i successori si trovarono senza la documentazione necessaria per convalidare parecchi atti, e per amministrare in continuità di consuetudini e di jus.

1 T. Bazzi e U. Benassi, *Storia*, cit., p. 316.
2 E. Nasalli Rocca, *I Farnese*, cit., pp. 240-242 e G. Drei, *I Farnese*, cit., pp. 288-291.
3 T. Bazzi e U. Benassi, *Storia*, cit., pp. 317-318 e G. Drei, *I Farnese*, cit., pp. 292-293.

Quanto al ducato, esso era destinato a rimanere triste terreno di contesa per molti anni ancora, sino alla pace di Aquisgrana.

Innanzitutto, partito Carlo, iniziava la guerra tra imperiali e gallo-ispani; rimase memorabile la battaglia di Parma, o di S. Pietro, del 29 giugno '34, vinta dai franco-sardi, che presero anche Guastalla; nell'aprile del '36 gli spagnoli recuperavano il ducato che veniva dato da don Carlo all'imperatore Carlo VI; le due città di Parma e di Piacenza prestavano giuramento al principe di Lobkowitz il 7 maggio '36; nel febbraio successivo era nominato governatore di Milano e dei ducati il conte Ottone Ferdinando di Traun; questi, agli inizi del '38, inviò come vicegovernatore del ducato il conte milanese Gian Battista Trotti. Nel '41 il giuramento di fedeltà veniva rinnovato alla nuova imperatrice Maria Teresa nella persona del marchese Erba Odescalchi[1].

Scoppiava la guerra di successione austriaca che per i soliti passaggi di truppe fu deleteria al ducato. Particolarmente nutrito il passaggio, nel '42, dell'esercito di Carlo Emanuele III re di Sardegna, alleato dell'imperatrice, che andava a battere l'estense; di ritorno si giovò ancora dell'ospitalità delle comunità del ducato!

Nel '43, per il trattato di Worms, Carlo Emanuele otteneva da Maria Teresa l'alto Novarese e l'Oltrepo, con in più Piacenza e parte del suo territorio sino al Nure, prendendone possesso nel 1° febbraio del 1744. Il resto del ducato fu aggregato allo stato di Milano nonostante le proteste delle comunità.

A seguito delle vicende belliche, nel settembre del '45, i Borboni riprendevano il ducato; nel '46, tornata in auge Maria Teresa, Parma tornava all'Austria e Piacenza al Savoia.

Finalmente giungeva la pace di Aquisgrana. I ducati di Parma e di Piacenza, a cui si aggiungeva per estinzione di quella dinastia il ducato di Guastalla, furono assegnati al figlio di Elisabetta Farnese e di Filippo V, don Filippo, che entrava in Parma il 9 marzo 1749, dove lo raggiunse la consorte, Luigia Elisabetta di Borbone figlia di Luigi XV di Francia[2].

[1] T. BAZZI e U. BENASSI, *Storia*, cit., pp. 318-320.
[2] T. BAZZI e U. BENASSI, *Storia*, cit., pp. 320-322.

CAPITOLO IV. **Dai Borboni all'Unità**

1. La prima età borbonica (1749-1802)

Un Colbert alla corte di Parma

L'individuazione di un gruppo di attivi collaboratori del Du Tillot negli anni centrali del riformismo, quali lo Schiattini, il Nasalli, il Riga, il Capellotti, il Paciaudi, l'Affò, il Pezzana, il Turchi, per non dire che dei maggiori, non ha sostanzialmente mutato, negli studi sul Settecento di Franco Venturi l'opinione che il senso della circolazione delle idee sia quello già noto, e cioè dalla Francia verso l'Italia, nella fattispecie verso il piccolo ex ducato farnesiano. I « lumi » vi sarebbero giunti magari « filtrati spesso attraverso la diplomazia e la politica francese, derivanti piuttosto da Chauvelin, e da Choiseul, che dagli enciclopedisti e dagli economisti, dall'azione dei parlamenti che da quella dei philosophes », in una interpretazione storiografica che sostanzialmente ribadisce come la grande funzione assunta dalla dinastia borbonica fu quella di servire da tramite agli influssi europei, di « versare... nel vuoto della vita parmense un contenuto europeo » [1].

Non si può dire, però, che l'attività riformistica si svolgesse in modo coerente e cosciente di sé o che si conseguissero rilevanti risultati pratici, sia perché l'iniziativa non riuscì a stabilire un reale contatto con il paese — conseguenza questa non solo delle condizioni locali, ma anche della scialba personalità del duca Filippo —, sia perché l'animatore delle riforme, Guglielmo Du Tillot, interpretò spesso in modo contraddittorio lo spirito dei lumi, non diversamente, d'altro canto, da quanto seppero, o poterono, fare i diretti responsabili delle riforme in altri stati.

[1] F. VENTURI, *Settecento riformatore*, II, *La Chiesa e la Repubblica dentro i loro limiti. 1758-1774*, Einaudi, Torino 1976, p. 217.

Inevitabilmente il Du Tillot nella sua lotta contro i privilegi ecclesiastici e feudali e nella sua politica economica, si ispirò più alla volontà di accentramento amministrativo-fiscale della dinastia, che non a precisi e razionalizzati programmi di rinnovamento.

Non si vuole con ciò negare che egli, oltre che ai bisogni della corte, pensasse anche alla « felicità pubblica », come allora si diceva; vogliamo sottolineare soltanto i condizionamenti che gli venivano dal dover fare i conti con la strategia che la politica borbonica perseguiva in Europa [1]. Né si può dimenticare la vicenda personale e la formazione di quest'uomo.

Nato a Bayonne, in terra di confine, nel 1711, compiuti gli studi a Parigi, raggiunse il padre in Spagna entrando al servizio della corte di Madrid come capo-guardaroba. Presto la sua pronta intelligenza e le singolari doti di mente gli valsero il posto di segretario particolare dell'infante, don Filippo. Quando questi venne a Parma la corte francese sollecitava la venuta di Du Tillot — suo uomo di fiducia — « comme une sorte d'observateur et de conseiller » [2].

La fortuna del Du Tillot fu proprio quella di apparire ai regnanti parmensi, che volevano emanciparsi dalla pesante tutela madrilena, un contrappeso all'invadenza spagnola.

La sua ascesa fu rapida: intendente generale fin dal giugno 1749 con l'incarico della direzione della casa ducale, nominato nel 1756 ministro del settore delle finanze, tre anni dopo, divenendo segretario di stato, assumeva in pratica la direzione del governo.

Per quanto riguarda il nucleo centrale delle sue idee di politico, ricordiamo quanto di lui scrisse il Bédarida e cioè che il Du Tillot era legato a schemi propri dell'*ancien régime,* con le aperture che gli venivano dalla sua adesione ai principi generali dell'illuminismo.

Così, nonostante la futura radicalizzazione della politica ecclesiastica, Du Tillot vedeva ancora nella religione un valore della tradizione, un principio necessario alla vita dello stato; difendeva la dottrina dall'autorità assoluta del duca, che per lui era il « buon tiranno », principe illuminato e giusto, ma indiscutibile; altissimo era, inoltre, il suo attaccamento all'etichetta e ai riti cerimoniali.

Più difficile ci sembra individuare le direttive economiche del Du Tillot, sulle quali, d'altra parte, anche i due storici che più diffusamente si occuparono di lui espressero giudizi contrastanti.

[1] F. Venturi, *Settecento riformatore,* cit., p. 214.

[2] H. Bedarida, *Parme et la France de 1748 à 1789,* Champion, Paris 1928, p. 79 e U. Benassi, *Guglielmo Du Tillot,* cit., I, pp. 294-295.

Infatti il Cipelli intravvide nel ministro uno spirito proclive alla libera iniziativa industriale, pur ammettendo che tali inclinazioni non poterono realizzarsi appieno a causa della opposizione dell'ambiente cittadino, legato all'antico sistema monopolistico e corporativistico[1].

Il Benassi, dal suo canto, vide in lui il fautore di un neo-colbertismo, propugnatore dell'interventismo governativo e della preminenza dell'industria sull'agricoltura[2].

In realtà le etichette contano poco per una politica economica quale quella che poteva essere svolta nell'ambito del ducato parmense; ci si trova in presenza, come in altri casi, non di un teorico, ma di un empirico che non obbediva ad alcuna dottrina economica: infatti, se Du Tillot era seguace del vecchio sistema interventistico e precludeva la via alla libera iniziativa privata, se pensava che l'industria ed il commercio bastassero a risollevare lo stato dalla grave crisi, tuttavia il contatto con la realtà delle cose gli mostrava l'insufficienza dei metodi mercantilistici e la necessità di promuovere una riforma agraria, orecchiando magari suggestioni fisiocratiche.

Tuttavia i tentativi da lui compiuti per uscire dal sistema tradizionale furono troppo deboli per sperare di vincere la resistenza del ceto mercantile, che si vedeva colpito nei suoi interessi; d'altra parte, a nostro parere, mancava al Du Tillot una piena adesione ai programmi più radicalmente innovatori; difficile dire se ciò dipendesse da un realistico esame delle strutture dello stato o dal non poter disporre di uno *staff* dirigenziale di prim'ordine, quale poteva disporre ad esempio lo stato di Milano.

È auspicabile che qualche studioso tenti una ricostruzione dell'opera compiuta dal Du Tillot in qualità di intendente della casa ducale, di ministro d'azienda e di segretario di stato più metodologicamente aggiornata di quella che ancor oggi resta pur sempre la base su cui fondare ogni discorso sul riformismo parmense, quella del Benassi.

Qui ci limiteremo a valutare il senso dell'opera del Du Tillot nelle prospettive di maturazione delle strutture dello stato, nella sua evoluzione verso più moderni livelli di organizzazione. E ciò al di là di quello che Valsecchi e altri hanno definito come il « fallimento » delle riforme.

Non è su di un piano di traduzione pratica che dobbiamo porci. Occorre vedere come le riforme di là dall'ambito, più o meno ristretto, in cui furono sperimentate, rifluirono in quel clima « senza frontiere » che fu l'età dell'illuminismo in Italia e in cui, pur tra ritardi, ristagni, precorrimenti, andò definendosi nelle sue linee generali una spinta per la costituzione di uno stato moderno.

[1] B. Cipelli, *Storia dell'amministrazione di G. Du Tillot*, con introduzione di E. Casa, in « Archivio storico per le province parmensi », ser. I, II, 1893, p. 174.

[2] U. Benassi, *Guglielmo Du Tillot*, cit., VII, p. 2.

L'amministrazione illuminata

Ricordiamo intanto alcuni elementi di fissità nelle strutture amministrative ed economiche di Parma.

Ancora con il Du Tillot rimasero in vigore statuti e costituzioni farnesiane, praticamente nella medesima forma in cui si erano tramandati da secoli e, semmai, si introdussero principi unificatori più autoritari con l'intenzione di adattare il vecchio apparato monopolistico e corporativo al programma di accentramento perseguito dal primo ministro.

A tal fine era stato istituito, nell'agosto 1754, un « regio consiglio privato », sostituito poi da un « regio consiglio segreto », formato dal ministro di stato e da altri tre consiglieri [1].

Mentre gli antichi uffici dell'amministrazione interna continuarono a funzionare senza rilevanti modificazioni, vi fu una innovazione importante nel campo giudiziario con la creazione di un « uditore generale », che doveva « presiedere a tutti gli affari di giustizia », impedire gli abusi dei giusdicenti e snellire il disbrigo delle cause.

Il problema più urgente era costituito, tuttavia, dallo stato delle finanze, dissestate a causa delle vicende belliche, della prodigalità dei principi, degli errori dei ministri precedenti: appunto a tale difficile impresa dedicò subito le sue energie il Du Tillot, che, non trovando nel paese validi collaboratori, dovette fare affidamento sulla sua indubbia capacità di lavoro, di « ragioniere » di stato e di mediatore delle linee politiche della corte e delle potenze francese e spagnola.

Innegabile la sua abnegazione e il suo impegno che lo videro documentarsi sulla pubblicistica più varia, ma in particolare sui provvedimenti di carattere finanziario ed economico che si stavano elaborando anche negli stati confinanti.

Resta tuttavia significativo il fatto che egli si adoperasse molto per riavere da Napoli l'archivio farnesiano; nel sistema amministrativo dell'antica dinastia egli cercava la continuità con il passato, ma — contradditoriamente — ne perpetuava anche i più rigidi meccanismi.

È pur vero che, nonostante ciò, il Du Tillot riuscì ad estinguere i debiti e ad aumentare le entrate dello stato, senza dover chiedere, almeno nei primi anni, sacrifici gravi al paese, o almeno, gravi quanto quelli richiesti dagli ultimi Farnese e dai governanti succedutisi nel grigio ventennio seguito alla morte di Antonio.

Nel settore della esazione fiscale egli preliminarmente optò, nel 1750,

[1] G. Drei, *L'archivio di Stato di Parma. Indice generale, storico, descrittivo ed analitico*, Biblioteca d'Arte, Roma 1941, p. 103.

per un contratto di ferma dei beni non affittati, intestato al nome di Ottavio Ferrari; quindi, non avendo tale sistema portato giovamenti, appoggiò il disegno di una « ferma generale », dichiarando « risoluti e revocati tutti gli esistenti contratti di affitti e subaffitti, di dazi, gabelle, regalie, appalti, imposizioni e di tutt'altro che sotto qualunque titolo costituisce le rendite della nostra real camera, e delle rispettive comunità; tutto concediamo in un solo comulativo appalto a Michele Paté e suoi mallevadori, sotto titolo di ferma generale... » [1].

Era un adeguamento ai criteri più comunemente adottati negli altri stati; con ciò il ministro pensava di aumentare le rendite del regio erario e nello stesso tempo di agevolare la popolazione, liberandola dal pericolo di tributi straordinari; dal canto loro i capi della compagnia francese appaltatrice della ferma (il Paté, cuoco della casa ducale, non era che un prestanome) assicuravano che avrebbero curato con lo stesso zelo gli interessi dei sudditi e quelli del sovrano, percependo diligentemente i diritti ducali e combattendo le frodi e gli abusi.

In effetti, i fermieri iniziarono subito una rigorosa esazione delle gabelle (imponendone anche delle nuove), collocarono nuovi funzionari in varie parti del territorio, aumentarono il canone di affitto facendo così salire in pochi anni le entrate dello stato, ma suscitando pure vivissimo malcontento nella popolazione, insofferente della prepotenza straniera e avvezza da secoli ad un regime daziario e doganale molto benevolo.

Il Du Tillot ricorse allora, nel 1765, alla ferma mista; ma alla scadenza dell'appalto, nel 1770, anch'egli era convinto della convenienza di una amministrazione diretta. Ricorse, quindi, « per procurare vantaggi al regio erario senza aggravio dei sudditi » ad una « regia economica », avocando l'amministrazione delle finanze alla azienda reale, che ne avrebbe conferito la rappresentanza a « soggetti conosciuti degni di fede e capacità » [2].

Nonostante il ministro fosse riuscito, con il sistema della ferma, ad aumentare le entrate dello stato, la situazione finanziaria si mantenne precaria, anche a causa delle enormi spese della casa ducale; si ricorse allora all'imposizione di nuovi tributi: fu istituita la cassa « della notulazione » sugli atti pubblici, una tassa sul cuoiame e sulle pelli, vennero mantenuti i dazi comunali.

Il Du Tillot, dunque, nel settore finanziario non si allontanò dai sistemi tradizionali e non introdusse alcuna geniale riforma del sistema tributario; riuscì soltanto a portare un po' di chiarezza nella confusione amministrati-

[1] Cfr. A.S.P., *Gridario a stampa*: dell'8 settembre 1756.

[2] A.S.P., *Gridario a stampa*; del 12 settembre 1770. Con questo editto si abolivano anche le addizioni camerali ordinate dai fermieri e si promettevano facilitazioni per la introduzione, estrazione e transito delle merci.

va: ordinò subito al computista generale un bilancio di entrata ed uscita, vigilò che i registri prescritti dalla costituzione recassero tutte le richieste e veritiere annotazioni e che non si verificassero abusi da parte degli impiegati.

Nel 1756 poi, « avendo seriamente pensato che nel corso dei secoli non sempre convengono le medesime leggi, ma anzi è d'uopo adattarle alle occorrenze dei tempi », ridusse i due magistrati camerali operanti nelle città di Parma e Piacenza ad un solo tribunale, « perché cumulandosi in tal guisa in un solo principale dicastero premunito di maggiore autorità tutte le materie di finanze, possano queste con più esatta sollecitudine giungere alla loro terminazione »[1].

Anche in questo atto è evidente lo sforzo accentratore del ministro; il « supremo magistrato », infatti, emetteva sentenze definitive in tutte le cause connesse con il regio patrimonio o riguardanti le rendite dei comuni, i governatori politici, le amministrazioni locali, concentrando in sé il potere giudiziario e quello amministrativo.

Nel suo operato, infine, il Du Tillot era affiancato dai controllori camerali che avevano il compito di suggerire nuovi provvedimenti e di denunciare eventuali disfunzioni.

Con queste decisioni, il Du Tillot riuscì senza dubbio a razionalizzare la gestione delle finanze, tanto da poter avere sempre aggiornata la situazione dell'erario e degli altri organismi e da poter intervenire tempestivamente per correggere situazioni abnormi.

Alla accurata predisposizione degli strumenti infrastrutturali non corrispose, tuttavia, una adeguata risposta sul piano della realizzazione. Gli ostacoli, i limiti di agibilità, restavano superiori alle forze e all'impegno del Du Tillot.

Le difficoltà che si possono ricordare servono anche a meglio inquadrare ciò che egli fece, o riuscì a fare, nel settore agricolo, commerciale ed industriale: innanzi tutto la scarsezza di capitali concentrati nelle mani del clero e della nobiltà di più recente acquisto; la confusione nel sistema delle misure e delle monete; la presenza di un ceto nobiliare parassitario; i lavoratori del settore artigianale in condizioni precarie; i contadini in un pauroso stato di arretratezza; i mercanti restii ad ogni innovazione ed interessati al mantenimento delle vecchie istituzioni corporative; la mancanza di una efficiente rete stradale; il grave disordine nel campo tributario; una larga e diffusa ignoranza.

Le aspirazioni del ministro di rendere il ducato autosufficiente mediante

[1] A.S.P., *Gridario a stampa*; del 9 luglio 1756. Il tribunale risultava composto di un presidente, quattro consiglieri giusperiti, un avvocato e un procuratore fiscale.

il potenziamento delle arti e, sia pure in minore misura, dell'agricoltura, non erano facilmente realizzabili.

L'agricoltura

Nel settore agricolo, per quanto qualche spiraglio potesse essergli aperto dai fisiocratici, un anonimo estensore di un *Ragionamento sopra l'agricoltura* invitava il Du Tillot a fuggire l'errore comune, « il quale accorda con tanta facilità la preferenza alle arti del piacere, ed alle professioni più distinte. Gittiam lo sguardo sulla zappa e sull'aratro... »[1].

Ma fu scarsa attenzione, se soltanto nel 1768 si decise a nominare un « real commissario sopra l'agricoltura », scegliendo per altro la persona meno adatta, François Treillard, un favorito della corte che non seppe attuare provvedimenti degni di nota.

Non ottenne grandi risultati: il frumento continuò ad essere tanto scarsamente coltivato nel Parmense (lievemente diversa era la situazione nel Piacentino) da non bastare al mantenimento dei suoi abitanti, se non poco più di sette mesi all'anno; anche la coltivazione del granoturco era limitata dai proprietari, per timore d'impoverire il terreno; la vite era molto diffusa sia in pianura sia in collina, ma enorme era la diversità di resa da un anno all'altro, ora mancando il raccolto al punto da esserne vietata l'esportazione, ora sovrabbondando in misura tale da far precipitare i prezzi; del tutto insufficienti rimasero pure i prodotti orticoli, come notava l'autore del citato *Ragionamento*, che invitava il ministro a provvedere alla « necessità estrema di far valere le norme statutarie »[2].

Ricorso che sarebbe stato veramente anacronistico, se non si interveniva in modo drastico e definitivo per riformare un sistema di produzione arretrato nelle tecniche e nei rapporti tra proprietari e contadini.

Non bastava d'altronde realizzare l'inascoltata proposta del vescovo di Parma, Francesco Pettorelli, di istituire una « reale società di agricoltura » allo scopo di istruire con l'esempio pratico dell'uso dei mezzi tecnici adatti (erano inutili, evidentemente, le numerose istruzioni a stampa dato l'analfabetismo della maggior parte dei contadini); né molto fu fatto per sollevare gli agricoltori dai gravosi carichi cui erano sottoposti; questo avrebbe significato un possibile intervento in quell'area del privilegio ecclesiastico e nobiliare che invece resisteva assai tenacemente alle ingerenze esterne[3].

[1] A.S.P., *Carte Du Tillot*, A, 41: *Ragionamento sopra l'agricoltura* (1766).

[2] B. Cipelli, *Storia dell'amministrazione*, cit., p. 264 e C. Rognoni, *Sull'antica agricoltura parmense*, Ferrari, Parma 1897, p. 98. Ebbe successo solo la coltivazione della patata.

[3] A.S.P., *Carte Du Tillot*, A, 34: *Decreto per lo stabilimento di una Reale società d'Agricoltura negli Stati di S.A.R.*, 6 marzo 1762.

Inoltre alle pur rare e isolate iniziative volte ad intaccare il vecchio ordinamento comunitario di certe terre si opposero proprio le stesse popolazioni rurali, nel classico conservatorismo delle popolazioni contadine costrette a salvaguardare i limiti di sussistenza.

La limitatezza dell'opera del Du Tillot in questo settore emerge dalla esposizione stessa delle « guarentigie date alla libertà del lavoro e alla proprietà dei frutti delle terre »[2]: venne proibito l'uso di « condotte » per opere pubbliche dei contadini venuti in Parma con carri e buoi; si dichiarò soppressa la « gabella civica » sulle bestie e sui carri introdotti in città; si rinnovò la grida del giugno 1726 mediante la quale si proibiva ai soldati del forte di esigere regalie dai rustici che trasportassero prodotti agricoli; si provvide a ridurre, ma solo alla morte di don Filippo, le riserve ducali di caccia, dannose sia perché sottraevano gran parte del territorio alla coltivazione, sia perché gli animali selvatici, uscendo dai confini delle riserve, arrecavano grave danno ai campi[2].

I contadini, però, continuarono ad essere sottoposti agli altri gravissimi carichi, soprattutto quelli della manutenzione stradale per la comodità della corte (la forte spesa incombeva soltanto sui rurali dei comuni del Parmense), delle prestazioni personali, dell'incorporamento delle milizie di confine, delle somministrazioni alla corte, delle collette; e, soprattutto, dei carreggi.

Anzi, l'onere della carreggiatura, nonché abolito, fu incrementato notevolmente per le varie fabbriche ducali e per le idee del ministro circa i diritti e lo splendore della corte, al punto che « tanti, aggravatissimi, difficilmente coltivavano i loro beni, potendo appena servire il R. Sovrano degli spettanti carreggi »[3]; il Du Tillot, che comprendeva il danno che ne derivava, cercò di porvi rimedio imponendo nel 1769 lo stesso obbligo anche ai beni civili di tutto lo stato, ma non ottenne alcun effetto positivo.

Furono mantenuti i vincoli e i divieti tradizionali circa il commercio, anche interno, dei prodotti agricoli d'ogni specie, e particolarmente dei grani, sottoposti a dazi e gabelle.

A nostro parere, un lieve miglioramento rispetto al periodo precedente si ebbe quando fu permesso ai possessori di fondi di trasportare i prodotti da un luogo all'altro del Parmense senza il pagamento dei dazi interni; ma era troppo poco, rispetto al perpetuarsi di tutti gli altri vincoli imposti, fin da tempi remoti, dalla città dominante sul contado.

Nel generale quadro delle riforme volte a realizzare la libertà del com-

[1] B. CIPELLI, *Storia dell'amministrazione*, cit., pp. 259-260.
[2] A.S.P., *Gridario a stampa*; del 4 gennaio 1755 e del 4 luglio 1753.
[3] A.S.P., *Carte Du Tillot*, C, 124.

mercio, in particolare dei grani, Parma, con il suo ostinato vincolismo restava anacronisticamente ancorata alla politica miope delle corti padane, che non superava talvolta l'ambito della capitale.

Ed era certo difficile superare d'un colpo gli ostacoli opposti alla libertà economica dalle esigenze della corte e dagli organismi annonari ancora preposti alla regolamentazione dei bisogni, dei consumi alimentari della città, ma non in egual misura del contado.

Occorreva riformare un sistema, che invece per più ragioni era rimasto inalterato.

In fondo i risultati più positivi furono raggiunti solo nella lotta contro le mani morte, ostacolo gravissimo alla circolazione dei beni e al progresso agricolo; ma questi successi vanno per altro visti nel programma più vasto della lotta giurisdizionale.

Vi furono dapprima appelli alla Santa Sede, cui vennero fatti presenti i danni provocati dalle immunità ecclesiastiche e dall'immensità dei terreni in loro possesso; poi, non avendo essi portato alcun effetto, si giunse alla proclamazione della *Prammatica contro le manimorte*, con la quale si vietò la devoluzione dei beni immobili a persone e corpi ecclesiastici; si frenava così, ma non si aboliva, il passaggio al clero di altri fondi. Tale legge venne poi perfezionata l'anno seguente, quando si decretò la perequazione dei carichi pubblici sottoponendo anche i beni ecclesiastici alle collette e ai tributi.

Per garantire la effettiva attuazione di tali disposizioni, fu eretto un tribunale, la « real giunta di giurisdizione », al quale vennero attribuite amplissime facoltà su tutto ciò che riguardava beni o persone ecclesiastiche [1].

Fu questa la più importante innovazione del Du Tillot nel campo dell'economia agricola, perché oltre ad impedire l'estendersi della proprietà ecclesiastica, limitò il peso dei tributi che gravavano sui contadini.

Possiamo, comunque, dire che lo stato dell'agricoltura nel ducato rimase molto arretrato: non erano sufficienti a risollevarla il miglioramento delle colture già esistenti e l'introduzione di nuove, né gli sporadici provvedimenti di alleviamento dei vincoli e di trasformazione della proprietà; occorreva combattere contro gli ultimi residui feudali, intaccare le posizioni dei ceti privilegiati e promuovere l'ascesa di forze nuove, imprenditoriali [2].

[1] A.S.P., *Gridario a stampa*; dell'8 febbraio 1765.

[2] U. Benassi, *Guglielmo Du Tillot*, cit., Parte III, p. 57; il Du Tillot, tuttavia non provvide mai alla abolizione dei fidecommessi e delle primogeniture. Sulle vicende dell'agricoltura nel ducato dall'età delle riforme in avanti è da vedersi P. L. Spaggiari, *L'agricoltura negli stati parmensi dal 1750 al 1859*, Banca Commerciale Italiana, Milano 1966.

Le industrie

Ma il Du Tillot tendeva soprattutto allo sviluppo industriale e commerciale del ducato, e dobbiamo riconoscere che si dedicò con ammirevole energia alla difficile impresa.

Neppure in questo campo, tuttavia, apportò grosse innovazioni perché si attenne al tradizionale sistema: la sua politica si fondò sul rinvigorimento della disciplina corporativa e si esplicò sia con un richiamo alle norme consuetudinarie, sia con il passaggio sotto il controllo delle « arti » di attività economiche che fino a quel tempo erano ad esse sfuggite.

Così, per ordine ministeriale, una grida del governatore di Parma nel 1761 richiamò a rigorosa osservanza gli antichi statuti dei falegnami aggiungendovi altri provvedimenti; nel 1768 si costituì il paratico dei cappellai; si diedero nuovi ordinamenti restrittivi all'arte dei muratori, per impedirne l'esercizio agli inesperti, e all'arte dei « ferrari ».

D'altra parte, in una *Rubrica delle arti*, che riporta i nomi delle persone immatricolate dal 1731 al 1798, si osserva che le corporazioni si aprirono ad accogliere nuovi adepti soprattutto dopo il 1760, proprio nel periodo in cui il Du Tillot esercitava le funzioni di primo ministro[1]. Evidentemente, con l'assorbimento delle nuove forze prima operanti in modo autonomo, venivano appoggiate le pretese monopolistiche di queste organizzazioni, miranti ad impedire il libero esercizio dei mestieri fuori della propria influenza.

Importanza ben maggiore delle altre arti aveva l'università dei mercanti che nel 1751 rinnovò i propri statuti con nuovi provvedimenti restrittivi: « qualità di chi volesse esercitare mercimonio » erano l'essere nato nella città o avervi abitato per almeno dieci anni consecutivi lavorando con qualche mercante « in qualità di socio o ministro », possedere un certo capitale e sottoporsi al pagamento dei tributi dell'arte, che vennero aumentati in quegli anni con l'imposizione di una tassa annua dell'1% sul capitale e dall'imposta di 10 soldi per ogni libbra di seta forese[2].

A scoraggiare maggiormente la libera iniziativa privata contribuivano le numerose fabbriche con diritto di privativa. Ma anche contro le privative Du Tillot fece poco; riuscì a sopprimere il monopolio della fabbricazione e della vendita dell'olio da ardere, ma ne concesse altre a chi introduceva nuovi procedimenti di fabbricazione.

Così venne concessa la « fabbricazione privativa » delle candele, dei

[1] A.S.P., *Comune di Parma*, busta 1852; vi è contenuto l'elenco delle arti ancora in vita in città.

[2] A.S.P., *Gridario a stampa*; del 19 maggio 1751.

nastri, della maiolica, delle tele indiane, dei panni; riguardo a quest'ultima, è interessante notare, quale esempio delle facilitazioni accordate dal ministro alle nuove fabbriche, che venne concesso un locale gratuito, l'esenzione dal dazio di esportazione dei panni, l'esonero da qualunque tassa dell'arte, dal servizio militare e da ogni altro aggravio.

Tali provvedimenti suscitarono il malcontento generale, accresciuto dal fatto che nelle nuove fabbriche, e soprattutto in quelle tessili, venivano agevolati specialmente gli imprenditori e la mano d'opera stranieri, sollecitati ad insediarsi nel ducato per la mancanza di elementi locali tecnicamente preparati.

Accadeva così che gli stranieri erano occupati nelle nuove fabbriche ed i lavoratori locali erano impiegati nei vecchi opifici che, oltre tutto, usando macchinario meno progredito, privi delle agevolazioni governative concesse alle fabbriche nuove e organizzati ancora a livello artigianale, potevano assorbirli solo in minima parte.

Du Tillot quindi non provvide a garantire sufficientemente il lavoro del nucleo operaio cittadino, né seppe promuovere una efficiente collaborazione fra stranieri e locali.

Di qui le lamentele ed il rancore che gli operai parmensi nutrivano contro i protetti del ministro e lo scarso impegno con cui si applicavano al lavoro.

Se a tutto ciò aggiungiamo il fatto che Parma non era assolutamente preparata, per così dire, ad una « riconversione industriale », in quanto naturalmente povera di materie prime, si può spiegare come gran parte delle iniziative industriali del Du Tillot fallissero.

Non ebbero esito felice la fabbrica di nastri, concessa nel 1759 con diritto di privativa a tale Giovanni Maria Chalençon; la « fabbrica di veli e crespi » che, fondata nel 1762 a spese della corte, venne diretta per dieci anni dai fratelli Campana, passando poi ad altri imprenditori, e che fallì soprattutto per l'avversione delle giovani parmigiane a quel genere di lavoro; venne anche chiusa, nel 1767, la fabbrica delle tele indiane, fondata, sempre, con diritto di privativa, nel 1758 da Maurizio Roger e poi rilevata da una compagnia di industriali piacentini[1].

Riteniamo superfluo ricordare altri tentativi nel campo dell'industria tessile, dato che praticamente, se si esclude il parziale successo della fabbrica dei drappi di seta, le nuove fabbriche non prosperarono.

L'industria alimentare, che avrebbe dovuto essere tra le più prospere del paese, qualora l'avesse sorretta il progresso dell'agricoltura, risultava, invece, la meno curata e quella su cui gravavano maggiormente i vincoli,

[1] Per tutto ciò vedi U. Benassi, *Guglielmo Du Tillot*, cit., Parte IV, pp. 47-50.

suggeriti dalle paure di crisi di produzione. Ad esempio, non fu tentato nulla per migliorare il sistema della vinificazione che non garantiva la conservazione dei vini se non per pochi mesi; né abbiamo trovato indizi di provvedimenti per l'industria del formaggio grana, un tempo fiorentissima ed allora in piena decadenza.

Il commercio

Per quanto riguarda il commercio, venne mantenuto il tradizionale sistema vincolistico sia per paura di crisi annonarie, sia per l'applicazione di quel neo-colbertismo di cui si è già detto.

Anche la politica doganale si limitò a stabilire o correggere tariffe, con le quali si tentò invano di soddisfare contemporaneamente i bisogni dell'erario e i vantaggi del commercio, mentre, in realtà, si impacciavano i già scarsi traffici; restarono i dazi sui transiti, i dazi interni e la differenza di tariffe tra le varie parti del ducato; venne emanata una « tariffa di esigenza per le addizioni camerali » in cui gli aumenti, non lievi, vennero a sovrapporsi alle precedenti addizioni; furono create nuove dogane in vari luoghi del contado « per il comodo pagamento dei dazi », vale a dire per potere esercitare un più severo controllo [1].

Come esempio di libertà commerciale, possiamo solo ricordare la concessione di mercati e fiere a qualche paese, con il privilegio di sospensione in tali ricorrenze dei più gravi vincoli daziari e la già menzionata abolizione del dazio interno sul trasporto dei prodotti da un luogo all'altro del Parmense [2].

Le vie di comunicazione ebbero, poi, scarsa attenzione e l'unico progetto che parve entusiasmare il Du Tillot fu quello della costruzione di una strada per Genova attraverso l'Appennino e che, nonostante le difficoltà si riuscì a costruire per un lungo tratto; ma l'opera rimase sospesa nel 1771 con la partenza del Du Tillot.

Se pure nel settore commerciale non ci furono in sostanza grandi innovazioni, non possiamo però negare che il Du Tillot si fosse dedicato con slancio all'impresa rinnovatrice: lo prova l'erezione di una « real giunta per l'incremento del commercio e perequazione dei regii diritti » e la creazione degli « ispettori sopra il commercio », nel 1761. Le due magistrature erano formate da un prefetto, tre consoli e due « aggiunti » che, in caso di assenza dei titolari avrebbero dovuto farne le veci; essi, scelti dal

[1] A.S.P., *Gridario a stampa*; del 25 giugno 1768; in quell'anno con successivi decreti vennero istituite nuove dogane in vari luoghi dello stato.

[2] A.S.P., *Gridario a stampa*; del 5 ottobre 1765.

duca su una lista presentata dall'università dei mercanti, dovevano provvedere a « mantenere attivo il commercio », suggerendo i mezzi più adatti a tale scopo e vigilando sull'esatta osservanza degli ordinamenti, nel che era evidente tutta la contraddizione del programma di politica economica che si cercò di realizzare.

Una crociata laica

Il periodo del Du Tillot, non v'è dubbio, a più di sessant'anni dagli studi altamente meritori del Benassi, andrebbe profondamente studiato. Lo impongono l'attuale stato degli studi sull'età dell'illuminismo, una diversa, nuova, smaliziata talvolta, sensibilità storica, nonché una metodologia più raffinata. È significativo che il secondo volume di *Settecento riformatore* di Franco Venturi individui nel riformismo parmense un respiro europeo tale da intitolare il capitolo ad esso dedicato *Parma e l'Europa*; titolo non spropositato, non volutamente suggestivo, sia pure tenendo conto dell'« entusiasmo » illuministico dell'autore. Ma a parte questo, è importante secondo noi che Venturi, pur rimanendo tributario in larga misura al vecchio Benassi per la ricostruzione della trama generale del periodo (né lo stato attuale delle ricerche consente altra scelta!), individui in un momento del dibattito — quello fra stato e chiesa — il nucleo centrale del fermento innovatore dell'antico ducato padano. E nel momento stesso dell'individuazione Venturi ripropone in termini nuovi, che sono quelli di un'adulta storiografia sull'illuminismo, il senso e la portata di quel particolare fermento.

In realtà Venturi può avere ragione, e ciò sia detto nella consapevolezza che ogni altro momento delle riforme andrà ristudiato *ex novo*, e dunque occorre prudenza!, quando pare affermare che il riformismo del Du Tillot si realizzasse soprattutto in quel processo di « declericalizzazione », che fu pressoché comune a tutti gli stati italiani del periodo, processo al cui compimento contribuirono, a Parma come altrove, vari importanti elementi.

Il periodo 1758-1774 — è vero — fu decisivo per la trasformazione della società e delle strutture degli stati italiani, di molti se non di tutti.

In quegli anni « la laicizzazione della cultura e della scuola, il sempre maggior distacco delle classi colte dalle credenze e superstizioni tradizionali, la liquidazione del più importante ordine della Controriforma, la Compagnia di Gesù, le limitazioni e i controlli imposti agli altri ordini religiosi, i ripetuti tentativi di limitare e di intaccare i beni del clero, la riaffermata autonomia dei governi dalla curia papale, la sempre più ardita polemica illuminista confluivano in un unico moto riformatore, tanto impetuoso da ottenere risultati irreversibili, non più cancellati neppure dalla stanchezza e dalla reazione che pur finirono col raffrenarlo al di là dei primi anni settanta »[1].

Che tutto ciò potesse su di un piano effettuale, di realizzazione di programmi riformatori, di politica attiva, consentire di misurare un impegno europeo, è indubitabile; « l'impulso al moto riformatore che venne negli anni sessanta dal Portogallo, dalla Francia, dalla Spagna e anche dal mondo tedesco fu fondamentale », e questo perché la laicizzazione del pensiero, e delle coscienze, la mondanizzazione della società e dei suoi interessi, la maturazione di una coscienza giurisdizionalistica, per non dire degli altri stimoli che co-agirono, pur diversi nelle ascendenze e nelle matrici (valori della tolleranza, della libertà, dell'eguaglianza, ecc.), avevano potentemente mutato « il significato e la funzione della chiesa nello stato e nella società »[2].

Di più: era sorto secondo noi un nuovo concetto, quello di società civile, che si poneva all'interno di strutture statali ancora d'*ancien régime* con tutta la sua dirompente carica innovatrice; la società innescava dal suo interno, e perciò nel cuore dello stato, un potenziale rivoluzionario, che sia pure in momenti diversi, e con diversa intensità, ebbe modo poi di esprimersi.

Ma va detto ancora che questa società civile non si nutriva solo di nuove visioni del mondo, di nuove concezioni della vita, dello spirito, della politica, perché si era accorta dell'usura delle vecchie visioni e delle vecchie concezioni; si rivolgeva al nuovo perché viveva drammaticamente quell'usura, la pativa nelle proprie strutture, nelle pieghe del proprio modo d'essere, perché recava in sé le contraddizioni di un'età che se era di transizione per la storia delle idee, tanto più — e tanto prima — lo era di transizione di forme economiche, sociali e politiche; era età di molte crisi inestricabilmente connesse, svolgentesi su piani diversi, talora confluenti, talvolta asincrone, che il linguaggio storiografico non sempre è in grado di etichettare con quella pregnanza, che se non è sempre soddisfacente può essere tuttavia largamente comoda.

Sicuramente saremmo di parere diverso dal Venturi, per il quale « la vera sintesi, come accade, si ritrova nell'individuo »[3]: l'individuo può essere assurto al più ad emblema, e in questo può essere comodo, ma la « riforma d'Italia », come Venturi dice poi correggendo il tiro, sarebbe incomprensibile senza la breve, ma intensa età di Carlantonio Pilati, dove

[1] F. Venturi, *Settecento riformatore*, cit., p. XI.
[2] F. Venturi, *Settecento riformatore*, cit., pp. XII-XIII.
[3] F. Venturi, *Settecento riformatore*, cit., p. XIII.

l'individuo è ricondotto al suo giusto ruolo storico di uno degli agonisti e dove emerge il primario ruolo dell'*età* nella sua dimensione, fatta di cose materiali, di fermenti, di speranze, di dibattiti, di duelli dialettici e di duelli reali, di passioni brucianti e di patimenti reali, di folate di entusiasmo sociale e di carestie, di libri splendidi e di masse affamate, di sovrani illuminati e di borghesie inquiete...

In quell'età, vengono a misurarsi, e a confrontarsi, « chierici e laici »; Parma diventa un angolo di osservazione assai interessante, « il punto d'incontro di tutte le polemiche, il modello d'una trasformazione intellettuale e politica, economica e religiosa », diviene anche « la vetrina della politica borbonica in Europa »[1].

Ed è significativo che ciò avvenga in « uno staterello legato fin dalla origine al papato, nato per la famiglia Farnese, nel *ducato nostri parmensi*, come diceva Clemente XIII ».

Era per la chiesa come essersi allevata la serpe in seno, anche se « l'idea di fare del più guelfo degli stati italiani il modello d'una riforma giurisdizionale e illuminata era un paradosso che durò poco, ma che assunse per un momento un valore esemplare ». L'alleanza, ideologica prima ancora che politica, con l'Europa, con l'Europa dei lumi prima ancora che con la restante Europa dei Borboni, fu decisamente indispensabile. Venturi vede chiaro quando osserva che senza questa alleanza « le trasformazioni di Parma dopo Aquisgrana sarebbero rimaste nell'ambito di una riorganizzazione locale di carattere assolutistico. Per andare più in là mancavano i soldi e gli uomini »[2].

Siamo con ciò ricondotti al quadro reale in cui domina a tutti i livelli, nella sua invadente presenza, il clero, una realtà che fin dagli anni 1756-59 il Du Tillot aveva cominciato ad affrontare, e nella quale venivano delineandosi prese di posizione ben definite tra i due schieramenti che potremmo sinteticamente dire dei chierici e dei laici appunto.

Tra i primi vi erano gli inquisitori che denunciavano come il governo fosse « giunto al punto di permettere la sosta in un albergo della città d'un forestiero sospetto d'essere luterano o di non tenere sufficientemente a freno l'indegna ciurmaglia degli ebrei ». Eppure si era lontani dallo spirito e dai risultati registrati in altri stati italiani per via di concordato[3].

A limitare l'azione del governo Du Tillot nei primi tempi era ancora la tradizione farnesiana che aveva sempre rispettato la posizione di subalternità a Roma e sempre riconosciuto il ruolo preminente del clero e della organizzazione ecclesiastica nell'ambito del ducato.

[1] F. Venturi, *Settecento riformatore*, cit., pp. 214-216.
[2] F. Venturi, *Settecento riformatore*, cit., p. 216.
[3] F. Venturi, *Settecento riformatore*, cit., p. 216.

D'altro canto la vecchia Elisabetta e il figlio Carlo, sia pure da lontano, parevano vegliare sulla posizione assunta da Parma nel generale atteggiamento di sfida all'autorità di Roma. Solo nel 1764 si poteva giungere alla legge sulle mani morte; e anche da un punto di vista culturale qualche fatto assunse un preciso significato: accanto al sensista Condillac ecco giungere l'ateo Deleyre, l'ex gesuita Millot, Keralio seguace d'Holbach; da lontano giungeva, « la benedizione... di Voltaire » [1]. Fosse, o no, diretta conseguenza di questo nuovo clima culturale, nel 1767 si giunse — come già ricordato — alla perequazione dei pubblici pesi, e già dal 1765 operava, sia pure ancora cautamente, una « giunta di giurisdizione » che « avocò a sé gran parte dei poteri dei tribunali ecclesiastici e non poche delle mansioni di sorveglianza in precedenza affidate agli organi della chiesa » [2]. Tutto questo fece peggiorare i rapporti con la curia, specialmente quando il clero, in alcune sue componenti, si ribellò apertamente. Tuttavia, come sempre, il via alla fase più audace delle riforme in campo giurisdizionale venne da fuori, dalla Spagna: e il grande attacco fu quello portato al simbolo della reazione cattolica, la compagnia di Gesù. I rappresentanti di questa si difesero, giunsero agli anatemi pronunciati contro i persecutori... ma i tempi erano mutati.

Il 3 febbraio 1768 veniva pubblicato il decreto di espulsione dei gesuiti, e intanto la giunta di giurisdizione aveva recuperato al potere civile il suo spazio: la « repubblica » tornava « dentro i propri limiti » nel momento in cui la giunta stabiliva l'*exequatur*, avocava « al governo l'*imprimatur* dell'Inquisizione, obbligando il clero alla pura predicazione evangelica con l'astensione da qualsiasi allusione ai principi riguardanti la sovranità, il governo, le leggi; proibendo infine qualsiasi ricorso a Roma » [3]. Centosettanta furono i gesuiti che presero la via dell'esilio, vale a dire la via dello stato pontificio. La loro partenza, se da un lato metteva in crisi il settore della scuola e dell'educazione, monopolio della compagnia, poneva però il governo di fronte al problema di una riforma dell'insegnamento, e di fatto al vuoto determinato dalla partenza dei gesuiti si cercò di ovviare con il tentativo di creare « una scuola coordinata e controllata dallo stato, dalle elementari all'università ». La programmazione fattane dal Paciaudi nella *Costituzione per i nuovi regi studi* fu « invidiata da Firmian, ammirata a Parigi, imitata nel 1770 in Spagna... »; essa parve « uno dei frutti pedagogici maggiori del moto riformatore italiano », e però, come il caso di Borgotaro mostrò, rimase un frutto sterile [4].

[1] F. Venturi, *Settecento riformatore*, cit., p. 218-219.
[2] F. Venturi, *Settecento riformatore*, cit., p. 219.
[3] F. Venturi, *Settecento riformatore*, cit., p. 220.
[4] F. Venturi, *Settecento riformatore*, cit., p. 223.

All'apice dello scontro, tuttavia, si giunse quando con la legge del 16 gennaio 1768 « veniva vietato a tutti i sudditi, anche ecclesiastici, il ricorso ai tribunali esteri, compresi quelli di Roma, senza l'autorizzazione ducale »[1]. Seguiva il famoso *Monitorio* di Parma, che proclamava « cassata » l'intera opera legislativa in materia ecclesiastica del governo Du Tillot. Il calcolo di poter colpire — impunemente — il più piccolo degli stati riformatori, si rivelò tuttavia sbagliato: l'Europa reagì compattamente alla pretesa del pontefice di ridurre alla ragione il « suo ducato », che invece, con le sue prese di posizione, « aveva ormai rotto completamente col suo passato, rinnegando la sua origine farnesiana e feudale e ripetendo ormai la sua origine unicamente dalla volontà politica degli stati europei nel trattato di Aquisgrana »[2].

Dal riformismo possibile all'impossibilità delle riforme

Tuttavia all'atteggiamento assunto sul piano ideologico non solo non corrispondeva una effettiva « forza » per realizzare la rivendicata sovranità e autonomia dello stato, ma non corrispondeva soprattutto una evoluzione delle strutture economiche e sociali dello stato: qui stava la vera debolezza della politica riformatrice, e questa debolezza era pagata in termini di utopie.

Si poteva combattere legiferando, e con successo, solo sino a che le strutture più specifiche dello stato d'*ancien régime* non fossero state minacciate, perché allora sarebbero scattati i meccanismi di difesa. Se ne avvide il Du Tillot attorno al '69-70. Inutile si era rivelata l'opera pedagogica del Condillac giacché il duca mostrava di aver poco profittato della filosofia sensista: era la resistenza della corte e del centro del potere. I vescovi erano sempre più « morosi » nel pagamento delle tasse: era la resistenza del privilegio. A Parigi cadeva Choiseul, méntore della politica del Du Tillot: era un segno di crisi nel sistema degli equilibri europei. Il popolo, mai veramente al centro delle paternalistiche attenzioni dei governanti riformatori, e dunque tanto meno partecipe delle riforme, si rivoltava, strumentalizzato dalle forze reazionarie, contro il ministro « straniero ». La fuga di Du Tillot segnava — emblematicamente — la fine di un'epoca per l'antico possesso dei Farnese. Infatti, subito dopo, cominciò la aperta reazione promossa dai fautori dell'antico sistema, che l'azione del Du Tillot aveva per un momento soggiogato, ma non domato, e vennero annullati di colpo i risultati più importanti delle riforme. Il clero per primo approfittò

[1] F. Venturi, *Settecento riformatore*, cit., p. 226.
[2] F. Venturi, *Settecento riformatore*, cit., p. 231.

del malcontento popolare, dell'appoggio della duchessa e della debolezza di Ferdinando per ottenere il ripristino dei privilegi ecclesiastici; nel 1774 si ritoccò la *Prammatica*; nel 1778 vennero riaperti i conventi già soppressi; nel 1793 infine i gesuiti, come si dirà più avanti, riacquistarono potere.

Di riflesso il ripristino delle mani morte e delle esenzioni ecclesiastiche annullava anche gli sforzi compiuti per il miglioramento delle condizioni degli agricoltori, che tornavano ad essere gravati da quella parte di imposizioni fiscali addossate dal Du Tillot al clero. Furono mantenuti gli antichi dazi sul commercio, e, anzi, vennero ulteriormente aumentati, e così sopravvissero le norme vincolanti le esportazioni; si rinnovarono le collette e i provvedimenti annonari; si moltiplicarono i monopoli e le privative. Nel 1772 e nel 1787, ad esempio, furono emanati gli avvisi per il « nuovo affitto delle reali fabbriche di maiolica e vetri, con diritto di privativa fabbricazione in tutto il dominio... che dalla sua fondazione nel 1759 fu sempre continuato »; e nel 1780 « riconosciutosi... assai vantaggiosi lo stabilimento del lavoro dei veli sul metodo praticato dalla Francia » si accordò anche questa privativa di fabbricazione [1].

Quali fossero le condizioni della agricoltura e della industria in questo periodo lo rivela una relazione del direttore delle finanze, Girolamo Obach, in cui si lamenta come « malgrado la non mai instacabile cura... affinché la mercatura di questa città venga assistita e diretta, onde le arti si perfezionino, le manifatture si mettano in credito e il di lei commercio rifiorisca, pure il direttore della Reale Azienda si trova nella necessità di dovere con pena rappresentare alla V.R.A. lo stato di decadimento e di languidezza »; e segnalava l'insufficienza del commercio, la scarsa produzione dei manufatti, lo stato misero dell'agricoltura, « ridotta in mano di civili fittabili, che pongono a monopolio tutte le derrate dello stato ». Non mancano nella relazione riconoscimenti — ma anche riserve — all'opera del Du Tillot, anche se non lo si nomina esplicitamente, là dove ricorda che « nel principio del glorioso dominio dell'augusto genitore di Vostra Altezza... diverse case forti di mercatanti seppero approfittare e formarsi dei ricchi stabilimenti... Si videro, mediante il soccorso dell'erario... aprirsi nuove fabbriche, introdursi nuove manifatture, affinarsi alcune Arti ». E tuttavia, dopo aver fatto cenno alla intolleranza degli ispettori creati dal Du Tillot e alla potente e sempre più ristretta classe dei fittavoli, speculatori ormai divenuti « monopolizzatori » delle derrate del ducato, l'Obach non trova di meglio che suggerire di « contenere la mercatura entro i limiti de' suoi regolamenti ed animarla a promuovere la dilatazione dell'in-

[1] A.S.P., *Gridario a stampa*; provvedimenti del 22 gennaio 1772, del 3 novembre 1787 e 24 agosto 1781.

dustria e del commercio », così come nel settore fiscale propone di istituire un « appalto di tutte le imprese, dazi e redditi » in sostituzione della *regìa economica* del Du Tillot [1].

Un ritorno al passato, dunque, che non era solo formale, e che avveniva non per la sola volontà del principe e dei suoi collaboratori. In realtà il passato non era mai morto del tutto; la ventata riformatrice, le idee illuministiche ne avevano fatto prendere coscienza, ma non di più. L'evento liberatorio, la rivoluzione, poteva essere vagheggiato, teorizzato solo in qualche opuscolo, in qualche trattato, e sia pure nella forma edulcorata della *Riforma d'Italia* alla Pilati [2], ma per il momento restava patrimonio di una cultura, essa stessa bisognosa di ben altre spinte per divenire operativa tra gli uomini e le cose.

La riforma degli studi

Un sia pur breve discorso a sé merita, però, la riforma dell'università di Parma; essa ebbe una fase di lunga preparazione. Sin dal 1760-61 alcuni collaboratori del Du Tillot, quali il Costerbosa e il Fontanesi [3], e altri anonimi estensori di memorie e di consigli avevano formulato ipotesi di riforma e di ristrutturazione degli studi. Non si trattava, dunque, di un progetto nato per volontà ed iniziativa del primo ministro quello attorno al quale venne a raccogliersi l'impegno culturale che animò l'*entourage* del Du Tillot, ma fu piuttosto uno degli esempi di come l'attenzione alle idee d'oltralpe venisse a saldarsi con le specifiche esigenze della realtà locale; la ricerca delle novità, infatti, non prescindeva da un preciso richiamo alla tradizione di studi severi e ne era un chiaro segno la riaffermata supremazia degli studi umanistico-teologici su quelli medico-legali, che pure continuavano a poggiare su di una solida base umanistica e filosofica.

Tuttavia l'università di stato non fu soltanto, o in massima parte, il frutto di esigenze politiche e religiose. La sua realizzazione nel 1768, dopo che erano state tolte ai gesuiti le scuole di S. Rocco, la volontà di vedere affermato il principio della uniformità dell'insegnamento, la soppressione di fatto dello studio di Piacenza, il tentativo, da parte del governo, di regolare le scelte scolastiche dei giovani del ducato (molti dei quali furono mandati a studiare a Padova, a Napoli e perfino all'estero) parevano nascere sì dalle esigenze dell'assolutismo illuminato, ma venivano avanti anche

[1] U. BENASSI, *Guglielmo Du Tillot*, cit., Parte IV, p. 198 sgg.

[2] F. VENTURI, *Settecento riformatore*, cit., pp. 250-325.

[3] V. la tesi di laurea, assai accurata ed informata, di F. TRIANI, *La genesi e l'attuazione della riforma universitaria del 1768-1769 in Parma*, discussa presso la Facoltà di Magistero dell'Università di Bologna nell'a.a. 1966-67, relatore il prof. Paolo Prodi, pp. 5-29 e 48-74.

da una precedente necessità di rinnovamento, che sicuramente da un punto di vista metodologico, era avvertita da tempo nell'ambito delle singole facoltà e delle varie discipline.

La riforma ebbe il suo maggior patrocinatore nel Paciaudi, ma una fattiva collaborazione dettero anche il « magistrato dei riformatori degli studi » e lo stesso duca, sicché il ruolo del padre teatino, una volta considerato preponderante, oggi è più realisticamente considerato come quello di un energico coordinatore ed esecutore di proposte che circolavano da qualche anno nel ducato [1]. Resta tuttavia non piccolo il suo merito d'aver saputo fondere nella « costituzione dei regi studi » progetti, programmi, ideali diversi tra loro e nati in ambienti culturali diversi.

Lo conducevano a tale felice sintesi la sua larga erudizione, i suoi originali rapporti sia con il giansenismo che con l'illuminismo, rapporti caratterizzati da una adesione assai cauta, tanto che al proposito si è parlato di « giansenismo politico » e di « illuminismo antifilosofico » [2]. Indubbiamente più radicale il suo antigesuitismo, il suo regalismo, maturato forse nel Piemonte da cui proveniva. Uno spirito eclettico, dunque, ma con una grande sensibilità pratica.

Egli poteva ben continuare la tradizione di Bacchini, di Maffei, di Muratori, ma con una più marcata capacità di adeguarsi alle possibilità che le riforme gli offrivano, che era, tutto sommato, un senso delle cose più politico.

La costituzione fu firmata dal duca il 3 febbraio 1768, pressoché contemporaneamente al decreto di espulsione dei gesuiti; ma l'opera del Paciaudi si può dire che fosse poi maggiormente intesa ad affrontare e a risolvere i molti e complessi problemi che l'attuazione della costituzione comportava nelle strutture culturali e scolastiche del ducato. Il preambolo della riforma, pur in apparenza così generico, conteneva un programma non astrattamente culturale, ma civile e politico; in esso si ricordavano i vantaggi che la religione e la morale avrebbero ricevuto dal rinnovamento degli studi, ma si prospettava anche la possibilità che la riforma universitaria avrebbe avuto di sollecitare assieme al progresso culturale anche un perfezionamento della vita civile, sociale, amministrativa del ducato.

Era in gioco un rinnovamento complessivo dello stato e che di esso si rendesse interprete, al vertice, un sovrano illuminato pareva ovvia necessità.

« La pubblica educazione della gioventù... quanto è necessaria a mantenere nei popoli la purità della religione, la castigatezza dei costumi, il

[1] F. Triani, *La genesi e l'attuazione*, cit., pp. 297-304.
[2] F. Triani, *La genesi e l'attuazione*, cit., pp. 280-283.

pregio della virtù, altrettanto è convenevole a preparare alla patria utili cittadini, al santuario eletti ministri, al sovrano sudditi fedeli »[1]. Ostacolo a tutto ciò era stata sino ad allora la presenza e la diffusione dei gesuiti, ma essi erano stati espulsi; lo spirito e la mente, tuttavia, andavano pur sempre coltivati e « pertanto estinta irrevocabilmente in tutti i nostri domini la compagnia di Gesù, abbiamo tosto rivolto l'animo a ordinare i meglio sicuri provvedimenti, affinché non cessi nemmen per poco la coltura delle anime, né quella delle lettere »[2].

In realtà non c'era un rapporto così meccanico tra espulsione dei gesuiti e costituzione; questa veniva anche da più lontano.

Era nel primo capitolo della riforma, però, che si enunciavano i veri principi ispiratori, là dove si parlava « della forma e costituzione delle nuove scuole ».

Si premetteva che tutte le facoltà dell'università dovevano da quel momento in poi considerarsi come in un corpo solo, anche se fisicamente situate in luoghi diversi. Una omogeneizzazione, questa, realizzata e garantita dalla uniformità d'insegnamento e che doveva essere la caratteristica basilare di una scuola che ambisse veramente ad essere la scuola di stato, sostitutiva di ogni altra scuola pubblica o privata esistente nel ducato. Conseguenza diretta di una tale organica rivendicazione era che anche i chierici dei seminari ed i convittori dei collegi (ad eccezione di quello dei nobili di Parma e di quello alberoniano di Piacenza) sarebbero stati tenuti a frequentare — a partire dalla rettorica, che rappresentava il livello inferiore — le scuole regie. Si tendeva in questo modo a formare un clero quanto più possibile alieno dalle « perniciose massime romane » e ligio, o almeno non ostile, al potere civile. Ecco perché potevano costituire eccezione i due collegi sopra ricordati, e in particolare quello Alberoni; in essi notoriamente si insegnavano dottrine contrarie a quelle dei gesuiti, soprattutto nel campo della teologia morale, e dove si dava « grande importanza al concetto della spontaneità dello spirito, in contrasto col prevalente formalismo dei principi pedagogici dei gesuiti »[3].

Di rilievo è anche il secondo titolo *Del magistrato dei riformatori*, che ne fissava le competenze; era necessario infatti adeguare i compiti della vecchia congregazione dei riformatori, la cui giurisdizione si era limitata allo studio pubblico, alle nuove esigenze che la riforma della università comportava; ora invece avrebbe dovuto provvedere a tutte le scuole d'ogni grado. Tale magistrato però fu spesse volte surrogato nelle sue funzio-

[1] F. Triani, *La genesi e l'attuazione*, cit., p. 290.
[2] F. Triani, *La genesi e l'attuazione*, cit., pp. 290-291.
[3] F. Triani, *La genesi e l'attuazione*, cit., pp. 296-297.

ni dal Paciaudi, insofferente delle lungaggini burocratiche e molto più, forse, delle sorde opposizioni mosse dai membri filo-gesuiti di esso.

Tra i componenti del magistrato v'erano, nel febbraio 1768, lo Schiattini, il Bernieri, il Manara, l'abate Rocci e l'abate Baistrocchi; poi i conti Sacco e Cicognara, che però per essere sospettati di aver simpatie e intese coi gesuiti furono costretti a dimettersi. Lo Schiattini era presidente, ma al Paciaudi questo non bastò per lasciare ampia libertà d'azione all'organo collegiale. E dal suo carteggio col Du Tillot par di capire che egli fosse convinto della necessità di assumere in prima persona ogni iniziativa. Nell'estate del 1768 scriveva tra l'altro: « mi pare che i nostri eccellentissimi riformatori ignorino le prime costituzioni di un'Università... » e altrove « se si lasciava fare o al Bernieri o al Sacco, Dio sa cosa ne usciva!... sono uomini che bisogna condurre per mano come i fanciulli... veggo che nessuno legge le costituzioni prima di agire. Non l'avevano letta i riformatori Bernieri, Cicognara e Sacco, che hanno fatto le tasse; non hanno pensato che a dare 732 lire al Corso de' Collegi Medici e Legali, perché ognuno vuole far serviggio all'amico, e niuno pensa al pubblico »[1]. Comunque la presenza del Paciaudi si impose definitivamente quando egli, nel dicembre 1768, ebbe la carica di oratore.

Non fu neanche questa una nomina pacifica; il Du Tillot stesso era prudentemente attento alle critiche che il Paciaudi faceva nei confronti del Sacco e del Cicognara, così come era conscio della difficoltà di questi di reperire facilmente i professori adatti per la nuova struttura universitaria. La carica di oratore avrebbe dovuto far sì che il Paciaudi divenisse il tramite fra il magistrato e il Du Tillot.

Le attribuzioni più importanti erano indubbiamente quelle per le quali egli avrebbe dovuto esaminare e decidere la lista dei professori presentatagli dal magistrato e l'altra per cui, surrogando i compiti che erano sempre stati del preside della facoltà teologica, vigilava sull'andamento didattico e disciplinare delle scuole provinciali. Tale funzione ispettiva era indispensabile per verificare la concreta attuazione dei principi contenuti nella costituzione.

Tutto ciò (uniformità d'insegnamento, rigido accentramento, controlli rigorosi) davano un carattere illiberale alla costituzione, e tanto più perché, per evitare un qualsiasi ritorno alla « ratio studiorum » dei gesuiti, si bandiva in modo palese la libertà d'insegnamento. Nella logica riformatrice di quegli anni si trattava in verità di scegliere il male minore: e il maggiore, per allora, era costituito dalle dottrine gesuitiche, fossero, o non, nella versione più aborrita, quella molinista. E infatti i professori

[1] F. TRIANI, *La genesi e l'attuazione*, cit., pp. 297-304.

dovevano giurare dinanzi al magistrato di « insegnar sempre sane dottrine, niente contro le verità ortodosse, ed i dogmi della cattolica religione, e niente contro i legittimi diritti della nostra sovranità, e parimenti di osservare la presente nostra costituzione, ed ogni altra, che in avvenire fosse pubblicata relativamente agli studi »[1]. Dal che si deduce come l'illuminismo, nelle sue accezioni deistiche e materialistiche, non avesse influenzato né il Paciaudi né il complesso delle riforme. Queste rimanevano gradualistiche.

Lo confermava il fatto che una indiscussa preminenza conservavano gli studi teologici e filosofici, per cui anche il preside di quella facoltà aveva maggior prestigio rispetto a quelli di altre. E a ben vedere l'unica richiesta che apriva varchi nuovi, possibilità di far affluire idee meno tradizionali e di respiro europee, era quella di far venire a Parma docenti stranieri. Si pensò a nomi come quelli di Cesarotti, Spallanzani, Millot, De Rossi e per averli si ebbero contatti con il Tanucci, il Bianchi, il Bottari[2]. Il Paciaudi, però, pareva assai orientato verso i « nazionali »; una scuola regia doveva valersi preferibilmente di professori locali; le sperimentazioni dovevano dargli, su questo punto, motivo per ricredersi. Il caso di Borgotaro, era al proposito abbastanza eloquente[3].

La preoccupazione primaria restava, comunque, quella di evitare ogni ricorso ai gesuiti. Nel titolo VI della costituzione (« dei professori della sacra teologia ») si affrontava, si può dire al cuore questo problema; era in gioco la formazione culturale e professionale insieme. Era con preoccupazione che ancora nel 1772 Paciaudi poteva vedere a Guastalla « chierici ed anche preti frequentare con somma difficoltà » regie scuole mentre preferivano « studiare sotto un qualche parroco la vietata morale dei gesuiti »[4]. Ecco perché si tendeva a tralasciare gli studi di teologia-scolastica-dogmatica limitando le nozioni a quelle poche necessarie all'intelligenza di alcuni trattati. Più largo spazio doveva avere la « storia ecclesiastica » per la cui istituzione il Paciaudi si dette molto da fare, ricordando a più riprese che in molte università straniere era ampiamente insegnata. Quella disciplina avrebbe permesso agli studenti di conoscere sia le vere fonti « della cattolica dottrina » sia « le opposizioni ch'ella ha incontrato nello spirito umano », tra le quali erano da ricordare « le vane sottigliezze e le cavillazioni che la barbarie de' tempi ha intruse nella scienza della divinità » cui erano pervenuti — tra gli altri — i gesuiti per non aver seguito « secondo lo

[1] F. TRIANI, *La genesi e l'attuazione*, cit., p. 307, nota 1.

[2] F. TRIANI, *La genesi e l'attuazione*, cit., pp. 318-319.

[3] G. GONZI, *Un tentativo di riforma scolastica nel Settecento a Borgotaro*, in « Archivio storico per le provincie parmensi », ser. IV, XXII, 1970, pp. 249-294.

[4] F. TRIANI, *La genesi e l'attuazione*, cit., p. 320, nota 1.

spirito e la lettera, i due principali lumi della teologia, S. Agostino ed il suo fedele interprete S. Tommaso d'Aquino »[1].

Si portava poi l'esempio del re di Spagna che con alcune provvide prammatiche aveva purgato dalla dottrina dei gesuiti le scuole di teologia, non solo, ma aveva mostrato la necessità di insegnare la storia ecclesiastica.

Altrettanto indispensabile il Paciaudi riteneva che fosse la teologia morale, perché l'unica che potesse formare un clero « sano », lontano dalle aberrazioni del probabilismo, ma anche del tutiorismo. Il recupero di una più corretta lettura delle sacre scritture doveva, nei progetti del Paciaudi, servire allo scopo; ed infatti per agevolare uno studio diretto di esse si attivò nel 1769 un insegnamento di lingue orientali, affidato, non senza difficoltà, al De Rossi[2], che fu uno dei pochi docenti di grande nome e non indigeno a non essere licenziato dopo che con la caduta del Du Tillot si vollero fare grandi economie, a cominciare dal settore dell'istruzione (venne licenziato anche il Millot che insegnava storia e che pare percepisse uno stipendio altissimo, almeno in confronto a quello, non del tutto soddisfacente, di altri colleghi meno celebrati).

È da osservare che per quanto riguarda la storia ecclesiastica e le lingue orientali si trattava di proposte del Paciaudi e riprese da progetti precedenti, ma che non erano previste nella costituzione.

Dove più pareva che si insinuasse lo spirito dei tempi nuovi era però nella difesa di altri due insegnamenti sostenuti caldamente dal Paciaudi. Il primo era quello di matematica, che andava separato dalla filosofia, e che occorreva esercitare con l'attenzione massima verso le « recenti scoperte e le tante ingegnose invenzioni, mercé le quali sono derivati insigni comodi alla società ed agli usi della vita »[3]; l'altro era quello di filosofia morale. Insegnamento questo che creò non pochi problemi per la sua attribuzione a docenti che fossero graditi al Du Tillot, al vescovo di Parma — che non rinunciava su questo punto a interessarsi degli studi —, e ovviamente al Paciaudi stesso. E di fatti non mancarono le difficoltà quando ad insegnare etica fu chiamato il Cassina. Nel 1776 il Paciaudi scriveva al Bodoni che il vicario del vescovo di Parma aveva osato fare « una postilla al programma del Cassina » e la cosa lo induceva a tristi previsioni: « l'opera soggiacerà a censura peggiore, perché in codesta curia la moral filosofia passa per eresia. Quante volte mi è stato parlato dal prelato perché si togliesse la cattedra di etica? La cosa finirà così; e Parma avrà la gloria di chiudere una scuola che si apre, e si riapre in tutti i colti paesi... »[4].

[1] F. Triani, *La genesi e l'attuazione*, cit., pp. 321-323.
[2] F. Triani, *La genesi e l'attuazione*, cit., pp. 338-339.
[3] F. Triani, *La genesi e l'attuazione*, cit., p. 347.
[4] F. Triani, *La genesi e l'attuazione*, cit., pp. 357-359.

E tuttavia come poteva restare in carica un seguace delle idee di Condillac e, peggio ancora, di Rousseau? Il Paciaudi lo sapeva bene; ma se guardava oltre i confini dello stato vedeva che occorreva difendere quell'insegnamento: a Bologna c'era Zanotti, a Padova Stellini, a Napoli Genovesi, a Torino il Gerdil e il Soria. Accettarne la soppressione significava togliere Parma dal gran giro della cultura europea, accentuare il riflusso che la partenza di Du Tillot aveva segnato, ridare spazio alla reazione, magari agli odiati gesuiti...

Il ritorno dei gesuiti

Negli anni '90 troviamo, infatti, che il vescovo di Parma, Adeodato Turchi ha tra i suoi collaboratori... i gesuiti. Questi erano tornati, anche in assenza della loro compagnia e di una situazione organizzata. Ferdinando, già nel 1790, accordava loro generosa ospitalità contro quelle che erano le attese generali. Ma non ha rilevato ancora recentemente il Venturi che all'indomani del momento più acuto della lotta contro la chiesa e le sue istituzioni, all'indomani dunque dello stesso breve pontificio del 1773, si era andata allentando quella salda coesione che aveva animato e reso forte la crociata contro i gesuiti?

È probabile che in quell'*anticlimax* [1] si andassero recuperando le condizioni per una restaurazione, prima in sordina e poi palese, di quanto la primavera riformatrice aveva cercato di cancellare. E del resto il duca di Parma non aveva mai cessato dalle sue pratiche religiose.

Nessuna meraviglia, quindi, che all'inizio del '93 quelli che erano ritorni isolati, un po' spersi e affidati alla ospitalità ducale, si trasformassero in vere e proprie « colonie » di gesuiti che attorno alla antica chiesa di S. Rocco, in Parma e a quella di S. Pietro in Piacenza, trovavano ancora i loro centri.

Circolava insistente la voce che anche il collegio dei nobili sarebbe tornato presto nelle loro mani, riacquistando così quel ruolo primario a cui dolorosamente aveva dovuto rinunciare. E non si trattava soltanto di recuperare il monopolio della istruzione per una ipotetica classe dirigente, ma anche di gestire un istituto altamente redditizio [2].

Per altro era loro ambizione tornare ad esercitare il magistero più propriamente religioso, pastorale, e in questo li assecondò Pio VI su esplicita richiesta del duca. Era una restaurazione se vogliamo « privata » ma al

[1] F. Venturi, *Settecento riformatore*, cit., p. 327.

[2] Cfr. G. P. Brizzi, *La formazione della classe dirigente*, cit., *passim*, e Id., *Le istituzioni educative e culturali*, cit., pp. 453-455.

duca pareva che fosse bene accontentarsi di una forma siffatta, visto che i tempi per una restaurazione generale e ufficiale non erano ancora maturi.

Non mancava a Ferdinando neppure un conforto autorevole, anche sul piano organizzativo e ideologico, oltre che spirituale; glielo offriva l'ex gesuita Carlo Borgo, il cui intendimento era proprio la ricostituzione della compagnia a livello internazionale. Piano ambizioso, ma non del tutto utopistico, che non poté essere portato innanzi, perché il Borgo morì nel 1794, anno in cui tuttavia nel ducato le chiese dove officiavano i gesuiti erano di nuovo piene, frequentatissimi i loro confessionali e i catechismi domenicali sulle piazze[1].

Né il Borgo aveva predicato invano; suoi proseliti furono Giuseppe Maria Pignatelli e Luigi Mozzi che con altri confratelli molto si dettero da fare nel percorrere « le campagne del ducato tenendo fruttuose missioni popolari »[2]. Ancora un anno e i gesuiti avevano di nuovo in mano la gestione di numerosi collegi e potevano aprire « case » in Borgo San Donnino e Colorno.

Mancava la sanzione giuridica di questo stato di fatto e il momento di vita comunitaria maggiore era rappresentato dal ministero e dall'insegnamento. Non era poca cosa.

Il Turchi non sottovalutò l'incontestabile aiuto che potevano offrire e lasciò fare pur ponendo attenzione, secondo i suoi spiriti, a non manifestare troppo entusiasmo; soprattutto con il duca, cosa che invece fece il vescovo di Piacenza Gregorio Cerati che, meno abile, si scoprì nella sua inclinazione per la compagnia, attirandosi ovviamente le ire degli antigesuiti che eran pur sempre molti, e non tutti al di fuori degli ordini ecclesiastici, e anche fra la popolazione della sua diocesi.

Da critiche, com'è facile intuire, non andò esente lo stesso Turchi, che si sentì dare addirittura del « molinista », e se la polemica non oltrepassò l'ambito delle accuse striscianti questo accadde senz'altro per il suo passato e per il suo attuale atteggiamento di prudente tolleranza.

Indubbiamente il Turchi avvertiva che tra antigesuitismo, rigorismo, giansenismo, momenti di lotta attorno ai quali si erano aggregati assai facilmente spirito riformatore, polemica illuministica e lotta contro i privilegi del clero non esisteva più quella forte « unione che era nata formandosi e rinsaldandosi attraverso un decennio »[3]. E se Venturi fa coincidere questo indebolimento dello spirito di riforma con gli anni del Ganganelli, tanta più strada doveva esser stata fatta sul terreno di una restaurazione

[1] STANISLAO DA CAMPAGNOLA, *Adeodato Turchi uomo-oratore-vescovo (1724-1803)*, Istituto Storico Ordine Frati Minori Cappuccini, Roma 1961, pp. 306-307.

[2] STANISLAO DA CAMPAGNOLA, *Adeodato Turchi*, cit., p. 307.

[3] F. VENTURI, *Settecento riformatore*, cit., p. 327.

silenziosa negli anni in cui il Turchi giudicava bene di poter tollerare il ritorno della compagnia all'ombra di S. Rocco.

2. L'intermezzo francese (1802-1814)

L'occupazione del ducato

Alla caduta del Du Tillot seguirono anni piuttosto incerti, caratterizzati da un diffuso afflosciamento della spinta riformatrice e da un sempre più deciso recupero delle forze che dalla riforma erano state fiaccate.

Molta parte continuò ad avere l'influenza della politica asburgica che venne ad alterare con il suo intervento il gioco che sino ad allora era stato di Parigi e di Madrid; Maria Amalia continuava ad esserne anche dopo il '71 la punta più avanzata e insieme il centro di raccordo. Al posto del Du Tillot si succedettero Giuseppe Agostino de Llano spagnolo, Pompeo Sacco, di nuovo il de Llano e nel 1774 ancora il Sacco coadiuvato, in qualità di ministro d'azienda, da Lorenzo Canossa. Si aprì un periodo che la storiografia ha variamente considerato; di grigio ritorno al passato per alcuni; di tranquilla, anche se non più fervorosa, prosecuzione di quell'età che aveva reso Parma « l'Atene d'Italia » per altri[1].

Certamente se la storia della cultura poté giovarsi di figure di rilievo, quali l'Affò e il Bodoni, e quella religiosa di un personaggio discutibile, ma pur sempre vigoroso, come Adeodato Turchi, le altre manifestazioni della vita dello stato subirono una indiscutibile flessione.

A svegliare bruscamente la sonnolenta quiete che Ferdinando e Amalia erano riusciti a realizzare in quella sorta di aurea mediocritas, che parve poi essere un po' il carattere anche del tempo di Maria Luigia, furono le armi francesi.

I pretesti con i quali Napoleone e il direttorio aggredirono il ducato, indicavano chiaramente il ruolo che avrebbe avuto l'antico stato padano nella sua felice, ma fatale, posizione; sarebbe stato uno dei punti strategici indispensabili per le armate napoleoniche e uno dei serbatoi dai quali avrebbe attinto, con incredibile esosità, il « liberatore » dei popoli della penisola. Entrato il 6 maggio del '96 nel territorio piacentino, Napoleone dettava nel trattato di pace firmato a Parigi il 5 novembre, condizioni durissime; e questo a un nemico che non aveva opposto se non una disarmata neutralità[2]. Il ducato diveniva un oscuro corridoio per il passag-

[1] Cfr. T. Bazzi e U. Benassi, *Storia*, cit., pp. 344-347.
[2] T. Bazzi e U. Benassi, *Storia*, cit., pp. 348-349.

gio delle truppe, un territorio praticamente senza frontiere verso la Repubblica cisalpina, senza barriere doganali.

L'anno seguente con l'occupazione dell'Oltrepo — per il tratto da Guardamiglio ai Mezzani, « per 80 miglia quadrate di terreno fertilissimo, con ottomila abitanti e un reddito di quattro milioni di lire »[1] — iniziava la vera e propria occupazione. Quasi contemporaneamente, in un rigurgito di rivendicazioni, sugli ex beni farnesiani avanzavano pretese la Repubblica romana e quella partenopea[2]!

Le vicende della guerra e la momentanea sconfitta dei francesi parvero far rivivere i cupi anni degli anni '30; tornavano le violenze degli eserciti acquartierati, la carestia, le epidemie. Si tornavano a decidere le sorti del ducato fuori dei suoi confini.

Il trattato di Luneville assegnava a Ferdinando la Toscana, e, non avendo egli accettato, fu privato dei suoi domini con il trattato di Aranjuez del 21 marzo 1801; a suo figlio Lodcvico I fu data la Toscana con il titolo di re d'Etruria.

Ferdinando, che si era rifiutato di lasciare il suo ducato, moriva, sospetto di veleno, nell'ottobre 1802; la fragile reggenza che aveva cercato di assumere il governo, e di cui facevano parte Maria Amalia e Francesco Schizzati, già ministro di Ferdinando, veniva sostituita dalla amministrazione generale di Mederico Moreau de Saint-Méry[3].

L'amministrazione di Moreau de Saint-Méry

I quattro anni dell'amministrazione di questo gentiluomo originario della Martinica furono caratterizzati dal tentativo di sanare i guasti provocati dagli ultimi anni del governo di Ferdinando, che sempre più spazio aveva concesso al clero e che della mendicità aveva fatto una mistica[4].

« Le clergé régulier et seculier possède les 3/5s des fonds et ne supporte point de charges... le pays est organisé avec un système de paresse révoltante et ce pays étonne par sa fécondité. Il y a à Parme autant de mendiants qu'à Paris » scriveva il Moreau al Talleyrand[5]. E proprio contro il clero egli indirizzava i suoi primi provvedimenti, che si limitarono per altro a riportare in vigore le disposizioni del Du Tillot degli anni '60, ivi compresa la *prammatica* sulle manimorte. Si assicurò la protezione agli

[1] T. Bazzi e U. Benassi, *Storia*, cit., p. 349.

[2] T. Bazzi e U. Benassi, *Storia*, cit., p. 349 e sgg.

[3] T. Bazzi e U. Benassi, *Storia*, cit., pp. 348-350.

[4] Cfr. L. Montagna, *Il dominio francese in Parma (1796-1814)*, Favari, Piacenza 1906, p. 49 e J. Lecomte, *Parme sous Marie Louise*, Souverain, Paris 1845, p. 266.

[5] Cfr. L. Ginetti, *Sull'insurrezione dell'alto piacentino nel 1805-1806*, in « Aurea Parma », II, 1913, pp. 205-210.

ebrei che furono « parificati agli altri cittadini... a tutti gli effetti civili, politici, e sociali, col rendersi comuni agli stessi le facoltà, competenze, diritti e prerogative, non che i carichi, ed oneri così personali, come reali »[1].

Anche l'amministrazione della giustizia fu ampiamente riformata; abolita la tortura, soppressi i tribunali criminali, sveltiti i processi civili; si indicava la via da battere per una più coerente codificazione per superare le insolubili contraddizioni di una giustizia che si valeva ancora delle norme dettate dalle costituzioni farnesiane, ma che soprattutto operava « nell'arbitrario impasto combinato fra le provvide forme di tali costituzioni e gli antichi usi forensi non docili al freno delle leggi e dei magistrati »[2].

Altre novità furono introdotte con l'imposizione della carta da bollo, il dazio sul vino e sulle uve, la soppressione di altri dazi (sulle candele di sego) e di privative (quella del gesso). Tanto fervore, meritorio ma non coordinato, fu per altro di colpo superato dalla introduzione, il 3 giugno 1805, del codice napoleonico. È vero, si trattava di un colpo di spugna sui sopravvissuti privilegi di ogni ordine e grado, significava l'abolizione per legge della feudalità, ma contemporaneamente riduceva il ducato al livello di una provincia francese.

Ne facevano fede, in modo assai duro, il 16 giugno, le disposizioni relative all'obbligo della coscrizione militare; il contingente fissato era di 100 uomini, ma bastò per provocare la rivolta delle popolazioni della montagna.

La montagna in rivolta

Molta irritazione tuttavia veniva anche dalle continue tassazioni e dalle frequenti requisizioni degli agenti francesi, che facevano rimpiangere il passato governo. Era dunque prevedibile che qualcosa sarebbe accaduto, ma il Moreau stesso contribuì ad aggravare la situazione. Come ricordavano in una petizione all'imperatore, il 3 gennaio 1806, quarantaquattro fra i principali cittadini di Piacenza « le leggi sulle dogane... non sono state pubblicate e nulla meno la loro esecuzione inesorabile colpisce tutti i sudditi indistintamente. I préposés autorizzati dalle loro istruzioni senza riserva di sorta alcuna eseguiscono ordinariamente de' contrabbandi involontari. Gli abitanti delle campagne meno istruiti di quelli di città, soffrono di preferenza di questi inconvenienti che la pubblicazione di queste leggi avrebbe fatto cessare.

[1] A.S.P., *Gridario a stampa*; anni 1802-1803.
[2] A.S.P., *Gridario a stampa*; anno 1804.

Ecco, Sire, uno dei primi elementi della sommossa attuale. De' montanari che vivevano della loro industria col trasporto delle derrate e delle mercanzie sono stati privati dei loro muli, unico mezzo di sussistenza per le loro famiglie, e sono stati rimandati senza veruna indennità »[1].

Alla sommossa avevano dato un appoggio consistente i parroci. Infatti al conte Leoni, al marchese Casati, al conte Anguissola, inviati nelle valli del Tidone, dell'Arda, del Nure e del Trebbia per placare i rivoltosi, parecchi abitanti delle comunità chiesero, tra l'altro, che fossero ricostituite tutte le comunità religiose e « nella pienezza dei loro diritti », che i matrimoni fossero celebrati « unicamente secondo il rito di santa chiesa » e che fosse rimessa nel suo pieno vigore l'immunità ecclesiastica « sia personale che reale »[2].

Il malcontento crebbe ulteriormente quando nel 1805, per fronteggiare gli austro-russi che, sbarcati a Napoli, risalivano la penisola, il principe Eugenio ordinò la formazione di un campo di riserva tra Modena e Bologna per la difesa del regno d'Italia.

Accadde che il 6 dicembre molti giovani e padri di famiglia venissero radunati a Castel S. Giovanni, senza distinzione e senza che fossero informati sulla loro vera destinazione.

Fu l'inizio della rivolta che, con incredibile rapidità, si diffuse nelle valli del Tidone, del Trebbia, del Nure e del Tolla, fino a quelle del Taro e dello Stirone, ripercuotendosi da Bobbio a Pontremoli; e ben presto si diffusero le voci dei saccheggi e delle violenze.

Il 31 dicembre il capitano comandante la gendarmeria degli stati di Parma informava il Moreau che il numero dei « briganti » era di circa quattromila[3].

La definizione dei montanari ribelli era quanto mai significativa, almeno quanto il numero, certamente esagerato, dei rivoltosi.

Il colonnello Filippo Fanti di Traversetolo, che aveva ricevuto serie minacce da alcuni ribelli, così li descrive al Moreau: « sono pressoché tutti montanari, popoli capaci di tutto intraprendere e di lordarsi del sangue dei suoi simili piuttosto di arrendersi un sol momento a chi comanda... questi montanari sono da temersi non solo da un individuo quale si è il sottoscritto, ma dal governo stesso »[4].

Anche il colonnello Crispo, maggiore della piazza, comandante le mili-

[1] L. MONTAGNA, *Il dominio francese*, cit., pp. 58-59.

[2] L. GINETTI, *Sull'insurrezione*, cit., p. 205.

[3] A.S.P., *Amministrazione Moreau de Saint-Méry. Polizia-Prigioni*, busta 22-23; lettera al Moreau del 13 dicembre 1805.

[4] A.S.P., *Amministrazione Moreau de Saint-Méry. Polizia-Prigioni*, busta 22-23; lettera al Moreau del 12 dicembre 1805.

zie dello « stato di Piacenza », dichiarava al Moreau che quei facinorosi « disturbatori prepotenti e disubbedienti » atterrivano con le loro minacce non solo i loro ufficiali ma anche i rispettivi colonnelli e, aggiungeva, con franchezza, « anche me stesso »; perciò senza rinforzi consistenti gli sembrava che sarebbe stato difficile tener loro testa giacché questi, « mano armata, pensano a difendersi... »[1].

Il Moreau accrebbe la sua parte di responsabilità con l'indecisione mostrata sul da farsi. Alla fine, si rivolse al Lebrun, governatore della Liguria, il quale mandò da Genova un battaglione del terzo reggimento per disperdere gli insorti, mentre in Piacenza autorità civili e religiose cercavano in tutti i modi di porre fine alla rivolta. Così una commissione ecclesiastica veniva inviata tra i ribelli dal vescovo Gregorio Cerati, nel tentativo di persuaderli ad obbedire alle leggi[2].

Intanto il principe Eugenio, informato della rivolta proprio mentre si accingeva a recarsi a Monaco per celebrarvi il proprio matrimonio con Augusta Amalia, figlia del re di Baviera, ne dava notizia all'imperatore e mandava a Piacenza il suo aiutante di campo De La Croix per esaminare la situazione e pubblicare un proclama, datato da Padova 6 gennaio 1806, col quale il viceré pregava i popoli degli stati di Parma di sottomettersi, promettendo di appoggiare le loro richieste presso l'imperatore[3].

Tutti questi tentativi per pacificare gli animi non rimasero senza frutto. Le misure prese dal principe Eugenio e dal Lebrun, le esortazioni di autorevoli cittadini e del vescovo, le missioni inviate fra i rivoltosi e soprattutto le promesse del principe ottennero l'effetto desiderato.

I rivoltosi si decisero a deporre le armi. Napoleone, tuttavia, ricevuta il 18 gennaio la lettera inviatagli dal principe Eugenio, « se mit dans une colère terrible »[4]; egli, ignorando che ormai la rivolta era stata domata, ordinò il giorno stesso il richiamo del Moreau, e il giorno successivo dal palazzo di Stoccarda nominò il generale di divisione Junot « governatore generale degli stati di Parma e Piacenza » con direttive precise. « Vous réunirez la force armée; vous vous rendrez sur le lieu qui a été le principal théâtre de l'insurrection... Ce n'est pas avec des phrases qu'on maintient la tranquillité dans l'Italie. Faites comme j'ai fait a Binasco: qu'un gros village soit brulé; faites fusiller une douzaine d'insurgés et formez des colonnes mobiles afin de saisir partout les brigands et de donner un

[1] A.S.P., *Amministrazione Moreau de Saint-Méry. Polizia-Prigioni*, busta 22-23; lettera al Moreau del 27 dicembre 1805.

[2] L. Montagna, *Il dominio francese*, cit., p. 69.

[3] V. Paltrinieri, *I moti contro Napoleone negli Stati di Parma e Piacenza (1805-1806)*, Zanichelli, Bologna 1927, pp. 71-72.

[4] A. L. Elicona, *Un colonial sous la révolution en France et en Amerique*: *Moreau de Saint-Méry*, Paris 1934, p. 234.

exemple au peuple de ce pays »[1] con questi ordini severissimi il Junot giunse a Parma la sera del 25 gennaio quando ormai tutto era tranquillo, poiché anche una ripresa della ribellione che si era verificata nella Val di Trebbia era stata subito sedata. Il Junot se ne rese conto; tuttavia emanò tre proclami nei quali rendeva noto il malcontento dell'imperatore e minacciava la punizione che avrebbe colpito inesorabilmente gli autori della rivolta[2].

Poiché la situazione si manteneva tranquilla, Junot, invece di eseguire i severi ordini di Napoleone, preferì godere delle accoglienze festose che in suo onore erano state preparate sia a Parma che a Piacenza. In una sua lettera all'imperatore, del 30 gennaio, faceva un resoconto degli avvenimenti minimizzando la portata della « rivolta » e consigliando la tolleranza. Seguirono direttive più secche e perentorie che Junot fu costretto ad eseguire.

Il paese di Mezzano Scotti nella Val di Trebbia, dove era iniziata la sollevazione fu dato alle fiamme; il tribunale militare fece eseguire 21 condanne a morte e comminò 22 pene a vari anni di carcere[3].

L'ordine tornava a regnare sui monti.

Da ducato a provincia

L'episodio aveva segnato, ovviamente, anche la fine della amministrazione del Moreau, che Napoleone apertamente ebbe a definire un « incapace »; e certo gli doveva provocare non poca irritazione quel suo collaboratore che, inviato a cavar mezzi e denari così necessari alla politica imperiale, gli faceva pervenire bilanci assai deludenti[4], e che si faceva un punto d'onore d'esser stato il promotore d'una inutile « società economico-agraria », di pubblicazioni agronomiche affatto teoriche, di una casa di educazione e di lavoro per gli orfani e gli indigenti (d'intesa con il conte Stefano Sanvitale), d'aver protetto le scienze e le arti, indugiando egli stesso in ozi letterari[5].

Probabilmente il Moreau non ebbe il senso della opportunità e non si accorse che il suo modo di procedere era occasionale e non coerentemente programmato; non sentì la necessità in quegli anni di un'amministrazione più energica che avesse saputo superare, senza concessioni al compromesso, le resistenze della tradizione. È pur vero che le indecisioni sulla sorte

[1] V. Paltrinieri, *I moti*, cit., p. 85 e sgg.
[2] V. Paltrinieri, *I moti*, cit., pp. 107-108.
[3] V. Paltrinieri, *I moti*, cit., pp. 118-122 e T. Bazzi e U. Benassi, *Storia*, cit., p. 357.
[4] J. Lecomte, *Parme*, cit., p. 261 e T. Bazzi e U. Benassi, *Storia*, cit., p. 356.
[5] L. Montagna, *Il dominio francese*, cit., p. 48 e sgg.

del ducato (Napoleone ebbe, com'è noto, vari progetti, riservandosi per allora il ducato come mezzo per « trattare » altri affari) giocarono un ruolo determinante sulle scelte operate dal Moreau; come è pur vero che gli anni dal 1802 al 1806 furono anni di formazione, rapida, di una borghesia che dagli ultimi anni del governo borbonico aveva assistito a mutazioni profonde che nulla parevano conservare della provvisorietà e della estraneità, anche, del periodo riformatore. E ciò indubbiamente fece acquisire agli elementi borghesi una coscienza diversa dei problemi economico-sociali e politici del paese, e dunque una maggior forza.

Non a caso, quando allontanato il Moreau, la prefettura di Nardon portava avanti in modo deciso la ristrutturazione amministrativa del ducato, e questo il 24 maggio del 1808 diventava il « dipartimento del Taro »[1], vi fu un consenso largo quanto mai prima si era registrato; l'ammodernamento non era una mera imposizione di forme politiche, ma rispondeva ormai alle reali esigenze di una società che era molto cambiata.

Nel 1810 quando Napoleone veniva a Parma per celebrare le sue nozze con Maria Luigia, appariva indubbiamente più soddisfatto di cinque anni prima, quando, con malcelato fastidio, aveva ricordato al Moreau che non sapeva che farsene delle accademie, degli eruditi e dei premi letterari; in effetti tra il 1810 e il 1811 chiudevano, quasi emblematicamente, i loro battenti il collegio dei nobili e l'università parmense; alla politica culturale di Napoleone bastava l'accademia imperiale di Parma e l'università imperiale di Genova come punto di riferimento per i giovani piacentini e parmigiani assetati di sapere.

Resta il fatto che quando il Dupont Delporte tenne la prefettura dell'ex ducato dal 1810 al 1814, Parma e Piacenza conobbero un periodo di eccezionale benessere[2].

L'economia ebbe un impulso quale forse non si era mai registrato; sicuramente l'integrazione al sistema politico francese si era mostrata vantaggiosa. E per altro Parma non decadde dal suo ruolo di città colta e brillante. Se non aveva per il momento l'università, aveva però ancora, e tenuto nella massima considerazione, il grande Bodoni; e bastava la sua presenza, e quella del Pezzana alla direzione della sempre più ricca biblioteca Palatina a garantire la continuità e la vivacità di una vita intellettuale ancora di respiro europeo.

Gli ultimi anni dell'impero napoleonico riportarono il 13 febbraio 1814 gli austriaci in Parma. Con il governo provvisorio di Filippo Magawly-Cerati e di Casimiro Meli-Lupi di Soragna iniziava un altro periodo;

[1] T. Bazzi e U. Benassi, *Storia*, cit., p. 358.
[2] T. Bazzi e U. Benassi, *Storia*, cit., p. 367.

il tentativo di ripristinare la vecchia dinastia, secondo l'indicazione di un plebiscito del 3 maggio, doveva essere vanificato dalle decisioni che, in un vortice di spostamenti di territori e di teste coronate, sarebbero uscite dagli accordi elaborati nel congresso di Vienna [1].

3. Gli ultimi Borboni (1814-1859)

Gli anni di Maria Luigia

Con il trattato di Fontainebleau dell'11 aprile 1814 a Maria Luigia e ai suoi discendenti in linea diretta veniva assicurato il ducato di Parma, Piacenza e Guastalla. Ancora una volta un ruolo decisivo nella assegnazione del ducato veniva giocato dalla « piazzaforte » di Piacenza che a Francesco d'Austria garantiva il controllo dell'area centrale padana finitima al suo Lombardo-Veneto.

A differenza di un 75 anni prima si violava o se si vuole, si passava sopra, al principio di legittimità, per il quale il ducato avrebbe dovuto essere dei Borbone-Parma, essendo l'ex regina di Etruria, e madre dell'esponente del ramo parmense della famiglia, sorella di Ferdinando VII di Spagna.

A sanare la situazione avrebbe però provveduto il congresso di Vienna, che confermava il trattato di Fontainebleau e assegnava ai Borbone-Parma il piccolo ducato di Lucca [2].

Gli stessi protagonisti di queste operazioni parevano assai indecisi o comunque in attesa di tempi più sicuri. Fossero manovre diplomatiche segrete, o intese di famiglia, a determinare talune decisioni, sta di fatto che Maria Luigia affidava al padre, in un momento in cui il congresso di Vienna non era ancora terminato e in cui si apriva la fase dei « cento giorni », l'amministrazione del nuovo stato.

Il conte Filippo Magawly-Cerati, d'origine irlandese, veniva inviato a Parma come reggente a nome di Maria Luigia, la quale iniziava allora a frequentare assiduamente il conte Adamo Alberto di Neipperg che le era stato affiancato come consigliere.

L'ingresso nei suoi stati Maria Luigia lo fece il 20 aprile 1816; vi doveva rimanere sino al 17 dicembre 1847. Indubbiamente il Neipperg, che le fu costantemente vicino, era uomo abile e prudente, e si dovette in gran parte a lui se il mutamento di condizione nel ducato avvenne senza traumi. Già il Magawly aveva lasciato immutato l'ordinamento amministra-

[1] T. Bazzi e U. Benassi, *Storia*, cit., pp. 360-361.
[2] T. Bazzi e U. Benassi, *Storia*, cit., p. 367.

tivo, come pure aveva conservato, in attesa di una riforma, il codice napoleonico. Non diversamente agì Maria Luigia, che nelle due città di Parma e Piacenza nominò due governatori, affidando invece a dei commissari il governo di Borgo San Donnino, Guastalla e Borgotaro; per quanto limitatamente, si cercava di rispettare le autonomie cittadine e nello stesso tempo di dare una identità a questo ducato che, come altri, nel periodo napoleonico aveva patito della sua condizione di provincia di un impero dentro il quale non aveva potuto trovare una continuità con le proprie tradizioni.

La restaurazione avvenne, almeno nel primo periodo, in modo moderato e non poche furono le iniziative che si configuravano come recuperi della già mitizzata età delle riforme. Non ci fu, in effetti, un ritorno secco allo status quo; così la proprietà demaniale, resa cospicua dall'incameramento operato dai governi napoleonici a danno dei beni ecclesiastici, e che costituiva la fonte di maggiori entrate per l'erario, fu mantenuta inalterata, escluso qualche irrilevante caso di restituzione; e di questo, indubbiamente, si giovò l'agricoltura[1].

Un'attenzione particolare mostrò il governo di Maria Luigia per le opere pubbliche, specialmente per quanto riguardava le vie di comunicazione, la cui efficienza generale venne migliorata; come opera di ingegneria civile è da ricordare la costruzione del grande ponte sul fiume Taro.

Nel 1820 veniva promulgato un nuovo codice, il codice parmense, che sostituiva quello napoleonico imponendosi come un modello per tutti gli stati della penisola. Notevole anche l'impegno nel settore della pubblica istruzione, attraverso l'istituzione di collegi e la riapertura dell'università, che era stata chiusa nel 1811; si incrementava il patrimonio della già ricca biblioteca Palatina e si favoriva largamente l'accademia delle Belle Arti[2].

La partecipazione ai moti

I moti del 1820-21 ebbero a Parma modeste ripercussioni. Il Neipperg non era disposto a impegnarsi in un confronto duro con le possibili forze della cospirazione. Per quanto da Vienna gli venissero pressanti suggerimenti di intensificare l'opera di polizia, egli non procedette ad arresti e processi se non quando nel '22 il meno tenero Francesco IV a Modena rendeva pubblici i nomi di alcuni cospiratori parmensi[3]. I processi comun-

[1] T. BAZZI e U. BENASSI, *Storia*, cit., p. 370.

[2] T. BAZZI e U. BENASSI, *Storia*, cit., pp. 373-374.

[3] T. BAZZI e U. BENASSI, *Storia*, cit., p. 376; cfr. G. CANDELORO, *Storia dell'Italia moderna*, II, *1815-1846: Dalla Restaurazione alla Rivoluzione nazionale*, Feltrinelli, Milano 1966, pp. 129-130.

que si conclusero con condanne miti e a coloro cui era stato comminato l'esilio fu assicurata, una tantum, la somma di lire 500, mentre una sovvenzione annua anticipata era versata alle loro famiglie; i beni dei contumaci erano lasciati in amministrazione a queste, e molte famiglie ebbero condonate anche le spese giudiziarie.

Maggiore fermento produssero, invece, nel '31, le notizie provenienti da Modena[1], e già nel dicembre-gennaio a Parma si erano avute agitazioni di studenti liberali.

Tra il 10 e il 12 febbraio i dimostranti chiesero alla duchessa la costituzione e la destituzione del barone Giuseppe Werklein, uomo assai duro e ligio alle direttive di Vienna, che aveva sostituito il Neipperg morto nel '29.

Il 14 il consiglio della comunità di Parma decise di istituire la guardia nazionale; ma a quel punto Maria Luigia preferì allontanarsi riparando prima a Casalmaggiore e poi a Piacenza che era rimasta tranquilla e presidiata dalla guarnigione austriaca.

A Parma, il 15 febbraio, si costituiva un governo provvisorio presieduto dal vecchio conte Linati e composto dal conte Jacopo Sanvitale, dal conte Gregorio di Castagnola, da Macedonio Melloni, da Antonio Casa, Francesco Melegari ed Ermenegildo Ortalli, governo che poca resistenza poté offrire alla reazione austriaca che nel marzo procedette assai rapidamente alla normalizzazione[2].

Il ducato tornava al «buon governo» di Maria Luigia.

Carlo II e la questione di Lucca e Pontremoli

Non bastava, tuttavia, l'impegno — talvolta meritorio[3] —, dei collaboratori di Maria Luigia ad evitare il progressivo indebolimento delle posizioni del ducato; dall'esterno le ripercussioni di una situazione internazionale assai agitata, e dall'interno le pressioni dei sempre più decisi fermenti liberali (effetto di una ormai delineata affermazione degli elementi borghesi nel tessuto sociale del ducato), mostravano come il paternalismo della duchessa fosse ormai un anacronistico modo di intendere l'azione di governo e la politica nel suo complesso.

Di più: la composizione stessa del ducato, soggetto alle volontà della diplomazia asburgica, intenta a ricomporre equilibri sempre più precari nell'area padana, si traduceva in una forma concreta di crisi d'identità

[1] T. Bazzi e U. Benassi, *Storia*, cit., p. 380 e G. Candeloro, *Storia*, cit., II, pp. 174-175.

[2] G. Candeloro, *Storia*, cit., II, p. 188.

[3] Particolarmente benemerita era stata l'opera del Mistrali (v. T. Bazzi e U. Benassi, *Storia*, cit., pp. 385-391).

dell'ex stato farnesiano; in fondo anche dopo i Farnese l'artificiosità dello stato aveva continuato a connotare, come un peccato originale, le vicende delle sue parti.

Lo si vide in modo assai chiaro negli anni Quaranta, quando i protagonisti, grandi e piccoli, della restaurazione consumarono gli ultimi tentativi per evitare il crollo del sistema politico creato all'indomani del congresso di Vienna. Tra quei tentativi è da ricordare un trattato stipulato a Firenze il 28 novembre 1844 tra la Toscana, Lucca e Modena, e al quale avevano aderito Vienna e Torino. Con esso si stabilivano alcune condizioni per così dire a margine del trattato di Vienna contemplante la cessione di Lucca alla Toscana quando il Borbone di Lucca fosse passato, come previsto dal trattato di Parigi del '17, nel ducato di Parma e Piacenza. A quel momento si sarebbe operato una serie di variazioni di confini e di scambi territoriali al fine di riequilibrare la situazione tra Toscana, Modena e Parma. In particolare, Pietrasanta e Barga sarebbero rimaste alla Toscana, che però avrebbe ceduto al duca di Modena Gallicano, Montignoso, Minucciano, già terre lucchesi, e in più Fivizzano in Lunigiana; al duca di Parma si sarebbe assegnato il territorio di Pontremoli. Tra i due ducati padani, infine, ci si sarebbe accordati per la cessione a Parma delle terre estensi alla sinistra dell'Enza e per l'acquisto da parte di Modena del Guastallese e dei territori parmensi alla destra dell'Enza [1].

I tempi dell'operazione furono, tuttavia, anticipati a causa delle difficoltà di Carlo Ludovico di Borbone, duca di Lucca, pessimo amministratore della cosa pubblica non meno che delle proprie sostanze private [2]. Travolto dai fermenti liberali del '47, aveva concesso nel suo piccolo stato la libertà di stampa, l'istituzione della guardia civica e più ampia autonomia amministrativa ai comuni, ma aveva poi riparato temporaneamente a Modena, da dove, per ritornare nel suo ducato con nuovi mezzi finanziari, cominciò a trattare la cessione anticipata di Lucca alla Toscana. Si valeva, allora, degli intrighi di Tommaso Ward, un inglese già suo palafreniere e poi fatto barone.

In ottobre la cosa era già in porto (il trattato, stipulato il 4 ottobre, fu reso noto il 9) e il duca, in attesa di succedere a Maria Luigia, si vedeva garantito da Leopoldo II un cospicuo assegno annuo [3].

In tanta meschinità di ragioni politiche e in tanta avventurosità di iniziative, che accomunavano i piccoli e i grandi esponenti di un regime al tramonto, veniva travolta l'ormai esangue effigie della piccola Lucca, che

[1] T. Bazzi e U. Benassi, *Storia*, cit., p. 403.

[2] T. Bazzi e U. Benassi, *Storia*, cit., pp. 403-404.

[3] G. Candeloro, *Storia*, cit., III, *1846-1849*: *La rivoluzione nazionale*, Feltrinelli, Milano 1966, pp. 77-78.

perdeva, d'un colpo, l'indipendenza e il ruolo di capitale. Più dovuta, che efficace, fu la reazione di quanti lucchesi si sentirono umiliati dal triste patteggiamento, mentre agli elementi liberali non sfuggiva, realisticamente, che la cessione alla Toscana rappresentava un passo verso prospettive politiche più consone ai tempi.

Anche il Pontremolese conobbe un momento di grande fermento; l'anticipata retrocessione di Lucca alla Toscana dava diritto a Carlo Ludovico di entrare in possesso di Pontremoli. L'opposizione popolare, largamente sostenuta dalla stampa, indusse il duca ad un accordo firmato il 9 dicembre, in forza del quale egli si impegnava ad occupare Pontremoli solo alla morte di Maria Luigia. Il che, però, avvenne di lì a poco, cessando di vivere la duchessa il 17 dicembre [1].

Il Quarantotto

Il periodo in cui Carlo II si trovò al governo del ducato coincise con la fase più acuta delle rivoluzioni quarantottesche, sicché poco spazio rimase a questo duca, legato per altro strettamente alle direttive di Vienna, per svolgere un'azione che lasciasse in qualche modo segni tangibili.

Patì più di altri la debolezza dello stato, e nel suo atteggiamento venne a riflettersi la sua totale incapacità di comprendere i profondi motivi che alle agitazioni di quell'anno davano uno spessore e una qualificazione ben diversa da quelle del '21 e del '31.

Ad alienargli le simpatie, già scarse, della popolazione contribuì la convenzione stipulata con l'Austria nel febbraio del '48, e pubblicata in Parma il 14 marzo, con la quale si dava mano libera alle truppe austriache di intervenire in caso di sommosse.

Bastò, quindi, l'eco dei fatti di Milano per provocare a Parma la giornata del 20 marzo che vide, in una azione non coordinata e certamente sfuggita al controllo dei dirigenti liberali, violenti scontri tra gruppi di dimostranti e le truppe austriache. Da parte sua il duca non ebbe la volontà di attuare una dura repressione, né il coraggio di disimpegnarsi nei confronti dell'Austria [2].

Frutto di una tale indecisione fu l'istituzione di una reggenza, alla quale era demandato l'incarico di affrontare la nuova situazione; la componevano Luigi Sanvitale, Girolamo Cantelli, Ferdinando Maestri, Pietro Gioia, Pietro Pellegrini.

Iniziava un breve e convulso periodo in cui le aspettative dei liberali di

[1] G. Candeloro, *Storia*, cit., III, pp. 78-79.
[2] G. Candeloro, *Storia*, cit., III, p. 203.

agganciarsi al movimento di unità nazionale furono variamente deluse. Giocava un ruolo non secondario nell'incerta situazione del ducato la politica piemontese, intesa a provocare pronunciamenti annessionistici nell'area padana.

Piacenza, in effetti, riuscì ad avere una sua iniziativa autonoma quando, dopo aver scacciato, il 26 marzo, il presidio austriaco, dette vita ad un governo provvisorio presieduto da Pietro Gioia (che allora lasciava la reggenza di Parma) ed influenzato da emissari piemontesi. Fu deciso il distacco dal ducato di Parma (la natura giuridica dello stato, composto di due entità distinte, non era mai stata contraddetta; e del resto sul ducato piacentino, fin dal congresso di Vienna, i Savoia rivendicavano diritti di reversibilità in caso di estinzione dei Borbone-Parma). Fu deciso altresì di indire un plebiscito che ponesse la questione dell'annessione al Piemonte; i risultati del 10 maggio segnarono la larga vittoria degli annessionisti.

Intanto a Parma la reggenza, troppo compromessa con gli ambigui atteggiamenti di Carlo II, lasciava il campo ad un governo provvisorio, che promuoveva un analogo plebiscito, i cui risultati sancirono anch'essi la volontà di annessione al Piemonte [1].

Le vicende della guerra che riportarono a Parma gli austriaci nell'agosto del '48 e la disfatta di Novara, tuttavia, rendevano pressoché inoperante questo governo; ci si avviò alla restaurazione di Carlo II, che abbandonato il ducato dopo la formazione del governo provvisorio stesso, aveva riparato in un castello di Weisstropp, in Sassonia; da qui il 14 marzo '49 comunicava la sua abdicazione in favore del figlio [2].

Tra bastone e « giusta causa »: gli anni di Carlo III

Carlo III esordì, secondo uno stile che conservò fino alla fine, con una gaffe clamorosa, per quanto voluta. Si qualificò, infatti, « duca di Parma, di Piacenza e di Guastalla » giacché riteneva nullo il trattato di Firenze del '44.

Che si trattasse di una inutile presa di posizione, nonostante che suo cugino Francesco V di Modena andasse su tutte le furie, era evidente, e tanto più sterile in quanto non gli sarebbe mai giunto l'appoggio da Vienna, dove anzi pare che si pensasse ad una diversa soluzione; annessione, cioè, all'Austria di Parma, cessione di Piacenza al Piemonte e nessun riconoscimento a Carlo III. Se questi, infine, poté avere il ducato, fu per opera della stessa regina Vittoria e del consigliere Ward, che tanto era stato presente nelle cose di Toscana e di Parma.

[1] G. Candeloro, *Storia*, cit., III, p. 203-204.
[2] T. Bazzi e U. Benassi, *Storia*, cit., p. 412.

Nondimeno Carlo III si dette a governare come se i tempi non fossero mutati; dedicò gran cura al suo esercito, portato ad oltre seimila uomini, e riorganizzato con un non piccolo sforzo finanziario.

Passò alla storia anche per un'altra sua originalità. E questa volta si illustrò, per così dire, nel diritto agrario. Nel 1850, infatti, varava un provvedimento per il quale ogni escomio prima di diventare operante, doveva subire l'esame del pretore del luogo entro un mese; non soddisfatto di questo, nominava poi una commissione per i giudizi in appello, che aveva il compito di tentare una conciliazione fra le parti. In definitiva si trattava dell'introduzione della « giusta causa » nelle controversie tra proprietari e coloni [1].

L'atto fu interpretato come una presa di posizione del duca contro quel patriziato e quella borghesia detentori della maggior parte della proprietà terriera e che nei confronti della dinastia non avevano mostrato molta simpatia; si legge, infatti, nel decreto che alcuni coloni erano vittime dell'escomio solo perché fedeli al legittimo sovrano.

Il provvedimento, tuttavia, non ebbe conseguenze pratiche; i casi risolti risultarono assai pochi e per altro la commissione di conciliazione e di appello aveva già dimostrato di appoggiare preferibilmente la causa dei coloni.

Gli atteggiamenti « democratici » del duca erano soltanto plateali: se un colono veniva trovato in possesso di armi non poteva essere arrestato; lo era invece un borghese, e anche la guardia nazionale fu costituita quasi esclusivamente da contadini lealisti. In ogni caso, dirlo un duca socialista, come fu fatto, sarebbe una semplice « boutade ».

Lasciò un ricordo di sé anche per la particolare propensione che ebbe per il bastone come sistema punitivo; mentre non si registrarono, è vero, durante il suo governo, condanne a morte.

Non fu un duca particolarmente gradito; anche a corte pare si tramasse contro di lui. Non si dette luogo ad una vera e propria congiura. Con la partecipazione della moglie (probabilmente irritata per la vita libertina del marito), della nobildonna di corte contessa Isabella Caimi, del consigliere marchese Pallavicino, del marchese Dalla Rosa e del colonnello Rousselot, ex ufficiale della guardia nazionale, fu steso un lungo memoriale con elencate le « colpe » del duca; l'organizzazione fu tanto approssimativa che il

[1] P. L. Spaggiari, *L'agricoltura*, cit., p. 152, nota 3; « Istituendo la giusta causa, Carlo III aveva fatto un calcolo eccessivo sul valore strategico dell'orientamento filoducale che predominava fra i contadini, e sulla loro tradizionale avversione alla classe padronale, la quale in occasione degli avvenimenti del 1848, aveva assunto un atteggiamento chiaramente a favore delle forze unitarie... ». Tuttavia, osserva ancora Spaggiari, il provvedimento ebbe il merito « di introdurre una nuova fase dinamica nella vita dell'agricoltura parmigiana... ».

documento, destinato all'imperatore, finì sì a Vienna, ma nelle mani del Ward, e dello stesso Carlo III che era presso quella corte! I provvedimenti furono adeguati alla inconsistenza del caso.

Fu allontanata da corte la Caimi, esiliato il Rousselot, interdette le relazioni epistolari alla duchessa, che intanto nel '51 aveva dato alla luce Enrico, conte di Bardi.

Ci si avviava verso la fine della vicenda borbonica nel ducato parmense; e Carlo III il 1° marzo del '54 commetteva l'ultimo atto provocatorio nei confronti della ricca borghesia terriera e della nobiltà. Emetteva un prestito forzoso, che prevedeva la progressività nei riguardi del reddito posseduto, per cui i patrimoni più cospicui furono duramente colpiti; non venivano risparmiate neppure le corporazioni religiose [1].

La sera del 26 marzo di quell'anno, il duca veniva pugnalato da Antonio Carra, un sellaio, legato ad ambienti anarchici, il quale venne arrestato, ma avendo fornito un alibi a cui si « volle » dar credito, riuscì ad emigrare indisturbato. Carlo moriva non senza aver dichiarato di aver riconosciuto nell'attentato la matrice mazziniana.

Non si può dire se il Carra fosse, o no, legato ai mazziniani; è però certo che i cospiratori mazziniani, o creduti tali, si riunivano a Parma nelle osterie del « Molinetto », di « Panada », della « Croce di Malta »; altro luogo di conventicola era Stradella ai confini del ducato, dove spesso era presente il mazziniano Pietro Cocconi, che a Torino teneva contatti con i fuoriusciti parmensi nel salotto di Giuditta Sidoli; a Parma gli faceva da tramite l'avvocato Luigi Olivieri e a Genova l'avvocato Acerbi che poi effettivamente aiutò il Carra a fuggire [2].

A Parma, del resto, la polizia cercava da tempo di intercettare le mosse di Mazzini, « famigerato capo setta », come ebbe a definirlo l'ispettore Bassetti in un rapporto segreto del 14 dicembre 1853 [3].

La neutralità impossibile di Luisa Maria

Morto Carlo III, Luisa Maria che tra l'altro era figlia del duca di Berry [4], assumeva la reggenza. Volendo cancellare il non gradito ricordo

[1] T. Bazzi e U. Benassi, *Storia*, cit., p. 417 e per questa fase finale della presenza borbonica a Parma v. A. Archi, *Gli ultimi Asburgo e gli ultimi Borbone in Italia (1814-1861)*, Cappelli, Bologna 1965.

[2] T. Bazzi e U. Benassi, *Storia*, cit., p. 420.

[3] Cfr. A. Credali, *La romantica insurrezione del 22 luglio* 1854 *in Parma*, in « Archivio storico per le province parmensi », sez. IV, IX, 1957, pp. 113-127.

[4] G. Candeloro, *Storia*, cit., IV, *1849-1860*: *Dalla Rivoluzione nazionale all'Unità*, Feltrinelli, Milano 1966, p. 44.

del marito, fece chiudere con fretta almeno sospetta il processo contro gli « ignoti » assassini e rinnovò i membri del governo.

Ad Enrico Salati fu affidato il ministero di grazia e giustizia e ad Antonio Lombardini quello delle finanze. Agli affari interni ed esteri il fidato marchese Giuseppe Pallavicino; vennero licenziati, della passata amministrazione, il Cornacchia e l'Onesti; si metteva alla porta il Ward, e si licenziava l'ispettore Bassetti che era stato il più zelante « bastonatore » al servizio del duca[1].

Luisa Maria provvide anche ad abolire la « giusta causa » e in sostituzione del prestito forzoso ella propose un prestito volontario estinguibile in 5 anni che volle garantito sui suoi beni personali. La risposta fu positiva, tanto che prima della chiusura delle sottoscrizioni la somma era interamente coperta, e si dovettero addirittura restituire 150.000 lire sottoscritte in più. Il settore delle finanze cominciava così ad essere risanato dall'abile opera del Lombardini; la reggente, d'altra parte, era consigliata a evitare ogni motivo di scontento e di turbativa per non sollecitare pretestuose intrusioni austriache nella politica interna del ducato.

Tuttavia non poté evitare che da Vienna venisse inviato a vigilare sull'ordine interno del ducato il principe Jablonowski con un presidio militare, che non poté piacere soprattutto ai liberali, i quali non si lasciarono sedurre neppure dalla ingenua professione di neutralità della duchessa; è vero, Luisa Maria ridusse l'esercito spropositato che aveva messo in piedi il marito (lo portò, anche su consiglio del saggio Lombardini, a 2700 uomini soltanto) mostrò di voler dedicare tempo e denari alle opere pubbliche (trasformò la scuola militare da mera palestra in un istituto capace di offrire una istruzione complessiva agli allievi, riaprì l'università che dal '31 era stata soppiantata dalle scuole superiori e che Carlo III aveva addirittura chiuso per dare maggior impulso agli istituti privati), ma gli eventi seguivano una dinamica che le sfuggiva completamente[2].

Così, se con la chiusura rapida del processo per l'uccisione del marito, aveva voluto evitare ogni possibile scontro con i liberali, si trovò a dover affrontare, da allora in avanti, una serie di attentati di fronte ai quali si evidenziava la sua posizione di debolezza.

Il 22 luglio del '54 a Parma si aveva una sommossa che parve di ispirazione mazziniana; è anche abbastanza credibile, — come si disse — che fossero i piemontesi a favorire le agitazioni nei ducati. Gli arrestati nell'occasione furono 153; si costituirono tribunali militari; Emilio Mat-

[1] T. Bazzi e U. Benassi, *Storia*, cit., pp. 420-422.

[2] T. Bazzi e U. Benassi, *Storia*, cit., pp. 422-425.

tei, Cirillo Adorni, Luigi Facconi e Pietro Bompani furono fucilati; ad Enrico Barilla la pena fu commutata in 20 anni di segregazione.

La sommossa era prevedibile ma non si era fatto nulla per prevenirla; anzi pare che il Lombardini avesse sostenuto la necessità di un confronto tra rivoluzionari e governo. D'altra parte la reggente chiedeva, e otteneva, l'allontanamento del principe Jablonowski; il governo non pareva seguire, in sostanza, una linea unitaria [1].

Nel febbraio del '55 il colonnello Paolino Linati subiva un attentato; non avendo il governo reagito, seguì un altro attentato contro il colonnello Anviti. Questa volta ci fu un processo con una condanna a morte (Andrea Carini) e un ergastolo (Francesco Panizza), ma il processo parve mal condotto.

Si registrarono altri attentati nel marzo '56 contro il conte Valerio Magawly direttore delle carceri e contro l'auditore Bordi, istruttore dei processi politici.

A quel punto, per la convenzione stipulata con l'Austria nel marzo 1822, Vienna imponeva l'istituzione di un consiglio di guerra e di un tribunale con i suoi rappresentanti [2]. Ovviamente l'inviato di Vienna, capitano Alfred Krauss, intendeva appurare il ruolo che aveva avuto nelle vicende parmensi il Piemonte. Dopo varie schermaglie in cui Luisa Maria cercò di difendere una sua autonomia (in realtà di salvare il proprio ducato), destreggiandosi tra Austria e Piemonte [3], il 5 febbraio 1857 Parma veniva sgomberata dalle truppe austriache; inoltre la reggente ebbe il coraggio di non rinnovare la lega doganale con l'Austria, adducendo anche motivi in parte validi come la limitazione del commercio dei grani che quella lega imponeva, proibendone la circolazione al di fuori dell'area doganale stabilita [4].

Di più l'Austria aveva recentemente apportato ritocchi alle tariffe daziarie e progettava una unione monetaria tra gli stati aderenti all'unione doganale. Si mostrava così fondata la memoria che Lorenzo Molossi aveva indirizzato alla duchessa già l'anno prima e in cui era denunziato il pregiudizio economico e finanziario che allo stato veniva dall'adesione alla lega [5].

Intanto nei colloqui di Plombières dell'estate '58, si prospettavano soluzioni varie, ma tutte più o meno tendenti all'inglobamento del ducato nel

[1] T. Bazzi e U. Benassi, *Storia*, cit., p. 424.

[2] T. Bazzi e U. Benassi, *Storia*, cit., pp. 425-426.

[3] T. Bazzi e U. Benassi, *Storia*, cit., p. 427.

[4] P. L. Spaggiari, *Economia e finanza negli Stati Parmensi (1814-1859)*, Cisalpino, Milano-Varese 1961, pp. 254-255.

[5] Cfr. G. Dalla Rosa, *Alcune pagine di storia parmense: memorie*, Grazioli, Parma 1878-1879, vol. III, pp. 236-237.

così detto regno « dell'alta Italia ». Da quel momento in avanti, nel lavorio diplomatico del '58-'59, si mirò da parte del Piemonte a trovare appoggi nel denunciare le convenzioni che, a vari intervalli, l'Austria, a partire da quella del '17, aveva stabilito con il ducato di Parma per ribadire sostanzialmente il suo diritto a identificare i propri confini con quelli del ducato[1]. È noto come poi le vicende internazionali portassero alla guerra del '59.

L'estinzione nell'unità

L'Austria provvide subito a rinforzare il presidio e la piazza di Piacenza; invano Luisa Maria faceva le sue rimostranze, ribadendo la neutralità del ducato.

Il 29 aprile, 40 suoi ufficiali le fecero capire che la neutralità non aveva senso; ella allora si trasferì coi figli prima a Brescello e poi a Mantova. Si costituì una giunta provvisoria formata da liberali legati a Mazzini; questa giunta proclamava, il 2 maggio, di voler governare in nome di Vittorio Emanuele II[2]. I militari reagirono non riconoscendo alcun potere alla giunta stessa che si dimise il 3 maggio; il giorno dopo Luisa Maria tornava a Parma, accolta in cittadella dalle truppe.

La « conquista » piemontese, intanto, procedeva abbastanza speditamente, sicché dopo che il 27 maggio era stata occupata Pontremoli, l'acquisto della Lunigiana e della Garfagnana poteva dirsi completo. Di lì a poco sarebbe seguito l'ingresso dei Piemontesi in Parma e in Piacenza, a seguito della vittoria di Magenta.

Il 9 giugno Luisa Maria lasciava Parma, emanando un proclama in cui protestava, ormai anacronisticamente, il suo diritto alla neutralità; scioglieva dal giuramento di fedeltà le sue truppe e autorizzava l'anzianato di Parma ad aggregarsi 30 notabili (singolare esercizio di una inesistente sovranità!) e a nominare una commissione di governo. Questa risultò formata da Girolamo Cantelli, Pietro Bruni, Evaristo Armani, e assunse le sue funzioni in attesa delle decisioni del re di Sardegna.

Il Cantelli intese il proclama di Luisa Maria come un atto vero e proprio di abdicazione[3].

[1] P. L. SPAGGIARI, *Il ducato di Parma e l'Europa negli anni 1854-1859*, Battei, Parma 1957, pp. 45-47.

[2] E. CASA, *Parma da Maria Luigia imperiale a Vittorio Emanuele II (1847-1860)*, Rossi - Ubaldi, Parma 1901, p. 446; cfr. P. L. SPAGGIARI, *Il ducato*, cit., p. 107 e sgg.

[3] P. L. SPAGGIARI, *Il ducato*, cit., pp. 113-115 e U. GUALAZZINI, *Il legittimismo di Luisa Maria di Borbone e le questioni giuridiche ad esso relative*, in « Studi parmensi », IX, 1960, pp. 254 e sgg.

Il 10 giugno anche l'anzianato del comune di Piacenza, pur senza l'inutile autorizzazione ducale, nominava una commissione provvisoria di governo.

Il 15 un decreto del luogotenente del regno di Sardegna Eugenio di Carignano affidava « il reggimento temporaneo delle province parmensi » a un governatore con pieni poteri. A questa carica fu nominato il 17 giugno il conte Diodato Pallieri, piemontese, già deputato alla Camera e appartenente al partito moderato. Questi, dopo l'armistizio di Villafranca, cedeva il governo al piacentino Giuseppe Manfredi.

Il plebiscito per l'annessione non fu un grosso problema; fugata ogni preoccupazione dei piemontesi dalla massiccia partecipazione alla consultazione delle masse contadine (e per altro i contadini del ducato non avevano mostrato atteggiamenti ostili ai governi provvisori, né si erano avuti indizi di possibili insorgenze, nonostante le provocazioni dei clericali e dei legittimisti), il plebiscito espresse 63.167 voti favorevoli contro 504 « no »[1].

Evidentemente, come in altre aree dell'Emilia e della Romagna, i fattori di campagna avevano lavorato bene e dunque se la fatica di farsi italiani fu felicemente compiuta anche nell'antico ducato farnesiano, un merito non piccolo lo ebbero proprio quei contadini che la storia, come si dice con frase fatta, pareva aver dimenticato per circa 314 anni.

A mantenere l'unione delle province di Parma e di Piacenza al regno sardo fu eletto dittatore Carlo Farini; questi convocò un'assemblea costituente che, riunitasi il 7 settembre 1859, votava alla unanimità la decadenza dei Borboni e l'unione al regno costituzionale sardo. Ancora un fatale settembre nella storia delle due città...[2].

[1] G. Candeloro, *Storia*, cit., IV, p. 370 e pp. 408-409.
[2] G. Candeloro, *Storia*, cit., p. 370.

Bibliografia

Prima di dare qui di seguito le indicazioni bibliografiche essenziali, si impone una sia pur breve premessa che valga anche come necessario chiarimento al profilo della storia del ducato racchiuso nel breve giro delle pagine ad essa destinato dal piano dell'opera.

La carenza di studi sulle strutture economiche, sociali e politiche degli stati italiani preunitari, generalmente lamentata come ostacolo alla ricostruzione di una storia organica di ciascun stato, è assai sentita – e risulta perciò condizionante – anche per il ducato di Parma e Piacenza. I lavori che sono stati concepiti seguendo le linee metodologiche più moderne (indagini di storia quantitativa, o demografica o sociale o più latamente di storia economica; studi sugli organismi del governo e dell'amministrazione; saggi di analisi delle strutture politiche riconducibili a discorsi sullo stato moderno e sulla sua evoluzione) sono troppo pochi, isolati e il loro valore è generalmente riconducibile a quello che un modello d'indagine può esprimere quando sia costruito su di un particolare momento di una storia assai più larga e più articolata. Spesso il preteso modello è soltanto un campione, e la potenzialità euristica di esso non può essere lecitamente spinta oltre i limiti, di solito ben circostanziati, della ricerca stessa. In breve, quasi tutto è ancora da trarre fuori dagli archivi, pubblici e privati; e anche di ciò che è stato usato in passato da storici di altra generazione e di altra formazione sarebbe il caso di compiere una « rivisitazione » critica. Così, di fronte alla possibilità di disporre di una bibliografia amplissima abbiamo trovato un limite assai forte nella scarsa qualità generale di essa. Il fatto è che il campo della storiografia, e ciò crediamo valga anche per altri casi oltre il nostro, è ancora largamente vincolato dalla storia locale che si presenta in modo massiccio con le sue microindagini, con la sua erudizione, con quel tanto di retorica uscita – assieme al buono – dalle Deputazioni di storia patria, dalle riviste, dalle celebrazioni, dai cenacoli e dalle accademie più obsolete, dagli agiografi e dagli annalisti di campanile, dai coltivatori di antiquaria paesana. Confrontarsi con tale produzione non è stato mai fatto di breve momento né di grande profitto; è vero, talvolta l'*histoire événementielle* vi ha rintracciato elementi, altrimenti introvabili, talaltra suggestioni per verifiche ulteriori, ma quasi nulla, invece, per una ricostruzione organica di strutture di lungo o anche di medio periodo. I sondaggi archivistici, per altro, non potevano essere più frequenti o intensivi di quelli che la destinazione della presente storia del ducato rendeva necessari. Resta da dire, piuttosto, un'altra cosa e di non poco conto. Esiste una ricerca, una storiografia vorremmo dire « sotterranea » che non si è potuto mettere a frutto se non parzialmente e fortuitamente. È quella fatta dai laureandi in discipline storiche delle Università emiliane; tesi talvolta assai pregevoli, ma non sempre reperibili, perché non sempre collocate e conservate degnamente in una qualche biblioteca d'Istituto; tesi svolte su temi affini o addirittura identici, per la mai realizzata omogeneizzazione degli studi nelle nostre Università. Di esse, quando appunto siamo riusciti a conoscerne l'esistenza, ci siamo valsi, e anche largamente, com'è giusto di lavori che per la loro serietà, sempre verificata, meriterebbero una pubblicità maggiore.

A) ARCHIVI E BIBLIOTECHE

Per una prima conoscenza dei fondi archivistici relativi al ducato si può ancora utilmente consultare il vecchio lavoro di F. BONAINI, *Gli archivi delle province dell'Emilia*, Firenze 1861. Descrizioni più organiche si hanno per Parma con G. SITTI, *Cenni storici sull'archivio del comune di Parma*, in « Archivio storico per le province parmensi », ser. I, V, 1896, pp. 139-184; ID., *L'archivio storico comunale di Parma. Storia e bibliografia*, in « Archivio storico per le province parmensi », ser. II, XIV, 1914, pp. 1-66 e G. DREI, *L'archivio storico comunale di Parma*, in « Archivi d'Italia », ser. II, VI, 1939, pp. 115-125. Fondamentale resta, in ogni caso. G. DREI, *L'archivio di Stato di Parma. Indice generale, storico, descrittivo ed analitico*, Biblioteca d'arte editrice, Roma 1941 (di particolare rilievo in questo lavoro le indicazioni relative agli archivi delle famiglie feudali Baiardi, Da Correggio, Landi, Malaspina, Meli Lupi, Pallavicini, Rangoni, Rossi, Sanseverino, Sanvitale, Scotti, Sforza di Santafiora, Terzi, Torelli).

Per Piacenza si vedano i lavori più recenti di P. CASTIGNOLI, *Gli archivi piacentini*, in « Bollettino storico piacentino », LVII, 1962, pp. 10-18 e ID., *Piacenza (1130-1860)*, Giuffrè, Milano 1967 (da utilizzarsi in particolare per la storia amministrativa).

Per archivi minori, ma indispensabili per studiare la vita religiosa e l'organizzazione del clero, si possono ricordare, relativamente a Parma, M. MARTINI, *Cenni storici sull'origine dell'archivio capitolare della Basilica Cattedrale di Parma e cronologia dei reverendi canonici*, in « Archivio storico per le province parmensi », ser. II, XI, 1911, pp. 107-135; E. FALCONI, *L'archivio della Congregazione della Carità di Parma*, in « Notizie degli archivi di stato », XIV, 1954, pp. 128-131 e F. BOTTI, *Spigolature d'archivio. Spunti di cronaca e storia degli archivi parocchiali parmensi*, 2 voll., Tipografia Benedettina, Parma 1952-58. Per Piacenza, invece, si veda E. NASALLI ROCCA, *L'archivio e la biblioteca capitolare della cattedrale di Piacenza*, in *Studi in memoria di mons. Angelo Mercati*, Giuffrè, Milano 1956, pp. 251-261 e ID., *La biblioteca-archivio della cattedrale di Piacenza in una nuova sede*, in « Accademie e biblioteche d'Italia », XXXIV, 1960, pp. 247-259.

Sulle biblioteche si è ancora fermi al vecchio studio di A. BOSELLI, *Le biblioteche delle province di Parma e Piacenza*, in *Tesori delle biblioteche d'Italia: Emilia e Romagna*, a cura di D. FAVA, Hoepli, Milano 1932; per la biblioteca Palatina di Parma si può vedere A. CIAVARELLA, *Notizie e documenti per una storia della biblioteca Palatina di Parma*, Toschi, Parma 1962.

Sui fondi manoscritti che si trovano nelle biblioteche di Parma e di Piacenza cfr. G. MAZZATINTI e A. SORBELLI, *Inventari dei manoscritti delle biblioteche d'Italia*, vol. XIV, a cura di S. LOTTICI, Forlì 1909.

B) BIBLIOGRAFIE, RIVISTE, BIOGRAFIE GENERALI, REPERTORI

Le vecchie e lacunose bibliografie generali di R. MELI LUPI DI SORAGNA, *Bibliografia storica e statutaria per le province parmensi*, Battei, Parma 1886 e S. LOTTICI e G. SITTI, *Bibliografia generale per la storia parmense*, Zerbini, Parma 1904, come pure quella più limitata di E. ALINOVI, *Bibliografia parmense della seconda metà del secolo XIX*, in « Archivio storico per le province parmensi », ser. II, II, 1902, pp. 1-122, sono oggi da sostituirsi con le recenti, meritorie fatiche di padre FELICE DA MARETO (al secolo LUIGI MOLGA): *Archivio storico per le province parmensi. Indice analitico: 1860-1963*, Deputazione di storia patria, Parma 1967 (di particolare interesse per la conoscenza delle vicende della Deputazione le pagine introduttive IX-XV); *Bibliografia generale delle antiche province parmensi*, I, *Autori*, Deputazione di storia patria, Parma 1973 e II, *Soggetti*, Deputazione di storia patria, Parma 1974.

Per il periodo risorgimentale, che pure è compreso nella *Bibliografia* di FELICE DA MARETO, si suggerisce come indispensabile la assai articolata *Bibliografia dell'età del Risorgimento*, in onore di Alberto M. Ghisalberti, vol. II, *I ducati emiliani. Ducato di Parma, Piacenza e Guastalla*, a cura di M. L. TREBILIANI, Olschki, Firenze 1972, pp. 65-89.

Per le riviste restano fondamentali gli « Atti e memorie delle RR. Deputazioni di Storia patria per le province modenesi e parmensi », 1863-1876 e 1883-1890, gli « Atti e memorie delle RR. Deputazioni di Storia patria dell'Emilia », 1887-1822, gli « Atti e memorie delle RR. Deputazioni di Storia patria dell'Emilia e Romagna », 1935-1943 e soprattutto l'« Archivio storico per le province parmensi », I serie (1892-1900), II serie (1901-1935), III serie (1936-1944), IV serie (dal 1945). Meno legate alla cultura istituzionalizzata, ma pur sempre utili, sono la gloriosa « Gazzetta di Parma » (dal 1735), il « Bollettino storico piacentino » (dal 1906), « Aurea Parma » (dal 1912), « Strenna piacentina » (dal 1875), « Crisopoli » (dal 1934), « Studi parmensi » (dal 1952), « Parma economica » (dal 1960), « Piacenza economica » (dal 1967).

Tra le biografie ci limitiamo a ricordare le più « classiche » che restano per altro le più importanti, a cominciare da I. AFFÒ, *Memorie degli scrittori e letterati parmigiani*, 5 voll., Tipografia Reale, Parma 1789-97 (ora in ristampa anastatica, Forni, Bologna 1971-72), che, come è noto, ebbe un seguito con

A. PEZZANA *(Continuazione delle) memorie degli scrittori e letterati parmigiani raccolte dal p. Ireneo Affò*, Tipografia Ducale, Parma 1825-33, costituendo i voll. VI e VII. Costituiscono poi sempre un punto di partenza necessario per ogni studio su singoli personaggi G. B. JANELLI, *Dizionario biografico dei parmigiani più illustri nelle scienze, nelle lettere e nelle arti*, Schenone, Genova 1877; ID., *Dizionario dei parmigiani illustri o benemeriti. Appendice*, Grazioli, Parma, 1880; ID., *Dizionario biografico dei parmigiani illustri. Seconda appendice*, Ferrari e Pellegrini, Parma 1884; A. PARISET, *Dizionario dei parmigiani illustri e benemeriti*, Battei, Parma 1905; L. MENSI, *Dizionario biografico piacentino*, Del Maino, Piacenza 1899 e A. CORNA, *Profili di illustri piacentini*, UTP, Piacenza 1914.

Per quanto concerne raccolte di fonti edite, repertori, relazioni diplomatiche, ecc. non vi è per il ducato una grande disponibilità di materiale, né tantomeno una organicità di strumenti. Ci pare di poter segnalare per quello che riguarda la tradizione statutaria, ancor viva nel secolo XVIII, *Gli statuti delle corporazioni parmensi*, a cura di G. MICHELI, Editrice Federale, Parma 1913; E. NASALLI ROCCA, *Gli statuti dello Stato Pallavicino e le «Additiones» di Cortemaggiore*, in «Bollettino storico piacentino», XXI, 1926, pp. 145-156; G. MICHELI, *Gli statuti della montagna parmense: Borgo Val di Taro, Bardi, Compiano*, Deputazione di storia patria, Parma 1935; ID., *Gli statuti farnesiani del ducato di Castro e Ronciglione e quelli di Valentano*, Fresching, Parma 1938 (che furono i soli statuti che i Farnese ebbero cura di istituire, poiché la loro opera legislativa – dopo le *Constitutiones* di Ranuccio I – si esplicò attraverso l'emanazione di semplici decreti diretti al mantenimento del buon ordine), e infine il *Corpus statutorum mercatorum Placentiae (sec. XVI-XVIII)*, a cura di P. CASTIGNOLI e P. RACINE e con introduzione di E. NASALLI ROCCA, Giuffrè, Milano 1967.

Per la storia ecclesiastica sempre da consultarsi G. M. ALLODI, *Serie cronologica dei vescovi di Parma con alcuni cenni sui principali avvenimenti civili*, 2 voll., Fiaccadori, Parma 1854-56; F. CHERBI, *Le grandi epoche, sacre, diplomatiche, cronologiche, critiche della Chiesa Parmense*, 3 voll., Carmignani, Parma 1835-39; G. BERTUZZI, *I cardinali piacentini ed illustri presuli*, UTP, Piacenza 1930 e ID., *La cattedrale piacentina nei suoi vescovi*, UTP, Piacenza 1944. Complementari a questi repertori sono gli studi di A. SCHIAVI, *La diocesi di Parma*, Fresching, Parma 1940 e I. DALL'AGLIO, *La diocesi di Parma. Appunti di storia civile e religiosa sulle 311 parrocchie della Diocesi*, 2 voll., Tipografia Benedettina, Parma 1966.

Per la storia risorgimentale rinviamo alle indicazioni contenute nella *Bibliografia dell'età del Risorgimento*, cit., pp. 72-73.

Delle relazioni diplomatiche utili per lo studio dei rapporti fra le corti farnesiane e borboniche e altri stati si possono ricordare quelle contenute in A. PELLEGRINI, *Relazioni inedite di ambasciatori lucchesi alla corte di Firenze, Genova, Milano, Modena, Parma, Torino (sec. XVI-XVIII)*, Marchi, Lucca 1901, che sono le uniche raccolte in un corpo organico, restando molte altre disperse fra i manoscritti della biblioteca Palatina di Parma e altre ancora nel *Carteggio estero* del fondo *Governo farnesiano* nell'archivio di stato di Parma.

C) Dizionari geografici, statistiche, carte e atlanti

Per la descrizione dei territori compresi progressivamente nel ducato bisogna ancora rifarsi a L. Molossi, *Vocabolario topografico dei Ducati di Parma, Piacenza e Guastalla*, Tipografia Ducale, Parma 1832-34 (ora in ristampa anastatica, Forni, Bologna 1972) e Id., *Manuale topografico degli stati parmensi*, Tipografia Reale, Parma 1856 (ora in ristampa anastatica, Forni, Bologna 1972), lavori nei quali si trovano molte e preziose notizie per la storia economica, per la storia amministrativa, per la storia demografica. Meno utili, in questo senso, A. Zuccagni Orlandini, *Corografia fisica, storica e statistica dei Ducati di Parma, Piacenza e Guastalla*, in *Corografia fisica storica e statistica dell'Italia e delle sue isole*, vol. VIII, parte I, Clio, Firenze 1839 e P. Salvatico, *Notizie statistiche intorno la città e il comune di Piacenza*, Piacenza 1857 (quest'ultimo lavoro è per altro assai limitato e i dati che offre sono in ogni caso da verificare).

Per le carte del ducato, delle comunità maggiori, degli ex « stati » Landi e Pallavicino e di particolari territori confinanti con altri stati, ci limitiamo a indicare il fondo *Raccolte di mappe e disegni* nell'archivio di stato di Parma, che è ricchissimo e solo in parte sinora sfruttato, e dal quale sono state tratte le riproduzioni fotografiche contenute in questo volume.

Per l'*Atlante Storico Italiano*, in corso di elaborazione, Letizia Arcangeli sta per fornirci una carta feudale e amministrativa degli stati farnesiani, che sarà punto di riferimento indispensabile per chi voglia rimeditare momenti e aspetti della qualità dello stato farnesiano, nel suo progressivo farsi stato moderno.

D) Storie generali del ducato di Parma, di Piacenza e di Guastalla e di singole comunità

A tutt'oggi non esiste una vera e propria storia del ducato, una storia, cioè, nella quale trovino una organica collocazione le vicende delle strutture economiche, sociali e politiche delle varie parti e dei vari elementi costituenti lo stato. Il presente profilo, per quanto si è detto all'inizio di questa *Nota bibliografica,* non può essere quella storia; e allora se ricordiamo le storie di L. Scarabelli, *Istoria civile dei ducati di Parma e Piacenza*, 2 voll., s. e., Italia 1846 (ma in realtà 1858), che si interrompe alla discesa di Carlo VIII e cioè assai prima della costituzione del ducato, e di C. Malaspina, *Compendio della storia dei ducati di Parma, Piacenza e Guastalla*, Fortunati, Guastalla 1845, anch'essa incompiuta, è ad altri profili che occorre fare riferimento, come quello contenuto nella *Storia d'Italia*, coordinata da N. Valeri, vol. II, Utet, Torino 1959. Su Parma invece, le storie abbondano. La sua condizione di capitale certamente ha sempre giovato alla crescita di una storiografia non sempre municipale; Parma sede della corte, ma anche, indipendentemente da questo, punto d'incontro di varie tensioni, di varie aspirazioni politiche e non, nell'area centro padana dell'età tardo rinascimentale e controriformistica. I legami con la propria storia nella età comunale, inoltre, erano legami ben radicati, e perciò se la storia di Parma fu ben spesso la storia della corte e dei suoi duchi, fu sempre anche la storia della comunità preesistente alla presenza farnesiana. Ecco perché non è mai inutile il riferimento all'età precedente il 1545 e dunque alle storie che di quella continuità hanno mantenuto presente la testimonianza. Per quanto di epoche diverse e di diversa impostazione, le storie generali di Parma ripetono i limiti già denunciati per le storie generali del ducato, e ciò dipende, in un'ultima istanza, dall'insufficiente produzione di indagini e di ricerche sulle strutture economiche e sociali nel lungo periodo.

E tuttavia sono sempre utili A. PEZZANA, *Storia della città di Parma, continuata da quella dell'Affò (1375-1500)*, 5 voll., Tipografia Ducale, Parma 1837-1859 (ora in ristampa anastatica, Forni, Bologna 1951); U. BENASSI, *Storia di Parma (1505-1534)*, 5 voll., Parma 1899-1906 (ora in ristampa anastatica, Forni, Bologna 1971); ID., *Storia di Parma da Pier Luigi Farnese a Vittorio Emanuele II (1545-1860)*, Battei, Parma 1907-1908, lavoro che, rifluito nel volume T. BAZZI e U. BENASSI, *Storia di Parma*, Battei, Parma 1908, costituisce a tutt'oggi la storia di Parma più informata e alla quale fare necessariamente riferimento. Non recano nulla di nuovo o comunque di particolarmente interessante V. PALTRINIERI, *Parma*, Tiber, Roma 1929; L. CORTELLINI, *Storia di Parma dalle sue origini ai nostri giorni*, Donati, Parma 1953; F. BERNINI, *Storia di Parma*, Battei, Parma 1954; non più di un rapido orientamento in A. DALL'OGLIO, *Aurea Parma*, in *«Tuttitalia», Emilia-Romagna*, I, SADEA, Milano 1961, pp. 299-311.

Ancora più bisognosa di studi è Piacenza, che offre tutt'ora come base di partenza per ogni ricerca sul suo territorio, il classico lavoro di S. POGGIALI, *Memorie storiche di Piacenza*, 12 voll., Giacopazzi, Piacenza 1757-66, di cui fu curata in modo assai discutibile, una riedizione da F. Borotti (Piacenza 1927-33), mentre più utile e più corretta fu l'edizione delle *Addizioni delle memorie storiche di Piacenza del Proposto Cristoforo Poggiali*, a cura di G. TONONI, G. GRANDI e L. CERRI, Del Maino, Piacenza 1911. Le successive storie ripresero, con poche varianti, e talvolta in senso peggiorativo, la storia del Poggiali; così F. GIARELLI, *Storia di Piacenza dalle origini ai nostri giorni*, Porta, Piacenza 1891 e l'annalistico E. OTTOLENGHI, *Storia di Piacenza dalle origini all'anno 1922*, 4 voll., Porta, Piacenza 1947-48 e ID., *Storia di Piacenza*, 2 voll., Commerciale, Piacenza 1969. Di un qualche interesse per l'apparato iconografico, ma non per altro, G. FERRARI, *Piacenza. Monografia illustrata*, Istituto Italiano d'Arti Grafiche, Bergamo 1931; lineare, ma non inutile, il profilo storico di Piacenza di E. NASALLI ROCCA, *Una fortezza sul Po*, in *«Tuttitalia», Emilia-Romagna*, II, SADEA, Milano 1961, pp. 377-383.

Delle altre comunità del ducato esistono poche e scarne storie. Ci limitiamo a ricordare quelle che pur nella loro limitatezza sono un necessario punto di riferimento per la conoscenza degli avvenimenti che legarono la storia delle comunità a quella più generale del ducato. Innanzitutto su Guastalla è da vedere I. AFFÒ, *Storia della città e ducato di Guastalla*, 4 voll., Guastalla 1785-87 (ora in ristampa anastatica, Forni, Bologna 1971-72), e, più recente, A. MOSSINA, *Storia di Guastalla*, Pecorini, Guastalla 1936.

Su Busseto A. SELETTI, *La città di Busseto, capitale un tempo dello Stato*

Pallavicino, Bortolotti, Milano 1883; M. BENSA, *Busseto dal secolo XVIII al secolo XIX*, Ferrari, Parma 1911 e la sia pur superficiale guida storica T. CAVALLI, *Busseto: storia, arte, guida*, Benedettina, Parma 1966.

Su Colorno, resa importante dalla presenza della corte, è da consultare I. AFFÒ, *Memorie storiche di Colorno*, a cura di A. TARCHIONI, Gozzi, Parma 1800 e inoltre una serie di studi vari in AA.VV., *Colorno: la Versailles dei duchi di Parma*, La Nazionale, Parma 1969. Su Fidenza il rapido profilo di N. DENTI, *Fidenza dalle origini ai nostri giorni. Compendio storico*, La Bodoniana, Parma 1953; su Borgotaro le rapide notizie di P. RAMERI, *Borgotaro: riassunto storico dalle origini ai nostri giorni*, Zappa, Gamba e C., La Spezia 1923; infine sulla Val di Ceno ricordiamo G. PONGINI, *Notizie storiche circa Bardi, il Ceno e i suoi dintorni*, Marchesotti, Piacenza 1873.

E) STUDI SULLE DINASTIE FARNESE E BORBONE E SUI SINGOLI DUCHI

1) *I Farnese*

Sulla famiglia Farnese sono da vedersi le opere d'assieme di G. COGGIOLA, *I Farnesi e il ducato di Parma e Piacenza*, in « Archivio storico per le province parmensi », ser. II, III, 1903, pp. 1-283, studio che nonostante l'usura del tempo risulta assai documentato e fertile di suggerimenti; G. DREI, *I Farnese. Grandezza e decadenza di una dinastia italiana,* opera postuma a cura di G. ALLEGRI TASSONI, Libreria dello Stato, Roma 1954, che resta fondamentale per la sicurezza delle fonti documentarie e per l'ampiezza della trattazione; E. NASALLI ROCCA, *I Farnese*, Dall'Oglio, Varese 1969, dove accanto ad una certa propensione per l'araldica e per la storia dinastica si può riscontrare una notevole capacità di analizzare le istituzioni e anche le strutture amministrative dello stato da un punto di vista giuridico, che non è sempre formale. Nel caso del Drei e del Nasalli Rocca la vasta erudizione e la conoscenza larga delle fonti fanno di questi due studi sui Farnese opere di indispensabile consultazione. Meno ampie, ma anche più superficiali, le storie dedicate alla fase di declino della dinastia Farnese di A. ARCHI, *Gli ultimi Farnese*, in ID., *Il tramonto dei principati in Italia*, Cappelli, Rocca S. Casciano 1962, pp. 99-131 e L. DI VISTARINO GIACOBAZZI, *Il tramonto dell'Aquila Bianca*, Palombi, Roma 1969 (ai Farnese sono dedicate le pp. 9-251).

Su momenti particolari e su particolari problemi dell'età farnesiana si ricordano: G. GUERRIERI, *Il mecenatismo dei Farnese*, in « Archivio storico per le province parmensi », ser. III, VI, 1941, pp. 95-130; VII-VIII, 1942-43, pp. 127-167; ser. IV, I, 1945-48, pp. 59-119 (studio assai interessante per la conoscenza della gestione delle finanze della corte farnesiana, ancorché limitato dall'uso della sola documentazione offerta dal fondo farnesiano dell'archivio di stato di Napoli; ma è pur vero che molte di quelle carte furono poi distrutte durante la seconda guerra mondiale, sicché il lavoro della Guerrieri resta per certe cose l'unico punto di riferimento); G. BERTI, *Orientamento del pensiero politico nei ducati di Parma e Piacenza nell'età farnesiana*, in « Archivio storico per le province parmensi », ser. IV, VIII, 1956, pp. 103-116 e Id., *Fattori del sentimento pubblico nei ducati di Parma e Piacenza nell'epoca farnesiana*, in « Archivio storico per le province parmensi », ser. IV, X, 1958, pp. 135-160, due saggi che rappresentano uno dei pochi tentativi validi per individuare il formarsi di una « coscienza politica » nell'ambito dello stato farnesiano; da segnalare ancora, relativamente alla organizzazione della amministrazione e alla politica economica, E. Nasalli Rocca, *Il Supremo Consiglio di Giustizia e Grazia di Piacenza,* Del Maino, Piacenza 1922; Id., *Lineamenti delle istituzioni giuridiche e della vita sociale del principato farnesiano nei secoli XVI-XVIII*, in « Archivio giuridico » XXXI, 1950; G. Berti, *Lineamenti di politica economica farnesiana nei ducati di Parma e Piacenza*, in « Archivio storico per le province parmensi », ser. IV, XI, 1959, pp. 65-88 e C. Antinori, *L'amministrazione pubblica nel ducato di Parma e Piacenza durante la dinastia dei Farnese*, I, *Mastri Farnesiani*, La Nazionale, Parma 1959; per i rapporti fra stato e chiesa e per alcuni momenti della vita religiosa resta fondamentale W. Cesarini Sforza, *Per la storia delle relazioni fra Stato e Chiesa nel ducato farnesiano di Parma e Piacenza*, Galileiana, Firenze 1912; di una qualche utilità Felice da Mareto e Stanislao da Campagnola, *I Cappuccini a Parma. Quattro secoli di vita*, Istituto Grafico Tibertino, Roma 1961 e Stanislao da Campagnola (al secolo Umberto Santachiara), *I Farnese e i Cappuccini nel ducato di Parma e Piacenza*, in « Italia francescana », XLIV, 1969, pp. 75-96.

Per i rapporti tra i Farnese e i feudatari, capitolo di primaria importanza della storia del ducato e che attualmente è oggetto di nuova riflessione storiografica, si può ancora ricordare lo studio di U. Benassi, *Per la storia della politica farnesiana verso i feudatari: i feudi dei conti Sforza di Santafiora nel secolo XVIII*, in « Bollettino storico piacentino », XII, 1917, pp. 129-138 e quello di V. Ghizzoni, *Soprusi dei Farnese ai danni dei Pallavicino nella seconda metà del '500*, in « Archivio storico per le province parmensi », ser. IV, XIX, 1967, pp. 149-161.

È in questi ultimi anni, tuttavia, che la tematica è stata ripresa secondo linee interpretative più moderne e collocata nel più largo discorso della formazione dello stato moderno, così che ci pare di dover ricordare per i riferimenti assai puntuali alla situazione dei territori che costituiranno dal 1545 il ducato di Parma e Piacenza, i lavori ottimi di G. Chittolini, *La crisi delle libertà comunali e le origini dello stato territoriale*, in « Rivista storica italiana », LXXXII, 1970, pp. 99-120, *Infeudazioni e politica feudale nel ducato visconteo-sforzesco*, in « Quaderni storici », 19, 1972, pp. 57-130 e *Il particolarismo signorile e feudale in Emilia fra Quattro e Cinquecento*, in *Il Rinascimento nelle corti padane. Società e cultura*, De Donato, Bari 1977, pp. 23-52; ancora più specifici e documentati gli studi di L. Arcangeli, *Feudatari e duca negli stati farnesiani (1545-1587)*, in *Il Rinascimento*, cit., pp. 77-95 e *Giurisdizioni feudali e organizzazione territoriale nel ducato di Parma (1545-1587)*, in *Le Corti farnesiane di Parma e Piacenza. 1543-1622*, I, *Potere e società nello stato farnesiano*, a cura di M. A. Romani, Bulzoni, Roma 1978, pp. 91-148; gli studi di Chittolini e dell'Arcangeli, a nostro avviso, si collocano assai bene nell'ambito di quei saggi, raccolti, e preceduti da una intelligente introduzione, da E. FASANO GUARINI, in *Potere e società negli stati regionali italiani del 500' e '600*, Il Mulino, Bologna 1978.

Ricordiamo, infine, per quanto riguarda l'immagine che il potere dei Farnese creò, o contribuì a creare, di sé, i due ottimi studi di A. PROSPERI, *Dall'investitura papale alla santificazione del potere. Appunti per una ricerca sui primi Farnese e le istituzioni ecclesiastiche a Parma*, in *Le Corti farnesiane*, cit., pp. 161-188 e A. BIONDI, *L'immagine dei primi Farnese (1545-1622) nella storiografia e nella pubblicistica coeva*, in *Le Corti farnesiane*, cit., pp. 189-232 (in quest'ultimo lavoro ci paiono da riprendere due spunti assai interessanti: l'interpretazione dell'evoluzione del ducato come di un« piccolo stato » e il carattere così detto « popolare » del dominio dei primi Farnese); ci pare poi complementare al tema della ideologia del potere il vol. II del citato *Le Corti farnesiane* che ha per sottotitolo *Forme e istituzioni della produzione culturale*, a cura di A. QUONDAM, Bulzoni, Roma 1978.

Per gli studi, biografie, elogi, panegirici, ecc. sulle singole figure dei Farnese ci limitiamo veramente alle indicazioni più indispensabili, essendo la bibliografia vastissima e per lo più di scarsa qualità. Sul fondatore della fortuna farnesiana, papa Paolo III, oltre a quanto è in L. VON PASTOR, *Storia dei papi*, Desclée, Roma 1958, si può vedere E. GUALANO, « *Paulus III* » *nella storia di Parma*, Battei, Parma 1899; A. MELI DI SORAGNA, *La visita di Paolo III a Parma e gli incidenti del 13 aprile 1538*, in « Archivio storico per le province parmensi », ser. III, VII-VIII, 1942-43, pp. 1-74; G. F. VIGLIONI, *Un segreto colloquio a Busseto fra Carlo V e Paolo III*, in « Gazzetta di Parma », 25 settembre 1950.

Su Pier Luigi Farnese: I. AFFÓ, *Vita di Pier Luigi Farnese primo duca di Parma, Piacenza e Guastalla* [sic!], *marchese di Novara, ecc.*, Giusti, Milano 1821; G. GOSELLINI, *Congiura di Piacenza contro Pier Luigi* (pubblicata da Anicio Bonucci), Molini, Firenze 1864; A. PENNA, *Pier Luigi Farnese e la congiura di Piacenza*, s. e., Guastalla 1891; G. CAPASSO, *Il primo viaggio di Pier Luigi Farnese, gonfaloniere della Chiesa negli Stati pontifici (1537)*, in « Archivio storico per le province parmensi » ser. I, I, 1892, pp. 151-194; P. BETTOLI, *Figlio di papa: Pier Luigi Farnese*, Chiesa, Milano 1894; G. CURTI, *La congiura contro Pier Luigi Farnese*, Rebeschini, Milano 1898; R. MASSIGNAN, *Pier Luigi Farnese e il vescovo di Fano*, Cesari, Ascoli Piceno 1905; E. SCAPINELLI, *Le riforme sociali del duca Pier Luigi Farnese*, in « Rassegna Nazionale », CXLVII, 1906, pp. 182-209; F. PICCO, *Cenni intorno alla segreteria di Pier Luigi Farnese*, in « Bollettino storico piacentino », II, 1907, pp. 176-182; R. MASSIGNAN, *Il primo duca di Parma e Piacenza e la congiura del 1547*, in « Archivio storico per le province parmensi », ser. II, VII, 1907, pp. 1-134; M. STERZI, *Annibal Caro inviato di Pier Luigi Farnese*, in « Giornale di storia e letteratura italiana », LVIII, 1911, pp. 1-48; V. BARTOCCETTI, *Considerazioni e documenti intorno all'incontro di Pier Luigi Farnese con Cosimo Gheri, vescovo di Fano*, in « Studia picena », II, 1926, pp. 186-191; e, infine, per quanto il personaggio nelle deformazioni successive della pubblicistica ebbe da offrire materia a ricostruzioni non propriamente storiche, A. Boito, *Pier Luigi Farnese: dramma lirico*, in Id., *Tutti gli scritti*, Mondadori, Milano 1942, pp. 747-818.

Su Ottavio: G. Gosellini, *Compendio storico della guerra di Parma e del Piemonte (1548-1553)*, con note di Antonio Ceruti, Bocca, Torino 1878; L. Ambiveri, *La cessione di Piacenza fatta ad Ottavio Farnese da Filippo II re di Spagna*, in « Strenna piacentina », IX, 1883, pp. 132-151; G. Di Leva, *La guerra di papa Giulio III contro Ottavio Farnese sino al principio delle negoziazioni di pace con la Francia*, in « Rivista storica italiana », I, 1884, pp. 632-680; A. Bartoletti, *La congiura contro Ottavio Farnese*, Tocco e Salvietti, Napoli 1911; P. Fea, *La vertenza per la restituzione del castello di Piacenza al duca Ottavio Farnese*, in « Archivio storico per le province parmensi », ser. II, XXII, 1922, pp. 111-189; A. Valente, *I Farnese e il possesso di Parma e Piacenza dalla morte di Pier Luigi all'elezione di papa Giulio III*, in « Archivio storico per le province napoletane », XXVIII, 1945, pp. 157-175; M. De Grazia, *Un progetto di Paolo III di dare Perugia in governatorato perpetuo al nipote Ottavio*, « Aurea Parma », LIII, 1969, pp. 132-137. Un piccolo posto a sé merita la figura di Pomponio Torelli che è stato studiato da A. Barilli, *Le attività politiche del conte Pomponio Torelli alla corte farnesiana*, in Id., *Saggi parmensi scelti ed annotati da R. Cattelani*, Bodoniana, Parma 1963, pp. 6-14, e da R. Vibert, *La missione di Pomponio Torelli in Spagna per la restituzione della cittadella di Piacenza ai Farnese*, in « Aurea Parma », LX, 1976, pp. 12-33.

Su Alessandro: P. L. Gachard, *Correspondance d'Alexandre Farnèse, prince de Parme, Gouverneur général des Pays Bas, avec Philippe II dans les années 1578-1581*, Marquardt, Bruxelles 1853; P. Fea, *Giovinezza e prime armi di Alessandro Farnese: studi storici con documenti inediti*, in « Rassegna Nazionale », XVII, 1884, pp. 322-357; Id., *Alessandro Farnese nei Paesi Bassi*, in « Rassegna Nazionale », XVIII, 1884, pp. 100-154; XIX, 1884, pp. 373-423; XX, 1884, pp. 387-410; XXI, 1885, pp. 122-140 e 168-185; XXII, 1885, pp. 505-534; XXIII, 1885, pp. 387-432; XXV. 1885, pp. 129-150 e pp. 334-362; XXVI, 1885, pp. 49-88 e 410-431; Id., *Alessandro Farnese, duca di Parma. Narrazione storica e militare colla scorta di documenti inediti e corredata da due carte topografiche*, Cellini, Firenze 1886; G. Nasalli Rocca, *Alessandro Farnese*, in « Strenna piacentina », XV, 1889, pp. 5-31; A. Cappelli, *Alessandro Farnese ed i parmigiani alla battaglia di Lepanto*, in « Aurea Parma », II, 1913, pp. 3-19; ma soprattutto è da vedere la monumentale biografia di L. Van Der Essen, *Alexandre Farnèse*, 5 voll., Nouvelle Societé d'Edition, Bruxelles 1933-37, e, per un rapido orientamento, Id., *Alessandro Farnese*, in *Dizionario Biografico degli Italiani*, II, 1960, pp. 219-230.

Su Ranuccio I: F. Odorici, *Barbara Sanvitale e la congiura del 1611 contro i Farnesi*, Ripamonti e C.., Milano 1863; E. Costa, *Le nozze del duca Ranuccio I Farnese*, in Id., *Spigolature storiche e letterarie*, Battei, Parma, 1887, pp. 41-62; U. Benassi, *Ambizioni ignorate di Ranuccio I*, in « Archivio storico per le province parmensi », ser. II, X, 1910, pp. 1-20; U. Benassi, *Pareri politici intorno alle nozze di Ranuccio I*, in « Archivio storico per le province parmensi », ser. II, IX, 1909, pp. 229-244; A. BARILLI, *La « gran giustizia » eseguita sulla piazza di Parma il 19 maggio 1612*, in « Aurea Parma », I, 1912, pp. 16-30; A. BARILLI, *Ranuccio I Farnese abbindolato da un alchimista (Oliviero Olivieri di Todi)*, in « Aurea Parma » II, 1913, pp. 56-60; A. BARILLI, *La candidatura di un duca di Parma al trono di Albania*, in « Aurea Parma », III, 1915, pp. 11-24; U. BENASSI, *Le relazioni ispano farnesiane al tempo di Ranuccio I e il cardinal Federico Borromeo*, in « Archivio storico per le province parmensi », ser. II, XXII, 1922, pp. 71-90; L. DE GIORGI, *Su alcuni documenti inediti intorno alla congiura contro Ranuccio I*, in « Archivio storico per le province parmensi », ser. II, XXII, 1922, pp. 385-403; A. BARILLI, *Un duca di Parma stregato*, in « Aurea Parma », XI, 1927, pp. 62-65; G. BATTELLI, *La candidatura di Ranuccio Farnese al trono di Portogallo (1578-1580)*, in « Aurea Parma », XIV, 1930, pp. 56-60; R. QUAZZA, *Una vertenza fra principi italiani*, in « Rivista storica italiana », XLVII, 1930, pp. 233-254 e 369-387 (dove si tratta degli attriti fra Ranuccio I e Francesco II Gonzaga); G. DREI, *L'origine dell'inveterata inimicizia tra i Gonzaga e i Farnese*, in « Aurea Parma », XXVIII, 1944, pp. 3-7; A. BARILLI, *La congiura di Parma e le confessioni dei congiurati*, in « Archivio storico per le province parmensi », ser. III, I, 1936, pp. 105-150; A. BARILLI, *Lettere anonime contro il malgoverno di Ranuccio I Farnese*, in « Strenna dell'anno XVII », Piacenza 1939, pp. 97-102; A. BARILLI, *Un duca di Parma candidato al trono d'Albania*, in « Salsomaggiore illustrata », XXXIV, 1939, pp. 170-173; A. BARILLI, *I Piacentini nella congiura di Parma del 1611*, in « Archivio storico per le province parmensi », ser. IV, I, 1945, pp. 121-173.

Su Odoardo: P. MINUCCIO DEL ROSSO, *Le nozze di Margherita de' Medici con Odoardo Farnese, duca di Parma*, Cellini, Firenze 1885; U. BENASSI, *I natali e l'educazione del duca Odoardo Farnese*, in « Archivio storico per le province parmensi », ser. II, IX, 1909, pp. 99-127; U. BENASSI, *Governo assoluto e città suddita nel primo Seicento: Piacenza sotto il cardinale reggente Odoardo Farnese*, in « Bollettino storico piacentino », XII, 1917, pp. 193-203 e XIII, 1918, pp. 30-38; A. RIGGI, *Le imprese militari di Odoardo Farnese: la campagna del 1635* in « Aurea Parma », XIII, 1929, fasc. 3-4, pp. 49-56; fasc. 5, pp. 28-36; fasc. 6, pp. 32-38; F. BORRI, *Odoardo Farnese e i Barberini nella guerra di Castro*, Ferrari, Parma 1933; A. VALENET, *Papa Giulio III, i Farnese e le guerre di Castro*, « Nuova rivista storica », XXVI, 1942, pp. 404-419; sempre relativamente alla guerra di Castro vedi ora in *Storia d'Italia*, diretta da G. Galasso, il vol. XIV: M. CARAVALE e A. CARACCIOLO, *Lo Stato pontificio. Da Martino V a Pio IX*, parte seconda: *Da Sisto V a Pio IX* (di Alberto Caracciolo), pp. 437-440 e *passim*.

Su Ranuccio II non si può dare alcuna indicazione significativa; soltanto sul ministro Gaufrido c'è uno studio di qualche interesse di L. CERRI, *Jacopo Gaufrido: episodio di storia piacentina del secolo XVII*, « Bollettino storico piacentino », I, 1906, pp. 28-38 e pp. 97-106.

Su Francesco si hanno pochi studi e relativi a momenti di scarso rilievo o al più dedicati alla attività dell'Alberoni; poiché la bibliografia alberoniana è ampia e ci porterebbe fuori dell'ambito del ducato, ci limitiamo a segnalare A. VIANTI, *Francesco I Farnese, duca di Parma e di Piacenza*, in « Strenna piacentina », III, 1877, pp. 110-112; T. COPELLI, *Scipione Maffei, il duca Francesco Farnese e l'Ordine Costantiniano*, in « Nuovo archivio veneto », XVI, 1906, pp. 91-135; U. BENASSI, *Francesco Farnese e Giulio Alberoni*, in « Bollettino storico piacentino », XIII, 1918, pp. 152-153 e A. ARATA, *La politica dei Farnese e il cardinale Alberoni*, in « Archivio storico per le province parmensi », ser. II, XXIX, 1929, pp. 115-126; per l'Alberoni si veda E. NASALLI ROCCA, *Saggio sulla storiografia alberoniana fino al 1860*, in « Archivio storico per le province parmensi », ser. IV, XVII, 1965, pp. 225-267.

Sull'ultimo Farnese, Antonio: U. BENASSI, *L'indolenza dell'ultimo Farnese*, in ID., *Curiosità storiche parmigiane*, Adorni-Ugolotti, Parma 1914, pp. 15-18; A. MAESTRI, *Del matrimonio della principessa Enrichetta d'Este col duca Farnese*, in « Atti e memorie della Deputazione di Storia patria per le antiche province modenesi », III, 1924, pp. XXVI-XXVIII; M. RIGILLO, *L'ultimo dei Farnese*, in « Strenna dell'anno XVII », Piacenza 1939, pp. 105-108.

2) *I Borbone*

Sui Borbone di Parma lo stato degli studi è ancorato a lavori senz'altro superati per metodo e per interpretazione, ma almeno di alcuni si può dare notizia: E. CASA, *Memorie storiche di Parma dalla morte del duca Antonio Farnese alla dominazione dei Borboni di Spagna. 1731-1749*, in « Archivio storico per le province parmensi », ser. I, II, 1893, pp. 1-148; C. FANO, *I primi Borboni a Parma*, Ferrari e Pellegrini, Parma 1890; E. NASALLI ROCCA, *Piacenza sotto la dominazione sabauda: 1744-1749*, Del Maino, Piacenza 1929 (dove è una valutazione anche della politica dei Borbone nel quinquennio di crisi del ducato); vi sono poi le classiche « storie » di H. BEDARIDA, *Les premiers Bourbons de Parme et l'Espagne. 1731-1802*, Champion, Paris 1928, *Parme et la France de 1748 à 1789*, Champion, Paris 1928 e *A l'apogée de la puissance bourbonienne. Parme dans la politique française au XVIII siècle*, Alcan, Paris 1930.

Su Carlo di Borbone nel tempo, sia pur breve, del suo passaggio a Parma non vi è nulla di specifico; su Filippo i due vecchi lavori di C. STRYENSKI, *Le gendre de Louis XV, dom Philippe, Infant d'Espagne et duc de Parme,* Calmann-Lévy, Paris 1906 e di H. SAGE, *Dom Philippe de Bourbon et Louise-Elisabeth de France,* Cerf, Paris 1906.

Su Ferdinando: G. ANDRES, *Vita del duca di Parma don Ferdinando di Borbone*, tradotta, dall'originale inedito in lingua spagnola, da G. Rossi, Paganino, Parma 1849.

Sulla corte di Parma nell'età dei Borboni vedi C. PIGORINI BERI, *La Corte di Parma nel secolo XVIII*, in « Nuova Antologia », CXXIII, 1892, pp. 266-294; O. MASNOVO, *La Corte di don Filippo di Borbone nelle relazioni segrete di due ministri di Maria Teresa*, in « Archivio storico per le province parmensi », ser. II, XIV, 1914, pp. 165-205.

Per le biografie degli ultimi regnanti, da Maria Luigia a Luisa Maria, poiché gli studi hanno prevalentemente posto l'attenzione sulle vicende risorgimentali del ducato, rinviamo al punto I della presente bibliografia.

F) STORIA DELL'ECONOMIA, DELLE FINANZE, DELL'AGRICOLTURA, DEL COMMERCIO

Gli studi sulle strutture economiche e sociali del ducato hanno avuto recentemente un impulso d'un certo rilievo, ma restano a nostro giudizio troppo circoscritte e per arco cronologico e per tematica, e questo vale in modo particolare per tutta l'età farnesiana e la prima età borbonica. Per il '5-'600 si vedano: U. BENASSI, *Per la storia delle fiere dei cambi*, in « Bollettino storico piacentino », X, 1915, pp. 5-15 e 62-71; G. BERTI, *Lineamenti di politica economica farnesiana nei ducati di Parma e Piacenza*, in « Archivio storico per le province parmensi », ser. IV, XI, 1959, pp. 65-88; P. SPAGGIARI, *Ideali cristiani e politica del credito agli inizi dell'età moderna. L'attività del Monte di Pietà di Parma dal 1488 al 1573*, Bodoniana, Parma 1964; R. LEFEVRE, *Documenti cinquecenteschi sui beni farnesiani di provenienza medicea*, in « Archivio storico per le province parmensi », ser. IX, XX, 1969, pp. 203-215; A. M. ROMANI, *La gente, le occupazioni e i redditi del Piacentino (da un estimo della fine del sec. XVI)*, Nuova STEP, Parma 1969; ID., *A Parma nel Cinquecento: politica annonaria e crisi di sussistenza*, in « Rivista di storia dell'agricoltura », XIV, 1974, n. 3, pp. 73-88; ID., *Nella spirale di una crisi. Popolazione, mercato e prezzi a Parma tra Cinque e Seicento*, Giuffrè, Milano 1975, che è lo studio più ampio, pur nella rapsodicità di certi dati (dovuta a invincibili carenze di documentazione), sulla economia del Parmense tra '5 e '600; resta da dire che il taglio è decisamente statistico e che la potenziale efficacia dello studio resta come bloccata dall'impossibilità di correlare in modo più ampio l'analisi del mercato con altri momenti della vita economica; ID., *Finanza pubblica e potere politico: il caso dei Farnese (1545-1593)*, in *Le corti farnesiane*, cit., pp. 3-85, saggio indubbiamente stimolante, ma che avanza ipotesi non sempre suffragabili allo stato attuale delle ricerche, come quando, sostenendo la tesi di una pressione fiscale limitata operata dai primi Farnese, pare aprire una revisione della storia politica del ducato (vedi al proposito le osservazioni di Chittolini, *ivi*, pp. 87-89).

Per la storia demografica e per quella sociale, vedi, invece, W. CESARINI SFORZA, *Le classi popolari nello Stato farnesiano*, in « Aurea Parma », I, 1912, pp. 36-44; A. M. ROMANI, *Aspetti dell'evoluzione demografica parmense nei secoli XVI e XVII*, in *Studi e ricerche della Facoltà di Economia e Commercio*, VII, Parma 1970, pp. 213-276; G. BERTI, *Stato e popolo nell'Emilia padana dal 1525 al 1545*, La Nazionale, Parma 1967 e infine R. LASAGNI, *L'infanzia a Parma nel Settecento*, Libreria Aurea Parma, Parma 1979.

Per il '700 e per l'età delle riforme gli studi sulla popolazione e sulle classi sociali sono assai pochi, vertendo l'attenzione degli storici più sull'attività riformatrice del Du Tillot che non propriamente sulla evoluzione delle strutture economiche e sociali. Più numerosi, invece, come si dirà appresso, gli studi di storia dell'agricoltura. Intanto segnaliamo M. CORRADI CERVI, *Stato della popolazione di Parma e ducato all'anno 1787*, in « Parma economica », LVI, 1961, pp. 149-163, e P. L. SPAGGIARI, *Famiglia, casa e lavoro nella Parma del Du Tillot. Un censimento del 1765*, in *Studi e ricerche della Facoltà di Economia e Commercio dell'Univerità di Parma*, III, Parma 1966, pp. 163-236.

Per l'età risorgimentale i problemi economici e finanziari sono stati studiati da E. FALCONI, *Gli uffici finanziari dei ducati parmensi dal 1814 al 1859*, Battei, Parma 1958; E. FALCONI e P. L. SPAGGIARI, *Le entrate degli Stati parmensi dal 1830 al 1859*, in « Archivio economico dell'Unificazione italiana », I, 1956, voll. 3-4, fasc. 4, pp. 1-27; P. L. SPAGGIARI, *I prezzi dei generi di maggior consumo sul mercato di Parma dal 1821 al 1890*, in « Archivio economico dell'Unificazione italiana », IV, 1959, vol. 8, fasc. 3, pp. 1-23 e, dello stesso, il buon lavoro d'assieme, *Economia e finanza negli Stati parmensi (1814-1859)*, Cisalpina, Milano 1961.

Per quanto riguarda la storia dell'agricoltura relativamente al periodo farnesiano c'è ben poco; qualche contributo è venuto da G. BARBIERI, *Un'azienda agricola parmense e i prezzi dei cereali alla metà del secolo decimosesto*, in *Saggi di storia economica italiana*, Bari-Napoli 1948; E. NASALLI ROCCA, *I decreti farnesiani in materia agraria*, in « Atti dell'Accademia di agricoltura di Torino », Torino 1966-1967; ID., *La legislazione storica agraria nell'età farnesiana (sec. XVI-XVII), per i ducati di Parma e Piacenza nella ricostituzione delle unità fondiarie frazionate* in « Atti dell'Accademia di agricoltura di Torino », Torino 1966-67; ID., *I compartiti dell'età farnesiana nei Ducati di Parma e Piacenza*, in *Atti del Congresso nazionale di storia dell'agricoltura*, Parma 1972; in complesso è vero ciò che A. M. Romani lamenta nella *premessa* al suo *Nella spirale di una crisi*, cit., e cioè che la storia rurale per il Parmense è ancora tutta da scrivere (p. XII-XIII). Più numerose, ma anche qui insufficienti a ricostruire un quadro soddisfacente, le ricerche per il '700 e per il periodo risorgimentale; più che le strutture agrarie sono stati studiati taluni aspetti delle legislazione agraria e l'impegno georgofilo di quelle età. Si può ricordare un vecchio studio di F. LANZONI, *Una inchiesta agraria nei ducati nell'estate 1789*, in « Archivio storico per le province parmensi », ser. III, IV, 1939, pp. 123-134 e poi P. L. SPAGGIARI, *Problemi dell'agricoltura e commercio dei grani negli Stati parmensi nella prima metà dell'800*, in « Studi parmensi », IX, 1959, pp. 329-358; A. MAGLIETTI, *Aspetti della proprietà fondiaria parmense nel Settecento*, in « Aurea Parma », XLIX, 1965, pp. 175-190; P. L. SPAGGIARI, *L'agricoltura negli Stati parmensi dal 1750 al 1859*, Banca Commerciale, Milano 1966, che è senza dubbio lo studio più completo e al quale si deve far riferimento per ogni ulteriore considerazione sull'economia agraria del ducato; ID., *L'agricoltura negli Stati parmensi dal 1740 al 1859*, in « Archivio storico per le province parmensi », ser. IV, XIX, 1967, pp. 408 e sgg. e G. SILVANI, *Com'era l'agricoltura parmense al principio dell'Ottocento*, in « Parma economica », IX, 1968, pp. 32-35. Dedicati alla agronomia nei secoli XVIII e XIX sono invece C. ROGNONI, *Sull'antica agricoltura parmense. Saggio storico*, Ferrari, Parma 1897 (ed. riv. e ampliata della precedente, Grazioli, Parma 1965); P. L. SPAGGIARI (a cura di), *Insegnamenti di agricoltura parmigiana del XVIII secolo*, Silva, Parma 1964 e E. NASALLI ROCCA, *Agronomi piacentini al tempo di Filippo Re*, in *Atti e Memorie del convegno di studio in onore di Filippo Re (1763-1817)*, Tecnostampa, Reggio Emilia 1964, pp. 159-189.

Tutto da dissodare è il terreno che riguarda le industrie e il commercio; qualche spunto per Piacenza in G. TONONI, *Stato delle arti e industrie e del commercio in Piacenza negli anni 1765-1766*, in « Strenna piacentina », XXII, 1896, pp. 13-48; G. NASALLI ROCCA, *Le industrie e il commercio in Piacenza ai tempi del Du Tillot*, in « Strenna piacentina », XXIII-IV, 1897-98, pp. 158-160; C. ARTOCCHINI, *Appunti per una storia dell'industria tessile piacentina*, Fogliani, Piacenza 1972; per Parma P. L. SPAGGIARI, *Per una storia dell'industria e del commercio a Parma: nuove osservazioni sulla produzione del « parmigiano » tra il XVII e il XIX secolo*, in « Parma economica », VI, 1965, fasc. 2, pp. 5-10.

Sulle vie di comunicazione vedi D. STERPOS, *Comunicazioni stradali attraverso i tempi: Milano-Piacenza-Bologna*, I.G.D.A., Novara 1959; F. SAVI, *Evoluzione storica delle comunicazioni tra il Parmense e la Lunigiana*, in « Parma economica », II, 1961, fasc. 8, pp. 6-22; A. PELLICCIARI, *Comunicazioni stradali nel ducato di Parma durante il Seicento*, tesi di laurea discussa presso la Facoltà di Magistero dell'Università di Bologna nell'a. a. 1965-66, relatore il prof. Paolo Prodi (ottimo lavoro condotto su ampia documentazione d'archivio e che potrebbe essere ripreso al fine di ricostruire in modo ancora più organico la rete delle comunicazioni e le direttrici di commercio entro e fuori il ducato); G. FIORI, *I tentativi farnesiani e borbonici di espansione verso Genova*, in « Archivio storico per le province parmensi », ser. IV, XVIII, 1966, pp. 325-350; C. ARTOCCHINI, *Le vie di comunicazione nel Piacentino dalla preistoria ai giorni nostri*, Fogliani, Piacenza 1973. Sul canale naviglio di Parma, oltre alle pagine dedicate dal citato lavoro della Pellicciari, si rinvia a A. RONCHINI, *Gian Maria Cambi da Bologna e il Naviglio di Parma*, in « Atti e Memorie delle RR. Deputazioni di Storia patria per le province modenesi e parmensi », VII, 1874, pp. 109-121 e, sia pure per pochi riferimenti, a M. TANCI, *Attualità di una secolare aspirazione: il collegamento per vie d'acque interne da Parma al Po*, Silva, Parma 1963.

Sul ruolo degli ebrei nella vita economica del ducato mancano studi specifici; notizie indirette si possono trovare in E. LOEVINSON, *Gli ebrei di Parma, Piacenza e Guastalla*; in « Rassegna mensile di Israel », VII, 1932; S. FERMI, *Gli ebrei nel Piacentino e i loro banchi di prestito*, in « Bollettino storico piacentino », XXVIII, 1933, pp. 75-80; M. BOTTI, *Condizione giuridica degli ebrei nel Piacentino dal 1433 al 1803*, in *Strenna dell'anno XVII*, Piacenza 1939, pp. 143-146; C. ARTOCCHINI, *Gli ebrei a Fiorenzuola*, in ID., *Pagine storiche di Fiorenzuola d'Arda*, Malvezzi, Fiorenzuola 1969, pp. 49-64; B. COLOMBI, *Soragna: cristiani ed ebrei. Otto secoli di storia*, Battei, Parma 1975.

G) Studi sull'età dell'illuminismo

L'età dell'illuminismo, o se si vuole delle riforme, si identifica a Parma con il periodo dominato dalla presenza del Du Tillot e pertanto gli studiosi hanno fatto del ministro borbonico il nodo centrale d'ogni discorso su quanto dal 1750 circa al 1771 venne fermentando nella vita sociale, economica, politica, religiosa e culturale dell'Atene d'Italia. È chiaro che dalle pagine meramente apologetiche si è venuti via via, e particolarmente in questi ultimi anni, ricostruendo un retroterra ideologico che andava anche ben al di là del pur onnipresente Du Tillot, una vasta trama di condizioni e di volontà riformatrici che erano il segno tangibile della partecipazione allo « spirito del secolo ». Da qui è sentita l'esigenza di ristudiare lo stesso Du Tillot, la sua vasta opera di riorganizzazione delle strutture amministrative, finanziarie, economiche dello stato, la sua forte incidenza nelle relazioni fra stato e chiesa, il suo intervento deciso nella organizzazione della cultura; ma fin'ora nulla ha potuto sostituire per la larghezza d'impegno e per l'analisi dei documenti gli studi fondamentali del Benassi; gli stessi recenti apporti di F. Venturi gliene sono ampiamente tributari, pur con tutti gli stimoli nuovi e le indicazioni metodologiche più accorte che il nostro maggior storico dell'età dei lumi ha saputo offrire.

Nondimeno alcuni vecchi studi vanno sempre ricordati: C. Nisard, *Guillaume Du Tillot. Un valet ministre et secrétaire d'état. Episode de l'histoire de France en Italie de 1749 à 1771*, Ollendorf, Paris 1887, dove, a parte la riduzione del ducato a stato subalterno della Francia, vi sono molte notizie utili per avere chiari i rapporti tra ducato e Oltralpe; B. Cipelli, *Storia dell'amministrazione di Guglielmo Du Tillot pei duchi Filippo e Ferdinando di Borbone nel governo degli Stati di Parma, Piacenza e Guastalla dall'anno 1754 all'anno 1771*, con introduzione di E. Casa, in « Archivio storico per le province parmensi », ser. I, II, 1893, pp. 149-291; c'è poi la serie dei saggi di U. Benassi, *Guglielmo Du Tillot: un ministro riformatore del secolo XVIII*, in « Archivio storico per le province parmensi », ser. II, XV, 1915, pp. 1-121; XVI, 1916, pp. 193-368; XIX, 1919, pp. 1-250; XX, 1920, pp. 47-153; XXI, 1921, pp. 1-76; XXII, 1922, pp. 191-272; XXIII, 1923, pp. 1-120; XXIV, 1924, pp. 15-220; XXV, 1925, pp. 1-177. Più recenti gli studi di Stanislao da Campagnola, *Nuovi documenti sui rapporti tra Adeodato Turchi e Guglielmo Du Tillot*, in « Archivio storico per le province parmensi », ser. IV, XX, 1968, pp. 273-330; P. Sy, *Après le décés de Guillaume Du Tillot Marquis de Felino*, in « Archivio storico per le province parmensi », ser. IV, XXII, 1970, dove si riabilita la figura morale del Du Tillot accusato da molti avversari politici d'aver tratto illeciti profitti dalla sua alta carica; F. Valsecchi, *Il riformismo borbonico: Parma*, in *L'Italia nel Settecento. Dal 1714 al 1788*, Mondadori, Milano 1971, pp. 593-614; F. Venturi, *Settecento riformatore*, II, *La Chiesa e la repubblica dentro i loro limiti*, Einaudi, Torino 1976, in particolare alle pp. 214-236, dove, per altro, si affronta il tema dei rapporti tra stato e chiesa, per il quale si possono indicare ancora i vecchi studi di A. G. Tononi, *Docu-*

menti inediti intorno al dissidio tra Roma e Parma (1765-1768), in « Strenna piacentina », XVI, 1890, pp. 76-97; E. CASA, *Controversie fra la Corte di Parma e la Santa Sede del secolo XVIII (1754-1766)*, in « Atti e memorie delle RR. Deputazioni di Storia patria dell'Emilia », V, 2, 1880, pp. 203-380 e VI, 1, 1881, pp. 1-105; G. DREI, *Notizie sulla politica ecclesiastica del ministro Du Tillot: sua corrispondenza segreta col vescovo di Parma*, in « Archivio storico per le province parmensi », ser. II, XV, 1915, pp. 197-230. Sulla figura del vescovo Adeodato Turchi è da vedere il grosso contributo di STANISLAO DA CAMPAGNOLA, *Adeodato Turchi uomo, oratore, vescovo (1742-1803)*, Istituto Storico Ordine Frati Minori Cappuccini, Roma 1961, mentre sull'espulsione dei Gesuiti, oltre il citato F. VENTURI, *Settecento riformatore*, II, il contributo di G. GONZI, *L'espulsione dei Gesuiti dai Ducati Parmensi (febbraio 1768)*, Bodoniana, Parma 1967.

Per la politica culturale nell'età del Du Tillot vedi qui il punto H.

H) STORIA DELLA CULTURA

Per la storia delle istituzioni culturali nel ducato si vedano G. CAPASSO, *Il Collegio dei Nobili di Parma*, in « Archivio storico per le province parmensi », ser. II, I, 1901, pp. 1-287; G. MARIOTTI, *Cenni storici della R. Università di Parma dalla origine al 1900*, Rossi-Ubaldi, Parma 1900; L. MEZZADRI, *Le vicende del collegio Alberoni di Piacenza (1732-1815). Contributo alla storia della formazione sacerdotale*, Edizioni Vincenziane, Roma 1971; A. MICHELI, *I Barnabiti a Parma ed il Real Collegio « Maria Luigia »*, Mattioli, Fidenza-Salsomaggiore, 1936; G. BERTI, *Lo studio universitario parmense alla fine del Seicento*, La Nazionale, Parma 1967, e per i problemi generali della funzione social-politica dei collegi G. P. BRIZZI, *La formazione della classe dirigente nel Sei-Settecento. I « seminaria nobilium » nell'Italia centro settentrionale*, Il Mulino, Bologna 1976. Per l'editoria G. DREI, *I Viotti stampatori e librai parmigiani nei secoli XVI e XVII*, in « Parma grafica », 1925, pp. 9-35; A. CIAVARELLA, *Contributo per una storia della tipografia a Parma*, La Nazionale, Parma 1967 (estratto da « Archivio storico per le province parmensi, ser. IV, XIX, 1967, pp. 233-268), e sul Bodoni, tra le numerose « celebrazioni », per le quali vedi la *Bibliografia* di FELICE DA MARETO, *II: Soggetti*, ricordiamo quella particolarmente ricca di contributi *Bodoni celebrato a Parma*, Biblioteca Palatina, Parma 1963, in occasione del 150° anniversario della morte del grande tipografo.

Sulla politica culturale nell'età delle riforme si segnalano O. MASNOVO, *La riforma della R. Università e delle scuole del Ducato nel 1769*, in « Aurea Parma », II, 1913, fasc. 3-4, pp. 132-142; F. TRIANI, *La genesi e l'attuazione della riforma universitaria del 1768-69 in Parma*, tesi di laurea discussa presso la Facoltà di Magistero dell'Università di Bologna, nell'a. a. 1966-67, relatore il prof. Paolo Prodi, assai documentata e ricca di pregevoli spunti; G. GONZI, *Un tentativo di riforma scolastica nel Settecento a Borgotaro*, in « Archivio storico per le province parmensi », ser. IV, XXII, 1970, pp. 249-304; G. GONZI, *Storia della scuola popolare nei ducati parmensi dal 1768 al 1859*, in « Aurea

Parma », LVI, 1972, fasc. 1, pp. 49-78; LVII, 1973, fasc. 2, pp. 107-145; LVIII, 1974, fasc. 2, pp. 120-168; LIX, 1975, fasc. 2, pp. 139-199.

Sulla figura del Condillac: V. PALTRINIERI, *Condillac a Parma*, in « Aurea Parma », IX, 1920, pp. 140-144; U. BENASSI, *Il precettore famoso d'un nostro duca*, in « Bollettino storico piacentino », XVIII, 1923, pp. 3-19; H. BEDARIDA, *Condillac à Parme*, in « Annales de l'Université de Grenoble », 1925; L. GUERCI, *La composizione e le vicende editoriali del Cours d'études di Condillac*, in *Miscellanea in onore di Walter Maturi*, Giappichelli, Torino 1966. Sulla figura del Paciaudi: W. CESARINI SFORZA, *Il p. Paciaudi e la riforma dell'Università di Parma ai tempi del Du Tillot*, in « Archivio storico italiano », LXXIV, 1916, pp. 109-136; U. BENASSI, *La mente del padre Paciaudi collaboratore di un ministro nell'età delle riforme*, in *Miscellanea di studi in onore di Giovanni Sforza*, Bocca, Torino 1923; pp. 425-458; G. TAMANI, *Il carteggio De Rossi-Paciaudi (1768-1778)*, in « Archivio storico per le province parmensi », ser. IV, XIX, 1967, pp. 269-313; L. FARINELLI, *Aspetti e momenti del riformismo parmense: padre Paciaudi, bibliotecario ducale e riformatore degli studi*, tesi di laurea discussa presso la Facoltà di Scienze politiche dell'Università di Roma, relatore il prof. F. Valsecchi, nell'a. a. 1967-68; E. NASALLI ROCCA, *Il padre Paciaudi nella storiografia del Settecento*, in *Atti del Convegno sul Settecento Parmense nel 2° centenario della morte di C. I. Frugoni*, Parma 1969, pp. 77-96.

I) L'OTTOCENTO (1800-1859)

Per il periodo napoleonico e per l'amministrazione del Moreau de Saint-Méry si vedano P. NEGRI, *Napoleone I e Piacenza nel 1805*, in « Bollettino storico piacentino », VI, 1911, pp. 74-86; U. BENASSI, *Il generale Bonaparte e i giacobini di Parma e Piacenza*, in « Archivio storico per le province parmensi », ser. II, XII, 1912, pp. 199-312; L. MONTAGNA, *Il dominio francese in Parma (1796-1814)*, Favari, Piacenza 1906, che resta ancora il lavoro più completo ancorché molto espositivo; L. GINETTI, *Napoleone I a Parma*, Coop. Parmense, Parma 1912; L. GINETTI, *Sull'insurrezione dell'alto Piacentino nel 1805-1806*, in « Aurea Parma », II, 1913, pp. 205-210; V. PALTRINIERI, *I moti contro Napoleone negli Stati di Parma e Piacenza (1805-1806)*, Zanichelli, Bologna 1927; M. SILVESTRE, *Notice biografique sur M. Moreau de Saint-Méry*, Husard, Paris 1819, che per quanto assai scarna è ancora da vedersi per chi voglia studiare questa singolare e non secondaria figura del periodo napoleonico; le carte dell'amministrazione del Moreau per altro costituiscono un considerevole fondo dell'archivio di stato di Parma e ne ha dato notizia E. CARRA, *Gli inediti di Moreau de Saint-Méry a Parma*, in « Archivio storico per le province parmensi », ser. IV, IV, 1953, pp. 63-150. Sul tempo di Maria Luigia, oltre il lavoro d'assieme di G. LOMBARDI, *Il ducato di Parma nella storia del Risorgimento*, Battei, Parma 1911, che serve ancora per tutta l'età risorgimentale, c'è sempre da ricordare il vecchio e contestato lavoro di J. F. LECOMTE, *Parme sous Marie Louise*, Souverain, Paris 1845, in 2 voll., attribuibili, in realtà ad A. Pezzana e a V. Mistrali (cfr. FELICE DA MARETO, *Bibliografia, II: Soggetti*, cit., p. 655);

A. Valeri, *Maria Luisa (1791-1847)*, Corticelli, Milano 1934; E. Ottolenghi, *Pagine piacentine del Risorgimento italiano (1815-1831)*, Porta, Piacenza 1938; A. Curti, *Alta polizia, censura e spirito pubblico nei ducati parmensi (1816-1829)*, in « Rassegna storica del Risorgimento », IX, 1922, pp. 399-590; R. Cognetti De Martiis, *Il governo di Maria Luigia e il Risorgimento italiano*, in « Rassegna storica del Risorgimento », XXVII, 1940, pp. 395-410; F. Botti, *Maria Luigia duchessa di Parma, Piacenza e Guastalla*, Battei, Parma 1969. Sul Neipperg, vero artefice della politica ducale nel secondo decennio dell'800, M. Billard, *Les maris de Marie Louise*, Perrin, Paris 1908; A. Curti, *Parma al tempo di Neipperg*, in « Aurea Parma », VII, 1923, pp. 17-22 e E. Loevinson, *Corrispondenza diplomatica tra il principe di Metternich e il conte Neipperg: 26 marzo-31 dicembre 1816*, in « Archivio storico per le province parmensi », ser. II, XXXIII, 1933, pp. 269-304. Sull'opera forse maggiore compiuta da Maria Luigia, e cioè la riforma del codice civile, vedi R. Cognetti De Martiis, *Il governatore V. Mistrali e la legislazione civile parmense (1814-1821)*, in « Archivio storico per le province parmensi », ser. II, XVII, 1917, pp. 1-183, da integrare con G. Guarnerius, *L'amministrazione della giustizia penale a Parma al tempo di Maria Luigia*, in « Studi parmensi », IX, 1960, pp. 293-307.

Sui moti del '21 è ancora utile E. Casa, *I carbonari parmigiani e guastallesi cospiratori del 1821 e la duchessa Maria Luigia imperiale*, Rossi-Ubaldi, Parma 1904; per i moti del '31 E. Casa, *I moti rivoluzionari accaduti in Parma nel 1831*, Ferrari, Parma 1895; A. Del Prato, *L'anno 1831 negli ex ducati di Parma, Piacenza e Guastalla*, Fresching, Parma 1919; O. Masnovo, *I moti del '31 a Parma*, SEI, Torino 1925; T. Marchi, *Il governo provvisorio parmense del 1831 (15 febb.-13 mar.)*, in « Archivio storico per le province parmensi », ser. II, XXXI, 1931, pp. 227-269; e infine i numerosi studi raccolti dall'« Archivio storico per le province parmensi » degli anni 1931-33 nel volume miscellaneo *I moti del 1831 nelle Province Parmensi*. 3 voll., Parma 1931-33.

Sul trattato di Firenze del'44: A. Mossina, *Gli Stati parmensi dal trattato di Aquisgrana a quello di Firenze del 1844*, in « Aurea Parma », XX, 1936, pp. 103-108. Sulle vicende del '47: G. Drei, *Gli ultimi anni del governo di Maria Luigia a Parma*, in Id., *Ad Alessandro Luzio gli archivi di Stato italiani. Miscellanea di studi*, Le Monnier, Firenze 1933, pp. 339-361.

Sul '48; oltre quanto contenuto nei due lavori d'assieme di E. Casa, *Parma da Maria Luigia imperiale a Vittorio Emanuele II, 1847-1860*, Rossi-Ubaldi, Parma, 1901 e C. Pecorella, *I governi provvisori parmensi: 1831-1848-1859*, Battei, Parma 1959, ricordiamo G. Sforza, *Carlo II di Borbone e la Suprema Reggenza di Parma*, in « Nuova Antologia », vol. 150, 1896, pp. 11-143 e 508-532; P. Clerici, *La Suprema Reggenza e il Governo Provvisorio di Parma nel 1848*, in « Archivio storico per le province parmensi », ser. II, XVI, 1916, pp. 1-103; T. Marchi, *Carlo II di Borbone e la Costituzione del 29 marzo 1848*, in « Aurea Parma », X, 1926, pp. 179-186; C. Di Palma, *Parma durante gli avvenimenti del 1848-49*, Ufficio Storico Comando Corpo di Stato Maggiore, Roma 1931 e Id., *Piacenza durante gli avvenimenti del 1848-49*, Ufficio storico Comando Corpo di Stato Maggiore, Roma 1932 (che sono dedicati quasi esclusivamente alle vicende militari); G. Drei, *Carlo II di Borbone e la rivoluzione del 1848 a Parma*, in « Rassegna storica del Risorgimento », XXI, 1934, pp. 259-280; E. Nasalli Rocca, *Piacenza Primogenita. La prima missione ufficiale di una città italiana per l'annessione al Piemonte (28-29 marzo 1848)*, Porta, Piacenza 1937; E. Ottolenhi, *Ricordi piacentini del Risorgimento (1848-1849)*, in « Indicatore ecclesiastico piacentino », LXXIII, 1942, pp. II-XL; G. Drei, *Il barone Ward e Carlo II di Borbone nel 1848*, in « Aurea Parma », XXXII, 1948, pp. 193-113; E. Nasalli Rocca, *Il governo provvisorio del 1848 a Piacenza: considerazioni giuridiche*, in « Bollettino storico piacentino », XLIII, 1948, pp. 1-11.

Per gli anni dal '56 al '59 segnaliamo soltanto: E. De Paoli, *I Borbone di Parma nelle leggi e negli atti del loro governo dal 1847 al 1859. Appunti e documenti*, Tipografia del Governo, Parma 1860; G. Prati Dalla Rosa, *Alcune pagine di storia parmense: memorie*, 4 voll., Grazioli, Parma 1878-79; A. Curti, *I moti insurrezionali del 22 luglio 1854 in Parma*, Battei, Parma 1904; P. L. Spaggiari, *Il ducato di Parma e l'Europa (1854-1859)*, Battei, Parma 1957, che è lo studio più importante sul periodo; C. Credali, *Il 1859 e il Ducato di Parma*, in « Archivio storico per le province parmensi », ser. IV, XI, 1959, pp. 131-142; *Piacenza 1859*, a cura di E. Nasalli Rocca e C. Sforza Fogliani, S.T.P., Piacenza 1959; U. Gualazzini, *Il legittimismo di Luisa Maria di Borbone e le questioni giuridiche ad esso relative*, in « Studi parmensi », IX, 2, 1960, pp. 207-290; R. Moscati, *A Parma, subito dopo Villafranca*, in « Aurea Parma », XLIV, 1960, pp. 139-152; A. Credali, *La romantica insurrezione di Parma del 22 luglio 1854*, in Id., *Uomini e idee del Risorgimento*, La Nazionale, Parma 1964; P. L. Ferrata e E. Vittorini, *La tragica vicenda di Carlo III*, Mondadori, Milano 1967. Infine su Luisa Maria G. M. Baldi, *L'ultima duchessa di Parma*, in « Nuova Antologia », vol. 509, 1970, pp. 349-370 e l'improbabile profilo di M. Oblin, *Le vrai visage de Marie-Louise*, Paris 1974, ultimo recente esempio di una resistente storiografia agiografica.

LO STATO GONZAGHESCO
MANTOVA DAL 1382 AL 1707

di

Cesare Mozzarelli

Capitolo I. **Da signoria a principato fra Tre e Quattrocento**

1. L'opera di Francesco

Nel 1382, alla morte di Ludovico Gonzaga, III capitano del popolo e vicario imperiale, nipote di quel Luigi Gonzaga che nel 1328 aveva preso il potere in città con l'aiuto dei Della Scala signori di Verona, essendo il figlio Francesco sedicenne la reggenza del dominio viene assunta dal Consiglio maggiore di Mantova, il quale, se non mette in discussione il potere gonzaghesco e la posizione dello stesso Francesco, e richiede immediatamente per lui il vicariato imperiale, rinvia tuttavia al 1388, alla sua maggiore età, la nomina a capitano.

Morto Francesco nel 1407, lo stesso Consiglio conferisce nel medesimo anno il titolo di capitano al figlio undicenne di lui GianFrancesco, la cui tutela, come la reggenza dello stato, sono affidate questa volta a Carlo Malatesta ed al doge di Venezia.

In meno di vent'anni dunque la situazione « costituzionale » del dominio gonzaghesco si è profondamente modificata, le forme del governo comunale ancora vitali entro la struttura signorile sono scadute a mera formalità, o per meglio dire hanno mutato carattere: la nomina a capitano di un bambino, al cui posto governerà un parente, lo zio Malatesta, costituisce da parte dei cittadini mantovani l'esplicito riconoscimento della loro attuale condizione di sudditi.

E la rilevanza non solo immediata, ed anche simbolica, di quella nomina a capitano dovette esser ben compresa dai membri del Consiglio se in esso si manifestarono, come filtra dalle fonti [1], resistenze e perplessità; peraltro ben presto superate, si sottolinea, per l'abilità di Donato de Preti membro

[1] Cfr. F. Tarducci, *GianFrancesco Gonzaga signore di Mantova (1407-1420)*, in « Archivio storico lombardo » (d'ora in poi: « Arch. St. Lomb. »), XXIX, 1902, pp. 310-360 e pp. 33-88, p. 314.

del Consiglio e legato alla famiglia Gonzaga, per l'abilità cioè di uno di quei consiglieri privati, possiamo dire, il cui ruolo ben presto sarebbe stato assunto fra quelli pubblici, sanzionando così l'iniziale strutturarsi di un sistema di governo e d'amministrazione completamente slegato da quello trecentesco ereditato dal periodo comunale e sostanzialmente perpetuato dalla signoria bonacolsiana.

Allargamenti territoriali e nuovo ruolo dei Gonzaga

Ma se in GianFrancesco, che otterrà per primo il titolo di marchese, l'evoluzione del dominio gonzaghesco e della società mantovana verso le forme di organizzazione proprie dello « stato moderno », pur con tutte le cautele necessarie nell'uso di tale termine, sarà ormai evidente, le radici di questa trasformazione andran ricercate nei vent'anni di governo effettivo di Francesco a cavallo fra il XIV ed il XV secolo, nei quali al consolidarsi dei confini del dominio si accompagna l'intensificarsi in esso del potere gonzaghesco.

Non mette qui conto di ripercorrere le vicende politico-militari del periodo, che si inseriscono in quelle più ampie della Lombardia. Basterà dire come dalla ridda di guerre, alleanze, invasioni, rovesciamenti di fronti che interessano il mantovano, esca chiarito e riconosciuto il ruolo dei Gonzaga e del loro dominio nell'area padana.

Impari a tenere il passo della crescita viscontea da una parte, di quella veneziana dall'altra, ma non venendo nemmeno travolta dall'espansionismo dei potenti vicini, la signoria gonzaghesca finisce per rivestire un ruolo peculiare, ed un peso decisivo in quanto preziosa alleata, e per assumere così quella coscienza della propria particolare capacità di far pendere le sorti verso l'uno o l'altro dei contendenti, che sarà espressa anche in quella prima raffigurazione ideologizzata del proprio potere che i Gonzaga, come si dirà, commissioneranno al Pisanello.

Riconoscimento dell'importanza dei Gonzaga, e premio della politica di Francesco sono così gli acquisti territoriali che egli fa. Falliscono e falliranno ai discendenti gli obiettivi più ambiziosi; Brescia, Verona, Cremona, Trento in qualche momento, resteranno fuori sempre dalla portata dei Gonzaga, non diversamente da quei centri, talvolta brevemente posseduti, più modesti ma strategicamente importantissimi come Peschiera — che proprio Francesco ed il figlio occuperanno per qualche tempo — il cui possesso duraturo avrebbe modificato il ruolo stesso della signoria gonzaghesca [1]; ma fra Tre e Quattrocento Canneto sull'Oglio, Castellaro Lagusel-

[1] Il caso di Peschiera del Garda è esemplare per quel che avrebbe significato raggiungere

lo, Ostiglia, Villimpenta, Castiglione delle Stiviere, Solferino, Castelgoffredo passano sotto il controllo mantovano, vuoi per compravendita, come nel caso delle terre già bresciane, vuoi per accordi diretti con la popolazione — come sarà poi nel caso anche di Viadana —, vuoi infine come ricompensa bellica. E mentre così il dominio gonzaghesco si estende oltre l'antico territorio comunale della città di Mantova, e se ne consolidano i confini, ancora molto incerti qualche decennio prima [1] e si configura il Mantovano « nuovo » distinto anche per i modi d'amministrazione e le prerogative delle comunità dal Mantovano « vecchio » [2], muta il modo d'esser signore di Francesco.

Particolarmente significative in questo senso sono alcune decisioni da lui prese in campi diversi e che si concentrano tutte nell'ultimo decennio della sua signoria, vale a dire nel periodo successivo a quello in cui, il 1394, da Papa Bonifacio egli aveva ottenuto un primo se pur ancora insoddisfacente riconoscimento di nobiltà e l'inserimento della casata nella gerarchia feudale cavalleresca con la concessione del titolo di conte di Gonzaga « di cui per altro — nota Coniglio — non fece mai uso perché desiderava poter ottenere quello di marchese » [3] ma che, con tutto ciò, gli dava se non un nuovo titolo di legittimazione al potere cittadino almeno titolo ad un rango particolare e distinto entro la città. E ciò indipendentemente da quell'altro titolo di capitano che questa gli aveva attribuito e parimenti da quello di vicario imperiale che alla città ancora faceva riferimento, mentre ne legittimava al contempo lo status superiore a quello dei semplici feudatari numerosi nell'area padana.

Il signore, il potere, la città

Come preordinata alla volontà di configurare il proprio potere fuor delle forme signorili — che non facevan altro per tanti versi che piegare a nuovi usi quelle già comunali — si può così interpretare la costruzione

il Garda, estendendosi a sud la Signoria fino al Po; in particolare, controllo dei traffici est ovest tra Lombardia e Veneto ed apertura di una linea con i mercati tedeschi. Traccia delle vicende storiche, ancor oggi la provincia di Mantova si ferma pochi chilometri a sud del Garda.

[1] Cfr. G. Coniglio, in AA.VV., *Mantova la storia, le lettere, le arti*, 9 voll., Fondazione Carlo D'Arco, Mantova 1958 e sgg., vol. I, *La Storia*, p. 328 (d'ora in poi *Mantova, la storia*; *Mantova, le lettere*; *Mantova, le arti*).

[2] Sulla distinzione tra mantovano nuovo e mantovano vecchio e sulle conseguenze di lungo periodo di tale ripartizione richiama l'attenzione specialmente M. Vaini, *La distribuzione della proprietà terriera e la società mantovana dal* 1785 *al* 1845, I, *Il catasto teresiano e la società mantovana nell'età delle riforme,* Giuffrè, Milano 1973, *passim.*

[3] Cfr. G. Coniglio, *I Gonzaga,* Dall'Oglio, Varese 1967, pp. 36-37. Sui tentativi di ottenere un riconoscimento da parte dell'imperatore vedi oltre.

della chiesa della Madonna delle Grazie a qualche distanza dalla città, nel luogo in cui già si venerava un'immagine della Madonna. L'occasione del voto pronunciato da Francesco per la liberazione del mantovano dalla peste consente in realtà al Gonzaga di legare a sé in uno con la nuova chiesa (costruita a sue spese, occorre sottolineare, non quindi a nome e per conto della città) la fama miracolosa dell'immagine e « la gran divotione » per la quale essa « è spessissimo visitata » [1]. Devozione che potrà svolgersi ora entro la nuova chiesa, edificata come si diceva grazie al Gonzaga, e costruita in un luogo sì abbastanza vicino alla città ma pur abbastanza lontano dalle sue mura da esser capace di porsi, come effettivamente si pose (ed ancora si pone) quale santuario della città, alla cui tradizione devozionale è estranea, essendo questa incentrata piuttosto sui sacri vasi contenenti il sangue di Cristo di cui si dirà, e del contado, in cui si trova, quale centro religioso (della religiosità) dell'intero territorio.

E la volontà di realizzare, sussumendola, tale unificazione trova riscontro nel particolare riguardo con cui Francesco ovviamente, ma anche il figlio GianFrancesco che le conferì diverse esenzioni, trattarono la chiesa. Volontà che non venne mai smentita [2] e che può forse spiegare la scelta da parte di alcune grandi famiglie particolarmente radicate nel contado mantovano (gli Ippoliti, i Castiglione) di erigere più tardi cappelle mortuarie proprio nella chiesa delle Grazie, e non in qualche chiesa cittadina o per converso in altre situate nelle proprie terre.

D'altro canto la volontà di Francesco di rivestire un ruolo personale nella pietà dei fedeli e di legare al potere gonzaghesco anche gli strumenti religiosi dell'ideologia comunale appare da altre sue iniziative, in particolare da quella, cronologicamente anteriore, di far restaurare la facciata della cattedrale « in occasione della nascita del primogenito GianFrancesco » [3] e

[1] Cfr. R. Margonari, A. Zanca, *Il Santuario della Madonna delle Grazie presso Mantova*, Gizeta, Mantova 1973, p. 10, n. 4, ove si riporta il testo-volgarizzato nel « Libro grande » del convento - della positiva risposta papale alla richiesta fatta dai francescani e dal « diletto figliolo il nobile huomo Francesco Gonzaga, cavalier mantovano ..., il quale è imperiale vicario nella città di Mantova », a che sia affidata ai primi la Chiesa che si va allargando ed adattando. Sui francescani in relazione ai Gonzaga cfr. M. Vaini, *La distribuzione della proprietà terriera* cit., pp. 114 sgg.

[2] Così, ad esempio, un secolo dopo, un altro Francesco Gonzaga, il marchese marito di Isabella, alla nascita del sospirato erede maschio Federico offrirà « in dono al Santuario di M.V. delle Grazie un'effigie d'argento, che pesava quanto il bambino ». Cfr. S. Gionta, *Il fioretto delle cronache di Mantova, notabilmente accresciuto e continuato sino all'anno MDLCCXLIV per cura di A. Mainardi*, Mantova 1844, ora in ristampa anastatica presso Forni, Bologna da cui si cita, p. 108, e cfr. anche I. Donesmondi, *Historia dell'origine, fondatione, et progressi, del famosissimo tempio di S. Maria delle Gratie, in campagna di Curtatone fuori di Mantova. Con la descrittione del Monastero degnissimo, sue giurisdittioni, ed altre attinenze della sopradetta Santa Casa*, Casale 1603.

[3] Cfr. G. Coniglio, *Mantova, la storia*, vol. I, p. 429.

di dare una nuova sistemazione nella cattedrale alla salma del patrono della città [1].

Ma anche in altri campi l'attività di Francesco pare implicare e produrre nuove configurazioni del potere. Nello stesso periodo in cui si costruisce la chiesa delle Grazie Bartolino da Novara edifica il castello di San Giorgio. Un castello in città, collegato con le case dei Gonzaga, risponde ad una tipologia ben diversa da quella dell'*insula* fortificata o della casa torre, come quella che viene conglobata nel castello [2]. Le stesse forme ancora medievali della costruzione piuttosto che da leggere come mero ritardo dell'architetto, sono forse riferibili, come già la scelta di quell'architetto, che adottava quei modi architettonici, al desiderio del Gonzaga di rappresentare il proprio potere come nobiliare, fondato sulle caratteristiche della casata perciò piuttosto che sulla legittimazione cittadina; da ciò il riferimento al mondo feudale e cavalleresco attuato con l'erezione del castello, da parte di chi, va ricordato, inaugura anche la tradizione militare dei Gonzaga. Né si tratta di scelte peregrine. Allo stesso architetto, come si sa, eran ricorsi gli Este per il castello di Ferrara, mentre, in generale, il richiamo del « modello » feudale e cavalleresco, carico di prestigio per i signori cittadini che « anelavano a dar alla loro autorità una base giuridica più salda che non l'elezione popolare; ... ad avere un titolo che li distinguesse dai loro pari » fece sì che essi « dopo aver fatto tutto il possibile per ottenere il titolo di vicari imperiali, fecero tutto il possibile e l'impossibile per ottenere titoli d'onore che mentre li qualificavano nei confronti di quelli che erano ormai loro sudditi, li trasformavano in principi soggetti alla sovranità dell'imperatore » [3], e che quindi tale modello cavalleresco venisse trasferito, come accenna la stessa autrice, alla realtà cittadina; nella realtà cittadina ne venissero trasferiti gli elementi ed i simboli, come il castello appunto. L'ubicazione del castello può rispondere certo ad esigenze di difesa connesse alla contemporanea riedificazione in pietra del vicinissimo ponte dei mulini [4] ma essa, dalla parte opposta a quella dello svilup-

[1] Si noti che la tradizione attribuisce a Francesco addirittura il trasporto della salma da S. Benedetto Po alla cattedrale. Ed allo stesso Francesco si attribuisce pure il dono di una particella del sangue di Cristo, conservato in Sant'Andrea, a Gian Galeazzo Visconti, dunque l'uso privato della più preziosa reliquia cittadina; cfr. F. AMADEI, *Cronaca universale della città di Mantova*, edita a cura di G. AMEDEI, E. MARANI, G. PRATICÒ, 5 voll., Citem, Mantova 1954, vol. I, p. 692. Sul patrono della città in relazione all'ideologia cittadina cfr. S. BERTELLI, *Il potere oligarchico nello stato-città medioevale*, La Nuova Italia, Firenze 1978, pp. 149 sgg.

[2] Cfr. E. MARANI, *Mantova, le arti*, vol. I, p. 160 sgg.

[3] Cfr. G. FASOLI, *Feudo e castello*, in *Storia d'Italia*, Einaudi, Torino 1973, *I documenti*, t. I, p. 293.

[4] Cfr. E. MARANI, *Mantova, le arti*, vol. I, p. 32. Il ponte precedentemente era in legno e dunque ben più facilmente e rapidamente distruggibile in caso di necessità bellica.

po urbano, sembra indicare la volontà di separare il complesso edilizio che forma la residenza del signore, sempre più, dal resto della città. Nella « residenza ducale... ubicata ai margini della città » della Milano visconteo-sforzesca di cinquant'anni dopo si è visto il riflesso di una evoluzione statuale verso le forme dello « stato moderno » [1] che mi pare si possa ritrovare, come già si accennava, allo stato nascente anche nella Mantova della fine del Trecento [2]. Ad essa è funzionale, passando ad un altro punto, la ridefinizione della struttura urbana tanto in termini urbanistici che amministrativi. È stato notato come in questo periodo il Gonzaga « si apprest[i] ad assumere il ruolo di suggerit[ore] del linguaggio architettonico nel mondo locale » [3] ma il suo intervento non si limita agli aspetti formali. Nel 1401 viene decretato ufficialmente l'allargamento della città ad un'area già urbanizzata durante il Trecento, correlativamente si riuniscono in due i quattro vecchi quartieri cittadini creandone altri due nella nuova area, ed infine si suddivide ciascun quartiere in cinque contrade facendo di queste le unità amministrative minime di riferimento [4]. Equiparazione dei cittadini nuovi e vecchi, spezzettamento del quartiere per individuare più modeste circoscrizioni territoriali su cui basare la vita cittadina: non sono evidentemente atti neutrali, soprattutto se si pensa che ai quartieri facevan riferimento tanto la struttura politica cittadina, quanto quelli che oggi diremmo servizi sociali, come l'assistenza. Sminuzzare i quartieri in contrade nel mentre li si accorpa vuol dire perciò configurare una città diversa. La riforma nel 1407 del Consorzio di S. Maria della Cornetta, di cui possiamo parlare in relazione a Francesco sebbene venga emanata qualche mese dopo la sua morte — ma si può ben pensare che l'abate Nerli avesse avuto l'incarico di stendere il nuovo statuto dal vecchio signore — ne fornisce la riprova. Quella presumibile, in quanto usuale, origine corporativa del Consorzio e correlativamente quella sua azione svolta in genere a favore dei soli aderenti, come è parso di poter inferire malgrado la mancanza di statuti precedenti, viene ora superata ed il Consorzio è piegato, per la

[1] Cfr. G. Simoncini, *Città e società nel Rinascimento*, 2 voll., Einaudi, Torino 1972, vol. I, p. 97.

[2] Già il predecessore di Francesco, Ludovico, verso il 1370 aveva creato il recinto detto « La corte » nella città vecchia (quella già compresa nella più antica cerchia di mura) nella quale torna così aver sede il potere politico, dislocato nella città nuova durante il periodo comunale; cfr. E. Marani, *Vie e piazze di Mantova* (*Analisi di un centro storico*) *n. 30: piazza Broletto,* in « Civiltà mantovana », III, 1968, pp. 139-199, specie p. 160.

[3] Cfr. E. Marani, *Mantova, le arti*, vol. II, p. 4.

[4] Sulla terza cerchia di mura relativa a tale allargamento, cfr. E. Marani, *Indicazioni documentarie fondamentali sulle tre cerchie di Mantova,* in « Civiltà mantovana », IV, 1969, pp. 209-240, e bibliografia ivi cit. Sulla suddivisione in contrade confronta anche G. Amadei, *Cronaca* cit., vol. I, pp. 648 sgg. Secondo Marani i cittadini sono indicati per contrade negli atti ufficiali fino alla metà circa del Seicento; da quel momento in poi per parrocchie. Dello stesso A. a proposito dei quartieri cfr. *Mantova, le arti,* vol. I, pp. 24 sgg.

volontà del signore che ordina la riforma, alla soddisfazione delle esigenze assistenziali dell'intera città, come comprova l'obbligo fatto ai consiglieri ed al massaro di visitare periodicamente i quattro quartieri e le carceri, e la stessa ampia rappresentanza, sessantaquattro persone, che all'amministrazione del Consorzio viene interessata, infine, sul piano formale, l'inserimento dei ventitré capitoli stesi dal Nerli, fra gli statuti cittadini[1].

Quella città diversa di cui si diceva, quella nella quale il diritto a partecipare ai Consigli del comune fino ad allora riservato a « coloro che erano nati a Mantova o vi avessero dimorato da dieci anni o vi avessero posseduto beni immobili » viene esteso a tutti quegli altri che la cittadinanza l'avevano ottenuta da Francesco[2], quella infine che viene riposta sulla volontà del signore che *dice* il diritto. Così approvando e dando vigenza agli statuti del paratico degli speziali[3], come a quelli di S. Maria della Cornetta, come soprattutto promulgando nuovi statuti cittadini (nei quali si fissa anche l'ereditarietà del potere della famiglia).

Perché l'ultimo atto di Francesco del quale ci si deve occupare è appunto la riforma statutaria. Se gli statuti bonacolsiani trecenteschi hanno avuto un'edizione, per quanto scorretta, a cura di Carlo D'Arco[4] nel secolo scorso, quelli gonzagheschi giacciono ancora manoscritti e nemmeno se n'è tentato uno studio sistematico. Tuttavia l'esame di alcune norme fondamentali, quali quelle che stabiliscono la cosiddetta gerarchia delle fonti di diritto — quale di esse si applichi in caso di concorrenza — ci permette di osservare i profondi mutamenti realizzati da Francesco. Negli statuti del 1303 viene attribuita ai Bonacolsi — rub. I, lib. VI — oltre al potere di direzione politica « cum consilio et sine consilio », un'amplissima potestà giurisdizionale la quale non mette tuttavia in discussione i tradizionali termini giuridici di riferimento: statuto, consuetudine, diritto comune.

Nel 1404 « defficientibus statutis et ordinamentis civitatis Mantuae » si ricorrerà ai « decretis magnifici Domini Capitanei »[5]. Il riferimento estre-

[1] Sul consorzio vedi da ultimo V. RIVAROLI, *Contributo per la storia della assistenza in Mantova: il Consorzio di Santa Maria della Cornetta (1285-1485)*, in « Civiltà mantovana », IX, 1975, pp. 138-148; e cfr. anche C. D'ARCO, *Studi intorno al Municipio di Mantova dall'origine di questo fino all'anno 1863*, libri 7, Mantova 1871-74, libro VII, pp. 123 sgg.

[2] G. CONIGLIO, *Mantova, la storia*, vol. I, p. 428.

[3] Cfr. G. OSTINO, C. MASINO, *Gli Statuti del Collegio degli Speziali di Mantova del 1401 e disposizioni sull'Arte contenute negli Statuti comunali e del Collegio dei Medici,* in « Arch. St. Lomb. », XCVIII-XCIX-C, 1971-73, pp. 255-272.

[4] Cfr. C. D'ARCO, *Studi intorno al Municipio* cit., libro II.

[5] Lib. I *De sacramento potestatis* cit., in A. LIVA, *Il problema dei rapporti fra diritto proprio e diritto comune: confronto fra gli statuti mantovani del 1303 e quelli del 1404,* in *Atti del Convegno su Mantova e i Gonzaga nella civiltà del Rinascimento,* a cura dell'Accademia dei Lincei e dell'Accademia Virgiliana, con la collaborazione della Città di Mantova, ottobre 1974, Mantova 1977, p. 33.

mo non è più al diritto comune, e dunque infine possiamo dire ellitticamente alla volontà divina, bensì a quella, umana e personale, del signore, che viene a costituire così il fondamento, il principio costituzionale della formazione *statuale* mantovana, superata ormai la costruzione ideale della città comunale.

2. GianFrancesco primo marchese

La congiura degli Albertini

Anche se certo la trasformazione dei modi di governo gonzagheschi ed il riorientamento della società che ne consegue è ancora embrionale durante il periodo di Francesco e toccherà a GianFrancesco stabilizzare le novità espresse dall'attività paterna ed esplicitarne le conseguenze. Come si è detto questi succede al padre nel 1407 sotto la tutela di Carlo Malatesta, privo di discendenza propria oltre che suo parente, e della Repubblica veneta al cui servizio sarà più volte lo stesso Malatesta e che invia a Mantova un contingente armato. L'indicazione politica espressa dal testamento di Francesco è perciò univoca e risponde alla valutazione del momento politico che vede molto più fluida la situazione nei territori viscontei, verso i quali si può quindi indirizzare la volontà espansionistica mantovana, che non in quelli del dominio veneto. E GianFrancesco sotto la guida di Carlo Malatesta esordisce continuando la politica gonzaghesca di allineamento a Venezia, politica cui conseguono premi territoriali verso la Lombardia. Di questo periodo è l'allargamento del territorio a Bozzolo. Si tratta peraltro di un orientamento che continua ad esser perseguito anche dopo la fine del periodo di tutela quando GianFrancesco, nel frattempo sposatosi nel 1409 con Paola Malatesta, inizia a governare personalmente. Anzi sembra che proprio un tentativo di orientare verso l'impero la politica gonzaghesca sia alla base della cosiddetta congiura degli Albertini, una famiglia toscana, di Prato, giunta a Mantova nel tardo Trecento ed i cui membri arrivano a grande potenza con GianFrancesco. Nel 1413, l'anno precedente a quello in cui sotto l'accusa di aver tentato di impadronirsi del potere i fratelli Albertini vengono arrestati, Carlo è podestà di Mantova e consigliere di GianFrancesco, Francesco ha la responsabilità militare del territorio, Stefano tutti i poteri giudiziari riservati al principe, un presumibile quarto fratello infine è vicino al papa [1].

Inclina ad interpretare la vicenda come una manovra del Gonzaga, di cui

[1] Così F. Tarducci, *G. F. Gonzaga* cit., p. 349 e *passim*.

gli Albertini finiscono vittime, Coniglio[1] per il quale su tutto giocò la preoccupazione di GianFrancesco di cancellare le tracce ed i sospetti di un avvicinamento all'imperatore Sigismondo messo in atto con il suo consenso da Carlo Albertini in funzione antiveneziana; mentre Tarducci, cui si deve al principio di questo secolo una puntuale e diligente ricostruzione del periodo di GianFrancesco che già si è utilizzata, propende per una reale intenzione congiuratoria da parte di Carlo e dei suoi fratelli. Ed effettivamente, scorrendo i nomi delle persone coinvolte nella vicenda, uomini di peso e rilievo nella società mantovana[2], risulta più credibile l'ipotesi della congiura che non quella di una spericolata manovra del Gonzaga che non avrebbe lasciato, tra l'altro, da parte di nessuno di coloro che agli arrestati eran vicini alcuna rivendicazione di innocenza e conseguente smascheramento del doppio gioco di GianFrancesco.

Che in qualche misura la politica di quest'ultimo potesse esser ambigua, che delle ambasciate all'imperatore di frate Gaspare, uno dei congiurati, egli non fosse del tutto all'oscuro, è anche plausibile; ma la dura reazione di GianFrancesco — degli Albertini imprigionati si perdono completamente le tracce — pare riferibile ad un grave pericolo effettivamente corso. E se congiura vi fu resta comunque chiaro il significato del suo fallimento: la difficoltà ormai di impadronirsi d'uno stato dal suo interno, la sproporzione di forze ormai stabilitasi fra la famiglia dominante, in quanto ora a capo d'una se pur embrionale struttura statale, e gli altri membri di famiglie rilevanti.

Tuttavia va anche detto che la congiura degli Albertini al di là delle sue caratteristiche romanzesche ed un po' misteriose che hanno attirato l'attenzione su di essa, resta un episodio sostanzialmente marginale, per quanto ci permetta di osservare i modi di funzionamento del potere gonzaghesco. La città è assente; sullo sfondo, secondo la tradizione raccolta dall'Amadei, si intravvede un suo malcontento per lo strapotere ed il malgoverno degli Albertini[3], ma tutto avviene fra i consiglieri ed i fiduciari di GianFrancesco. E non avrebbe potuto esser diversamente. Sono questi infatti gli anni in cui, accanto ad una notevole capacità di attrazione della città e del suo principe — 1900 sono i decreti di civiltà od immunità rilasciati fra il 1411 ed il 1445, a testimonianza anche della floridezza del dominio[4] — pare costituirsi da parte delle più cospicue fra le famiglie immigrate e fra quelle mantovane una tradizione di servizio pubblico al principe. Poiché

[1] Cfr. G. Coniglio, *I Gonzaga* cit., pp. 46-47.

[2] Cfr. F. Tarducci, *G. F. Gonzaga* cit., p. 40.

[3] Cfr. F. Amadei, *Cronaca* cit., vol. I, pp. 733-35.

[4] Cfr. M. Vaini, *Economia e società a Mantova dal Trecento al Cinquecento,* in *Atti del seminario su Baldassare Castiglione*, a cura del Centro Europa delle Corti, Casatico, ottobre 1978 (di prossima pubblicazione presso Bulzoni, Roma).

per l'appunto l'attività politica ed amministrativa di un dominio che, nella sua modestia si va però allargando e consolidando, passa sempre meno per gli organi cittadini tradizionali tendendosi piuttosto, da parte del signore, a formalizzare e rendere pubblicamente rilevanti le funzioni di consiglio e collaborazione alla sua attività personale, fin'allora svolte senza rilevanza esterna diretta.

Verso la statualizzazione del potere e delle forme amministrative

Molto significativo in tal senso è l'apparire fra gli organi d'amministrazione del dominio mantovano di un Consilium Domini e della carica dei Maestri delle Entrate.

Già i Bonacolsi avevano creato un Consiglio ma se pur questo avesse dovuto nelle intenzioni di Bardellone Bonacolsi esser un vero e proprio consiglio del signore[1], progressivamente sostitutivo di quelli comunali, esso è strutturato ancora come consiglio del comune, essendone chiamati a far parte tre uomini per quartiere. I dodici « anziani » rappresentano perciò e garantiscono il consenso politico della città, piuttosto che svolger funzioni di assistenza personale al signore, diversamente perciò da quegli altri consiglieri cui, nel giugno del 1414, quando per la prima volta d'un Consilium domini si parla (almeno stando alle fonti esistenti), è affidato da GianFrancesco il compito di « committere et delegare » qualsivoglia genere di cause di competenza del giudice delle appellazioni quando questi sia assente o siano direttamente presentate « ad auditorium Prefati illustrissimi Domini »[2], ed ai quali nello stesso anno viene assegnato anche il compito di approvare la nomina dei « cives notabiliores et idonei », nel frattempo saliti a cento, scelti come consiglieri del Consorzio di S. Maria della Cornetta e secondo gli statuti del 1407 fino ad allora approvati dagli organi comunali[3].

Quanto ai Maestri delle Entrate, non ricordati fra le cariche con competenze finanziarie del periodo trecentesco[4] mentre sono istituzione ormai tradizionale sotto il successore di GianFrancesco è probabile vengano

[1] Carattere di *Consilium domini* propende a dargli G. Coniglio, *Mantova, la storia,* vol. I, p. 287.

[2] Sul *Consilium domini* cfr., di chi scrive, *Il senato di Mantova: origine e funzioni,* in *Atti del Convegno su Mantova e i Gonzaga* cit., pp. 65-98. Per il punto specifico, p. 67. L'ordine citato è in data 15-VI-1414. Può essere interessante notare come perciò esso segua di poco la scoperta della congiura degli Albertini, nelle mani di uno dei quali si era concentrato l'esercizio delle competenze giudiziarie del signore. La prima formalizzazione del *Consilium* potrebbe perciò rispondere ad una necessità di riorganizzazione e di minor personalizzazione delle cariche dopo questa vicenda.

[3] Cfr. C. D'Arco, *Studi intorno al Municipio di Mantova* cit., lib. VII, p. 125.

[4] Cfr. G. Coniglio, *Mantova, la storia,* vol. I, p. 390, che per il periodo immediatamente

creati proprio in questi anni per le necessità organizzative d'uno stato territoriale che si estende ormai ben oltre il *districtus* cittadino. Poiché infatti non si deve soltanto alla volontà politica del signore d'accrescere ed affermare il suo potere a scapito di quello dei magistrati già comunali, secondo l'interpretazione comunque parziale che dell'istituzione del Consilium Domini si potrebbe proporre [1], il sorgere di nuove strutture amministrative. Lo si deve bensì, e più al fondo, alle nuove caratteristiche del dominio, le quali « oggettivamente » paiono richiedere un maggior intervento del signore, al suo espandersi territoriale, dico, che richiede l'utilizzazione di nuovi criteri organizzativi, quali quelli offerti dall'accentramento principesco (ma non diversamente si muove nello stesso periodo la repubblicana Firenze, come ha messo in luce Chittolini [2]) oltreché di nuovi modi di impiego degli uomini vicini al signore.

Quando nel 1415 Viadana accetta di passare sotto la signoria gonzaghesca e presenta a GianFrancesco una serie di condizioni e fra queste vi è ad esempio, oltre a quella già significativa del mantenimento dei propri statuti, l'altra che i banditi dal mantovano potranno continuare ad aver sicuro asilo nel viadanese [3], risulta chiaro che non la potestà della città di Mantova viene riconosciuta, bensì quella personale del suo signore. Lo stato mantovano si costituisce, e si manterrà a lungo, sulla base di un coacervo di rapporti particolari col signore stesso, cui, come si diceva, sono funzionali e necessarie le nuove istituzioni, che cominciano ad apparire e che agiscono almeno in taluni casi come meri ed espliciti sostituti del signore. E si noti

precedente a Francesco parla di un massaro del comune affiancato da un fattore generale creato dai Gonzaga. Poiché, secondo nota Navarrini (cfr. R. NAVARRINI, *Una magistratura gonzaghesca del XVI secolo: il Magistrato Camerale*, in *Atti del Convegno su Mantova e i Gonzaga* cit., pp. 99-112, p. 101 n. 14), il fattore non prevale sul massaro, come aveva sostenuto Coniglio, ma lo affianca, è probabile che i due maestri delle entrate, uno mantovano ed uno no, servano a controllare e coordinare tutto il sistema fiscale in una prospettiva statuale che unifichi la considerazione del patrimonio privato del principe, gestito dal fattore, e quella delle entrate cittadine affidate al massaro.

Sul fatto, cui si accenna sotto, che essi siano nel tardo Quattrocento istituzione tradizionale, cfr. lett. del 5-VII-1474 del marchese Ludovico a Pietro del Tobalea in ASMN A. G. b. 2893 (per questa e le altre abbreviazioni archivistiche che verremo usando in nota, se ne veda l'elenco in Bibliografia).

[1] Manca per Mantova uno studio come quello di E. VERGA, *Le sentenze criminali dei podestà milanesi (1385-1429)*, in « Arch. St. Lomb. », XXVIII, 1901, pp. 96-142, da cui si possa giudicare della volontà del signore, evidente a Milano, di favorire il ricorso a lui allettando gli interessati con sistematiche riduzioni delle pene comminate, così da accrescere la propria importanza svilendo le giurisdizioni ordinarie.

[2] Cfr. G. CHITTOLINI, *La formazione dello Stato regionale e le istituzioni del contado: ricerche sull'ordinamento territoriale del dominio fiorentino agli inizi del secolo XV*, in AA.VV., *Egemonia fiorentina ed autonomie locali nella Toscana nord-occidentale del primo Rinascimento: vita, arte, cultura*, Pistoia Editografica, Pistoia 1978, pp. 17-70.

[3] Cfr. F. TARDUCCI, *G. F. Gonzaga* cit., p. 50.

incidentalmente come la sanzione del titolo feudale concesso dall'imperatore serva anche ad unificare tutti questi variegati rapporti fra signore e sudditi sul territorio.

Dalle modificazioni amministrative di cui si diceva discende, per quanto pure detto, anche l'inevitabile formarsi di una tradizione di impegno nelle nuove attività statuali e del principe da parte di mantovani e non, impiegati in ambascerie, preludio delle prime ambasciate stabili con il successore di GianFrancesco [1], nell'amministrazione periferica, in quella centrale che va complicandosi come si è visto, infine in incarichi più strettamente cortigiani [2].

Ed è interessante notare come gli incarichi, proprio per il loro far riferimento, oltre che ad eventuali competenze specifiche quali quelle giuridiche, indispensabili ad esempio all'esercizio delle podestarie e di talune giudicature, ad un rapporto fiduciario col signore, possano essere i più svariati, delineando così non certo delle carriere bensì dei cursus honorum [3]. Resta comunque il fatto che, per il rivestire ora aspetti pubblici l'aiuto prestato da tutti questi al Gonzaga, si viene configurando anche a Mantova, con la «costituzionalizzazione» dell'*entourage* del signore, la corte nella sua ambivalente immagine di spazio privato del principe e di luogo di gestione degli affari pubblici.

Nuove situazioni economiche e sociali

Ma l'assorbimento, se pur parziale, nell'esercizio di funzioni statuali di famiglie mantovane e non, come lo stesso statualizzarsi del potere gonzaghesco, comporta importanti novità anche sul piano economico.

I Gonzaga durante il Trecento avevano accumulato una amplissima proprietà terriera famigliare, necessaria nell'incertezza della situazione del do-

[1] Cfr. R. QUAZZA, *La diplomazia gonzaghesca,* Milano 1940, p. 11.

[2] Scarsissimi gli studi in proposito. È dedicato in buona parte ad Andrea Painelli da Goito, ed alla sua carriera al servizio dei Gonzaga nella seconda metà del Trecento, G. SCHIZZEROTTO, *Cultura e vita civile a Mantova fra 300 e 500*, Olschki, Firenze 1977. Elementi di notevole interesse emergono anche da E. FACCIOLI, *Mantova, le lettere*, vol. II, pp. 65-85, ove si parla di Giovan Francesco de' Soardi. Per chi scrive è stato particolarmente prezioso poter disporre della tesi di laurea della dottoressa Emanuela Savioli, *Per la storia della burocrazia gonzaghesca*: *attività diplomatica e consistenza patrimoniale di Bartolomeo Bonatti* (*1420 circa - 1477*), Facoltà di Magistero di Padova, a.a. 1976-77, cui va il mio ringraziamento. A questo lavoro si devono tutte le notizie e documenti su Bartolomeo Bonatti via via ricordati.

[3] Anche se ovviamente lo stesso crescere delle incombenze e delle attività direttamente facenti capo al signore fa sì che appaiano, accanto a segretari chiaramente legati da rapporti personali con lui, altri che questi rapporti non hanno, come risulta anche da G. B. BORGOGNO, *Un programma di ricerche sulla lingua della cancelleria gonzaghesca nel Rinascimento*, in *Atti del Convegno su Mantova e i Gonzaga* cit., pp. 133-140.

minio anche per un miglior controllo del territorio mantovano. Nel Quattrocento, consolidatisi i confini dello stato ed il potere gonzaghesco, la rilevanza politica del diretto possesso fondiario diminuisce. Diviene perciò possibile ai Gonzaga usare di questo patrimonio per ricompensare i propri collaboratori che, d'altra parte, per lo stesso loro specializzarsi nell'esercizio di funzioni pubbliche e para-pubbliche, nel divenire (come dirà L. B. Alberti) « statuali » o « staterecci », difficilmente posson continuare, quando le avessero avute, a curare altre attività e prefigurarsi altri modi di arricchimento[1]. Le insistenze di Bartolomeo Bonatti perché il Gonzaga in cambio dei suoi servigi gli doni delle terre sono in questo senso oltremodo significative. Se con ciò si ottiene un radicamento delle famiglie « cortigiane » sul mantovano, va rilevato come per converso si pongano anche le premesse di un problema fondamentale che travaglierà le campagne nel Cinque-Seicento, vale a dire quello delle terre esenti perché in mano a persone privilegiate dai Gonzaga stessi. Ma se questa è una conseguenza di lungo periodo, non bisogna dimenticare che l'aumento durante il Quattrocento della disponibilità di terra in mano a famiglie cittadine (accanto alle ricompense del signore ed agli acquisti non si dimentichi quel che si può ricavare dalle funzioni ecclesiastiche[2]) e l'accorpamento che queste perseguono delle terre nella loro strategia d'acquisto, sono già di per sé produttivi di importanti conseguenze di più breve periodo. Solo un nuovo assetto della proprietà spiega infatti l'accentuazione di alcune caratteristiche del paesaggio agrario mantovano, in particolare l'aumento dell'irriguo per le opere idrauliche, promosse in primis dal Gonzaga, specie da Ludovico, sotto il quale si dispiegano i fenomeni posti in essere dal padre GianFrancesco. Aumento legato verosimilmente, pur nella mancanza di studi in proposito, a trasformazioni agrarie (aumento della cerealicoltura) ed infine perciò ad un certo drenaggio verso la città dei redditi delle campagne; oltre che, si può pensare, ad una redistribuzione dei flussi di ricchezza entro la città, cui sarebbe conseguente anche nel mantovano un peggioramento delle condizioni di vita del contado[3]. E le osservazioni dello Schivenoglia sui trasferimenti di

[1] Su tutto ciò cfr. M. VAINI, *Economia e società* cit. Nota l'A., con osservazione che ci tornerà utile poi, che « dall'essere padrone a sentirsi signore il passo è breve ».

[2] Esemplare a metà Quattrocento il caso dei vantaggi che alla famiglia Cavriani vengono dall'essere per parecchi anni Galeazzo vescovo di Mantova; cfr. M. VAINI, *La distribuzione della proprietà terriera* cit., pp. 180-183, e cfr. anche n. 82.

[3] Interessante su questi temi quanto può risultare dalla cronaca del contemporaneo Schivenoglia, che verso la fine degli anni ottanta annota: « Solea esser in mantoana de molti pascholij de bestiame, per li quali li mantoanij tenia de grande bestiame, ma per i chativij modij e ordeni fone piati questi talij pascholij dalo signore, dalo veschovo dalo abate e da zentelhomenij »; e aggiunge poi: « in mantoana se rachoiva una gran quantitate de fenij et per questo tanto feno abitavano li texinij con peghorij, quali laxava in mantoana duchati 16 o 20 mila, de che i mantoanij ne avia un belo utile. El sior mes. lo marchexo se deliberoe

proprietà e sulla politica signorile come sul malcontento serpeggiante, parrebbe, « in mantoana », ci paiono confortare queste considerazioni, come altri elementi ricavabili dall'indagine sugli uomini che attorniano il principe, quale l'evidente loro aumento di ricchezza. Bartolomeo Bonatti, di cui già s'è vista la fame di terra e la consistenza del cui patrimonio è più che discreta alla morte, ha origini se non troppo umili, tali tuttavia che « se non fussemo stato nui casone la tua condicione, a pena gingeva de mandarti a parlare a un vescovo non che a la santità de nostro signore », come gli rinfaccia il Gonzaga quando gli pare che il suo ambasciatore a Roma stia esagerando nella sua insistenza a proposito della terra [1].

E per quanto si può capire non si tratta di vicenda eccezionale, né, va detto, che si incontri solo in questo momento. Annibale Chieppo, a fine Cinquecento il più importante funzionario dello stato mantovano, grazie alla benevolenza del sovrano « di povero ch'era, ora possiede più di 6000 scudi d'entrata, un nobilissimo palazzo in Mantova e ogni giorno accresce la sua fortuna » [2].

Ma sarà allora aumento di ricchezza che mentre può forse stupire il rappresentante d'una società patrizia rigidamente strutturata come quella veneziana, pur nella sua eccezionalità quantitativa non rileva troppo nel contesto sociale del tempo, diversamente da quanto accade allorché nel Quattrocento il fenomeno dell'arricchimento degli « statuali », con le conseguenze ed implicazioni economiche dette, comincia a manifestarsi. Esso

che quelij texinij non vegnexe in mantoana con peghorij si che li mantoanij se ne aveno grandenixemo dano ». Le citaz. da A. SCHIVENOGLIA, *Cronaca di Mantova dal 1445 al 1484*, trascritta e annotata da C. D'ARCO, rist. a cura di G. PASTORE, Baldus, Mantova 1976, da cui si cita, p. 43 (in realtà d'Arco non solo trascrisse ed annotò la cronaca, il cui manoscritto è conservato nella biblioteca comunale di Mantova, ma ne tagliò, senza darne conto, ampi brani). A proposito delle opere idrauliche, per un primo ragguaglio cfr. G. SUPINO, *L'ingegneria idraulica durante il rinascimento gonzaghesco*, in *Atti del Convegno su Mantova e i Gonzaga* cit., pp. 429-452. Gli statuti delle digagne emanati sotto Ludovico sono stati pubblicati recentemente. Cfr. E. MASÈ DARI, *Lo statuto gonzaghesco (XV secolo) delle « digagne » dell'Oltrepò Mantovano*, Mantova 1960. Va infine notato che le trasformazioni agrarie ed agricole del mantovano paiono trovar corrispondenza in quelle generali della pianura irrigua; cfr. quanto risulta in proposito per un periodo un po' più tardo da G. CHITTOLINI, *Alle origini delle « grandi aziende » della bassa lombarda*, in « Quaderni storici », XIII, 1978, n. 39, pp. 828-844.

1 Gli scriveva infatti poco sopra « Po' essere che la Mortiza (la terra in questione) te habia cusì mortificato el cervello che tu non te ricordi che quelli de casa tua hano sempre habuti di gratia poter essere a la canzelaria nostra; po' essere che non te ricordi che to padre haveva ben caro de esser vicario de Canedole, che face trenta homeni, po' essere che non consideri che se non fussemo stato nui casone ... » (cfr. lett. del 20-I-1462 del marchese Ludovico a B. Bonatto), in ASMN A. G. b. 2186 (ed in appendice alla tesi cit.). E prima il marchese gli aveva anche ricordato il suo esser sì « nostro famiglio » ma « nostro sudito, non però de mazori, né anche de meza mano, ma ben de bassa condicione ».

2 Cfr. *Relazione al Senato di Francesco Morosini al ritorno da Mantova*, 21-VI-1608, in *Relazioni degli ambasciatori veneti al Senato*, a cura di A. SEGARIZZI, Bari 1912, vol. I, p. 96.

porta con sé infatti elementi di disgregazione dell'universo comunale ed in uno con esso quelli d'ogni precedente gerarchia sociale, e la necessità d'una sua ridefinizione. Ridefinizione che può spettare solo al signore, secondo le sue esigenze.

Vittorino da Feltre e il «referendum» del 1430

La chiamata a Mantova nel 1423 di Vittorino da Feltre è in questo senso molto importante e tutt'altro che casuale o spiegabile con la fama personale dell'uomo, col prestigio che ai Gonzaga sarebbe venuto dalla sua presenza. GianFrancesco infatti aveva preso contatti anche con altri umanisti, a riprova di una esigenza che va oltre la figura di Vittorino: esigenza d'una nuova cultura, d'una rinnovata visione del mondo nella quale trovi non solo riconoscimento il ruolo del principe, che ancora si presenta nelle tradizionali vesti di capitano del popolo e di vicario imperiale, — e proporre, come farà Vittorino, l'ideale dell'ottimo principe presuppone superato ogni dubbio sulla opportunità della sua esistenza — ma in uno con esso ristabilisca la condizione di ognuno.

Ecco allora perché nella «ca' gioiosa», il luogo assegnato a Vittorino e dove egli svolge il proprio magistero pedagogico col quale s'apre il tempo dell'umanesimo a Mantova, accanto ai figli di GianFrancesco e di famiglie illustri son presenti altri di più modesta nascita, ecco allora perché nella fiducia riposta nella capacità individuale — che pare dover stabilire con i temperamenti del caso la funzione sociale d'ognuno —, ogni presunzione di status tramandata dal periodo comunale vada perduta, mentre devono esser ridefinite quelle nobiliari (la scuola non interessa solo Mantova ma anche le aree circonvicine non sottoposte al dominio gonzaghesco), ecco allora infine perché divien necessario rivoluzionare anche la gerarchia del sapere ed insegnar musica e matematica, questa «buona per gli artigiani» e l'altra da «lasciare ai lupanari», come scrive un ignoto detrattore di Vittorino[1], incapace di comprendere il senso del lavoro di questo e, se si vuole, delle scelte di GianFrancesco di fronte alla crisi dell'ordinamento sociale. Crisi che traspare indubitabilmente dai risultati di un'altra iniziativa di GianFrancesco, riconducibile forse proprio alla presenza di Vittorino, come è stato opinato[2], e di cui occorre ora parlare. Nel 1430 Gian-

[1] Cfr. E. Faccioli, *Mantova, le lettere*, vol. II, p. 17.

[2] Così U. Nicolini, *Principe e cittadini, una consultazione popolare nella Mantova dei Gonzaga*, in *Atti del convegno su Mantova e i Gonzaga* cit., pp. 35-46. Dello stesso cfr. anche *Ancora intorno a principe e cittadini, una consultazione popolare del 1430 nella Mantova dei Gonzaga*, in *Studi in onore di U. Gualazzini*, Annali dell'Università di Parma, di prossima pubblicazione.

Francesco invita, attraverso il suo Consiglio, dei cittadini ad esprimere il proprio parere su ciò che possa giovare alla città ed al territorio mantovano. È impossibile seguire qui dettagliatamente i risultati di questa consultazione (di cui è prossima l'integrale pubblicazione) che mentre conferma la volontà del signore di non far giocare più alcun ruolo di rilievo ai consigli del comune, non interrogati in corpo, mentre alcuni loro membri sono fra gli scriventi, disegna a grandi linee i contorni del ceto dominante e delle sue preoccupazioni. Molti dei rispondenti, secondo i dati raccolti da Nicolini, hanno esercitato, esercitano od eserciteranno cariche nell'amministrazione, parecchi sono mercanti, uno è della stessa casa Gonzaga, altri son giuristi, nessuno, pare, proviene dal contado, nessuno appartiene a ceti artigiani, nessuno nemmeno è di famiglia di tradizioni feudali. E sovvenzioni al commercio, specie a quello della lana, buon ordine nell'amministrazione, e messa in riga dei ceti (divenuti?) subalterni — le leggi suntuarie richieste perché altrimenti « non se chonosse una molgie de uno richo mercadante ne anche de uno zentilomo e chavaliero da una molgie de uno tristo artesano »[1] significano qualcosa — sono le richieste più frequenti. E tuttavia se sul piano economico sociale le proposte degli scriventi sono abbastanza univoche, in ragione, si può pensare, di una identica estrazione cittadina e della comune pratica di attività « terziarie » (commerciali o meno), più chiare differenze appaiono fra di loro su quello politico amministrativo. Accanto a Giovanni degli Aliprandi il quale propone che la durata delle cariche sia triennale e non perpetua, così che il signore possa « metere di altri... citadini chi anno bisogno de fare officio zoe quelli chi non fanno ne ponno fare arte a quelli fosse sovegnudo do officio azo che lor podessero sostenere le lor famixe e cavedali e questo serave utile e honor de la vostra signoria e comune utilità di vostri citadinj », altri vi è che lamenta come « li vicari di castelli per vigore di decreti del Nostro Signore oltra la razione ordinaria a loro concissa, rendono rasone in subtractione de la jurisdictione del podestato de Mantua » e richiede invece che « tuti li castelli del districto de Mantua in render rasone obedisca al podestato de Mantua, excepiti li castelli principali che hano jurisdicione distincta » e aggiunge, che sia ristabilito il podestà o che almeno il vice podestà « e altro che rende rasone non sia de conseglio de prefato Nostro Signore ». In entrambi i casi, è evidente, ci si trova di fronte ad una critica delle novità introdotte dal signore: tanto gli uffici perpetui che lo svilimento della podestaria e la sua attrazione nell'orbita del Consiglio configurano

[1] Il passo, come i seguenti citati letteralmente, è riportato in appendice a M. GASCO, *Pareri dati al marchese G. F. Gonzaga nel 1430 circa la ricostruzione economica dello stato*, in « Rivista storica italiana », LI, 1934, pp. 331-357. I pareri stessi stanno in ASMN A. G. b. 2002.

infatti modi di governo alternativi rispetto a quelli tradizionali. Ma parimente evidente è la diversa valenza delle critiche. Nel caso dell'Aliprandi, e degli altri che come lui chiedono la fine del sistema delle cariche perpetue, si chiede sostanzialmente al signore un allargamento a ceti più ampi delle possibilità offerte dalla sua presenza, tant'è vero che queste richieste si collegano a quelle d'eliminare gli ufficiali forestieri per far posto ai mantovani. Di segno opposto le critiche dell'anonimo che protesta la *diminutio* del podestà. Delle novità signorili non si chiedono infatti modifiche che allontanino per certi versi ancor più dal sistema amministrativo e di governo comunale, bensì le si rifiutano per riproporre proprio questo, disconoscendo in uno con l'accentramento del potere nelle mani del signore anche i nuovi rapporti città-contado legati all'espansione territoriale del dominio gonzaghesco.

Col che si torna a quanto si diceva della situazione mantovana, nella quale la ancor parziale percezione e percettibilità della generale riorganizzazione principesca lascia spazio alla nostalgia del disgregantesi vecchio ordine; ordine pensato però, va detto, più come signorile che propriamente comunale. Nessuno infatti interviene a prospettare problemi o rimedi che involgano la politica estera del mantovano o quella, connessa, militare, anche in rapporto al territorio.

Paci, alleanze, fortificazioni, approntamenti bellici sono evidentemente competenza indiscussa, e indiscutibile, del Gonzaga, cui peraltro ci si rivolge con grande cautela e circospezione. Siamo d'altra parte nel 1430, solo tre anni prima della concessione del titolo marchionale, quando ormai l'abito signorile va molto stretto a GianFrancesco, come risulta, ed introduciamo un altro elemento, dall'emergere per la prima volta, con sua moglie Paola Malatesta, di un chiaro ruolo pubblico della consorte del signore, dotata di propria fisionomia e che partecipa della celebrità e della gloria con il marito; del configurarsi perciò della coppia regale, secondo quanto osservava già Burckhardt, nell'Italia quattrocentesca prima che altrove.

Vicende politico-militari e loro trasfigurazione ideologica

E ritornando ora alle vicende politico-militari si può constatare come la modesta riuscita finale dei progetti di GianFrancesco in questo campo confermi l'idea che l'evoluzione del suo potere nelle forme del dominio principesco sia legata in buona misura, in questo momento, ad esigenze interne e « logiche », si vorrebbe dire, almeno quanto ai rapporti esterni.

Già si è detto come GianFrancesco esordisca continuando la tradizionale politica della sua casa di alleanza con Venezia. Così, riprendendo ora il filo degli avvenimenti diplomatici, nel 1425, dopo esser stato per quattro anni al servizio di Filippo Maria Visconti, allorché i rapporti fra questo e Venezia si incrinano, non esita ad abbandonarlo entrando nella lega anti-viscontea a fianco di Venezia. La guerra con alterne vicende dura fino al 1428 e malgrado sia segnata dalla vittoria viscontea di Maclodio risulta ugualmente positiva per GianFrancesco, che ottiene da Venezia, in compenso della sua alleanza, il possesso di numerosi paesi e la riconferma degli acquisti paterni[1]. Si tratta però di un allargamento territoriale almeno in parte effimero. Alla fine del decennio, dopo che nel 1438 GianFrancesco aveva rinunciato alla carica di capitano generale dell'esercito veneziano per passare a militare sotto i Visconti, il dominio mantovano si contrae. In particolare Asola gli si ribella chiedendo di tornare sotto Venezia e la stessa volontà manifestano Lonato e Peschiera. Così la fine del conflitto, l'ultimo nel quale GianFrancesco si trova impegnato, anche perché muore nel 1444, sanziona nel 1441 una situazione che ridimensiona le ambizioni del Gonzaga, il quale era passato a comandare l'esercito visconteo nella speranza di ottenere, dopo gli ampliamenti verso la Lombardia, altri guadagni territoriali ad est, Verona e Vicenza promessegli dal Visconti nei capitoli dell'accordo.

Su un altro piano tuttavia GianFrancesco aveva ottenuto negli stessi anni quel risultato di grandissima importanza cui si è più volte accennato, vale a dire il titolo marchionale. Nel 1432 l'imperatore lo nominava marchese, non solo, GianFrancesco riusciva ad imparentarsi con la stessa famiglia imperiale. Barbara di Brandeburgo nipote dell'imperatore sarebbe divenuta moglie di Ludovico, il figlio primogenito che dapprima diseredato a favore del fratello Carlo, tanto da passare al servizio dei Visconti quando il padre militava con Venezia, e poi reintegrato nei suoi diritti, gli sarebbe succeduto.

Con l'acquisto, come è il caso propriamente di dire, del titolo, il processo di trasformazione della signoria in principato si può considerare concluso se non nel concreto della situazione mantovana, come si è visto, almeno da un altro punto di vista non meno importante, quello ideologico. Ed intende probabilmente celebrare tale mutamento il ciclo del Pisanello, recentemente tornato in luce nel palazzo ducale di Mantova[2]. Esso appare

[1] Fra cui Asola nello stesso 1428 e Castiglione delle Stiviere, Solferino, Castelgoffredo, Redondesco, Canneto, Sabbioneta, Ostiano e Vescovato nel 1431. Su queste vicende cfr. G. Coniglio, *Mantova, la storia,* vol. I, p. 450.

[2] Esso è stato attribuito da Paccagnini, che lo riportò in luce, ai primi anni del principato di Ludovico; tuttavia successive indagini hanno revocato in dubbio tale datazione, anticipando l'opera al periodo di GianFrancesco. Sul ciclo cfr. in particolare G. Paccagnini, *Pisanello alla corte dei Gonzaga,* catalogo della mostra, Electa, Milano 1972 e Id., *Pisanello e il ciclo cavalleresco di Mantova*, Electa, Milano 1972. E vedi da ultimo I. Toesca, *Altre osservazioni*

ispirato ai temi cavallereschi della tradizione cortese, impiegati però, per quanto si riesce a capire, a puntuale celebrazione della famiglia Gonzaga, le cui vicende e caratteristiche sono così aristocratizzate mediante la loro rilettura in chiave cavalleresca. Camelot diviene una riconoscibile Mantova ed il posto del Graal è preso dai vasi del sangue di Cristo. Infine GianFrancesco è rivestito dei panni di Tristano, che nel torneo di Louverzep (con buone probabilità appunto quello Pisanello intese raffigurare) « dette prova del suo valore, passando a suo piacere dall'una all'altra delle schiere di guerrieri contrapposti, risollevandone ogni volta le sorti e risultando infine il vincitore assoluto » [1]. Così la modesta realtà mantovana non solo viene celebrata ma addirittura trasfigurata nel cielo della cavalleria, mentre nella elegantissima rappresentazione pisanelliana le oscillazioni ed i voltafaccia della politica di GianFrancesco, riscattati da ogni sospetto ed opportunismo, divengon segni manifesti del suo valore, degni della sua nuova condizione feudale che ripete e rinnova quella cavalleresca e lo eleva e distingue del tutto da quelli che ora non più sono membri di una città che si regge a signoria, ma sudditi di un principato.

in margine alle pitture del Pisanello nel Palazzo Ducale di Mantova, in « Civiltà mantovana », XI, 1977, pp. 349-376; ivi anche la bibliografia sull'argomento.

[1] Cit. da G. PACCAGNINI, *Pisanello alla corte dei Gonzaga* cit., p. 61. L'interpretazione politica di questa metafora cavalleresca mi è stata suggerita da U. Bazzotti, cui va il mio ringraziamento.

Capitolo II. **Ludovico e l'età dell'umanesimo**

1. Nuovi criteri di legittimazione e nuovi equilibri sociali

Dall'ideologia cavalleresca a quella imperiale

La sintesi cavalleresca si dimostra tuttavia ben presto inadeguata all'ambiente mantovano e probabilmente alla mentalità del successore di Gian-Francesco, Ludovico.

La trasfigurazione cavalleresca del Pisanello rimane incompiuta, abbandonata a mezzo, qualche decennio più tardi si discuterà se far sopra il locale una cucina, e già nell'80 si verificherà un crollo del soffitto e la parziale rovina degli affreschi, più tardi addirittura coperti. I riferimenti culturali del secondo marchese appaiono per tempo essere ben altri, ed egli si farà ritrarre piuttosto nella cosiddetta « Camera degli sposi » dal Mantegna nella realtà della sua corte, attorniato da familiari e cortigiani, e la rappresentazione dovrà rispecchiare tanto più la realtà della corte mantovana perché essa si dimostri pari al modello cui pare rinviare attraverso i riferimenti letterari classici l'artista: quello imperiale[1]. Ludovico, il suo potere, il suo modo d'esser signore, di governare, non rinviano più ad una supremazia legittimata dal valore attuale, come nel caso del cavaliere arturiano effigiato per il padre (o per lui appena salito al trono). Egli non intende più apparire come un campione fra campioni torneanti, a significare anche la raggiunta parità di rango con gli altri signori padani, ma, per

[1] Così sostiene in particolare G. Mulazzani, *La fonte letteraria della Camera degli sposi di Mantegna*, in « Arte lombarda », n. 50, 1978, pp. 33-46. All'affresco ha dedicato particolare attenzione, in questi ultimi anni, Signorini; cfr. in specie R. Signorini, *Lettura storica degli affreschi della « Camera degli Sposi » di A. Mantegna*, in « Journal of the Warburg and Courtald Institutes », XXXVIII, 1975, pp. 109-135, e Id., *Federico III e Cristiano I nella Camera degli Sposi del Mantegna*, in « Mitteilungen des Kunsthistorischen Instituts in Florenz », XVII, 1974, pp. 227-250.

coloro che Ludovico circondano, egli deve essere come un imperatore. Quella tenda davanti a cui si muovono gli uomini del principe, salendo, scendendo, nello svolgimento dell'attività esterna del potere, comunicando dispacci, d'improvviso è violentemente scostata e rivela lo spettacolo segreto della presenza del principe. La coppia regale è seduta; intorno, in silenzio, familiari e cortigiani; uno di questi, chino, col cappello in mano, riceve istruzioni da Ludovico che, se raffigurato per di più in veste da notte come è stato detto, indicherebbe come tutta la vita del principe, anche il suo levarsi attorniato dalla corte, sia ormai rappresentazione, di sé e del proprio potere.

L'idea dell'imperatore e dell'impero — otto ritratti di imperatori romani sono nella « Camera degli sposi » — si collega, come ha ricordato la Yates, a quella della giustizia e del ristabilimento dell'età dell'oro[1]. E questo potrebbe essere il primo livello di lettura della rappresentazione di Ludovico come principe della prosperità e della pacificazione, del raggiunto riequilibrio della società mantovana, come si vedrà, oltre che della ricostituzione dell'unità territoriale del domino, infrantasi, come pure si dirà, alla morte di GianFrancesco. Ma l'idea monarchica, di cui quella imperiale costituisce il culmine, ha probabilmente altre valenze per Ludovico. In particolare richiamarsi all'imperatore dal punto di vista della tradizione giuridica romanistica significa proclamarsi pienamente signore, sovrano.

E che Ludovico mirasse a rafforzare anche idealmente la sua sovranità mi sembra risulti dalla ricerca del privilegio, che ottiene dall'imperatore il primo d'agosto del 1474, di poter « allearsi con qualsiasi altro principe o stato avesse voluto »[2]. Sancire il diritto di alleanza del Gonzaga significa infatti riconoscere il suo potere come territoriale e statuale, autonomo anche de jure dall'impero[3]. Certo si tratta di concessione non troppo gravosa per l'imperatore, visto che la sovranità imperiale in Italia era almeno normalmente solo formale; ma proprio per ciò è importante che Ludovico la ricerchi, non evidentemente mosso da opportunità immediate quanto da esigenze ideali: quella appunto d'una configurazione sempre più piena della sua potestà entro, e pur oltre, le forme feudali.

[1] Cfr. F. A. YATES, *Astrea. L'idea di impero nel Cinquecento*, Einaudi, Torino 1978, la quale afferma concepibile l'idea imperiale in questi termini da parte dei piccoli principati italiani allorché scrive « in quale misura sia sopravvissuto l'ideale della monarchia universale, sia pure soltanto come ornamento retorico, nella pretesa degli Sforza o dei Medici di restaurare nei loro domini l'età dell'oro è un problema che meriterebbe maggiore attenzione » (p. 14).

[2] Così G. CONIGLIO, *I Gonzaga* cit., p. 81.

[3] Cfr. in proposito quanto si osserva per l'analoga concessione agli Stände dei territori germanici centosettanta anni più tardi, in E. W. BÖCKENFÖRDE, *La pace di Westfalia e il diritto di alleanza dei ceti dell'impero,* in AA.VV., *Lo stato moderno,* a cura di E. ROTELLI, P. SCHIERA, vol. III, Il Mulino, Bologna 1974, pp. 333-362.

D'altro canto analizzando le iniziative di Ludovico nell'ambito mantovano vi si ritrova appunto la stessa ispirazione.

Riassetto giurisdizionale e collegio dei giureconsulti

A lui si deve, come osserva il cronista, se (nuovamente, dobbiamo dire però noi) « lano 1467 fo tolto via un pocho de honore chavia la citta de Mantoa », sostituendo il podestà con un vicepodestà per il motivo che « la spesa rencrexia al sior lo marchexo » e che al vicepodestà si sarebbe dato « asaij mancho provixione che non avia i podestati pasati »[1]. Ma essendo stretto il rapporto fra stipendio e capacità, risparmiare sul salario significa accontentarsi d'un giudice di minori pretese e minori capacità od esperienza, significa in definitiva che poco importa la qualità della giurisdizione podestarile, rispetto, bisogna aggiungere, a quella degli altri giudici che tendono a soppiantarlo e che sono creati dal principe. Già nel 1445 era stata attribuita da Ludovico in forza della sua « plenitudo potestatis... ex certa scientia et animo deliberato » al Consilium, una posizione giuridica specifica, indipendente anche formalmente dalla presenza del marchese in esso, ed ampi poteri di risolvere con procedimento sommario e « sola, mera, et pura veritate inspecta » — quindi parrebbe con un giudizio equitativo — le cause che egli avrebbe commesso al consiglio stesso, ai cui membri sono ora date vere e proprie patenti di nomina a consiglieri, a riprova ancora della piena formalizzazione del loro ruolo e funzione[2]. La sostituzione del podestà sotto Ludovico acquista anche per ciò un rilievo ben maggiore dell'altra precedente di cui si ha indiretta notizia. Tanto più che l'intervento di Ludovico in campo giuridico non si esaurisce nei provvedimenti di cui s'è parlato.

Negli stessi anni egli ricrea, o almeno trasforma richiamandosi a quanto altrove s'è fatto, il collegio degli avvocati[3] che a suo dire « superioribus annis seu temporum conditione, seu agresti quadam hominum dissidia maximaque cum omnium jactura evenuisse et deletum esse constet » affidando ai membri dello stesso funzioni che gli statuti del principio del secolo attribuivano, ancora una volta, al podestà ed ai suoi giudici e che, secondo il marchese, essi non potevano esercitare adeguatamente. Infatti « in contractibus et quasi contractibus, ac obbligationibus, in quibus ex forma juris aut Statutorum Comunis Mantuae, aucthoritates et decreta interponun-

[1] Cfr. A. SCHIVENOGLIA, *Cronaca* cit., p. 36.

[2] Sulle trasformazioni del *Consilium* e sulla patente di nomina dei consiglieri cfr. il già cit. *Il Senato di Mantova*, p. 68.

[3] Cfr. ASMN A. G. b. 3580, Statuto del collegio dei giureconsulti e giudici del 28-III-1473.

tur » il podestà ed i suoi giudici, essendo forestieri ed andandosene al termine dell'ufficio « non ita advertunt ad inadempitates contrahentium, vel quasi, prout verisilimiter advertent cives collegiati Mantuae ». Parimenti solo fra i collegiati sarà d'ora in poi possibile agli ufficiali marchionali scegliere nell'esercizio della giurisdizione il consulente — per il cosiddetto consilium sapientis —, e soltanto ai membri del collegio potranno esser commesse o delegate le cause d'appello delle sentenze del giudice delle appellazioni, e dei dazi del Comune, « quae per spectabiles DD. de Consilio vice Principis delegari consueverunt, et aliae quaecumque causae quae in futurum per ipsos Dominos de Consilio, aut alios quoscumque Judices et Offitiales delegari contingerit ». Se si tien presente che al collegio possono esser ammessi solo i laureati che siano considerati cittadini originari di Mantova e che al momento dell'ammissione essi devono giurare fedeltà al marchese, il quadro si completa e la riforma del collegio si dimostra omogenea, e funzionale, agli altri provvedimenti esaminati.

Da un lato vi è infatti uno spostamento di competenze dalle magistrature comunali a nuovi organi, come il collegio degli avvocati o il Consiglio creati dal principe, che vanno ormai controllando, grazie alle competenze delegate di secondo grado, l'applicazione del diritto — favorendo così la sua omogenizzazione nel nuovo e vecchio mantovano — e prefigurano altresì una linea di giurisdizioni alternative rispetto a quelle tradizionali, conseguenza che verrà in primo piano nel secolo seguente. Ma dall'altro lato le nuove competenze, create e garantite dall'autorità del principe, ed il processo di statualizzazione del diritto (in nuce già nella modifica della gerarchia delle fonti di settant'anni prima) vengono affidate, ed in misura non irrilevante, agli stessi cittadini mantovani.

Accanto così a quegli uomini ed a quelle famiglie cui già si è accennato parlando di GianFrancesco, ma utilizzando prevalentemente casi del periodo di Ludovico più evidenti (oltre ad essere i soli disponibili sul piano degli studi), che nell'esercizio delle cariche politico-amministrative del territorio e della corte inaugurano o rafforzano nel Quattrocento, come pure nel Cinquecento altre faranno, una tradizione di stretti rapporti con la casa Gonzaga, la politica gonzaghesca si rivolge, secondo quelle che abbiamo visto esser già le richieste del 1430, a settori più ampi della popolazione mantovana, proponendo anche per questi un ruolo determinato nella nuova forma d'organizzazione della società che si va configurando.

È significativo in questo senso che l'ammissione al collegio dei giureconsulti sia limitata ai cittadini stricto sensu [1], quasi a risarcimento della

[1] Ed un ordine ducale del 11-XII-1516, ASMN A. G. b. 3580, nel ribadire la vigenza dello statuto sottolinea (e forse specifica con maggior chiarezza) proprio questa caratteristica.

perdura rilevanza degli e negli organi comunali; e che conseguentemente il principe preveda procedure automatiche per l'elezione del priore (la carica ruota annualmente secondo l'ordine di anzianità) e senza formali interferenze da parte sua (i quattro consiglieri previsti dallo statuto vengono eletti dal collegio, lo stesso collegio giudica gli aspiranti).

Il che non vuol dire, ma risulta già abbondantemente da quanto sopra si è detto, che il nuovo collegio sia estraneo alle necessità e previsioni di Ludovico, il quale, si può aggiungere, si guarda bene, pur richiamandolo talvolta per singole rubriche, dal riproporre l'ordinamento del Collegium iudicum previsto dagli statuti cittadini del 1407. Affrontando questi temi occorre però evitare anche il rischio di una interpretazione tutta dalla parte del principe, d'un principe la cui mera volontà sia principio astuto ed occulto d'ogni cosa. E bisogna allora dire che la restaurazione su nuove basi del collegio, ed il suo maggior coinvolgimento nelle vicende del territorio mantovano va incontro, oltre che alle generali esigenze frutto dell'allargamento territoriale e della statualizzazione del dominio, anche, probabilmente, a quelle specifiche dei giureconsulti mantovani.

Anche fuor del dominio gonzaghesco si nota nella seconda metà del Quattrocento una sorta di crescente « protezionismo giuridico » che tende ad interdire a chi non sia originario del luogo funzioni e compiti giudiziari, in relazione peraltro agli stessi fenomeni statuali segnalati a Mantova. Si restringono così le opportunità professionali dei giureconsulti e il mestiere di giudice itinerante diventa sempre più difficile. Tant'è vero che nel Cinquecento si avranno anche diciotto candidati per tre posti riservati ai forestieri nella Rota di Mantova [1], e pur continuando qui come altrove formalmente intatto il meccanismo della chiamata del podestà forestiero [2] si tratterà ormai di questione di stato. E sarà il duca in persona, nel ringraziare il vescovo Bernardo Clesio d'aver voluto « compiacermi — si noti — de la podestaria di la soa Cita di Trento, per di questi nostri Dottori Mantuani » che l'hanno ben esercitata, a raccomandarne un altro [3]. E sarà ancora il Gonzaga, direttamente e tramite membri della famiglia, che premerà sugli Sforza per sistemare nel Senato di Milano un podestà di Mantova [4]. Infine, ugualmente, le relazioni che i consiglieri marchionali e

[1] Cfr. lett. di Nazzaro Scopulo al duca Guglielmo del 20-VII-1568, in ASMN A. G. b. 3441.

[2] Quando non se ne nominerà, come sicuramente nel 1525, uno mantovano; cfr. L. MAZZOLDI, *Mantova, la storia,* vol. II, p. 62.

[3] Cfr. lett. del duca Federico e Bernardo Clesio da Marmirolo, il 14-VII-1535, in ASTN, Corrispondenza clesiana, mazzo 5.

[4] Cfr. lett. di Luigi Gonzaga ad Alessandro Bentivoglio, suo zio, del 6-VII-1532, in ASMI arch. visc. sforz. c. 1014, in cui, premesso che nei giorni precedenti il duca di Mantova già aveva scritto a quello di Milano per « pregarlo che volesse compiacere al m.co

poi ducali stenderanno per orientare il Gonzaga nella scelta del podestà cittadino saran fitte di riferimenti ai potenti che garantiscono e raccomandano i diversi candidati, e l'importanza del personaggio farà aggio sulla sua competenza ad esprimere giudizi, tant'è che poi se ne ricercheranno verifiche per altre vie[1].

Tutto questo per dire che siamo di fronte a movimenti sociali che investono tutta l'Italia già comunale e cospirano a che il principe mantovano si realizzi come sovrano assoluto ed i ceti cittadini si orientino su di lui[2]. Tant'è che le iniziative di Ludovico trovano a riprova corrispondenza in quelle che nello stesso periodo si vanno prendendo anche a Milano, anche a Firenze.

Assistenza statuale e pietà privata

Così nel campo dell'assistenza accade per la costruzione dell'ospedale grande, tra il 1450 ed il 1472, secondo forme che saran riprese dal Filarete a Milano e che a loro volta corrispondevano a modelli toscani[3]. Ma non si tratta solo, è chiaro, di concordanze architettoniche, pur significative. Se sul piano locale Ludovico porta a compimento quelle tendenze che abbiamo visto emergere al principio del secolo nella riorganizzazione del Consorzio di S. Maria della Cornetta — appena si comincia a costruire il nuovo ospedale di S. Leonardo « subito fo comenzato a desfare li altri

messer Bernardino di Medici de Luca podestà di Mantua di un loco nel Senato », si insiste nella richiesta per tale posto, od altro conveniente.

[1] Cfr. ad es. in ASMN A. G. b. 3441 e 3442 ove lett. di G. P. de Medici, del 31-X-1567 al duca, in cui, esaminata una lista di dottori interessati alla podestaria, gli segnala in particolare « Jacomo Zonta parmigiano del quale ho avuto buona informatione da Messer Riccio Merlo, dal parmigiano che è qui ne la ruota, da un dottor luchese che sta in Parma et il Mag.co Bardelone ne ha bona relatione da un amico suo, è di età di anni trent'otto in circa, dottor di dieci anni in circa, raccomandato dal Signor Cardinale di Correggio », oppure « il cavaglier... da Ravenna raccomandato a V.E. da li signori Cardinale Colonna e Cardinale Alt'emps, et de la s.ra duchessa d'Urbino, di questo io non ho informatione ma il Mag.co Auditore l'ha per via del stradello e per altre vie ».

[2] Misurino su di lui, potremmo dire, e non solo in senso figurato, i propri tempi, il proprio tempo. Ché a Ludovico si deve la costruzione dell'orologio pubblico da parte di Bartolomeo Manfredi, suo astrologo di corte, orologio pubblico che fa, come dice Le Goff, del « tempo nuovo » degli orologi « il tempo dello Stato ». Sull'orologio pubblico di Mantova, cfr. S. Davari, *Notizie storiche intorno al pubblico orologio di Mantova,* già in « Atti e memorie dell'Accademia Virgiliana di Mantova », XX, 1882-83 e 1883-34, pp. 211-228, ed ora Sartori, Mantova 1974. La citazione da J. Le Goff, *Il tempo del lavoro nella « crisi » del secolo XIV: dal tempo medievale al tempo moderno,* in Id., *Tempo della Chiesa e tempo del mercante e altri saggi sul lavoro e la cultura nel Medioevo,* Einaudi, Torino 1977, pp. 25-39, p. 36.

[3] Cfr. P. Carpeggiani, *I Gonzaga e l'arte: la corte, la città, il territorio (1444-1616),* in *Atti del convegno su Mantova e i Gonzaga* cit., pp. 167-190 (la citaz. a p. 169).

hospedalij zoe a vendere le soij bene e serare li ussi »[1] e quando fu finito « se fe retrare ogni choxa » anche del Consorzio sotto l'ospedale — la « pubblicizzazione » e la generalizzazione dell'assistenza corrisponde a mutamenti profondi e diffusi nella concezione e nella pratica della stessa, in un contesto sociale e politico ormai mutato rispetto a quello che aveva visto la fioritura delle istituzioni di assistenza medievali (il cui scopo principale era, com'è stato notato, di giovare « a quei poveri che, saldamente inquadrati da vari organismi, restano in un certo senso integrati nella società »)[2]. Se l'allargarsi del territorio sottoposto alla città, la riorganizzazione in chiave principesca e di stato territoriale del potere, rendono infatti necessaria una assistenza quasi indifferenziata quanto a coloro che ne sono oggetto, ed integrata in una generale attività tutoria del principe (la stessa che lo porta a stabilire ad esempio il 28-III-1465 « de non admittendo accusatione pro damnis datis contra aliquid Commune sine expressa licentia et consensu Dominorum de Consilio[3] »), la parallela e sminuita rilevanza delle aggregazioni corporative ed in generale della capacità di integrazione « spontanea » della società urbana — significativo in questo senso il discioglimento del collegio dei giudici ed il suo « artificiale » ricostituirsi ad opera di Ludovico — pongono il problema di una ridefinizione, fra l'altro, anche delle forme di pietà, in quanto espressione del modo di raccordarsi di singolo e collettività. Perciò la ripresa di temi mistici che si verifica nella seconda metà del Quattrocento, nel mentre contribuisce a disciogliere l'identificazione dell'individuo con il suo antico ruolo di *civis*, dà altresì risposta alla crisi evidente di tale ruolo, favorisce il sorgere di una carità operosa[4] che però per vedere « ogni cosa... in qualche modo subordinata al problema della propria corretta risposta alla chiamata di Dio », « non sa né vuole proporsi programmaticamente settori più larghi di azione e di intervento » e finisce per confortare e coonestare l'attività del principe, sola capace di — in quanto interessata e necessitata a — realizzazioni ampie.

Questo, mi sembra, è l'ambiente in cui può sorgere anche a Mantova un ospedale come quello di S. Leonardo e si legittima la chiusura di tutti gli altri istituti di assistenza, provocando reazioni — del confluire dei beni di S. Maria della Cornetta nell'ospedale « molto li zitadinij se turborno » nota

[1] Cit. da A. SCHIVENOGLIA, *Cronaca* cit., p. 15.

[2] Così B. GEREMEK, *Il pauperismo nell'età preindustriale* (*secoli XIV-XVIII*), in *Storia d'Italia* Einaudi cit., vol. V, tomo I, pp. 669-698, p. 674.

[3] Cfr. quanto risulta da una nota d'archivio in ASMN A. G. b. 3369.

[4] Secondo sottolinea G. MICCOLI, *La storia religiosa*, in *Storia d'Italia* Einaudi cit., vol. II, t. I, pp. 431-1079, p. 946, scrivendo che « il ripiegamento mistico o il prolungato contatto con esso potevano anche comporsi o collegarsi con forme di attività pubblica di tipo caritativo ». *Ibid.* la citaz. che segue nel testo.

il cronista[1] — indicative tanto della novità della cosa quanto della situazione ancora complessa della società, se pur per l'opera di Ludovico si vadano ormai superando i problemi in essa aperti sotto GianFrancesco.

E si potrebbe segnalare a riprova di ciò, dei mutamenti che comunque la creazione dell'ospedale segnala avvenuti, tanto l'idea del vescovo Galeazzo Cavriani di apporre le proprie insegne su di esso malgrado non avesse in nulla contribuito alla sua edificazione, quanto il fatto che a soprintendervi fosse destinato un parente dei Gonzaga cui « poij foe dato per chompagnia a governare il soprascripto hospedalo madona Cicilia fiola del marchexo de Mantoa, la qual era del terzo ordene un pocho goba, quale staxia in stancia apreso le sore del corpo de Christo ». La *mainmise* delle autorità civili e religiose sull'assistenza costituisce così l'altra faccia della sua pubblicizzazione e statualizzazione.

In questo stesso periodo si crea in città una Camera dei pegni allo scopo « di disciplinare e sorvegliare l'andamento dei prestiti su pegno esercitati dai banchieri ebrei », cui farà seguito nel 1484 l'istituzione a Mantova del Monte di pietà[2] (il primo in assoluto), e le provvidenze nei momenti di carestia si propongono di raggiungere strati sempre più larghi della popolazione interessando anche il contado, attraverso l'avvio di lavori pubblici di bonifica riservati ai soli mantovani (che pare siano tanto cittadini che rurali)[3], mentre secondo quel che si diceva, la pietà individuale tende a sfociare in casi di misticismo — che proprio per il loro carattere *privato* trovano, posson trovare sostegno, solo nel principe — quale quello che ha per protagonista la terziaria domenicana Osanna Andreasi e che interessa l'ultimo quarto del secolo ed i primi anni del Cinquecento. E a proposito del culto della quale — ma gli elementi che lo compongono erano già presenti durante la sua vita — si è osservato trattarsi di « un'operazione culturale che si muoveva su binari distinti ma fra loro complementari » fra i quali particolarmente « la formazione di un modello di santità rispondente alle aspirazioni e alle esigenze della religiosità contemporanea...; l'uso della profezia politica come strumento di pressione sui prìncipi per la realizzazione della giustizia sociale e della riforma religiosa, e come mezzo di persuasione del popolo per la fedeltà al principe e la stabilità dello Stato »[4].

Ovviamente non si deve confondere l'emergere di criteri di legittimazio-

[1] Cfr. A. Schivenoglia, *Cronaca*, cit., p. 41, ove anche la citaz. che segue.

[2] Sulla Camera dei pegni, cfr. L. Mazzoldi, *Mantova, la storia* cit., vol. II, p. 33. Sull'erezione del Monte di pegno, cfr. in generale V. Meneghin, *Bernardino da Feltre e i Monti di pietà*, LIEF, Vicenza 1974.

[3] Cfr. A. Schivenoglia, *Cronaca*, cit., p. 45.

[4] Così in uno splendido saggio scrive A. Zarri, *Pietà e profezia alle corti padane: le pie consigliere dei principi*, in AA.VV., *Il rinascimento nelle corti padane. Società e cultura*, De Donato, Bari 1975, pp. 201-237, p. 225.

ne legati allo sviluppo dello stato territoriale e la crescita dell'azione sovrana con una ipotetica crescita dello stato mantovano. La realtà della potenza gonzaghesca resta infatti assai modesta, anzi se ne precisano sotto Ludovico, proprio in uno dei periodi di maggior splendore e prosperità del dominio, i limiti. Certo ora per la prima volta un Gonzaga, Francesco, figlio di Ludovico, ottiene la porpora cardinalizia, e per la prima volta nel 1459 Mantova, ospitando il Concilio che, nelle intenzioni del papa e sull'onda dell'emozione provocata dalla caduta di Costantinopoli dovrebbe bandire la crociata, si trova al centro dell'attenzione europea. E si tratta in entrambi i casi di successi prestigiosi che denotano la crescita di rango della famiglia gonzaghesca, nel primo caso per la sanzione che viene data all'assommarsi del potere religioso a quello politico [1], nel secondo certificando la crescita della città di Mantova e del suo signore nel contesto italiano (e la stessa nomina cardinalizia è un frutto del Concilio). Anche se, va detto, il Concilio finisce in nulla per le resistenze di chi come i veneziani teme danni ai propri commerci e rapporti con i turchi e per il disinteresse di altri.

2. Limiti esterni alla potenza gonzaghesca

Ma a fronte di questi successi sta, come rovescio della medaglia, per lunghi anni un dominio diviso tra i figli di GianFrancesco. Se Gianlucido muore nel 1448 e le terre di Carlo, che tenta addirittura la conquista del marchesato combattendo contro il fratello, passano a seguito della sua sconfitta sotto il controllo di Ludovico al principio degli anni Cinquanta, solo con la morte senza figli nel 1466 di Alessandro si giunge alla completa riunificazione del territorio.

In equilibrio fra Milano e Venezia

Né la continua attività guerriera di Ludovico, al servizio di altri o come principe territoriale, può nascondere la limitatezza del suo ruolo fra gli stati padani. Limiti ben chiari anche alla coscienza comune che vedeva la ragione della forzata alleanza dello Sforza con i Gonzaga (forzata poiché secondo il cronista « el ducha non volia ben alo marchexo de Mantoa ») nel sospetto del primo verso i veneziani così che « tenia Mantoa per un

[1] Sul rapporto tra casa Gonzaga e chiesa mantovana, cfr. quanto risulta da I. DONESMONDI, *Dell'istoria ecclesiastica di Mantova*, 2 voll., Mantova 1612-1616 (in rist. anastatica, Forni, Bologna 1978).

bastione di mezo »[1]. Notazione che corrisponde perfettamente, fra l'altro, non che al contenuto dell'alleanza con lo Sforza di cui parleremo, a quello dell'altra con la quale Ludovico aveva esordito come sovrano e contratta in funzione antiveneziana con Filippo Maria Visconti nel 1445. Le promesse viscontee ricalcavano, come è stato notato, quelle fatte a GianFrancesco, ma quel che soprattutto importa sottolineare è che Lodovico non era « obbligato a partecipare ad impresa alcuna fuori del proprio dominio »[2]. La funzione di bastione del Gonzaga e del territorio mantovano, sembra chiara. E che l'andamento poi delle operazioni sfavorevoli al Visconti costringa, si può ben dire, Ludovico ad un rovesciamento di alleanze che al principio del 1447 lo porta al servizio, propostogli per lo stesso motivo che aveva mosso il Visconti e al di là della sua valentia guerriera, di Firenze collegata con Venezia, come capitano generale, è la riprova di quanto s'è prima detto. Ed è perciò ben prevedibile il contraccolpo a Mantova della resurrezione della potenza milanese nel 1450 (e dei mutamenti di indirizzo di quella fiorentina che abbandona Venezia per Milano) con la presa del potere di Francesco Sforza, dopo i pochi convulsi anni della Repubblica ambrosiana, nella quale aveva giocato una parte come comandante militare il già ricordato Carlo Gonzaga. Non è passato ancora un anno da quando nel gennaio lo Sforza ha ottenuto il controllo di Milano che Ludovico assume una condotta presso di lui, inizialmente per tre anni, ed instaura quei rapporti di deferenza che trovan fondamento nel diverso peso dei due stati[3].

La pace di Lodi stabilizzando la situazione della pianura padana e registrando l'equilibrio esistente tra le forze in campo, garantisce per ciò stesso a Mantova un periodo di tranquillità che durerà per tutta la vita di Ludovico, tanto più che il suo unico avversario specifico, il fratello Carlo, collegatosi ovviamente, vista la posizione del fratello, con i veneziani, era stato sconfitto nel 1453. Ma per la situazione particolare del mantovano, la politica gonzaghesca, come sensibilissimo sismografo, segnalerà ogni scossa della politica d'equilibrio. Tra il 1464 ed il 1466 i rapporti con Milano sembrano giunti ad un punto di rottura e si prospetta il passaggio di Ludovico al servizio di Venezia. Disgusti personali (il matrimonio con gli Sforza andato a monte per il sospetto di gibbosità della figlia di Ludovico, stipendi arretrati) ed opportunità finanziarie immediate giocano la loro parte nella vicenda (lo stipendio offerto da Venezia è triplo di quello che Ludovico otterrà poi da Gian Galeazzo Sforza) ma non si può dimenticare

[1] Cfr. ancora A. Schivenoglia, *Cronaca,* cit., p. 44.

[2] Così riferisce L. Mazzoldi, *Mantova, la storia* cit., vol. II, p. 5.

[3] Scrivendo allo Sforza Ludovico non si periterà di chiamar quello padre, e se stesso figlio. Cfr. la corrispondenza fra i due in ASMI arch. visc. sforz. b. 390 e seguenti.

che in questi anni muore Cosimo, sembra vacillare la signoria medicea e si profila il problema della successione a Milano, dove Francesco muore nel 1466; e dunque sembra doversi rimettere in gioco tutto il sistema di forze e rapporti consolidati dalla pace di Lodi.

Il che non sarà, e Venezia nicchia, secondo Mazzoldi, di fronte alla prospettiva di concessioni territoriali a Ludovico in cambio della stipulazione della condotta [1] evidentemente dubbiosa all'idea di un impegno serio che solo potrebbe compensare i trasferimenti territoriali al Gonzaga, e questi finisce così per riconfermarsi al servizio del figlio di Francesco, Galeazzo Maria — ma intanto il momento di crisi più acuta è anche passato — e degli Sforza fino alla sua morte nel 1478. Peso e funzione del marchesato che se traspaiono così nella coscienza popolare come nella condotta vigile di Ludovico, sempre attenta ai mutevoli rapporti di forza, incidono però anche sulle caratteristiche del dominio gonzaghesco e sulla vita dei suoi abitanti. Rocche e fortificazioni, sovente erette o restaurate in questi anni, coprono il territorio [2], l'adozione del sistema delle cernide coinvolge tutti i sudditi nelle guerre del principe [3].

Città e contado nello stato territoriale

Col che si può tornare alle caratteristiche dello stato territoriale ed alla rilevanza che vi assume il contado. Già era emerso incidentalmente un incremento dei poteri giudiziari dei vicari sotto GianFrancesco e perciò la tendenza a sottrarre in qualche misura i contadini alle giurisdizioni cittadine affidandoli più strettamente, come già si accennava, alla diretta tutela del principe. Con Ludovico la tendenza prosegue. Così ad esempio egli concede nel 1450 [4] agli uomini e comuni del vicariato di Revere per loro maggiore comodità che il vicario possa giudicare fino a 100 libre piccole mantovane. E, va notato, questo viene concesso proprio a Revere dove contemporaneamente si sta ristrutturando sotto la direzione di Luca Fancelli quel castello-palazzo che, come le altre dimore gonzaghesche, segnala la presenza del principe sul territorio in forme diverse dal passato [5] e fa dei

[1] Cfr. L. MAZZOLDI, *Mantova, la storia* cit., vol. II, p. 25.

[2] Documenta come le opere ed i sistemi di fortificazione del mantovano in larga parte già esistenti prima del 1400 vengano rafforzati in questo secolo, ed in particolare con Ludovico, E. BORIANI, *Castelli e torri dei Gonzaga nel territorio mantovano,* Tip. F. Apollonio, Brescia 1969.

[3] Cfr. quanto risulta in proposito dal solito A. SCHIVENOGLIA, *Cronaca* cit. (ad. es. p. 41).

[4] Cfr. ASMN A. G. b. 3569, ordine 23-V-1450.

[5] L'intervento del Fancelli, che si trova di fronte ad una costruzione iniziata sul modello di San Giorgio, scrive Carpeggiani, « è inteso a trasformare la rigida e squadrata architettura del castello nella dimostra di un principe ... più che attento ai nuovi fermenti culturali ».

maggiori paesi del contado delle specie di capitali pro tempore nel momento della residenza del principe [1]. D'una (o più) capitali conformate in modo tale da illustrare e riverberare nel contado la magnificenza e sovranità del principe, sottolineandone al contempo la radicale alterità rispetto ai sudditi, abbisogna infatti lo stato territoriale.

E anche da questo punto di vista, l'ultimo di cui occorre trattare, la politica di Ludovico è conseguente e, ancora una volta, sintomatica di trasformazioni generali. Quelle, per intenderci, che vedevano nella cupola del Brunelleschi (e utilizziamo l'immagine famosa dell'Alberti, certo non un estraneo a Mantova), « structura sì grande, erta sopra i cieli, amplia da coprire con la sua ombra tucti e popoli toscani ». Ludovico era stato discepolo di Vittorino da Feltre, come si è detto, e fin dai primi anni del suo principato era completamente mutato il clima culturale cittadino. Con l'arrivo del Fancelli, dell'Alberti, del Mantegna, l'arte e la cultura umanistica improntano di sé anche la città. E poiché « la contingenza della città medievale non vanifica l'intenzione umanistica di Ludovico di riqualificare, senza stravolgimenti, la struttura urbana che gli è stata consegnata », gli interventi del marchese provocano un generale riordino urbanistico di Mantova. « Le strade più importanti sono livellate e selciate; una cospicua porzione dei territori paludosi dell'Ancona è concessa ai frati Agostiniani con intenti di bonifica; particolare importanza è riservata alle opere di carattere pubblico: al restauro del palazzo del Podestà si associa la costruzione della casa del Mercato e dell'ospedale di S. Leonardo » cui già si è accennato, e di quelle di S. Andrea e di S. Sebastiano da parte dell'Alberti. Strade, edifici pubblici, chiese dietro cui, secondo Carpeggiani, appare infine « chiara la volontà del committente Ludovico Gonzaga di inserire nel tessuto medievale della città una serie "coordinata" di "presenze" monumentali in grado di focalizzare, in termini perentori, gli antichi percor-

Così P. Carpeggiani, *Luca Fancelli architetto civile nel contado mantovano: ipotesi e proposte*, in « Civiltà mantovana », IV, 1969, pp. 87-114, la citaz. da p. 92. Dello stesso cfr. *Il palazzo gonzaghesco di Revere,* Ceschi, Mantova 1974.

[1] Accenna a questi temi P. Carpeggiani, *I Gonzaga e l'arte* cit., p. 176. Proprio a proposito di Revere scriveva Flavio Biondo (cito da una traduzione cinquecentesca) che è « Revero nuova terra posta al rimpetto di Ostilia, e Lodovico Gonzaga marchese di Mantova l'ha di forti mura circondata, e se ingegna d'ornarla d'un bellissimo palazzo ». Cit. da *Roma ristaurata, et Italia illustrata di Biondo da Forlì, tradotta in buona lingua volgare per Lucio Fauno,* Venezia 1588, p. 152. Alla fortificazione del borgo corrisponde dunque l'erezione del palazzo. In generale sulla presenza gonzaghesca ed aristocratica nel contado, specie nei periodi seguenti, e sul rapporto fra la costruzione di palazzi e ville e le trasformazioni agrarie cui già si è accennato cfr. quanto si può trarre da AA.VV., *Palazzi e ville del contado mantovano,* Vallecchi, Firenze 1966 e AA.VV., *Corti e dimore del contado mantovano,* Vallecchi, Firenze 1969, ed infine dalle osservazioni di P. Carpeggiani, *Decadenza delle ville gonzaghesche*, in « L'arte », II, 1969, pp. 119-139.

si »[1] e che, già lo si è visto nel caso esemplare dell'ospedale, sono relative ad una più intensa presenza del principe, ad un accentramento del potere nelle sue mani che, se ne modifica il modo d'essere[2], pone tuttavia nuovi temi e problemi. È stata ricordata anche recentemente l'attenzione di Ludovico per lo svolgimento dei lavori commissionati e la sua abitudine all'intervento diretto, e come contrariamente al consueto non intervenga nel 1459 quando il Mantegna opera nel castello e come nel 1460, presentandosi delle difficoltà nei lavori della rocca di Cavriana, invece di dar direttive di persona preferisca inviare sul posto L. B. Alberti[3]. Il rapporto con l'Alberti ed il Mantegna si appalesa così ben diverso da quello avuto con i tradizionali esecutori della sua volontà. Anche a Mantova insomma si profila quell'elevazione dell'arte a scienza, per dirla con Panofsky, cui si lega « il mutamento della dinamica, un rovesciamento quasi, dei rapporti tra committente e artista segnando... il configurarsi sempre più netto di quella concezione dell'arte non più intesa come attività meramente "mechanica", bensì intellettuale »[4] che ha in sé la radice stessa della crisi del brevemente raggiunto ideale umanistico di un uomo universale e completo. Crisi cui porta anche la contemporanea evoluzione e complicazione delle forme statuali. Ché le competenze specifiche d'ognuno ed il suo servizio per il principe, entro strutture in via di formalizzazione, sempre meno potranno intendersi come parte e tappa della sua personale costruzione d'uomo perfetto, o se si vuole sempre minori occasioni vi saranno d'un impegno pubblico che abbisogni d'un uomo « perfetto »; perfezione che si ripiegherà su se stessa allora, nell'esaltazione di quel particolare guicciardiniano che fuor delle interpretazioni volgari vuol dire elezione della coerenza con sé nella progressiva impossibilità d'ogni impegno civile. Appaiono con Ludovico le prime ambasciate stabili mantovane e quella d'ambasciatore sarà la carica che per eccellenza parrà richiedere l'umanistica individuale completezza. Ma quando, nel 1492, si distinguerà formalmente l'attività ordinaria da quella riservata, già si sarà posto il germe della riduzione a mero funzionario del « rappresentante » del principe, ed i successori di Baldassarre

[1] Cit. da P. CARPEGGIANI, *I Gonzaga e l'arte* cit., p. 176.

[2] Del rapporto tra costruzione dell'ospedale e tipo di assistenza già s'è detto, per quello tra il nuovo S. Andrea ed il controllo dei beni ecclesiastici e delle cariche religiose cfr. quanto risulta da M. VAINI, *La Collegiata di S. Andrea, la prepositura di S. Benedetto Po e la politica ecclesiastica dei Gonzaga*, in *Il S. Andrea di Mantova e L. B. Alberti*, Atti del convegno organizzato dalla città di Mantova in collaborazione con l'Accademia Virgiliana nel V centenario della basilica di S. Andrea e della morte dell'Alberti, 1472-1972, Biblioteca Comunale, Mantova 1974, pp. 335-345.

[3] Si veda su ciò la relazione di M. DALL'ACQUA, in *Atti del seminario su Baldassarre Castiglione* cit.

[4] Riprendo le puntuali osservazioni di G. OLMI, *Ulisse Aldrovandi. Scienza e natura nel secondo Cinquecento*, Università degli studi, Trento 1978, 2ª ed., p. 24.

Castiglione si dibatteranno sempre più faticosamente nella contraddizione fra formazione ed aspirazioni personali generali e ruolo pubblico via via più precisato e limitato.

Ma son questi, nel periodo di Ludovico, problemi che ancora non si pongono. Anzi, quando nel 1478 Ludovico muore, piuttosto che i frutti delle trasformazioni da lui operate sono i temi tradizionali che paiono riproporsi in primo piano.

Capitolo III. **Il marchesato nella crisi rinascimentale**

1. Formalizzazione della corte e della struttura amministrativa

Trattative ed accordi fra la moglie del marchese ed i figli, propiziati dall'assenza (o provvidenziale scomparsa) del testamento del marchese, portano ad una spartizione del territorio mantovano fra i diversi fratelli per cui esso, diversamente da quanto era accaduto sotto Ludovico, non si ricomporrà più pienamente sotto la potestà del marchese e poi duca di Mantova. Infatti « nelle terre passate sotto la Signoria di Rodolfo e Ludovico, si sarebbero poi formati il principato di Castiglione delle Stiviere, i marchesati di Castelgoffredo e di Luzzara, e le signorie di San Martino e Solferino, mentre in quelle toccate a Francesco e GianFrancesco sarebbero sorti i principati di Bozzolo e Sabbioneta ed il marchesato di Gazzuolo »[1]. Distinzioni territoriali che nel caso di Castiglione, come in quelli di Bozzolo e Sabbioneta, avranno rilevanza, dal punto di vista almeno dell'autonomia amministrativa, ancor ben oltre la metà del Settecento, quando quasi tutte queste terre ed il ducato con loro saranno passate da decenni sotto gli Asburgo.

Esercizio militare e splendore della corte

La riduzione territoriale, e l'inevitabile conseguente indebolimento, del marchesato rendono nell'immediato ancor più obbligato per il nuovo marchese Federico la scelta della continuità con la politica paterna e dunque con il servizio degli Sforza, senza trascurare l'opportunità di amichevoli rapporti con Venezia. Tuttavia ben presto la crisi del sistema dell'equilibrio e le lotte che coinvolgono Venezia e Milano prima alleate a difesa dei

[1] Così riassume egregiamente L. Mazzoldi, *Mantova, la storia* cit., vol. II, pp. 37-38.

Medici contro il papa, poi in contrasto fra di loro nella guerra di Ferrara, impongono a Federico, che con gli Este aveva tra l'altro stretto rapporti fidanzando nel 1480 il figlio Francesco con Isabella, figlia del duca Ercole, una poco gradita scelta di campo e la necessità di scendere in guerra contro Venezia anche come principe territoriale[1]. Nel corso delle operazioni egli riesce ad espugnare Asola ed a riunirla ancora una volta al dominio gonzaghesco, ma di lì a poco se ne prospetta nuovamente la perdita quando l'impegno della lega si va esaurendo e si profila un accordo con la Serenissima. Il breve marchesato di Federico, ché egli muore nel 1484 quando la situazione è ancora incerta e gli succede il figlio Francesco, nato nel 1466, vede così il prevalere su ogni altra dell'attività militare; e quindi anche l'assoluta rilevanza che l'esercizio delle condotte viene ad avere nell'economia marchionale, e di conseguenza sull'intera vita cittadina. Gli anni di Federico, come quelli che seguono di Francesco ed Isabella, sono proprio per ciò di minor rilievo dal punto di vista dell'evoluzione apparente delle forme di governo di quanto non siano di profonde trasformazioni sociali, quelle stesse che, chiusesi le opportunità militari per la decadenza del sistema delle condotte, imporranno la svolta riorganizzatrice intorno alla metà del Cinquecento.

Infatti, se l'esercizio delle condotte, con la possibilità di attingere denaro da questa fonte, pare evitare ai Gonzaga la necessità di inasprimenti dei pesi fiscali gravanti sul dominio, nel quale infatti non si registrano, con una eccezione di cui si dirà, moti popolari o tentativi di rivolta, che le tumultuose vicende del tardo Quattrocento e del primo Cinquecento avrebbero potuto favorire (come favoriscono a corte un tentativo d'avvelenamento di Federico da parte dei fratelli e lo svolgersi della poco chiara vicenda di Francesco Secco, principale consigliere di Federico, accusato da quest'ultimo che era anche suo nipote, di tradimento[2]), l'esercizio delle condotte, dico, pare favorire altresì diverse trasformazioni nei ceti che più da vicino gravitano intorno ai Gonzaga e che, si vedrà, finiscono per interessare il contado. Anche se la cautela è d'obbligo nell'affrontare questi temi; poiché alla minuzia con cui si sono indagate le vicende belliche o quelle familiari dei Gonzaga fa riscontro nella storiografia su Mantova, fino praticamente ad oggi, o ieri al più, la quasi totale indifferenza per tutto ciò che non stia « tra Marte e Venere » o vi si possa collegare, e segnatamente per i temi

[1] L'incertezza di Federico ed il suo desiderio di non arrivare allo scontro con Venezia è testimoniato dagli elementi messi in luce da Mazzoldi. Soltanto dopo che, ormai nominato capitano generale del ducato di Milano, riceve infine l'ordine di aprire le ostilità, provvede a porre sull'avviso i suoi vicari ed i suoi sudditi dei paesi confinanti con le terre veneziane. Cfr. L. Mazzoldi, *Mantova, la storia,* cit., vol. II, p. 43.

[2] Cfr. in proposito G. Coniglio, *I Gonzaga* cit., pp. 98 e 103.

che s'usano chiamare di storia sociale (ma che non per ciò solo ora si sanno esistere). Sembra tuttavia che, come l'autonomia finanziaria permessa (ed anche talvolta soltanto promessa) dalle condotte favorisca una maggior separazione del marchese e della sua corte dalla città, nel rapporto con la quale viene ora sempre più frequentemente prevalendo il piano dello spettacolo[1], così d'altro lato l'esercizio militare (Francesco potenzia le milizie territoriali) pare provochi nei ceti più vicini ai Gonzaga una contemporanea accentuazione delle caratteristiche nobiliari prodotte vuoi dall'impegno militare per l'ideologia cavalleresca che vi si lega, vuoi dai maggiori rapporti ora intercorrenti con altre formazioni statuali più aristocraticamente strutturate. Ma su ciò si tornerà poi. Per intanto, restando al rapporto con la città va notato che non è in contraddizione con quanto si è detto il fatto che sia proprio Federico nel 1481 a ripristinare la carica del podestà. Questi infatti ormai è stato compiutamente staccato dalla sua matrice comunale e reso disponibile alla cooptazione nel nuovo sistema statuale attraverso la sua rilettura come *praetor*, mero giudice cittadino, come risulta ad esempio dalla lettera di Peregrino de Prisciani, « nobilis ferariensis et comes palatinus » che nel settembre 1486 accetta la pretura « sive potestaria » di Mantova[2].

Un rovesciamento di prospettive che in generale mi sembra caratterizzare tutto ciò che viene dalla tradizione comunale (e signorile). Francesco, « l'anno diciottesimo dell'età sua, a ventiquattro di Luglio, pigliò la bacchetta della Signoria datagli dal Massaro la mattina nella piazza, ch'è dinanzi al Castello, in presenza del popolo; et così con detta bacchetta in mano andò a San Pietro (la cattedrale) a Messa » narra il contemporaneo Equicola[3]. La cerimonia che dapprima era servita a legittimare il potere dei Gonzaga non par dubbio che a fine Quattrocento, da Francesco, nipote di quel Ludovico che si era richiamato al mito imperiale per rendere chiara la sua condizione di sovrano (e l'uso imperiale serve all'Equicola per giustificazione persino del portarsi la barba da parte di Francesco) sia intesa soprattutto come occasione di solenne riconferma da parte della città della propria sottomissione al marchese, pur non del tutto immemore del suo passato signorile[4]. E d'altro canto già si accennava alla valenza politica del

[1] Ed esemplarmente l'Equicola annota che Federico, da poco succeduto al padre Francesco, finito l'inverno « deliberò di ricreare la mesta sua Città, dando al popolo spettacoli d'allegrezza » ed indisse una giostra. Cfr. M. EQUICOLA, *Dell'Istoria di Mantova libri cinque, scritta in commentari da Mario Equicola... riformata secondo l'uso moderno di scrivere Istorie per Benedetto Osanna Mantovano,* Mantova 1607 (ed ora in ristampa anastatica presso Forni, Bologna), p. 294.

[2] Cfr. ASMN A. G. b. 3441 lett. del 16-IX-1486.

[3] Cfr. M. EQUICOLA, *Dell'istoria* cit., p. 206.

[4] Ciò risulta chiaro dalla relazione sulla assunzione del potere da parte del figlio di

misticismo di Osanna Andreasi ed al privilegiamento del suo rapporto con i principi Gonzaga entro il quale mediato sta quello con la città; rovesciandosi così l'ideologia del santo patrono da parte di chi si dedica all'esaltazione della terziaria, scrivendo, nella *dedicatio libelli* dell'« invictissimo amore quale era... in lei verso le vostre illustrissime Signorie »[1], sottolineando poi le predizioni fatte a corte e le grazie che per sua intercessione i principi avevano ottenuto. E sono gli stessi Gonzaga, soprattutto Isabella, ad interessarsi per la causa di beatificazione di Osanna, dipoi che evidentemente, il riconoscimento della sua santità ridonda su coloro che da lei sono stati prediletti[2]. E se in ciò si può vedere la continuazione della politica di appropriazione religiosa dei Gonzaga, già notata altre volte, va sottolineato che il marchese GianFrancesco e suo padre si erano appropriati del patrimonio religioso locale agendo su di esso, ed in tal modo si erano proposti alla pietà popolare; mentre ora è la santità di Osanna che, in quanto legata alla corte, dice mediatamente di quella, per sé sconosciuta, dei principi.

D'altra parte come la loro santità, così la loro potenza è detta indirettamente, attraverso gli onori tributati da altri principi — e perciò il titolo, luogotenente, capitano generale, costituisce uno dei capitoli più accanitamente contrattati delle condotte[3] —, attraverso lo spettacolo eccezionale della

Francesco, Federico. Dopo che ha ricevuto « la verga del dominio » dal massaro del comune, gli è posto innanzi da Alessandro Spagnolo canonico mantovano, protonotario apostolico e consigliere marchionale un messale aperto dicendogli « che seria ben debito ch'ella giurasse al populo di servare iusticia et non imponere a' suoi subditi graveze insolite, ma che esso populo se contentava de la parola sua sola, et serrato il libro non volse che giurasse. Poi voltato al Massaro li disse che seria debito che egli come persona representante il populo giurasse che esso populo seria fidele al Signore ivi presente, ma che sua Excellentia se contentava de la parola sola, et chiudendo il libro non permise che 'l giurasse, ma l'uno et l'altro promise verbo ut supra ». Il testo completo in L. Mazzoldi, *Mantova, la storia* cit., vol. II, app. VI, da cui si cita.

1 Si cita dal *Libretto della vita et transit della beata Osanna da Mantua novamente corretto et con una nova aggiunta; composito dal Venerando padre frate Hieronimo Monte olivetano et stampato de l'anno del MDXXIII*, Bologna 1524. Su quest'opera cfr. il saggio di A. Zarri, *Pietà e profezia* cit., *passim*.

2 E ciò spiega perché alla morte dell'Andreasi il marchese si rivolga a Stefana Quinzani di Soncino pregandola di assumere a sua volta il ruolo di « madre » nei confronti dei principi Gonzaga. Su ciò cfr. ancora A. Zarri, *Pietà e profezia* cit., p. 223.

3 Si veda il caso, ricordato anche dal Guicciardini, nella sua *Storia d'Italia,* di quella discussa nel 1498 con lo Sforza dove questo problema blocca per mesi l'accordo (serve quantomeno a bloccarlo) e richiede ambascerie da Milano a Mantova e viceversa e lunghe discussioni. Il Gonzaga sostenendo che il Moro gli ha promesso « el primo titulo che habia in l'arte militare solo, non possendoglielo dare accompagnato et etiam che non lo faria cavalcare in questi quattro mesi senza el titulo ». Di ciò discutono i tre inviati dello Sforza « in camera però et presente solo la Ill.ma marchesana et quattro overo sei de li principali soi col predetto signor Marchese per bono pezzo ». Così lett. allo Sforza di Gaspare di S. Severino, Corradolo Stanga e Giovanni Gallarati del 24-VI-1498 da Mantova in

giostra, quello ricorrente delle feste e dei matrimoni[1], quello permanente della corte, cui solo ora si dedica l'attenzione assolutamente prevalente dei principi. Così che si può osservare come corollario del « meticoloso programma » culturale di Isabella il fatto che esso « si attua in assenza di una vera coscienza urbanistica, escludendo la riprogettazione della città e negando la ricerca di un rapporto dialettico tra l'organismo urbano e la reggia; anzi, la corte — s'intenda: dimensione architettonica che accoglie ed emblematicamente visualizza la classe privilegiata — ribadisce il proprio carattere di microcosmo, sede di una "conversazione", erudita ed appartata, sul "tema" dettato da Isabella. La città è dequalificata al ruolo di cornice, fors'anche splendida, ma senza vita, della corte »[2].

Vita quotidiana e nuovi modi del potere

Splendore della città, come riflesso di quello della corte, che si riverbera nella descrizione un po' mitica, un po' di maniera di Mantova come città migliore di ogni altra, dove la gente è « bona » e « liberalis », dove « semper in ballis godit », dove « cavallorum bona razza nascit, terra vaccarum nat in amne lactis, ricca formento, pagoris, olivis, ..., uvis », dove infine « factio non ... gibelina plus quam ghelfa guardatur, sed amant vicissim » (*Zanitonella*, vv. 217-240) e vivon felicemente, diversamente da quanto accade altrove, a Brescia o Padova, piene di disgrazie. Ma a questa sorta di « paradiso cittadinesco, pacifico e godereccio, promesso... all'uomo dei campi fedele al proprio principe »[3] e la cui mera esteriorità abbiamo prima visto, fan riscontro nell'opera stessa del Folengo, che scrive proprio nella prima metà del Cinquecento, le avventure di Cingar e dei suoi compagni protagonisti del Baldus, attraverso le quali si indovina un'altra realtà quotidiana di miseria e di violenza, di pericolo continuo. Non si tratta soltanto

ASMI arch. visc. sforz. c. 1013. Sulle vicende del periodo cfr. L. MAZZOLDI, *Mantova, la storia* cit., vol. II, p. 153 ss. Di « gran festa e falò » fatti in Mantova quando capitano generale del duca di Milano era stato fatto il precedente marchese Federico parla A. SCHIVENOGLIA, *Cronaca* cit., p. 54.

[1] Anche tre in due mesi, come nel 1481, quando in gennaio per il fidanzamento di Francesco ed Isabella « no se poria dir le festij e trionfij e le spexe grandij, maij da la cha de Gonzaga non se ne fece de similij », in febbraio « gran festij e trionfij » accolgono Antonia Malatesta che va sposa a Rodolfo, fratello del marchese, e « gran festij e honore » accompagnano la partenza da Mantova del duca di Ferrara. Le citaz. da A. SCHIVENOGLIA, *Cronaca* cit., p. 53. Si può ricordare che Antonia Malatesta, accusata di infedeltà, verrà decapitata due anni più tardi.

[2] Cit. da P. CARPEGGIANI, *I Gonzaga e l'arte* cit., p. 178.

[3] Così, nelle umanissime pagine dedicate al Folengo e cui si rinvia per ogni notizia sull'autore, scrive E. FACCIOLI, *Mantova, le lettere,* vol. II cit., p. 323. Sul Folengo cfr. ora anche *Cultura letteraria e tradizione popolare in Teofilo Folengo*, Atti del Convegno tenuto a Mantova il 15-17 ottobre 1977, a cura di E. BONORA, e M. CHIESA, Feltrinelli, Milano 1979.

del passaggio delle truppe, amiche o nemiche, e dei danni delle operazioni belliche, quanto del banditismo diffuso e della violenza individuale. A Casalmaggiore, lamenta il marchese nel 1513, si ricoverano tre viadanesi colpevoli di quattro omicidi, che compiono scorrerie quotidiane nel mantovano, con una trentina di compagni, fin alle porte di Viadana [1]. Poco distante, negli stessi mesi, tra Calvatone, terra sforzesca, e Canneto, terra mantovana, per una questione di diritti sull'Oglio infuria una sorta di guerriglia fatta di colpi di mano, assalti notturni ai paesi, affondamento di barche, cattura di prigionieri. Si tratta indubbiamente d'un quadro che come senza troppe variazioni potrebbe proporsi anche per le altre terre del marchesato, si ripresenta fuori d'esso, e le ricerche di Politi sulla Cremona tardo cinquecentesca come quelle di Ventura sulle città della terraferma veneta come Brescia e Verona tra Quattro e Cinquecento ce lo ricordano.

E se ciò serve da ammonimento ad evitare tentativi di caratterizzazione di questo, o d'altri, periodi attraverso gli scampoli più atroci della vita quotidiana, non meno erroneo sarebbe ritenere ogni età uguale alle altre, e la vita quotidiana delle popolazioni, appunto, sottratta alla storia, immersa in un continuum moralistico di sofferenze subìte, da cui potranno uscire le ottocentesche esaltazioni d'una gente « forte e mite ad un tempo », oltre che « laboriosa e festosa, compenetrata da una pietas profonda » [2]. Si è opinato che i contrasti per i diritti sul fiume Oglio fossero stati strumentalmente provocati dallo Sforza in un momento di tensione con i Gonzaga e forse andò davvero così se pur il confine mantovano nei pressi di Canneto sia stato zona di turbolenze quasi continue, propiziate dall'incontrarsi di tre domini — poco distante è la veneziana Asola — [3]. Per certo nel 1513 a capeggiare gli assalti ed a procurar « tante ingiurie » sono gli stessi ufficiali sforzeschi, come lamenta il Gonzaga dopo che Carlo Bergamino ha osato venir di notte con armati a cavallo ed a piedi fin « dentro del rastello del mio Revellino di Canneto e pigliarvi e menar via prigioni » [4]. Che non fossero da meno quelli gonzagheschi già s'era osservato di fronte ad un'altra protesta contro il Bergamino, col quale non bisogna prendersela « sel ha

[1] Il marchese chiede perciò che El barbirone, Sancto, Risetto gli vengano consegnati, cfr. lett. al duca di Milano del 21-III-1513 in ASMI arch. visc. sforz. c. 1014.

[2] Così, e tralasciamo qualcosa, sono stati ancora recentemente descritti i mantovani, cfr. C. FERRARI, *Introduzione* a *Tesori d'arte nella terra dei Gonzaga,* catalogo della mostra (Mantova 1974), Electa, Milano 1974. Ed in proposito, con riguardo al Veneto, vedi le osservazioni di G. BENZONI, *Gli affanni della cultura. Intellettuali e potere nell'Italia della controriforma e barocca,* Feltrinelli, Milano 1978, p. 41.

[3] Altri incidenti di rilievo con sequestri di imbarcazioni, imprigionamento dell'equipaggio, assalti alla casa del podestà da cui dipende Calvatone, ad es. nel 1533-34. Il carteggio sull'episodio in ASMI arch. visc. sforz. c. 1317. Ma questioni per le rive dell'Oglio son documentate anche per il secolo successivo.

[4] Il marchese al duca, lett. del 4-XII-1513 in ASMI arch. visc. sforz. c. 1014.

facto qualche cosa per la defensione de le razoni nostre poiché ha facto quello che se convene fare da boni et fideli offitiali, come hanno anchora facto li vostri, et maxime lo potesta vostro de Canedo, quale ha pur facto molto el gagliardo in tore dicti portinari et redimersi de la possessione ne la quale sono stati molti anni pacificamente, et fare de presente in havere fondata et rotta una nave nel porto di Calvatone et facto prisone el portinaro »[1].

Dietro la situazione di conflitto diffuso che consentiva a questa società, in quanto variamente corporata, di reggersi sostanzialmente senza forze di polizia dislocate sul territorio, comincia dunque ad apparire — anche grazie alla particolarità del conflitto — un principio di unificazione: le « razoni » del principe ed i doveri conseguenti e propri di « boni et fideli offitiali ». I conflitti disseminati e particolari, le incursioni dei banditi come le ritorsioni per i diritti contesi sui fiumi, cambiano ora possiamo dire qualità, ne acquistano una « trascendente », astratta, dell'astrazione della forma stato che interviene a « regolarli » ed utilizzarli. Non per niente nei primi decenni del Cinquecento si moltiplicano gli accordi che disciplinano stabilmente ed in modo uniforme la pratica dell'estradizione e della reciproca consegna dei malfattori[2], anche questa questione essendo riunificabile ora dalle « razoni » del principe. Precisandolo, si può allora a questo punto tornare al giudizio iniziale di scarse novità istituzionali nel periodo dei marchesi Federico e Francesco. Scarse novità cui corrispondono però egualmente mutamenti sotterranei nei modi del potere: l'« astrazione » dei conflitti nella società non è diversa al fondo da quella della corte dalla città, la « formalizzazione » di quella dall'altra progrediente nelle pratiche dell'amministrazione e del governo. Ma se per questo verso è facile leggere tutto in chiave di « stato moderno », dall'altro la « mediazione » che diviene necessaria al manifestarsi della potenza del principe, pone il problema, nella realtà mantovana, della sua possibile scomparsa.

2. Vicende politico militari e progressiva impotenza

Fornovo

Il marchese Francesco, lamentando i danni prodotti al territorio mantovano dalle truppe francesi, che « hanno fatto tanti mali che ne verria pietà

[1] *Ibid.*, lett. d'un funzionario sforzesco al marchese di Mantova del 26-IX-1513.

[2] Con Milano ad es. vedi lo scambio di lettere del 1527 in ASMI arch. visc. sforz. c. 1014; per la ricerca in questi accordi dell'uniformità vedi quanto implicitamente risulta dai cenni alla convenzione con Ferrara fatti da B. NAVAGERO, *Relazione* al Senato nel 1540 in *Relazioni degli ambasciatori veneti* cit., p. 60.

a' Mori, et Turchi», «le biave... abandonate le bestie disperse, et gli homini disperati»[1] descrive gli effetti di altri mutamenti, altri accrescimenti di compiti dello «stato moderno», cui egli stesso è impari.

Dietro i «nuovi e sanguinosi modi di guerreggiare», per i quali «si disordinarono... gli instrumenti della quiete e concordia italiana che non si è mai poi potuta riordinare», come scrive Guiccardini, ed importati da Carlo VIII, stavano nuovi ordinamenti militari («le genti di arme quasi tutte di sudditi del re, e non di plebe ma di gentiluomini, i quali non meramente ad arbitrio de' capitani si mettevano o rimuovevano, e pagate non da loro ma da i ministri regi»)[2]. Un uso più massiccio dell'artiglieria, una composizione nuova dei corpi dell'esercito, che solo stati di dimensioni territoriali ben maggiori di quello mantovano potevano adottare, pongono problemi d'ardua soluzione ai signori territoriali italiani. A Fornovo il marchese Francesco aveva guidato le truppe italiane nella battaglia che, celebrata come vittoriosa da una storiografia nazionalista, si era di fatto conclusa senza vincitori; verso la fine della sua vita lo stesso preferisce assistere neutrale allo scontro che oppone gli stati italiani fra di loro nel quadro del conflitto europeo franco-spagnolo. Fornovo, Agnadello; gli anni in cui i Gonzaga raggiungono la lor maggior gloria militare e basano la propria prosperità sulle condotte sono anche gli anni nei quali i piccoli principati italiani si trovano violentemente inseriti in contese che sfuggono ben presto loro di mano.

Ma questo tema, come quello, cui si è accennato, delle trasformazioni sociali entro la compagine mantovana, saran da riprendere dopo aver brevemente tratteggiato le vicende politico-militari del periodo.

Avevamo visto durante il breve marchesato di Federico il profilarsi della crisi di quell'equilibrio di reciproche impotenze su cui si era fondata la certezza dei rapporti statuali e la relativa pacificazione italiana della seconda metà del Quattrocento.

Tali sintomi di crisi si infittiscono dopo che nel 1484 Francesco diviene marchese. Se infatti egli conferma la condotta già in corso con gli Sforza ed un'altra ne stipula, ma breve, nel 1486, alla scadenza di questa nel 1489, anche per l'insolvenza di Ludovico il Moro nei suoi confronti, passa al servizio della Repubblica di Venezia. Sono oscillazioni tradizionali se si vuole nella politica gonzaghesca, ma che acquistano ora un significato più ampio che per il passato, con ripercussioni che non si chiudono nell'ormai breve spazio dell'Italia padana e centrosettentrionale.

[1] Così il marchese in una lettera al figlio Federico, del 25-VI-1516, in ASMN A. G. b. 2923; cit. anche in L. MAZZOLDI, *Mantova, la storia* cit., vol. II, p. 233, ove anche altra lett. sulla situazione del contado.

[2] Cfr. F. GUICCIARDINI, *Storia d'Italia*, lib. I, capp. IX e XI.

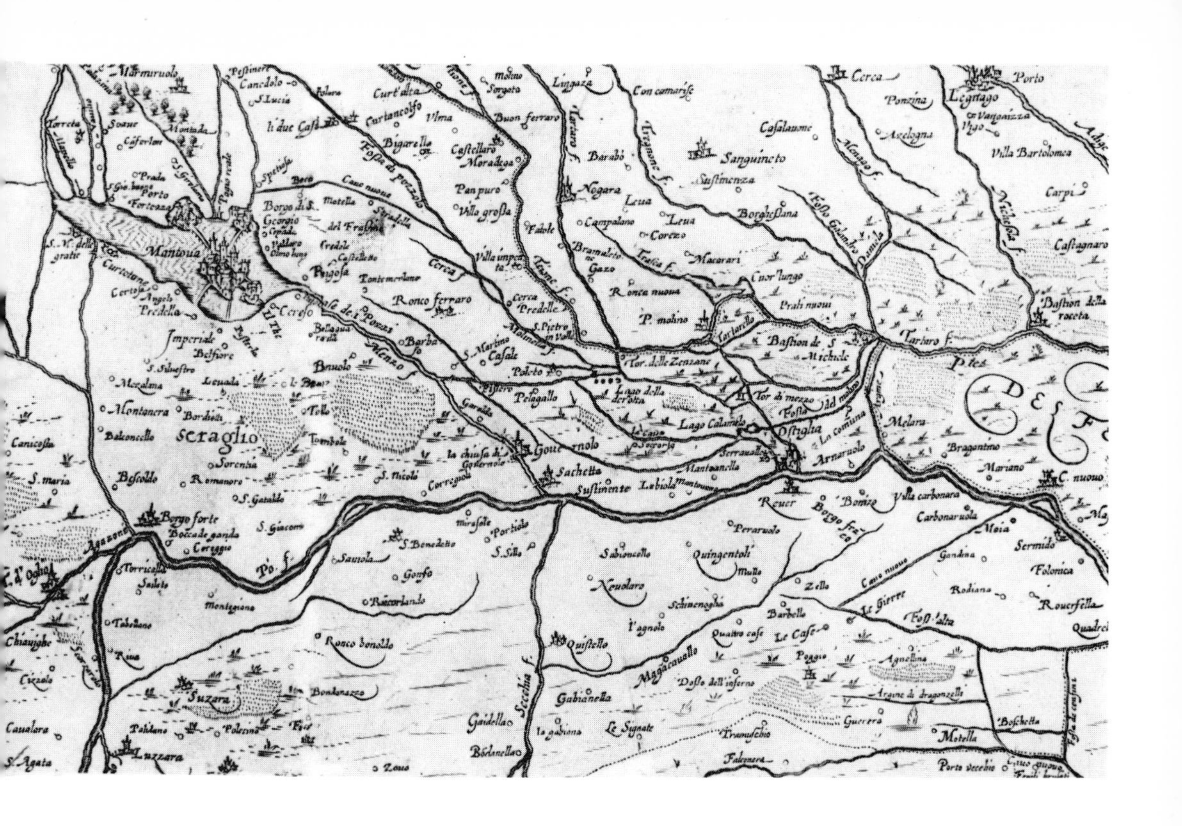

'agro mantovano in una carta dell'*Italia* di Giovanni Antonio Magini (Bologna 1620). *Nelle pagine seguenti*: Mantova in una pianta prospettica di Gabriele Bertazzolo della fine del secolo XVI; si riproduce qui un semplare della seconda edizione (1628) conservato nella Biblioteca Comunale di Mantova.

VRBIS MANT
LAGO DI PAIVOLO
LAGO DI SOTTO

DESCRIPTIO
M.D.CXXVIII
LAGO DI SOPRA
PONTE DELLI MOLINI
LAGO DI MEZO
PORTO
FORTEZZA
S. GIORGIO CASTELLO
POGGIO REALE
LVOGHI NOTABILI DELLA CITTA DI MANTOVA

Scala Milliarium
DUCATUS MANTUANI, ceu Sedis
una cum Confinijs DUCATUS MEDIOL. PARMENSIS, MODENENSI
exhibita per Homannianos Heredes. Norib.
LAGO DI GARDA
TERRITORIUM
BRESCIA
TERRITOR. CREMONEN.
CREMONA
Orchio nuovi
Pontevico
ASOLA
USTIANO
PRENCIPATO
BOZZOLO
Sabbioneta
GUASTALLA
PO FIUME
STATUS PALAVICINO
DUCATO
REGGIO
MERIDIES

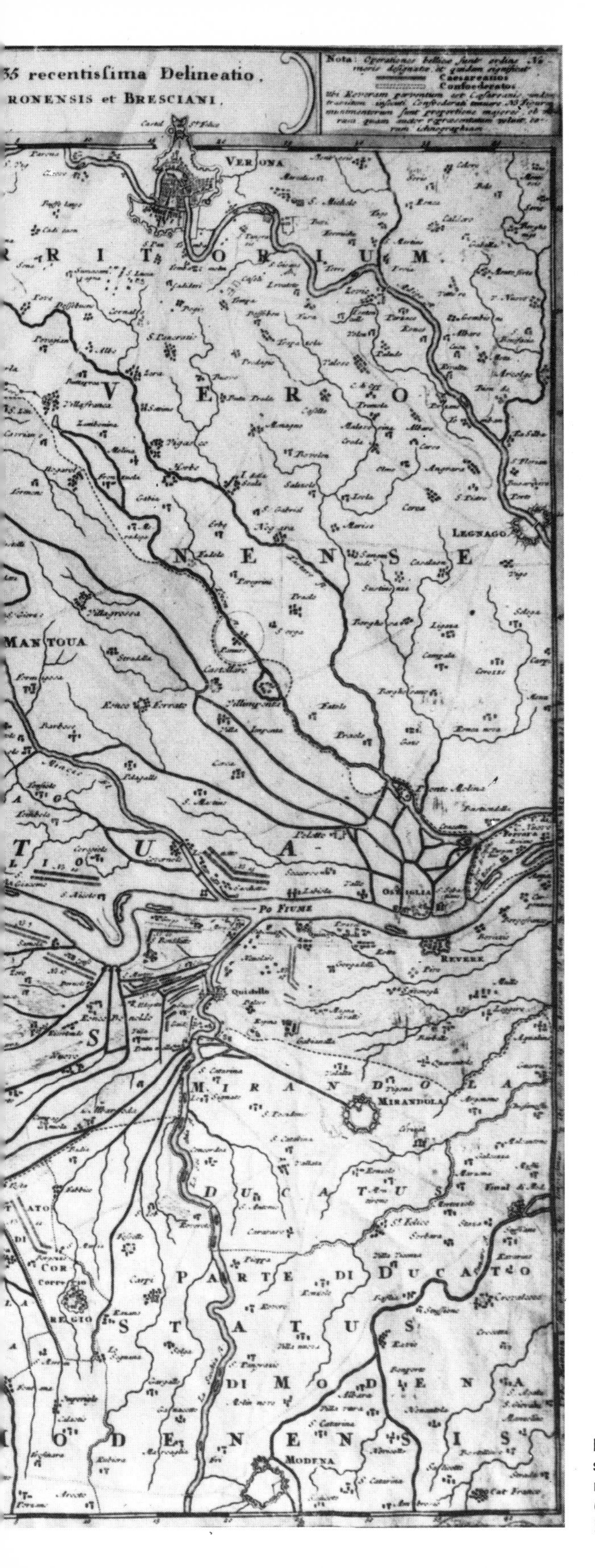

Il Ducato mantovano e i territori di Castiglione delle Stiviere, Bozzolo e Sabbioneta, Guastalla, in una carta del 1735 (Mantova, Biblioteca Comunale, Album B. 13).

Ludovico Gonzaga con la moglie Barbara di Brandeburgo, figli e cortigiani; affresco di Andrea Mantegna nella « Camera degli Sposi » (Mantova, Palazzo Ducale).

Vincenzo I Gonzaga e la moglie Eleonora de' Medici, al loro fianco il precedente duca Guglielmo e sua moglie Eleonora d'Austria; Pala della Trinità di Pieter Paul Rubens (Mantova, Palazzo Ducale).

Staccarsi dal Moro vuol dire infatti restare estranei alla sua politica direttamente filofrancese ed appoggiarla solo indirettamente, in relazione all'interesse che anche Venezia ha a colpire il regno aragonese di Napoli, meta, come si sa, della spedizione di Carlo VIII che vi rivendica i diritti di casa d'Angiò. Restano perciò senza risultati i tentativi dello stesso Carlo VIII di aver al proprio servizio il Gonzaga [1], cui la Repubblica di Venezia conferma la condotta proprio quando il re di Francia nei primi mesi del 1495 è al culmine del proprio successo. Perciò Francesco si trova, di lì a qualche mese, allorché i modesti calcoli dei singoli stati italiani sono sconvolti dal troppo grande successo di Carlo VIII, a capo delle truppe veneziane nella lega che unisce il papa, lo stesso Ludovico il Moro, Venezia, l'imperatore Massimiliano ed il re di Spagna contro il sovrano francese e che costringe Carlo VIII a tornare sui suoi passi (luglio 1495). Il Gonzaga giunge così alla battaglia di Fornovo ove, narrano gli esaltatori della famiglia, « fece il marchese... l'offizio non solo di capitano, ma ancora di soldato », combattendo valorosamente e dove « fece prigioniero il principe Miolense, ed assalita la retroguardia, dove si trovava la persona del re, lo ferì nella gola, e fece prigioniero il gran Bastardo di Borbone » [2]. In realtà non tutto ciò avvenne, né tutto quel che avvenne fu opera di Francesco, di cui e della cui compagnia resta indubbia la partecipazione alla lotta, testimoniata tanto dalla effettiva cattura del gran Bastardo, inviato a Mantova, quanto dalla morte di quattro membri della casa Gonzaga e di « tanti valenthomini dil sangue proprio, alevi et servitori soi nobilissimi » [3], « bien soixante hommes d'armes, gentilz hommes de ses terres » secondo la valutazione degli avversari [4]. Peraltro, come già si accennava, la battaglia fallì il suo scopo, di bloccare la strada all'esercito francese, che malgrado tutto riuscì a continuare la sua marcia verso la Francia, permettendo così a Ludovico il Moro, le cui truppe non si erano impegnate troppo nello scontro, di riproporre sul terreno politico un proprio riavvicinamento a Carlo VIII. Il che sembrava riportare lo stato della questione al punto di partenza, tanto più dopo la sconfitta anche delle truppe francesi rimaste nel regno di Napoli (in cui tornano gli Aragonesi), e comandate dal cogna-

[1] Cfr. L. Mazzoldi, *Mantova, la storia* cit., vol. II, p. 98.

[2] Così il Gionta ne *Il Fioretto delle Cronache* cit., p. 105.

[3] Così G. P. D'Atri, *Croniche del marchese di Mantova*, in « Arch. St. Lomb. », IV, 1879, p. 51. Ma sull'identificazione dell'autore cfr. L. Mazzoldi, *Mantova, la storia* cit., vol. II, p. 136 e G. Coniglio, *La politica di Francesco Gonzaga nell'opera di un'immigrato meridionale: Jacopo Probo d'Atri*, in « Arch. St. Lomb. », LXXXVIII, 1961, pp. 131-167.

[4] Cfr. Ph. De Commynes, *Mémoires*, a cura di J. Calmette, 3 voll., Paris 1924-25, vol. III, p. 192. Cfr. in generale anche A. Luzio e R. Renier, *Francesco Gonzaga alla battaglia di Fornovo (1495) secondo i documenti mantovani*, in « Archivio storico italiano », ser. V, VI, 1890, pp. 205-246.

to — che vi muore — di Francesco, che pure partecipa alla campagna, Gilberto di Montpensier marito di Chiara Gonzaga.

Ma in realtà il ritorno alla situazione di partenza è solo apparente. Tanto il re di Francia quanto quello di Spagna, che propizia la ripresa aragonese al Sud, sono ormai protagonisti inevitabili delle vicende italiane, ed ogni azione del Gonzaga, come degli stati vicini, ne deve tener conto. Come prova, appena il 1497, la decisione di Venezia di togliere a Francesco la carica di capitano generale per il sospetto d'una sua alleanza con il re di Francia. Decisione che spinge il marchese dalla parte del Moro, con cui tratta per quella condotta cui abbiamo accennato a proposito del titolo. In essa, stipulata in un contesto di alleanze e possibili guerre di dimensioni europee, secondo la tradizione dei patti fra Milano e Mantova alcuni capitoli segreti promettono a Francesco il possesso di Verona, Vicenza, Asola, Peschiera e Lonato[1]. Ma lo stringersi di una alleanza antisforzesca fra Venezia ed il nuovo re di Francia Luigi XII nel 1499, isolando il Moro, impone a Francesco una ennesima conversione di fronte che valga a separare le sue sorti da quelle dello Sforza. Con la mediazione del sovrano francese Francesco riesce così a riallacciare nel 1499 le trattative con la Repubblica veneta per tornarne al servizio di modo che egli si trova, quando il Moro ottiene rifugio ed appoggio presso il genero, l'imperatore Massimiliano, a dover rispettare doveri e fedeltà fra loro confliggenti in quanto vassallo ed in quanto comandante militare. Per ciò e per la mutevolezza della situazione Francesco si barcamena promettendo quanto è fermamente intenzionato a non fare. Alle sollecitazioni francesi perché scenda in campo contro il Moro, che si appresta al ritorno al principio del 1500, protesta l'impreparazione delle truppe non pagate. E quando è il Moro, di nuovo effimero signore di Milano, a richiedere il suo intervento, impegna con molta prudenza un piccolissimo numero di armati.

Ben difficilmente ormai un Gonzaga avrebbe potuto farsi raffigurare nelle vesti di Tristano che fa pender le sorti dalla parte per cui combatte. Il notevole sviluppo che pare conoscere in questo periodo la diplomazia gonzaghesca è diretta conseguenza di tutto ciò.

Agnadello

In particolare diventano importanti dopo la definitiva caduta del Moro i rapporti con il re di Francia, che viene ad assumere nei confronti del mantovano quel ruolo di contraltare della potenza veneziana già tenuto da Milano (senza che per questo vengano del tutto trascurati i rapporti con

[1] Cfr. L. MAZZOLDI, *Mantova, la storia* cit., vol. II, p. 155.

l'imperatore, che nel 1501 nomina Francesco capitano generale dell'esercito imperiale in Italia). E sono i rapporti con la Francia che lo portano, stipulata una condotta, colà nel 1502, e di nuovo nel Napoletano l'anno seguente, a combattere contro gli spagnoli di Consalvo di Cordova nella guerra seguita al crollo degli Aragonesi.

Sempre a motivo dell'orientamento filofrancese il Gonzaga è obbligato negli stessi anni a tener un atteggiamento piuttosto cauto nei confronti del duca Valentino, i cui successi non solo sembrano promettere il pericoloso sorgere di un ampio stato immediatamente a sud di Mantova, dagli altri lati circondata per buona parte da terre veneziane (dopo il passaggio ad essa di Cremona), ma colpiscono pure il ducato d'Urbino, i cui signori, parenti del Gonzaga per via di madre e di moglie, a Mantova si rifugiano dopo aver invano chiesto aiuto a Francesco.

D'altra parte, con la morte di papa Borgia, la fine dell'avventura del figlio Cesare dimostra ancora una volta l'inattualità ormai di disegni signorili, non dissimili per certi versi da quelli che covavano anche i Gonzaga come s'è visto nei capitoli segreti con il Moro, e come si vedrà di lì a poco in occasione della guerra della lega di Cambrai, conclusa ancora una volta senza benefici territoriali per i Gonzaga.

La lega, intesa a contenere l'espansione veneziana, che dalla caduta del Valentino aveva guadagnato oltre a Cervia Faenza, estendendo i suoi territori anche a sud del marchesato, vede il Gonzaga impegnato accanto al papa, ai francesi ed all'imperatore, oltre ai minori stati italiani come il ducato di Ferrara.

Il brillante guerriero di Fornovo non abbandona però questa volta il proprio stato direttamente minacciato e di cui mira, nelle operazioni militari intraprese, piuttosto ad allargare i confini, per quel che può. Egli resta così assente dalla battaglia di Agnadello del maggio 1509, meritandosi da Luigi XII l'infamante qualifica di « poltrone »: dalla battaglia cioè che con le sue enormi perdite, circa 16.000 uomini, fornisce, dopo quella dell'importanza dell'artiglieria data da Carlo VIII, una prova decisiva dei mutamenti intervenuti nell'ambito militare. Mutamenti ben colti dai marchesi Gonzaga, bisogna dire, visto che, sebbene essi continuino per qualche tempo ancora nella pratica delle condotte, non si trovano più impegnati in fatti d'armi di rilievo. D'altro lato le vicende che seguono la battaglia d'Agnadello confermano un altro elemento che si era già potuto notare dopo Fornovo. Allora il Commynes, per trar dalla parte dei francesi il Gonzaga, aveva insinuato al Suardo che gli alleati del marchese suo signore non gli avrebbero mai permesso d'allargarsi territorialmente, come difatti avvenne; ora è Luigi XII che rintuzza e limita le pretese sulle terre bresciane che Francesco controlla[1]. Ma la situazione muta troppo rapidamente perché si possa arrivare ad una decisione definitiva della questione e perché si possano consolidare quegli altri nuovi possessi, ed antichi desideri, di Peschiera e di Sirmione che il Gonzaga si è affrettato, una volta impadronitosene, a riconoscer in feudo dall'imperatore Massimiliano. La riscossa veneziana porta anzi alla cattura dello stesso Gonzaga, sorpreso nel sonno mentre si trova in campagna per tentar l'assalto di Legnago. Nemmeno tre mesi dopo Agnadello, ai primi di agosto del 1509, Francesco si trova così in mano ai suoi avversari mentre gli stessi alleati sembrano più preoccupati di trar vantaggio dalla situazione nei riguardi del mantovano[2] che di operar per la sua liberazione; perseguita fermamente invece dalla moglie Isabella ed ottenuta nel luglio del 1510, quando l'indebolirsi della volontà di lotta degli alleati fa intravedere ai veneziani la possibilità di usare la liberazione del marchese per favorire la disunione degli alleati. Fra i quali il più interessato alla liberazione di Francesco si dimostra papa Giulio II, presso il quale andrà, a garanzia dei veneziani, dopo la liberazione del padre, il figlio Federico.

A testimonianza di quanto fossero stati duri i momenti passati dalla corte mantovana si può ricordare che Isabella giunge addirittura a rivolgersi per consiglio, e per riconfermarsene la fedeltà, ai «gentilhomini et citadini principali» della città[3].

E negli anni seguenti la politica mantovana si fa ancor più cauta. Impotente dal punto di vista militare a garantire la sopravvivenza del marchesato, Francesco, coadiuvato da Isabella, cui anzi secondo il Luzio andrebbe il merito maggiore dell'impresa, si deve affidare essenzialmente alle capacità diplomatiche dei propri inviati per rammentare volta a volta all'imperatore, al papa, ai francesi, agli spagnoli, la propria impossibilità a prender parte attiva alle vicende della lega santa prima, della cacciata da Milano degli svizzeri culminata nella battaglia di Melegnano poi, ed in generale alle prime fasi del conflitto franco-spagnolo. «Et se V.S. dicesse ch'io prohibesse a Thodeschi le victuaglie dal mio Stato, non le saprei responder altro che quel che resposi alla Cesarea Maestà quando la me ricerchò ch'io negassi allogiamenti à Francesi nel mio Stato e victuaglie, cioè che la prohibesse lei se la può»[4]. Una dichiarazione di impotenza più volte

[1] Cfr. L. Mazzoldi, *Mantova, la storia* cit., vol. II, p. 210. Il re di Francia vorrebbe il marchese obbligato a lasciar entrare truppe francesi nei luoghi fortificati già bresciani e per questo motivo il Gonzaga rifiuta l'investitura di tali terre.

[2] *Ibid.*, p. 212. Luigi XII si affretta a proporre l'ingresso in Mantova di cento soldati francesi, offerta rifiutata dalla marchesa.

[3] Cfr. ASMN A. G. b. 2192 lett. di Isabella a Giacomo d'Atri del 12-VI-1510.

[4] Lett. di Francesco al duca di Borbone del 15-III-1516, in ASMN A. G. b. 2923.

ripetuta che ben dimostra le condizioni del Gonzaga, il suo timore, non meno spesso presente, di perder lo stato, l'impossibilità perciò di sceglier un'alleanza ed una posizione netta; e una dichiarazione che rinvia, non di meno, fuor delle particolari vicende mantovane alle generali considerazioni dei contemporanei che « le cose d'Italia si possono mal giudicare di per sé, ... perché le dipendono in grandissima parte da quello che farà lo imperatore, el re Catolico, Inghilterra ed e' svizzeri »[1].

Seguire perciò puntualmente ancora le vicende politiche e gli ultimi anni di Francesco non ha più molta importanza. La sua proclamata impotenza gli permette comunque di evitare la perdita dello stato, se pur le terre conquistate dopo Agnadello siano già perse nel 1515. Ed anzi, avvicinandosi da ultimo al partito francese (alla corte di Francia tra il 1515 ed il 1517 sta come ostaggio il figlio Federico) egli riesce a por le basi, per mezzo del matrimonio fra quest'ultimo e la figlia del marchese del Monferrato, a sua volta legato da parentela con la casa regnante francese, di quell'allargamento territoriale così tenacemente ed invano perseguito ai confini del mantovano.

[1] F. GUICCIARDINI, *Discorso quarto*, in ID., *Scritti politici e ricordi*, a cura di R. PALMAROCCHI, Bari 1933, p. 91. La frase è del 1513.

CAPITOLO IV. **Federico I duca e le conseguenze della crisi**

1. L'inserimento nell'orbita spagnola

« Essendo sitibondo per esser qua da per me involto tra molti voci che se fanno di guerra, rimasto solo ali servicj de la Maestà Cesarea, in mezzo de inimici suoi de intendere qua sia la intentione et animo de Sua Cesarea Maestà... ». Così scriveva in una delle sue ultime lettere Francesco, come abbiamo detto avvicinatosi alla Francia, chiedendo informazioni sulla politica imperiale al vescovo di Trento[1].

Sotto lo stesso segno di necessaria ambiguità stanno, soprattutto nel primo periodo, le vicende politiche del principato del figlio primogenito di Francesco, Federico, che succede al padre alla fine di marzo del 1519.

Nella precaria tranquillità seguita all'accordo di Noyon del 1516 tra Francesco I di Francia e Carlo d'Asburgo re di Spagna — dal 1519 imperatore col nome di Carlo V — poteva per la verità sembrare che gli stati italiani avessero riacquistato una certa qual autonomia di manovra negli affari della penisola e che ciò valesse in particolare per il papato, dopo il ridimensionamento di Venezia il maggiore e più dinamicamente condotto stato italiano. E ciò spiega la politica di alleanza prospettata da Leone X al nuovo marchese, cui nel 1520, sebbene inesperto militarmente, viene offerto il titolo di capitano delle truppe papali e che viene per di più gratificato con la concessione del cardinalato, concesso l'anno seguente al fratello Ercole. E la stessa tranquillità spiega in qualche modo il fatto che Federico accetti di introdurre nei capitoli della condotta la clausola, pericolosissima per un feudatario imperiale, d'esser disposto a combattere contro l'imperatore[2].

[1] Cfr. lett. del 19-1-1519 in ASTN Corrispondenza clesiana mazzo 5.

[2] Cfr. L. MAZZOLDI, *Mantova, la storia* cit., vol. II, p. 125. Qualche anno più tardi Baldassarre Castiglione corrompendo un funzionario papale sarebbe riuscito a recuperare l'originale del documento così che potesse esser poi distrutto. Cfr. *Ibid.*, p. 280.

Ma nel 1520 la ripresa dello scontro tra Francia e Spagna imperiale, reinserendo nel gioco europeo anche l'alleanza con il papato contratta da Federico, dimostra quanto illusoria potesse essere l'autonomia strategica e la sicurezza politica soprattutto dei minori stati della penisola.

Legato alle scelte papali, in questo periodo coincidenti con quelle imperiali, e guidato dal giudizio che l'avversario principale sia per lui Francesco I, Federico, come capitano delle truppe della chiesa e dal 23 anche di quelle fiorentine, partecipa alla diverse campagne che culminano nella battaglia di Pavia del 1525 e alla cattura di Francesco I, sebbene muovendosi sempre con quella cautela di cui già si diceva. Che lo induce addirittura, d'accordo col papa, e per evitare di doversi metter in azione quando lo scontro con i francesi sia secondo il suo giudizio troppo rischioso, a fingersi malato presentando ai medici « orine fatte tingere a posta con sangue », salvo poi rassicurare il proprio ambasciatore a Roma, il Castiglione ancora, d'esser « sano e gagliardo » [1]. Dopo la vittoria di Carlo V, nella politica gonzaghesca la preoccupazione di non cadere nel « periculo de la disgratia di Sua Maestà e di perdere le ragioni del nostro stato » [2] fa ovviamente aggio su ogni altra, determinando una condotta sempre più circospetta e distaccata del marchese nei confronti del papa e delle sue iniziative ora volte in senso antispagnolo. Così che egli evita non solo di scendere in campo fin dopo il sacco di Roma, ma di entrare nella lega antimperiale fino alla fine del 1527, quando la discesa di un nuovo esercito francese nella pianura padana lo consiglia ad aderirvi, senza tuttavia prender iniziative concrete.

La ricompensa di tale politica è costituita nel 1530, durante la prima visita a Mantova di Carlo V immediatamente dopo la sua incoronazione bolognese, dall'elevazione di Federico, V marchese, a duca. E nel 1536, dopo una contesa giudiziaria davanti al tribunale imperiale, dall'assegnazione del Monferrato, contro le pretese del duca di Savoia [3], al novello duca in quanto marito di Margherita Paleologa sorella di Bonifacio, marchese del Monferrato morto senza figli nel 1530; mentre la casata si estinguerà con la morte dello zio di questo Gian Giorgio, privo di figli legittimi.

Tutto ciò presuppone ovviamente la continuità della subordinazione del

[1] *Ibid.*, p. 284.

[2] Lett. di Federico del 25-VI-1526 a G. B. Malatesta, in ASMN A. G. b. 2130.

[3] Federico aveva dapprima stretto promessa formale di matrimonio con Maria nel 1517 quando questa, sorella di Margherita, aveva otto anni, con l'intesa che al compimento dei quindici anni la stessa si sarebbe recata a Mantova. Tale vincolo veniva poi su richiesta del Gonzaga desideroso di un matrimonio più prestigioso prima annullato e poi, mutata la situazione riconfermato, essendo nel frattempo però morti sia Bonifacio che Maria. Il Gonzaga ne sposava allora la sorella. Sulla vicenda vedi da ultimo L. MAZZOLDI, *Mantova, la storia,* cit., vol. II, pp. 296 sgg. e G. CONIGLIO, *I Gonzaga* cit., pp. 269 sgg.

duca alla linea imperiale. Un esempio di rilievo in questo senso mi sembra esser la tiepidezza di Federico per l'ipotesi della convocazione di un concilio a Mantova nel 1536, derivante, più che da una presunta stanchezza del duca opinata da Mazzoldi, dalla volontà di non urtare l'imperatore in quel momento per la congiuntura internazionale contrario all'ipotesi d'un concilio, da cui non sarebbe potuta uscire che una definitiva rottura con i riformati tedeschi.

Morendo nel 1540 Federico lascia così ai successori uno stato ingrandito ma anche una società frattanto molto mutata dal periodo di Ludovico, vuoi ovviamente per i generali mutamenti contemporanei vuoi per quelli, cui abbiamo via via accennato, dei Gonzaga in quanto signori territoriali. E di queste trasformazioni occorre, dopo avervi più volte fatto riferimento, ora parlare.

2. Aristocratizzazione e corporativizzazione della società.

Scrivendo nel 1519 al già ricordato Bernardo Clesio, vescovo di Trento, il marchese Francesco, nel comunicargli l'arrivo di Cappino de Cappi, qualifica questo come « civi et familiari nostro carissimo ». Due anni dopo, passando da Trento lo stesso Cappino diretto alla corte cesarea, il marchese Federico lo preannuncia allo stesso Clesio come gentiluomo, e attualmente esibitore nell'esercito. Nel 1522, in una identica occasione, il medesimo vescovo viene avvertito dal Gonzaga della visita del « magnifico cavallier messer Cappino de Cappi mio gentilhomo et locotenente di genti d'arme »[1].

Qualche anno prima, raccomandando allo Sforza per qualche ufficio Nicolao Scaldamassa, cittadino mantovano da tempo residente a Milano, Isabella fa riferimento alla casa di lui, « antiqua et bona in questa terra ». Nel 1535 altri discendenti di case « antique et bone » della città come i Capilupi si considerano, e sono considerati, del tutto aristocratici, gentiluomini mantovani che posson incorrere in « differenze » con gentiluomini ferraresi, da risolvere a duello con ogni arma purché onorevole e da cavaliere, e che discettano di « pari miei »[2].

[1] Le tre lettere tutte dirette a Clesio ed in data rispettivamente del 26-I-1519 da Mantova, 6-XII-1521 da Lodi, 4-III-1522 da Piacenza, in ASTN corrisp. clesiana mazzo 5. Come altri della sua famiglia, Cappino de Cappi svolge attività diplomatica per i Gonzaga e nel 1526 viene utilizzato come inviato dal papa che lo manda in Francia; cfr. un cenno nella *Storia d'Italia* del Guicciardini, lib. XVI, cap. XVII. Sulla famiglia, cfr. in ASMN, archivio d'Arco, C. D'Arco, *Famiglie mantovane*, ms. cit., vol. II, pp. 303-312.

[2] A dirimer la contesa fra il Cavalier Uberti, Camillo e Gerolamo Capilupi, Anselmo Gonini e alcuni gentiluomini ferraresi è deputato il Senato di Milano. Al duca di Milano si

Infine, scrivendo intorno al 1520 sulla traccia di Iacopo d'Atri della battaglia di Fornovo, l'Equicola ne modificava il testo parlando non più di valentuomini nobilissimi (per il loro valore), bensì « de' Nobili Mantovani, servidori et creati » del marchese, là caduti [1].

Vicende disparate, casi o scelte individuali, ma indicative di come, in generale tra la fine del Quattrocento ed i primi decenni del Cinquecento, anche a Mantova mutino i modi di rappresentazione e legittimazione del ceto dominante.

L'aristocratizzazione

A riferimenti di tipo cittadino, l'esser appunto *civis*, la casata antica e buona, si vengono affiancando, con la tendenza ad acquistar via via sempre maggior rilevanza, quelli di genere aristocratico, ben esemplati dalla vicenda dei Capilupi. Pare che sia ancora una volta il rapporto con il principe ad indurre queste modificazioni, quando, va detto, la società mantovana viene a contatto con l'esperienza nobiliare delle grandi monarchie europee.

È infatti lo stesso principe, che qualifica come « cittadino ed amico nostro carissimo » Cappino de Cappi, a qualificarlo, in identiche circostanze qualche anno più tardi, « mio gentiluomo e cavagliere », dunque a tradurre la « familiarità » in termini esplicitamente aristocratici.

Certo, mentre nel 1519 è Francesco a scrivere, nel 1521 e '22 è quel suo figlio Federico che ha conosciuto la corte papale e, soprattutto, quella francese, lo stesso che all'atto di ricever la signoria di Mantova crea « molti cavalieri » [2] ma appunto è questo comportamento nuovo a dover esser spiegato.

Il passaggio dal cittadino al nobile ha come termine intermedio quello di gentiluomo: gentiluomo, almeno in un primo momento, in quanto al servizio del signore, in quanto la nobiltà di questo (già affidandogli il comando delle truppe prima di Fornovo Venezia parla de « la nobiltà del sangue » di Francesco) si riverbera sul primo, come era stata la dignità di questo a coprire l'indegnità di Bartolomeo Bonatti a recarsi dal papa.

Ed il « cittadino » diviene gentiluomo del signore a Mantova attraverso due vie che nel periodo considerato si allargano grandemente: quella del servizio militare e quella della corte. L'esercizio delle condotte implica, già

rivolge quello di Mantova perché si eviti, grazie ad una decisione del primo e del suo Senato, il ricorso alle armi, il 17-V-1535, in ASMI arch. visc. sforz. c. 1317, ove altre lettere firmate dai gentiluomini mantovani del 23-VIII-1535. Quanto alla lettera di Isabella del 12-II-1498 allo Sforza, da cui si cita, la si veda *ivi*, c. 1013.

[1] Cfr. M. EQUICOLA, *Dell'istoria* cit., p. 220.

[2] Cfr. S. GIONTA, *Il fioretto delle cronache* cit., p. 112.

lo si è accennato, da parte del principe territoriale leve sul suo territorio, la formazione-trasformazione dei sudditi in soldati ed uomini d'arme; e non par dubbio, anche se il tema non è stato quasi affrontato per l'Italia che, anche per l'influsso francese e spagnolo, al servizio come comandante militare si attacchi comunque una generica aura di nobiltà [1]. Quella che faceva qualificare gli uomini d'arme del marchese come « gentilz hommes » dal Commynes (ma non da Iacopo d'Atri ancora; bensì dal di poco più tardo, ma molto più letterato, Equicola). Nobili mantovani che sono tali in quanto sono, nella scrittura dell'Equicola, « servidori e creati ». È dunque dall'esperienza del servizio militare svolto accanto al signore che si può pensare scaturisca quell'ideologia cavalleresco-militare, cui fa chiaramente riferimento la vicenda dei Capilupi [2].

L'altra via cui si accennava è quella del servizio a Corte, una corte che arriverà a comprendere più di ottocento persone alla morte di Federico [3] e che si espande sia per le esigenze di rappresentanza del signore sia per il crescere delle funzioni di governo interno e diplomatiche, senza che vi sia distinzione fra le persone che svolgono funzioni che noi oggi diremmo strettamente cortigiane e le altre che esercitano attività amministrative o militari. Cappino de Cappi ne è la riprova pratica. D'altra parte il Castiglione nel *Cortegiano* (lib. I, cap. XVIII) scrive come « la principale e vera professione del cortigiano debba essere quella dell'arme, la quale sopra tutto voglio che egli faccia vivamente e sia conosciuto tra gli altri per ardito e sforzato e fedele a chi serve ». Ed a proposito della funzione aristocratizzante della corte, scriverà un anonimo, presumibilmente nel tardo Seicento: « Li serenissimi Gonzaghi hebbero sempre massime Reali, et in qualunque loro attione diedero a conoscere la grandezza del loro animo, e perché una delle principali è l'havere una Corte ben costituita, e con somma magnificienza regolata, quindi è che diedero a fondare una Scalcheria per principal illustrazione della medesima Corte, compartendo le cariche a Personaggi scielti, e Nobili, affinché questi come dotati di massime da loro pari sapessero in ogni tempo, e principalmente in congiuntura di Foresterie, con stimoli d'onore far risplendere all'occhio del mondo lo essere de loro sovrani, dotarono detto Ufficio d'autorità, ed indipendenza, e di regolamenti, e di scritture così ben distinte, che invidiate da altre

[1] Ciò per Mantova si può provare per un periodo più tardo con sicurezza, come si vedrà. Cfr. in ogni caso C. DONATI, *L'evoluzione della coscienza nobiliare*, in C. MOZZARELLI e P. SCHIERA, *Patriziati e aristocrazie nobiliari. Ceti dominanti e organizzazione del potere nell'Italia centrosettentrionale dal XVI al XVIII secolo*, Università degli Studi, Trento 1978, pp. 13-36.

[2] O quella del duello fra Alessandro Striggi ed un nobile spagnolo al campo presso Pavia nel 1522 narrato dal Gionta. Cfr. S. GIONTA, *Il fioretto* cit., p. 114.

[3] Questo riferisce B. NAVAGERO, *Relazione* cit., p. 54.

Corti procurarono d'imitarlo »[1]. È evidente in queste parole l'esperienza della corte ormai pienamente formalizzata, ma non è difficile scorgervi nemmeno quella funzione di educazione alla vita aristocratica propria alle corti e necessaria al tempo stesso per farne parte, che nel periodo da noi considerato si è venuta strutturando, ed è stata ideologizzata appunto dal Castiglione. Così che esemplarmente il Costa, attivo a Mantova in questo periodo, sarà detto dall'Equicola « huomo non solo nella pittura eccellentissimo, ma anche amabile, et honorato Cortigiano »[2].

La sanzione più chiara del definitivo passaggio, al seguito del principe, nell'ambito aristocratico sarà infine in questo primo periodo il titolo equestre, che sarebbe per sé solo titolo d'onore[3]. Il « mio gentiluomo » può con esso infine divenire gentiluomo in sé e per sé, potremmo dire. Cavaliere ora (e in futuro titolato), mio gentiluomo e cavaliere, come Cappino de Cappi nel 1522. Titoli di cavaliere, è chiaro, se ne davano anche prima; e non sempre la vicenda della concessione di tale onore, come dei titoli feudali, sarà stata così lineare come nella ricostruzione qui fatta. Pur tuttavia quel che importa sottolineare è come attraverso la corte ed il servizio militare si venga consolidando ora un ceto aristocratico distinto da quello dei « cittadini principali » (che abbiamo infatti incontrato accanto ai gentiluomini, nelle parole di Isabella, in un momento difficile per la casa Gonzaga); e si venga prefigurando, più in generale, una possibilità diffusa di condizione nobiliare.

Si disloca perciò diversamente, nella distinzione che diverrà consueta e rilevante anche giuridicamente fra mercanti o cittadini e gentiluomini[4], l'assetto della società e si individua, accanto ed oltre, i cittadini « principali » cui s'era rivolta nel secolo precedente l'attenzione così di Gianfrancesco come di Ludovico, un più ristretto ceto. Che per individuarsi ora attraverso categorie aristocratiche e tendenzialmente formalizzate — più nettamente lo saranno poi, quando aristocratizzarsi significherà in definitiva ottenere un titolo nobiliare o comunque qualificare il proprio vivere da gentiluomini — si separa dal ceto cittadino, di cui aveva fino ad allora sostanzialmente fatto parte, ed entro cui fino ad allora si poteva al più individua-

[1] Cfr. ASMN A. G. b. 394, discorso s.d. e firma che accompagna una copia degli « Ordini per le foresterie dei principi », parimenti senza data.

[2] Cfr. M. EQUICOLA, *Dell'Istoria* cit., p. 212.

[3] Ma cfr. sull'uso del titolo equestre quanto osserva R. FUBINI, *Osservazioni e documenti sulla crisi del Ducato di Milano nel 1477 e sulla riforma del Consiglio segreto ducale di Bona Sforza*, in *Essays presented to M. P. Gilmore*, a cura di S. BERTELLI e G. RAMAKUS, 2 voll., La Nuova Italia, Firenze 1978, vol. I, pp. 47-103, specie p. 69 n. 12.

[4] Cfr. ad esempio un ordine del 9-XII-1596 « sopra la prohibitione delle pistole » che distingue nelle pene fra mercanti o cittadini, e gentiluomini, esentando dal divieto infine, fra altri, i gentiluomini di corte, in ASMN A. G. b. 2047.

re un nucleo più vicino al principe. Perché, sfruttando ancora una volta la vicenda di Bartolomeo Bonatti, ed il puntuale studio di cui è stato oggetto, non si deve dimenticare che mentre egli era impegnato nell'attività diplomatica, il fratello esercitava la mercatura, mentre il padre, che abbiamo visto esser stato vicario di Canedole, risultava tuttavia anche membro dell'arte degli orefici. Ed i Bonatti al principio del Seicento otterranno il titolo comitale. E, d'altra parte, si può notare incidentalmente, tale « astrarsi » di un ristretto ceto nobiliare e cortigiano dal resto della città trova riscontro nel processo di astrazione e formalizzazione che investe tanto la corte quanto l'amministrazione e che è evidente anche negli interventi urbanistici ed architettonici di Federico. Nel palazzo del Te cui lavorava Giulio Romano, l'idea di realizzare quella « città del classicismo negata dalla realtà urbana », dall'imparità a ridisegnare tutta la città ormai strutturale, potremmo dire, dei Gonzaga, ma per ciò non solo loro, non solo legata alle contingenze mantovane, porta in definitiva a proporre una « immagine della residenza di corte paragonabile alla sede degli dèi, inaccessibile e contrapposta alla città » [1].

La riorganizzazione della società

Ma se la corte è una « immagine simbolica dello Stato conosciuto e approvato dalla collettività » [2] non è difficile capire come all'aristocratizzazione e al distacco dei vertici della società dal resto di questa — distacco formalizzato, che l'azione del principe potrà sempre colmare, come si è già accennato — corrisponda, non possa non corrispondere, la riorganizzazione di tutta la società in termini per l'appunto aristocratizzati.

Gli *Ordines admittendi notarios in collegio* del 1546 (Federico è morto da appena sei anni) lo comprovano [3]. Chi voglia esser ammesso, oltre che cittadino di Mantova o del distretto, « litteris latinis convenienter instructus », di almeno vent'anni, con due di pratica, dovrà esser anche « bene natus et aeducatus bonae vitae et famae ». Niente di più di un generico requisito di condizione civile certo [4] ma che non era richiesto

[1] La citazione da A. Belluzzi e W. Capezzali, *Il palazzo dei lucidi inganni. Palazzo Te a Mantova*, Quaderni di Psicon n. 2, Roma 1976, p. 55.

[2] Così A. Stegmann, *La Corte, saggio di definizione teorica*, in *Le corti farnesiane di Parma e Piacenza 1545-1622*, 2 voll., vol. I, *Potere e società nello stato farnesiano*, a cura di M. A. Romani, Bulzoni, Roma 1978, pp. XXI-XXVI, la citaz. a p. XXI.

[3] Gli Ordini, in ASMN A. G. b. 3581.

[4] Come testimonia ancora qualche decennio più tardi una relazione del 4-VIII-1593, in loc. ult. cit., dove il candidato all'ufficio di notaio a Sermide dalle indagini « segretamente » svolte è risultato esser « huomo da bene, sufficiente, ed atto non solamente ad esercitar detto ufficio di Sermide ma qualsivoglia altr'ufficio di notariato ».

prima[1] né era stato richiesto da Ludovico allorché aveva dettato gli statuti del collegio dei giureconsulti di cui s'è parlato, tant'è che toccherà a Guglielmo, il terzo giorno delle calende di giugno 1578[2], come pomposamente è datato l'ordine, aggiunger tale genere di requisiti, come l'escludere i nati « illegittime vel inhonestis parentibus ». Ed in ogni modo, proprio contro il fatto che per la sola qualità di cittadini « quoscumque ex infima etiam plebe, indignisque propremodum natalibus exortos » possano esser ammessi al collegio, si farà leva alla fine del secolo per modificar la norma che vieta l'ammissione dei non cittadini, come si vedrà.

Ed in senso non diverso dall'ordine sui notai paiono andare quelli che, emanati tra il 1439 ed il 1459, regolamentano il collegio dei medici. Non vi si parla di condizione civile ma, al di là della poco probante testimonianza settecentesca secondo la quale la richiesta qualità di cittadino originario doveva intendersi come propria « di que' cittadini che vivono con tal decenza che gli distingue dalla comune del volgo e gli avvicini alla stessa nobiltà »[3], lo stesso fatto della ricostituzione del Collegio, come sembra, se non si tratta addirittura di una prima costituzione, e l'esclusione dei non cittadini, come i vari privilegi che ai medici vengono concessi, sono indizi di una volontà di chiusura e selezione. Che potrà facilmente esser volta in quel senso, se pur genericamente nobiliare, di impossibile proposizione allora, quando, si può pensare, la precedente mancanza di « filtri », compresi quelli legati alla condizione cittadina, aveva forse permesso l'esercizio professionale a medici di disparate origini sociali[4].

La tendenza alla aristocratizzazione si confonde così con quella ad un rinnovato e generale corporarsi della società di cui è indicativo il contemporaneo costituirsi di nuove arti ed il frazionarsi di taluna di quelle esistenti.

Si ha così[5], nel 1531, la costituzione dell'arte dei crivellonci (coloro che crivellavano il grano); il distacco da quella della lana dei berettai ed agucchiatori che ne formano una propria già nel 1513; nel 1543 infine la costituzione di quella della seta[6]. Per certo la mancanza di studi specifici e

[1] Cfr. L. Mazzoldi, *Mantova, la storia* cit., vol. II, p. 384.

[2] L'ordine in ASMN A. G. b. 3580.

[3] Così Luigi Casali, opuscolo a stampa del 30-IV-1722 cit., in C. Carra e A. Zanca, *Gli statuti del collegio dei medici di Mantova del 1559*, in « Atti e memorie dell'Accademia Virgiliana », ser. speciale della cl. di sc. fisiche e tecniche n. 2, 1977, p. 49.

[4] E peraltro occorre ricordare come secondo Mazzoldi quella che, senza precisare di più, egli chiama la nobiltà mantovana « fra il 1530 ed il 1550... dava al consiglio dei giureconsulti la maggior parte dei suoi iscritti e quasi la metà a quello dei medici »; cfr. L. Mazzoldi, *Mantova, la storia* cit., vol. II, p. 223.

[5] *Ibid.*, pp. 427 sgg.

[6] Lavorazione questa da poco introdotta peraltro a Mantova, così che la costituzione in arte dei setaioli potrebbe rappresentare un caso a sè, se pur non si debba vedere anche negli altri casi il riflesso di un'aumentata importanza delle attività interessate che sarebbe particolar-

non isolati sugli aspetti economici della vita mantovana del tempo ci impedisce di rapportare ad essi questi mutamenti, così che le caratteristiche dell'industria tessile analizzata da De Maddalena, la presenza ancora avanti nel Cinquecento di produzione sia di alta sia di bassa qualità finiscono più per indurre a stupore, a parlar di Mantova come caso unico, che per inserirsi e spiegarsi in un quadro locale complessivo e coerente [1]. Ma rimane egualmente importante la possibilità che ci resta di cogliere l'evoluzione sociale in Mantova (senza dimenticare che l'aristocratizzazione del ceto dominante, che si separa dal resto dei cittadini principali, e il corporarsi della società sono essi stessi produttivi di conseguenze in campo economico). Del 1530 sono gli ordini per i coloni ed i lavoratori delle corti [2]. Ordini che rivedendo e riordinando tutta la materia delle esenzioni dalle contribuzioni personali e reali, e dagli obblighi di lavoro per fini pubblici [3], nel mentre procedono a semplificare il regime delle esenzioni fino ad allora godute a vario titolo, uniformandole a quelle concesse ai « laboratores et colloni curiarum possessionum et terrarum nostrarum » [1], riordinano più al fondo lo stesso assetto sociale, rispettandone le ormai evidenti caratteristiche aristocratizzanti. Accanto infatti al permanere della tradizionale esenzione totale per i cittadini residenti, si configura, come categoria che ha diritto ad una esenzione sia pure parziale, quella dei « laboratores et colloni » dei membri della casa Gonzaga e dei nobili come dice l'ordine per sé esenti, e per qualsivoglia titolo lo siano, cioè tanto per motivo di religione, come per concessione speciale del marchese, o per titolo oneroso. Mentre da una condizione di esenzione personale e reale che li equipara ai cittadini, decadono ad una sola parziale esenzione i discendenti di coloro che « pro antiqua gubernuli obsidione exemptionem a progenitoribus nostris meruerunt, et similiter domos in loco sibi designato aedificaverunt quod vulgariter dicuntur « delle pozze »

mente interessante nel caso dei crivellonci, per le evidenti connessioni con le vicende agricole del ducato.

[1] Cfr. A. De Maddalena, *L'industria tessile a Mantova nel '500 e all'inizio del '600. Prime indagini*, in *Studi in onore di A. Fanfani*, vol. IV, Giuffrè, Milano 1962, pp. 607-653, p. 616, e su Mantova come caso unico R. Romano, *La storia economica dal secolo XIV al Settecento*, in *Storia d'Italia*, Einaudi, vol. II, t. II, p. 1888.

[2] Cfr. ASMN A. G. b. 3369, ordini in data 20-V-1530; ne parla diffusamente G. Coniglio, *I Gonzaga* cit., pp. 287-290.

[3] « Laboratores et colloni » erano tenuti « ad munitionem civitatis et reparationem forticilij ad onera superaddita tempore et occasione belli », tanto nel ducato che fuori, « ad aggeres in sua deganea, ad taxas militum, ad impositionem speltarum », ed inoltre « ad salarium vicariorum et affictus domus eurundem, et ligna in locis in quibus ad ea rustici tenentur, ad custodiam castrum et ad reparationem pontium, viarum et dugallium ».

[4] Che « una cum alijs conferentibus in totum pro capitibus et estimo ipsorum conferrant » alle imposizioni sopraddette, salvo che per lo stipendio dei vicari e la riparazione di ponti, strade e digagne per le quali conferiranno per la metà.

(e con loro « qui pro burchiellis dicuntur immunes »). E ancor peggio va ai « cives rustici » che « cum ceteris rusticis... pro eorum estimo in totum, pro capitibus autem pro dimidia » dovranno contribuire[1].

L'aver occupato in passato ruoli di rilievo nel contado, senza tuttavia raggiungere il rango di cittadini e/o fallendo la crescita sociale e la finale trasformazione aristocratica, fa riprecipitare costoro poco al di sopra dell'indistinta massa dei rustici, cancellandone i privilegi nella loro generale ricognizione, così infatti si posson leggere gli ordini del 1530, che il principe fa per adeguare alla effettiva e attuale rilevanza sociale la tradizionale condizione d'ognuno, dislocando diversamente in relazione a ciò i pesi fiscali e parafiscali. Perché gli ordini del 1530 costituiscono anche un importante segnale di ripresa dell'attività del principe sul territorio, passata in secondo piano, come si diceva, nel periodo, che va rapidamente declinando, in cui le condotte potevano assicurare introiti alternativi al Gonzaga. « Nollumus praeterea aliquem per literas familiaritatis cuiuscumque principis aut prelati deinceps immunem conservari, nisi a nobis talis immunitatis in futurum concessa fuerit ». All'affermazione di valore anche ideale, di fronte agli altri potenti ed alla chiesa, del proprio ruolo di principe territoriale, fa così riscontro, all'estremo opposto della scala sociale, l'aggravamento della condizione dei possessori del contado, poi che si stabilisce vengano computate ora anche le teste dei famigli per stabilire il carico fiscale[2].

Anche da questo punto di vista gli ordini paiono inserirsi in quell'involuzione della condizione contadina di cui s'eran viste le premesse ancora una volta nel periodo di Ludovico.

La rivolta dei « terzaroli » del monastero di S. Benedetto Po, che con pause e riprese si sviluppa tra il principio del Cinquecento e gli anni Ottanta, ma anche dopo non sarà del tutto soffocata, causata dalle modifiche delle clausole contrattuali a vantaggio del monastero ed introdotte per la prima volta nel 1474-75, è l'esempio eccezionale — ché per il resto come si diceva la situazione del contado non conosce simili vicende — ma significativo[3] di una tendenza in atto.

[1] I *cives rustici* non sono da confondere con i cittadini che per il fatto di non aver rispettato le norme sull'obbligo di risiedere in città da S. Martino alla metà di maggio vengono equiparati in tutto ai non cittadini. Si tratta invece di coloro che, ottenuto il *privilegium civitatis*, non hanno però risieduto in città per il decennio stabilito.

[2] La norma risulterà così vessatoria da dover essere cancellata pochi mesi dopo; cfr. L. Mazzoldi, *Mantova, la storia* cit., vol. II, p. 446. All'elenco degli esenti sopra fatto vanno aggiunte altre categorie, come coloro che svolgono uffici per le comunità, gli uomini « scritti » per il servizio militare, perché servano almeno due mesi all'anno, e così via.

[3] Sulle rivolte dei terzaroli cfr. le osservazioni di M. Vaini, *La distribuzione della proprietà terriera* cit., pp. 208 sgg., che costituiscono l'unico vero studio in proposito.

Capitolo V. Un cinquantennio di riforme e di statualizzazione del potere: la reggenza e il duca Guglielmo

1. Riforme giudiziarie, fiscali e dell'amministrazione periferica

Si diceva sopra della ripresa dell'attività del principe entro lo stato. È stato osservato da tempo come questa costituisca una caratteristica comune degli stati italiani nella seconda metà del Cinquecento. Né tale constatazione può stupire per quanto si è detto della crisi che tutti li investe. A Mantova il passaggio al periodo delle riforme amministrative e l'impossibilità del principe di continuare sulla vecchia strada, che abbiano visto esser divenuta sempre più difficile, ambigua, alla fine improduttiva, son segnati con particolare chiarezza ed esemplificati dal passaggio del potere nel 1540, alla morte di Federico, nelle mani del fratello cardinale Ercole e della vedova duchessa Margherita: reggenti, in quanto tutori assieme a don Ferrante, fratello anch'egli del defunto duca e che assicura la protezione spagnola, di Francesco (morto prima di raggiungere la maggior età nel 1550) e poi di Guglielmo.

Razionalizzazione amministrativa

La descrizione che l'ambasciatore veneto, giunto a Mantova per le esequie del duca Federico, ci dà del cardinal Ercole, comprova l'apparire di un « tipo » ideale di sovrano ben diverso da quello celebrato esemplarmente sotto le spoglie di Francesco IV marchese ed in tono minore di Federico I duca, gran guerriero, senza paura, magnifico e liberale, animoso nei pericoli ma saggio nel decidere[1].

« Proporzionatissimo di corpo, grande di statura, di colore fra il bianco

[1] Si noti che Francesco Gonzaga è esplicitamente additato a modello del principe per eccellenza dal Castiglione nel Cortegiano, lib. IV, cap. XXXVI.

ed il rosso. Ha nella faccia una certa dolcezza congiunta con una infinita e mirabil gravità; dal che nasce che al primo aspetto ognuno se li affeziona, ma però talmente che, insieme con quell'affezione, lo conosce degno di esser riverito. Ha movimento d'occhi e tutto il resto molto gravi, e tutti da principe e finalmente ogni sua parte, quanto al corpo, dimostra esser nato alle grandezze »[1].

Grandezze che possono essere solo, come saranno, quelle del buon governo interno, accanto alle altre come influente cardinale, presidente per conto del papa tra il 1561 ed il 1563 quando muore, delle sedute del concilio. Grandezze che si misurano dunque anche secondo parametri diversi da quelli adottati per e dai precedenti Gonzaga governanti.

Il duca morto, scrive infatti lo stesso Navagero, « spendeva assai nelle stalle, assai nelle fabbriche e molto in tener gran corte, che ascendeva al numero di 800 e più bocche, con diverse provisioni a molti di loro », mentre tali spese « ora sono sminuite in gran parte, si perché non si attende con quella cura e diligenza alle stalle, e si perché il signor cardinale ha ridotto la spesa della corte in 350 bocche et ha levate molte provvisioni superflue a uomini poco utili » di modo che, conclude, le finanze ducali ne trarranno grande giovamento.

Ma in concreto l'opera del cardinale e di Margherita non sortisce una mera riduzione degli organici[2], proponendosi invece una razionalizzazione complessiva dei modi d'amministrazione e di governo dello stato, che coinvolge tanto l'assetto degli uffici quanto la situazione di coloro che vi lavorano.

L'eliminazione dei fannulloni e la ricerca di persone che abbiano « buona volontà » per la cancelleria si lega così alla proposta di divider tutto lo stato in quattro parti fra i quattro segretari, fra i quali si stabiliscano anche quelli che intervengano nel consiglio segreto, rendendo inutile così l'ufficio di capo della segreteria, da non più assegnarsi alla morte dell'attuale, anche « perché i secretariati si devono dare per merito di servitù a quelli che l'hanno guadagnato collo scrivere, et poi si avanzerà quella provvisione »[3].

Una maggior professionalità, potremmo dire, ed una distinzione di competenze, che a sua volta si lega ad un generale specializzarsi delle stesse entro l'amministrazione, con l'emergere di un Consiglio segreto presieduto dai

[1] Cit. da B. NAVAGERO, *Relazione* cit., p. 55.

[2] Anche se altri provvedimenti sui ruoli di corte si prenderanno di nuovo nel 1543, restringendo ancora il numero dei salariati, cfr. disp. 24-IX-1543, cui è allegato l'elenco dei salariati stessi in ASMN A. G. b. 2047.

[3] *Ibid.*, senza data, ma di questo periodo, la proposta anonima di riordino della cancelleria da cui si cita.

Reggenti come organo di governo ordinario ed il distinguersi delle funzioni giudiziarie esercitate dai tre consiglieri in quanto membri dell'antico Consilium Domini, che si qualifica ora come supremo tribunale dello stato. Ruolo, però, che gli era stato attribuito forse anche dal primo duca, per il quale il Consiglio rappresentava « immediate... la persona nostra »[1]. Il crescere del Consiglio come tribunale — proprio nel 1543 lo stesso cardinale Ercole uniforma a quelle stabilite per il Consiglio le regole di procedura degli altri tribunali, e nel 1566 al Consiglio viene attribuita la competenza in caso di sospetti sollevati sull'azione degli altri giusdicenti dello stato — tende al superamento del dualismo di linee giurisdizionali, e più in generale di strutture amministrative ereditate dal ducato per le sue antiche origini comunali e signorili, codificate negli statuti del principio del Quattrocento. Statuti e strutture che solo in questo periodo, se si vuole dagli anni Trenta del secolo, si avviano ad esser del tutto superate, in un processo che permetterà nel 1615 all'ambasciatore veneto di riferire, a proposito di un altro cardinale, il duca Ferdinando, che « si gloria il signor duca di non avere in Mantova né senato né consiglio né altro magistrato che sia proprio della città, se non quello che elegge l'Altezza Sua e dipende dalla sua volontà »[2].

Non si tratta ovviamente di un processo lineare, scandito da passaggi conseguenti — e vedremo poi come l'assoluta signoria di Ferdinando sia in realtà, per certi versi, svuotata di significato —. Ma restando ora alla metà del Cinquecento, va asservato che negli stessi anni in cui la tendenza, che con qualche generosità potremmo definire burocratizzante, della disciplina del potere in una sia pur rudimentale struttura gerarchica al cui vertice è il duca produce le trasformazioni che si son dette del Consilium, un miglior funzionamento della giustizia è perseguito anche istituendo nel 1557, come tribunale generale d'appello, una Rota. Vale a dire un tribunale che per le sue caratteristiche — la rotazione dei giudici, il loro esser necessariamente stranieri e forniti di certi requisiti d'età e di studi — riproduce in definitiva i vecchi modelli delle giurisdizioni comunali. L'esistenza già dal 1541 nelle carte della cancelleria gonzaghesca di una relazione sulla Rota lucchese; la presenza accanto al principe di un Medici da Lucca, il primo dei quali abbiamo visto giungere a Mantova come podestà negli

[1] Su queste vicende cfr. di chi scrive il già cit. *Senato di Mantova*. Nel 1543, cfr. elenco sopra cit., per quel che le cifre ufficiali possono valere, la provvisione annua dei tre consiglieri ducali-Nazaro Scopulo, Carlo Malatesta e Gerolamo Medici da Lucca - è di 200 ducati, più che quadruplo di quella (48 ducati) del Massaro, che come abbiamo visto è formalmente il più alto dei magistrati cittadini.

[2] « Poiché – aggiunge – com'è benissimo noto, dall'esser feudatario in poi dell'imperio, si trova di questo stato libero e assoluto signore ». Cit. da G. DA MULLA, *Relazione* al senato, 1615, in *Relazioni* cit., p. 134.

anni Venti, e poi radicarvisi come consigliere gonzaghesco; il prestigio fors'anche del modo di governo delle repubbliche oligarchiche [1]; son tutti elementi che per un verso o per l'altro inducono a ritenere che si mantenga a Mantova un interesse non transitorio verso le innovazioni che avvengono nella continuità dei princípi tradizionali. E che anche per questa via dunque si possa pensare di riordinare lo stato e di trovare una soluzione al dualismo delle sue strutture ed ai problemi di organizzazione del potere principesco. Tanto più significativo allora che la Rota duri meno di quindici anni, che essa risulti rapidamente inadatta entro il disegno di sviluppo del potere principesco in senso statuale, e che il suo posto venga preso dall'ultima trasformazione del Consilium in vero e proprio Senato di giustizia come si dirà.

Le finanze

Entrano invece in quel disegno i provvedimenti che negli anni di Ercole vengono presi riguardo all'amministrazione finanziaria, emanando i quali infatti si fa esplicito riferimento ad un'opera generale di riordino, poiché « siccome sono state ben regolate l'altre cose pertinenti al giusto et buono governo di questo stato, così... », si è deciso di creare un presidente di Camera « il quale essendo per l'officio suo senza maneggio di alcuna cosa, habbia da intervenire per noi al maneggio degli altri ministri, et in tutte le cose nostre, di modo che non si possa far spesa di alcuna sorte che non sia stata intesa e fermata per lui » [2]. Alla creazione di un responsabile generale dell'amministrazione finanziaria, che sovrintendendo tanto all'opera del fattore quanto a quella del massaro, ed affiancandosi quantomeno ai maestri delle entrate nell'azione di controllo delle entrate e delle spese [3], si configura come una sorta di capo « politico » dell'amministrazione finanziaria, in armonia con quel più netto definirsi delle linee d'un consiglio di governo cui già si è accennato, si accompagna l'unificazione di tutte le casse, « in una sola borsa ». In tal modo « i pagamenti che si havranno da fare passeran-

[1] Il Navagero ricorda che il cardinale Ercole gli aveva fatto le lodi del governo veneziano, poiché in esso « era la vera immagine e idea della vera repubblica, dove con tanta concordia vivono li cittadini, dove con tanta equalità si amministra la giustizia, dove tutti hanno un istesso fine, che è la grandezza e dignità pubblica »; cit. da B. NAVAGERO, *Relazione* cit., p. 61.

[2] Così l'ordine del 20-II-1553, riportato in appendice I da A. DE MADDALENA, *Le finanze del ducato di Mantova all'epoca di Guglielmo Gonzaga,* Cisalpino, Milano 1961. Nella stessa appendice cfr. anche la *Memoria* sotto cit. di Giulio Cavriani.

[3] Una « Informatione da' quale appare spettarsi il Maestrato conoscere a quante s'estendano li Decreti e Concessioni d'errezione » s.d. ma settecentesca, riferisce che nel 1545 le cause dei dazi dal giudice delle appellazioni passano alla competenza esclusiva dei Maestri delle Entrate per garantire la certezza del foro. Sta in ASMN A. G. b. 3122.

no da quest'hora innanzi per mano d'un solo ministro, il quale non habbia però da dar fuori denaro per alcun conto », se non intervenga prima l'approvazione dei maestri delle entrate e del Presidente; e si supera così anche da questa parte, almeno al momento del deposito del denaro e delle spese, la tradizionale pluralità delle amministrazioni.

Il che consente al principe una più sicura conoscenza ed un maggior controllo della situazione della finanza. E che questo sia lo scopo lo dimostra il fatto che uno dei primi impegni di Giulio Cavriani, titolare del nuovo ufficio di presidente della Camera, sia proprio la compilazione per la reggente duchessa Margherita di una memoria indicante entrate e spese del ducato, al fine che ella possa « ad ogni suo piacere senza saputa d'altri vedere la spesa et la entrata della Camera Ducale, et quindi conoscendo alla giornata il buono o il male reggimento degli suoi ministri, dar rimedio alli disordini che molte volte o per malignità o per trascuraggine possono accadere ».

Maggiori controlli e più sicura conoscenza, i cui risultati « politici » saranno alla lunga quelli già accennati e relativi alla possibilità di trasformare la struttura amministrativa dello stato, integrandone tutte le funzioni in uffici direttamente dipendenti dal sovrano — ed il cui costo ricade perciò altrettanto direttamente su di lui — e dal punto di vista più strettamente economico quelli d'un « progressivo incremento tanto delle entrate fiscali, quanto di quelle patrimoniali e varie (tra il 1554 e il 1577 le prime salgono del 26 e le seconde del 75 per cento) ». Incremento accompagnato per di più « da una diminuzione del rapporto tra i gettiti fiscali e i cespiti patrimoniali » (sul totale dei proventi i primi rappresentano oltre l'84 per cento nel 1554 e circa il 76 per cento nel 1577), e legato perciò ad una maggiore efficienza dell'amministrazione finanziaria, tale da permettere « un aumento dei proventi fiscali, senza ricorrere ad un inasprimento dei tributi vigenti e tanto meno all'imposizione di nuovi e straordinari balzelli» [1].

Si discuterà poi sui riflessi nella società di tali brillanti risultati finanziari; occorre ora tornare all'esame dell'opera di Ercole osservando come, accanto ai provvedimenti specifici in tema di cancelleria, finanze e giustizia, vi sia in generale tutta un'azione di governo coerente con essi che, intesa a realizzare in concreto un accrescimento del potere effettivamente esercitato dal Gonzaga, intensifica, in modo apparentemente contraddittorio, tanto il ruolo dell'amministrazione centrale, e quindi in generale rafforza le strutture statuali, quanto per certi versi quello del ceto aristocratico, fenomeno questo di cui comunque si dirà poi. Di intensificazione del potere si può parlare con chiarezza rispetto all'amministrazione del territo-

[1] Le citazioni da A. De Maddalena, *Le finanze* cit., pp. 153 e 154.

rio per la quale eran previste tre figure, vicari, commissari, podestà, distinte fra loro per il diverso contenuto giurisdizionale, minore per i commissari e vicari, maggiore per i podestà, e relative tanto alle vicende del singolo luogo che alle sue dimensioni. Così i podestà sono presenti nei borghi più grandi e che sono entrati a far parte del dominio gonzaghesco in modo tale da consentir loro la continuazione di una certa autonomia amministrativa, mentre tra vicari — più antichi come carica e forse legati originariamente ai luoghi fortificati (castelli) — e commissari la distinzione pare esser soprattutto di dignità, in definitiva di emolumenti. Alla scelta del podestà partecipano talvolta in misura decisiva gli stessi abitanti del luogo; vicari e commissari sono, giusta il nome, scelti dal principe. Proprio in relazione alle nomine si possono cominciare a notare a metà secolo delle novità.

L'amministrazione periferica

Un'indagine del 1551 sui giusdicenti dello stato ci mostra la gran maggioranza d'essi esercitare l'ufficio « a beneplacito » del principe, alcuni a vita, pochi per periodi prestabiliti ma molto lunghi: quindici o vent'anni. Il rapporto fiduciario e personale con il principe è evidente: al di là dei nomi delle casate (spesso particolarmente importanti: un Bardellone ha a vita la giudicatura di Castellucchio, a beneplacito a Gonzaga vi è il conte Giulio Cesare Gonzaga di Novellara) casi come quello del cavalier Panizza, il primo della casa ad ottener un tale titolo[1] e che sta « a beneplacito » a Quistello, paiono togliere ogni dubbio in proposito. Come altrettanto evidente pare essere, almeno in qualche caso, l'assoluto prevalere nel Gonzaga di considerazioni privatistiche nell'assegnazione delle trentasei giudicature. A Cavriana sta messer Palazzo « per anni 14 in estintione d'uno credito ch'egli havia per terre toltegli a Spinosa da Messer Carlo Bologna » (già potentissimo funzionario sotto Federico, mandato a morte per malversazioni), a Curtatone messer Emilio Bonvicino « in luogo del cavalier Musani che l'ha per quindici anni », a Reggiolo « gli eredi di messer Evangelista da Crema per anni quindeci ».

Un abbozzo di riforme allegato all'elenco, assieme ad un altro elenco che prevede trasferimenti da un luogo all'altro di coloro che già esercitano cariche nell'amministrazione periferica, ed una lista delle « provvisioni » annesse a tutte le podestarie vicariati e commissariati del mantovano, fanno intendere che al carattere di ricompensa attribuito alle cariche nell'amministrazione periferica si vuole quantomeno affiancare una maggior considerazione per il buon funzionamento degli uffici[2].

[1] Cfr. C. D'Arco, *Famiglie mantovane*, ms. cit., vol. VI, p. 40 sgg.

[2] Così a proposito di Sermide si scrive « veder per quel di più che bisognaria dar di

Anche in questo caso i risultati non sono immediati; ma quando nei primi anni del Seicento troviamo le stesse cariche assegnate in generale per un triennio, se pur non manchino ancora quelle « a beneplacito »[1], non par difficile ritrovare l'inizio di tale evoluzione nei primi cenni di riforma a metà Cinquecento.

La triennalità, e la definizione di una non scritta scala d'importanza dei diversi luoghi, secondo la quale si attuano trasferimenti e « promozioni » rinviano infatti ad un modo più « burocratizzante » d'amministrare e di governare, che dall'ambito degli uffici centrali mantovani si è propagato via via a quelli periferici. Già si è visto nelle parole del cardinal Ercole a proposito della promozione a segretari, come indirettamente nelle modalità di riordino degli uffici giudiziari e finanziari, l'apparire di tali concezioni ex post definibili come pre-burocratiche, ma dopo la metà del secolo non ne mancano altri riscontri, se pur le trasformazioni amministrative e l'allargamento burocratico si trovino a dover far i conti con le resistenze opposte dalle strutture sociali esistenti. Quando nel 1567 Giovan Paolo de Medici, in una informazione al duca su Giacomo da Legge, « giovan da bene » da quindici anni notaio, iscritto nella matricola e esercitante da allora col padre nell'ufficio, che ora chiede, delle carte conservatoriali, consiglia Guglielmo di accoglierne le richieste, « onde... dar animo a gli figliuoli che si affatichino ne gli essercitij che fanno gli padri loro, con speranza di succeder nel medemo luogo », tanto più « havendo anco il padre (per quanto esso messer Jacomo et suo fratello m'hanno fatto fede) serviti gli Antecessori vostri et lassato ad essi fratelli carico grave di debiti et di figliuole da marito, con poche facoltà »[2], mi pare indichi bene il compromesso raggiunto fra le esigenze di coloro che sono negli uffici e quelle di una amministrazione « burocratizzante » e tenuta allo scopo (per richiamare le ben note categorie weberiane) di uno stato; cioè che facendo proprie le preoccupazioni dei singoli — che non avrebbe comunque la forza di soffocare o trasformare come accadrà nel periodo del riformismo illuminato — riesce però a piegarle al proprio disegno, ad utilizzarle per le proprie necessità, per garantire l'efficacia della propria azione. Certo così lo spazio per un

forza al Podestà che pare che debba esser almeno di un dodeci huomini, dove se ne possa poner il carico, et che la provisione del Podestà sia di maniera che vi possa star un huomo di valore ». Tutti gli elenchi citati in ASMN A. G. b. 3569. Qualche notizia sulle comunità del contado in G. Coniglio, *I comuni del Mantovano al tempo dei Gonzaga*, in « Miscellanea storica ligure », III, 1963, pp. 193-236.

[1] Cfr. sempre in ASMN A. G. b. 3569 un elenco s.d. ma del 1619, ove tutti i commissari senza eccezioni hanno patenti con data tra il febbraio 1616 ed il gennaio 1619; ed un altro del 1626 dei « Giusdicenti dello stato mantovano che non hanno finito il triennio, et alcuni a beneplacito ».

[2] Informazione del 23-XI-1567 di G. P. de Medici al duca in ASMN A. G. b. 3443.

uso privatistico dell'ufficio resta ampio; lo mette bene in luce il caso prospettato dallo scritto del notaio Baldassarre Scaratto, che chiede al duca di « volersi degnar di fargli libero dono » del banco presso il giudice del Paradiso — una delle magistrature minori cittadine — offrendosi di pagare al notaio Parma, titolare del banco ma non più esercente per la vecchiaia, i ventiquattro scudi annuali, già pagatigli da Batista de Mori da Redondesco (cui, col « consentimento » del Parma, il duca aveva fatto tempo addietro « libero dono » dell'ufficio) poiché contro gli ordini Batista de Mori teneva due banchi di notaio per averne ottenuto uno anche a Redondesco; come altrettanto chiaro ne risulta il riconoscimento d'un contenuto patrimoniale insito nell'ufficio. Tuttavia quel che più importa, in questo come in altri casi, è la capacità da parte del duca, di controllare alla fin fine tutta la vicenda — lo Scaratto avrà con ogni probabilità il posto[1] tolto a Battista de Mori — come accadrà nel caso di tutti quegli altri notai per i quali nella seconda metà del secolo si farà consuetudine la pratica dell'indagine da parte dei consiglieri ducali prima dell'attribuzione d'un ufficio, assieme alla considerazione dei servizi già svolti. Così nel 1562, dovendosi assegnare il banco di notaio presso la Rota, i due consiglieri sopra ricordati prenderanno segretamente informazioni da tre procuratori « de più antichi che vi sono circa la sufficientia, bontà et buoni costumi de li infrascritti notari » ed infine proporranno di darlo ad uno di cui « non si ha alcuna sinistra informatione over opositione di mala vita, tanto più che molti anni ha praticato nel Consiglio, et dapoi che la Rota fu eretta è sempre stato in essa Rota, onde par ch'abbi luogo una ordinatione, si dice fu altre volta fatta » dal duca Federico, « che quando in uno magistrato, vacca un banco di notaro, se nel medesimo magistrato è gargione sufficiente a quello si dia il banco, per dar animo alli giovani di affaticarsi et farsi huomini da bene »[2]. « Farsi huomini da bene »: anche qui ritorna, come preoccupazione ultima, quella dell'ordinamento della società, che pare gravare ormai sempre più sulle spalle del sovrano, via via che procede la sua opera di trasformazione dei modi del potere ed ormai anche per i nuovi compiti che l'ideologia post-tridentina gli assegna.

Collegio dei medici, Senato, Maestrato

Il crescere dell'intervento statale in campo sanitario, di cui qualcosa già si è accennato, ne è, nella sintesi che recentemente se n'è data, forse

[1] Cfr. il parere a lui favorevole dei consiglieri ducali sul retro dello scritto di B. Scaratto del 18-I-1561 in ASMN A. G. b. 3443.

[2] Cfr. Relazione al duca del 4-VIII-1562 in loc. ult. cit.

l'esempio più illuminante. « Nell'arco breve d'un trentennio », da Federico a Guglielmo, l'ordinamento del Collegio dei medici, e la pubblicazione della farmacopea ufficiale, preceduta in Italia solo dal *Nuovo receptario* fiorentino del 1498, fa sì che per « la volontà riordinatrice dei Gonzaga, tesa, da un lato, a mettere un freno all'arbitrio degli speziali e alla scarsa professionalità dei medici, dall'altra a tutelare la professione medica nei confronti di ciarlatani e guaritori di piazza », « la salute... cessi di essere un problema personale per diventare sempre più... salute pubblica », luogo d'intervento e funzione dell'amministrazione principesca [1].

In questo contesto non stupisce che nei campi toccati dal cardinal Ercole intervenga nuovamente, come s'è appena anticipato, il nipote Guglielmo negli anni Settanta ed Ottanta, approfondendone l'opera e concludendo per larga parte il processo di trasformazione del dominio mantovano in stato assoluto.

Di nuovo si interviene sulla cancelleria, formalizzandone ancor più le procedure, e le competenze degli ufficiali [2], tanto per il lavoro interno quanto per i rapporti con i diplomatici gonzagheschi e si dettano nuove norme per l'ordinamento dell'archivio [3]; di nuovo si interviene sull'amministrazione della giustizia e su quella delle finanze.

Nel 1571 sulle ceneri della Rota e dell'ultima trasformazione del Consilium domini sorge il Senato, come tribunale di giustizia, a capo della struttura amministrativa giudiziaria statuale infine completamente unificata, e composto, diversamente dalla Rota, da consiglieri del principe, in numero di sei, scelti a suo insindacabile giudizio ed in carica a tempo indeterminato. Parallelamente, e dopo un'indagine dettagliata sulle competenze dei diversi uffici esistenti [4], appena due anni più tardi il Magistrato ducale prende il posto del Massaro, del Fattore generale, dei Maestri delle Entrate, unificando così, dopo le casse e le procedure di spesa, l'amministrazione finanziaria anche dalla parte delle entrate.

Si forma così, ha notato Navarrini, « una vera e propria organizzazione burocratica basata su rigidi rapporti di dipendenza gerarchica: a capo del magistrato vi era il presidente che aveva il delicato compito di mantenere i rapporti con il duca; il presidente era "primus inter pares" con i tre

[1] Le citazioni da D. Franchini, R. Margonari, G. Olmi, R. Signorini, A. Zanca, C. Tellini Perina, *La scienza a corte. Collezionismo eclettico, natura e immagine a Mantova fra Rinascimento e Manierismo,* Bulzoni, Roma 1979, p. 216.

[2] Cfr. P. Torelli, *Introduzione, avvertimenti preliminari, storia e ordinamenti, formazione e natura dell'archivio Gonzaga,* in *Archivio Gonzaga di Mantova,* vol. I, La *corrispondenza famigliare, amministrativa e diplomatica dei Gonzaga,* a cura di P. Torelli, Ostiglia 1920, *passim.*

[3] Cfr. i cenni in proposito di L. Mazzoldi, *Mantova, la storia,* vol. III, p. 30.

[4] Vedila in ASMN A. G. b. 3122.

Maestri delle Entrate (titolo che era stato esteso a tutti i membri della nuova Magistratura), assieme ai quali attendeva al buon funzionamento della nuova magistratura ed espletava la funzione giurisdizionale ». Il Magistrato, o Maestrato, era poi diviso in sei uffici: dei dazi e contrabbandi, del patrimonio, delle subastazioni e delle acque, dell'annona, della fattoria, dei mandati [1].

Il Senato come supremo organo politico-giudiziario, ed il Maestrato la cui competenza come si vede va ben oltre quella strettamente finanziaria, configurandosi addirittura come organo di gestione se non dell'intera vita economica dello stato certo degli aspetti più importanti d'essa — l'annona, le acque, non meno del patrimonio del principe che per la sua ampiezza costituiva indubbiamente un punto di riferimento ed un condizionamento per l'intero mercato agricolo mantovano, la politica monetaria [2] — divengono così i due principali organismi d'amministrazione. Mentre sopra d'essi si viene formalizzando quel consiglio che già abbiamo visto apparire sotto i reggenti e che sarà poi detto « di stato », di cui faranno parte anche i due presidenti del Maestrato e del Senato, e che sotto gli ultimi Gonzaga del ramo principale tende a configurare il governo mantovano come governo di gabinetto, non diverso, nella forma almeno, da quello delle monarchie europee del tempo.

Se queste son le linee secondo cui si sviluppa l'azione di Ercole e poi di Guglielmo e se esse configurano un processo di approfondita statualizzazione del sistema d'amministrazione del mantovano, occorre ora riprendere il filo delle coeve trasformazioni della società, fissando l'attenzione su tre temi cui già si è fugacemente accennato, ed attraverso i quali pare di poter raggiungere una visione d'insieme; e sono quello degli effetti secondari per così dire, delle riforme, specie finanziarie, quello della trasformazione del ceto aristocratico, quello infine della pietà religiosa.

2. Mutamenti nell'ordine sociale

Osservava De Maddalena concludendo il suo esame dei risultati delle riforme finanziarie che l'aumento dei proventi fiscali, ottenuto come si diceva, avrebbe provocato a suo avviso anche una « non improbabile dimi-

[1] Le notizie sul magistrato sono tratte da R. NAVARRINI, *Una magistratura gonzaghesca* cit., la citazione a p. 111. Sullo stesso cfr. anche quanto risulta da G. CARRA, *Il magistrato camerale di Mantova. Relazioni del presidente Giovanni Francesco Pullicani (1707-1729)*, in « Atti e memorie dell'Accademia Virgiliana », n. ser., XLII, 1974, pp. 105-152.

[2] Cfr. per questo aspetto M. A. ROMANI, *Considerazioni sul mercato monetario mantovano nei secoli XVI e XVII*, in « Atti e memoria dell'Accademia virgiliana di Mantova », n. ser.,

nuzione della pressione fiscale, specie nei confronti dei contribuenti più modesti »[1]. In realtà non mancano indizi in base ai quali pare di poter dire che le cose sono andate diversamente, ed in particolare che si accentuano le tradizionali caratteristiche del sistema fiscale mantovano — ma si tratta di caratteristiche generalizzate ben oltre i confini dello stato gonzaghesco — vale a dire la prevalenza del peso fiscale appoggiato al contado rispetto a quello dei cittadini e degli altri esenti dai carichi rurali, accompagnato da una riduzione delle differenze tra mantovano nuovo e vecchio che vengono ad appesantire (è difficile dire in che misura) anche le condizioni delle zone periferiche dello stato.

Difficoltà e crisi nel contado

Un ordine del novembre 1554 impone il pagamento d'un dazio al ponte sull'Oglio nei pressi di Marcaria per le mercanzie condotte da Canneto. La protesta degli uomini di Canneto, Acquanegra e dell'intera squadra, ci permette di sapere che tale dazio non era mai stato richiesto e che mai essi avevano pagato dazi sul territorio mantovano per le cose trasportate a Mantova, salvo i dazi di entrata in città[2]. Che alla protesta non si associno gli uomini di Marcaria — e negli atti si richiama anzi un ordine del 20 gennaio 1436 del marchese Gianfrancesco che esentava gli uomini di Marcaria e di Casatico, quelli perciò della sponda più vicina a Mantova, dal pagamento di dazi al ponte sull'Oglio per le cose importate da territori « alienis » — pare indicare che la novità colpisce solo il traffico da Canneto verso Mantova e non quello, sicuramente meno rilevante, ma ciò rende l'esclusione ancor più interessante, che va in direzione opposta. Solo un'indagine accurata su tutto il territorio potrebbe dirci se il caso del ponte sull'Oglio costituisca una eccezione oppure no. In ogni caso indica la possibilità, e la pratica in un caso almeno, di simile forma di tassazione indiretta a svantaggio delle terre periferiche, già danneggiate evidentemente dalla delimitazione che i confini pongono al loro mercato, entro il territorio.

Più in generale si deve parlare di un netto peggioramento della situazione dell'intero contado rispetto alla città. Malgrado gli ordini del 1530 e quelli successivi prescrivessero che le terre rurali passando ai cittadini

XXXVII, 1969, pp. 73-146. Come lo stesso autore ha messo in luce si ha nel medesimo periodo anche un avvio di riforme della contabilità; cfr. M. A. Romani, *Alle fonti della ragioneria pubblica: un revisore dei conti alla corte dei Gonzaga*, in *Studi e ricerche della facoltà di Economia e commercio*, Parma 1977, pp. 151-202.

[1] Cfr. A. De Maddalena, *Le finanze* cit., p. 154.

[2] I termini della questione si traggono dalla relazione del 28-IV-1559 dei Maestri delle Entrate, che investiti dal problema propongono una soluzione intermedia, escludendo cioè dal pagamento del dazio le cose condotte per uso di chi le conduce e quelle destinate ad esser vendute in città. La relazione in ASMN A. G. b. 3193.

dovessero restar descritte come prima, e continuare nella contribuzione, una relazione di Nazzaro Scopulo e G. P. de Medici lamenta nel 1559 l'inosservanza di tale disposizione almeno per le zone prese in esame, tra Luzzara, Reggiolo, Gonzaga e Suzzara, così che si aggrava sempre di più il carico sulle terre rimaste in mano ai non cittadini e si producono gravi differenze anche nelle condizioni rispettive dei diversi comuni. Lamentano gli uomini di Luzzara, riferiscono i due consiglieri, che a Reggiolo conferiscono alle fazioni 590 biolche (tre biolche mantovane fanno all'incirca un ettaro) e si pagano undici cavalli di tassa, a Gonzaga 905 biolche e 90 tavole pagano per cinquantun cavalli, a Suzzara 411 biolche per quarantacinque cavalli, mentre in passato, prima degli acquisti cittadini, la quantità delle terre conferenti era superiore e tutte queste comunità avevano tanta terra quanta ne ha attualmente Viadana ove 21.770 biolche conferiscono per centoundici cavalli. Se i calcoli sono almeno approssimativamente veritieri, in un tempo non troppo lungo — nell'arco di qualche decennio al più, si può pensare — sarebbero passate in mani cittadine circa 19.000 biolche. Ma se questo dato è incerto, resta incredibilmente alta e fuor d'ogni dubbio la quantità attuale delle terre esenti, se il territorio di Reggiolo è complessivamente di b. 6000, quello di Gonzaga di b. 25.000, quello di Suzzara di b. 16.000 come si afferma nella stessa relazione. Gli undici dodicesimi delle terre a Reggiolo, nel caso più favorevole alla proprietà non cittadina o comunque privilegiata, sono dunque esenti[1].

Si può pensare che non dappertutto la situazione fosse così compromessa. A Viadana parrebbe ad esempio che la quota dei beni conferenti non fosse stata intaccata, o non lo fosse stata troppo, e che soprattutto i borghi più grossi tenessero meglio. Una relazione dell'anno seguente degli stessi due consiglieri, in cui a proposito di esenzioni si parla di coloro che « fanno mercantia in qualche castello, come molti ne sono a Viadana, Luzzara, Canneto, Hostia, Revere et Sermedo », potrebbe indurre a considerazioni di tale genere (e, guarda caso, le lamentele di cui sopra si è parlato e che paiono presentate dagli uomini di Luzzara, trascurano poi di offrire dati per questa terra). Soprattutto però nella sua seconda parte, la relazione del 1560 conferma il movimento di fondo a favore dei cittadini e come ad esso non fosse sfavorevole in definitiva la stessa politica gonzaghesca. Medici e Scopulo propongono al duca di non obbligare a venire in città nei tempi stabiliti, ancorché siano nativi di Mantova, i fattori, gastaldi ed altri agenti dei gentiluomini, « atteso che senza di essi, molti gentilhuomini patiscono grandissimo danno: et massimamente quelli, che fanno lavorieri

[1] La relazione di N. Scopulo e G. P. de Medici del 13-VIII-1559 in ASMN A. G. b. 3369.

a sua mano, dovendo essi gentilhuomini venire alla città. Et questo torna anco utile a V. E. perché quanto più sono le entrate de gentilhuomini, tanto maggiori sono li dacij »[1] (ma il dazio maggiore, d'entità più cospicua in assoluto, quello del sale, non dipendeva dalla residenza in città e colpiva anche il contado).

Queste essendo le disposizioni di fondo dei consiglieri ducali, che una ventina d'anni più tardi uno di essi, P. E. Bardellone, verificando le esenzioni trovi che esse sono maggiori di quelle permesse dagli ordini del 1530 e 1542 e lamenti che se questi « fossero osservati si conserverebbero i contadini, i quali per la moltitudine di quelli che sono tenuti esenti contro la forma di detti ordini vengono in modo aggravati che sono necessitati andarsene in rovina »[2], o che vengano reiterati gli ordini sulle fazioni, non serve a cambiar nulla; ché ormai il fenomeno tenderà ad aggravarsi e provocherà una ricerca sempre più accanita delle possibili esenzioni a tutti i livelli. Poiché non bisogna dimenticare che, secondo gli ordini del 1530, gli ufficiali ed i rappresentanti (campari, consoli e così via) dei comuni andavano personalmente esenti, e che agli stessi era possibile, giustificandolo con determinate e prestabilite necessità di servizio del comune, procurar l'esenzione ad altri (e qualche espressione di Bardellone parrebbe far pensare che egli si riferisse, e deprecasse, gli abusi connessi a questo genere di esenzioni piuttosto che a quelle dei gentiluomini e cittadini).

Ma sulle possibilità degli abitanti del contado di sfuggire alla crescente pressione fiscale si tornerà poi. Ora si tratta piuttosto di esaminare — una volta che sembri delinearsi come il costo dell'efficienza finanziaria di Guglielmo abbia teso a scaricarsi infine sul contado, attraverso le indirette variazioni delle quote di carico rispettive delle diverse condizioni sociali — il motivo per cui, malgrado i rischi di tale politica, essa non sia mai stata smentita, mai si sia rinunciato ad un privilegiamento della città e della nascente aristocrazia. Posta in questi termini la questione sembra risolversi da sola, scolorire nell'ovvio. Ed ovvia è effettivamente parsa alla storiografia mantovana che, tolte le indagini del D'Arco un secolo fa e poche altre oggi, fra le quali soprattutto quelle di Vaini, non ha mai ritenuto di dover indagare la struttura sociale mantovana (ché di questo si tratta), ed il ruolo dell'aristocrazia nello stato.

Lo sviluppo nobiliare

Scrive Francesco Tron nella sua relazione del 1564, allorché, secondo lo stile delle relazioni venete, viene a parlare della popolazione, che la città di

[1] *Ibid.*, relazione del 2-XII-1560.
[2] *Ibid.*, lettera di P. E. Bardellone al duca del 18-XII-1584.

Mantova, la quale conta a suo avviso quaranta, quarantacinquemila abitanti (ma il numero reale oscilla probabilmente intorno ai trentacinquemila, come si dirà) « ha un numero grande di nobili devotissimi al so principe e l'amano e osservano grandemente »[1]. Simili osservazioni mancano nella relazione Navagero, mentre alla rilevanza dei nobili accennerà nell'88 anche il Contarini[2]. I motivi per cui Navagero trascura di ricordare i nobili mantovani si posson pensare essere i più banali, ma si posson pensare anche relativi ad una loro minor rilevanza pubblica rispetto alla Corte e soprattutto fuori d'essa di quanta non ne abbiano un quarto di secolo dopo, quando il processo di aristocratizzazione innescato presso i Gonzaga, come si è visto, al principio del secolo e la contemporanea evoluzione delle gerarchie sociali nel resto d'Italia hanno ormai reso inevitabile al ceto dominante — a coloro che per vie magari diverse si trovano, in modi magari altrettanto diversi, ad esser in, o aspirare a, condizioni sociali distinte — la assunzione di caratteristiche nobiliari.

Una conferma di ciò pare venire dall'evoluzione dell'atteggiamento dei Gonzaga stessi.

Nella prammatica del 1551 del cardinal Ercole contro il lusso[3] è presente innanzitutto la volontà di favorire il nuovo corporarsi della società fissando in termini generali ed imperativi gli aspetti pubblici della relativa gerarchia. Così « ad ogni sorte di artefice et a tutte le lor donne si prohibisce el portar berete o scarpe di veluto et vestimenti de drappo di seta di qualunque sorte » e disposizioni simili si richiamano per i notai, cui si vieta di portar spada o pugnale, come per gli ebrei, i soldati, le prostitute, così che tutti questi ben si distinguano dai gentiluomini (un ordine del cardinale di qualche anno prima aveva stigmatizzato il « non picciol scandalo » delle prostitute che « cercan con pompe di esser tenute per honorevoli et prosumano di aguagliarsi alle gentildonne »). Si tratta fin qui di disposizioni che rientrano nella dinamica ricorrente di questi secoli. Nella stessa Mantova una delle raccomandazioni fatte a GianFrancesco nel 1430, in un altro momento di riorganizzazione della società, era stato, già lo si è detto, quello di emanar leggi suntuarie. Ma nel 1551 a questa ricorrente motivazione, e a quella personale di Ercole, avanzata da Coniglio e plausibile alla luce di alcune disposizioni in particolare, che la prammatica gli

[1] Così F. TRON, *Relazione* al senato, 1564, in *Relazioni* cit., p. 66.

[2] Cfr. F. CONTARINI, *Relazioni* al senato 3-X-1588, in *Relazioni* cit. specie p. 78.

[3] Più volte pubblicata, qui si cita da A. LUZIO, *La prammatica del Cardinal Ercole Gonzaga contro il lusso (1551)*, in *Miscellanea Renier*, Torino 1913, ove anche le notizie sui precedenti ordini del cardinale e sulle considerazioni seicentesche intorno alla prammatica ricordate nel testo. La sola prammatica è riportata come appendice prima in *Mantova, la storia* cit., vol. III.

servisse ad accreditare una buona immagine di sé come ecclesiastico in linea con i nuovi orientamenti emergenti nella chiesa (ed allo stesso Ercole si devono disposizioni sull'abbigliamento ed il comportamento dei chierici)[1], a queste motivazioni dicevo, si aggiunge l'altra, ricorrente anche essa nel Cinque-Seicento, di evitare una rincorsa al lusso dei nobili fra di loro e nei confronti del principe, con la conseguenza tuttavia, poiché il principe, che pur enuncia nella prammatica di volersi sottoporre anch'egli alle disposizioni, resta comunque distinto — la stessa norma che vieta ai soldati di vestir di seta esclude quelli della guardia « di S. Eccellenza, quali si vuole che possino portar ogni sorte de seta per honor di lei, havendolo, come fanno, da accompagnare » —, di attenuare fortemente le distinzioni di rango degli aristocratici, vale a dire quelle apparenze che costituiscono in realtà attributi essenziali ed irrinunciabili per un ceto, del vivere « more nobilium ». E infatti la protesta di alcuni gentiluomini mantovani, di quelli fra l'altro che per la loro vicinanza al principe (alcuni sono di casa Gonzaga) meno potevano temere una effettiva confusione e declassamento rispetto al resto della città, alle disposizioni della non ancor emanata prammatica, parte proprio da tale constatazione, che dovendo in ogni caso « essere a' particolari osservato il grado, non veggiamo (sia detto senza ambitione) per qual ragione non dovesse essere per il meno il mercatante dal gentilhuomo e l'ignobile dal nobile conosciuto »[2]. Altrove tali disposizioni suntuarie sono frequentemente reiterate, a Mantova dopo questa di altre non si ha notizia; la condizione e la distinzione dei particolari fornendo la riprova della grandezza del principe. Guglielmo, muovendosi per ottenere l'elevazione del marchesato del Monferrato a ducato, chiederà per l'appunto che nel diploma di investitura « pel suo decoro » gli si conceda di « creare in essi nostri stati Marchesi e Conti, quali abbiano la medesima autorità ch'hanno quelli che son creati dalla Maestà Sua »[3], ed in modo non dissimile favorirà lo sviluppo nobiliare il suo successore Vincenzo, cui il figlio Francesco rimprovererà addirittura la troppo facile concessione di titoli, mentre la prammatica ripresa in mano da qualche funzionario di corte nel Seicento sarà postillata di frequenti « inutile, dannoso, ridicolo » e messa nuovamente da parte. Inutile e dannoso dunque, si può pensare, non solo per i nobili ma per il principe poiché, pare di poter dire, è lo stesso sviluppo dell'accentramento delle funzioni amministrative negli uffici a lui più prossimi a ri-

[1] Cfr. qualche cenno in G. CONIGLIO, *I Gonzaga* cit., p. 300 e *passim*.

[2] E proseguono « et ci pare strano che la reputatione di alcuni di nuoi acquistata colla virtù de nostri antecessori et conservata per nuoi con tanto nostro sudore et spesa in servigio di questa ill.ma casa debba hora esser così vilipesa ch'avendosi a far discernenza di persone dobbiamo essere nuoi posti a rubbio con gli più infimi et vili di questa città ».

[3] Cfr. in R. QUAZZA, *La diplomazia* cit., p. 147, l'istruzione del 4-VIII-1573 a Giulio Cavriani inviato a Vienna a trattar la cosa.

chiedere una apparentemente contraddittoria crescita della aristocrazia, un diffondersi e radicarsi fuor della corte dei criteri e del prestigio nobiliare, che in quanto riflessi, come si accennava, dell'ordinamento dato dal sovrano alla sua corte, diano, a chi ne è investito, l'autorevolezza necessaria a svolger quel ruolo pubblico di sostegno generico per solito, ma capillare (o se capillare è troppo almeno diffuso) dell'ordinamento sociale gerarchizzato secondo categorie, per l'appunto, aristocratiche, che il principe va producendo — ma che per non esser ristretto a Mantova, potremmo forse più propriamente dire, produce a sua volta il principe —.

Aristocratizzazione e ordinamento sociale

Ordinamento sociale a reggere il quale, specie nei momenti di emergenza, non bastano le strutture burocratizzanti dell'amministrazione centrale principesca e la trama larga e lenta di quella periferica, sovrapposta per di più ad una realtà comunitativa tradizionale estremamente variegata e da essa condizionata[1]. Le istruzioni del 12-1-1557 per Giovan Pietro Gonzaga, mandato a Viadana essendoci sospetto di guerra, gli prescrivono di portar con sé dieci o dodici uomini « da bene de quali egli sappia di potersi fidare » che lo aiutino e gli diano piena ubbidienza per attender alla sicurezza della terra, ed impongono al « Magnifico Podestà » di « deferirsi a lui come Gentilhuomo principale, et mandato a questo effetto per esser della Casa e della esperienza di che è con intendersi perfettamente seco, et avertirlo di ciò che intenderà et fare che egli sia ubidito »[2].

In un caso delimitato e determinato si può ben far ricorso, come « gentilhuomo principale », si noti, ad uno della casa Gonzaga, ma quando la minaccia sia generale, come all'apparire della peste nel 1576, è ai gentiluomini ed in subordine ai « cittadini » (che si può pensare non siano tutti i cittadini ma quei mercanti e notai che costituiscono il gradino inferiore ai gentiluomini nella scala sociale), è ai gentiluomini, dicevo, che ci si affida per rinforzare le ordinarie strutture amministrative.

Recitano i *Capitoli delle Provvisioni del male contagioso de l'anno 1576* « che tutti i Curati insieme con i capi di compagnia... debbino con due gentilhuomini, o due Cittadini andar ogni giorno per le loro Parrochie a vedere et investigare se vi sono malati... e subito farlo sapere quel di

[1] Si veda in proposito quanto risulta dall'elenco delle competenze e della partizione territoriale delle giudicature, compilata intorno al 1615, in ASMN A. G. b. 3569.

[2] Le istruzioni proseguono prevedendo che « le cose che occorressero Messer Giovan Pietro le havrà da conferire col Podestà et con le persone principali et di maggior confidenza de quelli della Terra fin a sei o otto con far una forma di Consiglio ». Le istruzioni in ASMN A. G. b. 2060.

medesimo alli signori Conservatori », ed in altro punto « che si mettano Guardie alle Porte della Città di Gentilhuomini o altri Cittadini » [1]. Ancor più significativamente se si vuole, di fronte alla massa di vagabondi e poveri che divengono ora problema, consigliandosi al duca di « provedere alla povertà per via di limosina pubblica come s'è fatto nel tempo di queste due ultime charestie (ed anche questo è un dato interessante), per schiffare molti pericoli et inconvenienti che nasceriano se fossero distribuiti i poveri a tanti per casa » (vale a dire se fossero integrati, pur surrettiziamente e provvisoriamente, nel tessuto sociale come nella tradizione medioevale ormai evidentemente impraticabile) si propone di affidar la questione ad Alessandro Gonzaga, il fratello naturale del duca Guglielmo, ed a « quelli altri dodeci gentilhuomini che ne hebbero il carico nelli anni passati » per proprio volontario interessamento, come risulta, ed ai quali si potrà commettere di provvedere anche per i contadini [2].

Non era mancata nemmeno in tempi precedenti l'attribuzione a singoli personaggi di compiti di rappresentanza generale, e generica, del signore. Quanto è stato recentemente messo in luce intorno a Baldassarre Castiglione, il nonno del più celebre Baldassarre già ricordato, ed al suo rapporto col marchese Ludovico per quanto riguarda Casatico, dove abitava e godeva terre, lo illustra bene [3], come il caso dell'assommarsi nella persona di Federico Cavriani, negli anni Trenta del Cinquecento, di tutte le possibili cariche, potremmo dire, relative al territorio di Sacchetta [4], di cui ancora nel periodo comunale i Cavriani eran stati fatti capitani.

Ma ora siamo di fronte a qualcosa di ben diverso: non sono più pochi grandi signori e proprietari terrieri strettamente legati ai Gonzaga a svolgere funzioni di rappresentanza, quasi come feudatari, pur senza averne il nome (come si sa nel mantovano non esistono — con l'eccezione di Gazoldo in mano agli Ippoliti — feudi veri e propri ma solo feudi ignobili, sostanzialmente rapporti enfiteutici) [5]; è l'intero strato superiore della società che si aristocratizza e per tale via si trova tutto quanto inserito nel

[1] In ASMN A. G. b. 3048.

[2] Cfr. M. Mazzocchi, *Aspetti di vita religiosa a Mantova nel carteggio fra il cardinale Ercole Gonzaga e il vescovo ausiliare (1561-1563)*, in « Aevum », XXVIII, 1959, pp. 382-403. Si cita da una lettera del suffraganeo al cardinale del 12-XI-1562, pubblicata in appendice, p. 393. Gli anni 1561-63, come già detto, sono quelli in cui il cardinale Ercole è impegnato a presiedere le sedute del concilio a Trento.

[3] Cfr. G. Rodella, *Tradizione diplomatica e « cortegiana » nella famiglia Castiglioni*, in AA.VV., *Baldassare Castiglioni*, V centenario della nascita, a cura del Comune di Marcaria, Ed. Castello, Viadana 1978, pp. 13-42.

[4] Cfr. L. Mazzoldi, *Mantova, la storia* cit., vol. II, p. 388.

[5] Accenna alla particolarità del feudo mantovano C. Magni, *Il tramonto del feudo lombardo*, Milano 1937, ma più particolareggiatamente cfr. M. Vaini, *La distribuzione* cit., pp. 55-60.

meccanismo statuale governato dal duca, cui dunque non stupisce esso sia, gli aristocratici siano, « devotissimi », come scriveva l'ambasciatore veneto. E, d'altra parte, si può osservare come nel 1562 sorga l'Accademia degli Invaghiti, per impulso di un Gonzaga del ramo di Guastalla, Cesare, ma a Mantova, strumento, come le accademie in generale, di omogeneizzazione culturale all'insegna del principe, dei ceti nobiliari e cortigiani.

Devotissimi si diceva, mentre molto meno devoti risultano essere i sudditi monferrini, tanto i cittadini di Casale quanto i nobili feudali dello stato. La durissima lotta che i Gonzaga devono condurre tra il 1560 e il 1570 per ridurre il Monferrato nelle stesse condizioni del mantovano, l'eliminazione di privilegi e prerogative tradizionali, la trasformazione nel giro di un decennio di un dominio ancora signorile e feudale — scrive il Navagero nel 1540 « sono nello Stato circa cinquanta famiglie di gentiluomini, che tutti hanno giurisdizione di castello e di signoria » — in uno stato assoluto, col suo prezzo di rivolte e repressioni sanguinose, di esuli appoggiati dai Savoia, di insicurezza in definitiva del possesso dello stato, dimostrano da un lato quanta strada si fosse fatta, a Mantova, sulla via della statualizzazione del dominio e del principe e quanto diversa fosse, malgrado l'ingannevole somiglianza che si va accentuando per l'aristocratizzarsi della società mantovana, questo aristocratizzarsi da quello della compagine di tipo feudale monferrina, la struttura sociale mantovana da quella dell'antico dominio paleologo.

Aristocratizzazione della società, peggioramento delle condizioni del contado, assolutizzarsi per mezzo di nuove strutture amministrative del potere gonzaghesco, tutto ciò caratterizza gli anni della reggenza di Ercole e poi quelli del nipote Guglielmo, ma ancora di un elemento occorre parlare per delineare un quadro non troppo incompleto delle trasformazioni sociali del tempo. Occorre cioè parlare dell'affermarsi di una religiosità « popolare », che connessa al generale fervore frutto del Concilio, non diversamente dal misticismo e dal fervore d'opere del tardo Quattrocento, ben si inserisce nell'evoluzione generale del mantovano verso nuove forme d'organizzazione sociale. Gerarchizzata e stratificata in senso aristocratico la società, e dunque per fascie orizzontali, e superato dalle riforme amministrative quanto restava dei tradizionali modi di organizzazione comunale a favore di un potere statuale esercitato in forme dove rileva sempre meno la persona individua del principe — al cardinal Ercole che stabilisce udienze pubbliche aperte a tutti i sudditi « per levar ogni occasione a ciascheduno d'opprimere i poveri sudditi...e per poter intendere i portamenti de' suoi ministri » [1], succede Guglielmo cui persino i « signori di consiglio » devon fare

[1] Così B. Navagero, *Relazione* cit., p. 57.

relazione scritta e mandargliela « fuori » (a Marmirolo probabilmente dove risiedeva spesso), « essendo sì difficile l'haverne audienza in Mantova »[1] — pare ampliarsi la distanza che separa la condizione dei diversi gruppi sociali, e che si rendano necessarie nuove o rinnovate forme di coesione dei diversi strati della società fra loro e con il principe. La perdita di coesione della società, vale a dire la difficoltà di integrazione dei ceti subalterni, si rende infatti evidente da molteplici segnali in questi anni. L'afflusso dei poveri in città, percepito come così minaccioso da indentificare questi, almeno in parte, come « furfanti »[2], e probabilmente frutto di quella crisi della proprietà contadina di cui si sono potute sopra intravvedere le dimensioni[3], ne è riprova, ma non unica.

Dall'esame, condotto in un recentissimo lavoro pionieristico da M. A. Romani, delle condanne penali a Mantova in questo periodo, sembra risultare anche un aumento della criminalità[4]. E d'altro canto lo stesso serpeggiare di idee ereticali dapprima nel contado e specie nei territori più lontani dalla città e fuori dalla diocesi, come Viadana (a proposito della quale si parla nel 1539 per la prima volta di luteranesimo nel mantovano), Gonzaga, Ostiglia e poi comunque fra « alcuni temerarij artigiani » (che « ardiscono di meter bocca nelle cose pertinenti alla religione christiana » mentre non si è « per gratia di Dio inteso fin hora simil cosa né di gentilhuomini né di altri principali cittadini che si sapia ») pare indicare una situazione di malessere variamente espressa ma largamente diffusa[5]. Così quel che è

[1] Cfr. lett. già cit. del vescovo suffraganeo al cardinal Ercole del 12-XI-1562. Ed a proposito di Guglielmo scriveva poco dopo Vincenzo Tron nella relazione già ricordata « che è grandemente inclinado ad una vita retirada, fuzze li negozi e la compagnia di molti e volontiera va vagando or qua or là » e che « è nelle essecuzioni delli ordini soi rigidissimo, di maniera che vien ad esser per questa causa tanto temudo quanto è grandemente amado dai sudditi soi » (V. TRON, *Relazione* cit., pp. 71, 72).

[2] Sempre nella lettera, veramente ricca di motivi di interesse (come si può constatare) del suffraganeo del 12-XI-1562 già cit., si vuol proporre al duca di far « provisione che i forfanti forestieri non entrino in Mantova, et quelli che vi sono se ne partano, acciò che sia più agevole il provedere a i poveri terrieri ».

[3] Accenna al tema della crisi della proprietà contadina nel periodo del ducato indipendente, ma specie per il Seicento, C. VIVANTI, *Le campagne del mantovano nell'età delle riforme*, Feltrinelli, Milano 1959, cap. I e *passim*.

[4] Cfr. M. A. ROMANI, *Tipologia della criminalità ed erogazione della giustizia nel ducato di Mantova alla fine del XVI secolo*, di prossima pubblicazione nella « Rivista storica italiana ».

[5] La citazione da una grida del cardinal Ercole del 7-II-1545 cit. in L. BERTAZZI NIZZOLA, *Infiltrazioni protestanti nel ducato di Mantova (1530-1563)* in « Bollettino storico mantovano », I, 1956, pp. 102 sgg. e pp. 258 sgg., e II, 1957, pp. 205 sgg., p. 123. A tale saggio, che riprende e conferma tra l'altro alcuni cenni di Chabod, si rinvia in generale per il tema, ma si veda anche S. DAVARI, *Cenni storici intorno al Tribunale della Inquisizione di Mantova*, già in « Arch. St. Lomb. », IV, 1879, ed ora ripubblicato autonomamente, Sartori, Mantova 1973, da cui si citerà.

l'ideologia aristocratica per i ceti più elevati, è, potremmo dire, la pietà delle nuove o rinnovate confraternite laicali per l'insieme della popolazione.

3. La vita religiosa

Le confraternite

Già negli atti delle prime visite pastorali superstiti (1544-50) risulta diffusissima nel contado la confraternita del SS. Corpo di Cristo[1] sorta nel 1529 e rispetto alla quale si è avvertito come a motivi tradizionali di pietà e devozione affianchi elementi più moderni, relativi alla « conversione » interiore ed al buon esempio[2], ad una religiosità individuale, ma organizzata, e tale da suscitare, come si è osservato in generale, « una mobilitazione senza precedenti del laicato, ... ma... inserita in un disegno complessivo... gestito dalla gerarchia »; che assicura, appunto attraverso le confraternite, e soprattutto « per coloro che provenivano dalle classi più umili e sradicate... quel retroterra di solidarietà... di stabilità, di legittimazione sociale »[3] che veniva a mancare per la crisi di altre solidarietà ed altre legittimazioni.

E nulla meglio del vivace racconto, di appena un decennio posteriore ai fatti, del sorgere della confraternita delle quarant'ore in Mantova nel 1566, ci può restituire il senso di questa ripresa religiosa.

Secondo la narrazione premessa agli statuti della confraternita, il giovedì santo del 1566, nella chiesa di San Gervasio « un Giov. Batt. Giardini giovine sbarbato d'anni XX incirca mosso da la divotione de la Santissima Oratione de le 40 hore andò con viva speranza al Rettore della sudetta Chiesa... e con instantissimi prieghi da quello ottenne gratia di poter stare armato innanti il Sepolcro dove era posto il Santissimo Sacramento ed ivi far la suddetta oratione delle 40 hore », avendo avuta però prima licenza dal suffraganeo di Mantova. La notizia risaputa da altri diciotto fa sì che entrino anch'essi nell'orazione « animati di viva fede, et con speranza di vincer il Demonio et dominar la propria carne ed i sensi loro ». Terminata il sabato, l'orazione viene ricominciata il giorno di Pa-

1 Cfr. R. Putelli, *Vita storia ed arte mantovana nel Cinquecento*, vol. II, *Prime visite pastorali alla città e diocesi*, Mantova 1934.

2 Così M. Bendiscioli, *Finalità tradizionali e motivi nuovi in una confraternità a Mantova del terzo decennio del Cinquecento*, estratto dagli atti del convegno *Problemi di vita religiosa in Italia nel Cinquecento*, Padova 1960, pp. 10 sgg.

3 Cit. da G. Angelozzi, *Le confraternite laicali, un'esperienza cristiana tra medioevo e età moderna*, Queriniana, Brescia 1978, pp. 43 e 65.

squa, e questa volta da quaranta persone Ed è tale la contentezza che le pervade alla fine che rifacendosi l'orazione a Pentecoste, preceduta da una processione, vi partecipano quattrocento persone « e tanto fu il frutto di questa Santa Oratione — nota l'anonimo scrittore — che quelli ch'erano nemici si fecero amici fidelissimi cosa che le forze umane per l'innanti mai avevano potuto fare. Di più la Rev. Madre Suor Paola del terzo ordine di San Domenico andò in estasi »[1].

Sottoposta al permesso del vescovo e del rettore della chiesa, la via del mutamento interiore è così infine garantita da un segno divino, e, come il suo effetto più evidente, la pacificazione dei nemici, esplicitamente riconosciuta superiore alle forze umane. Nel segno della fede, la devozione è perciò via per la riconferma della bontà dell'ordine sociale e strumento per la reintegrazione d'ognuno, come singolo, in esso, come ben comprendono le autorità gonzaghesche, che incoraggiano l'espressione di tale fervore. È questo infatti il periodo in cui al fiorire delle confraternite s'accompagna la costruzione di numerosi edifici dedicati al culto, e l'aumento dei conventi, come l'introduzione (nel 1584) dei gesuiti in città e di altri ordini nei maggiori centri del contado — introduzione di nuovi ordini per la quale occorre un esplicito atto di volontà del sovrano —[2]. Ed infine l'iniziativa di maggior spesa d'un principe tanto attento alle finanze ducali come Guglielmo è l'edificazione della cappella palatina di S. Barbara, che costa seimila scudi di soli arredi sacri, per la quale il duca cerca sotto ogni riguardo quanto vi è di meglio, compresi cantori scelti ed un maestro di cappella fiammingo, e per la quale ancora ottiene rito particolare, messale e breviario proprio e l'indipendenza dalla giurisdizione vescovile[3]. Ed in cui trasferisce una particella della terra impregnata del sangue di Cristo conservata in S. Andrea e per la quale si procura un'altra reliquia prestigiosa: una costola della stessa Santa Barbara, ceduta dalla repubblica veneta[4].

1 Gli atti relativi alla confraternita delle quarant'ore, come quelli di numerose altre, in ASMN A. G. b. 3362, da cui si cita. Si noti che fra i compiti della confraternita suddetta vi sono l'istruzione ai fanciulli e l'assistenza ai poveri, attività che vengono così ad avere un fondamento esclusivamente spirituale, e non più politico-sociale come nella tradizione medievale cui si è accennato a proposito dell'assistenza.

2 Nota l'erezione di nuove chiese, l'aumento dei conventi e l'introduzione di nuovi ordini G. Coniglio, *I Gonzaga*, cit., pp. 307 e 337. Sui gesuiti, che il cardinal Ercole avrebbe volentieri visto a Mantova, specie come educatori, già nel 1561, cfr. M. Mazzocchi, *Aspetti di vita religiosa* cit., p. 388; L. Mazzoldi, *Mantova, la storia*, vol. III, p. 30 sg.; e vedi anche oltre.

3 Traggo le notizie dal bel saggio di T. Gozzi, *La basilica palatina di Santa Barbara in Mantova*, in « Atti e memorie dell'Accademia Virgiliana di Mantova », n. ser., XLII, 1974, pp. 3-91. La stessa A. accenna più volte a probabili « esigenze socio-politiche » che condizionano i lavori.

4 Cfr. F. Amadei, *Cronaca* cit., vol. II, p. 842, che narra anche del suo solenne trasporto.

La cura dedicata alla chiesa palatina, riassumendo così quella dei singoli e delle confraternite per il culto, mentre riconferma l'« idem sentire » del principe e del suo popolo, ne rafforza, fuor delle pompe della Corte, la potestà, sottolineando implicitamente che il principe, pari come uomo, è completamente altro, diverso, come sovrano, secondo una concezione che, ancora una volta, trova riscontro, per tanti versi, ben oltre i confini mantovani ed i ristretti ambiti della corte gonzaghesca, nell'esperienza spagnola d'un Filippo II, burocrate e monacale.

Riforma cattolica e Controriforma

Certo, parlando della religiosità e della devozione come strumenti importantissimi in questo momento in relazione allo stato ed alle vicende della società mantovana, per una sua ricoesione, e del consentimento che esse incontrano nel principe per favorirne anche, ed indirettamente, il crescere del potere attraverso le forme statuali (come tali sempre più, se pur solo tendenzialmente astratte ed in sé prive di valori), non bisogna dimenticare che la ripresa religiosa del periodo tridentino e post-tridentino, se può servire ai prìncipi, è in primis ripresa della chiesa cattolica. Ha perciò caratteristiche e finalità proprie, che vanno oltre i calcoli e le convenienze dei singoli sovrani territoriali, caratteristiche e finalità che possono trovare esplicazione anche indipendentemente dall'attività statuale del principe, con la quale possono talvolta esser in contrasto. E diminuendo la capacità organizzatrice della società da parte del duca, per stare al caso mantovano che qui ci interessa, esse potranno in qualche modo arrivare a favorire un deperimento di quel modo di governare del Gonzaga attraverso lo stato, attraverso le strutture statuali che nel cinquecento si sono venute articolando, se pur egli non governi mai solo attraverso queste, a vantaggio di un sistema sociale quasi privo di direzione statuale, benché non di una tale dimensione, ormai ineliminabile, come si vedrà, nel Seicento.

« Se V. Ecc. è buon christiano e teme Dio come in altre buone opere dimostra, lo facci conoscere anco in questo [l'appoggiare con decisione l'attività inquisitoriale] che importa assai più che fabbricar chiese e star in choro ». Così scrivendo al duca, costruttore di chiese e creatore proprio allora di una splendida cappella musicale in Santa Barbara, il 7 dicembre 1567 per lamentare lo scarso aiuto che il bargello gli presta nella ricerca dei sospetti d'eresia[1], il padre inquisitore mette in luce per l'appunto il latente dissidio esistente tra l'interesse del principe al rafforzamento della

[1] La lettera è riportata in appendice, doc. 18, a S. DAVARI, *Cenni storici* cit.

devozione e del culto e quello più generale del papato rappresentato dall'inquisitore; fra quello anche della gerarchia ecclesiastica mantovana — nel caso il capitolo della cattedrale la cui composizione non è difficile immaginare — che vuol impedire la diffusione in volgare della bolla pontificia « cum primum apostolatus » affinché « venuta per questo... modo a cognitione d'ogni sorte di persone [non] fosse per causare maggiore bisbliglio, et far dire parole sconcie et indegne et forse anco partorire qualche atto di dispregio », come si scrive ufficialmente ma in realtà per timore anche « che ciò sia un voler introdur l'inquisitione » come riferisce il giorno dopo un segretario ducale [1], fra l'interesse della gerarchia ecclesiastica mantovana, dicevo, così pronta negli stessi mesi a favorir il sorgere della nuova confraternita delle quarant'ore e quello dell'inquisitore per il quale essenziale è « che la Santa Chiesa usi la potestà sua liberamente, e non gli porghi [il duca] tanti impedimenti innanzi », temendo in caso contrario « che Dio N. S. non s'adiri con lei e mandi qualche gran flagello sopra della persona sua e dei soi figlioli e sopra lo stato suo » [2]. Indubbiamente accanto allo scontro fra principe territoriale e papato che coinvolge gli stessi cittadini, se vi fu un tentativo d'assalto al convento dei domenicani (al cui ordine apparteneva l'inquisitore) e se due domenicani nel dicembre 1567 vennero aggrediti di notte per strada ed uccisi [3], e ripete in termini ridotti la resistenza cesaropapista spagnola — non si dimentichi che nello stesso periodo Guglielmo si vede contestare dal nuovo papa Pio V il giuspatronato sulla cattedrale di Mantova, vale a dire il diritto ottenuto dal predecessore Pio IV di scegliere il vescovo, con la motivazione che « essendo la Chiesa purtroppo ristretta e ruinata d'autorità e di giurisdizione... [non intendeva il papa] restringerla e ruinarla ancora più con simili concessioni » [4] — accanto allo scontro tra principe territoriale e papato, dicevo, sta lo scontro od almeno la differenza fra la linea della riforma cattolica (che non è improbabile fosse radicata nella chiesa mantovana, viste quelle che erano state le posizioni personali del cardinal Ercole [5]) e quelle della vera e propria controriforma, che finirà per trionfare completamente entro la fine del secolo.

[1] Vedi le due lettere, rispettivamente del primo e due maggio 1566, pubblicate in parte da S. Davari, *Cenni* cit., doc. 13.

[2] Cfr. lett. 7-XII-1567, supra cit.

[3] Su questi episodi cfr. L. Mazzoldi, *Mantova, la storia* cit., vol. III, pp. 33 sgg. e S. Davari, *Cenni* cit. (lett. del capitano di giustizia del 25-XII-1567 pubblicata in parte come doc. 19).

[4] Secondo riferisce Camillo Luzzara da Roma il 2-II-1566 in una lett. in parte pubblicata da R. Quazza, *La diplomazia gonzaghesca* cit., p. 121.

[5] Egli era stato in rapporto col Pole, aveva carteggiato col Valdés, protetto il Vergerio, cfr. L. Bertazzi Nizzola, *Infiltrazioni* cit. Sulla sua formazione a Bologna cfr. invece quanto

Tuttavia, chiarito ciò, occorre altresì tener presente che in definitiva entrambe queste linee, come la politica gonzaghesca e quella papale, finiscono, se guardiamo ai ceti subalterni da cui il nostro discorso è partito, per concorrere tutte a ricucire, a tentar di ricucire, per vie diverse certo, il tessuto sociale del mantovano. Quei « plebei ignoranti » che più concorrono alle fortune delle confraternite, sono quegli stessi « contro i quali più severamente si procede che contro alcun'altro » quando imputati di « heretica pravità », « vedendosi pur chiaro — minaccia d'altro canto il padre inquisitore — che gli heretici attendono alla mutatione de stati »[1].

4. I problemi politico-diplomatici

Il duca Federico era morto nel giugno del 1540, il figlio Guglielmo scompare d'agosto, quarantasette anni più tardi. I quasi cinquant'anni della reggenza di Ercole e del principato di Guglielmo vedono prodursi entro lo stato e la società mantovana le profonde trasformazioni che abbiamo cercato di delineare.

Il problema del Monferrato

Trasformazioni che non trovano riscontro né in campo economico, né in quello politico. In entrambi il sostanziale congelamento delle condizioni della penisola imposto dalla situazione internazionale, tanto per quel che riguarda i mercati e le ragioni di scambio quanto per ciò che attiene ai rapporti diplomatici, complice anche la piccolezza del ducato, che rende meno rilevanti nel breve e medio periodo i movimenti complessivi europei per la commercializzazione sia dei prodotti manifatturieri, sia di quelli agricoli, il cui mercato non pare estendersi fuor degli stati circonvicini, fa sì che tanto le condizioni economiche quanto i problemi politici del ducato restino, per l'osservatore esterno, sostanzialmente immutati. E lo stesso ripetersi delle relazioni venete in proposito è significativo.

In particolare resta sempre aperto il problema del Monferrato.

si può trarre da A. Luzio, *Ercole Gonzaga allo studio di Bologna*, in « Giornale storico della letteratura italiana », VIII, 1886, pp. 374-386.

In generale sulla chiesa mantovana, per questi temi, cfr. anche quanto affiora da C. Ginzburg e A. Prosperi, *Giochi di pazienza, Ricerche sul « Beneficio di Cristo »*, Einaudi, Torino 1976, *passim*.

[1] Le citaz. rispettivamente da lett. del conte Carlo Maffei consigliere ducale del 17-VII-1567, e del padre inquisitore del 14-X-1567, parzialmente pubblicate da S. Davari, *Cenni* cit., doc. 16 e 18.

« Erano reputati li duchi di Mantoa li più contenti e felici principi che fossero in Italia, prima che avessero il marchesado di Monferà, ...; perché, essendo vassali e sotto la protezione dell'impero, vivendo in bona grazia dell'imperatore, essendo rispetadi dai pontefici, amati dalla Serenità Vostra e stimadi ancora dai re di Franza, vivevano in una grandissima sicurtà e contentezza. Ma pervegnudo in casa sua el marchesado de Monferà... questo suo ocio, questa sua quiete si mutò in un grandissimo travagio »[1]. L'osservazione è del 1564, ma potrebbe esser quasi di ogni periodo dal 1530 in poi e fino alla fine del ducato. Per certo non è fuor di luogo nel periodo di dominio di Guglielmo.

Coinvolto dalla guerra franco-spagnola, che aveva sfiorato il mantovano per l'appoggio che i francesi avevano trovato a Mirandola, il Monferrato era stato teatro di operazioni e sgomberato e restituito al possesso dei Gonzaga solo dopo la pace di Cateau Cambrésis. Il decennio seguente, come già si è accennato, aveva visto la durissima lotta dei monferrini, ed in particolare della città di Casale, a difesa dei propri tradizionali privilegi, appoggiati in ciò da Emanuele Filiberto che contestava la validità della sentenza che aveva assegnato il Monferrato ai Gonzaga. Impossibilitato tuttavia lo stesso Savoia dalla situazione internazionale ad un intervento diretto, il suo ricoverar esuli ed agitar la questione del Monferrato presso le corti europee non può impedire a Guglielmo — la cui moglie va ricordato essere Eleonora d'Asburgo d'Austria, sorella dell'imperatore Massimiliano — di ottenere infine nel 1570, dopo intricate vicende, la piena sottomissione della città di Casale con la rinuncia alle sue prerogative nelle mani di Vespasiano Gonzaga. Ma per tutto ciò, scrive un altro ambasciatore veneto l'anno seguente la morte di Guglielmo, « pensi... la Serenità Vostra con quanta gelosia, sospetto e pericolo possedi il signor duca quel Stato, così vicino a quel del duca di Savoia, principe ripieno di pensieri altissimi, e così disgionto per tanto spazio dal suo ducato; onde per tal rispetto — conclude — ha trattato molte volte di cambiarlo con Sua Maestà cattolica con la città di Cremona, parendoli in tal maniera d'assicurare le cose sue unendo il suo Stato »[2]. Scambio questo anche più tardi vagheggiato ma che non si realizzerà mai e che avrebbe comunque incontrato la recisa ostilità dei cremonesi[3].

[1] Così scrive V. Tron, *Relazione* cit., p. 68.

[2] Cfr. da F. Contarini, *Relazione* cit., p. 83.

[3] Cfr. quanto risulta da G. Politi, *Aristocrazia e potere politico nella Cremona di Filippo II*, Sugarco, Milano 1976, p. 14 che riporta la valutazione in proposito dell'amministrazione spagnola nel tardo Cinquecento, ed in generale cfr. F. Valeriani, *Progetti di permuta del Monferrato col Cremonese (1559-1635)*, Alessandria 1911.

I territori dei rami cadetti

Una situazione incerta ed aperta lascia Guglielmo alla sua morte anche nell'altra questione, con riflessi internazionali pur nella sua modestia, che egli si trova a dover affrontare durante gli anni del suo principato. Vale a dire la questione dei territori di cui eran stati investiti rami cadetti dei Gonzaga, e che i duchi di Mantova tendevano a riunire nel proprio, unica possibilità ormai di realizzare allargamenti territoriali. Guglielmo riesce ad ottenere d'essere investito nel 1573 di Gazzuolo, dal cui marchese Federico, morto nel 1570, era stato designato erede, riunendolo così al ducato; deve invece veder crescere lo staterello di Guastalla, sorto nel 1539 ad opera dello zio Ferrante, che l'aveva ottenuto da Carlo V in compenso dei suoi servigi; e quello di Castiglione delle Stiviere, elevato a marchesato. Infine soprattutto quello di Sabbioneta, del quale Vespasiano Gonzaga, che come quasi tutti i Gonzaga dei rami minori aveva abbracciato la carriera delle armi militando per l'impero e per la Spagna ed all'occorrenza, come si è già accennato anche per Guglielmo (in una congiura di famiglia contro il quale è però coinvolto nel 1570), ottiene nel 1577 l'elevazione a ducato. E dove crea quella incredibile utopia manierista rappresentata dalla riedificazione ex novo, tra il 1554 e gli anni Ottanta, della città di Sabbioneta; in cui si ha « da un lato il tentativo... di tradurre nella realtà effettuale una nuova Roma, dall'altro la lucida consapevolezza dell'impossibilità e dell'anacronismo di tale processo », col risultato di creare una « città astorica » destinata a vivere e morire con il suo ideatore [1].

Fallito anche il tentativo di ottenere, in occasione dell'elevazione del Monferrato a ducato, « anco il titolo di vicario Imperiale sopra li stati che dall'Impero riconoscono li Signori di casa nostra... con facoltà di poter far in essi stati tutto quello che potrebbe la Maestà Sua », poiché, si giustifica Guglielmo, « talvolta alcuni d'essi Signori fanno cose puoco ragionevoli contro de' suoi sudditi, delle quali loro per la lontananza non possono querelarsi con la Maestà Sua sì che potrebbero avere ricorso a noi », il che, insinua ancora Guglielmo, « anco tornarebbe a comodo del Sacro Impero e della Maestà Sua, posciaché alle volte li popoli per li mali trattamenti che vengono fatti loro si possono ribellare e darsi in potere di persone che poi non vogliono riconoscere l'impero » [2], fallito anche questo tentativo si diceva, la situazione che Guglielmo lascia al figlio è ben sintetizzata nell'osservazione del Contarini che, riferendo esser « oltre il duca di Nivers...

[1] Le citazioni da P. CARPEGGIANI, *Sabbioneta*, Ceschi, Quistello-Mantova 1977, 2ª ed., pp. 41-42.

[2] Così Guglielmo nell'Istruzione del 4-VIII-1573 per Giulio Cavriani, pubblicata da R. QUAZZA, *La diplomazia* cit., p. 150.

nella Casa Gonzaga 85 signori e cavalieri di molta stima, tra' quali 24 feudatari imperiali, e tre di loro di molta considerazione, che sono il duca di Sabbioneda, il duca di Guastalla e il marchese di Castiglione », annota: « e tutti e tre hanno poco buona intelligenza col signore duca; perché il primo [Vespasiano appunto] non avendo figlioli e potendo investir il signor duca, vuol che il suo cadi libero nella mani imperiali; il secondo, se ben invitato a star a Mantova con obbligo di pagarli 100.000 scudi di debiti, vuol ostinatamente vivere ne' suoi luochi; l'ultimo [Ferrante, padre di San Luigi Gonzaga] contro l'intento di Sua Eccellenza, dà recapito ad ogni sorte di banditi, il che apporta molto travaglio al signor duca » [1].

[1] Cfr. F. Contarini, *Relazione* cit., p. 81.

Capitolo VI. La crisi del principe e dello stato, tra fine Cinquecento e sacco di Mantova

1. Interesse statuale e interesse principesco

Morto Guglielmo, diviene quarto duca di Mantova e secondo di Monferrato il figlio Vincenzo, già molto noto anche fuor del ducato per i suoi dissidi col padre, poco incline a finanziarne divertimenti ed avventure amorose, e soprattutto per le sue vicende coniugali. Sposata nel 1581 la figlia di Alessandro Farnese, Margherita, sciolto poi il matrimonio essendosene rivelata impossibile la consumazione per una malformazione della sposa, al fine di poter contrarre nuove nozze nel 1584 con Eleonora de' Medici, figlia del granduca di Toscana, Vincenzo dovette sottoporsi ad una prova di virilità [1].

I dieci figli, fra naturali e legittimi, che Vincenzo poi ebbe, non dimostrano però solo l'infondatezza d'ogni sospetto d'impotenza, pretestuoso per vero fin dal principio, bensì, se messi a confronto con i tre, per di più tutti legittimi, del padre, i nove del nonno Federico ed i nove del bisnonno Francesco, indicano un riallacciarsi di Vincenzo, anche in questo campo tutt'affatto particolare, alle tradizioni dei principi rinascimentali, oltre la frattura prodotta da Riforma e Controriforma, oltre la riduzione in condizione di protettorato o poco più degli stati italiani.

Il nuovo clima culturale

Ma la riproposizione del mito guerriero, addirittura della crociata contro i turchi, l'esaltazione della corte e dello splendore personale del principe, non possono ovviamente far ritornare un'età tramontata e, d'altra par-

[1] Vicende minuziosamente indagate, cfr. M. Bellonci, *I segreti dei Gonzaga*, Mondadori, Milano 1963, 3ª ed.

te, Vincenzo è lo stesso sovrano che prosegue la politica burocratizzante del padre e l'evoluzione dei modi di governo del ducato nelle forme dello « stato moderno ».

Proprio per ciò i toni farseschi non si addicono alle vicende talvolta pur ridicole in cui il duca è coinvolto. Si tratta infatti di capire come, dietro la continua citazione del Rinascimento, quel che la rende possibile sia l'accettazione compiuta della linea ideologica controriformata, alla quale Guglielmo aveva potuto in qualche misura opporre l'alternativa, ora tramontata nei territori influenzati dalla Spagna, della Riforma cattolica e del regalismo. Accettazione che riconferma al principe una collocazione oggettiva superiore a quella d'ogni altro, al prezzo però d'un trasferimento esplicito del fondamento ultimo della legittimazione del potere fuor di lui, e fuori degli stessi strumenti statuali; al prezzo, possiamo dire, d'una espropriazione della funzione, che si era andata affermando come propria del principe, di ordinare la società.

La pala della Trinità che Rubens giovane dipinge nel 1608 per la chiesa dei gesuiti di Mantova, sostituisce all'ideologia laica e classicista del principe « tamquam imperator » della camera degli sposi, quella tutta religiosa del sovrano immagine umana della divinità e tramite ad essa; divinità il cui riflesso, come per una spettacolosa macchina teatrale, si fa per un momento visibile, ad indicare ai fedeli nella chiesa il proprio compiacimento del principe (esplicitamente additato dal Cristo), la sua grandezza e l'opportunità della sua funzione (Vincenzo è ritratto in manto d'ermellino come sovrano, non certo come fedele in atteggiamento umile, quale si era fatto rappresentare in una statua il padre); e dunque la necessità etica, potremmo dire, dell'ubbidienza a lui [1].

Dunque è Dio, è la fede, sono le energie e le strutture umane che alla depositaria della fede, la Chiesa, si rifanno, a giustificare ora il principe; non più dunque le sue opere (la pietà di Gugliemo costruttore di chiese, la sua severità e giustizia) né più la frequentazione di coloro che siano in odore di santità assicurano che il potere principesco è assistito dal favore divino e che al principe si devono indirizzare le aspettative dei buoni cristiani. Invertendo il processo, è Dio che comunica direttamente e perciò inconfutabilmente che il potere del principe è buono, a giustificarlo, ad imporne l'ossequio, già si diceva, come dovere morale, e dunque infine subordinato al giudizio della Chiesa.

E che tanto fossero mutati il clima culturale e le aspettative principesche lo dimostra il fatto che qualche anno prima, nel 1597, si era sentita

[1] Cfr. La brillante ed acuta lettura della pala della Trinità, cui qui ci si è rifatti, proposta da U. Bazzotti, *La pala della Trinità di Rubens*, in AA.VV. *Rubens a Mantova*, catalogo della mostra (1977), Electa, Milano 1977, pp. 28-53.

l'opportunità da parte di un alto funzionario di Vincenzo di riscrivere proprio la vita della beata Osanna Andreasi, espungendo tutto ciò che poteva richiamarne l'ansia rinnovatrice e purificatrice messa in evidenza, pur nel contesto che si è detto, nella agiografia del primo Cinquecento. Ed a rivisitare la beata stessa come modello di santità secondo i canoni controriformistici, così che la sua fama potesse ancora servire a prìncipi, notava ancora la Zarri, ora « desiderosi di mantenere il raggiunto equilibrio politico e di non alterare la compagine statale fondata su consolidate gerarchie sociali e sull'appoggio di una chiesa completamente rinnovata nella gerarchia e nel laicato » [1]. Ma in realtà, per quanto detto, la perdita di autonomia ideale della funzione di governo del principe, il suo essere al servizio di un ideale che lo trascende, rendono impossibile (le condizioni materiali che a tale situazione ideale sottostanno rendono impossibile) un'azione del duca che sottometta al criterio della crescita e dell'esercizio del suo potere ogni altra autorità, che creda, come credevano i consiglieri di Guglielmo, di saper come cambiare o riformare perché i giovani potessero diventare « huomini da bene ». Guglielmo aveva detto che onore di principe ed utilità di zecca non si potevano accordare. Il figlio progetta e partecipa a truffe monetarie tanto a danno di stati esteri, spacciando false monete veneziane, quanto dei propri sudditi [2].

Mutamenti nell'azione sovrana e difficoltà economiche

Sotto Guglielmo ancora, discutendosi dei privilegi da accordare ai membri delle milizie mantovane, si giudicava dannosissimo concedere loro un giudice particolare « acciocché il non potersi procedere contro di loro, non li faccia insolenti » e non siano più privilegiati « di molti signori, gentilhomeni, et altri di maggior considerazione di loro »; ed in generale il parere dei consiglieri ducali era di limitare quanto più fosse possibile ogni trattamento speciale per gli « sparati » (coloro che in cambio dell'impegno al servizio armato erano risparmiati: « sparati » appunto, italianizzando il termine dialettale, da ogni fazione) in nome dell'ordine, della disciplina, dell'eguaglianza [3]. E questi erano poi i criteri seguiti negli ordinamenti delle milizie pubblicati nel 1570 [4]. Gli stessi, ripubblicati da Vincenzo nel 1597,

[1] Cfr. A. Zarri, *Pietà e Profezia* cit., p. 237.

[2] Cfr. M. A. Romani, *Considerazioni* cit., *passim.*

[3] Cfr. lett. di Scopulo e Medici del 4-VII-1562 in ASMN A. G. b. 3657. Da un doc. del 1559 – in ASMN A. G. b. 3660 – che li elenca, ne risultano circa 200 concentrati nei pressi della città. Nel 1563 sembrerebbe invece 2000, cfr. relaz. dei due consiglieri cit. del 5-I-1563 in ASMN A. G. b. 3657.

[4] Cfr. *Privilegi delle milizie del mantovano*, a stampa, Mantova 1570, in ASMN A. G. b. 3657.

sono interpolati da una serie di privilegi, di porto d'armi ad es. tanto osteggiato sotto Guglielmo, ed esenzioni graduate secondo il modo di militare — se a piedi o a cavallo, a cavallo con armamento leggero o pesante —, dalla concessione infine del privilegio di foro, se pur non incondizionato[1], che amplia comunque quanto già nel 1588 si era stabilito come privilegio dei soldati della Compagnia dei cavalli leggeri, « che non possano essere chiamati a ragione nanti Giudice alcuno sia Civile o Criminale senza licenza del loro Capitano »[2].

Si potrà pensare per una vicenda come per l'altra a cause particolari — in quello della zecca è evidente che la causa immediata della scelta spregiudicata di Vincenzo è l'appesantirsi della situazione finanziaria provocata dalle sue fortissime spese di lusso e di gioco — ma mi sembra che in entrambi i casi, pur così lontani, come in tutti gli altri in cui si può notare un rovesciamento, o almeno una rilevante mutazione d'accenti rispetto alla politica di Guglielmo, stia la rinuncia o l'impossibilità del principe ad una direzione attiva della società, la rinunzia a sottomettere all'interesse statuale ogni altro; o meglio, se si vuole, la rinunzia ad individuare ed identificare l'interesse principesco con l'interesse statuale. Rinunzia che sarà d'altra parte esplicitamente richiesta. Le confraternite che domandano sia concesso loro come al solito un condannato « acciò possano fare la loro processione » (il condannato così graziato versava una somma alla confraternita che se ne poteva servire per le proprie attività), come il principe che di fronte alla richiesta di elemosine per le stesse rescrive loro « querat aliquam condemnationem »[3] hanno evidentemente un'idea molto strumentale dell'attività giudiziaria, a parte ogni considerazione sulla formalizzazione della devozione che implicitamente se ne può dedurre.

Rinunzia all'identificazione di interesse statuale e principesco resa possibile sul piano teorico proprio dall'affermarsi di quell'ideologia religiosamente caratterizzata, che *riassumeva* anche il principe ed il suo stato entro un

[1] Cfr. *Ordini e privilegi della militia così a piedi, come a cavallo della città et dello stato di Mantova* (1597), rist. Mantova 1689.

[2] Cfr. Ordine ducale del 14-VIII-1588, in ASMN A. G. b. 2047.

[3] Il solito condannato è richiesto il 9-IV-1629 dalla confraternita della Morte, che assiste i carcerati poveri ed i condannati a morte che si confessino, ma la grazia da parte del duca « di liberare ogni anno e donarlo un condannato capitalmente » era stata ottenuta nel 1614, cfr. quanto risulta infatti dalla richiesta del 16-V-1615. Il rescritto « querat condemnationem » era stato ottenuto invece dalla compagnia della Beatissima Vergine del Carmine per la supplica del 30-X-1613, cfr. lett. al duca del 3-IV-1614 ove avendo « presentito esser stato condannato un Giovanni di Revere schiopetiero per percosse date a una donna » si chiede « di donarli detta condanna per l'effetto sudetto », l'ornamento dell'altare della Madonna. I doc. cit. in ASMN A. G. b. 3362. Come si può constatare tutti i casi citati sono posteriori alla morte di Vincenzo I (1612), ma come una più ampia ricerca archivistica potrebbe metter in luce casi precedenti, così pare altrettanto probabile che la mentalità da cui son originati i casi ricordati non nasca da un anno all'altro.

disegno trascendente (funzionale agli interessi del ceto dominante locale aristocratizzatosi) e li rendeva direttamente strumentali ad esso.

Rinunzia resa d'altro canto tanto più necessaria via via che gli effetti della generale crisi dell'economia italiana o quantomeno delle sue trasformazioni si faranno sentire anche a Mantova e forse soprattutto via via che la crescita delle spese ducali — favorita al di là delle inclinazioni individuali si può pensare, proprio dal diminuire della responsabilità del principe nel sistema ideologico di cui s'è detto — indeboliranno la posizione di Vincenzo, e dei suoi successori. Perché occorre non dimenticare che gli anni di Vincenzo e dei suoi figli, e poi gli altri due che portano al sacco del 1630, sono da considerare in modo unitario, proprio per la cesura che il sacco impone, e sono gli anni in cui pur con sussulti e riprese la situazione economica a Mantova si deteriora, con l'appesantirsi della situazione del contado e con la riduzione delle attività manifatturiere e commerciali dalle quali si son ritirati i nobili, vale a dire credo i possessori dei patrimoni più cospicui, e che vanno concentrandosi nelle mani della comunità ebraica, secondo rileva il Contarini nella già ricordata relazione. Certo sulle caratteristiche di questa crisi molto vi sarebbe da dire, in particolare se essa non sia almeno in un primo momento soprattutto una crisi fiscale, per l'aumento delle esenzioni di vario genere, e finanziaria, per le spese del principe, dello stato. Tuttavia gli indici indiretti della situazione economica sembrano confermare un generale peggioramento. La popolazione cittadina, attestata dagli anni Sessanta, secondo le stime più recenti, sulle trentaquattromila persone, scende nel 1592 a trentunomila circa per oscillare poi intorno alle trentamila; mentre quella del contado, per la quale siamo meno informati e che sembra toccare le centomila unità nel 1587, non raggiunge nel 1623 le ottantanovemila[1].

Non diversamente « punta decisamente verso l'alto, invano trattenuto dalle "gride" monetarie che vanno facendosi sempre più frequenti »[2] l'andamento del corso dei cambi, per il quale si può ipotizzare un influsso più diretto delle condizioni statali, ma che a sua volta provoca conseguenze negative dirette sugli strati più bassi della popolazione, i quali infatti nel periodo sembrano tentare ogni possibile via di scampo, collettiva ed individuale, da una situazione che si va evidentemente facendo appunto sempre più difficile.

[1] Seguo qui i dati forniti da M. A. ROMANI, *Considerazioni* cit., tabella di pp. 112-113, che abbassa notevolmente quelli precedentemente proposti dal D'Arco e da Quazza, senza sostanzialmente alterare, ed è questo che a noi interessa, la curva della popolazione dagli altri tracciata.

[2] Così M. ROMANI, *Considerazioni* cit., p. 113.

2. Verso il rovesciamento del rapporto principe-aristocrazia

E proprio da ciò si può partire per indagare le trasformazioni della società mantovana tra la fine del Cinquecento ed i primi decenni del Seicento.

La disintegrazione della compagine rurale

Un provvedimento generale piuttosto rilevante è la pubblicazione di nuovi « Ordini sopra le fattioni et altre occorrenze de communi »[1] che riprendono la normativa dal 1530 in poi. In essi ci si propone innanzitutto di ottener un maggior ordine in materia con l'attribuire ogni competenza per qualsiasi « difficoltà o controversia » direttamente al Senato, e con l'unificare nelle sue mani il controllo dell'attività amministrativa dei comuni come della concessione di ogni sorta di esenzioni. Per questo aspetto, sottoponendo ad un maggior controllo statale le comunità, si prosegue in quella politica che aveva visto stabilirsi durante la reggenza e poi con Guglielmo la presenza obbligatoria di podestà e vicari quando si dovessero imporre spese nelle assemblee dei comuni, e la spedizione ai Ragionati ducali degli estimi formati dalle comunità. Ma per altri versi gli « Ordini » dell'88 già rivelano una diversa tendenza. Accanto agli ufficiali ducali, quando si impongano spese, devon essere presenti ora anche uno o più cittadini nominati dal Senato, ed uno o più cittadini potranno esser presenti quando si farà la descrizione di « tutte le teste, beni stabili e mobili, bestie e ogn'altra cosa che si deve descrivere nell'estimo ». La necessità di far intervenire i portatori di un interesse contrario a quello degli uomini dei comuni agli accertamenti ed alle decisioni, nel mentre indica un probabilissimo, per quanto abbiamo già visto, crescere dell'interesse alla cosa dei cittadini, vale a dire un crescere dei loro beni nel contado, dimostra altresì con ogni probabilità che l'amministrazione ritiene di poter controllare la situazione fiscale solo aggravando la tensione fra i diversi gruppi sociali che vengono direttamente contrapposti.

Traspare dall'iniziativa inoltre un evidente atteggiamento di sospetto verso i contadini e gli ufficiali comunali, che trova conferma in diverse altre norme intese a tutelare le esenzioni dei cittadini od a porre un freno agli *escamotages* dei contadini per ridurre il proprio carico fiscale. Già nel 1587 si era stabilito che per divenir cittadini, e quindi esenti, non bastasse risiedere in città per dieci anni ma occorresse anche acquistarvi beni immo-

[1] A stampa, Mantova 1588, in ASMN A. G. b. 3369.

bili[1] — disposizione che fra l'altro rovescia la tendenza secolare della politica gonzaghesca favorevole all'ingresso in città — e l'ordine ribadisce che nessun contadino « possa godere dell'immunità dei cittadini se ben venisse ad habitar l'invernata a Mantova, se non si farà cittadino veramente » — e di nuovo nel 1611 si interverrà contro i sudditi rurali che « da un certo tempo in qua procurano d'esser creati cittadini... per esimere i loro beni »[2] —. Parimenti si tenta di arginare la caccia alle esenzioni tanto individuali, che si potevano ottenere dagli ufficiali ducali e dai massari, consoli e così via dei comuni come si è accennato[3], quanto collettive, con il divieto ai comuni di pagare in contanti invece di compiere la prestazione.

D'altra parte proprio per la situazione prodottasi si rende necessario affermare solennemente « che li Massari, Consoli et Deputati et altri Ufficiali de' comuni siano nominati fatti et constituiti liberamente da detti Communi, et huomini »[4], mostrando così di paventare le pressioni che potevan venire da varie parti per l'accaparramento di posti modesti ma decisivi, per le occasioni che davano di privilegiare gli uni piuttosto che gli altri, di sottrarre qualcosa o qualcuno ai pesi fiscali.

Per altro verso la protesta delle comunità contro i loro massari (è il caso della petizione al duca, firmata da uomini di Barbasso ed altri piccoli paesi vicini, perché ordini al Senato di far nuove provvigioni per la carica di massaro, non volendo più esser governati da Girolamo Baldino, « atteso che l'anno passato ha malamente amministrato, et ha fatto spese senza misura consumando il sangue dei poveri in spese et in vivere disonestamente su le hostarie »[5]) il traffico delle esenzioni, la possibilità da parte dei titolari di minuscole, ma localmente decisive particelle d'autorità, di con-

[1] Cfr. Ordine 22-III-1578, in ASMN A. G. b. 2047.

[2] Ordine 22-I-1611, in ASMN A. G. b. 3369. Nota che questi, creati cittadini, cercano poi d'ottenere « et ottengono sotto varij pretesti quasi ogni anno facoltà con decreto spetiale di poter star in villa anco nel tempo prohibito ». Obbliga perciò tutti coloro che negli ultimi dieci anni – si noti – hanno ottenuto cittadinanza e permesso di risiedere fuori d'inverno a contribuire oltre ai dazi cittadini anche, come rustici, alle tasse dei loro comuni per dieci anni dal decreto di cittadinanza. E così ordina anche per i casi futuri.

[3] E si trattava di fenomeno anch'esso già presente e noto sotto Guglielmo, ma contro il quale non si era ufficialmente intervenuti. Cfr. per la coscienza del traffico di queste esenzioni quanto risulta dalla lettera già ricordata di Scopulo e Medici al duca del 5-I-1563, in ASMN A. G. b. 3567, ove si comunicano le « tariffe » correnti di esse.

[4] In presenza però, continua l'ordine, « delli Podestà, Commissari o Vicari de' luoghi, li quali non habbino da haver alcun risguardo a qual si voglia persona, anci da escludere ogni sorta di favori così di se stessi, come raccomandationi d'altre persone di qual si voglia grado ».

[5] E fanno pure presente che già l'anno precedente il Senato l'ha mantenuto nella carica « contro la volontà d'essi huomini del maggior estimo », cfr. petizione dell'8-II-1610, in ASMN A. G. b. 3369.

dizionare gli stessi ufficiali ducali[1], fanno intravvedere dietro la facciata dell'ordinamento normativo il costituirsi di minimi castelli di privilegi. Minimi, ma decisivi per la personale sopravvivenza; minimi, ma sufficienti per lo sconvolgimento della compagine sociale rurale, perché essa si fratturi ed infine si disintegri.

Una relazione di Angelo Coffani[2], ragionato dei comuni in Mantova da dieci anni e databile agli anni immediatamente precedenti il sacco, lo comprova. Rileva infatti che i Deputati, « quali sono ogni anno di quelli che hanno maggior estimo », compilando l'estimo vi iscrivono tutti indifferentemente, anche i « poverelli » dai quali non han riscosso nulla negli anni passati, perché così « nel serrar li estimi et far la Tassa per pagar il solito lor debito in Camera e le solite lor spese, pare che habbino gran somma di Teste vive et morte et la Tassa a quelli che hanno il modo resta leggera » ed anzi riescono, attraverso un meccanismo non ben chiarito da Coffani — ma che par riferirsi a differenze nel computo delle teste morte rispetto alle vive — ad ottenere indietro a fine anno una parte dei soldi pagati, mentre il comune non pagando in realtà quanto dovuto alla Camera si trova poi gli ufficiali camerali alle costole, dovendo così pagar anche le loro « strade » (« et più se detti Ufficiali vanno a casa di quelli che hanno il modo, pur che siano atavolati, et che habbino la sua strada non si curano d'altro ») e deve imporre tasse straordinarie sopra quell'estimo di fatto inesigibile, e senza dar avviso alla festa fuor della chiesa, i deputati danno la gente in mano ai « birri » (che sono ufficiali delle comunità) « et del continuo stanno travagliando le povere genti, distrugendoli i mobili », impegnando loro presso gli ebrei persino « li calderini, padelle, stagnati », quando li trovino senza denaro. E questi birri a loro volta « s'ingrassano... del sangue de poverelli » e son contadini, nel giudizio di Coffani, « che non hanno volontà di lavorare » e « sino delli giovani scapigliati di buone famiglie ». Né mettono ordine in ciò i « signori giusdicenti », che, quando sia riscossa qualche somma di denaro, « voglion prima esser pagati delle loro provvisioni »; e che non fanno eseguire gli ordini, lasciando che i massari non chiudano i conti e si tengano i soldi, avallano contabilità erronee, non si fanno rispettare dagli ufficiali delle terre, né temere, « perché molti di loro si servono di detti Ufficiali, chi per servire chi per famiglio di stalla, chi per

[1] In particolare quando gli immediati successori di Vincenzo I probabilmente verso il 1620 stabiliranno che per ottenere una carica di Vicario o Commissario sia necessaria una preventiva relazione favorevole del Senato che finirà per fondarsi essenzialmente sulle informazioni assunte nei luoghi dove il candidato ha eventualmente già operato, questo condizionamento verrà chiaramente alla luce; cfr. il caso di Corsino Corsini e dei suoi rapporti col notaio di Piubega Ottavio Pedrazzo, implicitamente risultanti dalla relazione su di lui del Senato del 21-III-1625, in ASMN A. G. b. 3570.

[2] La relazione in ASMN A. G. b. 3369.

ortolano». E così per di più questi ultimi «tralasciano i fatti del Commune et perdono il rispetto alli detti signori giusdicenti».

Risultato di tutto ciò: le tasse crescono fino a superare il reddito delle terre, che non vengon più coltivate, mentre i comuni, per cavar quanto dovuto, vi fan tagliare persino gli alberi, «et così le famiglie vanno in rovina et le terre e possessioni vanno deserte»; e, possiamo aggiungere, i comuni si indebitano e l'amministrazione ducale incontra difficoltà crescenti nel rastrellamento delle imposte [1].

Son queste le difficoltà che spingono ad una riduzione delle esenzioni fiscali delle terre cosiddette «forestiere» che esse avevano mantenuto ancora nel Cinquecento e che avevano contribuito a garantirvi forse, a questo punto e malgrado i limiti che i confini imponevano ufficialmente al loro mercato, una miglior condizione complessiva rispetto alle terre «nostrane». Un ordine del 1615, sgravando d'una parte del peso fiscale Volta, Ceresara, Piubega, Dosolo, Gazolo, Cavriana, per circa 950 scudi in totale, stabilisce che suppliscano «le cinque terre chiamate forestiere»: Viadana, cui vengono addossati oltre 420 scudi, Canneto, Redondesco, Volongo, Mariana [2].

Accanto ai privilegi fiscali vengon colpiti e ridotti quelli amministrativi. Castelgoffredo, sottoposto durante il Cinquecento ad uno dei rami minori dei Gonzaga, allorché sotto Vincenzo, nel 1593, viene riunito al ducato, vede ridotta la propria prerogativa di scegliersi il podestà liberamente a quella di presentare una terna di dottori del ducato al duca, cui spetta la scelta; mentre vengono portate a Mantova le cause d'appello [3].

Si va così ad una attenuazione marcata delle differenze esistenti fra la condizione del mantovano vecchio, in cui la concentrazione delle grandi proprietà nobiliari ed ecclesiastiche aveva ridotto enormemente la capacità contributiva [4], e quella del mantovano nuovo, che dapprima forse sfavorito, aveva visto nella sua minor integrazione entro lo stato gonzaghesco [5] una occasione di mantenimento d'una struttura sociale più articolata, destinata però ora anche qui a sgretolarsi.

[1] Sull'attività dei giusdicenti cfr. «Racordo di alcune diligenze che deve il Giusdicente usare con gli huomini del suo commune per essercitar il suo officio e per impedire i disordini che grandemente occorrono nel modo che si dirà» s.d. ma probabilmente dello stesso periodo della relazione di Coffani, in ASMN A. G. b. 3570, ed a firma Cesare Sacco. Anche la descrizione che della situazione delle campagne si fa non è dissimile da quella di Coffani.

[2] Ordine del 12-XI-1615, in ASMN A. G. b. 3369.

[3] Cfr., in ASMN A. G. b. 3570 il carteggio relativo.

[4] Cfr. quanto risulta in M. VAINI, *La distribuzione* cit., p. 61 sgg. e *passim*.

[5] Ancora nel 1616 un avviso del Maestrato chiarisce che quanto disposto in altra grida a proposito dell'esportazione delle sete non vale per le terre forestiere che resteranno nella loro antica libertà in materia. Cfr. avviso del 4-VII-1616, in ASMN A. G. b. 3369.

Movimenti al vertice

Tanto più che a questi movimenti al fondo della scala sociale ne corrispondono altri al vertice. Vincenzo, nei suoi ordini sulle milizie cui abbiamo già accennato, oltre a promettere esenzioni e privilegi ai membri dei vari corpi, tali da contribuire anch'essi al differenziarsi delle situazioni personali nel contado, stabilisce in particolare che per il desiderio « di vedere i nostri Gentilhuomini che sono più commodi di facultà honorati anco con più nobile essercitio militare perché più nobilmente ci possan servire » delibera « di formare d'essi una Compagnia di Corazze, le quali riconoscano Noi immediatamente per capo » e che « siano nominati Gentilhuomini della Casa nostra »[1]. La descrizione dei 75 componenti la compagnia delle corazze nel 1622[2] ce li mostra provenire tutti, salvo tre che vengono da un borgo della città, dal contado ed in particolare soprattutto dai grossi paesi ai margini del ducato[3]. Nessuno d'essi ha titoli nobiliari e, salvo uno che è indicato come « castellaro a Gazzuolo », nessuno ricopre cariche di tipo amministrativo o militare. Si tratta dunque di privati gentiluomini del contado — sostanzialmente si può pensare persone facoltose viventi di rendite agrarie — che nel servizio come « corazza » trovano la via per qualificare e rafforzare la propria condizione, gentiluomini della nostra casa vale « nobilissimi », scrive un giurista[4], ed alcuni di loro sono stati scelti per servire permanentemente nella guardia del duca, aumentandone così distinzioni e privilegi, che li separano sempre più dagli altri residenti nel contado.

Ma tale processo di trasformazione del tessuto sociale non interessa sono le campagne; con forme diverse investe anche la città.

Sono gli anni di Vincenzo che vedono infatti rotto il monopolio cittadino sul collegio dei giureconsulti. Già nel 1588 Vincenzo aveva per la prima volta, da quando più d'un secolo prima Ludovico ne aveva dettato gli statuti, derogato al requisito della cittadinanza mantovana per un origina-

[1] E che godano di tutti i privilegi concessi agli altri corpi, ed in più dell'esenzione completa per due bocche e due cavalli, possano abitare, con qualche restrizione, fuor della città nel tempo proibito, possano anche due loro servitori portar ogni arma, salvo le proibite, e girare per lo stato con armatura e così via. Cfr. il testo manoscritto degli Ordini per la cavalleria in ASMN A. G. b. 3664 che differisce in qualche punto da quello generale degli ordini del 1597 già cit.

[2] In ASMN A. G. b. 3665, dall'elenco risultano in totale dodici compagnie a cavallo per un totale di 1108 soldati, o se vogliamo di esenti e privilegiati, senza contare coloro che servono a piedi.

[3] 25 da Ostiglia, 12 da Luzzara, 8 da Canneto e altrettanti da Castelgoffredo, 2 da Viadana, 3 da S. Benedetto, 5 da Marcaria, 3 infine da S. Giorgio, uno dei borghi fortificati di Mantova. L'altro è Porto, di cui avremo presto occasione di parlare.

[4] Cfr. F. C. NEGRI, *Controversiarum forensium Francisci Nigri Ciriaci j.c. mantuani et in sua Patria Senatoris...* voll. I e II, Mantuae 1628, vol. III Cremonae 1638, vol. II c.f. 101.

rio di Ostiglia[1], ma nel 1593 stabilisce in modo generale che l'accesso al collegio[2] sia possibile a tutti i suoi sudditi, essendosi, secondo Vincenzo, accresciute le esigenze dell'amministrazione e reso insufficiente il numero che si può trarre dalla sola città di Mantova, ed anche perché non si ritiene giusto che siano esclusi i non mantovani, quando si deve sopportare (patitur) che siano « libenter » ammessi « quoscumque ex infima etiam plebe, indignisque propremodum natalibus exortos »[3], come già si è detto.

L'accesso legato alla cittadinanza e non al censo (almeno ufficialmente) era, già lo si diceva, ormai anacronistico; ma sanzionare il mutamento formale dei criteri di ammissione significa togliere uno degli ultimi luoghi in cui la stratificazione orizzontale della struttura sociale aristocratizzante tardo cinquecentesca era corretta in qualche misura a vantaggio dei ceti subalterni, per il permanere di schemi di tipo comunale.

Non che ora il riferimento alla città cessi, ma anch'esso vien tradotto in termini nobiliari. Dagli anni Ottanta si incontrano con una certa frequenza « patricii mantuani » nell'amministrazione[4]; frutto anch'essi probabilmente, come le « corazze », dell'evoluzione dell'indifferenziato gentiluomo cin-

[1] Cfr. la lettera contraria del collegio in data 9-XII-1588 che fa presente anche l'esserci nel collegio già sessantadue giureconsulti, in ASMN A. G. b. 3580.

[2] Per la rilevanza del collegio, cui come si è detto sono attribuite anche funzioni giudiziarie, e la qualità dei suoi membri si veda esemplarmente l'elenco dei 45 membri del 1572, in ASMN A. G. b. 3580, che registra fra gli altri personaggi di tutto riguardo nell'amministrazione gonzaghesca e nella società mantovana come Nereo Strada, P. E. Bardellone, Camillo Gattico, Lelio Montalero, Aurelio Zibramonti, Anselmo Mundino, e ancora Francesco Aliprandi, Francesco Suardi e così via.

[3] I non originari di Mantova perciò potranno esser ammessi, ottenuto l'assenso del duca « seque non solum honestis parentibus progenitos, sed et quibus et re domestica ita instructos atque paratos, ut quantum dignitas et fulgor Doctoratus postulat sumptum sustinere possint », mentre non si innova per gli originari salvo che « decori et dignitati ipsius Collegi » si stabilisce che « neminem etiam huius Civitatis originarium Civem, qui ex obscuris, et illiberalis aut sordidi quaestus parentibus natus fuerit, ad Collegium admitti posse absque nostro speciali jussu ». Cfr. L'ordine in data 15 delle Kalende di Aprile 1593 in ASMN A. G. b. 3580.

[4] È definito « patritius mantuanus » ad esempio Gerolamo Negri nella fede del suo giuramento come membro del consiglio « sibi collaterale » di cui si dirà del 5-II-1592, in ASMN A. G. b. 2060. Si noti che Gerolamo Negri non era personaggio da poco: è fino al 1592 ambasciatore a Madrid, dove viene creato Cavaliere di Alcantara, ed è marito di una Gonzaga (figlia naturale), muore nel 1595. Gli era stata anche affidata la tutela di Vincenzo. Le notizie da C. D'Arco, *Famiglie mantovane* ms. cit., vol. V, pp. 286-287.

Altri due « patritii nobiles Mantuae » son testimoni del giuramento di fedeltà del 14-IV-1589 di Giulio Pelegrini, « patritius veronensis ». Registra anche come « patritius mantuanus » Tiberio Ceruti la fede del suo giuramento come governatore (militare) di Castelgoffredo del 22-II-1597. Queste fedi in ASMN A. G. b. 2063. A proposito del titolo di governatore vedi oltre, se pur i governatori di cui si parlerà non pare mantengano ovunque la caratterizzazione solo militare di questo. Ma l'origine militare della carica potrebbe spiegarne in parte le caratteristiche. Quanto al « patritius veronensis » va detto che nella parte in italiano esistente nella fede del suo giuramento come Commissario di Goito il termine patritius è tradotto « cavaliere ». Da ciò si potrebbe partire per questioni che è

quecentesco, a fronte dell'iniziale diffusione dei titoli nobiliari dopo il 1575, per la possibilità acquisita da Guglielmo di distribuirli con l'investitura del Monferrato.

Evoluzione che porta ad una precisazione delle caratteristiche e dello status nobiliare, ad uno sforzo per comprendere e ricomprendere in un quadro complessivo le differenziazioni che si sono venute producendo entro la condizione aristocratica[1] e cui è corrispettiva una precisazione anche dei privilegi nobiliari — qualcosa si è accennato a proposito del porto d'armi, ma in generale la qualità di nobile, termine che si comincia ad usare a preferenza di gentiluomo, prevede l'esenzione fiscale[2] — con una sempre più netta distinzione fra le diverse fasce sociali.

Non a caso, credo, proprio in questi anni si deve ordinare agli avvocati di non rifiutare sotto pena di forti multe di prestar assistenza in cause di qualsiasi genere anche ad un « soggetto inferiore », e benché contro persone potenti, nobili, graduate o privilegiate[3]. Le stesse, va detto, cui ora vengono attribuiti privilegi di foro. E se non si tratta solo di una esagerazione retorica, come credo almeno forse in parte sia, è significativa la protesta del collegio dei giureconsulti dopo la morte di Vincenzo I per il ripristino degli antichi ordini (mutati si dice per le pressioni sul defunto duca d'un legista di Viadana suo segretario), poiché ora gentiluomini e nobili di Mantova si vergognano di far entrare i figli nel collegio. La protesta sembra far intravvedere una situazione in cui, alla sicura modestia degli accessi provinciali (ché altrimenti della protesta non si spiegherebbe la possibilità) si accompagnerebbe tuttavia un minor interesse dei ceti aristocratizzati per le occasioni offerte dal collegio (che si eran salvaguardate vent'anni prima normalizzando la situazione di Castelgoffredo). Ciò a vantaggio di un più diretto impegno nell'amministrazione esecutiva, diremmo noi — ma bisognerebbe sapere con maggior sicurezza qual è il rapporto fra appartenenza al collegio ed esercizio di determinati uffici — e, per le caratteristiche di Vincenzo, nella corte e nell'esercito. Per certo l'ormai affermata ideologia nobiliare,

impossibile trattare in questa sede. Mi pare che, per quanto ci riguarda, sia comunque importante che il termine cavaliere non valga più « eques » come al principio del secolo, ma appunto « patritius ».

[1] Ed è un mantovano quel Giovanni Antonio Delfino, professore allo studio di Bologna, inquisitore di Romagna, infine vicario generale apostolico dell'ordine dei francescani conventuali che negli anni cinquanta distingue « nobiles » da « patricii » legando i secondi all'esercizio delle cariche pubbliche. Cfr. su di lui ed i suoi scritti G. ANGELOZZI, *La trattatistica su nobiltà e onore a Bologna nei secoli XVI e XVII*, in « Atti e Memorie della Deputazione di St. patria per le prov. di Romagna », n. ser., XXV-XXVI, 1974-75, pp. 187-264.

[2] Cfr. C. D'ARCO, *Studi intorno al Municipio di Mantova* cit., lib. II, pp. 122-125.

[3] Cfr. ordine s.d. di Vincenzo (presumibilmente Vincenzo I) in ASMN A. G. b. 3580. Sui privilegi di foro cui si accenna sotto cfr. quanto risulta da un ordine dell'8-IV-1606 ricordato nel già cit. *Senato di Mantova*, p. 84.

e le difficoltà economiche, che escludono di diritto, e di fatto, la possibilità di attività economiche commerciali, rendono sempre più appetibili i posti nell'amministrazione, con tutte le occasioni che essi possono offrire, ai membri dell'aristocrazia mantovana.

Come dimostra eloquentemente una lettera di Claudio Faraoni. Scrive questi al duca, dopo essersi qualificato come « fedelissimo servo e suddito dell'A.V.S. », che « havendo servito per il spatio di dieciotto anni con fedeltà e diligenza parte per luogotenente di Cavalleria e ultimamente per Commissario a Gonzaga,... fu levato da quello senza haver demeritato ne fatto cosa indegna, come dalla qui inclusa fede V.A. può vedere [alcuni uomini di Gonzaga, fra cui un console e due massari certificano che si è comportato correttamente e da « gentilhuomo honorato »], continuando la longa e fedele servitù del già Sr. Claudio suo Padre fatta ben 46 e più anni alla Serenissima Casa dell'A. V. e... [che] per molti incontri havuti di tempesta ed altri infortunij non è possibile ch'egli possa vivere da Gentilhuomo conforme alla sua nascita senza precipitare più le cose se non s'appoggia al servizio di qualche Principe ». Supplica perciò il duca di « fargli grazia d'un Commissariato » così da poter vivere e morire al servizio di casa Gongaza « com'hanno fatto la maggior parte de suoi antenati da duecento anni in qua », ovvero gli permetta di andare al servizio d'un altro principe[1].

Altrettanto eloquente è la supplica del gentiluomo monferrino Alfonso Lu per ottenere il vicariato di Piubega[2], ma non meno significativa — durante il ducato di Vincenzo I — è la creazione dei governatorati, che comporta la trasformazione di alcune podestarie, come Viadana, e Castelgoffredo (ove il governatore affianca solo il podestà) e che offre un titolo importante ed adatto ai membri delle grandi famiglie — Ippoliti, Castiglione — privi di titoli accademici, che nei governatorati prendono il posto, dove già esistevano le podestarie, dei dottori[3]. E, d'altra parte, ormai ad un Giovanni Striggi, la cui famiglia otterrà nel 1624 il titolo marchionale, e che con Alessandro ricopre la carica di gran cancelliere ducale, non è necessario esser dottore per esercitare la podestaria di Revere e probabilmente nemmeno al conte Ludovico Alberigi per ricoprire quella di Redondesco[4].

[1] La lettera, in data 2-XI-1626 in ASMN A. G. b. 3570. Quanto riporta C. D'Arco, *Famiglie mantovane* ms. cit., vol. IV, p. 79 sgg., concorda con quanto affermato sulla sua famiglia dal Faraoni, che sembra muoia nel 1629 combattendo per i Gonzaga.

[2] Le carte sulla richiesta di Alberto Lu del 1626, in ASMN A. G. b. 3570.

[3] Troviamo governatori dapprima a Viadana e Porto, poi anche a Castelgoffredo. Cfr. un elenco delle giudicature e di chi le ricopre s.d. ma posteriore al 1603 ed un altro s.d. ma probabilmente del 1619 o 1620 in ASMN A. G. b. 3569.

[4] Cfr. gli elenchi sopra cit. Ma in generale nelle altre podestarie si hanno dei laureati. Non vi sono invece dottori tra i commissari e vicari, salvo uno.

Indizi questi non solo della sempre maggior rilevanza dello status nobiliare nella società mantovana, ma dell'inizio del rovesciamento del rapporto principe-nobiltà a favore di questa.

Stato, principe e nobiltà

Proprio la « qualificazione » della nobiltà permette di rinviare per la sua comprensione non più solo ad una generica condizione sociale caratterizzata dalla disponibilità al servizio al principe ma ad un corpus dottrinale definitorio del concetto di « nobiltà » che nel mentre *costituisce* dei criteri particolari di legittimazione — il nobile può esercitare la podestaria proprio in quanto nobile anche se non è dottore — svincola il nobile, specie se titolato, se non dal principe certo dallo stato, poiché « anche il conferimento di pubbliche magistrature, assume il significato di un onore reso dalla collettività o dal principe; ... L'esercizio dei pubblici poteri [per il nobile] viene così tendenzialmente concepito non come l'espletamento di un compito con norme e limiti precisi, ma come un doveroso riconoscimento delle virtù di chi ne è investito, una sorta di beneficio o sinecura »[1]. E ciò accade perché la condizione nobile si va configurando come uno degli elementi immancabili della società, alla pari del principe, in quell'ordine provvidenziale e metafisicamente garantito di cui s'è detto e di cui il principe in quanto capo dello stato, diciamo, non ha più il controllo.

Quando Ciriaco Negri, oltre che giureconsulto, senatore e consigliere del principe, ed anche da un certo momento in poi consultore dell'inquisizione, scrive che non si dà nobiltà naturale « sed tantum adventicia ex variis accidentibus » e che ogni stato civile è transitorio, configura pienamente la mutabilità delle condizioni singole nell'immortalità delle « essenze » sociali[2] in questo ordine sociale, ma perciò anche in definitiva la sua artificialità.

Infatti la nobiltà « ab initio iure naturali, propter omnium aequalitatem non erat cognita »[3], ma di poi, « rerum et temporum vicissitudine » si è abbandonato il diritto delle genti e « factum est ut libertas propter supervenientem servitutem, nobilitas propter ignobilitatem, pax propter bellum coeperint distingui »[4]. Forse son solo modeste ripetizioni, di motivi altrimenti diffusi, ma poterli documentare a Mantova permette di evitare ogni dubbio di astrattezza a quanto si va dicendo, e di interpretare in modi meno rozzi e parziali le vicende mantovane, altrimenti immiserite dall'elevazione a canone interpretativo fondamentale d'un « buon senso »

[1] Così C. Angelozzi, *La trattatistica* cit., p. 237.
[2] Cfr. *Controversiarum forensium Francisci Cyriaci Nigri* cit., liber primus, contr. f. 21.
[3] *Ibidem.*
[4] *Ibid.,* lib. II, contr. f. 203.

riduttivo d'ogni cosa alla sua prima apparenza (e quindi ad esempio della nobiltà ai soli nobili titolati, il che oscura tutta la progressiva aristocratizzazione cinquecentesca e rende a mio avviso difficilmente comprensibile il dislocarsi dei ceti nella società mantovana). Ed a questo proposito, prima di passare a parlare dell'ordine del Redentore, che compendia sul piano simbolico i fenomeni di scissione dell'interesse statuale e di quello principesco, il rovesciamento di rapporti fra principe e nobiltà, in definitiva il mutare della struttura sociale mantovana, occorre soffermarsi sulle vicende della comunità ebraica di Mantova, spesso spiegate ricorrendo alla « bontà » o meno del principe. E ciò particolarmente nel periodo di cui ci stiamo occupando, in cui la consolidata tradizione di tolleranza viene scolorendo e si arriva in particolare nel 1612 ad ordinare la segregazione senza eccezioni degli ebrei nel ghetto. Si tratta di decisione influenzata indubbiamente dalla generale ripresa xenofoba, che trova supporto nell'ideologia controriformistica, ed il cui più clamoroso esempio è la cacciata dei moriscos dalla Spagna. Ma, come nel caso dei moriscos dietro le motivazioni religiose o razziali se ne indovinano senza fatica altre di natura economica, così nell'indurirsi della legislazione mantovana si deve probabilmente vedere anche un effetto, ed un'altra conseguenza, del dislocarsi e ricomporsi della società mantovana. Nel 1588 l'ambasciatore veneziano notava — già l'abbiamo accennato — che gli ebrei di Mantova « per esser riposti in essi li dazi e mercanzie, sono di gran utilità e beneficio al signor duca; poiché i nobili... non voglion attendere a simili essercizi » [1]. Negli anni precedenti il sacco, Coffani, nella sua disamina dei mali del contado, dà invece voce all'ostilità popolare nei riguardi degli stessi ebrei, presso i quali finivano impegnati anche i più modesti beni dei contadini impotenti a pagare quanto imposto.

L'aristocratizzazione dei ceti dominanti e l'impoverimento di quelli contadini agiscono così, da parti diverse, sulla comunità ebraica, esasperando al contempo le caratteristiche (obbligate) delle sue attività economiche, e la sua separatezza sociale, col confinarla (e qui gioca ancora l'aristocratizzazione) in un ambito specifico, rispetto al quale, confondendo cause ed effetti, può ben montare l'ostilità popolare da una parte, quella di un principe moralizzatore dall'altra [2].

[1] Cfr. F. CONTARINI, *Relazione* cit., p. 78.

[2] La svolta contro gli ebrei si ha con la salita al trono di Francesco, V duca, nel 1612. Va detto tuttavia che all'appesantirsi ancor più della situazione finanziaria dello stato – quella che porterà alla famosa vendita della galleria gonzaghesca, cfr. A. LUZIO, *La galleria dei Gonzaga venduta all'Inghilterra nel 1627-28*, Milano 1913, e Bardi, Roma 1974 – farà seguito durante il ducato di Ferdinando e con maggior evidenza ancora durante quello di Vincenzo II una nuova svolta liberaleggiante. In generale sulla attività finanziaria degli ebrei cfr. E. CASTELLI, *I banchi feneratizi ebraici nel mantovano (1386-1808)*, in « Atti e memorie dell'Accademia Virgiliana di Mantova », n. ser., XXXI, 1959.

L'ordine del Redentore, istituito nel 1608 (quando Rubens sintetizza nella pala della Trinità tanto l'inserimento del principe in un ordine che lo garantisce e supera, quanto l'artificiosità, in senso proprio, dell'intervento divino, che lascia poi pieno campo e potestà alle strutture visibili della chiesa terrena) mi sembra comprovi, oltre alla peculiarità religiosa del ritorno cavalleresco, anche il tendenziale rovesciamento dei rapporti fra principe e nobiltà di cui si diceva. Il modello cui ci si rifà è probabilmente l'ordine di Santo Stefano — non si dimentichi che i rapporti con la Toscana sono in questo momento sicuramente frequenti essendo moglie di Vincenzo Eleonora de' Medici —, ma la modestia del numero prefissato dei membri dell'ordine, quindici con il duca; il fatto che, come riferisce l'ambasciatore veneziano, legate all'Ordine « non vi son commende di alcuna sorte, et che la Cavaleria serve a solo titolo di honore »[1]; la stessa collocazione geografica del mantovano che rende difficoltosa persino la semplice richiesta d'adempiere all'obbligo, che i cavalieri prendono, « di mostrarsi con le forze loro e con degne operazioni acerbissimi nemici dei nemici della fede » nonché improbabile l'eventualità cui devono « essere in qualunque occasione apparecchiati [di] spargere il proprio sangue ad honor del sangue sparso per la redentione del Mondo e per mantenimento della Chiesa, che è la santa Casa di Dio »[2]; tutto mostra come in realtà l'affezione di Vincenzo « al nobilissimo stato della Cavalleria » e il desiderio di creare un nuovo ordine di cavalieri « sotto questo medesimo titolo del Redentore e d'unirli... in santa fratellanza con noi accioche... si eccitino all'opere virtuose di Cavalleria » (oltre che alla difesa della fede) sottendano la volontà del principe di ritrovare, fuor dell'ambito statuale, come comprova la presenza fra i quattordici cavalieri di diversi Gonzaga e di almeno quattro sudditi veneti che lascian poco spazio alla nobiltà mantovana[3], un proprio spazio di autonomia e supremazia indiscussa: un proprio ruolo sovrano, se pur non in contrasto con quella ideologia generale cui abbiamo più volte accennato, se pur, ancora, meramente immaginario, e che gli consenta infi-

[1] Cfr. ASVE Dispacci degli ambasciatori veneti al Senato, Mantova, f. I, lett. 31-V-1608, di Francesco Morosini.

Per un confronto con il ben altrimenti cospicuo Ordine di S. Stefano cfr. ora G. Angiolini e P. Malanima, *Problemi della mobilità sociale a Firenze tra la metà del cinquecento e i primi decenni del seicento*, di prossima pubblicazione in « Società e storia », I, 1979.

[2] Così lo statuto dell'Ordine del 25-V-1608, in ASMN A. G. b. 3349, pubblicato anche in L. Carnevali, *L'ordine equestre del Redentore fondato nel 1608 da Vincenzo I duca di Mantova*, in « Giornale araldico », XIII, 1886, nn. 10 e 11. Ivi anche l'elenco dei membri dalla fondazione al 1707.

[3] E si noti che non manca chi si rifiuta di entrare nel nuovo ordine. Nella lettera già ricordata il Morosini dopo aver segnalato la presenza di quattro sudditi veneti annota che ve ne sarebbe dovuto essere un quinto, il conte Ruberto Avogadro, che però ha rifiutato.

ne di riproporre, malgrado l'autonomia del ceto nobiliare che si va affermando sul territorio, la nobiltà come attributo del suo maggior decoro; secondo aveva affermato il padre, chiedendo all'imperatore di poter creare conti e marchesi, come ora il figlio al papa cavalieri [1].

3. Contraddittoria evoluzione amministrativa

Ma, come già si accennava, lo stesso Vincenzo che crea nuovi ordini cavallereschi e scinde, almeno in qualche modo, interesse statuale ed interesse principesco, porta anche innanzi la politica burocratizzante del padre, meglio definendo le strutture centrali di governo dello stato, le competenze e le caratteristiche dei suoi funzionari. Più in generale, fin quasi al 1630, ad una società che si va aristocratizzando ed in cui sembra diminuire la capacità unificatrice dell'azione statuale, corrisponde un sempre maggior raffinamento dei modi di governo, del tutto in linea con gli sviluppi che caratterizzano nelle grandi monarchie europee il progredire dell'assetto statuale nelle forme dello « stato moderno », e che portano, già lo si è riferito, nel 1615 il duca Ferdinando ad affermare orgogliosamente la totale dipendenza dell'amministrazione da lui.

Forme dello « stato moderno » a Mantova

Due ordini di fenomeni dunque contemporaneamente presenti eppure tra loro contraddittori, si potrebbe dire. In realtà la « contraddizione » fra sviluppo nobiliare — d'una nobiltà che reimposta i propri privilegi a partire dal dato dell'esistenza dello stato — e crescita dello « stato moderno » è propria di una visione estremamente riduttiva dei processi politico-sociali che portano alla formazione di uno « stato moderno »; il quale comunque a Mantova non avrebbe le dimensioni minime territoriali per dispiegarsi pienamente oltre una certa misura.

Non si tratta tuttavia di trattare il problema in generale, quanto di

[1] Cfr. in proposito l'istruzione del 27-VI-1607 per un passo diplomatico a Roma al fine d'ottenere dal papa il permesso d'istituzione dell'ordine, motivato fra l'altro con l'affermazione che così si conoscerà la stima del pontefice per la casa Gonzaga, in ASMN A. G. b. 3349. Alla luce di tutto ciò si comprende come anche l'azione del sovrano (col richiamo militare dei Governatorati e quello cavalleresco dell'Ordine) cospiri a far sì che la condizione aristocratica tenda, già ora ma ancor più dopo il sacco, ad identificarsi con la sola condizione feudale, mettendo da un canto quelle altre qualificazioni, come il patriziato, che alle funzioni statuali in termini « burocratici » più strettamente facevano riferimento. Su ciò, se pur in una prospettiva parzialmente diversa, cfr. quanto risulta dall'*intervento* di M. VAINI, in *Patriziati ed aristocrazie nobiliari* cit., pp. 145-148.

notare che le trasformazioni più rilevanti avvengono, durante il regno di Vincenzo e dei suoi figli, nelle strutture amministrative e di governo a loro più vicine, ed anzi tendono a concentrarsi nell'evoluzione dell'organismo supremo di coordinamento e decisione dell'attività statuale, e si qualificano perciò sempre più in definitiva come riorganizzazioni interne dei modi di governo, prive cioè di rilevanza sull'attività delle diverse branche dell'amministrazione.

Se da un lato in ciò è da vedere il prosieguo della tendenza già in atto sotto Guglielmo all'evoluzione dell'attività amministrativa verso forme esecutive piuttosto che giudiziarie, come meglio si chiarirà poi, dall'altro è da vedervi pure il desiderio del duca Vincenzo e dei suoi immediati successori, di mettere a punto un meccanismo che possa funzionare indipendentemente dalla presenza del principe. Il che rileva forse non tanto per le forme del governo di gabinetto, quanto, per ciò che si è detto della condizione del sovrano, per il disimpegno di questo dalla quotidiana attività amministrativa, favorito peraltro dagli stessi funzionari che possono ottener da ciò una maggior regolarità di funzionamento ed accrescere anche il proprio personale potere e le proprie fortune, come già si accennava per il Chieppio.

In ogni modo, dal punto di vista dello sviluppo amministrativo, i primi anni di Vincenzo non si presentano troppo dissimili da quelli del padre. A questo periodo risalgono infatti dettagliate istruzioni per gli ufficiali di corte [1], l'archivio, le pratiche diplomatiche, la cancelleria, ed i suoi membri, cui viene imposto l'obbligo del segreto con giuramento sulle questioni d'ufficio e le carte d'archivio [2], la definizione con maggior chiarezza degli ambiti di competenza d'ognuno, delle funzioni stesse dell'amministrazione [3]. E la stessa elezione nel 1592 d'un consiglio « sibi collaterale » obbedisce a necessità prodotte dall'evoluzione istituzionale realizzata da Guglielmo in poi. Vi confluiscono infatti, come risulta dal giuramento che prestano, personaggi che già avevano la qualifica di consigliere, come Camillo Gattico presidente del Senato di Mantova, Tullio Petrozzanni primicerio di Sant'Andrea, Guidobono de Guidoboni, ed inoltre Marco Antonio Cot-

[1] Cfr. le istruzioni s.d. ma attribuibili alla fine del cinquecento esistenti in ASMN A. G. b. 394.

[2] Cfr. in ASMN A. G. b. 2063 il giuramento di tre scrittori di cancelleria del 17-XII-1603 « di tener segreto et di non propalare, a chi si sia da signori segretarij et consiglieri di S.A. in fuori, secondo portarà l'occasione tutto quello che legeranno, o sentiranno legere da altri così nel Archivio di S.A. come nella camara delle lettere... »; inoltre essi giurano di non toglier lettere o scritture dall'archivio della camera senza espressa licenza del prefetto dell'archivio.

[3] Come dimostra Annibale Chieppio ricordando ad un collega che avanza riserve sugli ordini ricevuti che « delle cose de' padroni io non curo di sapere se non quello [che] essi vogliono ». La citazione da G. BENZONI, *Gli affanni* cit., pp. 80-81, che non riporta la fonte.

ta presidente del magistrato ducale, il comandante delle milizie gonzaghesche, Alessandro Andreasi vescovo di Mantova ed il marchese Carlo Gonzaga oltre a Gerolamo Negri, ambasciatore a Madrid, e come segretari « a secretis » i tre che già avevano tale qualifica Annibale Chieppio, Antonio Guarino, responsabile anche dell'archivio, e Giovan Battista Prato, protonotario apostolico. Come si può constatare, si tratta in definitiva della riunione di tutti i più importanti consiglieri del principe e dei funzionari preposti alle magistrature di maggior rilievo in un solo organo, cui vengono affidate funzioni generali di governo dello stato, come induce a credere anche il nome, già in uso a Mantova sotto Guglielmo come titolo dell'incaricato delle questioni lato sensu sanitarie[1], e come comprova la generalità dei loro compiti: « invigilabunt bono servitio Celsitudinis et eius statuum »[2].

Si tratta d'una riunione resa necessaria evidentemente dalla distinzione e specializzazione delle competenze amministrative fra organi diversi già realizzata da Guglielmo. Distinzione e specializzazione che richiedono un coordinamento dell'attività di governo non più realizzabile nelle forme tradizionali da alcuni consiglieri personali del principe, i quali possono ora avere in mano solo una parte delle questioni e dei problemi, essendone un'altra porzione a loro sottratta per le forme stesse che ha assunto l'amministrazione finanziaria, quella della giustizia, in parte quella diplomatica. Ma la necessità di coordinamento si risolve ben presto in quella di completa supplenza del duca che tende — già lo si diceva — a disinteressarsi dell'attività ordinaria di governo[3].

Si indebolisce la struttura amministrativa

Disinteresse che costituisce, per quanto si è già detto del principe in questo periodo, al di là delle caratteristiche personali di Vincenzo, anche un sintomo di quel sempre meno completo identificarsi dell'interesse statuale con quello principesco. Disinteresse perciò, che per essere connesso pure a quella aristocratizzazione della società mantovana le cui conseguenze anche sugli uffici già si sono accennate, corrode ed indebolisce la struttura amministrativa statale, stravolgendo, invisibilmente si vorrebbe dire, il carattere delle stesse novità che la vanno ad arricchire ed apparentemente razionalizzare.

[1] Cfr. quanto risulta in proposito da carte del 1572 e 1585 in ASMN A. G. b. 3048.

[2] Cfr. « Institutio Consilij Ducalis cum iuramento fidelitatis Ill.mi ... Dominorum de consilio et secretis Ser.mi Domini Nostri », del 24-I-1592, in ASMN A. G. b. 2060.

[3] Cfr. ad es. quanto risulta dalla « Istruttione lasciata da S.A. al Consiglio in Mantova a 16 giugno 1596 quando andò a Vinegia » in ASMN A. G. b. 2060 ove anche altre degli anni seguenti.

Si prendano in considerazione così l'istituzione nel 1600 di un'ispezione annuale a tutti gli uffici dell'amministrazione da parte di un consigliere ducale e di un membro del Senato[1], come l'elezione nel 1603 d'una Congregazione del patrimonio e della casa, i cui membri si riuniranno ogni volta lo riterranno opportuno « proponendo, discorrendo et provedendo circa le cose del patrimonio di S. A. et della sua casa, così nel vantaggiare nei prezzi delle robbe, come nel comperarle a tempi debiti », riformando strutture, « dando altri et miglior ordini, levando li abusi, così nel spendere li denari, et pagar salariati, et altri creditori di camera, come nel far venir fidatamente et intieramente l'entrate, denari et beni di qualunque sorte in camera spettanti al patrimonio di S. A. havendo anco risguardo al ben pubblico » ed annotando su un apposito libro tutte le decisioni e risoluzioni prese[2]. Entrambe queste iniziative paiono rivelare, al di là dell'immediata apparenza, una sotterranea debolezza dell'apparato statale; la prima per quanto ci dice indirettamente dell'inefficacia dei controlli ordinari, la seconda per il suo duplicare di fatto competenze già del Maestrato e per il suo fidare di nuovo, piuttosto che sull'amministrazione ordinaria, sulla riunione delle competenze e sull'intreccio dei controlli, prodotto da una congregazione in cui entreranno, accanto proprio ad alcuni membri del Maestrato, il prefetto dell'archivio, il maestro di casa, il superiore delle dogane e revisore dei conti della camera, ed ancora il Chieppio et il Petrozzanni[3]. D'altro canto che la presenza di Chieppio e Petrozzanni e del presidente del Maestrato sia solo eventuale — tutti e tre, si specifica, interverranno quando potranno — conferma la tendenza implicita nelle iniziative considerate a svalutare, a favore e per la fiducia accordata a pochissime persone, le competenze ordinarie dei vari rami d'amministrazione e ad accentrare sempre più le decisioni.

In questa prospettiva si capisce come sotto Vincenzo le riunioni del consiglio avvengano due volte alla settimana[4], mentre il figlio Ferdinando, che crea a sua volta un proprio consiglio, per il desiderio « nel cumulo de nostri gravi ed importanti affari di ricevere dall'opera de nostri Ministri

[1] Cfr. G. Coniglio, *I Gonzaga* cit., pp. 404-405.

[2] Cfr. « Institutio congregationis patrimonii et domus Serenissimi Domini Nostri », del 16-XI-1603, in ASMN A. G. b. 2060.

[3] E può valer la pena di notare che informando nel 1608 l'ambasciatore veneziano il suo senato d'una decisione del duca « che si riveda il maneggio e l'administrazione del patrimonio, che finora è stato in mano de' ministri », cioè della congregazione creata nel 1603 si può pensare, egli non l'accredita di alcuna valenza riformatrice. Sottolineando che tale operazione non darà alcun risultato scrive che « darà in ogni modo occasione di travagliare alcuno e di cavar qualche denaro per via di composizione ». Cit. da F. Morosini, *Relazione* cit., p. 97.

[4] Cfr. la comunicazione del 12-XI-1609 del duca ai membri del consiglio in ASMN A. G. b. 2060.

ogni possibile sollevamento », ne fissi riunioni quotidiane[1]. E parimenti si comprende come qualche anno dopo, suddividendosi nuovamente le competenze ai massimi livelli dell'amministrazione, si elevi un segretario a capo di fatto dell'amministrazione finanziaria, sovrapponendolo in qualche modo al presidente del Maestrato; e si trovi un Consiglio di grazia e giustizia che parimenti deprime le competenze del Senato di giustizia[2].

Così infine l'erezione nel 1626 della Consulta, che accentra ogni compito di governo[3], se formalmente permette di qualificare, come chi scrive ha fatto, il governo mantovano come governo di gabinetto con segretario di stato e collegi amministrativi, e quindi di ritrovare ancora una volta uno sviluppo conseguente delle forme di governo ed una loro notevole « modernità », l'erezione della consulta dicevo, se messa in rapporto con le contemporanee difficoltà dell'amministrazione locale, con l'apparire di funzionari in credito di annate di stipendio[4], col decadere dell'ordine nell'archivio, col regredire dei modi di organizzazione della cancelleria[5] ci appare però esser meno in relazione a tendenze modernizzanti interne all'amministrazione che ad esigenze difensive, per così dire, della stessa, tentativo di riassumere in uno stretto vertice il controllo e l'iniziativa d'una attività amministrativa sempre meno incisiva.

Allo stesso modo la tendenziale triennalizzazione delle cariche dell'amministrazione periferica, se ha il senso modernizzante di cui s'è detto, come il controllo imposto sull'operato degli stessi vicari e commissari, quando sia posta a confronto con le pressoché contemporanee « invenzioni » dei governatorati da un lato, con il concreto disordine in cui la stessa versa dall'altro, appare ben presto e largamente svuotata di tale senso.

[1] Salvo il venerdì destinato alla spedizione di cancelleria ed il sabato quando alcuni dei membri del Consiglio devono partecipare alla Signatura di giustizia, cfr. ordine di Ferdinando del 15-IV-1614, in ASMN A. G. b. 2060 e cfr. anche *ibid.*, b. 2045 bis ove altra redazione degli ordini sotto la data 11-4-1614.

[2] Su tutto questo processo, delineato con maggior ottimismo sulle magnifiche sorti dell'amministrazione mantovana per averne seguito essenzialmente lo sviluppo interno si veda di chi scrive il già cit. *Senato di Mantova* specie pp. 84-85. Gli ordini cui ci si riferisce implicitamente nel testo sono in data 18-VIII-1618 in ASMN A. G. b. 2045 bis.

[3] Cfr. loc. ult. cit. « Liber notariorum dominorum de Consilio » alla data 4-XI-1626.

[4] Cfr. il caso di uno stipendiato, in servizio da quarant'anni, che il 14-XII-1613 reclama lo stipendio arretrato d'un anno, in ASMN A. G. b. 3011 e cfr. anche in R. QUAZZA, *La diplomazia* cit., pp. 30-31, l'infittirsi in questo periodo dei reclami dei diplomatici gonzagheschi per i debiti che devono contrarre, a causa delle insufficienti dotazioni.

[5] Sull'archivio cfr. le citazioni di P. TORELLI nella *Introduzione* cit., p. XLI, ove si afferma che dopo il 1591 non si hanno notizie di nuovi provvedimenti organizzativi dell'archivio stesso, nel quale, ed è l'elemento più significativo, dal 1621 si arena la distinzione per paesi della corrispondenza interna. Sul regredire della cancelleria cfr. per tutti le sommarie indicazioni di R. QUAZZA, *La diplomazia* cit., p. 18. Sull'organizzazione delle procedure di cassa e la tenuta dei conti cfr. quanto risulta dagli ordini del 1-IV-1614 e 19-XII-1614 in ASMN A. G. b. 3122.

Non si tratta ovviamente di svalutare i mutamenti istituzionali fin ora accennati, di ridurli a mere apparenze, o sovrastrutture. Le trasformazioni statuali hanno inciso sull'assetto della società mantovana, ed ancora incideranno dopo il sacco, quando pure, ben più che nel periodo ora esaminato, esse saranno piegate ad interessi particolari, privatizzate come si dirà.

L'esperienza della violenza necessaria per superare in breve in Monferrato le forme signorili, e la contemporanea tranquillità del mantovano, mi pare costituiscano la prova migliore di tale rilevanza statuale. E altra riprova, solo ora, nei primi decenni del Seicento, si cominciano a trovare nobili conferrini nell'amministrazione gonzaghesca.

In definitiva, come pure si accennava, più che di irrilevanza delle strutture statuali occorre parlare di una forse insuperabile difficoltà, per il contesto generale e le dimensioni territoriali del mantovano, allo sviluppo in esso delle implicazioni « modernizzanti » proprie dell'esperienza dello « stato moderno » in quelle grandi monarchie europee che vengono prese come usuale paradigma di queste analisi.

Ché le vie per cui passa l'evoluzione del mantovano dal tardo Cinquecento non son quelle, diciamo per brevità, statuali. L'adattamento alle nuove condizioni di crisi economica, di marcata perifericità italiana, si attua per mezzo di una ristrutturazione in senso accentuatamente aristocratico, per mezzo di una ridiffusione, e di una ripresa di autonomia, dei poteri nella società, che nel Cinquecento abbiamo visto non tanto mancare quanto subordinarsi e connettersi alle esigenze statuali del sovrano. Esigenze statuali cui infatti egli è ora meno sensibile[1].

4. Vicende dinastiche e politiche

Il ducato di Vincenzo I

Si è seguito fin qui lo sviluppo interno della società e delle forme statuali mantovane, accennando solo di sfuggita alle vicende dinastiche ed ai condizionamenti esterni allo stato, alle vicende internazionali. Quando

[1] A vantaggio, come si diceva, di una riaffermazione della sua preminenza nella società che pur usando ed essendo condizionata dalla forma statuale tende a privilegiare anche in ciò gli aspetti tradizionali, direbbe Weber, della sovranità, come dimostra infine anche l'assenza pubblica della moglie di Guglielmo, che pure è di famiglia imperiale, — assenza tanto accentuata da stupire persino — cfr. V. Tron, *Relazione* cit., pp. 64-65 — e la valorizzazione per converso della duchessa una trentina d'anni più tardi con l'assegnazione ad essa di un ruolo pubblico, ed altamente tradizionale come quello della dispensatrice di grazie. A lei infatti si dovranno rivolgere le suppliche di grazia e davanti a lei si riunità il già ricordato Consiglio di grazia e giustizia. Cfr. l'ordine di Ferdinando del 30-VI-1625, in ASMN A. G. b. 2060.

Vincenzo sale al trono nel 1587, dei suoi due territori quello più interessante dal punto di vista internazionale è senz'altro il Monferrato, trovandosi sulla via che da Genova potrebbe condurre gli eserciti spagnoli in Fiandra. Ed a ciò si deve l'attenzione che al nuovo sovrano porgono Filippo II insignendolo del Toson d'oro nel 1588, — quando ha anche appena ricevuto dal Gonzaga un cospicuo prestito — come Enrico IV, a sostegno delle profferte d'amicizia del quale opera anche il duca di Gonzaga Nevers, vale a dire il maggiore rappresentante del ramo della famiglia trasferitosi in Francia.

Tuttavia durante il ducato di Vincenzo I non pare che la questione del Monferrato possa acutizzarsi. Anzi, pacificate le popolazioni monferrine, rafforzata militarmente Casale con la costruzione, dispendiosissima, della cittadella a fine Cinquecento, sposato nel 1608 il figlio primogenito Francesco con Margherita, figlia di Carlo Emanuele I, lo stesso Vincenzo può illudersi di averla risolta almeno in gran parte.

E, d'altro canto, il figlio di Guglielmo è tradizionalmente ricordato per ben altri motivi che non le vicende monferrine. Innanzitutto per le abitudini fastose e dispendiose — la corte ritorna sugli 800 uomini [1] — che provocano nonché l'esaurirsi delle ingenti riserve monetarie accumulate dal padre, il dissesto delle finanze ducali. Nel 1608, con entrate calcolate in circa 500.000 scudi annui, i debiti vengono fatti ascendere a circa 800.000 scudi [2].

Inoltre Vincenzo è ricordato per la sua smania di grandezza, che lo porta a muover passi concreti dietro al sogno di far valere addirittura le pretese già dei Paleologhi sul trono di Bisanzio [3].

Come nel caso delle spedizioni contro i turchi, che vedono per ben tre volte, nel 1596, nel 1597 e nel 1601, il duca con truppe mantovane avviarsi alla volta dell'Ungheria, non si tratta tuttavia di vicende interpretabili ricorrendo solo alle caratteristiche psicologiche di Vincenzo. La generale ripresa di tematiche feudali e cavalleresche che attraversa l'Europa, congiunta alle teorizzazioni controriformistiche di cui abbiamo già visto gli influssi parlando della vita interna dello stato mantovano, contribuisce a spiegare le iniziative del duca ed il suo atteggiamento, come la debolezza delle sue forze ne spiega il carattere tavolta ridicolo, accresciuto dal contrasto con i ben più modesti risultati internazionali della sua politica. Trascurando le vicende del Monferrato, i successi di Vincenzo si riducono sostanzialmente all'incameramento di Rodigo, di Rivalta (un paese che non dista più d'una decina di chilometri da Mantova) e più tardi di Castelgoffredo, pagato questo con la cessione di Medole, vale

[1] Cfr. F. MOROSINI, *Relazione* cit., p. 96.

[2] *Ibidem*.

[3] Cfr. in proposito G. CONIGLIO, *I Gonzaga* cit., pp. 391 sgg.

a dire di terre già in mano a rami minori dei Gonzaga, l'erosione dei cui possessi, già si accennava, costituiva ormai da tempo l'unica reale possibilità di sviluppo territoriale del ducato mantovano.

E ciò quando tale erosione fosse realizzabile per vie legali. Occupata Solferino, Vincenzo, di fronte all'ingiunzione imperiale di abbandonarla, non potrà far altro che obbedire, e malgrado le promesse francesi di soccorso si guarderà bene dal tentare con la Spagna la prova di forza della conquista di Sabbioneta, essendo d'altra parte incapace di venirne in possesso sborsando la somma pattuita negli accordi seguiti alla morte di Vespasiano Gonzaga, per la situazione in cui versano le sue finanze[1].

Con tutto ciò, a riprova della coerenza di Vincenzo con un modello di sovrano che ha, ancora una volta, esempi di molto maggior momento (si pensi ad un Filippo III di Spagna) a riprova cioè della non stravaganza in definitiva del suo comportamento, sta il giudizio dei contemporanei e dei suoi sudditi, volentieri affascinati, parrebbe, dalla sua figura. Poiché egli è « principe di spirito grande, di generosi pensieri e così largo nello spendere che sempre si trova in bisogno e necessità; affabile, benigno e clemente con i suoi sudditi, gli animi de' quali si ha conciliati talmente con questa umanità, che, se bene alcuna volta li aggrava più dell'ordinario, nondimeno sopportano il tutto volentieri per il particolare amore che gli portano »[2].

E derivi questa placidità dei sudditi dalla condizione malgrado tutto ancora non troppo cattiva del mantovano (specie di coloro presso i quali si era formata l'opinione dell'ambasciatore veneto), piuttosto che da una reale affezione al principe, resta comunque il fatto che mentre nei minuscoli domini dei rami minori si hanno rivolte popolari (ad esempio proprio a Medole da poco ceduta, rivolte però, si vorrebbe dire, proporzionate alle dimensioni dei domini, ché a Medole si spara in tutto un sol colpo d'archibugio) ed attentati ai principi[3], nulla di tutto ciò si verifica nel mantovano vero e proprio. Né con Vincenzo, né coi suoi immediati successori.

La rapida scomparsa del primo dei quali mette però a nudo la debolezza delle manovre puramente diplomatiche, ed inevitabilmente solo tali, con le quali Vincenzo I aveva tentato di assicurare la tranquillità dei suoi domini. Francesco, quinto duca e figlio primogenito di Vincenzo, marito di Margherita di Savoia da cui ha già avuto Ludovico e Maria, regna pochi

[1] Cfr. L. MAZZOLDI, *Mantova, la storia* cit., vol. III, cap. I.

[2] Cfr. F. MOROSINI, *Relazione* cit., p. 88; e cfr. anche P. GRITTI, *Relazione*, 1612, p. 120.

[3] Il fratello di S. Luigi Gonzaga, Rodolfo, già mandante dell'assassinio dello zio signore di Castelgoffredo, e signore a sua volta di Castiglione, viene ucciso nel 1593 dai sudditi. Quanto alla rivolta di Medole contro un aumento delle imposizioni fiscali vedi i fatti ricostruiti nella sentenza contro i capi, del 6-III-1620, a stampa in ASMN A. G. b. 3448.

mesi tra il febbraio ed il dicembre del 1612, quando un'epidemia di vaiolo lo uccide assieme al figlio ancor bambino.

Gli ultimi Gonzaga del ramo principale

La facile profezia secondo la quale il buon accordo e la rinuncia personalmente fatta tra il duca di Savoia e quello di Mantova in occasione delle nozze non avrebbe impedito, per la mancata attuazione delle clausole di permuta territoriale inserite nei patti matrimoniali, che rimanessero « tra li posteri di questi principi li medesimi semi di discordia e le antiche pretensioni » e che sarebbe stata stimata « invalida ogni rinunzia fatta a loro pregiudizio »[1], trova così rapida conferma. E tutta l'attività del nuovo duca Ferdinando (un altro dei figli di Vincenzo, destinato dapprima alla carriera ecclesiastica essendo già diventato cardinale) fino alla sua morte nel 1626 è dominata dalla questione del Monferrato, complicata anziché risolta dal matrimonio del defunto fratello e dall'esistenza per di più di una figlia di lui, Maria, contesa fra la madre Margherita, ritornata al principio del 1613 a Torino, ed i Gonzaga.

La prima campagna di Carlo Emanuele I nella primavera del 1613 in Monferrato trova anzi pretesto proprio in ciò, come l'accordo che la conclude nell'estate dello stesso anno grazie alla mediazione degli spagnoli. In cambio della restituzione della bambina alla madre Carlo Emanuele dovrebbe cedere nelle mani degli spagnoli le terre occupate nel Monferrato. Accordo nato morto, in realtà, per il nessun interesse delle due parti ad accettarlo davvero, essendo esso favorevole, come è facile capire, solo alla Spagna, intenzionata ad approfittare della situazione per installarsi nel paese.

Così le ostilità riprendono già nell'autunno, con gli spagnoli schierati a fianco dei Gonzaga, per giungere ad un altro trattato nel dicembre; dimenticato qualche mese più tardi allorché la lotta si riaccende per durare, intervallata da accordi subito smentiti, fino all'ottobre del 1617, quando Carlo Emanuele firma la pace di Pavia, che lascia ai Gonzaga il Monferrato. Lascia, è il caso di dire, poiché in realtà a contrastare il Savoia è la Spagna, nel quadro dei suoi interessi per i quali sarebbe deleterio il passaggio del Monferrato nelle mani di un sovrano antispagnolo come Carlo Emanuele, antispagnolo e volentieri filofrancese.

Strumentalità dello schierarsi spagnolo a fianco dei Gonzaga ben notata da Antonio Maria Vincenti, inviato veneziano a Mantova, allorché scrive che gli spagnoli tengono in allarme il Gonzaga « onde dall'un canto tentano col timore d'indurlo nelle negotiationi al loro desiderio, et dall'altro gli

[1] Così P. GRITTI, *Relazione* cit., p. 125.

destrugono lo stato, et lo consumano nelle spese »[1]. Ma strumentalità che rende altresì singolarmente inadeguato ogni progetto di soluzione che prescinda dal contesto europeo e dai rapporti di forza esistenti. Come quello sostenuto dallo stesso inviato veneziano per un nuovo matrimonio fra Gonzaga e Savoia, da cui dovrebbe nascere un'unione tra Venezia, Mantova e Savoia, « della quale se ne deve far gran capitale per la conservatione et diffesa de loro stati, in ogni evento che da altri fossero molestati, et per conservare questo resto d'Italia, che non pervenghi alle mani di stranieri »[2].

Ormai la « conservatione » del Monferrato ai Gonzaga e la sua « libertà » non avrebbero potuto che esser frutto di accordi europei, come quelli che concludono nel 1626 la lotta fra Spagna e Francia seguita alla crisi della Valtellina, obbligando di nuovo Carlo Emanuele a sgomberare i territori occupati in Monferrato nella ripresa delle operazioni belliche dei due anni precedenti. Come quelli, infine, che avrebbero ristabilito, dopo il sacco del 1630, la sovranità su Mantova e Monferrato, pur sminuito territorialmente, dei Gonzaga Nevers.

Perché la questione monferrina si intreccia e si complica in questi anni per il sorgere del problema della successione a Mantova.

Morto senza lasciar figli maschi Francesco, privi di discendenza legittima tanto Ferdinando (che aveva rinunciato alla porpora cardinalizia per sposarsi e tentar di dare una discendenza alla casa) quanto il fratello Vincenzo II che gli succede nel 1626, alla morte di questo l'anno seguente, si estingue il ramo principale dei Gonzaga.

I Gonzaga Nevers

Era una situazione ampiamente prevedibile già da qualche anno e che aveva visto perciò tanto la Francia quanto la Spagna schierarsi dietro i pretendenti maggiori: i Gonzaga Nevers da un lato, discendenti di Ludovico, il fratello di Guglielmo che sposando Enrichetta di Clèves aveva dato origine al ramo francese; i marchesi di Guastalla, discendenti di Ferrante Gonzaga, dall'altro.

La scelta di Ferdinando, di chiamare a corte Carlo di Rethel del ramo francese; il suo sposalizio poi, vicino al letto di morte di Vincenzo II, con Maria, la figlia di Francesco, ed il testamento dello stesso Vincenzo II, che dichiarava proprio erede e successore il padre di Carlo di Rethel, Carlo

[1] Cit. da lett. di A. M. Vincenti da Mantova del 1-VIII-1613 in ASVE Disp. amb. ven. al Senato, Mantova f. 3.

[2] Così A. M. Vincenti riferisce in un dispaccio al Senato del 13-IX-1613, il tenore d'una conversazione avuta con un inviato del granduca di Savoia a Mantova, in ASVE loc. ult. cit.

di Nevers, se formalmente davano una soluzione al problema della successione prima ancora che esso si aprisse effettivamente, avevano però un costo assai alto. Quello della ostilità spagnola ad una soluzione che, mentre poteva offrire alla Francia nuove opportunità d'intervento nella penisola, si prospettava perniciosa per gli interessi spagnoli medesimi, specie alla facile transitabilità del Monferrato. Interessi particolarmente vivi, non si dimentichi, proprio in questo periodo, per le necessità logistiche connesse alla guerra dei trent'anni ed al collegamento fra Asburgo d'Austria e di Spagna, soprattutto dopo che gli accordi del 1626 avevan posto le premesse per un ritorno della Valtellina — l'altro fondamentale corridoio fra i territori spagnoli e quelli imperiali — ai Grigioni.

Non meno strumentale d'altro canto era l'aiuto francese, inteso più ad ottener vantaggi per il Regno (il controllo di Casale, terre nei domini dei Savoia, magari, come Luigi XIII propone ad un certo momento, lo scambio del Monferrato con terre francesi) che a soccorrere Carlo di Nevers. E non diversamente tiepido è anche l'appoggio fornito a questo dalla Repubblica di Venezia, impegnata in una politica antispagnola e per ciò alleata al Nevers, ma riluttante a scontrarsi frontalmente con l'impero, tanto da limitare la propria azione militare, nella lotta che ben presto s'accende, ad atti solo difensivi [1].

Ma per tutto quanto si è detto la lotta stessa si concentra dapprima nel Monferrato, dove operano francesi spagnoli e sabaudi, e quando si estende a Mantova cambia addirittura di protagonisti, scontrandosi imperiali, mantovani e veneziani, ed ha fasi alterne connesse all'evolversi della situazione in Europa, in particolare alle possibilità ed esigenze della Francia (la cui passività in un primo momento è strettamente connessa all'impegno contro gli ugonotti di La Rochelle), della Spagna e dell'impero, che interviene dietro pressione spagnola dichiarando invalida la successione. Di conserva son ridotti a muoversi tanto Carlo Emanuele quanto Carlo di Nevers.

Dopo aver subìto un primo breve assedio nel 1629, Mantova, assediata nuovamente nel 1630 ed indebolita anche dal diffondersi della peste, è conquistata il 18 di luglio con un colpo di mano dall'esercito imperiale dell'Aldringher, saccheggiata per tre giorni, occupata e spremuta con il suo territorio fino al settembre dell'anno dopo.

[1] Poiché, secondo la valutazione dello Striggi della posizione veneziana dopo un suo incontro col doge per sollecitarne un'azione più vigorosa, da parte imperiale « con tutti gli argomenti possibili [si] procurava di far credere alla repubblica che l'imperatore aveva benigne intenzioni a suo riguardo e che se essa si fosse limitata alla difesa del Nevers "senza perder il rispetto a S.M. Cesarea con l'offesa", non sarebbe stata molestata nei suoi Stati » cit. da R. QUAZZA, *La guerra per la successione di Mantova e del Monferrato (1628-1631)*, 2 voll., Mantova 1926, vol. I, p. 488. L'opera di Quazza costituisce una guida minuziosa e fondamentale per la storia politica di questo periodo.

La riduzione a seimila abitanti « gialli e sparuti » della città, a ventiquattromila del contado « per la dissipazione degli animali per la maggior parte inculto » (ed erano, come si ricorderà, poco meno rispettivamente di trentamila e di novantamila[1]) testimonia della eccezionale durezza del momento, che comporta anche sul piano economico e sociale una accelerazione decisiva del processo di decadenza in atto, e tale da segnarlo specificamente, con conseguenze di lunghissimo periodo, rispetto a quello generale dei territori circostanti.

Ancora quarant'anni dopo, se il contado è risalito a circa settantottomilacinquecento abitanti, la città ne conta tuttavia poco più di diciassettemila (ed un secolo dopo, in una situazione assai mutata però, oscillerà intorno ai venticinquemila)[2].

Accelerazione decisiva, s'è detto, ma di un processo già in corso. Come appare chiaro anche sul piano delle vicende strettamente politiche, dove in definitiva anche un'eventuale vittoria militare avrebbe comportato conseguenze non troppo diverse da quelle della sconfitta (sul piano politico il Nevers vince: non lo si dimentichi). A Casale, la cui cittadella non capitolerà mai, fin dalle prime fasi del conflitto si insediano truppe francesi, a Mantova veneziane. E solo perché assistito economicamente e militarmente dal re di Francia il duca Carlo può mantenere dopo la guerra un conveniente presidio a Casale, mentre sono veneziani gli armati che, acquartierati in città, fino al 1662 garantiscono la difesa di Mantova; traendosi da loro addirittura la guardia del duca, almeno nei primi anni dopo il sacco.

E persino l'ambasciatore veneziano, riflettendo nel 1632 sulla « grave ed insofferibile dipendenza » del ducato dagli spagnoli sotto gli ultimi Gonzaga del ramo principale, non può non soggiungere: « è vero che, avendo convenuto Sua Altezza... appoggiar tutta la diffesa de' suoi Stati in Italia alla Francia ed alla serenissima repubblica, parerebbe ch'egli si fosse involto fra nodi di non inferiori dipendenze »[3]. Che poi egli rigetti questa riflessione ha poca importanza. Il trattato di Cherasco con cui si conclude nel 1631 la guerra di successione di Mantova e che sancisce formalmente

[1] La cifra di 6.000 è contenuta in una supplica all'imperatore del marzo 1631 cit. in L. Mazzoldi, *Mantova, la storia* cit., vol. III, cap. II, n. 204. Ivi anche sulla scorta del D'Arco la testimonianza sopra citata di Fulvio Testi sull'aspetto dei cittadini. La cifra di 24.000, per la precisione 24.250, è data dalla tabella già cit. di M.A. Romani, *Considerazioni* cit., p. 113, ove per il 1632 si riporta anche un numero di 8.015 cittadini. L'osservazione sulle condizioni del contado in N. Dolfin, *Relazione* al Senato del 1632 in *Relazioni* cit., p. 175. Lo stesso accenna agli « incendi delle ville intere » ed alla scomparsa di quasi ogni attività commerciale nella città. In particolare sull'epidemia cfr. ora G. Schizzerotto, A. Zanca, R. Signorini, *Mantova 1630 fra guerra e peste. Alessandro Manzoni e la cultura mantovana*, Biblioteca Comunale, Mantova 1973.

[2] Cfr. ancora M. A. Romani, *Considerazioni* cit., p. 113.

[3] Cfr. N. Dolfin, *Relazione* cit., p. 180.

la vittoria diplomatica del Gonzaga Nevers, cui viene concessa l'investitura imperiale, e perciò anche la restituzione del possesso dei propri stati ed il ritiro dal mantovano delle truppe imperiali, illustra proprio questa situazione. Sono le esigenze del vero vincitore, la Francia (favorita anche dal cattivo andamento della lotta dell'imperatore al nord) a dettar le clausole della pace e la condizione fatta al dominio gonzaghesco. In particolare le clausole più onerose, il passaggio di Alba e di una cospicua parte del Monferrato al Savoia, ufficialmente in cambio della sua rinuncia ai diritti pretesi sul Monferrato, costituiscono in realtà piuttosto il corrispettivo per il nuovo duca Vittorio Amedeo della perdita di Pinerolo — che passa sotto il controllo della Francia, la quale presidiando poi nei fatti Casale si apre una testa di ponte in Italia e può minacciare direttamente i domini spagnoli nella penisola — e del passaggio del Savoia nella sfera d'influenza francese[1]. Ormai lo stato gonzaghesco è considerato come una sorta di stato vassallo e la stessa rassegnazione con cui a Mantova si accolgono le clausole del trattato, se pur non manchino le proteste formali intese a mantenere aperta almeno sul piano diplomatico la questione, denotano come tale situazione si imponga allo stesso duca.

La fama di indipendenza di cui, malgrado tutto, riusciva a godere ancora con Vincenzo I la casa Gonzaga, è ormai un ricordo. Le pensioni che questi aveva sempre rifiutato ora non solo sono accettate ma quasi nemmeno possono essere respinte; quando Margherita di Savoia, ritornata accanto alla figlia Maria a Mantova dopo il sacco, rifiuta quella offertale dai francesi, la cosa provoca dissapori a corte e problemi diplomatici[2].

Stato vassallo quello mantovano, e sovrano vassallo Carlo di Nevers. La riprova più evidente di ciò si ha nel 1635. Nonostante i sacrifici che la politica francese gli ha imposto in Monferrato, e le ambiguità almeno dell'atteggiamento dei negoziatori francesi a Cherasco nei suoi confronti in rapporto al Savoia, nonostante le disastrose condizioni dei suoi stati, nonostante che la sua adesione non possa esser più d'una formalità, per l'impossibilità a predisporre le truppe richieste, Carlo non può rifiutarsi, in quell'anno, di aderire alla nuova lega antispagnola suscitata dalla Francia in Italia[3].

[1] E sono invece le esigenze della Spagna ad imporre al Gonzaga Nevers, come corrispettivo della rinuncia del ramo dei Gonzaga di Guastalla alle pretese sul mantovano, la cessione a questi ultimi di Reggiolo.

[2] Per l'evidente significato filospagnolo che assume tale rifiuto, cfr. per un cenno alla questione R. QUAZZA, *Margherita di Savoia duchessa di Mantova e viceregina del Portogallo 1589-1655*, Torino 1930, p. 187 e più estesamente N. DOLFIN, *Relazione* cit., p. 184. Margherita proprio per il suo atteggiamento dovrà abbandonare nel 1633 il ducato su esplicita richiesta del re di Francia, cfr. L. MAZZOLDI, *Mantova, la storia* cit., vol. III, p. 148.

[3] L'adesione come pura formalità è sottolineata da L. MAZZOLDI, *Mantova, la storia* cit., vol. III, p. 149, e pura formalità resta anche sul piano effettuale.

Capitolo VII. **Gli ultimi settant'anni del ducato indipendente**

1. Vicende politiche

Questa condizione ereditano i successori di Carlo di Nevers alla sua morte nel 1637. E malgrado manchino ancora settant'anni alla fine della dinastia e della indipendenza formale del mantovano, la situazione del dominio gonzaghesco è destinata in questo lungo periodo a non più mutare. E poiché anche dal punto di vista della evoluzione della società mantovana il periodo che va dal sacco alla devoluzione del ducato si può considerare unitariamente, è opportuno proseguire sul filo delle considerazioni fin qui svolte l'esame delle vicende più strettamente diplomatiche e dinastiche del ducato.

Tra Francia, Spagna e Impero

I figli di Carlo di Nevers essendo premorti al padre, successore al trono si trova ad esser il nipote di questo, Carlo, ancor bambino nel 1637 e figlio di Carlo di Rethel e di Maria Gonzaga.

Al suo posto e per dieci anni il ducato è governato dalla madre, la quale tenta un recupero d'autonomia manovrando tra Francia, Spagna ed Impero, vuoi nella speranza di poter così rimettere in discussione gli accordi di Cherasco — è questo il periodo in cui, nella crisi dei Savoia, è più forte la loro dipendenza dalla Francia — vuoi per tutelar meglio la successione del figlio, sulla cui salute vengono sparse voci allarmistiche e la scomparsa del quale riproporrebbe la questione della successione a Mantova[1]. Di

[1] Ed infatti i Gonzaga di Guastalla si muovono contemporaneamente per assicurarsi l'appoggio della Spagna in caso di morte del giovanissimo duca, cfr. G. Coniglio, *I Gonzaga* cit., p. 457, e sulle preoccupazioni materne vedi il vivace racconto che ne fa nel 1638 Alvise Molin, cfr. A. Molin, *Relazione* al Senato del 1638, in *Relazioni* cit., p. 201 sgg.

fatto lo sganciamento dalla politica francese, perseguita fin dall'indomani della morte del duca con l'allontanamento dei suoi collaboratori più francofili, se porta ad alcuni risultati di prestigio — nel 1649 il matrimonio del figlio Carlo con Isabella Clara della casa imperiale austriaca e due anni più tardi quello della figlia Eleonora con l'imperatore Ferdinando III, che eleva per la seconda volta una Gonzaga al rango di imperatrice — non annulla la dipendenza del ducato dalle maggiori potenze del tempo.

Per sloggiare il presidio francese da Casale la reggente Maria non può che accordarsi segretamente con gli spagnoli e preveder l'ingresso nella cittadella d'un loro contingente. Tentato una prima volta per via di congiura[1] ed una seconda militarmente, il progetto fallisce ma lascia il Monferrato in completa balia degli eserciti francese e spagnolo, svuotando di contenuto la sovranità gonzaghesca sulla provincia.

Secondo gli stessi intendimenti si muove tra il 1647, quando raggiunge la maggior età, ed il 1665, data della morte, Carlo II. Tanto più che la Fronda e la guerra dei principi, immobilizzando nei suoi primi anni di governo la Francia, gli offrono l'occasione di recuperare almeno il controllo del Monferrato e di Casale, dove grazie all'aiuto di truppe spagnole quelle mantovane posson rientrare nel 1652. Naturalmente il presidio della cittadella, affidato a truppe gonzaghesche, sarà pagato con denaro spagnolo ed imperiale.

Né maggiori risultati avrà, alla ripresa della lotta franco-spagnola in Italia, la partecipazione alle operazioni militari (non però fino al loro termine) del duca, gratificato sì del titolo di generalissimo cesareo — che gli sarà d'altra parte tolto dopo la morte di Ferdinando III, vale a dire del cognato imperatore, anche per il suo ritorno alla neutralità — ma le cui aspettative vengon del tutto deluse dalla pace dei Pirenei (1659), che conferma per quanto riguarda Mantova ed il Monferrato l'assetto stabilito dalla pace di Vestfalia, a sua volta riconfermante quello di Cherasco.

Conseguenza infine della sua politica filoasburgica, e delle necessità finanziarie, la vendita dei suoi beni francesi ed il ritiro nel 1662 delle truppe veneziane da trent'anni a Mantova, truppe la cui presenza è ormai superflua specie dopo la sistemazione generale che all'assetto europeo sembra dare la già ricordata pace dei Pirenei.

[1] Ché ufficialmente non è cambiato nulla dal 1631, tant'è vero che la congiura viene scoperta dal gran cancelliere del Monferrato, vale a dire da un funzionario gonzaghesco, ma filofrancese, ed al quale la principessa Maria non può rimproverare nulla; cfr. su queste vicende L. Mazzoldi, *Mantova, la storia* cit., vol. III, pp. 150 sgg.

L'ultimo duca

Proprio la tranquillità da tale pace assicurata all'Italia permette all'ultimo duca Ferdinando Carlo, regnante dal 1665 al 1707, nei primi quattro anni sotto la tutela materna, di ottenere non solo la restituzione di Reggiolo e Luzzara, che i Gonzaga di Guastalla avevano occupato dopo il sacco e non più restituito malgrado ogni patto, ma, imparentandosi con la figlia primogenita dell'ultimo duca di Guastalla, di annettere alla morte di questo nel 1678 l'intero suo ducato. Ma in verità la vicenda mantovana va rinchiudendosi sempre più su se stessa. Per le solite necessità finanziarie, dovute, come nel caso del padre e più ancora, alle spese di lusso e divertimenti, Ferdinando Carlo avvia trattative con la Francia per la cessione del controllo di Casale e della sua cittadella, cessione che deve figurare tuttavia come frutto d'una azione di forza; e come tale, in apparenza, si compie nel 1681. Ma persino l'Amadei, il cronista mantovano già ricordato che fu anche segretario di Ferdinando Carlo, sempre attento ad evitare tutto ciò che può mettere in cattiva luce i Gonzaga, non può non ricordare, pur astenendosi da ogni giudizio personale, che vi fu chi per ciò biasimò il duca « supponendolo reo d'intelligenza co' Francesi »[1]. E, d'altra parte, come ricorda Mazzoldi, proprio per questa operazione Venezia priva il duca « in segno di supremo disprezzo, degli onori spettanti al suo rango »[2]. Operazione che segna alla lunga per di più la sorte stessa della cittadella di Casale. Nel 1695, per un accordo segreto tra i francesi e Vittorio Amedeo II, comandante delle truppe dell'impero in guerra con la Francia, i primi acconsentono a cedere Casale, su cui può quindi tornare la piena sovranità mantovana, dopo averne distrutto le fortificazioni, ed eliminata perciò ogni rilevanza politico-militare.

Non meno effimeri si erano rivelati i vantaggi del matrimonio di Ferdinando Carlo con la figlia del duca di Guastalla. L'imperatore nel 1692, su ricorso di Vincenzo Gonzaga, marito di un'altra figlia dell'ultimo duca, aveva assegnato a questo la sovranità sullo stato del defunto suocero. Sovranità che gli sarebbe stata confermata nel 1699 a conclusione di una nuova causa originata da un controricorso di Ferdinando Carlo; cui sarebbe andato invece nel 1703, al momento dell'estinzione di un altro dei rami della famiglia Gonzaga, il ducato di Bozzolo.

Ma a questa data la scelta di schierarsi nella guerra di successione spagnola, apertasi sul finire del 1700, contro l'imperatore ed a fianco dei

[1] Cfr. F. Amadei, *Cronaca* cit., vol. IV, p. 51.
[2] Così L. Mazzoldi, *Mantova, la storia* cit., vol. III, p. 161.

francesi e di Filippo di Borbone ha già segnato le ultime sorti dell'intero ducato mantovano.

La vittoria degli imperiali in Italia congiunta alla mancanza di eredi di Ferdinando Carlo, tanto dalla prima moglie che dalla seconda, Susanna Enrichetta di Lorena, fan sì che, accusato di fellonia il duca per aver combattuto contro l'imperatore, e dichiarato decaduto dalla dieta di Ratisbona il 30-VI-1708, il ducato venga annesso all'impero. Ferdinando Carlo, che aveva già abbandonato Mantova nel 1707, moriva a Padova cinque giorni più tardi senza conoscere ancora la notizia.

Assieme al mantovano passava all'impero anche il ducato di Milano. E perciò ancora una volta, al di là delle vicende interne e dell'inettitudine del duca, quel che prevaleva a determinare le vicende mantovane erano gli equilibri internazionali. Nel momento del tracollo spagnolo, e dell'accentuata decadenza veneziana, le linee di forza che avevan disegnato fra Quattro e Cinquecento la situazione geopolitica dell'Italia settentrionale venivano cancellate, mentre iniziava a disegnarsi un diverso assetto regionale, riflesso d'una rinnovata presenza e potenza asburgica in Europa, che avrebbe determinato le vicende mantovane fino al 1866.

2. Vicende sociali

Ma se sul piano politico l'ingresso della provincia mantovana nel regno d'Italia avrebbe cancellato le ultime tracce della sua storia particolare durante l'età moderna, il peso di questa avrebbe continuato a risentirsi sotto altri profili ancora nei decenni seguenti, fino a sfiorare, quantomeno, il Novecento. Ed in particolare si sarebbe risentito il peso dei mutamenti sociali che, avviati nei primi tre decenni del Seicento, sarebbero stati eccezionalmente intensificati, come già si diceva, dalla crisi conseguente alla guerra, alla peste, al sacco, all'occupazione militare che tutti assieme tra il 1628 ed il 1631 erano stati inflitti al mantovano.

Il deperimento dello stato e la sua utilizzazione particolaristica

Certo « è indubbio che i piccoli ducati padani [nel Seicento] sono sempre più isolati dalle grandi correnti di traffico internazionale, che la crisi di questi stati si fa sempre più profonda, che queste economie, mentre divengono sempre meno competitive, tendono sempre più a rinchiudersi in se stesse nel vano tentativo di sopravvivere a un destino che appare già inesorabilmente segnato » [1], ma altrettanto indubbia è la particolarità del-

[1] Cfr. M. A. ROMANI, *Considerazioni* cit., pp. 117, 118.

la vicenda mantovana. Per la quale, seguendo la trascrizione medievale di Aristotele — sicuramente familiare ai mantovani che seguissero allora i corsi di teologia tenuti dai gesuiti, gli unici ad esser ripresi, dopo il sacco, fra quelli avviati con la nuova università, il « Pacifico Ginnasio Mantovano » nel 1625 [1] — potremmo dire « corruptio optimi pessima ».

Per la rilevanza della struttura statuale, costruita lungo tutta l'età moderna, nella organizzazione della società mantovana accade infatti che di fronte alla progressiva e sempre più ampia ed accentuata perdita di autorità del duca non vi sia il mero scadimento dell'attività amministrativa e politica interna, bensì piuttosto la sua utilizzazione a fini particolari da parte di chi nell'amministrazione e nel governo è insediato. Utilizzazione cui è correlativo poi tanto l'endemico manifestarsi di conflitti di competenza tra i diversi uffici e giusdicenti, quanto, proprio per ciò, la continuamente rinnovata necessità di stabilire norme, e criteri generali, che lungi dal costituire momenti di modernizzazione-burocratizzazione segnano soltanto l'estendersi e l'infittirsi, come d'altra parte già Galasso osservava in generale per tutta la penisola in questo periodo, della trama dei privilegi [2].

Così la accentuata omogeneità degli stipendi ufficiali entro la cancelleria, così l'esplicito parlar di promozioni [3], così il riferimento all'anzianità, cui corrispondono infatti l'altrettanto esplicito riconoscimento di prassi clientelari [4], di abusi e prepotenze [5].

[1] Sull'università di Mantova cfr. da ultimo M. Ardenghi, *Per la storia dell'Università di Mantova*, in « Civiltà mantovana », VI, 1972, pp. 209-216, ma cfr. anche per i precedenti soprattutto S. Davari, *Notizie storiche intorno allo studio pubblico ed ai maestri del secolo XV e XVI che tennero scuole in Mantova, tratti dall'archivio Gonzaga di Mantova*, Mantova 1876.

[2] Cfr. G. Galasso, *Potere e istituzioni in Italia dalla caduta dell'impero romano ad oggi*, Einaudi, Torino 1974, 2ª ed., p. 133.

[3] Per l'omogeneità degli stipendi, cfr. ad esempio l'elenco di scalcheria del 1680 circa, in ASMN A. G. b. 3122. Per l'implicito parlare di promozioni cfr. ad esempio in ASMN A. G. b. 2063 ordine 13-I-1690 « essendosi il Ser.mo Padrone benignamente degnato di avanzare il Sig. Conte Camillo Balliani suo Gentilhuomo di Camara al Grado di suo Inviato alla corte di S.M. Cristianissima ... ».

[4] Assumendosi due nuovi cancellieri ad esempio si fa riferimento esplicito al fatto che son « figli di » due persone che risultano da altre fonti esser già nell'amministrazione, cfr. doc. in data 19-XII-1676, in ASMN A. G. b. 3014. Ancor più interessante quanto risulta dalla disposizione del 2-XI-1701, in ASMN A. G. b. 3013 a proposito della pretesa che il godimento degli onorari di cancelleria competa alla famiglia del funzionario ducale, che ne ha goduto, anche dopo la sua morte. Il che, si dice, provoca un « danno notabile » a chi presentemente ne gode » per esser ormai quasi ogni Casa per la moltiplicità dei già stati nostri Ministri o Segretari in tale pretensione ». Si limita perciò il diritto al godimento alle sole famiglie che abbiano un funzionario vivente.

[5] Nel 1705 ad esempio la creazione di nuovi consigli di giustizia, finanza e stato è motivata dal desiderio di impedire arbitri individuali; cfr. ordine del 19-V-1705, in ASMN A. G. b. 2060. Ivi cfr. anche un altro ordine ducale del 27-V-1688 a proposito dei ministri che cercano di evitare la collegialità delle decisioni. Quali poi fossero le opportunità offerte

Già sotto Ferdinando alcuni ordini prescriventi « che non si dia fuori della Cancelleria supplica alcuna, quale non sia prima sottoscritta per nome e cognome di chi l'ha scritta. Commandando di più ai SS.ri suoi ministri che nell'avvenire non debbano pigliar memoriali da chi si sia, quali non habbino la soddetta sottoscrizione di chi l'averà scritta » ed intimanti la nullità per l'avvenire dei decreti di grazia, d'esenzione o d'altre particolarità firmati dal duca « quando non habbiano il sommario a piedi d'esso fatto dalla Cancelleria » o non concordino decreto e sommario [1], fanno intravvedere come causa del rigore formale un disinvolto uso delle carte della cancelleria — e della firma del duca —. Ma la situazione di questo periodo deve sembrare ancora buona a chi nel 1646 regolamenta la pratica dei capi d'ufficio e dei ministri di far commissioni ducali (cioè in nome della duchessa), proponendosi di impedirne l'allargamento col richiamare l'uso del 1614-1628 [2]. E però la stessa situazione di metà Seicento sarà sembrata addirittura ottima a Ferdinando Carlo, il quale nel 1703 emana un ordine a stampa lamentando di saper come sia « prevertito l'ordine delle Commissioni, Rilascj graziosi, Liberanze di affittamenti d'Impresa, ed altri Recapiti appartenenti a qualunque affare di Stato, ed Azienda Nostra, come al privato interesse de Nostri Sudditi, per il che li Nostri Ministri alle occorrenze rimangono alla cieca per non esserne in Cancelleria li dovuti Registri, e passate tali spedizioni per semplici Polizze, o Lettere ». Ordina quindi si riprenda il costume dei suoi predecessori, confermato « da Noi ancora con un'altra Commissione dei 22 Novembre 1698 ed altre firmate da Noi li 23 Giugno 1702 », inoltre stabilisce che i sigilli ducali siano custoditi « sotto chiave » dal segretario alla cancelleria, che lo stesso non lasci arrivar alla sua firma « Patenti, Decreti, Mandati, Commissioni, e qualunque sorte di Spedizione » senza averle vagliate affinché siano concepite « nelle forme proprie, e dovute alla nostra Dignità » e scritte di mano « de nostri Cancellieri », ed ancora « che li Ministri Nostri, e Segretarj di Stati avertischino di non scrivere lettere per possesso de Governatori, Giusdicenti, Notari, ed altri dello Stato, come per qualunque altra sorte d'Uffizj, e Cariche, se prima non faranno vedere loro le Patenti, opportunamente spedite, e firmate da Noi, per cui vengano dichiarati tali », aggiungendo che i giusdicenti debbono far rinnovare le loro patenti ogni biennio, accadendo per di più che le spedizioni di patenti, grazie, decreti, concessio-

da un posto a corte o nell'amministrazione lo sperimenta ad esempio la confraternita del SS. Sacramento della cattedrale di Mantova che constata esser di fatto inesigibili i suoi livelli per esserne debitori « persone Curiali », tanto della cancelleria che della scalcheria che infine della guardia. Cfr. supplica al duca della compagnia del 9-VI-1684, in ASMN A. G. b. 3362.

[1] In ASMN A. G. b. 3013 ordini del 2-VII-1620 e 30-VI-1624.

[2] Cfr. l'ordine ducale del 9-VI-1646, in ASMN A. G. b. 2060.

ni, « rimanghino eternate in Cancelleria », non curando chi le ha ricevute di ritirarle (e pagar le dovute tasse)[1].

Piaga antica questa, peraltro, e ricorrente, lamentata nel 1631[2] in un momento eccezionale, ma di cui poi si trovan tracce lungo tutto il secolo: una volta ad esempio sono dei freschi titolati che non si curano di ritirare le spedizioni dei titoli loro concessi, un'altra sono « molti » i giusdicenti che fanno altrettanto per le conferme delle loro funzioni, o nemmeno si curan di richiederle[3], e così via.

Perché, certo, siamo nel 1703 ormai agli ultimi giorni d'un ducato e d'un duca ai quali sono ormai in pochi a credere, come si vedrà. Ma questo sfuggir dalle mani di Ferdinando Carlo fin dei sigilli, nonché del controllo sul lavoro di cancelleria, con quel che rivela di traffici, collusioni, e spregio del sovrano entro l'amministrazione, non fa altro che render del tutto palese l'occupazione delle funzioni pubbliche da parte dei singoli, ed il decadere di quegli aspetti dell'autorità statuale che a tale occupazione sono indifferenti, e che trova la sua origine più lontana nel rovesciamento dei rapporti fra principe e aristocrazia del periodo precedente il sacco, e quale si è andato poi via via consolidando nel resto del Seicento.

Soprattutto, bisogna dire, nella seconda metà. Fino ad allora, se pur duchi e reggenti siano costretti a mediare ed arbitrare, più che guidare, le spinte dei diversi gruppi ed interessi, come appare chiaro nelle norme che sull'attività giudiziaria emana la principessa Maria nel 1642[4] o come parimenti risulta dalla distribuzione delle risorse fiscali[5], essi costituiscono il punto di riferimento sul quale si orienta, bene o male, l'apparato statale, e sono in grado di prender decisioni. Al 1646 si può datare l'ultima riorganizzazione d'una certa importanza dell'amministrazione centrale[6], di pochi anni prima eran stati gli ordini sull'amministrazione giudiziaria di cui s'è detto, ed infine, testimonianza decisiva d'una non del tutto perduta capacità di governo con Maria si arriva anche al risanamento della moneta[7].

[1] Così ordine ducale del 6-III-1703, in ASMN A. G. b. 3013.
[2] *Ibid.*, ordine 8-II-1631.
[3] Cfr. rispettivamente doc. in data 24-II-1659 e 12-I-1664, in ASMN A. G. b. 3569.
[4] Cfr. di chi scrive *Il Senato di Mantova* cit., p. 87.
[5] Per pagare i cortigiani, secondo una prassi ignota, o molto ridotta, al principio del secolo: cfr. il caso del maestro di ballo Claudio Cranzi che ottiene prima una pensione vitalizia sulle rendite della ducal massarola e poi, essendo queste cessate, sull'imbottato di Canneto, ma soddisfatti prima gli altri che su questo già godono assegni. La questione, che interessa gli anni 1636-1647, in ASMN A. G. b. 3011 ove anche casi di vendita o permuta degli uffici.
[6] Cfr. in ASMN A. G. b. 3013 ordine 17-VIII-1646.
[7] Cfr. M. A. ROMANI, *Considerazioni* cit., p. 106.

Impotenza ducale e mutamenti nella gerarchia sociale

Dopo la metà del secolo, e soprattutto negli ultimi trent'anni d'esso, mentre si affacciano sulla scena duchi come Carlo II o Ferdinando Carlo, pressoché privi, come pare, di capacità personali di governo, decade anche la funzione per così dire arbitrale delle forze in campo, siano esse rappresentate da due impiegati in lotta per una promozione, o da corporazioni e gruppi sociali rappresentanti di tensioni e sommovimenti ben altrimenti profondi e diffusi nella società mantovana. Nel 1673, quando muore il primo cancelliere Aldrovandi, che ricopriva la carica almeno dal 1652 [1] pretendendo due cancellieri di avere entrambi la maggiore anzianità e titolo dunque a ricoprir la carica vacante, la salomonica, ed impotente, decisione ducale, del duca e dei capi dell'amministrazione, giustificata con il desiderio che nella cancelleria « si camini con ogni maggior pace e quiete » è di attribuire ad ambedue prerogative e titolo di primo cancelliere; le funzioni poi le svolgeranno due mesi per ciascuno!

Per cinquant'anni, e senza trovar soluzione, si protrae la questione della distinzione nelle processioni dell'Ascensione di speziali e formaggiai. Proposta una prima volta nel 1657, essa è ancora agitata nel 1700, quando il 6 maggio priore e consiglieri degli speziali [2] chiedon d'esser distinti, come avviene in tutte le altre città, sottolineano, dai formaggiai che camminano sotto il loro stesso stendardo, mentre l'arte degli speziali è « senza comparazione più nobile ». Il timore, evocato dagli stessi formaggiai, che l'eventuale distinzione delle due professioni moltiplichi le richieste di mutamenti e porti ad un generale sconvolgimento dell'ordine già simbolico ed ora solo apparente delle arti nella processione, impedisce ogni decisione all'amministrazione ducale [3] incapace, per quanto si è detto della sua privatizzazione, di proporre, od anche solo registrare, il diverso ordine che si è venuto instaurando nella società e dunque d'accettare le alterazioni dei rapporti tradizionali, quegli stessi che cura di classificare e tutelare, per fini particolaristici, entro la stessa struttura amministrativa.

Ma dietro questa impotenza, dietro la scelta di non decidere, di affidarsi

[1] Cfr. l'elenco dei membri della Cancelleria dell'anno 1652, in ASMN A. G. b. 3014 ed ivi la lettera ducale del 26-IV-1673 cui si fa riferimento sotto.

[2] Titoli ottenuti dopo una supplica del 1681 in cui si osservava che negli altri collegi si erano abbandonati i titoli di Massaro (e preposti) per quelli di Priore (e consiglieri) « il che pare hoggi di che tutte le cose s'attende al moderno d'assai più decoro e titolo con che se accredita la proffessione ». Cfr. supplica del 7-II-1681, in ASMN A. G. b. 3106 ove tutta la documentazione sulla questione delle precedenze e distinzioni nelle cerimonie religiose.

[3] Cfr. *Ibid.*, relazione del Maestrato del 29-X-1700. Nel 1657 si era arrivati ad una soluzione di compromesso: speziali e formaggiai avrebbero sfilato dietro un unico palio ma offrendo due ceri distinti.

ad un ordine che è ormai, anche fuor delle processioni, solo apparente per tanti versi, dietro, e grazie, al profondo deperire del ruolo organizzativo ed arbitrale del principe, la società mantovana muta. Alla decadenza statuale si accompagna una dislocazione delle strutture sociali, e delle stesse risorse economiche, d'ampio rilievo.

Dislocazione che può essere, come nel caso del conflitto tra speziali e formaggiai, o nell'altro che oppone commissari ducali e giureconsulti cittadini, riflesso anche di mutamenti generali: il nuovo atteggiamento scientifico della medicina che coinvolge gli speziali e ne muta funzione e ruolo sociale attraendoli verso le professioni intellettuali e distaccandoli dalla comune matrice con i formaggiai, rimasti meri venditori e manipolatori « pratici » della materia, nel primo caso; nel secondo, il mutare dell'uso del diritto, che per la crisi di capacità organizzativa dello stato, va riducendosi soprattutto alle funzioni « civili », quelle appunto che erano state affidate anche ai giureconsulti collegiati, e che ora i giusdicenti rivendicano, in proporzione al diminuire delle funzioni e dell'autorità politica di rappresentanti del principe che dapprima avevan contribuito a caratterizzarne l'operato [1].

Ma dislocazione, per tornare a quanto si diceva, che pur essendo riflesso di specifici o generali mutamenti, a Mantova, per la peculiare situazione del ducato, acquista particolare rilievo.

Così le trasformazioni nell'uso del diritto, se paiono minacciare il collegio dei giureconsulti per motivi certo non locali, favoriscono, nel caso specifico, un visibile svilimento dello stesso collegio, insidiato dai giusdicenti ducali, ma anche da patrocinatori abusivi [2], infine dallo stesso principe che vediamo ammettere il marchese Giulio Cesare Palpiera sebbene sia dottorato da persona privilegiata, e dunque non laureato presso una università, e ciò per gratificare la memoria del padre di lui [3].

E, d'altra parte, è tutta l'amministrazione della giustizia che particolarmente decade e si consuma in lotte fra i diversi organi ad essa interessati.

Al presidente del Senato, che lamenta l'« ostinata et universale inubbidienza a mansalva praticata da tutti li Giusdicenti dello Stato » persuasi di

[1] Scrive il duca che i giureconsulti collegiati lamentano il fatto che alcuni Commissari dello stato si arrogano la facoltà « benché la loro sia ristretta al giudicare intorno cose di poco momento, d'interporre l'autorità e Decreto alla celebrazione di molti Instromenti di Contratti, quasi contratti e obbligazioni », mentre la competenza per ciò spetta al priore del collegio. Competenze che questo naturalmente ha voluto richiamate « ad effetto — come si diceva — non si confondano le Giurisdizioni » cfr. lett. ducale del 20-II-1676 in ASMN A. G. b. 3580. Più in generale vedi il già cit. *Senato di Mantova, passim.*

[2] Cfr. l'ordine contro questi — non si può patrocinare se non si è del collegio — del 1-II-1672 in ASMN A. G. b. 3580.

[3] Nota del conte Romualdo Vialardi, segretario di stato, del 26-IX-1676, in ASMN A. G. b. 3580.

« esser stati perpetuamente infeudati delle Giurisdizioni » e che non tengono in conto l'autorità del Senato di cui nemmeno eseguono gli ordini, fa eco il giusdicente di Gonzaga, per il quale « il Senato... solo attende alla riscossa de' suoi assegni sforzando il Comune a pagamenti » fuor del tempo e « posterga le cause de' Rustici prevalendo la Nobiltà » [1].

Ma entrambi lamentano poi, usiamo le parole di Gobio, « le tante e fra loro contrarie commissioni e rescritti che tutto dì escono dalla Cancelleria » ducale e che, dice il commissario di Gonzaga, « servono a render li di lei [del duca] servitori... schiavi » di coloro che le possono ottenere. Ed è qui di nuovo l'intera struttura amministrativa che viene chiamata in causa, e che per parte sua rimprovera come si è visto ai giusdicenti di non curarsi d'ottenere i decreti di nomina ed ai senatori di non riunirsi o di lasciarsi corrompere.

In questa situazione si comprende come il titolo nobiliare, per la presunzione d'autorevolezza e potere che gli si collega, sia particolarmente pregiato e ricercato, la condizione nobiliare riconosciuta costituendo comunque, nel venir meno di una autorità capace di interessi non troppo particolari, uno schermo difensivo di qualche efficacia dalle pretese di amministrazione e privati, oltre che il mezzo per partecipar non solo come vittime alla liquidazione delle prerogative principesche.

L'ironia di chi osserva — è il già ricordato commissario di Gonzaga — come « chiunque al tempo d'oggi può farsi dare almeno una Parrucca in credenza, vuol ossequio e riverenza », mentre manifesta l'amarezza di quei ceti cittadini che come i giureconsulti vedono peggiorare la propria posizione — ed è infatti nel frattempo scomparso ogni riferimento patrizio — trascrive in termini sostanzialmente moralistici la tendenza alla nobilitazione, fortissima nel ducato e che, d'altra parte, gli stessi Gonzaga non fanno nulla per frenare, costituendo per loro occasione di guadagno, o di ricompensa dei cortigiani e funzionari [2].

Tendenza peraltro che permette col ricorso alle categorie feudali, se pur

[1] Le lamentele di Antonio Gobio in *Il Senato di Mantova* cit., p. 91, n. 187, ove anche le osservazioni ducali di cui sotto sul senato; quelle di Antonio Bolino, commissario a Gonzaga, del 19-X-1701, in ASMN A. G. b. 3569.

[2] Ricorda C. D'Arco, *Studi intorno al municipio di Mantova* cit., lib. IV, p. 125, come un viaggiatore francese verso la fine del Seicento annotasse che nel mantovano si era formato « une recrice de Comtes, de Marquis et de nobles si grande, qu'il y en a pour peupler le reste d'Italie ». Cosa cui peraltro si provvedeva, dispensando titoli anche fuor dello stato come ad esempio agli antenati di G. B. Biffi, l'illuminista cremonese amico di Verri e Beccaria. Accenna al diploma comitale concesso a Gianambrogio Biffi nel 1694 da Ferdinando Carlo, ed all'importanza attribuitagli, G. Dossena, in G. B. Biffi, *Diario (1777-1781)*, a cura di G. Dossena, Bompiani, Milano 1976, p. IX. Per un'idea della crescita nobiliare mantovana cfr. gli elenchi di scalcheria del 1630 e del 1680 e gli appunti amministrativi per il riconoscimento della nobiltà stesi nella seconda metà del Settecento, in ASMN A. G. b. 3705.

solo allusivo, visto il secolo e le caratteristiche del feudo mantovano cui già s'è accennato, l'instaurazione comunque di una trama di rapporti che squalificare sotto il segno del privilegio nobiliare, come effettivamente sono, impedirebbe di comprendere nella loro funzione storica di surrogazione d'un potere statuale ormai ridotto a privilegio di particolari esso stesso. Ma tale surrogazione, se costituisce forse, in quelle circostanze, l'unica soluzione storicamente possibile ai problemi di organizzazione del sistema sociale da parte dei ceti dominanti aristocratici, di cui favorisce l'arricchimento (almeno delle famiglie maggiori, quelle i cui palazzi sei-settecenteschi nella grande maggioranza punteggiano ancora la città), finisce per accrescere l'instabilità sociale nelle campagne[1], distruggere o quasi la superstite proprietà contadina, predisporre la formazione di quel formidabile blocco di proprietari aristocratici che con la complicità di Beltrame Cristiani, il capo dell'amministrazione asburgica nella Lombardia della metà del Settecento, riusciranno ad impedire fino agli anni Ottanta di quel secolo l'estensione alla provincia mantovana delle riforme censuarie, avviate nel resto dei territori italiani di casa d'Austria trent'anni prima[2].

Le future terre de «la boje»

Certo, subito dopo il 1630, quando «nei villaggi saccheggiati ed arsi, fra le nuove paludi ristagnanti oltre gli argini rotti o tagliati, fra i canali d'irrigazione ostruiti, i superstiti alle stragi, alle carestie, alla peste, alle fughe in massa... inselvatichivano nella fame e nella paura, fino a commettere spaventosi eccessi», mentre gli aratorii eran ridotti a prati da due anni d'incoltura, e poi dalla mancanza di bestiame da lavoro e di braccia[3], la situazione era drammatica per tutti, nobili (decimati anch'essi) compresi.

Ma quando nel 1657 i contadini di Gonzaga suonan le campane e vengono a rissa coi soldati del duca[4] o nel 1671 i rinnovati ordini sulle fazioni rusticali deprecano la perdurante scarsezza d'agricoltori[5], i guasti della guerra son risentiti ormai soprattutto dagli strati tradizional-

[1] Cfr. in particolare, ma ancora una volta fuori dal territorio proprio del ducato mantovano, la rivolta del 1691 di Castiglione delle Stiviere su cui da ultimo cfr. L. MAZZOLDI, *La rivolta di Castiglione delle Stiviere (dicembre 1691) in un documento inedito*, in «Civiltà mantovana», II, 1967, pp. 39-44, e ID., *La fine della rivolta di Castiglione delle Stiviere (gennaio* 1692), in «Civiltà mantovana», II, pp. 307-320.

[2] Su tutto ciò ovviamente C. VIVANTI, *Le campagne del Mantovano* cit., oltre a M. VAINI, *La distribuzione* cit.

[3] Cfr. C. VIVANTI, *Le campagne* cit., p. 25, da cui la citazione.

[4] Cfr. quanto risulta da un documento del 30-VIII-1657, in ASMN A. G. b. 3010.

[5] Ordini a stampa del 22-XII-1671, in ASMN A. G. b. 3369.

mente più deboli[1], avendo l'ordine del privilegio ripristinato ed anzi approfondito, nel ripristinare come si diceva comunque il sistema dei rapporti sociali, le distanze dei vari gruppi. Secondo testimonia infine, proprio quando tutto ormai è compiuto, quel commissario ducale di Gonzaga la cui relazione ci conviene ora, concludendo, dettagliatamente rileggere.

La proprietà terriera: solo 1647 biolche e 45 tavole sono in mano ai rustici nel commissariato di Gonzaga, contro le seimila circa degli ecclesiastici e le 29.352, e tav. 45, occupate « dalle Corti di V. A. » e dagli « esenti e civili, in buona parte Cavaglieri e Dame Uffiziali e Servitori dell'A. V., nelle Guardie od in altro Ministero », ma questi dati già ci sono familiari, se pur dalla metà del Cinquecento la situazione sia ancora andata peggiorando. E comunque non è nemmeno questo che preoccupa il giusdicente, bensì la situazione sociale. Gli ecclesiastici innanzitutto: « si [quella] della Macchina retta dalla sola suprema, ed infallibile intelligenza di V. A. quando li sodetti tre Ordini Ecclesiastico, Nobile e Rustico cospirassero in una concorde adorazione verso un solo Dio et in sommessa ubbidienza all'A.V. loro solo Principe Clementissimo, sarebbe una delle più apprezzabili gemme, che risplendessero nel di Lei scettro, ma sottratti ormai quelli del Primo Ordine nell'ampiezza incirconscrittibile delle pretese loro immunità, dall'ubbidienza dovuta alla Sovranità di V. A., postergato l'interesse del di Lei Patrimonio, [essi] abbracciano solo avvidamente e senza timore il loro vantaggio », vivendo nella fiducia della loro proposizione secondo cui *non ligantur* dai proclami del principe e fan contrabbando o commettono altre male azioni, come è accaduto che il carmelitano Pietroboni, amministratore dei beni del pupillo marchese Naffa con archibugio alla mano e gridando « t'appicco », « siassi fatto aprir le Casse de Lucca Torrelli povero et onorato vecchio villico affittuario d'una delle possessioni del Marchese pupillo », levando di propria mano dodici doppie da esse.

La nobiltà: « a similitudine de le Immunità Ecclesiastiche s'estendono li Privileggi d'essenzioni de' Nobili, non riconoscendosi oramai la di loro soggezione verso di V. A. cui non servono che per commandare con più autorità a di Lei sudditi e Servitori. Ne fanno fede l'alzare tanti quartieri di franchiggia quanti sono li palmi della loro terra, e beni, ne quali non può entrare il Massaro de' communi per riscuotere le tasse de' loro beni tagliabili, non chi descrive teste et animali per il Salaro, non chi riscuotte Dazij di qualonche sorte, non Consoli che comandino li loro Bovi et huomini agl'Argini delle Digagne et altre fazioni che concernono al pubbli-

[1] Come gli stessi ordini testimoniano col rinnovato divieto di esenzioni che vadano oltre quelle stabilite in passato. Esenzioni che vediamo essersi attribuite tanto dai nobili cittadini che dagli stessi coloni ducali.

co bene, non esattori di Degagne, non bolatori publici di misure e pesi». Ed una tal franchigia la pretendono non solo per i braccianti, muratori ed altri da loro spesati, e per i beni di questi dati in affitto, « ma di più per chionque gli chiede una loro patente, o licenza di spendere il loro nome» Infine incettano grani e li mandan fuori dello stato. E se i birri cercano d'intervenire son guai poiché « non mancano invero Polveri da' caricar Arcobuggi per ammazzar Birri e spaventar un'inerme Giustizia» che si trova così del tutto impotente.

Gli abitanti del contado: « Ingannata da' questi Fenomeni l'ignara vista delle Turbe rustiche, e Popolari non distinguendo dal vero Sole, che Monarchicamente rimide nel Cielo di questo Comando que'... che per riflesso ingannevole gli nascono d'intorno, accorrono ammirati ad adorarli. Ricorrono ad essi per Grazie, Cariche, Stipendii, et altro che ottenuti co la di loro intercessione dalla Clemenza di V. A. servono a rendere li di lei servitori loro schiavi, come causa efficiente del bene che possedono senza riflettere alla causa primaria della munificenza di V. A.

Vi ricorrono per esimersi da' di lei Giudici Criminali, misti e civili, per non esser soggetti a fazioni militari, o rustiche, per non pagar dazij, per portar armi di qualonque sorte, per poter fare insomma tutto ciò che dalle Gride, Leggi e buon servizio di V. A. gli resta prohibito».

E andando dietro ai loro protettori « per buona parte appassionati verso la Maestà di Cesare, come Strozza, Arrigoni, Castelbarchi, e tant'altri loro amici e Parenti, o apparentati co' di lui ministri» formano fazioni e finisce « che il minor numero è quello che nomina V.A.».

E per altro non si può più emanare un precetto senza intoppi, tanti sono gli « Sparati, Patentati di tanti e si mostruosi Generi, Cavalli leggeri, Arcieri, Svizzeri, di questi ultimi n'ho veduti alquanti sotto Suzzara ch'erano veri villani mantovani da arratro, e sarebbero stati nelle disperazioni, se il loro Capitano cui pagavano dieci scudi all'anno avesse voluto obbligarli a parlare in lingua elvetica».

E così infine si ruba e nessuno osa denunciare i furti, né i giudici né coloro che li han subiti, e quasi tutte le chiese son state spogliate, e da ultimo accade che « il povero Commune rustico conferrente — membro il più sano tra Sudditi di V. A. — non essiga li suoi crediti [aveva prima accennato ad un console minacciato di bastonate da un villico, al servizio d'un nobile, cui aveva portato il bollettino delle ultime contribuzioni] e che perciò resti infinitamente taglieggiato nella borsa un buon numero di miserabili, vedove e pupilli oltre l'immenso agravio di tant'altre fazioni, alle quali solo può ormai dirsi sottoposto, per portare il peso degli altri».

Ci mancano descrizioni così dettagliate per altre parti del mantovano, ma non pare dubbio che il quadro si possa tranquillamente trasporre, come le indicazioni che dà d'un estremo dissolversi, nella generale ricerca d'uno scampo individuale, di quanto poteva esser rimasto del tessuto sociale della campagna, e con esso d'una autorità statuale, fuor delle mura cittadine compiutamente surrogata dalla presenza nobiliare. Nobili ai quali la potenza privata raggiunta permette di considerare senza alcun timore la fine del ducato e della dinastia, nella certezza, confermata fin dai primi atti degli austriaci, della raggiunta loro insostituibilità per l'organizzazione sociale ed economica del territorio, in loro completa mano.

Centottantanni dopo saran proprio queste, e Gonzaga in particolare, le terre de *la boje*.

Bibliografia

ABBREVIAZIONI ARCHIVISTICHE

ASMN A. G.	Archivio di Stato di Mantova, archivio Gonzaga.
ASMI (arch. vic. sforz.)	Archivio di Stato di Milano (archivio visconteo-sforzesco).
ASTN	Archivio di Stato di Trento.
ASVE	Archivio di Stato di Venezia.

FONTI E STUDI

Già si è notato che la bibliografia mantovana è notevolmente diseguale. Proprio per ciò, piuttosto che approntare un repertorio (tra l'altro, come si dirà, già parzialmente disponibile) è parso più opportuno, e coerente con il taglio di questo lavoro, delineare una breve storia della storiografia mantovana, che nell'indicare le opere di maggior interesse serva in qualche modo a storicizzare lo stesso lavoro che si è compiuto, e le sue scelte.

A) Antiche cronache

Le fonti e gli autori anteriori al xix secolo, di maggiore interesse per chi si avvicini alla storia di Mantova, possono considerarsi i seguenti: B. Aliprandi, *Cronica de Mantua*; A. Nerli, *Breve chronicon Monasterii mantuani sancti Andreae ord. Bened.*; B. Sacchi detto il Platina, *Historia inclytae urbis Mantuae...* Le prime due, che interessano il primo Quattrocento, in *Rerum italicorum scriptores*, nuova ed., vol. XXIV; la terza, che giunge oltre la metà dello stesso secolo, *ivi*, vol. XX. Sempre per il Quattrocento è molto utile A. Schive-

NOGLIA, *Cronaca di Mantova dal 1445 al 1484*, trascritta e annotata (e tagliata come si è detto) da C. D'ARCO; ora ripubblicata da G. PASTORE, edizioni Baldus, Mantova 1976 (il manoscritto è conservato presso la Biblioteca comunale di Mantova). Giunge invece al 1521 M. EQUICOLA, *Dell'Istoria di Mantova libri cinque...*, Mantova 1608 (ed ora rist. anastatica presso Forni, Bologna s. d.). Di non molta utilità il largamente celebrativo A. POSSEVINO, *Gonzaga*, Mantova 1628; mentre interessa ancora per la descrizione del sacco S. CAPILUPI, *Memorie di molte miserie ed accidenti occorsi agli Stati di Mantova e Monferrato dopo la morte di Vincenzo II...*, in *Raccolta di cronisti e documenti storici lombardi inediti*, a cura di G. MÜLLER, vol. II, Milano 1857 (*ivi* anche la cronaca dello Schivenoglia già cit.). Più ampiamente per questi periodi ANDREASI, *Memorie di quattro duchi Gonzaga*, manoscritto presso l'Archivio di Stato di Mantova. In una prospettiva particolare arriva al principio del Seicento I. DONESMONDI, *Dell'Istoria ecclesiastica di Mantova*, 2 voll., Mantova 1612-1618 (ed ora in rist. anastatica presso Forni, Bologna s. d).

Coprono tutto o quasi il periodo che ci interessa le cronache di S. AGNELLI MAFFEI, *Gli annali di Mantova scritti da Scipione Agnello Maffei vescovo di Casale*, Tortona 1675; e quella monumentale di F. AMADEI, *Cronaca universale della città di Mantova*, a cura di G. AMADEI, E. MARANI, G. PRATICÒ, 5 voll., CITEM, Mantova 1954; descrive originariamente gli avvenimenti fino al 1574 ed è poi aggiornata da più autori fino al 1844 la cronaca di S. GIONTA, *Il fioretto delle cronache di Mantova... notabilmente accresciuto e continuato sino all'anno MDCCCXLIV.. Mantova 1844* (ed ora in rist. anastatica a cura dell'Istituto Carlo D'Arco di Mantova). Interessa pure il Settecento, L. C. VOLTA, *Compendio cronologico della storia di Mantova dalla sua fondazione sin ai nostri tempi*, 5 voll., Mantova 1804.

B) STORIOGRAFIA CRITICA

1) *Storia locale e ricerche dell'Ottocento*

Ma una storiografia critica mantovana è inaugurata, potremmo dire, da C. D'ARCO, cui si devono molte e svariate indagini, le più importanti delle quali per noi possono considerarsi il manoscritto, in 7 voll., *Famiglie mantovane*, ora presso l'Archivio di Stato di Mantova, strumento fondamentale per la ricostruzione non solo delle parentele e discendenze ma della composizione sociale mantovana in età moderna; e C. D'ARCO, *Studi intorno al Municipio di Mantova dall'origine di questa fino all'anno 1863*, libri 7, Mantova 1871-74. Accanto al D'Arco e subito dopo di lui occorre però ricordare i lavori di P. CODDÈ, *Memorie biografiche poste in forma di dizionario dei pittori, scultori, architetti ed incisori mantovani*, Mantova 1837 (ed in rist. anastatica, Forni, Bologna 1967); e G. PEZZA ROSSA, *Storia cronologica dei vescovi mantovani*, Mantova 1847 — ma vedi su questi temi, così poco affrontati poi, anche A. SORDI, *Cenni biografici delle dignità e dei canonici della mantovana chiesa assunti all'episcopato in patria e fuori dall'anno MLXXVII sino a' nostri giorni*, Mantova 1850 — e poi l'opera dell'Intra, che si cimentò anche in un romanzo storico sul sacco della città, e di cui si veda almeno G. B. Intra, *Degli storici e dei cronisti mantovani*, in « Archivio storico lombardo », V, 1878, e poi di tutti quegli altri, archivisti, eruditi, studiosi locali, cui dobbiamo la raccolta d'una amplissima e preziosa quantità di notizie (e repertori dei quali sono già disponibili come si dirà).

Un lavoro di indagine e scavo quello allora svolto che interessa anche le vicende della provincia.

Appartengono al secondo Ottocento, con qualche eccezione temporale ma non di ispirazione, le storie di località del mantovano di maggior interesse e di miglior fattura, quali B. Arrighi, *Storia di Castiglione delle Stiviere sotto il dominio dei Gonzaga*, Mantova 1853-54; A. Agostini, *Castiglione delle Stiviere dalle sue origini geologiche fino ai giorni nostri*, Brescia 1895; F. Bonfiglio, *Notizie storiche di Castelgoffredo*, Brescia 1922; D. Bergamaschi, *Storia di Gazolo e suo marchesato*, Casalmaggiore 1883; G. B. Casnighi, *Raccolta di memorie e documenti riguardanti i tre paesi di Acquanegra Barbasso e Medole nel Mantovano*, Brescia 1860; L. Lucchini, *Bozzolo e i suoi domini. Storica illustrazione*, Cremona 1883; A. Parazzi, *Origini e vicende di Viadana e suo distretto*, Viadana 1893-98; U. Ruberti, *Quistello nei secoli andati*, San Benedetto Po 1890; F. Tessaroli, *Memorie di Canneto sull'Oglio*, Asola 1934.

Accanto alle storie locali, la medesima temperie culturale fa sì che si allarghi il campo d'interesse degli storici. Sono ancora utili le ricerche del Bertolotti (direttore dell'Archivio di Stato); si vedano in specie A. Bertolotti, *I comuni e le parrocchie della provincia mantovana. Cenni archivistici, archeologici, storici, biografici e bibliografici*, Mantova 1883 (in rist. anastatica, La Terrazza, Bologna 1974); Id. *Artisti in relazione coi Gonzaga duchi di Mantova nei secoli XVI e XVII*, in « Atti e memorie della R. Deputazione di Storia patria per le province modenesi e parmensi », III, 1885; Id., *Architetti, ingegneri e matematici in relazione coi Gonzaga signori di Mantova nei secoli XV, XVI, XVIII*, Genova 1899; Id., *Figuli, fonditori e scultori in relazione con la corte di Mantova nei secoli XV, XVI, XVII*, Milano 1890. Tuttora utili anche le ricerche del Davari (anch'egli impiegato nell'Archivio di Stato) e in particolare S. Davari, *Cenni storici intorno allo studio pubblico ed ai maestri dei sec. XV e XVI che tennero scuola in Mantova*, Mantova 1876; Id., *Cenni storici intorno al tribunale dell'Inquisizione in Mantova*, in « Archivio storico lombardo », V, 1879 (entrambi in rist. anastatica presso Sartori, Mantova s. d.); a lui si devono i preziosi *Indici Davari*, manoscritti in Archivio di Stato, che spesso offrono tracce ed indicazioni per i più svariati argomenti; lavori, quelli del Davari, come quelli del Bertolotti e gli altri del Portioli (di cui si veda soprattutto A. Portioli, *Le corporazioni artiere e l'archivio della Camera di Commercio di Mantova*, Mantova 1884; Id., *La zecca di Mantova*, 4 voll., Mantova 1879-82) che toccano temi poi quasi abbandonati.

2) *Nel primo Novecento*

Col nuovo secolo una diversa generazione di studiosi sposta i propri interessi quasi esclusivamente sulla storia cosiddetta politica. Così F. Tarducci, *GianFran-*

cesco Gonzaga signore di Mantova (1407-1420), in « Archivio storico lombardo », XXIX, 1902; e G. FOCHESSATI, *I Gonzaga di Mantova e l'ultimo duca*, Mantova 1912. Ma già preannunciava un nuovo clima A. LUZIO e R. RENIER, *Mantova e Urbino. Isabella d'Este ed Elisabetta Gonzaga nelle relazioni famigliari e nelle vicende politiche*, Torino-Roma 1893. Al Luzio stesso si deve poi nei primi anni del nuovo secolo una massa imponente di pubblicazioni concentrate sul periodo rinascimentale — ma si veda anche ID., *I Corradi di Gonzaga signori di Mantova*, in « Archivio storico lombardo », XL, 1913 — indagato nei suoi aspetti artistici e culturali — su ciò soprattutto ID., *La galleria dei Gonzaga venduta all'Inghilterra nel 1627-28*, Milano 1913 (e nuova ed., Bardi, Roma 1974) — e con riferimento ad alcune figure in particolare, come Isabella d'Este cui dedica una quarantina di titoli, orientando l'interpretazione del primo Cinquecento mantovano per lungo tempo. Ancora al Luzio, in collaborazione col Torelli, spetta il merito, e prima la fatica, della pubblicazione del preziosissimo e fondamentale inventario dell'Archivio Gonzaga presso l'Archivio di Stato di Mantova: P. TORELLI e A. LUZIO, *Archivio Gonzaga*, 2 voll., Ostiglia-Verona 1920-22; opera che costituisce altresì un notevolissimo repertorio bibliografico, essenziale per le pubblicazioni del secondo Ottocento e dei primi vent'anni del secolo. Ancora indagini biografiche e di storia politica, ma concentrate in particolare sui primi decenni del Seicento e sui rapporti fra i Gonzaga e i Savoia, si devono negli anni Venti e Trenta a Romolo Quazza; si vedano in particolare R. QUAZZA, *Mantova e Monferrato nella politica europea alla vigilia della guerra per la successione (1624-1627)*, Mantova 1922; ID., *La guerra per la successione di Mantova e del Monferrato (1628-1631)*, 2 voll., Mantova 1926; ID., *Margherita di Savoia duchessa di Mantova e viceregina del Portogallo*, Torino 1930; infine la stessa sintesi della storia mantovana proposta da R. QUAZZA, *Mantova attraverso i secoli*, Mantova 1933 (nuova ed., Nel segno del leone, Mantova 1978) con un altro buon apparato bibliografico, suggella e conclude non indegnamente questa stagione di studi e ricerche. Negli stessi anni infatti le ricerche di Colorni sulla comunità ebraica mantovana, specialmente V. COLORNI, *Le Magistrature Maggiori della Comunità ebraica di Mantova (sec. XV-XIX)*, Bologna 1938; la pubblicazione delle prime visite pastorali, R. PUTELLI, *Vita storia ed arte mantovana nel Cinquecento*, vol. II, *Prime visite pastorali alla città e diocesi*, Mantova 1934; e gli stessi più tardi lavori di Quazza, cfr. ID., *la diplomazia gonzalesca*, Milano 1940, segnalano già un mutamento d'indirizzo negli orientamenti storiografici italiani e quindi anche in quelli mantovani.

3) *La ricerca attuale*

Dopo la guerra, mentre l'ACCADEMIA VIRGILIANA prosegue nella pubblicazione dei propri « Atti e memorie », spesso utilmente consultabili per i più diversi aspetti della storiografia mantovana (ma pare non saper sempre mantenere quella funzione di riferimento e stimolo dell'attività di ricerca sul piano locale, che aveva precedentemente avuto, specie per la presenza e l'opera di Torelli) il nascere di nuove iniziative editoriali, specie il « Bollettino storico mantovano », che esce tra il 1956 ed il 1959; poi, con una fisionomia meno definita « Civiltà mantovana », dal 1966 ad oggi; riviste entrambe le cui collezioni sono di necessaria consultazione per chi voglia addentrarsi nella storia e storiografia mantovana (se pur in « Civiltà mantovana » si debba notare talvolta la presenza di articoli che si risolvono nella noterella curiosa o nel raccontino « gustoso ») segnala il fermentare di nuovi interessi e metodi di ricerca che, come si dirà, portano tanto ad indagare nuovi temi quanto a progettare una monumentale storia di Mantova.

Intendo quella *Mantova la storia le lettere le arti*, a cura della Fondazione C. D'Arco, che esce in 9 voll. tra il 1958 e il 1961. Se pure è ancora tradizionalmente ripartita, e se pure risente della diversa formazione degli autori — particolarmente evidente per quanto riguarda il periodo da noi trattato, nel confronto fra la parte scritta da Coniglio e quella successiva di Mazzoldi in *Mantova la storia*, essendo il secondo attento in modo quasi esclusivo alla storia politica e dinastica del ducato —, e talvolta forse dei tempi stretti in cui fu ad essi richiesto di lavorare, l'opera costituisce uno strumento di assoluta importanza e una tappa fondamentale per la storiografia mantovana; tanto per la storia politica, con i lavori di G. Coniglio e L. Mazzoldi, quanto per le arti, con quelli di E. Marani e C. Perina, quanto infine per le lettere con i volumi dovuti all'eccezionale sforzo e competenza di E. Faccioli (volumi che si segnalano anche per contenere una sorta di inventario delle opere stampate a Mantova).

Ma contemporaneamente, come si diceva soprattutto una nuova generazione, con nuovi o, nella fedeltà a vecchi ideali, almeno rinnovati modi di vedere, iniziava a riconsiderare la storia di Mantova nell'età moderna. Del 1959 è il lavoro sulle campagne del mantovano nel Settecento, ma utile anche per il periodo precedente, di C. Vivanti, *Le campagne del mantovano nell'età delle riforme*, Feltrinelli, Milano 1959; contemporaneo sull'attività finanziaria ebraica quello di E. Castelli, *I banchi feneratizi ebraici nel mantovano (1386-1808)*, in « Atti e memorie dell'Accademia Virgiliana », n. ser. XXXI, 1959; mentre di poco successive sono le indagini di A. De Maddalena, *Le finanze del ducato di Mantova all'epoca di Guglielmo Gonzaga*, Cisalpina, Milano Varese 1961; Id., *L'industria tessile a Mantova nel '500 e all'inizio del '600. Prime indagini*, in *Studi in onore di A. Fanfani*, vol. IV, Giuffrè, Milano 1962; quelle di G. Coniglio, *Agricoltura ed artigianato mantovano nel secolo XVI*, in *Studi in onore di A. Fanfani*, cit., vol. IV; Id., *I comuni del mantovano al tempo dei Gonzaga*, in « Miscellanea storica ligure », III, Milano 1963 (e allo stesso autore si dovrà qualche anno dopo il più ampio G. Coniglio, *I Gonzaga*, Dall'Oglio, Varese 1967); infine, in tutt'altri campi, quelle di Gallico, che studiando i rapporti fra musica colta e musica popolare porta utili contributi alla comprensione della società mantovana cinquecentesca; si vedano soprattutto C. Gallico, *Un libro di poesie per musica dell'epoca di Isabella d'Este*, Quaderno 4 del « Bollettino storico mantovano », Tipografia operaia, Mantova 1961; Id., *«Forse che sì forse che no» fra poesia e musica*, Istituto Carlo D'Arco, Mantova 1960.

Questo ripensamento della vita economica e sociale, dell'assetto dei ceti, delle strutture statuali, al fondo dei criteri di interpretazione della storia mantovana, progredisce negli anni seguenti ed è testimoniato dall'apparire di « schede » di vari autori su *Palazzi e ville del contado mantovano*, Vallecchi, Firenze 1966;

Chiese e conventi del contado mantovano, Vallecchi, Firenze 1967; *Corti e dimore del contado mantovano*, Vallecchi, Firenze 1969; lavori (patrocinati dalla locale Associazione industriali) che indicano una riconsiderazione dei fatti « artistici » e della loro connessione con il territorio. Lo stesso ripensamento è attestato da lavori di notevole e più che notevole impegno su argomenti di storia economica, come quelli di Romani, fra cui specialmente M. A. ROMANI, *Considerazioni sul mercato monetario mantovano nei secoli XVI e XVII*, in « Atti dell'Accademia Virgiliana », n. ser. vol. XXXVII, 1969; e soprattutto dai lavori di Vaini; si veda in particolare il ricco ed utile M. VAINI, *La distribuzione della proprietà terriera e la società mantovana dal 1785 al 1845*; I, *Il catasto teresiano e la società mantovana nell'età delle riforme*, Giuffrè, Milano 1973 (ove in realtà l'indagine si spinge bene addietro, a ritracciare l'origine della situazione settecentesca nelle caratteristiche del ducato in età moderna) oltre almeno a ID., *La Collegiata di Sant'Andrea, la prepositura di S. Benedetto Po e la politica eccclesiastica dei Gonzaga*, in *Atti del Convegno su Il S. Andrea di Mantova e L. B. Alberti*, Biblioteca comunale, Mantova 1974. Ancora, da ricerche di storia istituzionale come R. NAVARRINI, *Una magistratura gonzaghesca del XVI secolo*, in *Atti del convegno su Mantova e i Gonzaga nell'età del Rinascimento* (1974), pubblicati a cura della città di Mantova 1977; ID., *L'archivio pubblico del feudo imperiale di Gazoldo (1573-1796)*, in « Civiltà mantovana », XI, 1977, pp. 63-64; C. MOZZARELLI, *Il Senato di Mantova: origine e funzioni*, in *Atti del convegno su Mantova e i Gonzaga* cit. Inoltre, da altre indagini, ascrivibili all'ambito della storia sociale, fra cui in specie U. NICOLINI, *Principe e cittadini, una consultazione popolare del 1430 nella Mantova dei Gonzaga*, in *Atti del convegno su Mantova e i Gonzaga* cit.; e il saggio, a mio avviso di rilievo assoluto, di A. ZARRI, *Pietà e profezia alle corti padane: le pie consigliere dei principi*, in AA.VV. *Il Rinascimento nelle corti padane*, De Donato, Bari 1977 (il saggio non riguarda però soltanto casi mantovani). Meno diffuso è l'accennato ripensamento in campo letterario (e dintorni) dove si registrano relativamente pochi lavori; cfr. G. SCHIZZEROTTO, *Cultura e vita civile a Mantova fra 300 e 500*, Olschki, Firenze 1977, e prima, a cura dello stesso, *Libri stampati a Mantova nel Quattrocento*, Biblioteca comunale, Mantova 1972 (catalogo d'una mostra commemorativa dell'introduzione della stampa a Mantova); e L. PESCASIO, *L'arte della stampa a Mantova nei secoli XV-XVI-XVII*, Editoriale Padus, Mantova 1971 (e, a cura dello stesso, *Parnaso mantovano*, 4 voll., Editoriale Padus, Mantova 1969).

Il rinnovamento degli studi cui si accennava è particolarmente rilevante invece in campo artistico per opera di Paccagnini, cui si deve nel 1961 l'organizzazione della mostra sul Mantegna e poi la scoperta degli affreschi del Pisanello, come si è detto nel testo e così di Marani, di cui si veda da ultimo G. AMADEI e E. MARANI, *I Gonzaga a Mantova*, a cura della Cassa di Risparmio delle province lombarde, Milano 1975; e degli stessi *I ritratti gonzagheschi della collezione di Ambras*, a cura della Banca agricola mantovana, Mantova 1978; allo stesso rinnovamento ha dato opera la Perina, di cui, per il periodo che ci riguarda, si veda in specie C. TELLINI PERINA, *Bertanus invenit. Considerazioni su alcuni aspetti della cultura figurativa nel Cinquecento a Mantova*, in « Antichità viva », IV, 1974; ricordiamo inoltre l'attività, che non conosce soste, di Carpeggiani, di cui si è dato ampiamente conto nel testo, e di cui è particolarmente importante per il nostro discorso, dato il suo ampio respiro, P. Carpeggiani, *I Gonzaga e l'arte, la corte, la città, il territorio (1444-1616)*, in *Atti del convegno su Mantova e i Gonzaga* cit.; e di Signorini, che ha concentrato la sua attenzione soprattutto sulla Camera degli sposi e del quale in particolare, oltre ai lavori cit. nel testo, negli *Atti* del convegno appena ricordato si veda R. Signorini, *Per una diversa interpretazione degli affreschi della cosiddetta « camera degli sposi »*; e ancora di Belluzzi, del quale, oltre a A. Belluzzi e W. Capezzali, *Il palazzo dei lucidi inganni. Palazzo Tè a Mantova*, Quaderni di « Psicon », n. 2, 1976, si veda A. Belluzzi, *Porta Giulia a Mantova. Note sulla tipologia delle porte di città*, in « Psicon », VIII-IX, 1976 (ove l'erezione della porta è inquadrata con molta finezza nella politica anche culturale di Federico), inoltre della Gozzi, della quale, oltre ai lavori sulla basilica palatina, in parte già ricordati nel testo, si veda T. Gozzi, *Lorenzo Costa il giovane*, in « Saggi e memorie di storia dell'arte », X, 1976; infine di Bazzotti, di cui, dopo la fine interpretazione della pala di Rubens di cui s'è detto, si veda ora il breve ma non meno interessante U. Bazzotti, e A. Englen, *Scheda per Domenico Fetti: Margherita Gonzaga riceve il modello della chiesa di S. Orsola da A. M. Viani*, in AA.VV., *Settimana per i beni culturali, Mantova 1979, acquisizioni e restauri*, Mantova 1979.

Va infine ricordato l'apparire ora di un lavoro (che mi è stato possibile utilizzare appena) di rilevanza, credo, non solo nazionale; intendo D. A. Franchini, R. Margonari, G. Olmi, R. Signorini, A. Zanca e C. Tellini Perina, *La scienza a Corte. Collezionismo eclettico natura e immagine a Mantova fra Rinascimento e Manierismo*, Bulzoni, Roma 1979, col quale riemerge un aspetto della cultura tra Cinque e Seicento finora poco indagato, almeno con tale completezza.

Alla conclusione di un lavoro vi è la tradizione, per me vitale e gradita, di ringraziare coloro i quali hanno permesso, con la loro cortesia e competenza, che esso prendesse forma. Il mio ringraziamento va perciò in primo luogo agli archivisti e bibliotecari mantovani, a Giorgio Chittolini e Beppe Olmi che hanno letto il dattiloscritto, a Gianluigi Arcari, Ugo Bazzotti, Tiziana Gozzi, Mario Vaini con i quali ho discusso punti particolari. Inutile dire che su loro non ricade alcuna responsabilità per quanto ho scritto.

Infine, questo lavoro è dedicato a mia madre.

I PRINCIPATI VESCOVILI DI TRENTO E BRESSANONE

di

ALDO STELLA

Capitolo I. **Principati vescovili e società feudale**

1. Origini

L'istituzione storicamente documentata dei principati vescovili di Trento e di Bressanone risale al 1027[1], quando l'imperatore salico Corrado II con drastica decisione ridimensionò, da una parte, la marca di Verona e, dall'altra, il ducato di Carinzia. I motivi prevalenti erano di carattere militare, per assicurare il contestato passaggio degli eserciti imperiali attraverso le antiche vie di comunicazione transalpina (la Claudia Augusta padano-atesina e l'Altinate, detta in seguito « strada d'Alemagna »), e si inserivano nel riordinamento generale dell'Impero per ridurre la potenza, e quindi scoraggiare le reiterate insubordinazioni, dei grandi feudatari laici. Appunto nei confronti di costoro, al fine di predisporre e legittimare una valida salvaguardia da qualsiasi tentativo di sopraffazione, i vescovi di Trento e di Bressanone furono insigniti della sovranità di prìncipi immediati del Sacro romano impero, con diritto perciò di partecipare e di votare nelle Diete imperiali. Erano equiparati ai « prìncipi territoriali » (*Landesfürsten*), ma effettivamente il loro potere era quello di « duchi, marchesi e conti », che per certi versi includeva, per altri non conteneva ancora le note della « territorialità » (« superioritas territorialis », *Landeshoheit*).

[1] Rimane controversa la tesi, già sostenuta da H. Bresslau (*Exkurse zu den Diplomen Konrads II.*, in « Neues Archiv der Gesellschaft für ältere deutsche Geschichtskunde », XXXIV, 1908, p. 122) e ripresa da J. Kögl (*La sovranità dei vescovi di Trento e di Bressanone*, Artigianelli, Trento 1964, pp. 3-12, 374), che il principato vescovile di Trento sia stato fondato con diploma imperiale del 9 aprile 1004 da Enrico II, per ricompensare il vescovo Udalrico I dell'aiuto fornitogli contro Arduino d'Ivrea; ma il presunto diploma è andato perduto. Ben documentati sono invece i diplomi del 31 maggio e 1 giugno 1027 (*Monumenta Germaniae historica, Diplomatum regum et imperatorum Germaniae*, vol. IV, Hahnsche, Hannover-Leipzig 1909, nn. 101-102, pp. 143-146), che « sanctae Tridentinae ecclesiae et Odalrico episcopo suisque successoribus imperpetuum » conferirono « comitatum Tridentinum

Considerazioni e opportunità pure motivate da intenti militari, non disgiunte dai crescenti interessi del commercio transcontinentale, fecero trascurare le richieste vescovili di far coincidere il potere temporale del principato con la giurisdizione ecclesiastica. Ne derivò una complessa e ibrida mescolanza di rapporti e di competenze giurisdizionali, che contribuì a rendere più precaria la sovranità territoriale laddove oltrepassava (o invece non comprendeva) l'ambito diocesano, come accadde per l'alta valle Venosta che apparteneva alla diocesi di Coira, ma il cui dominio fu suddiviso fra i principati di Trento e di Bressanone.

Le vicende dei due principati vescovili si susseguirono analoghe e interdipendenti, tuttavia con peculiari caratteristiche già insite nella diversa conformazione territoriale delle origini. Il principato di Trento, secondo il diploma imperiale del 31 maggio 1027[1], risultò (nonostante l'estensione extradiocesana all'alta Valsugana fino a Pergine, alla Val Venosta da Merano in su, come pure alle pievi di Brentonico e Avio, che dipendevano rispettivamente dalle diocesi di Feltre, di Coira e di Verona) più compatto del principato di Bressanone, al quale il diploma imperiale del 7 giugno 1027 assegnò anche possedimenti transalpini dispersi e isolati, come Veldes in Carniola, ma non l'adiacente contea di Pusteria (che fu annessa più tardi, nel 1091, e in parte rimase soggetta alla diocesi di Frisinga).

Principi dunque immediati dell'Impero, con poteri ducali formalmente indipendenti da ogni altro ducato o marca, i vescovi di Trento e di Bressanone erano di diritto nel proprio territorio supremi signori feudali su tutti gli *homines* sia *de nobili macinata* sia *liberi*, *franki absoluti*, sia

cum omnibus suis pertinentiis et utilitatibus illis, quibus eum duces comites sive marchiones huc usque beneficii nomine habere visi sunt » e. inoltre, la contea di Venosta e quella di Bolzano. Il diploma imperiale del 7 giugno 1027 (*ivi*, n. 103, pp. 146-147) conferì al vescovo brissinense Albuino la contea Norica « ab eo scilicet termino, qui Tridentinum a Prixinense dividit episcopatum, quousque longissime porrigitur in valle Eniana, cum clausa sub Sabione sita et omni usu iureque ad eum legaliter pertinente », cioè la valle d'Isarco a nord del torrente Tinne, presso Chiusa, e anche la valle transalpina dell'Inn dal Mellach fino allo Ziller. È da notare che il vescovo di Bressanone, diversamente da quello di Trento, ebbe il potere di conte e non di duca; perciò si ritiene che mantenesse qualche rapporto con il ducato di Baviera, cui prima apparteneva.

[1] Cfr. *Tiroler Urkundenbuch*, I. Abt.: *Die Urkunden zur Geschichte des deutschen Etschlandes und des Vintschgaus*, a cura di F. Huter, vol. I, Wagner, Innsbruck 1937, n. 52; F. Cusin, *I primi due secoli del principato ecclesiastico di Trento*, Urbinate, Urbino 1938, pp. 5-9. Ecclesiasticamente la diocesi di Trento continuò a dipendere dal patriarcato di Aquileia fino alla sua soppressione, quella di Bressanone invece dalla chiesa metropolitana di Salisburgo; sui mutamenti dei confini diocesani trentini e brissinensi cfr. F. Dörrer, *Bistumsfragen Tirols nach der Grenzziehung von 1918*, in *Südtirol, Land europäischer Bewährung*, Wagner (Schlern-Schriften, 140), Innsbruck 1955, pp. 45-57, tav. I; Id., *Der Wandel der Diözesaneinteilung Tirols und Vorarlbergs*, in *Beiträge zur Geschichte Tirols. Festgabe des Landes Tirol zum 11. Oesterr. Historikertag in Innsbruck vom 5. bis 8. Okt. 1971*, Wagner, Innsbruck 1971, pp. 141-168.

ministeriales[1]. In realtà, ben presto avversari oppure interessati fautori dei principi vescovi si manifestarono i feudatari laici preesistenti: i conti di Flavon, i conti di Appiano (Eppan), i conti bolzanini Morit-Greifenstein e i pusteresi di Andechs e ancor più quelli che dall'omonimo castello altoatesino si chiamarono « conti di Tirolo »; non sono da annoverare qui i nobili trentini di Arco e di Castelbarco, che allora erano *milites* cioè vassalli e non conti. Spesso i signori feudali (*Herrschaften*) erano in antagonismo fra loro, contendendosi l'avvocazia (*Vogtei*) per esercitare il potere giudiziario nel principato ecclesiastico, poiché al vescovo non si addiceva il *Blutbann* (« iudicium sanguinis »); ne approfittavano poi per spogliare, piuttosto che difendere, chi li aveva preposti. Fra i conti-avvocati alla fine prevalsero quelli di castel Tirolo, che ottennero in feudo la Val Venosta e il territorio bolzanino dal principe vescovo di Trento e in seguito, dal 1210, anche la contea norica dell'Isarco e la Pusteria dal principato di Bressanone. A causa di queste onerose infeudazioni si ridusse assai il territorio amministrato direttamente dai principi vescovi, anzi a quello di Bressanone rimasero soltanto il circondario cittadino (*Bannbezirk*) e le giurisdizioni di Brunico e di Chiusa d'Isarco, la valle di Fassa e qualche altra giurisdizione di minore importanza.

Per ridurre, o almeno contenere, la prepotente invadenza dei « conti di Tirolo » i principi vescovi di Trento e di Bressanone cercarono sempre di rinsaldare l'immediatezza dei rapporti con l'impero, parteggiando per l'imperatore anche quando era in aperto conflitto con il papa. Così poterono conseguire qualche successo, come il ricupero di Riva del Garda con l'appoggio di Federico I Barbarossa, che compensò a sua volta il vescovo di Bressanone concedendogli il diritto di battere moneta e di esercitare il dazio[2]. Nel frattempo, l'antagonismo dei conti d'Appiano contro quelli di Tirolo, che forse per la prima volta il vescovo Eberardo (1152-1156) aveva investiti dell'avvocazia del principato di Trento, si era inasprito e ne subì le conseguenze il successore vescovo Adelpreto, che fu imprigionato dai conti d'Appiano nel loro castello di Sarentino e invano poi tentò la rivincita e la restaurazione del potere temporale nei confronti anche di liberi signori, come i Castelbarco; assalito, nei pressi di Arco il 20 set-

1 *Codex Wangianus. Urkundenbuch des Hochstiftes Trient*, a cura di R. Kink (*Fontes rerum Austriacarum*, II. Abt.: *Diplomataria et acta*, vol. 5), Staatsdruckerei, Wien 1852, p. 3. Va precisato che la documentazione storica del principato vescovile di Bressanone comprova una genesi assai più distribuita nel tempo, con l'accessione di beni molto diversi e dislocati (come appunto Veldes, che ancora il 10 aprile 1004 l'imperatore Enrico II aveva ceduto alla chiesa brissinense; cfr. *Monumenta Germaniae historica, Diplomatum* cit., vol. III, Hannover 1900-1903, n. 67, p. 83).

2 L. Santifaller, *Die Urkunden der Brixner Hochstifts-Archive*, vol. I, Wagner (Schlern-Schriften, 15), Innsbruck 1929, nn. 23, 32.

tembre 1172, venne trucidato da Aldrighetto di Castelbarco e altri complici[1].

In quelle travagliate circostanze la borghesia cittadina di Trento (per non parlare dell'ancor troppo esiguo ceto borghese brissinense) invano aspirò, sull'esempio dei comuni lombardi e veneti, a rivendicare libertà e privilegi e a sviluppare gli ordinamenti comunali che l'istituzione del principato vescovile aveva bloccati, se non del tutto soppressi, nell'intento di uniformarli piuttosto alle consuetudini delle città germaniche. Da ultimo, il 9 febbraio 1182, l'imperatore svevo Federico I stroncò qualsiasi velleità dei consoli trentini, decretandone senz'altro la soppressione[2], e nel 1191 Enrico VI confermò l'assoluta superiorità del principe vescovo nei confronti del residuo embrione comunale di Trento.

2. Un grande principe vescovo: Federico Wanga

La protezione imperiale rafforzò il potere vescovile, tanto più che Federico I, oltre a riservare ai principi vescovi la regalia di battere moneta e d'imporre dazi, concesse loro il 15 febbraio 1189 anche il diritto sovrano sulle miniere d'argento[3]. Conseguentemente fu ristretta l'autonomia dei vassalli ed è significativo che nel 1190 il vescovo trentino Corrado II, per

[1] Il riesame critico delle fonti documentarie e narrative, nonché della farraginosa storiografia (iniziata dall'illuminista roveretano Girolamo Tartarotti, che in polemica con l'apologista P. Benedetto Bonelli confutò il presunto martirio del vescovo Adelpreto), è stato quasi esaurientemente compiuto da I. Rogger, *Vita, morte e miracoli del beato Adelpreto nella narrazione dell'agiografo Bartolomeo da Trento*, in « Studi trentini di scienze storiche », LVI, 1977, pp. 331-384. Un argomento ancora da precisare è quello della genesi e delle vicende dell'avvocazia sui vescovati (da non confondere con altre avvocazie minori, che pure coesistevano): fino alla metà circa del secolo XII le competenze dell'avvocato erano forse quasi soltanto amministrative, poi si estesero a deleghe giudiziarie e militari e quindi comportarono la riunione, in una sola persona, degli accresciuti poteri sia comiziali che avvocaziali. Mentre il vescovo brissinense Ottone di Andechs potè trasferire al fratello Bertoldo nel 1165, senza suscitare malumori e conflitti, l'avvocazia già ereditaria dei conti Morit-Greifenstein, ben diversamente accadde a Trento quando i conti ghibellini di Tirolo furono preferiti ai conti guelfi di Appiano (più vicini e allora più potenti e temuti dal principe vescovo). Cfr. H. von Voltelini, *Immunität, grund- und leibherrliche Gerichtsbarkeit in Südtirol*, in « Archiv für österreichische Geschichte », XCIV, 1907, pp. 372-375; J. Kögl, *op. cit.*, pp. 19-23.

[2] F. Huter, *op. cit.*, vol. I, n. 405: « ... statuimus ut Tridentina civitas consulibus perpetuo careat (et) sub episcopi sui gubernatione imperio fidelis et devota consistat, sicut et alie regni Theutonici civitates ordinate dinoscuntur ». È incerto se così la città di Trento abbia perso diritti precedenti di autonomia oppure se sia stata solo confermata l'assoluta giurisdizione già acquisita dal vescovo (cfr. A. Jäger, *Geschichte der landständischen Verfassung Tirols*, vol. I, Wagner, Innsbruck 1881, pp. 694-695; I. Rogger, *op. cit*, pp. 360-361).

[3] F. Huter, *op. cit.*, vol. I, n. 447: « ... de argentifodinis apud episcopatum Tridentinum, quas iuri nostro tam ibi quam in aliis imperii nostri finibus repertas antiqui iuris et

risolvere un contrasto fra la borghesia cittadina di Bolzano e la comunità contadina di Gries, convocasse le parti in causa e approvasse uno statuto « tocius communitatis consensu »[1]. Parve ridursi pure il prestigio del Capitolo dei canonici della cattedrale di Trento, costituito in prevalenza da figli cadetti dei nobili, che fomentarono il malumore e l'opposizione contro il vescovo Corrado e infine, il 2 marzo 1204, lo costrinsero a dimettersi.

Chi, dopo diversi anni di turbolenze e di pericolose insubordinazioni, seppe ristabilire la sovranità territoriale e riorganizzare con energia e lungimiranza il principato trentino fu il vescovo Federico Wanga (1205-1218), precedentemente decano dei canonici. Per reprimere anzitutto la rivolta dei vassalli che non intendevano sottostare alla sentenza imperiale del 13 gennaio 1208, confermante il divieto ai ministeriali di alienare beni patrimoniali o feudali del principato, riuscì ad assicurare un ampio consenso alle sue iniziative riformatrici « habito consilio wercorum et aliorum sapientum et bonorum hominum civitatis Tridenti »[2]. Per ridurre poi l'invadenza del conte Alberto di Tirolo, si collegò strettamente con il vescovo Corrado di Bressanone, così da poter difendere con maggiore efficacia nelle diete imperiali l'insidiata sovranità dei rispettivi principati; favorì anche l'insediamento dell'Ordine teutonico, alla cui commenda e ospedale di Renon nel 1211 donò beni fondiari[3].

Inoltre, al fine di eliminare ogni pretesto ad ulteriori soprusi e contestazioni, il principe vescovo Federico Wanga fece raccogliere e registrare accuratamente nel cosiddetto « libro di S. Vigilio » (o *Codex Wangianus*) i documenti storici più importanti. Non soltanto furono registrati i diplomi imperiali dalla fondazione del principato di Trento, ma si procedette alla ricognizione e al ricupero dei beni dispersi e dei diritti feudali[4] e, in

consuetudinis celebritas adiudicavit, Dei intuitu et respectu honestatis dilecti nostri Cunradi Tridentini episcopi ad preces et laudabilem eius devotionem argentifodinas in ducatu Tridentino episcopatuve, que nunc sunt vel que in posterum argenti cupri ferive omnisque metalli ibidem reperientur preter quam in allodis comitum de Tyrolis et Eppiane, que specialiter duximus excipienda, ecclesie Tridentine imperiali largitione tradimus et presentis privilegii nostri auctoritate presenti episcopo et suis successoribus perpetuo confirmamus ».

[1] *Ivi*, n. 459.

[2] *Codex Wangianus* cit., nn. 237-239. Il consenso veniva espresso « vocibus clamantibus dicentibus *sia sia* » (B. Bonelli, *Notizie istorico-critiche intorno al B.M. Adelpreto vescovo e comprotettore della chiesa di Trento, ed intorno ad altri vescovi di Germania e dell'Italia a' tempi dello scisma di Federico I imperatore*, vol. II, Monauni, Trento 1761, p. 574).

[3] F. Huter, *op. cit.*, vol. II, Innsbruck 1949, n. 88.

[4] L'introduzione del *Codex Wangianus* (cit., p. 17) attesta e precisa: « Cum divina vocatione licet indigni in ecclesie Tridentine fuissemus electi pastores, tam possessiones quam etiam iura ipsius ecclesie multis et variis perturbationibus invenimus hinc inde districta pariter et alienata. Unde Dei omnipotentis freti consilio et auxilio dissipata collegimus, alienata recuperavimus et minus bene acta in meliorem statum pro viribus nostris revocavi-

pari tempo, alla stesura di estimi catastali delle città di Trento e di Riva[1]. Il riassetto dell'amministrazione trentina non fu quindi superficiale e nemmeno effimero, anzi costituì la solida base per la successiva politica economica e anche per avviare un riassetto sociale.

Diversamente dai predecessori, Federico Wanga non diffidò dei superstiti limitatissimi ordinamenti comunali di Trento e di Bolzano, piuttosto ne consentì un certo rinvigorimento e si conciliò la borghesia cittadina incrementando il commercio per la via atesina. D'altra parte non trascurò le comunità rurali, di cui promosse la liberazione dai più odiosi oneri servili, cosicché ai proprietari terrieri soltanto rimanesse il *dominium utile* e non il *dominium directum*. Programmò un vasto piano di bonifica fondiaria in Valsugana e nella valle dell'Adige, particolarmente a Termeno che divenne il paese del « miglior vino »; fece ingaggiare numerose squadre di esperti roncatori tedeschi[2] per ridurre a coltura o a pascolo quanto poteva essere bonificato sull'altipiano di Folgaria e di Lavarone, o per sistemare i boschi anche al fine di assicurare l'approvvigionamento di legname e di combustibile. Poté così essere aumentato lo sfruttamento delle miniere e venne incrementata pure l'attività delle fonderie.

Il principe vescovo Federico Wanga provvide opportunamente a codificare il primo statuto alpino di diritto minerario, che emanò il 19 giugno 1208, perfezionando il regolamento fissato dal vescovo Alberto I ancora il 24 marzo 1185, che è ritenuto il più antico statuto minerario esistente in Europa e forse nel mondo[3]. La coltivazione delle miniere, soprattutto quelle argentifere del monte Calisio nei pressi di Trento, interessava non

mus ». Inoltre, nel 1208 si procedette alla verifica dei diritti comitali sul territorio di Bolzano, che dall'epoca di Adelpreto venivano esercitati mediante la compartecipazione del principe vescovo di Trento e del conte di Tirolo. Cfr. F. HUTER, *op. cit.*, vol. II, n. 574; A. JÄGER, *Geschichte* cit., p. 246; I. ROGGER, *op. cit.*, p. 360; J. RIEDMANN, *Die Beziehungen der Grafen und Landesfürsten von Tirol zu Italien bis zum Jahre 1335*, Oesterreichische Akademie der Wissenschaften (Philosophisch-historische Klasse, Sitzungsberichte, vol. 307), Wien 1977, pp. 7-24, sull'evolversi dell'avvocazia in strumento di sopraffazione.

[1] Si chiamava « urbario » (in tedesco *Urbar*, in latino *Liber reddituum*) l'elenco dei redditi di beni immobili o fondiari, senza precisarne quasi mai l'estensione. Cfr. CH. SCHNELLER, *Tridentinische Urbare aus dem dreizehnten Jahrhundert, mit einer Urkunde aus Judicarien von 1244-1247*, Wagner, Innsbruck 1898; O. STOLZ, *Rechtsgeschichte des Bauernstandes und der Landwirtschaft in Tirol und Vorarlberg*, Ferrari Auer, Bozen 1949, p. 44; F. SENECA, *Problemi economici e demografici del Trentino nei secoli XIII e XIV*, in *Studi e ricerche sulla regione trentina*, Stediv, Padova 1953, pp. 15-26.

[2] Questi immigrati diedero origine a oasi linguistiche o vernacolari tedesche, più tardi erroneamente dagli umanisti ritenute di origine cimbrica.

[3] Oltre al *Codex Wangianus* (cit., nn. 24, 58) e al vecchio compendio di J. SPERGES (*Tirolische Bergwerkgeschichte mit alten Urkunden*, Edlen v. Trattnern, Wien 1765), cfr. G.B. TRENER, *Le antiche miniere di Trento*, in « Società degli alpinisti », XX, 1896-1898, pp. 27-90; H. HOCHENEGG, G. MUTSCHLECHNER, K. SCHADELBAUER, *Das Verleihbuch des Bergrichters von Trient 1489-1507*, Wagner (Schlern-Schriften, 194), Innsbruck 1959, p. 22.

solo gli scambi commerciali per compensare la penuria cerealicola del principato, ma anche il progressivo sviluppo dell'economia monetaria. Si affermò allora la zecca di Trento, che dal 1170 era stata saltuariamente attiva in ambito locale, in seguito alla coniazione massiccia e pregiata dei denari *grossi* d'argento [1] (equivalenti a venti denari piccoli).

Al successo di queste e di altre iniziative contribuì senza dubbio il prestigio notevolissimo di Federico Wanga, dapprima come consanguineo e uomo di fiducia dell'imperatore Ottone IV, poi dal 17 febbraio 1213 come legato generale e vicario di Federico II per la Marca veronese, la Lombardia, Tuscia e Romagna [2]. La città di Trento fu adeguatamente fortificata e recinta con più solide mura, che avevano il caposaldo nella torre detta, dal colore dei mattoni, rossa e che è ancor oggi chiamata Wanga, posta a difesa del ponte sull'Adige. Venne iniziata la fabbrica del duomo nelle forme attuali e nuovi edifici abbellirono il capoluogo del principato, che parve assurgere a un ruolo importante nel contesto imperiale.

Anche il principato vescovile di Bressanone, sia pure in proporzioni ridotte, con l'appoggio di quello trentino poté quasi conseguire la sovranità territoriale ed esercitare effettivamente i diritti sui feudatari laici e sui vassalli.

3. Usurpazioni del conte Alberto III di Tirolo

La morte prematura del vescovo Federico Wanga, il 6 novembre 1218 a Tolemaide (Akkon) mentre partecipava alla crociata, ebbe conseguenze assai funeste per le sorti del principato di Trento e, indirettamente, di quello brissinense, tanto che dopo nemmeno vent'anni era in pericolo la loro stessa sopravvivenza. Furono interrotte le già avviate, e in parte attuate, riforme amministrative che sembravano favorire la formazione di un patriziato in seno alla borghesia cittadina e anche uno sviluppo autonomo delle comunità rurali, abbastanza sottratte alla prepotenza dei signorotti feudali. Parve infine non solo compromessa, ma concludersi catastroficamente la sorte dei due principati ecclesiastici, quando il 5 maggio 1236 Federico II decise di abolirne il potere temporale (affidandone l'amministrazione al suo vicario in Italia, Ezzelino da Romano) per assicurarsi

[1] B. GIOVANELLI, *Intorno all'antica zecca trentina*, Monauni, Trento 1812, pp. 23-120; A. GAZZOLETTI, *Della zecca di Trento*, Seiser, Trento 1858, pp. 15-46. Cfr. anche Q. PERINI, *Della zecca di Merano e della imitazione del tirolino in Italia*, in «Archivio per l'Alto Adige», I, 1906, pp. 41-48; K. MOESER, *Die Entstehung und Verbreitung des Namens «Kreuzer» für den Meraner Zwanziger-Grossus*, in *Festschrift zu Ehren E. v. Ottenthals*, Wagner, Innsbruck 1925, p. 237.

[2] *Codex Wangianus* cit., n. 115; cfr. J. RIEDMANN, *Die Beziehungen* cit., p. 23.

l'importante via atesina e soprattutto nell'intento di consolidare dovunque, senza interferenze, l'autorità imperiale[1].

A minacciare e osteggiare sempre più la sovranità territoriale dei principati vescovili fu proprio il nipote prediletto di Federico Wanga, il conte Alberto III di Tirolo, che aveva seguito lo zio materno nella crociata. Probabilmente lo influenzò e incoraggiò l'esempio dei conti di Gorizia, che erano in rapporti di amicizia con lui e poi anche di parentela perché la figlia sua Adelaide si unì in matrimonio con il goriziano Mainardo III. Ormai per lunga tradizione i conti di Gorizia erano soliti con la forza imporsi al patriarca di Aquileia, contestandogli il potere temporale anziché difenderlo come loro « avvocati ». Alberto di Tirolo anzitutto approfittò dell'ostilità dell'imperatore Federico II nei confronti del vescovo guelfo trentino Aldrighetto da Campo (1232-1247) per appropriarsi alcuni dei feudi più cospicui in Vallagarina e nella valle di Non; in seguito solidarizzò con Ezzelino da Romano e con Sodegerio di Tito, nominato podestà imperiale di Trento (1239-1255) in luogo del *vicedominus* vescovile, da quando Federico II ebbe posto sotto sequestro il principato trentino, aggregandolo anzi alla Marca trevigiana. La strategia del conte Alberto, per procacciarsi o precostituirsi di fatto un grande dominio a spese dei principati ecclesiastici alpini, fu tuttavia impostata e perseguita non subordinatamente alla politica imperiale: seppe sfruttare con lungimirante spregiudicatezza le difficoltà finanziarie, la pusillanimità e l'incoerenza dei mediocri principi vescovi che erano succeduti a Federico Wanga. Riuscì a tessere un'abilissima trama, servendosi di ogni espediente per inviluppare e subordinare e infine tentar di riunire in un suo unico principato laico i territori di Trento e di Bressanone, come pure di Coira e fors'anche di Salisburgo. Non ridimensionò le ambiziose aspirazioni, che potevano realizzarsi solo a lunga scadenza, di fronte all'ostacolo maggiore e considerato insormontabile per poter trasmettere ai suoi diretti discendenti i feudi ecclesiastici usurpati, poiché non aveva figli maschi e il diritto imperiale escludeva la successione femminile nell'ereditarietà dei feudi e, a maggior ragione, l'investitura dell'avvocazia da parte dei principi vescovi.

Il conte Alberto si premunì e impose con le minacce la politica dei fatti compiuti. Dapprima piegò ai suoi voleri il più debole dei principi vescovi limitrofi, quello di Coira che nel 1228 fu costretto a concedergli l'ereditarietà dei feudi nella valle Venosta e nell'Engadina, anche a favore delle

[1] Il 12 agosto 1236 fu anzi perentoriamente proibito ai vescovi di infeudare, pignorare o alienare i beni della chiesa sotto qualsiasi pretesto. Sull'osservanza o meno di questo divieto, e quindi sull'effettiva temporanea secolarizzazione dei principati di Trento e di Bressanone, le opinioni sono discordi (cfr. J. Kögl, *La sovranità* cit., pp. 42-48; J. Riedmann, *op. cit.*, pp. 31-35).

due figlie e dei loro eredi di ambedue i sessi. Poi fu la volta del vescovo trentino Aldrighetto, che pure senza il prescritto consenso del Capitolo dei canonici dovette fare altrettanto e aggiungere ai feudi l'ereditarietà dell'avvocazia, estesa per di più appunto alla discendenza femminile. Sennonché il Capitolo, incoraggiato dal procedimento inquisitoriale avviato il 27 aprile 1246 dal papa Innocenzo IV a carico del vescovo Aldrighetto, che per salvaguardare i propri interessi da avversario era diventato fautore dello scomunicato Federico II, protestò energicamente [1]. Va sottolineata questa presa di posizione dei canonici, che non fu eccezionale, ma piuttosto consueta nei confronti dei principi vescovi quando mostravano di non saper debitamente difendere l'indipendenza del principato o misconoscevano libertà e privilegi tradizionali [2].

Il nuovo vescovo di Trento, Egnone (1250-1273) dei conti guelfi di Appiano, era stato precedentemente dal 1239 principe vescovo di Bressanone e aveva subìto le sopraffazioni dello stesso conte Alberto, tanto che si era dovuto rifugiare nel castello paterno; infine, per non essere succube, aveva aderito all'imperatore Federico II e così anche nei suoi confronti fu minacciata un'inquisizione pontificia *de vita et moribus* (4 giugno 1246). Tuttavia, a differenza del vescovo Aldrighetto, si staccò per tempo dall'imperatore scomunicato e, in premio, oltre la conferma sulla cattedra di Bressanone ottenne dal 1247 l'amministrazione della diocesi trentina e nel 1250 il definitivo trasferimento in questa più importante sede.

Ormai la sovranità territoriale dei due principati vescovili era tanto compromessa che il neoeletto, per superare il prepotente ostruzionismo e poter entrare a Trento, dovette recarsi nel 1252 a castel Tirolo e investire il conte Alberto III e le figlie, insieme con gli eredi, non solo dei feudi trentini consueti ma anche di quelli dell'allora estinta casa comitale di Appiano [3]. Così Alberto di Tirolo, che già nel 1248 aveva ottenuto l'ereditarietà dei feudi e dell'avvocazia vescovile di Bressanone, poteva di fatto ritenersi pressoché signore del territorio trentino-tirolese. È anzi significativo che, appropriandosi di un titolo che spettava ai prìncipi immediati

[1] J. Kögl, *op. cit.*, p. 47.

[2] *Ivi*, pp. 46-49; cfr. I. Rogger, *La costituzione dei «colonelli». Un antico statuto del Capitolo di Trento e il passaggio dalla amministrazione comune al regime prebendale (s. XIII-XIV)*, «Studi trentini di scienze storiche», XXXIV, 1955, pp. 202-208. Due terzi del Capitolo dovevano essere tedeschi o sudditi del principato vescovile di Trento, mentre un terzo era di nomina pontificia.

[3] F. Huter, *Tiroler Urkundenbuch* cit., vol. III, 1957, n. 1302; *Annali del principato ecclesiastico di Trento dal* 1022 *al* 1540, compilati sui documenti da F.F. de Alberti, reintegrati e annotati da T. Gar, Monauni, Trento 1860, p. 135. Con l'assegnazione di investiture generiche, cominciò allora la tendenza a trasformare i feudi (*Lehenstuken*) in allodi (*Eigentum*): cfr. Kögl, *op. cit.*, pp. 68, 189.

dell'Impero, non si accontentasse più della denominazione *Dei gracia comes de Tirol* (pure indebita, ma almeno riferentesi a castel Tirolo), bensì potesse la sua eredità essere senz'altro designata *dominium comitis Tirolis*, cioè appunto un nuovo stato sovrano esistente di fatto, anche se non ancora di diritto. Il mutamento del titolo « conte *di* Tirolo » (limitato al castello omonimo) in « conte *del* Tirolo » prefigurava e manifestava ambiziosamente l'obiettivo che i successori di Alberto III avrebbero continuato a perseguire.

4. Temporanea secolarizzazione dei principati vescovili

Erede del conte Alberto, e di tutte le infeudazioni da lui accaparrate a scapito dei principati ecclesiastici, riuscì a farsi riconoscere il suo genero conte Mainardo III di Gorizia, che assunse il titolo di Mainardo I del Tirolo. Costui, assediata Trento con l'appoggio di Ezzelino da Romano, costrinse il vescovo Egnone a investirlo pure dell'avvocazia. Vana fu la protesta del Capitolo dei canonici, il 2 maggio 1256, come poi anche la revoca dell'investitura da parte dello stesso principe vescovo, il 23 ottobre 1258, in seguito alla morte dell'usurpatore[1].

Mainardo II, suo figlio, si mostrò ancor più risoluto e violento nelle sopraffazioni. Dopo aver senz'alcuna difficoltà ottenuto dal vescovo Egnone (fiducioso di poter con l'aiuto del conte del Tirolo domare la rivolta dei vassalli) il rinnovo delle precedenti investiture, non ebbe scrupoli di approfittare del malumore dei cittadini di Trento, poiché il vescovo era incapace nei confronti dei ribelli e di opporsi alla pressioni esterne degli Scaligeri, per insediare in Trento un capitano a lui devoto e rimpiazzare via via i canonici ostili con ecclesiastici a lui ligi e impadronirsi di feudi pignoratizi o vacanti, al punto che alla morte del vescovo (esule a Padova) non si potevano distinguere ormai i feudi (*Lehenstuken*) dagli allodi (*Eigentum*)[2]. La maggior parte dei territori appartenenti ai principati vescovili di Trento e di Bressanone fu da Mainardo II usurpata, cosicché il conte del Tirolo non si curò nemmeno di farsi rinnovare l'investitura dai vescovi

[1] F. Huter, *op. cit.*, vol. III, p. 33: « ... in preiudicium et dampnum maximun et iacturam magnam ecclesie et capituli Tridentini, capitulo prorsus contempto et inrequisito quod requiri comode poterat et in tam magno et arduo negocio debebat, maxime cum dictum feudum de quo investivit dictum comitem Tyrolensem recipientem pro se et suis heredibus utriusque sexus mutans primam formam investiture factam ab aliis episcopis predecessoribus suis decipiendo ecclesiam et capitulum Tridentinum (...), pro qua investitura ecclesia Tridentina est quasi ad nichilum iam redacta (...) ». Cfr. J. Riedmann, *op. cit.*, pp. 52-55.

[2] H. Wiesflecher, *Meinhard der Zweite. Tirol, Kärnten und ihre Nachbarländer am Ende des 13. Jahrhunderts*, Wagner, Innsbruck (Schlern-Schriften, 124) 1955, p. 135.

neoeletti. Attese invece a riorganizzare radicalmente l'amministrazione, secondo il più progredito modello italiano[1], sostituendo i nobili e i ministeriali infeudati con ministeriali senza feudo, cioè semplici funzionari pubblici; favorì la borghesia cittadina e anche l'emancipazione dei contadini, trasformandoli in locatari perpetui ovvero fittavoli. Non concesse però alle comunità rurali alcun diritto politico, di modo che non poterono costituire un'organizzazione di contadini liberi come si stava facendo nelle vicine comunità svizzere.

Mainardo II programmò e decisamente iniziò la formazione di una moderna compagine statuale di tipo assoluto, che si avvaleva di un efficiente apparato burocratico. La sovranità territoriale dei principi vescovi si ridusse a poco più di un contestato diritto formale-storico, anche perché molti loro sudditi esasperati dai soprusi perpetrati durante il lungo periodo di anarchia non disdegnavano il predominio dell'energico conte del Tirolo. Riuscì perciò del tutto effimera l'espugnazione del castello del Mal Consiglio (che proprio allora, almeno dal 1277, fu denominato Buon Consiglio[2]) da parte dei fautori del nuovo vescovo trentino Enrico II, che era dell'ordine teutonico. Mainardo II reagì aggredendo violentemente Bolzano, di cui fece demolire perfino le mura, poiché aveva fatto causa comune con i Wanga e con altri signori filovescovili. Dopo un infausto tentativo di porsi sotto la tutela del comune di Padova (1278), affidando la città di Trento al patavino podestà Marsilio Partenopeo, il vescovo Enrico nel 1284 dovette adattarsi a stipulare con il conte del Tirolo addirittura un contratto di cessione del principato per quattro anni. Gli veniva corrisposta una pensione di ottocento marche d'argento, forse anche (come si riscontrerà spesso in seguito) per sopperire all'insolvibilità dei debiti contratti per mantenere il decoro principesco. Contemporaneamente il vescovo di Bressanone, Bruno di Kirchberg (1250-1288) nipote di Mainardo I, si mostrava ancor più succube perché non solo cedette all'insaputa del Capitolo dei canonici a Mainardo II il dominio di Sarentino e Castelrotto, ma riconobbe quasi formalmente la separazione e la supremazia del potere temporale dell'usurpatore su quello, già di fatto ridotto alla giurisdizione

[1] Le vecchie contee altoatesine, fagocitate dal progressivo espandersi di quella che di fatto già era la contea del Tirolo, furono suddivise in *Landgerichte* (giurisdizioni) regolate uniformemente secondo un preciso statuto territoriale (*Landrecht*); questa riorganizzazione si estese ben presto anche al territorio che era rimasto sotto il dominio diretto dei principi vescovi, al posto delle precedenti gastaldie. Cfr. *ivi*, pp. 175-203, 256; J. Kögl, *op. cit.*, pp. 62-70; J. Riedmann, *op. cit.*, pp. 72 (*dominium Tirolense*), 123-142 (sui rapporti con i Frescobaldi e altri banchieri fiorentini), 143-145, 155.

[2] È probabile che sia stato frainteso l'etimo tedesco *Mahl* (assemblea), donde il mutamento semantico nel latino *malum* e la successiva denominazione beneaugurante.

ecclesiastica, del vescovo. Le cosiddette « compattate »[1], che avrebbero dovuto essere vere convenzioni bilaterali, si rivelarono imposizioni pressoché unilaterali del conte del Tirolo.

Certo è che nel 1288 il principato vescovile di Bressanone poteva considerarsi secolarizzato e in quello di Trento pure la sovranità territoriale del vescovo poteva ormai apparire una sopravvivenza soltanto formale[2]. Mainardo II cominciò indifferentemente ad attribuirsi il titolo di *Landesfürst* (« princeps terrae »), che in realtà gli spettava per il ducato di Carinzia conferitogli dal genero re Rodolfo d'Asburgo nel 1286, ma che fin d'allora volle estendere e ritenere valido per l'ambiguo dominio del Tirolo. Alle altre usurpazioni aveva aggiunto il diritto di battere moneta, che violava i diritti sovrani del principe vescovo di Trento e che tuttavia gli fu ben presto riconosciuto dallo stesso Rodolfo d'Asburgo; anzi, in breve tempo la zecca di Merano accentrò e sviluppò straordinariamente la monetazione trentino-tirolese, favorendo l'incremento commerciale e insieme il prestigio del conte e « principe » del Tirolo.

5. Tra conti del Tirolo e duchi d'Asburgo

Usurpato l'effettivo potere nei principati vescovili di Trento e di Bressanone dall'avvocazia ereditaria dei conti tirolesi, al vescovo Bartolomeo Querini (veneziano, eletto dal papa Benedetto XI il 10 gennaio 1304 ed entrato in Trento la vigilia di Natale del 1306, dopo quasi vent'anni che non vi risiedeva un principe vescovo) non rimase che tentare un accordo o piuttosto compromesso per salvaguardare almeno il diritto formale, cercando tutt'al più di delimitare e possibilmente ricuperare una parte dei feudi contesi. La clausola inserita nel diploma d'investitura, il 19 febbraio 1307, precisava che ai figli del defunto Mainardo II si confermavano i feudi che i loro avi « iuste et rationabiliter habuerunt et possederunt ab Episcopo »[3]; sennonché l'attuazione, al di là della consueta malafede dei conti-avvocati, sarebbe stata di per se stessa ingarbugliatissima, dopo tante complicate vicende politiche, e d'altra parte era difficile distinguere quali

[1] Riconoscevano al conte-avvocato solo il diritto, che era insieme dovere, di far presidiare militarmente in caso di necessità castelli e ogni altro luogo fortificato dei principati vescovili, ma furono strumentalizzate per procedere nell'invadenza anche politico-amministrativa.

[2] O. Stolz, *Politisch-historische Landesbeschreibung von Südtirol*, Wagner, Innsbruck (Schlern-Schriften, 40) 1937, p. 22; J. Riedmann, *Die Beziehungen* cit., pp. 95-100.

[3] Per il testo completo del diploma cfr. B. Bonelli, *op. cit.*, vol. III-2, 1765, pp. 86 seg.; J. Kögl, *op. cit.*, pp. 135-137. Nel frattempo, con l'accordo di Papozze del 1305, era stata restituita quella parte del principato che rimase ai vescovi anche in seguito (cfr. J. Riedmann, *op. cit.*, pp. 200-202).

giurisdizioni trentine o feudi fossero stati acquisiti dai conti più o meno a buon diritto e quali invece illegalmente mediante soprusi. Sta di fatto che i feudi usurpati non solo non furono restituiti, ma nemmeno riconosciuti, e infine gli stessi principi vescovi di Trento non li rivendicarono più. Conseguentemente perfino la cancelleria imperiale cominciò a considerare la « contea del Tirolo » (o « la terra all'Adige e nella montagna », come ancora si diceva) quasi comprendente i due principati vescovili e ad annoverare i feudi ecclesiastici usurpati fra i feudi concessi direttamente dall'Impero, cosicché il conte che li possedeva ormai si poteva ritenere prìncipe immediato.

Rimasta erede Margherita soprannominata *Maultasch* (« boccalarga »), dopo che il padre suo Enrico per debiti aveva pignorato gran parte dei possedimenti comitali, il principato vescovile di Trento fu coinvolto malauguratamente nell'antagonismo violento tra il bavarese Ludovico di Wittelsbach, marchese di Brandeburgo, concubinario scomunicato di Margherita, e il re Carlo IV di Boemia che era coadiuvato dal vescovo di Trento, già suo cancelliere, Nicolò Alreim da Bruna (Brno)[1]. Sebbene con l'accordo segreto del 2 maggio 1335 gli Asburgo e i Wittelsbach avessero spartito la contea del Tirolo, Carlo IV intervenne distruggendo Merano, mentre per conto del brandeburghese il capitano Corrado Teck dal 1347 tiranneggiava Trento. Invano il Capitolo dei canonici confidò di liberarsene alleandosi con il signore di Padova, Jacopo da Carrara. Per diciotto anni complessivamente il principato trentino fu occupato da Ludovico di Brandeburgo, ad eccezione di Riva amministrata dagli Scaligeri. Meno disastrose riuscirono le condizioni del principato di Bressanone, perché il vescovo Matteo Konzmann seppe o poté meglio barcamenarsi.

Dopo cinque anni di terrore, assassinato il capitano Teck nel 1352, si avviarono finalmente le trattative ad Avignone per normalizzare la situazione del principato vescovile di Trento[2]; in compenso, il 2 settembre 1359 grazie ai buoni uffici dei duchi d'Austria, Ludovico di Brandeburgo e Margherita Maultasch ottennero la convalida pontificia del loro matrimonio. Prima ancora che la sorte togliesse di mezzo il futuro erede della

[1] In compenso il principato venne reinvestito, con diploma imperiale del 21 luglio 1347, di tutti i diritti e beni di cui i vescovi di Trento « fuerunt iniuste et indebite spoliati per quondam Maynardum Tirolensem et praedecessores et successores ». Il documento, pubblicato da F. Ambrosi (*Commentari della storia trentina*, Borgo 1896, 2ª ed., vol. II, pp. 227-231), elenca dettagliatamente i beni restituiti al principato di Trento.

[2] Fu promessa la restituzione dei beni e diritti usurpati: « Nos Ludovicus de Bavaria (...) confitemur et recognoscimus, quod civitatem Tridentinam et nonnulla oppida, castra, terras, villas, loca, bona, iura et iurisdictiones ad Ecclesiam Tridentinam spectantia, occupavimus et per duodecim annos vel circa detinuimus occupata; sed ea omnia nuper vobis reverendis patribus dominis Commissariis praedictis, vice et nomine dictae Romanae Ecclesiae recipientibus secundum domini Papae mandatum libere, realiter et expedite restituimus et assignavimus,

contea del Tirolo, cioè Mainardo III figlio appunto di Margherita e del marchese Ludovico (morto improvvisamente a Merano il 13 gennaio 1363), Rodolfo IV d'Austria aveva provveduto a riservarsi la successione. Simoniacamente aveva fatto eleggere vescovo di Trento il conte carinziano Alberto di Ortenburg, già suo cancelliere, come pure si era procurato a Bressanone un autorevole fautore nel decano dei canonici e poteva disporre a suo piacimento anche del principe vescovo di Coira, tanto da farsi cedere nel 1360 il potere temporale per otto anni. Per di più, è quasi certamente un falso (anzi una delle tante falsificazioni escogitate dal cancelliere del duca Rodolfo IV, ossia Giovanni Lenzburg di Platzheim, che poi nel 1364 fu premiato con la nomina a vescovo di Bressanone) il testamento che sarebbe stato disposto da Margherita Maultasch fin dal 2 settembre 1359 per la devoluzione ai duchi d'Asburgo di tutti i suoi possedimenti, nel caso che il figlio suo Mainardo fosse morto prematuramente. Al contrario, ancora il 17 gennaio 1363 cioè pochi giorni dopo il decesso dell'erede, Margherita si obbligava a non cedere il dominio tirolese all'insaputa dei nove baroni o signori territoriali (*Landherren*). Solo il 26 gennaio 1363, con un documento stilato dallo stesso cancelliere Lenzburg, Margherita si adattava a cedere il « principato del Tirolo », ossia le « contee in Tirolo e in Gorizia, la terra e regione all'Adige e la valle dell'Inn » ai parenti paterni (*Vatermage*). Il documento è sottoscritto da quattrodici nobili di varia estrazione feudale, in rappresentanza (ma la delega non risulta provata) anche di altri assenti [1].

6. Sopraffazioni asburgiche e « compattate »

I compiacenti principi vescovi di Trento e di Bressanone, Alberto di Ortenburg e Matteo Konzmann, si affrettarono il 5 febbraio 1363 ad investire Rodolfo IV d'Austria dei feudi ormai tradizionalmente concessi e spettanti ai conti del Tirolo. È incerto tuttavia se il vescovo simoniaco di Trento abbia davvero acconsentito alle clausole iugulatorie di quel documento, di assai dubbia autenticità, noto come « compattate » del 18 settembre 1363 [2]. Si sarebbe obbligato, fra l'altro, ad affidare l'esercizio effetti-

seu assignare fecimus prout nostis, et alia bona spectantia ad Capitulum dictae Ecclesiae Tridentinae (...) ipsi Capitulo restituimus ». Cfr. B. Bonelli, *op. cit.*, vol. III-2, p. 108.

[1] Pubblicato in *Ausgewählte Urkunden zur Verfassungsgeschichte der deutschösterreichischen Erblande im Mittelalter*, a cura di E. von Schwind e A. Dopsch, Wagner, Innsbruck 1895, n. 111; cfr. J. Kögl, *op. cit.*, p. 97.

[2] *Ivi*, pp. 110-117; il testo latino in Schwind - Dopsch, *op. cit.*, n. 112 (per un'antica traduzione italiana cfr. F. Ambrosi, *op. cit.*, vol. II, p. 230). Sull'evolversi dell'avvocazia da protezione in signoria e sul predominio assoluto dell'« hereditarius advocatus dominus Ru-

vo del potere temporale a un capitano scelto formalmente d'accordo con il duca d'Asburgo, ma che in realtà avrebbe dovuto mantenersi a costui « obediens et subiectus » (*gehorsam und gewärtig*); la superiore competenza giudiziaria sarebbe stata riconosciuta spettante allo stesso duca d'Austria, e non più direttamente al tribunale dell'impero a Wetzlar. Addirittura si faceva obbligo ai sudditi del principato vescovile di aiutare il duca d'Austria e i suoi successori contro il vescovo stesso, se quest'ultimo avesse voluto staccarsi dal suo ereditario protettore. Rodolfo IV d'Asburgo, da parte sua, non mantenne neppure la promessa di restituire al principato di Trento il maltolto, come si era fatto garante nella pacificazione del 2 settembre 1359 fra il papa e Ludovico di Brandeburgo; lasciò al vescovo soltanto la giurisdizione ecclesiastica e per la residenza una parte modesta del castello del Buonconsiglio. In conclusione, il duca d'Austria si considerava signore supremo del principe vescovo, sebbene questi secondo la costituzione imperiale fosse suo superiore, in quanto lo investiva dei feudi altoatesini.

Le « compattate » del 1363 erano così gravose e umilianti per il principe vescovo di Trento (e anche spudoratamente menzognere, poiché si asseriva che al duca d'Austria spettava il merito di aver restaurato il principato vescovile di Trento « in honorem pristinum, dignitatem ac commoda ») che si ritengono senz'altro contraffatte. Certo è che non furono più richiamate per avvalorare i successivi documenti di analogo tenore, nemmeno nelle « compattate » di appena due anni dopo, in seguito alla morte del duca Rodolfo. Queste senza dubbio autentiche del 1365, sebbene confermassero la restrizione territoriale del principato di Trento e quindi l'invadente strapotere degli Asburgo, che più che avvocati si consideravano già « signori » protettori, non contenevano clausole del tutto incompatibili con la dignità e i diritti sovrani del principe vescovo. Si trattava nel complesso di un'alleanza militare che riconosceva, in tempo di guerra, al conte nel Tirolo il diritto di far presidiare (*ius praesidii* e *ius aperturae*) dalle sue truppe i castelli e altri caposaldi militari del principato vescovile. Anche il vescovo Ulrico I di Bressanone dovette sottoscrivere, il 5 novembre 1405 a Graz, le stesse convenzioni.

L'interpretazione di questi accordi, che limitavano lo *ius belli* poiché nessuna iniziativa militare poteva esservi senza il consenso del conte del Tirolo, fu assai controversa più tardi, particolarmente per determinare l'aggravio finanziario dei contributi di difesa. Nel frattempo i vescovi di

dolfus » cfr. J. Riedmann, *Vescovi e avvocati*, in *I poteri temporali dei vescovi in Italia e in Germania nel Medioevo*, a cura di H. Schmidinger e C. G. Mor, Il Mulino, Bologna 1979, pp. 64-76.

Trento e di Bressanone, che erano creature dello stesso conte, neppure contestavano il suo predominio.

Sullo scorcio del secolo XIV il principato vescovile di Trento era decaduto al punto che, nel 1390, il duca Alberto III d'Asburgo poteva perfino permettersi di confermare lo statuto della città di Trento, come se dipendesse da lui esclusivamente. Non stupisce perciò che preferissero dichiararsi suoi vassalli, e non più del principe vescovo, nobili trentini di antico lignaggio e assai potenti, quali i Castelbarco che presidiavano i confini meridionali del principato di fronte al minaccioso espansionismo veneziano. Invano il vescovo Giorgio di Lichtenstein (1390-1419), già preposito della collegiata di S. Stefano di Vienna e quindi meno succube agli Asburgo dei precedenti vescovi di Trento, che talvolta erano stati ex cancellieri ducali, cercò di ripristinare la sovranità territoriale del principato sottraendolo all'effettiva dipendenza dai conti di Tirolo, per ricollegarlo immediatamente all'impero.

7. Crisi della società feudale e rivolta di Rodolfo Belenzani

Proposito del vescovo neoeletto sarebbe stato quello di consolidare il principato di Trento, mediante un energico riordinamento amministrativo e forse tendendo a ricostituire una società di tipo feudale, piuttosto che rispondere all'urgenza di riforme adeguate alle nuove istanze economiche e sociali e, in parte, anche politiche. Al contrario di Federico Wanga, che due secoli prima con l'appoggio del Capitolo dei canonici era riuscito a rinnovare le strutture del principato favorendo l'emergere, e quindi la collaborazione, dei ceti borghesi e in pari tempo di libere comunità contadine, il principe vescovo Giorgio I finì con l'alienarsi la borghesia cittadina rifiutandosi di riconoscere la legittimità dei suoi organi consiliari, mentre i nobili mal sopportavano l'abolizione di privilegi o la repressione di abusi tanto inveterati. Per evitare ostruzionismi e contrasti, il nuovo vescovo non seppe far di meglio che circondarsi di nobili e funzionari fatti venire dalla Moravia, suo paese d'origine, che cercarono d'instaurare un regime o sistema amministrativo ostico a quello tradizionale trentino. Veramente la riduzione del numero dei canonici della cattedrale di Trento da ventisette a diciotto, decretata il 16 novembre 1396 e confermata dal papa Bonifacio IX il 16 febbraio 1397[1], non solo rispondeva alla politica generale di

[1] F. UGHELLI, *Italia sacra, sive de episcopis Italiae...*, vol. V, Coleti, Venezia 1720, 2ª ed., (ristampa anastatica, Forni, Bologna 1973) coll. 629-631; G. A. GIOVANELLI, *Compendiosa informazione sopra le gesta e virtù del fu vescovo e principe di Trento Giorgio I di*

consolidamento del principato ma anche alla necessità di adeguarsi alla diminuita dotazione patrimoniale; sennonché, oltre al malcontento di quanti venivano esclusi dalle prebende, si accentuò l'ostilità dei ceti borghesi per l'aggravio fiscale derivante dall'esenzione accordata agli stessi canonici e a gran parte della nobiltà sulle imposte comunali. La riforma amministrativa riuscì contraddittoria e iniqua.

Al grido di « Viva el popolo e el signore, e mora y traditori », la notte del 2 febbraio 1407 una folla di cittadini esasperati, con a capo il nobile Negro de' Negri, assalì a mano armata il palazzo del vicario vescovile[1]. Evidentemente la borghesia cittadina, non senza la partecipazione di nobili esautorati, intendeva appellarsi al duca d'Austria e conte del Tirolo, che considerava garante dello statuto della città di Trento (poiché, pur abusivamente, lo aveva confermato nel 1390) insieme con le garanzie apportate già dal vescovo Alberto nel *Liber reformatorum et provisionum Communis civitatis Tridenti*[2].

La situazione precipitò all'improvviso, quando si sollevarono le valli di Non e di Sole, per motivi diversi ed estranei a quelli dei cittadini e quasi opposti a quelli dei nobili, almeno da parte delle comunità contadine che rivendicavano le autonomie locali. Il principe vescovo Giorgio I adottò una politica temporeggiatrice o delle piccole concessioni, accontentando i valligiani ribelli e anche i Giudicariesi con la conferma e un qualche miglioramento delle *regulae* o statuti locali (24 febbraio 1407); ma il 28 febbraio per non soccombere di fronte al crescente tumulto della borghesia cittadina, coadiuvata da fautori e agenti del duca asburgico Federico IV Tascavuota, fu costretto a concedere una nuova *Carta edictorum et provisionum*[3]. Veniva così sanzionata la rinascita comunale, poiché alla conferma dei precedenti privilegi si aggiungevano inequivocabili garanzie per l'elezione di un Consiglio di « sapienti e anziani » (di cui per la prima volta si ha testimonianza nella documentazione storica trentina) e per un effettivo controllo sull'ufficio del vicario vescovile. Fu pure accordata la nomina di un *magister civium* (capitano del popolo) o *referendarius*, inter-

Liechtenstein di gloriosa memoria, eletto li 29 *settembre* 1390 *e morto l'anno* 1419, *su documenti autentici*, Biblioteca comunale di Trento, Fondo Mazzetti, n. 232, pp. 48-58; I. Rogger, *op. cit.*, pp. 214-217.

[1] D. Reich, *Nuovi contributi per lo statuto di Trento*, Scotoni e Vitti, Trento 1892, pp. 29-31; cfr. G. Cracco, *Belenzani Rodolfo*, in *Dizionario biografico degli Italiani*, vol. VII, Roma 1965, p. 562 (i ribelli, guidati da nobili, avrebbero inteso costituire un « comune di popolo » retto da una oligarchia aristocratica, che faceva affidamento sulla protezione del duca nei confronti del principe vescovo).

[2] F. F. de Alberti, *Miscellanea episcopatus ac principatus Tridenti iurium*, Biblioteca comunale di Trento, *Fondo Mazzetti*, n. 12, p. 215; cfr. Ambrosi, *op. cit.*, vol. I, p. 173; A. Zieger, *Storia della regione tridentina*, Seiser, Trento 1968, p. 129.

[3] Edita in D. Reich, *Nuovi contributi* cit., pp. 33-45.

mediario fra il principe vescovo e i cittadini e insieme comandante di una guardia civica per far applicare la giustizia.

Capitano del popolo venne eletto Rodolfo Belenzani, pure lui come il Negri di nobile e facoltosa famiglia (quindi si potrebbe dedurne che dapprima convergessero istanze aristocratiche con quelle della borghesia cittadina), uomo piuttosto ambizioso e di una certa cultura umanistica non estranea agli influssi veneti, soprattutto patavini [1]. La problematica storica sul ruolo e sugli intendimenti del Belenzani nella rivolta è complessa e variamente valutata (per lo più negativamente, sia da parte di studiosi e storici filovescovili sia da filoasburgici); ma si dovrebbe reinterpretarla in un più ampio arco di tempo e in un contesto socio-economico di maggior respiro, forse anche alla luce della futura lontana insurrezione del 1525, che nel territorio trentino-tirolese partendo da Bressanone (con la richiesta di un Consiglio cittadino analogo a quello di Trento) avrà un capo carismatico ancor più prestigioso del Belenzani, con propositi meglio definiti per un rinnovamento anzi radicale della società.

Senza dubbio Rodolfo Belenzani ampliò gli iniziali ristretti orizzonti dei rivoltosi e se in un primo tempo confidò nell'aiuto del duca asburgico per costringere il principe vescovo a estendere la competenza amministrativa del Consiglio dei « sapienti e anziani » nell'intero ambito del principato di Trento [2], appena il duca Federico IV rivelò la sua malafede imponendo suoi capitani al posto dei vicedomini vescovili e addirittura un suo luogotenente a Trento, reagì subito e lo combatté apertamente. Nel frattempo (24 aprile) il vescovo, che si era screditato agli occhi dei sudditi avviando trattative con il capitano di ventura parmigiano Ottobono de' Terzi per reprimere l'insubordinazione della borghesia cittadina, era stato costretto ad affidare il potere temporale al duca e insieme conte del Tirolo.

Le minacce, le confische e le violenze del luogotenente e dei capitani tirolesi fiaccarono la volontà di resistenza di gran parte dei ribelli. Il proposito di costituire un libero comune o repubblica trentina divenne ben presto irrealizzabile; tuttavia il Belenzani non disperò e con i fuorusciti rifugiatisi a Rovereto decise infine di avviare trattative con la repubblica di Venezia, che nel 1406 aveva occupato i territori della sconfitta signoria padovana dei Carraresi, compresa la bassa Valsugana, e mediante un accordo con i Castelbarco poteva controllare pure la Vallagarina. La Serenissima, restìa sempre a impegnarsi militarmente e tanto più in quello che si riteneva inequivocabile ambito imperiale, non fu sollecita a soccorre-

[1] D. Reich, *Rodolfo de Belenzani e le rivoluzioni trentine* (1407-1409). *Tradizione e storia*, in « Tridentum », X, 1907, pp. 1-38; G. Cracco, *op. cit.*, p. 561.

[2] D. Reich, *Rodolfo de Belenzani* cit., pp. 20-22.

re l'animoso capitano del popolo trentino, sebbene fosse riuscito a liberare la città di Trento nei primi giorni del luglio 1409. Così ne approfittò un forte contingente militare del duca asburgico per sopraggiungere ed espugnare la città ancora indifesa. Rodolfo Belenzani non fu ignominiosamente catturato e decapitato, come favoleggiò la retorica compiacente al cosiddetto lealismo dinastico austriaco, ma cadde combattendo ormai disperatamente come attesta anche una frottola quasi contemporanea in volgare[1]:

E 'l ghe lassò la vita
per quella gran ferita
che hebbe nelle spalle.

Con la morte violenta del Belenzani finì la generosa illusione che potesse instaurarsi una repubblica trentina indipendente e rimase delusa anche la speranza di fare affidamento nell'aiuto della confinante repubblica veneta. Più per impotenza che per accondiscendenza del duca o del vescovo, vicendevolmente travagliati nell'alterna crisi dell'impero e del papato, sopravvisse dal turbinìo di quelle tragiche circostanze la carta degli editti e delle provvisioni che era stata concessa il 28 febbraio 1407. Il Consiglio cittadino dei « sapienti e anziani » mantenne i diritti acquisiti, li esercitò effettivamente dal 1414 e continuò poi non solo a rivendicarli nei confronti del reintegrato principe vescovo, ma pure a estendere le competenze cercando di coinvolgere l'amministrazione civile di tutto il principato[2] e quindi a uniformarla sull'esempio e subordinatamente all'organizzazione comunale della città di Trento. Nell'atavico antagonismo tra principi vescovi di Trento e conti del Tirolo veniva così ad inserirsi una nuova forza, che cercherà di assicurarsi statutariamente uno spazio politico. Il Consiglio cittadino di Trento, sebbene non esitasse a ricorrere al duca asburgico per garantirsi dalle velleità reazionarie dei principi vescovi, non si mostrò con il Belenzani e nemmeno in seguito disposto a subire la dominazione tirolese; tuttavia il riconoscere garante dello statuto e delle conquiste comunali l'autorità del conte del Tirolo costituiva una remora e un limite imprescindibile all'autonomia del Consiglio stesso, oltre che una menomazione della sovranità del principato.

[1] Pubblicata da G. Papaleoni, *Rime di anonimo sulla sollevazione di Trento del* 1435, in « Archivio Trentino », VIII, 1889, pp. 179-207.

[2] Cfr. D. Reich, *Rodolfo de Belenzani* cit., pp. 20-27, 36.

Capitolo II. **Schermaglie antiasburgiche e rivolta contadina**

1. Statuti trentini e brissinensi

La rinascita comunale trentina, tumultuosamente manifestatasi agli inizi del '400, poté dunque col favore non disinteressato dei conti tirolesi mantenere qualche risultato positivo e limitare, almeno nell'ambito cittadino, il potere e le arbitrarie iniziative del principe vescovo. Affinché il conseguito ruolo nell'amministrazione civile non fosse misconosciuto, i consoli (il cui ufficio assunse la denominazione di Magistrato consolare) elaborarono con l'assistenza di qualificati giuristi un nuovo statuto della città di Trento e nel 1425 il vescovo Alessandro di Mazovia lo approvò, pur con reticenze circa le forme dell'amministrazione comunale ed evitando di sanzionare esplicitamente l'esistenza del Consiglio cittadino, nemmeno usando il precedente e più generico titolo di « sapienti e anziani ». Detti appunto *Alessandrini*[1], quegli statuti rimasero quasi inalterati perché le successive proposte di aggiunte e correzioni non furono applicate[2] e anche il testo definitivo edito dal principe vescovo Bernardo Cles nel 1528 si limitò a ritocchi piuttosto marginali di aggiornamento[3].

Nel complesso, lo statuto trentino del 1425 si fonda « sul diritto romano, con qualche mistura del longobardico, dei capitolari di Carlo Magno e

[1] Nella stesura originale si conservano nella Biblioteca comunale di Trento, *Archivio del Magistrato consolare*, Ms. 3467; furono pubblicati da D. Reich, *Il secondo statuto dei sindici del Comune di Trento*, in *Programma dell'i. r. Ginnasio di Trento*, 1890-91, Trento 1891, pp. 12-30.

[2] Mss. 421, 804, 902-905, 1317, 1345, 2168, 2199, 2212, 2431, 2545, 3177, nel cit. fondo archivistico della Biblioteca comunale di Trento; inoltre Archivio di Stato di Trento, *Sezione latina*, capsa III, n. 83. Cfr. V. Simoni, *Amministrazione e vita sociale a Trento nel I° Cinquecento*, tesi di laurea, Università di Padova, Facoltà di Magistero, a.a. 1972-73, pp. 24 seg.

[3] Cfr. l'introduzione di T. Gar agli *Statuti della città di Trento colla designazione dei beni del Comune nella prima metà del secolo XIV*, Trento 1858, p. XXVIII.

de' suoi successori »[1], affastellando alquanto disorganicamente con le parti più antiche (menzionate nelle conferme vescovili del 1307, 1338, 1375 e in occasione del censimento dei beni comunali nel 1339 e, ancora, delle norme sull'elezione dei magistrati nel 1340) quelle del diritto consuetudinario via via modificate e aggiunte. Se il potere legislativo spettava sempre ed era riservato al principe vescovo, pur tuttavia si riscontra il progressivo trapasso dell'amministrazione della città e della giustizia alla competenza del Comune, tramite rispettivamente i consoli e il podestà. Quest'ultimo, scelto dal vescovo fra tre dottori in legge proposti dai consoli, doveva essere forestiero, rispetto al principato di Trento, e rimaneva in carica soltanto un anno, anzi non poteva essere rieletto che dopo sette anni. Era coadiuvato da un vicepodestà e, allo scadere dell'incarico, veniva trattenuto per dieci giorni a disposizione dei tre revisori (due per i consoli e uno per il vescovo) che tenevano conto anche di eventuali lamentele dei cittadini.

Notevoli differenze si possono rilevare negli analoghi statuti di Bressanone, che furono per la prima volta codificati nello *Stadtbuch* del 1380[2], sulla base soprattutto di consuetudini fino allora tramandate oralmente. I vescovi Ulrico I nel 1407 e Ulrico II Putsch nel 1428, nonché l'arciduca Ernesto d'Austria nel 1415 come avvocato e protettore del principato brissinense, confermarono lo statuto del 1380[3]. Oltre al potere legislativo, l'amministrazione della città e della giustizia rimase alle dipendenze del principe vescovo, che eleggeva il borgomastro (*Bürgermeister*), i giudici (*Stadtrichter*), i capiquartiere (*Viertelmeister*) e i giurati (*Gerichtsgeschworenen*); così pure lo *Stadthauptmann* (capitano della città) che aveva funzioni di polizia e abitava nel castello, dove poi sorse il palazzo vescovile che perciò i brissinensi continuarono a chiamare *Schloss*. È da notare che la giurisdizione civile spettava non solo al giudice eletto dal vescovo a tempo indeterminato, ma anche al Capitolo dei canonici del duomo di Bressanone poiché avevano il privilegio o diritto di immunità (*Exemptiongerichte*)[4] sui loro vasti possedimenti terrieri.

Molto più tardi, nei primi anni del '500, il principe vescovo Melchior von Meckau concesse ai cittadini brissinensi di poter eleggere un comitato di dodici membri, che dovevano però essere approvati dallo stesso vesco-

[1] *Ivi*, p. XXIX.

[2] Archivio vescovile di Bressanone, cassa 84, I D; edito da J. Mutschlechner, *Alte Brixner Stadtrechte*, Wagner, Innsbruck (Schlern-Schriften, 26) 1935.

[3] Contemporaneamente furono confermati i diritti e i privilegi delle altre due città vescovili di Brunico e di Chiusa d'Isarco.

[4] J. Prader, *Die Gerichtsbarkeit des Brixner Domkapitels*, in *Festschrift zur Feier des 200-jährigen Bestandes des Haus-Hof-und Staatsarchivs*, a cura di L. Santifaller, vol. II, Staatsdruckerei, Wien 1950, pp. 152-196.

vo. La borghesia di Bressanone si mostrò insoddisfatta, perché nel frattempo altre città nel territorio trentino-tirolese avevano ottenuto un vero *Stadtrat* (Consiglio cittadino), ma invano insistette nella richiesta fino al 1604. In realtà, l'ordinamento del 1380 concedeva ai cittadini soltanto le modalità nella ripartizione delle imposte fra i membri della borghesia (distinti in *Bürger* e *Inwohner*, cioè cittadini di pieno diritto e semplici residenti), mentre clero e nobiltà erano esenti dalle imposte [1].

La legislazione brissinense, come quella tirolese in generale, è diversa da quella trentina per la più stretta derivazione germanica: ad esempio, nell'eredità mantenne la cosiddetta successione stammatica, che faceva rifluire i beni dei defunti ai parenti rispettivamente dell'uomo e della donna, mentre gli statuti trentini favorivano piuttosto l'agnazione a favore delle nuove famiglie costituite [2]. Così pure nei contratti di locazione fondiaria la mezzadria era diffusa in gran parte del principato di Trento [3], invece in quello di Bressanone continuarono consuetudini feudali semiservili (*Freistiftrecht*, *Patrimonialrecht*, *Hofrecht* [4]) che obbligavano i contadini dipendenti a rinnovare ogni anno il contratto di usufrutto alle condizioni quasi servili (*halbfrei*) imposte dal padrone-signore (*Grundherr-Leibherr*), che poteva di anno in anno aumentare il canone di locazione con l'aggiunta di servizi, corvées [5] e onoranze.

È da rilevare, infine, che a Bressanone la cittadinanza si poteva acquisire molto più difficilmente che a Trento, dove gli statuti favorivano l'immigrazione soprattutto per aumentare il numero dei contribuenti fiscali [6].

[1] La nobiltà brissinense si era formata e aveva acquistato importanza mediante i servizi di corte prestati presso i principi vescovi; oltre alle retribuzioni per i pubblici incarichi, spesso i nobili detenevano anche feudi vescovili e usufruivano del tribunale di corte (*Hofgericht*). Le loro residenze, sia in città sia nei dintorni, si distinguevano per ampiezza come pure per una certa linea architettonica. Cfr. J. MUTSCHLECHNER, *Alte Brixner Stadtrechte* cit., p. 19; J. WEINGARTNER, *Die Kunstdenkmäler Südtirols*, vol. II, Wagner, Innsbruck 1951, p. 117.

[2] T. GAR, *Statuti* cit., pp. XXXIV seg.

[3] *Ivi*, p. XXXIX; A. STELLA, *Politica ed economia nel territorio trentino-tirolese dal XIII al XVII secolo*, Antenore, Padova 1958, pp. 51-66.

[4] Cfr. O. STOLZ, *Politisch-historische Landesbeschreibung* cit., p. 36.

[5] In coincidenza con i periodi di più intenso lavoro stagionale, come lamentavano i fittavoli: « Dann wier dieselb Zeit mit grosser arbeit beladen sein ». Cfr. H. WOPFNER, *Das Tiroler Freistiftrecht. Ein Beitrag zur Geschichte des bäuerlichen Besitzrechtes*, « Forschungen und Mitteilungen zur Geschichte Tirols und Voralbergs », II-III, 1905-1906; ID., *Quellen zur Geschichte des Bauernkriegs in Deutschtirol* 1525, in *Acta Tirolensia, Urkundliche Quellen zur Geschichte Tirols*, vol. III, Wagner, Innsbruck 1908, p. 109; F. HUTER, *Siedlungsleistung und Grundherrschaft von Innichen*, « Der Schlern », 45, 1971, pp. 475-485. Invece, sul rapporto parziario per le vigne (*Teilbau*), cfr. O. STOLZ, *Rechtsgeschichte des Bauernstandes* cit., p. 211.

[6] T. GAR, *Statuti* cit., p. XXXI: ai forestieri benestanti veniva promessa l'esenzione dalle imposte, purché s'impegnassero a risiedere in città almeno per tre anni e giurassero fedeltà al

Oltre alla condizione preliminare di possedere una casa o altro cospicuo bene immobiliare, per la cittadinanza brissinense si richiedevano attestati di nascita legittima e di essere esente da vincoli servili, un esame preventivo per accertare che il richiedente fosse « utile e adatto alla città » e anche buon cattolico [1].

2. Nicolò Cusano contro l'invadenza asburgica

L'applicazione delle norme statutarie fu contrastata e, in parte, distorta dal principe vescovo Alessandro di Mazovia. L'abuso di potere dei suoi favoriti, per lo più stranieri, esasperò tanto i sudditi che si ribellarono nel 1433 e il Magistrato consolare di Trento colse l'occasione per mandare un'ambasceria a Basilea, dove il vescovo si era recato per il concilio. I risultati furono soddisfacenti, perché si assicurò ai trentini la preferenza rispetto ai forestieri nell'assegnazione di uffici e incarichi vescovili, vennero diminuiti i dazi per incrementare il commercio e si ottennero altre concessioni (18 aprile 1434). Nel frattempo lo statuto della città di Trento influì come modello per tutto il territorio del principato, cosicché ogni comunità ebbe il suo statuto particolare, detto « Carta di regola », e i distretti si diedero pure un proprio regolamento codificato [2].

Il duca Federico IV Tascavuota, nonostante fosse stato condannato dal concilio di Costanza e costretto dall'imperatore Sigismondo, che lo presiedeva, a rispettare la sovranità territoriale dei principi vescovi, approfittò di un'altra rivolta scoppiata a Trento il 15 febbraio 1435 per occupare nuovamente il principato e anzi riuscì a ottenere una sentenza arbitrale favorevole da parte dell'arciduca Alberto V d'Austria (16 maggio 1435), per delega dello stesso imperatore Sigismondo [3].

principe vescovo; mentre invece la cittadinanza, con il diritto di esercitare la mercatura, si concedeva al forestiero che avesse acquistato, entro un anno, beni immobili nell'ambito comunale per un valore non inferiore a cento ducati d'oro.

[1] J. Mutschlechner, *Alte Brixner Stadtrechte* cit., p. 81.

[2] Si presero anche importanti provvedimenti a favore delle arti dei lanaioli e setaioli (Archivio di Stato di Trento, *Sezione latina,* capsa IV, nn. 8-10); fu pure scelto lo stemma comunale (D. Reich, *Rodolfo de Belenzani* cit., p. 36). È da notare che gli statuti si articolano sempre in due sezioni: statuti generali, eguali in tutto il principato, e gli statuti dei sindaci (detti appunto « carte di regola ») che erano diversi adattandosi alle peculiarità di ciascun comune.

[3] Obbligava il vescovo trentino a recedere dalle velleità di allearsi con Filippo Maria Visconti, per essere aiutato a sottomettere i Lodron, vassalli ribelli che parteggiavano per Venezia. La disfatta viscontea, pochi anni dopo, coinvolse il principato di Trento, che nel 1441 (pace di Cremona) dovette cedere alla Serenissima il territorio di Riva del Garda. Cfr. J. Kögl, *La sovranità*, cit., pp. 153-155.

Siccome il concilio di Costanza aveva dichiarato nulle le precedenti compattate (*compactata*) fra i principi vescovi e i conti del Tirolo ed era, in seguito, fallito il tentativo del vescovo Alessandro di affidare l'avvocazia ai Visconti di Milano, si rese necessario stipulare patti diversi da quelli del passato (ponendo così le premesse per i futuri rapporti federativi). Le compattate del 29 aprile 1454[1], fra il vescovo trentino Giorgio II di Hack e il duca Sigismondo d'Asburgo, conte del Tirolo, non si richiamarono più a quelle di fatto unilaterali già estorte ai principi vescovi e quindi, almeno formalmente, apparvero convenzioni bilaterali. Motivo comune rimaneva solo il concetto ispiratore, e la conseguente funzione, di « avvocato ». Il principe vescovo di Trento avrebbe potuto interpretare a proprio vantaggio l'articolo 7 delle nuove « compattate », che prescriveva: « ... il duca Sigismondo, suoi eredi et successori debbano conservare noi, li successori nostri et Capitolo nostro di Trento et le città, castelli, sudditi et beni della predetta nostra Chiesa et tutto quello appartiene ad essa, et in protettione loro essere assistenti, conseglianti e aiutevoli, come nostro avvocato et difensore, et noi, li successori nostri vescovi di Trento, il nostro Capitolo et Chiesa così negli honori, ragioni et antichi costumi gratiosamente mantenere, difendere, lasciare (...) ». Ma il vescovo Giorgio II, che era slesiano e si considerava eletto « in forza di antica e fondata tradizione dei conti del Tirolo », cui lo vincolavano anche debiti finanziari, anziché difendere la sovranità territoriale del principato, cedette al duca Sigismondo (sia pure temporaneamente) la giurisdizione di Bolzano.

Ben deciso invece nei confronti del conte del Tirolo si mostrò Nicolò Cusano, vescovo di Bressanone, che non volle nemmeno riconoscere il diritto di avvocazia a Sigismondo d'Asburgo, il quale da parte sua (nella contesa a chi spettasse la sovranità sul convento di Sonnenburg, in val Pusteria) sosteneva che il principe territoriale era solo lui, mentre il vescovo doveva ritenersi suo suddito[2]. Nel 1455, per iniziativa del papa Callisto III, si raggiunse un compromesso di breve durata: il duca Sigismondo restituì i castelli occupati nei dintorni di Bressanone e il Cusano si adattò a riconoscergli il diritto di avvocazia, soprattutto per assicurare la difesa militare. L'attrito si riaccese e s'inasprì, poi, tanto che il celebre

[1] Il testo tedesco è pubblicato in J. A. v. BRANDIS, *Die Geschichte der Landeshauptleute von Tirol*, Wagner, Innsbruck 1850, pp. 242-244; il testo italiano in F. AMBROSI, *Commentari* cit., vol. II, p. 244, e con qualche rettifica in J. KÖGL, *La sovranità* cit., pp. 203-206.

[2] A. JÄGER, *Geschichte* cit., vol. II, 1885, pp. 127, 190-195; A. SPARBER, *Nicolaus von Cues' Wirken als Bischof von Brixen*, « Veröffentlichungen des Ferdinandeums », XXVI, 1949, pp. 364-375; ID., *Die Brixner Fürstbischöfe im Mittelalter. Ihr Leben und Wirken*, Ferrari Auer, Bozen 1968, pp. 140-150.

vescovo umanista non solo riaffermò i suoi diritti di sovranità, ma perfino intese dimostrare storicamente che i possedimenti del conte del Tirolo non erano altro che feudi spettanti ai principi vescovi[1]. Il cardinale Cusano morì prima di poter stipulare un nuovo compromesso.

Il suo successore Giorgio Golser, accettando nel 1464 un accordo sollecitato e patrocinato dall'imperatore Federico III, non fu altrettanto intransigente, come pure il principe vescovo di Trento Giovanni Hinderbach sottoscrivendo le compattate del 1468. Tuttavia ebbero almeno il merito di garantire la loro sovranità territoriale, perché limitarono i vincoli con la contea del Tirolo alle clausole ormai consuete dell'alleanza militare e ai non ancora ben determinati contributi finanziari per la comune difesa. Quando più tardi le usurpazioni asburgiche progredirono pericolosamente, gli stessi principi vescovi di Trento e di Bressanone insieme protestarono e fecero ribadire dalla Dieta imperiale del 1484 che a loro spettava la dignità inequivocabile di principi immediati dell'impero e che perciò si escludeva ogni altra dipendenza e si condannava qualsiasi sopraffazione. In realtà, una decina d'anni prima, il cardinale legato Francesco Piccolomini aveva considerato piuttosto precaria la situazione del principato vescovile di Trento: «... huius urbis imperium, quamvis apud episcopum sit nomine, non tamen plus est episcopus quam Sigismundus Austriae dux, proximae regionis dominus, velit; ad eius nutum omnia diriguntur praefectumque ibi tenet, quem capitaneum vocat»[2].

È da notare che, nelle ricorrenti controversie con i principi vescovi, il conte del Tirolo poteva facilmente fomentare il malcontento non solo della borghesia cittadina, che tendeva ad assicurarsi uno spazio politico, ma quasi generale per l'esosità e l'arbitrio dei massari preposti alla riscossione delle imposte ordinarie e straordinarie, tanto più dopo che dal 1474 tutti i sudditi trentini e brissinensi furono obbligati ai contributi fiscali (detti *Steuren* e volgarmente *steure*) da versare alla contea del Tirolo per le spese comuni della difesa militare. D'altra parte, in particolare i commercianti e gli agricoltori non si mostravano propensi ad appoggiare le rivendicazioni antitirolesi di qualche principe vescovo, come il Cusano, poiché per rappresaglia veniva bloccata l'importazione del vino nei paesi transalpini. Non è da stupirsi quindi che la rivolta del maggio 1477 nella val di

[1] Sulla confusione, da parte del Cusano, di Merano con il ducato istriano di Merania cfr. A. Jäger, *Der Streit des Cardinals Nicolaus von Cusa mit dem Herzoge Sigmund von Oesterreich als Grafen von Tirol*, vol. I, Wagner, Innsbruck 1861 (ristampa anastatica, Minerva, Frankfurt 1968), pp. 336-339; J. Kögl, *La sovranità* cit., pp. 167-169.

[2] I. Ph. Dengel, *Eine Beschreibung Tirols aus dem Jahre 1471*, in *Festschrift zu Ehren E. v. Ottenthals*, Wagner, Innsbruck 1925, p. 218.

Non sia scoppiata al grido: « Viva il popolo, abbasso il vescovo, viva il conte del Tirolo! » [1].

3. La sovranità « confederata »

Il potere, oltre che il concetto stesso, dell'avvocazia era andato sviluppandosi tramite le compattate verso un tipo di confederazione con preminenti finalità di comune difesa, che coinvolgeva i principati vescovili di Trento e di Bressanone assieme alla contea del Tirolo. La funzione del conte-avvocato o protettore veniva sempre più puntualizzata da contratti [2], che sanzionavano appunto la confederazione di difesa e i relativi contributi. Dopo un lungo e complesso travaglio, si pervenne a un sistema confederale abbastanza equilibrato che potrebbe definirsi di sovranità confederata [3] e che fu chiaramente stabilito dal *Landlibell* del 1511, quando il conte del Tirolo era anche imperatore e come tale non aveva più motivo di diminuire il prestigio dei principi vescovi confederati.

Nel frattempo, durante il quasi cinquantennio di governo (dal 1446 al 1490) del duca Sigismondo d'Austria, si consolidò il cosiddetto lealismo dinastico delle popolazioni altoatesine e trentine, che riconoscevano il predominio asburgico purché garantisse le tradizionali autonomie locali e le deputazioni degli « stati » [4] come mediatori fra il principe e il paese. Certo quel periodo di tempo, che complessivamente fu il più pacifico e prospero nella storia del territorio trentino-tirolese, fu ricordato poi con nostalgia. Si era intensificato il commercio transcontinentale per la via atesina, con un notevole incremento delle fiere di Bolzano e dell'attività mercantile a Trento e, in parte, a Bressanone; aumentò molto lo sfruttamento delle miniere, soprattutto di quelle d'argento come richiedevano la crescente economia monetaria e il mercato veneziano per gli scambi con i prodotti levantini. La zecca di Merano era divenuta floridissima e tanto rinomata che le zecche tedesche e svizzere avevano imitato le sue buone monete d'argento, finché nel 1477 fu sostituita con quella di Hall, ritenu-

[1] F. F. ALBERTI, *Annali* cit., pp. 351, 361; D. REICH, *I luogotenenti, assessori, massari delle valli di Non e di Sole*, in *Programma dell'i.r. Ginnasio di Trento*, Trento 1902-1903, p. 29.

[2] O. STOLZ, *Grundriss der österreichischen Verfassungs-und Verwaltungsgeschichte*, Wagner, Innsbruck 1951, p. 108.

[3] J. KÖGL, *La sovranità* cit., p. 377.

[4] Cioè nobiltà e prelati dei monasteri (talvolta anche parroci) come proprietari di terre, città dipendenti (Merano, Bolzano e Vipiteno al di qua delle Alpi) dal conte del Tirolo e contadini liberi (possessori di terreni). Cfr. *ivi*, p. 220; F. W. UNGER, *Geschichte der deutschen Landstände*, vol. I, Hannover 1844, p. 125.

ta più economica per la vicinanza delle ricche miniere di Schwaz[1].

I principati vescovili di Trento e di Bressanone ne trassero vantaggio anche culturalmente, perché oltre agli influssi universitari padovani si diffuse l'umanesimo italiano, che sostituiva la vecchia cultura scolastica suscitando nuovi interessi e applicando il metodo filologico-critico e quello progressivamente scientifico. Vescovi come il Cusano e Hinderbach (già studente a Padova e con Enea Silvio Piccolomini promotore della diffusione dell'umanesimo in Germania) favorirono il rinnovamento culturale e avviarono anche il rimodernamento architettonico di palazzi, ville e città.

Questo fervore di attività e iniziative sembrò interrompersi quando il 20 aprile 1487, per una piccola controversia di confini e per divergenti interessi provocati dalla riorganizzazione monetaria veneziana[2], il duca Sigismondo fece arrestare centocinquanta mercanti veneziani, mentre a Bolzano partecipavano alla fiera di mezza quaresima, e ne confiscò le merci. La breve guerra si concluse con il trattato del 13 novembre 1487, che prescriveva la reciproca restituzione dei territori occupati, ma lasciava insolute le questioni di confine in Valsugana e sugli altipiani fra Lavarone e Asiago[3]. Rimasero così le premesse della ben più lunga e disastrosa guerra (dal 1508 al 1516), che il conte del Tirolo-imperatore Massimiliano d'Asburgo si ostinò a proseguire. Con la pace di Venezia del dicembre 1516 furono costituiti, alle dirette dipendenze del conte del Tirolo, i cosiddetti «confini d'Italia» comprendenti la bassa valle Lagarina (cioè i quattro vicariati di Rovereto, Mori, Avio e Brentonico) che aggiungendosi all'analoga situazione e dipendenza in Valsugana e conca di Primiero, chiudevano in una morsa il principato vescovile di Trento. Altrettanto accadde per il principato di Bressanone, poiché la contea del Tirolo si ampliò annettendo la conca d'Ampezzo e già aveva ereditato l'alta Val Pusteria nell'anno 1500, in seguito all'estinzione dei conti di Gorizia.

Ancor prima di essere eletto imperatore nel 1493, Massimiliano d'Asburgo conte del Tirolo e arciduca d'Austria dal 1490 si era proposto di trasformare l'agglomerato feudale dei paesi ereditari austriaci, implicando

[1] A. NAGL, *Das Tiroler Geldwesen unter Erzherzog Sigmund und die Entstehung des Silberguldens*, «Numismatiche Zeitschrift», XXXVIII, 1906, pp. 66-68; A. STELLA, *Politica* cit., pp. 24 seg. Inoltre l'arciduca Sigismondo disciplinò i liberi mercati e le fiere (freye märkte und mess), e nel 1488 definì particolarmente i compiti del «magister nundinarum» che sovrintendeva all'organizzazione delle fiere bolzanine di mezza-quaresima, del Corpus Domini, di Sant'Andrea e di San Bartolomeo; cfr. O. STOLZ, *Neues zur älteren Geschichte der Bozener Märkte,* «Der Schlern», II, 1921, pp. 137-140; H. KRASENSKY, *Die Bozener Marktordnung aus dem Jahre* 1718, Geschichte u. Politik, Wien 1957, pp. 19-21.

[2] In seguito alla coniazione della lira d'argento nel 1472, che aveva sconvolto le transazioni commerciali sui mercati tirolesi.

[3] G. ONESTINGHEL, *La guerra tra Sigismondo conte del Tirolo e la Repubblica di Venezia,* «Tridentum», VIII, 1905, pp. 194-234; IX, 1906, p. 341.

i principati vescovili collegati, in un complesso di strutture statuali per quanto possibile centralizzate, istituendo anzitutto nel 1491 un'unica direzione del tesoro con un ispettore generale che doveva sovrintendere e assicurare la riscossione di un regolare contributo finanziario da parte di tutti i territori controllati, direttamente o indirettamente, dal conte e arciduca asburgico. Poi, con il *Landlibell*[1] del 24 giugno 1511, intese definitivamente risolvere le ambiguità procedurali riconoscendo la sovranità dei principi vescovi confederati (ben distinti dagli *Stände* anche nella Dieta provinciale tirolese) e, in pari tempo, unificando l'amministrazione dei contributi confederali per la difesa militare: venne fissato il numero dei fanti e dei cavalieri da fornire oppure della quota corrispondente in denaro per supplirvi con mercenari. Ne risultò un patto di confederazione perpetua dei principati vescovili di Trento e di Bressanone con la contea del Tirolo, pur tuttavia la sovranità territoriale dei principi vescovi non fu menomata, rispetto almeno a quella degli ultimi due secoli, anzi piuttosto salvaguardata e rinvigorita[2].

4. Crisi socio-economica e rivolta contadina

La politica autoritaria e centralizzatrice di Massimiliano d'Asburgo si affermò sostituendo il diritto consuetudinario della tradizione germanica con le norme del diritto romano, per eliminare le autonomie locali o misconoscerne le cosiddette «libertà» (*Landesfreiheiten*) e i privilegi di classe (*Stand*, ceto sociale, o, come allora si diceva, «stato»[3]). Il malcontento, dapprima non manifesto, fu esasperato dall'aggravarsi del dissesto economico generale, perché la guerra contro Venezia interruppe non più momentaneamente la via commerciale atesina. Oltre al danno subìto dalla borghesia cittadina, ristagnò l'attività mineraria[4] e si depauperarono l'agri-

[1] Pubblicato, nella traduzione italiana, da F. AMBROSI, *Commentari* cit., vol. II, pp. 256-258.

[2] J. KÖGL, *La sovranità* cit., pp. 223-226, 377, 381.

[3] Anche l'abolizione del *Freistift* nel 1502 (che non fu applicata nei principati vescovili) tendeva a scalzare i privilegi signorili dei grandi proprietari terrieri; cfr. H. WOPFNER, *Das Tiroler Freistiftrecht* cit., p. 248. Sulla complessa problematica in generale cfr. O. BRUNNER, *I diritti di libertà nell'antica società per ceti,* in *Per una nuova storia costituzionale e sociale,* a cura di P. Schiera, Vita e pensiero, Milano 1970, pp. 201-216.

[4] La coltivazione delle miniere altoatesine d'argento (Monteneve, Fleres, Colle Isarco e Chiusa) era stata monopolizzata e incrementata dai Fugger; anche nel principato vescovile di Trento alle compagnie locali, che facevano capo alle famiglie nobiliari degli Auich, Cles, Geremia-Pona, Lodron, Prato, Thunn, si aggiunsero compagnie finanziatrici d'oltralpe: Wallinger, Wurm, Clamer, Ketzer, Rot, Sitzinger. La convenzione del 6 settembre 1499, fra l'imperatore Massimiliano e il principe vescovo Udalrico di Trento, aveva stabilito che i giudici

coltura e la pastorizia per i continui arruolamenti militari e la conseguente diminuzione delle forze di lavoro. Si aggiungevano i saccheggi e le devastazioni provocate dal ripetuto passaggio di truppe raccogliticce e mal pagate, come accadde nell'ottobre 1509 quando, fallita la spedizione per la conquista dei Sette Comuni vicentini e della zona pedemontana veneta, ritornarono disordinatamente diciottomila lanzichenecchi e truppe sbandate infestarono i paesi altoatesini [1].

Ai provvedimenti restrittivi delle autonomie locali si aggiunsero i divieti di caccia e di pesca (nonché di far legna e di usufruire come precedentemente delle acque e dei pascoli); ai contadini fu perfino proibito di tenere cani di grossa taglia e, in particolare, da caccia. Per di più, furono imposte tasse straordinarie, mentre si succedevano annate di carestia e pestilenze (1510 e 1512), inondazioni (1512, 1519, 1520) e il terremoto del 1521. Cominciarono a manifestarsi lagnanze e ribellioni locali, fallite per lo spezzettamento e l'isolamento delle iniziative ma sempre più minacciose [2]. Le spontanee aspirazioni dei contadini erano enunciate nella comune richiesta, quasi una parola d'ordine: esenzione dalle imposte e abolizione dei privilegi. Da molti si rivendicava nostalgicamente il ripristino degli antichi diritti delle comunità (*Gemeinde*) rurali, chiedendo non solo l'abolizione delle imposte straordinarie « che una volta non c'erano » (*das von alter nie gewesen* [3]), ma anche la revoca di tutte le cessioni (fatte da Massimiliano d'Asburgo, assillato dalla necessità di contrarre mutui) pignoratizie di castelli e d'intere giurisdizioni, la cui amministrazione era passata dai pubblici funzionari a quelli, spesso forestieri o delegati delle società finanziatrici, che ormai erano diventati e si chiamavano *Gerichtsherren* (signori di una giurisdizione). Costoro appunto avevano usurpato diritti atavici che le comunità contadine ritenevano acquisiti e inalienabili, come il libero uso dei pascoli e dei boschi.

La tesi del Wopfner [4], ripresa e sviluppata dal Macek, che l'origine

minerari (*Bergrichters*) fossero eletti di comune accordo e che i proventi erariali venissero suddivisi. Nel 1505 l'imperatore aveva poi conferito a Pergine uno stemma e un mercato settimanale, in riconoscimento del recente straordinario sviluppo economico e demografico. Cfr. K. AUSSERER, *Persen-Pergine*, Wien 1915-1916, pp. 343-349; A. STELLA, *L'industria mineraria del Principato vescovile di Trento nei secoli XVI e XVII*, in *Studi e ricerche sulla regione trentina*, vol. I, Stediv, Padova 1953, pp. 52-55; L. SCHEUERMANN, *Die Fugger als Montanindustrielle in Tirol und Kärnten*, Niemeyer, Tübingen 1971 (1ª ed., München-Leipzig 1929).

[1] G. KIRCHMAIR, *Denkwürdigkeiten seiner Zeit* (1519-1553), ed. T. G. VON KARAJAN, in *Fontes rerum Austriacarum, Scriptores*, I. Band, Wien 1855, pp. 416-425.

[2] *Ivi*, p. 455.

[3] H. WOPFNER, *Quellen* cit., p. 116.

[4] In un articolo pubblicato nel 1924, nella rivista « Der Schlern » (*Bozen im Bauernkrieg von 1525*); cfr. J. MACEK, *Der Tiroler Bauernkrieg und Michael Gaismair*, Deutscher Verlag der Wissenschaften, Berlin 1965, pp. 143-152.

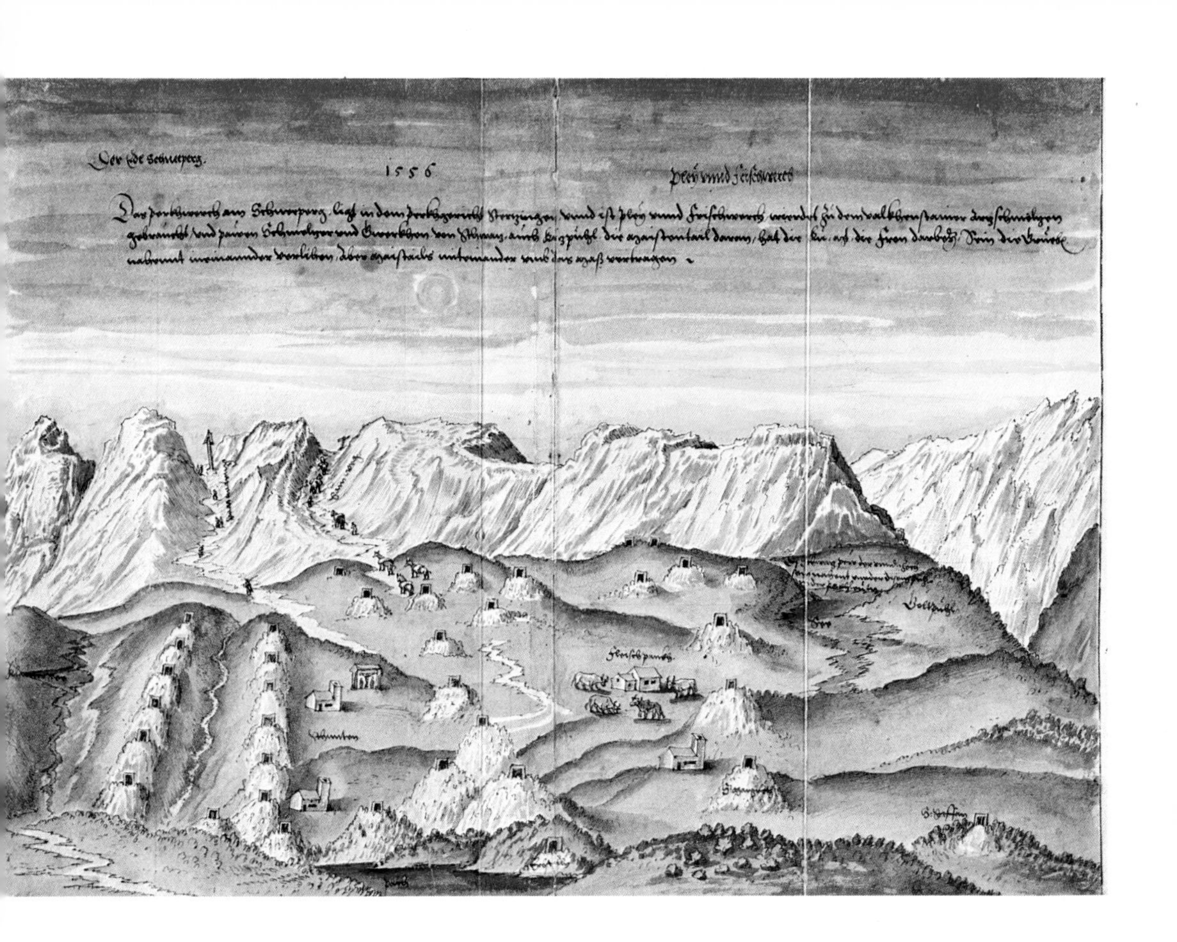

e miniere d'argento di Monteneve (Schneeberg) in un disegno colorato dello *Schwazer Bergwerksbuch* el 1556 (Innsbruck, Tiroler Landesmuseum Ferdinandeum).

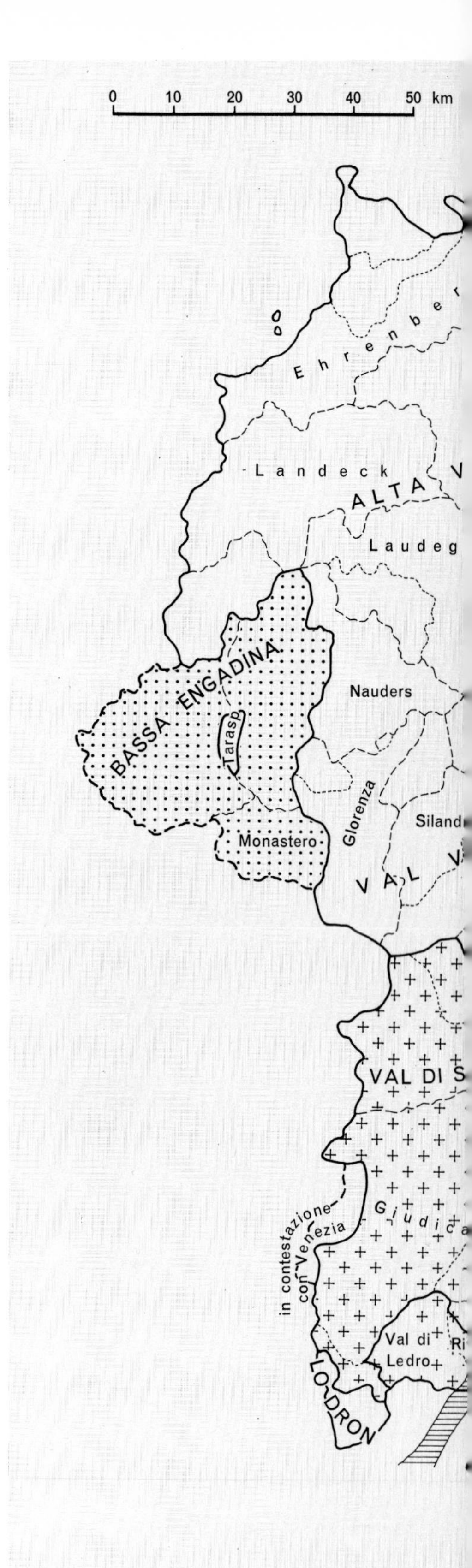

Il territorio trentino-tirolese nel 1525 (da un disegno di Fridolin Dörrer, 1976).

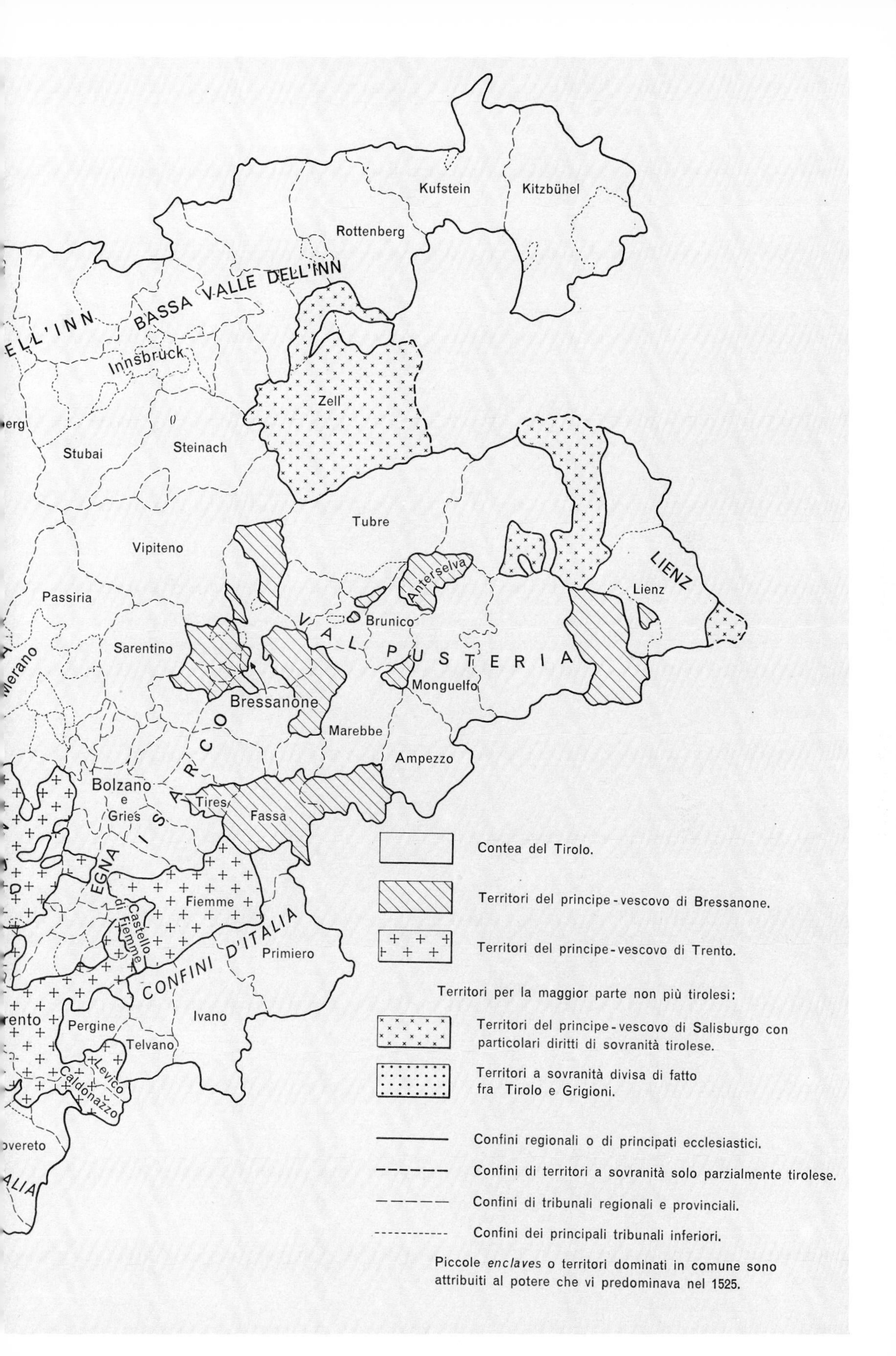
Kufstein
Kitzbühel
Rottenberg
BASSA VALLE DELL'INN
ELL'INN
Innsbruck
Zell
erg
Stubai
Steinach
Tubre
Vipiteno
Anterselva
LIENZ
Lienz
Passiria
Brunico
VAL PUSTERIA
Sarentino
Merano
Monguelfo
Bressanone
ISARCO
Marebbe
Ampezzo
Bolzano
e
Gries
Tires
Fassa
EGNA
Fiemme
Castello di Fiemme
CONFINI D'ITALIA
Primiero
rento
Pergine
Ivano
Telvano
Levico
Caldonazzo
overeto
ALIA
Contea del Tirolo.
Territori del principe-vescovo di Bressanone.
Territori del principe-vescovo di Trento.
Territori per la maggior parte non più tirolesi:
Territori del principe-vescovo di Salisburgo con particolari diritti di sovranità tirolese.
Territori a sovranità divisa di fatto fra Tirolo e Grigioni.
Confini regionali o di principati ecclesiastici.
Confini di territori a sovranità solo parzialmente tirolese.
Confini di tribunali regionali e provinciali.
Confini dei principali tribunali inferiori.
Piccole enclaves o territori dominati in comune sono attribuiti al potere che vi predominava nel 1525.

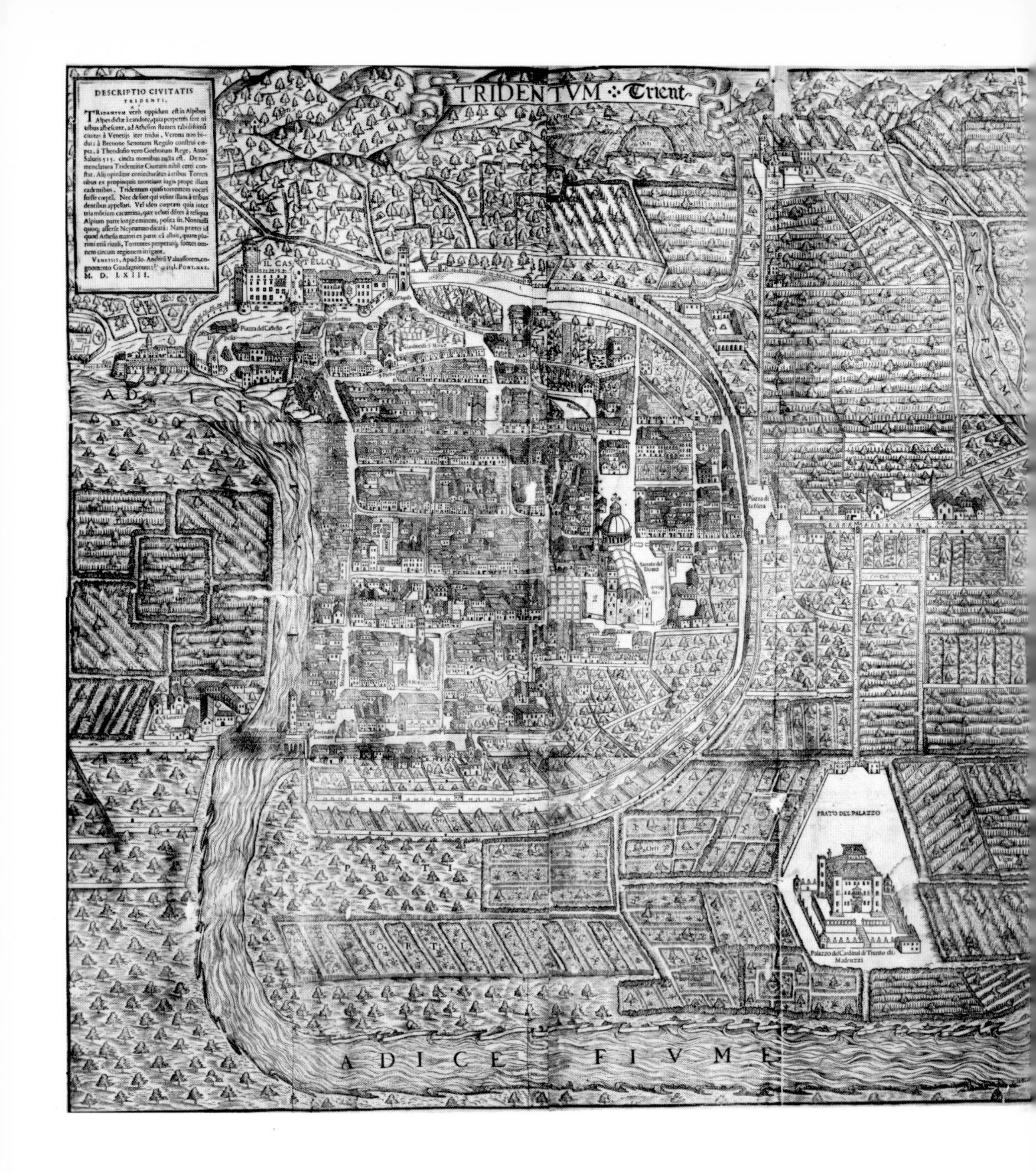

Trento in una pianta prospettica del 1563.

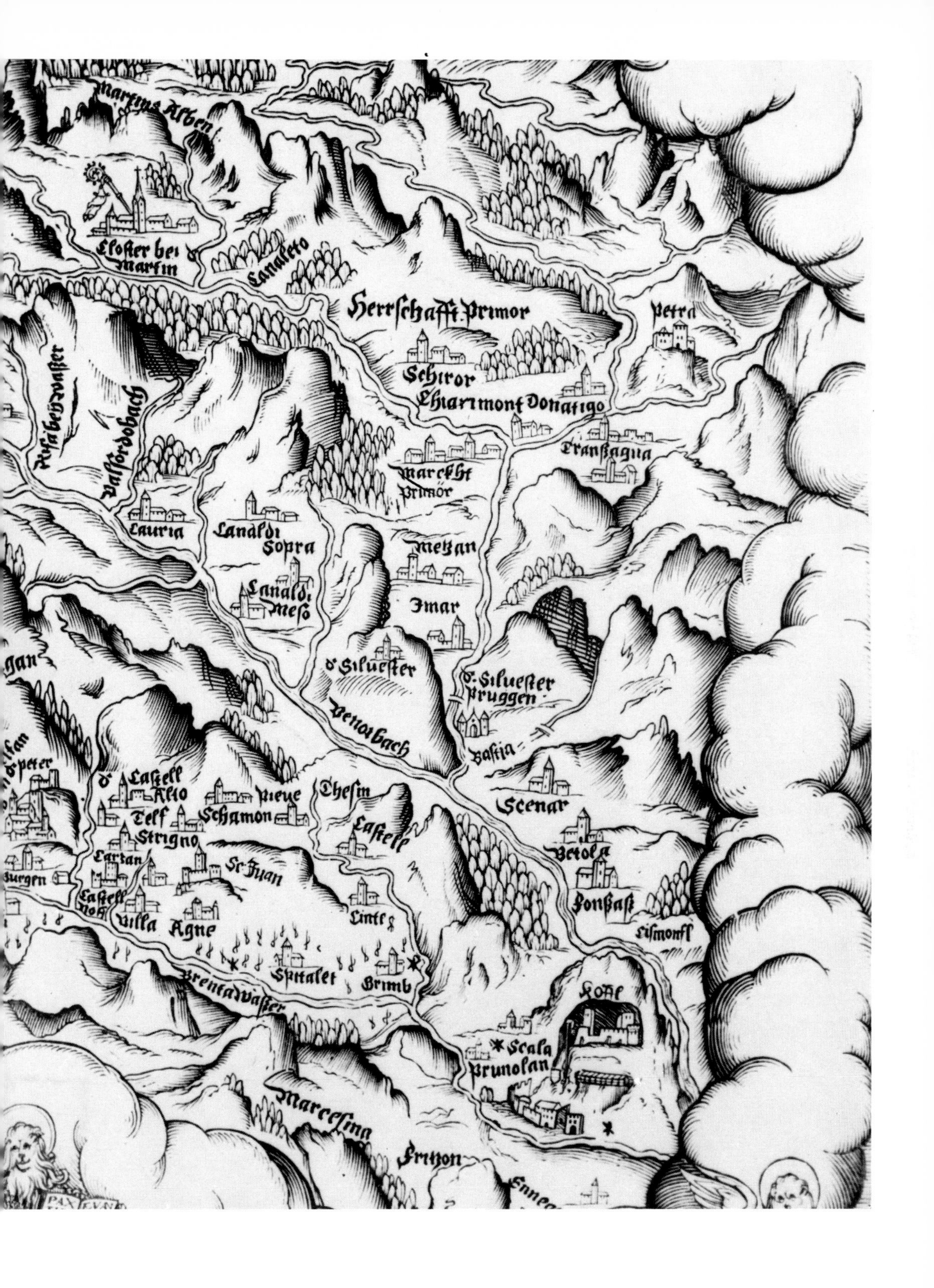

La bassa Valsugana, la valle del Vanoi e la valle del Cismon in una incisione delle *Tirolische Landtafeln* di Mattia Burgklehner (1611).

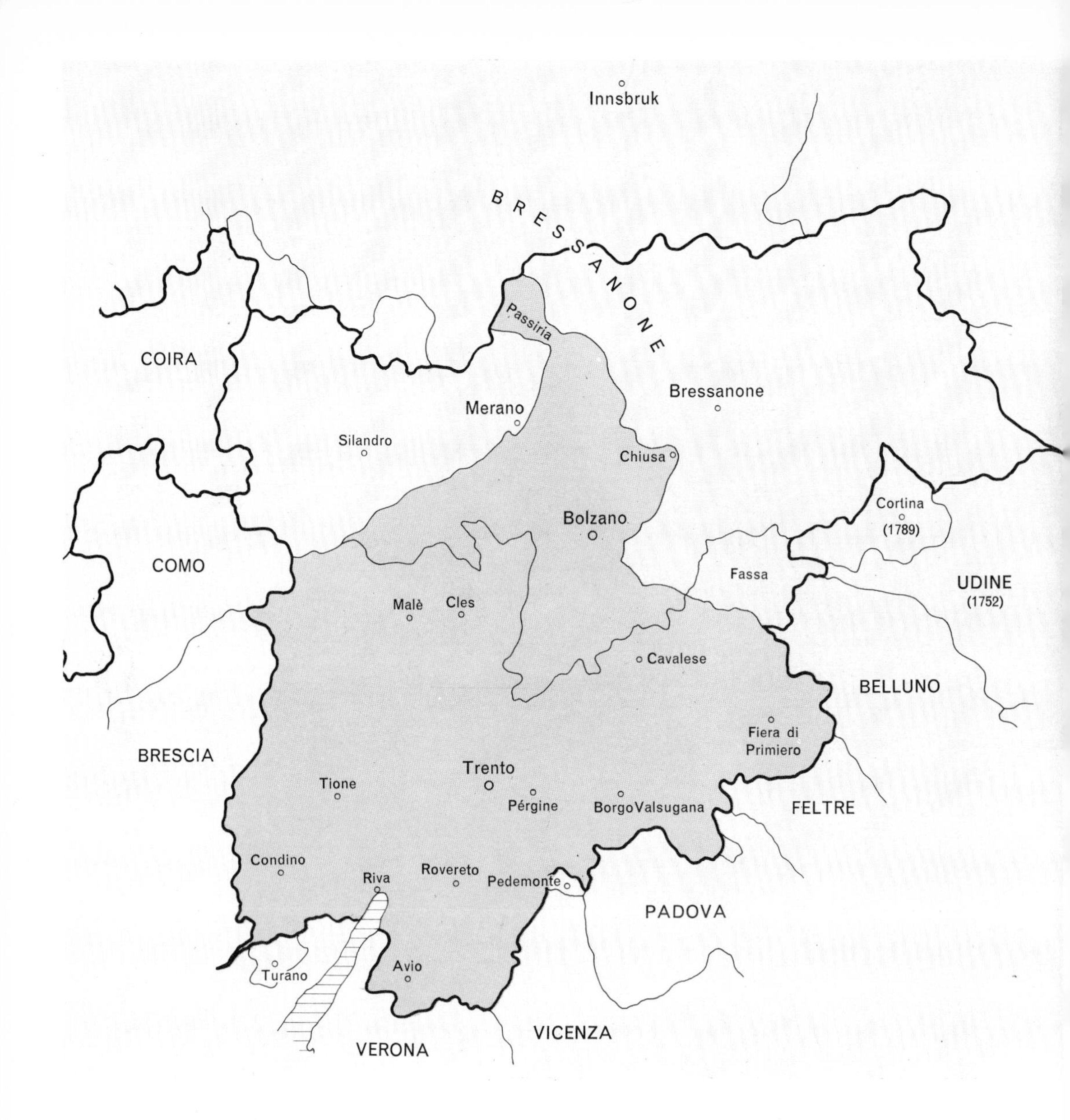

La diocesi di Trento nel 1785.

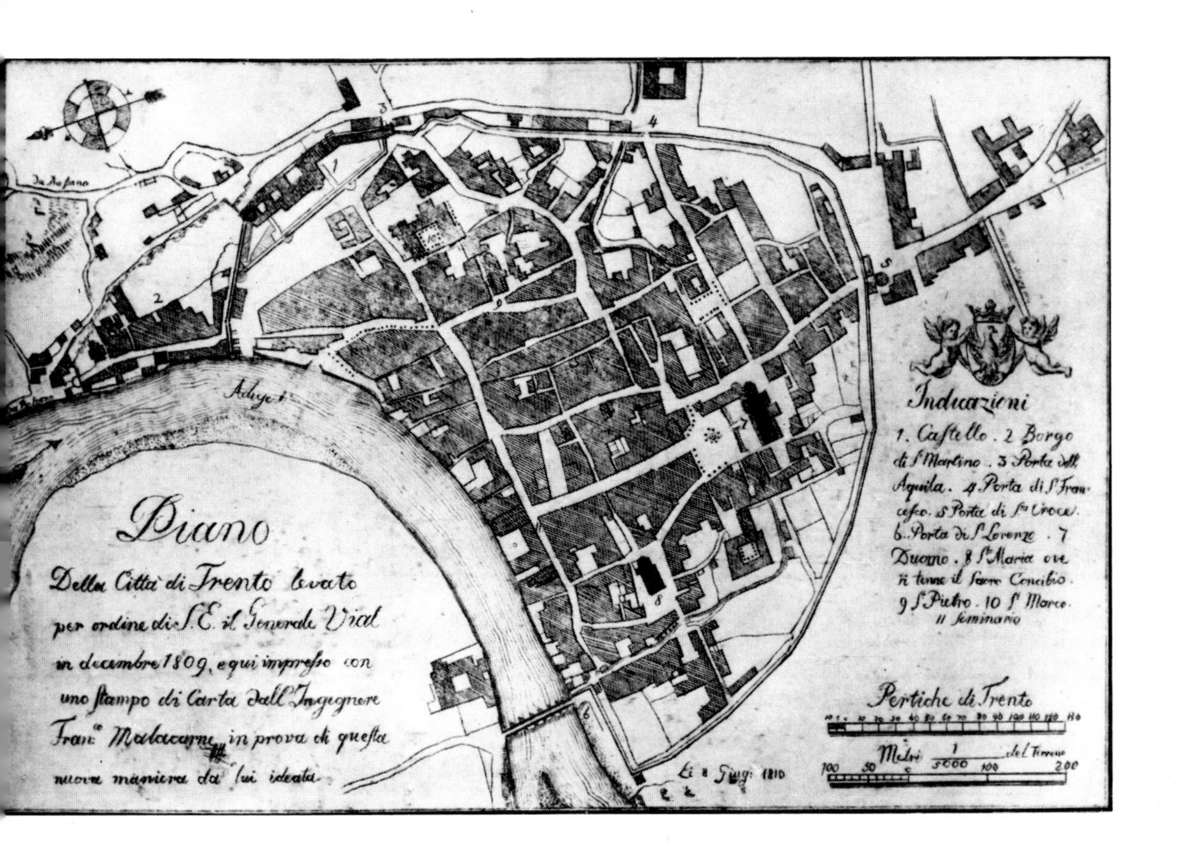

Trento in una pianta del 1809.

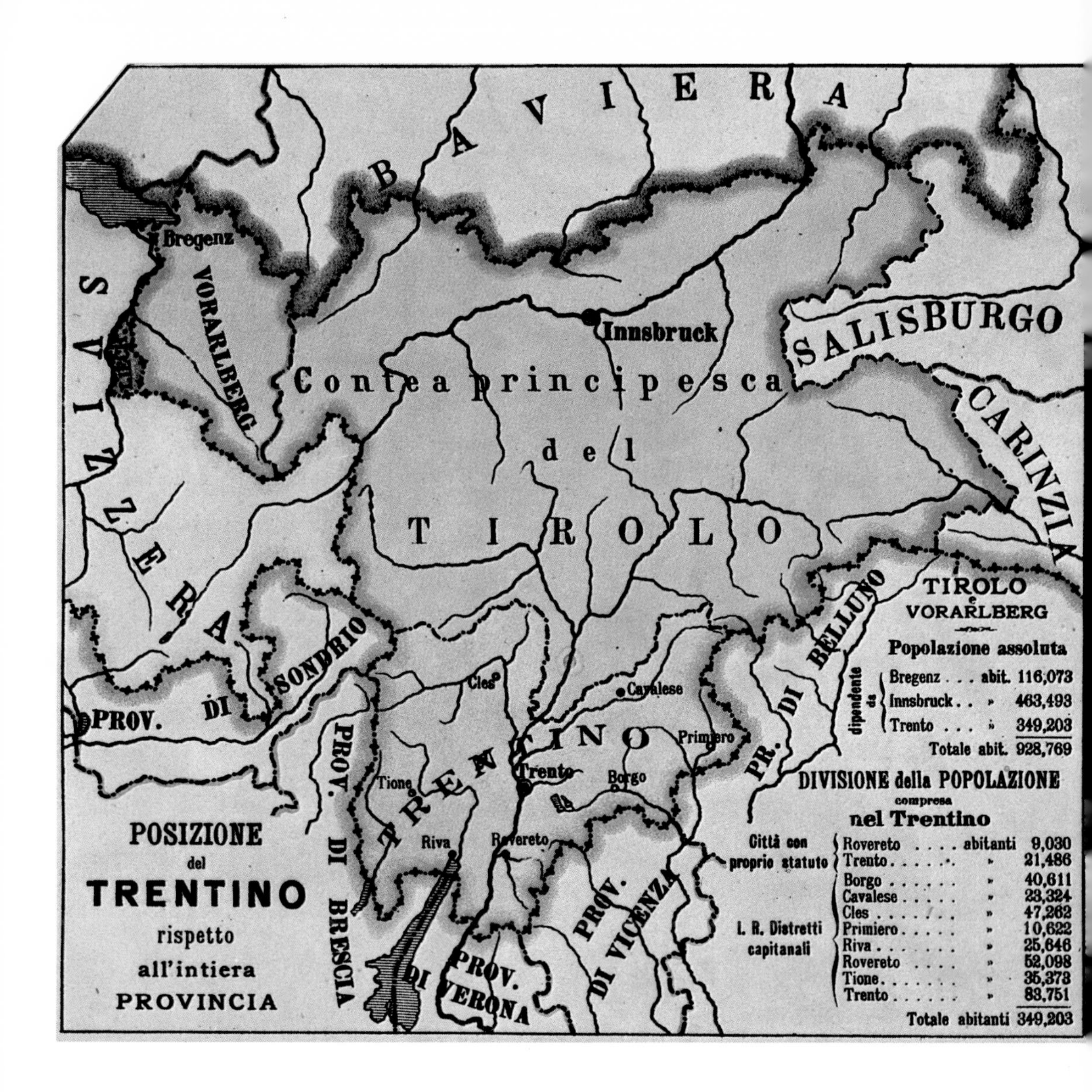

La suddivisione territoriale del 1868 e le richieste degli autonomisti (il Trentino è indicato come sottoposto al Luogotenente di Innsbruck, ma non incluso nella Contea del Tirolo) nella carta n. 5007 del Tiroler Landesarchiv di Innsbruck.

dell'insurrezione del 1525 nel territorio trentino-tirolese sia stata l'alleanza del proletariato rurale con quello cittadino sotto l'influsso del radicalismo religioso, trova qualche riscontro soltanto a Bressanone, dove pure la situazione fu troppo complessa per poter essere ridotta in uno schema dialettico di lotta di classe. Non si può sottovalutare infatti l'appoggio determinante della borghesia cittadina brissinense, delusa dalla mancata concessione del Consiglio cittadino nel 1523 e che aveva già protestato contro l'alto clero e i nobili, accusandoli di levare ai cittadini « il pane di bocca[1] » poiché li gravavano di tutti gli oneri (dalla manutenzione delle strade alla guardia della città), mentre i ceti privilegiati ne erano esenti.

Anche l'ipotesi, ulteriormente sostenuta dal Macek, di una contrapposizione (fin dall'inizio della rivolta) del radicalismo del movimento contadino di Bressanone nei confronti di quello moderato delle comunità trentine e altoatesine meridionali, è assai riduttiva della complessità dei fatti e del tessuto sociale. Si riscontra invece un progressivo sviluppo dalle spontanee e abbastanza univoche richieste delle diverse comunità rurali trentino-tirolesi alle successive formulate a Merano e presentate infine alla Dieta provinciale di Innsbruck nel giugno 1525. Basterà citare qualche esempio inequivocabile. Sabato pomeriggio 13 maggio 1525, il borgomastro e il Consiglio cittadino di Bolzano interpellarono i capi dei contadini che nella mattinata avevano saccheggiato castel Wanga, sede dell'ordine teutonico, e la casa degli ebrei, e chiesero loro il motivo di quelle violenze. Risposero (come è verbalizzato negli atti della giunta rivoluzionaria[2]) che non solo ritenevano giusto l'aver saccheggiato le case degli usurai e dei profittatori, ma che neppure intendevano desistere finché i castelli e tutto quello che del pubblico demanio era stato alienato o dato in pegno ai « Gerichtsherren » non fossero restituiti al principe (*Landesfürst*), da parte del quale volevano sapere se fosse o no consenziente e difensore dei diritti usurpati a danno delle comunità contadine e delle giurisdizioni. Soggiunsero testualmente che rivendicavano un *freyes Landt*, cioè un paese libero da usurai e da « signori » e anche dalle compagnie bancarie forestiere, come i Fugger che avevano avuto in pegno e monopolizzavano le miniere altoatesine. Altrettanto intendevano conseguire i contadini del territorio brissinense che, insorti già il 9 maggio 1525, erano riusciti ad impadronirsi della ricca abazia di Novacella il 13 maggio: « ... volevano occupare tutti i castelli e i monaste-

[1] J. Mutschlechner, *Alte Brixner Stadtrechte* cit., p. 19.

[2] Si conservano nell'Archivio comunale di Bolzano, presso il Museo civico: è un fascicolo senza segnatura, contenuto nella cassa I; lo si può consultare, integralmente trascritto, in appendice alla tesi di laurea di R. Summa, *Origini e sviluppo della rivoluzione contadina nella regione trentino-tirolese*, 1525, Università di Padova, Facoltà di Lettere e Filosofia, a.a. 1974-75, pp. 43-141.

ri e consegnare al principe tutto il paese libero (*freyes Landt*): non intendevano più pagare tasse né canoni d'affitto. Se poi il principe non avesse acconsentito, sarebbe stato costretto ad abbandonare il paese[1] ».

5. Da ribelli a rivoluzionari con Michele Gaismayr

A questo punto, fra i contadini tumultuanti e la borghesia incerta se strumentalizzare a proprio vantaggio l'insurrezione, e sempre più timorosa di essere quindi coinvolta in controproducenti ed estranee iniziative, si affermò il meritato prestigio di Michele Gaismayr[2]. Ai disordini e alle intemperanze degli insorti egli s'impose non solo con l'autorevolezza di un vero capo, eletto all'unanimità dalle tredici giurisdizioni del principato di Bressanone, ma anche perché riuscì a organizzare e indirizzare il movimento insurrezionale spontaneo, trasformando progressivamente i rivoltosi in rivoluzionari.

La prima formulazione programmatica della rivolta brissinense elenca diciassette articoli[3] che contemperano le rivendicazioni dei contadini e gli interessi della borghesia cittadina: i primi articoli riguardano vecchie aspirazioni del ceto borghese (Consiglio cittadino, diritto di cittadinanza per chiunque abiti in Bressanone, mercato settimanale); i rimanenti articoli allargano l'orizzonte a tutto il territorio trentino-tirolese (unico sistema di pesi e di misure, confisca delle proprietà fondiarie ecclesiastiche, riduzione drastica dei canoni d'affitto, ripristino del diritto consuetudinario al posto di quello romano).

I successivi sessantaquattro articoli della cosiddetta « dieta contadina » di Merano[4] (svoltasi tra la fine di maggio e i primi giorni di giugno

[1] Così risultò dalla successiva inchiesta del giudice Severius Brugger (Landesarchiv Innsbruck, *Hofregistratur*, A IV, 106).

[2] Nato a Ceves, nei pressi di Vipiteno, intorno al 1490 da famiglia di estrazione contadina ma che aveva conseguito una discreta agiatezza, potendo assumere i lavori di sistemazione della strada imperiale del Brennero nel 1502 e un'impresa mineraria nel 1505. Qualche esperienza di organizzazione militare il Gaismayr aveva fatta durante il primo impiego nella luogotenenza all'Adige, poi era divenuto *Zollmeister* a capo dei doganieri del principato vescovile di Bressanone. Cfr. A. STELLA, *La rivoluzione contadina del 1525 e l'utopia di Michael Gaismayr*, Liviana, Padova 1975, pp. 11, 56-61.

[3] Archivio di Stato di Bolzano, *Sezione Comune di Bressanone*, Miscellanea, fasc. 66, cc. 6-8; cfr. A. STELLA, *La rivoluzione sociale di Michael Gaismayr alla luce di nuovi documenti* (1525-1532), « Accademia Naz. dei Lincei - Rendiconti morali », ser. VIII, vol. XXXII, 1977, pp. 11-13.

[4] *Meraner Artikel*, pubblicati da H. WOPFNER, *Quellen* cit., pp. 35-47; la traduzione latina in M. SANUTO, *Diarii*, vol. XXXIX, Venezia 1894, coll. 134-147; la contemporanea « copia vulgare de li capituli composta in Maran » fu pubblicata solo in parte da C. GIULIANI (« Archivio trentino », IX, 1890, pp. 5-10) ed è ora integralmente edita da M. ACLER, *La*

1525) sono pure ispirati, nel complesso, al riformismo nonostante siano stati definiti una specie di « Magna Charta per el populo minuto[1] ». Vi avevano partecipato attivamente e aderito anche i rappresentanti di molte giurisdizioni trentine, fra cui le più turbolente della Valsugana e dell'Anaunia.

Infine Michele Gaismayr radicalizzò il programma politico, da riformista a rivoluzionario, dopo che perse ogni fiducia nella disponibilità e lealtà del giovane arciduca Ferdinando d'Asburgo (che con un inganno lo aveva fatto arrestare a Innsbruck nel settembre 1525, per poter sorprendere le bande armate altoatesine e trentine rimaste senza capo), come pure nella solidarietà della borghesia cittadina e di gran parte del clero che aveva abbandonato i contadini alla più crudele delle repressioni. Tralasciò allora il metodo della non-violenza e ripudiò qualsiasi compromesso, enunciando anzi la necessità di eliminare gli empi oppressori dell'umile povera gente. Esule nei Grigioni dall'ottobre 1525, progettò con Zwingli un piano militare (*Feldzugsplan*) di liberazione del territorio trentino-tirolese[2], formulando in pari tempo un originale programma di profondo rinnovamento della società (*Landesordnung*[3]) su base egualitaria: « ... devono essere distrutte tutte le mura che recingono le città e tutti i castelli e le fortificazioni all'interno del territorio », cosicché non vi sia più alcuna distinzione fra cittadini e paesani, ma si instauri « una perfetta uguaglianza nel paese ». Provvedimenti rivoluzionari avrebbero mutato radicalmente ogni aspetto della vita civile, dalla confisca dei beni fondiari dell'alto clero e dei nobili all'istruzione scolastica obbligatoria, all'educazione gratuita dei bambini abbandonati, all'assistenza sociale istituzionalizzata a favore dei poveri, dei vecchi e degli ammalati. Si sarebbero bonificate le paludi meranesi e trentine lungo l'Adige, per ridurre il deficit annonario, mentre sarebbe stata pure incrementata la coltivazione delle miniere dopo averle sottratte allo sfruttamento precapitalistico di « società come i Fugger, Hochstetter, Paumgartner, Pumblisch », che si erano arricchite « a prezzo di sangue umano (...) defraudando del loro salario i poveri lavoratori e tutto accumulando nelle proprie mani ».

completa versione in volgare italiano degli articoli di Merano, « Studi trentini di scienze storiche », LVI, 1977, pp. 225-280.

[1] Cfr. A. CETTO, *Castel Selva e Levico nella storia del Principato vescovile di Trento,* Saturnia, Trento 1952, pp. 262 seg.

[2] O. VASELLA, *Bauernkrieg und Reformation in Graubünden* 1525-1526, « Zeitschrift für schweizerische Geschichte », XX, 1940, pp. 53-55; ID., *Ulrich Zwingli und Michael Gaismair, der Tiroler Bauernführer, ivi*, XXIV, 1944, pp. 389-401.

[3] A. HOLLAENDER, *Michel Gaismairs Landesordnung* 1526, « Der Schlern », 13, 1932, pp. 425-429, testo critico; A. STELLA, *La rivoluzione contadina* cit., pp. 184-195, testo tedesco e traduzione italiana.

Così ristrutturata la società, si sarebbe dovuta costituire una repubblica d'iniziativa democratica sulla base delle comunità locali (*Gemeinde*) che, mediante graduali elezioni di delegati distrettuali e poi dei quattro capi dei dipartimenti regionali, avrebbero determinato la composizione del governo centrale (*Landesregierung*) con l'aggiunta di un deputato dei minatori e di tre dotti sovrintendenti alla scuola superiore di Bressanone e garanti della genuina interpretazione della sacra scrittura (dalla quale soltanto « può essere imparata la giustizia di Dio », che deve informare le leggi). A Bressanone, sede del governo centrale, avrebbe fatto riscontro come centro della manifattura ed emporio commerciale, sia per l'interno sia per gli scambi con l'estero, Trento poiché trovandosi a metà strada (*in miden weg*) lì si poteva comprare e vendere a miglior prezzo in rapporto con il grande mercato veneziano. Tuttavia ogni speculazione sarebbe stata evitata, perché il commercio sarebbe stato gestito e controllato da pubblici funzionari, al fine di impedire lievitazioni dei prezzi « con grande vantaggio per la povera gente ».

Nel complesso la *Tirolische Landesordnung* del Gaismayr, che postula un'economia regionale autosufficiente e un'organizzazione comunitaria tale da attuare e assicurare la giustizia distributiva, non è un evanescente sogno utopico ma rivela una profonda conoscenza della realtà socio-economica, e, insieme, interpretava e indirizzava le aspirazioni dei ribelli tirolesi e trentini.

6. Repressione e restaurazione

Il fallimento della rivolta contadina, nonostante l'epica lotta del Gaismayr nel Pongau salisburghese (maggio-giugno 1526) a capo dei superstiti lì convenuti da ogni parte e nonostante i reiterati successivi piani di rivincita, d'intesa con Zwingli, e la formazione di bande armate partigiane specialmente fra la Val Pusteria e gli Alti Tauri[1], comportò una spietata repressione. « I castighi e la frusta sono più efficaci delle parole » ammoniva e ripeteva il principe vescovo di Trento, che pur doveva frenare la foga vendicatrice dell'arciduca Ferdinando. I contadini ribelli della Valsugana e delle valli di Non e di Sole, ancora nell'agosto 1525, avevano concordato un'azione decisiva per occupare la città di Trento, sennonché agirono disordinatamente e le intemperanti bravate di alcuni facinorosi spaventarono la

[1] *Ivi*, pp. 95-100, 129-138, 149-169; J. Bücking, *Der « Bauernkrieg » in den habsburgischen Ländern als sozialer Sistemkonflikt, 1524-1526*, in *Der deutsche Bauernkrieg 1524-1526*, Vandenhoeck-Ruprecht, Göttingen 1975, p. 172; Id., *Michael Gaismair: Reformer - Sozialrebell - Revolutionär*, Klett-Cotta, Stuttgart 1978, pp. 96-106.

borghesia cittadina, che il 31 agosto appoggiò senz'altro la reazione della nobiltà e contribuì a sbaragliare « rusticos et homines Numii, Levigi, Vallis Suganae et alios adherentes tumultuarie ». Così il vescovo Bernardo Clesio poté far a meno dell'intervento di truppe mercenarie arciducali, che servirono piuttosto per sopraffare gli insorti della valle Isarco e sterminarli presso Vipiteno (Sterzinger Moos). Poco dopo, il 15 settembre 1525, fu pubblicata ad Innsbruck un'ordinanza che autorizzò una vera caccia all'uomo indiscriminatamente e si susseguirono processi sommari. Le cronache contemporanee testimoniano che i capi dei ribelli (o presunti tali) furono impiccati o decapitati, altri ebbero tagliate le mani, altri le orecchie e le dita; ad alcuni furono strappati gli occhi, mentre i semplici partecipanti vennero rimessi in libertà, ma con impresso sulla fronte un marchio d'infamia[1]. Inoltre, circa undicimila fiorini furono estorti sotto forma di multe e di « riscatto dagli incendi » delle case coloniche, come minacciavano di fare i mercenari che spadroneggiavano e saccheggiavano impunemente. Meno crudele e indiscriminata fu la repressione nel principato di Trento, poiché il vescovo era o si mostrava (per evitare pericolose ingerenze asburgiche) convinto che « in fin dei conti i villani furono spinti a quelli eccessi più che altro dalle minacce della Lega dei ribelli tedeschi, dei quali hanno — sottolineava — non piccola paura[2] ».

Finché visse Michele Gaismayr si mantenne la speranza di poter quanto prima riprendere la lotta partigiana armata, che era continuata dopo l'epopea salisburghese del giugno 1526 specialmente sulle Alpi Pusteresi con Peter Passler l'anno seguente. Quando l'indomito *Bauernführer* venne trucidato a tradimento dai sicari di Ferdinando d'Asburgo, il 15 aprile 1532 a Padova[3], sempre più fra gli stessi ex partigiani del Gaismayr si diffuse l'anabattismo, che Jakob Huter aveva dapprima predicato ai poveri compaesani della Val Pusteria. Contro costoro, tacciati falsamente di essere fautori di una violenta eversione dell'ordine politico e sociale costituito, i « decreti di religione » tirolesi non ammisero attenuanti nell'applicazione della pena capitale. Quei pochi anabattisti che furono indotti ad abiurare difficilmente si salvarono dalla decapitazione; gli altri che rifiutarono di ricredersi vennero bruciati vivi, oppure talvolta furono riuniti nella casa

[1] G. v. ANGERER, *Hochstüft Brixner Neutstüft und deren benachbarthen orthen sonderbahre zuefähl und begebenheithen von anno* 1507 *bis inclusive anno* 1525, « Forschungen und Mitteilungen zur Geschichte Tirols und Vorarlbergs », VIII, Innsbruck 1911.

[2] G. SARDAGNA, *La guerra rustica nel Trentino*, 1525. *Documenti e note*, Deputazione veneta di storia patria (Monumenti, ser. IV, vol. 6), Venezia 1889, p. 152.

[3] M. SANUTO, *Diarii*, vol. LVI, Venezia 1901, coll. 61-63; J. MACEK, *Der Tiroler Bauernkrieg* cit., p. 486; A. STELLA, *La rivoluzione sociale* cit., pp. 18-23; G. PADOAN, *La dimora padovana di Michele Gaismair e la richiesta di « leze e statuti nuovi »*, in *Movimenti del Rinascimento veneto*, Antenore (Medioevo e Umanesimo, vol. 31), Padova 1978, pp. 239-348.

dove avevano tenuto i loro cenacoli per poi appiccarvi il fuoco. Jakob Huter decise finalmente di cercare una nuova patria per i suoi compagni di fede tanto perseguitati; la trovò ad Auspitz in Moravia, dove (con il favore dei signori di Lichtenstein, che erano interessati a ripopolare le campagne devastate dalle incursioni turche) non meno di mille montanari altoatesini e anche trentini, accompagnati dalle donne e spesso dai bambini che altrimenti rimanevano insieme con i più vecchi nei villaggi deserti, costituirono le « fattorie fraterne » (*Brüderhofe*[1]).

Assoluta intolleranza e atroci metodi repressivi riuscirono a estirpare qualsiasi fermento eterodosso nella popolazione rurale del territorio trentino-tirolese, che da allora non manifestò più alcun dissenso al conformismo e tanto meno velleità insurrezionali. I contadini furono emarginati dalla vita politica e ridotti al ritmo servile del lavoro (*Arbeitsrhytmus*[2]).

[1] Cfr. A. Stella, *La rivoluzione contadina* cit., pp. 174-182.

[2] J. Bücking, *Der « Bauernkrieg »* cit., pp. 190-192; cfr. anche W. Klaassen, *Michael Gaismair revolutionary and reformer*, Brill, Leiden 1978, pp. 68-70, 116-119.

CAPITOLO III. **Apogeo e difesa della sovranità**

1. Il « rifondatore » Bernardo Clesio

Il turbamento interno, provocato dalla « guerra rustica », non causò un ulteriore motivo d'invadenza tirolese e asburgica nei principati vescovili, anzi quello di Trento per il prestigio personale e la straordinaria autorevolezza del vescovo poté avvantaggiarsi tanto che Bernardo II di Cles può considerarsi « il secondo fondatore (*Neubegründer*) della sovranità principesca del vescovado[1] ». Oltre che colto uomo di legge, era abilissimo diplomatico. Vescovo di Trento dal 1514 al 1539, riuscì a capovolgere quasi la posizione (ormai di fatto pressoché subordinata) del suo principato nei confronti della contea del Tirolo, certamente anche grazie alla dignità di primo piano che conseguì fra i principi immediati dell'impero. Dopo essere stato consigliere aulico dell'imperatore Massimiliano I, aveva efficacemente contribuito nella dieta di Francoforte (giugno 1519) per l'elezione di Carlo V e poi a Praga (1527) perché Ferdinando d'Asburgo fosse incoronato re di Boemia. Gran cancelliere (*magnus cancellarius*) imperiale e a Vienna presidente del Consiglio segreto, dal 1530 cardinale continuò a segnalarsi tanto che nel conclave del 1534 fu il candidato ufficiale asburgico al pontificato.

Ancora nel 1521 l'imperatore Carlo V riconoscente aveva restituito Riva del Garda al principato di Trento, nel 1532 Ferdinando cedette i feudi di Castelbarco (quattro vicariati) in val Lagarina e riconobbe la signoria del principe vescovo trentino sulla giurisdizione di Rovereto, pur mantenendone l'investitura feudale come conte del Tirolo. D'altra parte la

[1] H. JEDIN, *Storia del concilio di Trento*, vol. I, Morcelliana, Brescia 1949, p. 450; J. KÖGL, *La sovranità* cit., pp. 187-189; R. TISOT, *Ricerche sulla vita e sull'epistolario del cardinale Bernardo Cles* (1485-1539), Società di Studi trentini di scienze storiche, Trento 1969, pp. 129-135.

convenzione del 12 gennaio 1531, che permutò la giurisdizione di Bolzano con quella di Pergine, riuscì vantaggiosa al principato vescovile di Trento perché, mediante la cessione di diritti da troppo lungo tempo non esercitati o misconosciuti, fu acquisito un distretto vicino più controllabile e assai redditizio per lo sfruttamento minerario allora molto attivo[1]. In realtà dal 1462, quando l'indebitato vescovo Giorgio Hack aveva ceduto al duca Sigismondo per sei anni la città di Bolzano e l'usufrutto delle miniere, i possedimenti altoatesini del principato erano rimasti in potere del conte del Tirolo e il vescovo Udalrico di Frundsberg era stato indotto a pattuire con l'imperatore Massimiliano (6 settembre 1499) una prima transazione quasi rinunciataria. Bernardo Clesio effettuò la permuta a migliori condizioni e inoltre poté ristabilire la sovranità sulle miniere del principato, riservandosi tutte quelle di ferro e fissando, per le altre, norme precise sulle competenze del giudice minerario e la suddivisione delle entrate fiscali[2].

Se il Clesio si mostrò piuttosto insensibile di fronte alle sofferenze dei ceti sociali più poveri e oppressi, non risulta tuttavia storicamente fondata l'accusa che abbia trascurato l'amministrazione del suo principato perché avrebbe preferito essere uomo di corte dei monarchi asburgici anziché vescovo. È merito suo l'aver promulgato nel 1528 lo statuto di Trento, nel testo definitivo che aveva fatto rielaborare dal giureconsulto Antonio Quetta. È un codice di procedura civile, di polizia urbana e di procedura criminale; il primo dei tre libri tratta appunto *De civilibus*, il secondo certamente più antico *De officiis sindicorum* e il terzo *De criminalibus*. Rimase in vigore fino al 1807 e fu esteso a tutto il territorio del principato, regolando i rapporti fra città e contado. La superiorità dei poteri del principe vescovo risultava confermata e anzi rinvigorita, secondo la tendenza autoritaria che andava manifestandosi anche altrove; invece si mantenevano reticenze sulle forme e funzioni dell'amministrazione comunale.

È merito pure del Clesio essere riuscito a ricuperare i documenti storici del principato vescovile che erano stati asportati, dal conte del Tirolo, durante le tragiche vicende del 1407; di più, sull'esempio del lontano precedessore Federico Wanga, si preoccupò di raccogliere e registrare, negli undici volumi del codice detto appunto clesiano, le fonti documentarie dei diritti e dei feudi del principato di Trento. Per riaffermare la sovranità territoriale, riattivò inoltre la zecca trentina adeguandola alle nuove esigenze monetarie e commerciali, con l'emissione di talleri e altre monete d'argento di grosso taglio.

[1] Cfr. A. Stella, *L'industria mineraria* cit., pp. 56-59; G. Schreiber, *Alpine Bergwerkskultur*, Wagner, Innsbruck 1956, pp. 35-38.

[2] T. Kurzel-Runtscheiner, *Der Bergbau in Bistum Trient*, «Der Schlern», XXIV, 1950, pp. 23-27.

Amico di Erasmo da Rotterdam, Bernardo Clesio promosse la diffusione della cultura e civiltà umanistica, fece ristrutturare con raffinatezza rinascimentale il castello del Buonconsiglio e lo dotò di una scelta biblioteca, nonché di otto preziosi arazzi acquistati ad Anversa il 17 gennaio 1531 per il valore di ben mille ducati d'oro [1]. Da modesta cittadina, fatta di mattoni e con strette viuzze medioevali, Trento andò trasformandosi con palazzi marmorei e con la nuova splendida chiesa di S. Maria Maggiore, mentre si riadattavano i castelli vicini come quello scelto dal principe vescovo per la villeggiatura a castel Selva di Valsugana.

Nominato vescovo anche di Bressanone, Bernardo Clesio avrebbe voluto e potuto riaffermare lì pure la sovranità principesca (mal difesa dal precedente vescovo Giorgio d'Austria), riprendendo la formula usata dal vescovo brissinense Cristoforo di Schroffenstein nei rapporti con la *Landschaft* (ossia con gli « stati » che partecipavano alla dieta tirolese) per distinguere e salvaguardare la dignità di sovrani confederati dei principi vescovi [2]. Ma il Clesio morì improvvisamente, il 30 luglio 1539, durante il banchetto offertogli dai canonici di Bressanone per festeggiare la sua presa di possesso del vescovado.

2. Cristoforo Madruzzo e il concilio di Trento

Il riordinamento interno del principato di Trento fu concluso dal vescovo Cristoforo Madruzzo, che promulgò le *Constitutiones excelsae superioritatis Tridenti* [3] per fissare norme pratiche più adeguate di procedura civile e anche penale. Altrettanto fece a Bressanone, quando nel 1542 fu nominato coadiutore e l'anno dopo amministratore di quel vescovado, che resse fino al 1578. Confermò anzitutto il vecchio statuto del 1380; poi aggiunse qualche aggiornamento, aderendo alle richieste della borghesia cittadina per la franchigia sul vino d'uso familiare e per snellire i procedimenti giudiziari col suddividere l'antico *Fronboteamt* in due incarichi complementari (*Stadtbote* e *Aufleger*).

Come il predecessore, auspicò e favorì la convocazione del concilio ecumenico, assecondando la proposta fatta dall'imperatore Carlo V ancora nel 1524 perché fosse scelta la sede di Trento, città che poteva conciliare diverse contrapposte esigenze: « quae etsi Germanica habeatur, re vera Itala sit ». Apparve degna e adeguata infine anche al cardinale Alessandro Farnese, che anzi ne diede un giudizio lusinghiero: « tam nobilissima et

[1] Cfr. H. Jedin, *op. cit.*, pp. 450-452; J. Kögl, *op. cit.*, p. 437, n. 50.
[2] *Ivi*, pp. 224 seg.
[3] Poi « nuncupatae vulgo Cristophorinae » (*ivi*, p. 191).

ditissima, quam et loco et operibus munitissima; quae paret Episcopo non solum in spiritualibus, sed etiam in temporalibus, cum multis oppidis et vicis[1] ». Veramente senza tale sovranità territoriale del principe vescovo di Trento, la sede del concilio sarebbe stata altrove.

Negli anni che precedettero la convocazione, e poi l'effettivo insediamento e i lavori conciliari, Cristoforo Madruzzo attese con energia a preparare l'ambiente adatto per accogliere e ospitare così a lungo tanti personaggi illustri, ecclesiastici e laici, con il loro seguito di cavalieri e domestici. Fece costruire nuovi palazzi, promovendo lo sviluppo urbanistico iniziato dal Clesio, e ville nei dintorni e continuò il rimodernamento di castelli, come quello di Pergine, per offrire agli ospiti un soggiorno distensivo. Nelle vie di comunicazione e nel servizio postale, affidato alla compagnia Taxis-Bordogna, si poté riscontrare pure un notevole miglioramento. Tutta l'economia del principato ne trasse vantaggio: si svilupparono opifici manifatturieri, cartiere e tipografie, mediante l'immigrazione di abili maestri d'arte; s'incrementò anche la fluitazione del legname, oltre ai trasporti di merci per via fluviale. Le *rationes officialium anno 1541*[2] riflettono già i progressi di un'economia in fase di espansione, che culminò verso il 1553 quando il principe vescovo progettò addirittura di fondare a Trento l'università degli studi.

Nominato cardinale nel 1543, Cristoforo Madruzzo intensificò il lavoro organizzativo, prima e dopo la solenne seduta inaugurale del concilio il 13 dicembre 1545. La sua abilità diplomatica, la stima e l'appoggio incondizionato dell'imperatore Carlo V e di Ferdinando d'Asburgo, e insieme una certa apertura verso i cattolici concilianti o anche filoprotestanti, giovarono al progredire e infine alla positiva conclusione del concilio stesso. D'altra parte, l'afflusso e la permanenza prolungata di molti uomini di cultura, prevalentemente italiani, favorì non solo la diffusione degli studi umanistici e della civiltà rinascimentale nel principato di Trento, ma bloccò la precedente tendenza dei vescovi di origine tedesca d'insediare feudatari e numerosi altri uomini del loro seguito nel territorio trentino e altoatesino, cosicché ormai nella vallata dell'Adige da Lavis a Bolzano e nella giurisdizione di Pergine il vernacolare appunto trentino era quasi scomparso. Al ricupero della lingua e della cultura italiana contribuì poi la persecuzione controriformistica, che coinvolse molti filoprotestanti[3], oltre che gli

[1] *Ivi*, pp. 193-195.

[2] Da me pubblicate nella rivista « Studi trentini di scienze storiche », XXXVII, 1958, pp. 375-398. Sulla personalità e sui meriti di Cristoforo Madruzzo cfr. H. Jedin, *op. cit.*, pp. 452-456.

[3] Cfr. V. Zanolini, *Appunti e documenti per una storia dell'eresia luterana nella diocesi di Trento*, in *Annuario del Ginnasio pareggiato principesco vescovile di Trento,* VIII, 1909,

anabattisti (specialmente fra i canopi, ossia minatori di estrazione germanica, indotti ad andarsene anche per la crisi sopravvenuta nello sfruttamento delle miniere dopo le massicce importazioni di argento americano).

Nel frattempo, nonostante o forse proprio in conseguenza dell'aumentato benessere della borghesia cittadina, il Magistrato consolare rivendicò sempre più insistentemente competenze che riteneva a sé spettanti nell'amministrazione della città e che il codice clesiano aveva piuttosto misconosciute. Si giunse al punto di ricorrere all'imperatore e al papa, che tuttavia non diedero nemmeno ascolto ai consoli trentini, anzi il principe vescovo ebbe buon giuoco nel confutare e quasi capovolgere le loro argomentazioni: « Dirò solo che in qualche centinaia d'anni niuno predecessore ha procurato ed ottenuto più reputazione ed utile alla città di Trento, di quello che ho fatto io (...). Li consoli, abusando della pazienza che si è avuto per tanti anni, fingono di temer la violenza, scordandosi l'esser loro e il mio, e non sapendo che se io avessi avuto animo di far vendetta ne avrei potuto aver l'occasione anche con il pretesto di fare giustizia ».

3. Risorgenza dei soprusi tirolesi

Certamente il prestigio dei vescovi Bernardo Clesio e Cristoforo Madruzzo aveva fatto assurgere il principato di Trento, e in parte anche quello di Bressanone, a un ruolo non più subordinato nei confronti della contea del Tirolo e quindi poteva considerarsi del tutto riacquistata ed effettiva la sovranità territoriale dei principi vescovi. Ma, concluso il concilio e deceduto l'anno dopo, nel 1564, l'imperatore Ferdinando I, il nuovo conte del Tirolo arciduca Ferdinando II riaprì vecchie questioni sostenendo pretese di superiorità, che ormai da tanto tempo erano sopite e si credevano superate, nei confronti dei principati vescovili. Approfittò dell'assenza del cardinale Cristoforo Madruzzo (che ancora nel 1550 aveva ceduto al nipote Ludovico l'amministrazione e nel 1567 stava perfezionando le pratiche per la completa resignazione del vescovado di Trento), invase il principato e indusse il pusillanime vescovo Ludovico Madruzzo a riconoscerlo non solo come avvocato, ma senz'altro unico principe territoriale e suo legittimo signore (*Landesfürsten und rechten Herrn*). Dapprima, con il pretesto di mancati contributi militari, l'arciduca aveva fatto occupare Rovereto e il territorio circostante, che incorporò e che da allora rimase parte integrante della contea del Tirolo. Con un altro pretesto, cioè le solite lagnanze

pp. 7-116; CH. D. O'MALLEY, *Jacopo Aconcio*, trad. D. Cantimori, Storia e letteratura, Roma 1955.

dei consoli trentini contro l'autoritarismo del principe vescovo, aveva inviato poi a Trento un suo commissario che sobillò e manovrò una dimostrazione di piazza per indurre il maldestro coadiutore vescovile a sottoscrivere, l'11 ottobre 1567, un diktat onerosissimo che annullava il rapporto di confederazione, stabilito dal *Landlibell* del 1511, e insieme le precedenti convenzioni bilaterali delle « compattate [1] ». Oltre ad avocare la sovranità territoriale, l'arciduca Ferdinando II pretendeva che a lui spettasse la conferma dello statuto e dei privilegi della città di Trento, si arrogava il diritto di appello contro le sentenze dei tribunali vescovili e perfino d'imporre arbitrariamente l'allontanamento degli stranieri dalla corte del principe vescovo.

Il Capitolo, che non era stato interpellato, negò la ratifica al patto estorto con la violenza. Dovette quindi lo stesso Ludovico Madruzzo ricorrere al papa Pio V, che il 17 agosto 1568 scrisse all'arciduca esigendo la rinuncia alle ingiustificate pretese e dichiarando nullo quel patto: poiché, se il coadiutore « antequam episcopus esset, pactionem inconsulte fecit, ecclesiae suae damnosam, constat non potuisse ius suum ecclesiam propterea amittere nec id in dubium revocandum, si per centum annorum spatium retentum fuerat [2] ». L'imperatore Massimiliano II riconobbe che *ab immemorabili* il principe vescovo di Trento godeva i diritti contestati; tuttavia, per non umiliare il fratello Ferdinando e nella speranza di poter comporre la grave contesa (prima che intervenisse la Dieta imperiale, che era più potente dell'imperatore e che non avrebbe certo accondisceso alle sopraffazioni asburgiche), nominò un commissario che mettesse sotto sequestro il principato vescovile.

L'esito della vertenza interessava direttamente anche il principato di Bressanone, che era retto ancora dal cardinale Cristoforo Madruzzo e che avrebbe seguito la sorte di quello trentino, nel caso che ne fosse stata più o meno legittimata la dipendenza dalla contea del Tirolo. Dopo un primo compromesso nel 1571, il cardinale Morone riuscì a ridurre le intransigenti pretese dell'arciduca asburgico prospettandogli nel 1576 l'eventualità del cardinalato per il figlio Andrea (che nel 1580 fu eletto anche vescovo di Bressanone). In tal modo la dieta imperiale di Spira poté nel 1578 convalidare senza contrasti la tesi pontificia che per superare le divergenze bastava richiamarsi ai patti precedenti degli ultimi cento anni, ossia quelli del 1454, del 1468 e *Landlibell* del 1511.

La cosiddetta notula di Spira ripristinò la sovranità del principato vesco-

[1] J. Hirn, *Der Temporalienstreit des Erzherzogs Ferdinand von Tirol mit dem Stifte Trient* (1567-1578), in « Archiv für österreichische Geschichte », LXIV-2, 1862, pp. 22-35; J. Kögl, *La sovranità* cit., p. 248.

[2] *Ivi*, p. 249.

vile di Trento[1], dopo undici anni di sospensione del potere temporale; ma perdurarono e talvolta s'inasprirono le contrapposizioni all'interno: da una parte le comunità delle Giudicarie si rifiutavano di giurare l'osservanza di alcuni accordi trentino-tirolesi che ritenevano lesivi dei loro tradizionali diritti o privilegi, e dovette intervenire un contingente militare dell'arciduca per sedare la rivolta, nota come « guerra delle noci » (1579-1580); d'altra parte a Trento la fazione filoaustriaca, in polemica con quella madruzziana o « cardinalizia », continuò a strumentalizzare le rivendicazioni dei consoli della città che tendevano a limitare i restaurati poteri del principe vescovo. È da notare che, nel frattempo, il Magistrato consolare dal 1572 aveva fatto regolarmente compilare la matricola o libro della cittadinanza di Trento[2], registrando le nuove aggregazioni di cittadini *per gratia* e *per pretio*, ma distinguendo e segnalando anzitutto i cittadini *antichi*: appartenenti a famiglie « ch'hanno posseduto beni e specialmente case nella città avanti l'anno 1528 » (cioè prima che fosse pubblicato il definitivo statuto trentino) oppure anche a famiglie che avevano ottenuto la cittadinanza fra il 1528 e il 1572. Non si trattò quindi soltanto di una registrazione, bensì di un consolidamento e di una tutela gelosa dei diritti acquisiti.

Il principe vescovo e cardinale Ludovico Madruzzo poté contare sull'appoggio concorde dell'imperatore e del papa; quindi attese senza ulteriori ostacoli all'applicazione dei decreti tridentini, visitando più volte la sua diocesi e opponendosi decisamente alle pretese del Capitolo dei canonici, che avrebbero voluto ripristinare diritti di controllo e anche di compartecipazione negli uffici amministrativi del principato.

4. Epilogo dell'età madruzziana

Carlo Gaudenzio (1600-1629) e Carlo Emanuele (1629-1658) conclusero i fasti della famiglia Madruzzo, che per centovent'anni resse le sorti del principato di Trento e, inoltre, direttamente o indirettamente amministrò quello pure di Bressanone, salvaguardandolo dalle sempre risorgenti minacce e insidie della pretesa superiorità territoriale tirolese[3].

Carlo Gaudenzio, nipote e coadiutore del principe vescovo Ludovico dal 1595, dovette a lungo contendere col Magistrato consolare di Trento;

[1] *Ivi*, pp. 253-256, 356.

[2] Pubblicato da B. MALFATTI (« Archivio storico per Trieste, l'Istria e il Trentino », I, 1881-82, pp. 244-257).

[3] Cfr. J. KÖGL, *La sovranità* cit., p. 259.

l'antagonismo culminò nel 1625, quando il vescovo non volle riconoscere e approvare l'elezione dei consoli, che fecero ricorso (ma senza successo) all'imperatore con un memoriale corredato di consulti a loro favorevoli da parte di cattedratici giuristi padovani. Agli oppositori, l'anno dopo, non rimase che lasciarsi convincere dalle argomentazioni vescovili e assicurare che la città con il buon reggimento dei consoli stessi avrebbe goduto « quella quiete e tranquillità, nella quale — precisarono — l'hanno tanto tempo felicemente conservata li nostri antenati ». È da notare che precedentemente, nel 1608, il Magistrato consolare era stato travagliato da dissensi interni, poiché la minoranza di estrazione germanica pretendeva (nonostante la diminuita presenza in Trento) che due dei sette « luochi nel consolato » spettassero di diritto alla « natione tedesca ». Il principe vescovo insistette perché non fosse « fatto divisione di natione » e così risultò, infine, consolidata l'italianità di Trento contro i maneggi, non certo disinteressati, di chi tendeva a farla apparire ancora bilingue [1].

Il vescovo, e cardinale dal 1604, Carlo Gaudenzio si preoccupò pure dell'organizzazione scolastica, affidando ai padri Somaschi nel 1618 il ginnasio di Trento, cui si aggiunse un collegio fondato dai Gesuiti nel 1625 su richiesta presentata da delegati del Magistrato consolare all'imperatore; fallì nuovamente invece l'iniziativa vescovile, già auspicata dal cardinale Cristoforo Madruzzo, d'istituire l'università trentina degli studi.

Il successore Carlo Emanuele Madruzzo, a sua volta coadiutore dello zio Carlo Gaudenzio dal 1622 ed eletto principe vescovo il 4 gennaio 1629, fu soprannominato « savoiardo » e ritenuto filofrancese, per essere nato e cresciuto nel castello valdostano d'Issogne e anche per il presunto determinante influsso della madre. Il Capitolo dei canonici ne approfittò accusandolo senz'altro di antiaustriacantismo [2], nonché di sconsiderata prodigalità, in un memoriale fatto pervenire all'imperatore e quindi pretese, più risolutamente che nel passato, di poter condizionare tutta l'amministrazione del principato di Trento. I commissari imperiali proposero un compromesso, che venne sottoscritto il 25 giugno 1635: controllo delle pubbliche spese e di alcuni uffici amministrativi, da parte del Capitolo, ma

[1] Contemporaneamente si conclusero le vertenze di confine con Venezia per le malghe di Vezzena, come pure analoghi contrasti con l'amministrazione austro-tirolese (A. ZIEGER, *Storia* cit., pp. 209 seg.).

[2] Cfr. A. DE GUBERNATIS, *Il principato di Trento nel secolo XVII descritto dal nunzio Carafa,* « Archivio per l'Alto Adige », I, 1906, p. 56: secondo il nunzio pontificio anche gli ultimi principi vescovi Madruzzo « sì come li loro antenati » si mantennero filoasburgici, « ancorché gli anni a dietro li poco amorevoli e maligni del sig. Cardinale gli opposero falsamente appresso l'Imperatore e fratelli arciduchi che fusse assai affetionato dei Venetiani, con occasione che come principe prudente, che deve mantenere li suoi confinanti amici e benevoli per la necessità del traffico e bisogno del paese, facesse questo a loro ».

esclusione dall'esercizio del potere legislativo e dal diritto di voto nel Consiglio aulico, al quale era riservato il giudizio delle cause in seconda istanza.

Nel frattempo l'arciduchessa Claudia de' Medici, vedova dal 1632 di Leopoldo V conte del Tirolo e reggente per i figli minorenni, aveva inaspettatamente riproposto le vecchie aspirazioni tirolesi a scapito della sovranità territoriale dei principati vescovili di Trento e di Bressanone, che minacciò perfino di occupare militarmente se non avessero pagato i contributi finanziari di suo arbitrio imposti[1]. Ferdinando III, non come imperatore bensì come capo della Casa d'Austria e perciò tutore della vedova Claudia, fece sequestrare nel 1636 i redditi vescovili, tuttavia limitatamente a quelli inclusi nella contea del Tirolo e per ritorsione fece aumentare il dazio sui prodotti, specie il vino, provenienti appunto dai principati. Il vescovo brissinense Guglielmo di Welsperg, d'accordo con quello trentino, protestò energicamente il 17 marzo 1637 rivendicando i diritti non alienabili di prìncipi immediati dell'Impero. La querela, ufficialmente poi presentata dal Madruzzo nella dieta del 1641 a Ratisbona contro i persistenti tentativi di sopraffazione dell'arciduchessa Claudia, ebbe l'appoggio dei prìncipi elettori tedeschi e così lo stesso imperatore fu costretto a respingere le pretese tirolesi[2].

La crisi economica generale, per la guerra dei trent'anni e anche in seguito alla decadenza del mercato veneziano (che aveva quasi esaurito la sua funzione intermediaria con i paesi levantini), sempre più ridusse il commercio transcontinentale attraverso la via atesina e si ripercosse negativamente sull'economia dei principati vescovili di Trento e di Bressanone. In particolare, rimase soffocata l'attività manifatturiera trentina: dapprima decaddero i modesti lanifici e in seguito anche le cartiere, a causa della politica ormai protezionistica di Venezia. Un compenso, almeno temporaneo, si trovò mediante l'incremento del setificio per iniziativa di Giambatti-

[1] Il dissidio verteva sulla pretesa di considerare legittima prerogativa sovrana del conte del Tirolo l'ingerenza negli affari interni dei principati vescovili, obbligandoli a contributi non più saltuari e concordati, ma permanenti e anzi come riconoscimento di una certa superiorità del cosiddetto principe territoriale o laico. D'altra parte l'imposta straordinaria di 70.000 fiorini d'oro (oltre all'aumento del dazio sul vino, sul sale e sul bestiame alla dogana di Lavis) nel 1634 era troppo esorbitante, a carico delle modeste e decrescenti entrate del principe vescovo di Trento, che dai 16-18.000 fiorini del primo ventennio del secolo XVII erano sempre più diminuite. Analoga era la situazione del principato di Bressanone. Cfr. J. Ph. Dengel, *Berichte von Bischöfen über den Stand ihrer Diözesen* (*Relationes status ecclesiarum*) *im* 16. *und* 17. *Jahrhundert*, «Forschungen und Mitteilungen zur Geschichte Tirols und Vorarlberg», VI, 1907, pp. 323-338; A. Stella, *Politica ed economia* cit., pp. 72-74.

[2] Poi anche la Francia, in occasione della pace di Westfalia, sostenne la rivendicazione dei diritti sovrani del principe vescovo trentino; cfr. J. Kögl, *op. cit.*, pp. 263-266.

sta Prato, che organizzò i fabbricanti di velluto e ottenne dal Magistrato consolare il divieto dell'esportazione della seta greggia[1], e infine ancor più per il trasferimento a Trento nel 1655 da Rovereto di maestranze specializzate, che intendevano sottrarsi all'aggravio fiscale dell'amministrazione tirolese.

In quell'età d'intolleranza religiosa il principe vescovo Carlo Emanuele si mostrò alieno da intemperanze e cercò di mitigare l'applicazione della bolla pontificia per i processi di stregoneria, come pure non oppose ostacoli alla tipografia ebraica di Riva[2].

Nel complesso l'epoca madruzziana si chiuse nel 1658 in una situazione apparentemente di benessere e quasi di splendore, certo di gelosa sovranità da parte dei due principati vescovili; ma il fasto spagnolesco dei nobili e soprattutto il dispendio della corte vescovile stavano dilapidando le risorse locali. A Bolzano invece con l'istituzione del Magistrato mercantile si veniva concentrando dal 1635 il commercio, rinvigorito dalle franchigie a favore dei mercanti che affluivano per le fiere annuali[3], e ne trasse ulteriore vantaggio la contea del Tirolo. Contemporaneamente ad Ala si affermava sempre più la fabbrica di velluti, fondata con capitali e con abili maestranze genovesi[4], che distolse quell'attività manifatturiera da Trento e ne determinò il precoce tramonto.

[1] Oltre alla coltivazione del gelso fu introdotta quella del riso, particolarmente nel tratto atesino paludoso fra Laives e Ora, mediante l'impiego di coloni provenienti dalla val Lagarina e dalla Valsugana; cfr. A. STELLA, *Politica ed economia* cit., p. 74 seg.

[2] ZIEGER, *Storia* cit., pp. 222-225.

[3] G. MANDICH, *Istituzione delle fiere veronesi* (1631-1635) *e riorganizzazione delle fiere bolzanine* (1633-1635), «Cultura atesina», I, 1947, pp. 71-77, 107-115. Bolzano fu così descritta nel 1667: «Terra popolata e di negozio per le fiere che vi si fanno quattro volte l'anno, dove concorrono mercanti di vari paesi e parti d'Italia, e vi è corrispondenza di cambi per molte piazze d'Europa» (J. PH. DENGEL, *Reisen Mediceischer Fürsten durch Tirol in den Jahren* 1628 *und* 1667-68, in *Festschrift zu Ehren O. Redlich,* Wagner, Innsbruck 1928, p. 24).

[4] Ma anche mercanti veronesi «solo per evitare la gravezza del datio» (come faceva rilevare il veneziano Giacomo Corner nella relazione del 20 settembre 1645 al Senato) vi avevano portato i loro capitali per incrementare il lavoro delle filande. Cfr. *Relazioni dei rettori veneti in terraferma*, vol. IX (*Verona*), Giuffrè, Milano 1977.

Capitolo IV. **Tramonto e secolarizzazione dei principati vescovili**

1. La transazione del 1662

Estintasi nel dicembre 1658 la famiglia Madruzzo con la morte del vescovo Carlo Emanuele, che invano ripetutamente aveva chiesto la dispensa pontificia per la riduzione allo stato laicale e per poter quindi lasciare un erede, l'imperatore Leopoldo I conferì nel 1660 il potere temporale del principato di Trento a Sigismondo Francesco d'Asburgo. Era fratello di Ferdinando Carlo conte del Tirolo e parve così soddisfatta l'ambizione della defunta arciduchessa Claudia, che ancora nel 1641 avrebbe voluto far eleggere il figlio minore, appena dodicenne, vescovo di Bressanone. Pur non essendo riuscito a ottenere la conferma papale, Sigismondo Francesco d'accordo con il Capitolo dei canonici di Trento (che lo aveva designato vescovo nel 1659) inviò a Innsbruck, il 30 giugno 1662, una delegazione per risolvere definitivamente i numerosi motivi di contrasto (« difficultates et contentiones... tam in spiritualibus quam in temporalibus et mixtim[1] ») che si trascinavano dal 1578. Le questioni sulla giurisdizione ecclesiastica furono abbastanza facilmente conciliate, riducendo le interferenze tirolesi nell'esercizio dei tribunali ecclesiastici operanti anche nel territorio diocesano soggetto al dominio arciducale; più difficili risultarono le trattative sui *gravamina temporalia*, ma dopo tre mesi di patteggiamenti (quando già il vescovo Antonio Crosini di Bressanone aveva dovuto accettare un compromesso con l'arciduca asburgico) venne conclusa, il 6 ottobre

[1] J. Kögl, *La sovranità* cit., p. 274. È da notare che nel 1658 il neoeletto imperatore Leopoldo I si era impegnato, di fronte alla dieta dell'Impero, a proteggere i principati vescovili e in particolare quelli di Trento e di Bressanone contro i soprusi dell'arciduca Ferdinando Carlo. Cfr. J. Egger, *Geschichte Tirols von den ältesten Zeiten bis in die Neuzeit*, vol. II, Wagner, Innsbruck 1876, p. 412; A. Zieger, *Il contrasto fra il principato vescovile di Trento e i conti del Tirolo*, Stampa rapida, Trento 1957, pp. 59-63.

1662, una transazione. Il principato vescovile di Trento s'impegnava a pagare un contributo finanziario maggiore di quello fissato nel *Landlibell* del 1511, comprese le quote arretrate, per le comuni spese della difesa militare; tuttavia l'arciduca s'impegnava a riconoscere e rispettare la sovranità territoriale dei principi vescovi, desistendo in particolare dall'intromettersi nella nomina dei castellani trentini (« praefecti arcium episcopalium soli episcopo obediant [1] »). Per evitare ulteriori pretesti di sopraffazione o di abuso di potere si delimitò la competenza del giudice minerario di Pergine, che convenzionalmente dipendeva sia dal principe vescovo di Trento sia dal conte del Tirolo, escludendo qualsiasi intromissione al di fuori dell'ambito montanistico; fu pure espletata la ricognizione dei feudi trentini e vi si incluse castel Belfort.

Nel complesso, la transazione del 1662 giovò a precisare i confini e quindi a salvaguardare l'integrità del principato vescovile di Trento. I risultati raggiunti non vennero compromessi dal repentino estinguersi della famiglia arciducale e insieme comitale tirolese, in seguito alla morte (30 dicembre 1662) dell'arciduca Ferdinando Carlo e improvvisamente poi anche (25 giugno 1665) del fratello Sigismondo Francesco, che gli era succeduto, quando svanita la speranza di ottenere la conferma pontificia alla proposta dignità episcopale, aveva rinunciato al vescovado di Trento (28 maggio 1665).

2. Nuovamente a confronto con imperatori-conti del Tirolo

Erede della contea del Tirolo fu l'imperatore Leopoldo I e, da allora, gli imperatori asburgici ne mantennero direttamente e ininterrottamente il dominio. Non era una novità, poiché Massimiliano I e Ferdinando I avevano pure riunito in sé l'autorità imperiale e quella di conte del Tirolo, con vantaggio anzi per i principati di Trento e di Bressanone che si erano potuti sottrarre alle sempre risorgenti insidie dei conti tirolesi, desiderosi di estendere la loro sovranità su tutto il territorio trentino-tirolese. Ma il prestigio dei principi vescovi era molto diminuito da oltre un secolo, e la situazione era ben diversa dall'epoca fastosa dei tanto autorevoli Bernardo Clesio e Cristoforo Madruzzo.

Leopoldo I tentò subito di misconoscere la transazione del 1662, con il pretesto di non essere stato preventivamente consultato, come riteneva suo diritto per la superiore dignità di capo della Casa d'Austria. Poi avrebbe voluto che la consegna del potere temporale ai nuovi principi vescovi apparisse fatta da lui in quanto conte del Tirolo e non per diretta

[1] J. Kögl, *op. cit.*, p. 271.

investitura imperiale; manifestava così la sua intenzione d'includere i due principati ecclesiastici fra i dominii asburgici ereditari. Tuttavia dapprima la diplomazia temporeggiatrice del Capitolo dei canonici di Trento (che rivendicava l'amministrazione del principato in sede vacante) e successivamente quella dei principi vescovi Ernesto Adalberto Harrach, Francesco Alberti-Poia e Sigismondo Alfonso Thunn, infine il più fermo atteggiamento di Giuseppe Vittorio Alberti che si appellò alla dieta imperiale di Ratisbona, fecero fallire i pericolosi e subdoli maneggi della politica tirolese asburgica.

Nel frattempo, dopo il fasto dissipatore degli ultimi Madruzzo, il principato vescovile di Trento per alcuni decenni andò riorganizzandosi e anche la borghesia cittadina poté assumere un ruolo meno secondario. Nel 1671 il Magistrato consolare decretò che « niuno in seguito possa essere fatto cittadino, se non contribuisce alla città la somma di cento doble di Spagna in contanti ». Non fu propriamente una serrata, ma certo limitò ancor più la possibilità di ammissione alla cittadinanza, che già era stata ristretta nel 1572 accentuando il « processo di trasformazione del governo cittadino da *largo* a *stretto* » col riservare le cariche pubbliche ai « discendenti dei cittadini antichi e agli esponenti di alcune famiglie nuove, innalzatesi sulle altre per ricchezze, prestigio, nobiltà [1] ». Borghesi e nobili fecero causa comune per ridurre le tendenze assolutistiche dei precedenti principi vescovi. S'instaurò un'amministrazione piuttosto austera, che si riscontra nell'accuratezza insolita dei bilanci generali del principato, con la preoccupazione che le spese in ogni caso non eccedessero sulle entrate, cosicché non si dovesse più ricorrere a onerosi mutui o indebitamenti. Il proposito di conseguire il risanamento finanziario non fu vano. Nel 1682 si raggiunse quasi il pareggio (19.350 fiorini d'entrata, contro 19.416 di spesa), nel 1683 le entrate segnarono un attivo di 690 fiorini d'oro e di 1323 l'anno dopo (20.713 contro 19.390 di spese [2]).

Alla politica di raccoglimento, molto più dimessa che nel passato ma non meno vigile in difesa della sovranità territoriale, corrispose dunque un'economia parsimoniosa; si realizzarono tuttavia lavori pubblici considerevoli: oltre al completamento del castello del Buonconsiglio, che ben riunì il vecchio con il nuovo palazzo, fu promossa la bonifica delle paludi nella valle dell'Adige [3]. Alla cronica penuria di cereali si poté così in

[1] C. Donati, *Ecclesiastici e laici nel Trentino del Settecento* (1748-1763), Istituto storico italiano per l'età moderna e contemporanea, Roma 1975, p. 269.

[2] Per un esame dettagliato dei resoconti ufficiali cfr. A. Stella, *Politica ed economia* cit., pp. 79-108 e tav. V.

[3] G. Maccani, *La sistemazione dell'Adige e la bonifica della valle da S. Michele a Sacco*, Trento 1913.

parte sopperire mediante la coltivazione di una sottospecie del riso, la risetta, negli acquitrini ancora malsani presso Caldaro e con il diffondersi altrove del mais e della patata.

Il riassetto amministrativo e insieme l'incremento agricolo dell'ultimo trentennio del '600 furono gravemente compromessi nei primi anni del '700, quando il territorio trentino-tirolese fu invaso e devastato da eserciti francesi e bavaresi, durante la guerra di successione spagnola. Trento stessa bombardata e assediata per sei giorni, dal 2 all'8 settembre 1703 dal maresciallo Vendôme, stava per soccombere e subire il saccheggio; provvidenzialmente la sconfitta delle truppe bavaresi costrinse l'esercito francese a ripiegare verso la pianura padana, dopo aver devastato la valle della Sarca inferiore e anche incendiato Piedicastello e di seguito i castelli d'Arco e di Castelbarco.

3. Gravi conseguenze della prammatica sanzione

La pace di Radstadt del 1714 e la prammatica sanzione dell'anno precedente ebbero conseguenze non trascurabili per i principati vescovili di Trento e di Bressanone. L'estendersi del dominio asburgico nel ducato di Mantova [1] e nel milanese accrebbe l'importanza strategica della via di comunicazione atesina, almeno finché non venne favorita più tardi la via dei Grigioni; d'altra parte cominciò a manifestarsi l'esigenza di un centralismo burocratico, il cui primo provvedimento fu quello di sottoporre la camera aulica di Innsbruck a quella di Vienna, mentre due secoli prima Massimiliano I aveva fatto l'operazione inversa. Il pericolo più grave per la sovranità territoriale dei principati ecclesiastici derivava dal fermo proposito dell'imperatore Carlo VI di predisporre l'applicazione della *sanctio pragmatica* decretata il 19 aprile 1713, riunendo *indivisibiliter et inseparabiliter* i dominii ereditari di Casa d'Austria, riservandoli tutti al primogenito o alla primogenita, mentre dal 1404 erano rimasti più o meno divisi e governati separatamente [2] da principi cadetti o collaterali della dinastia asburgica.

Per poter meglio resistere alle pressanti richieste dell'imperatore, che esigeva dai principati vescovili non solo il riconoscimento della prammatica sanzione ma anche delle prevedibili conseguenze, i vescovi di Trento e

[1] Il vescovo Gian Michele Spaur riuscì a impedire l'annessione, tentata dall'imperatore, anche del marchesato di Castellaro, fino allora concesso in feudo ai Gonzaga; cfr. A. Alberti Poja, *Castellaro Mantovano (un feudo extraterritoriale del principato di Trento)*, Temi, Trento 1950.

[2] Oltre all'Austria superiore o anteriore (che comprendeva il Tirolo e i territori svevi e alsaziani, con il governo a Innsbruck), l'Austria cosiddetta interiore (Stiria, Carinzia, Carniola, Trieste, Istria e Gorizia) e l'Austria inferiore o ducato d'Austria.

di Bressanone agirono di comune accordo rifiutando nel 1720 di essere « compresi o da annoverare fra i paesi ereditari austriaci », perché come prìncipi immediati dell'Impero si ritenevano soltanto « membri confederati » con la contea del Tirolo « secondo il trattato stipulato nel 1511 e confermato dal Sacro romano impero nel 1548 [1] ». La risposta evasiva dell'imperatore a queste argomentazioni, l'11 gennaio 1721, confermava in realtà il suo proposito di non deflettere dalla politica di superamento dei particolarismi per trasformare in una compatta monarchia il « poco vincolato e casuale conglomerato dei suoi regni e paesi ereditari [2] ». S'iniziò allora la lotta, che fu paragonata a quella di Laocoonte fra le spire dei serpenti [3], contro le iniziative centralizzatrici viennesi che minacciavano direttamente i tradizionali privilegi (*Landesfreiheiten*) della *Landschaft* tirolese, ma indirettamente anche la sovranità dei principati di Trento e di Bressanone.

Quest'ultimo pericolo si accentuava nel primo intervallo della sede vacante del principato vescovile, perché il Capitolo dei canonici ne assunse la incondizionata sovranità territoriale, insieme con l'amministrazione, appena ebbe proceduto al giuramento delle compattate. Oltre a salvaguardare gelosamente i suoi tradizionali privilegi, il Capitolo continuò sempre a respingere qualsiasi novità che pregiudicasse l'effettiva autonomia del principato stesso, ben distinguendo e riaffermando la pariteticità degli *Stifter* confederati nei confronti degli *Stände* (« stati » o ceti) che in condizione subordinata partecipavano alla Dieta provinciale tirolese.

È da rilevare anche la decisa difesa della libertà di commercio da parte del Magistrato mercantile di Bolzano, per merito soprattutto del suo cancelliere Giuseppe Antonio Rosmini che, nell'agosto 1743, presentò alla corte di Vienna il nuovo statuto ovvero capitoli di fiera « concepiti in lingua italiana ed in alemanna tradotti » che conservarono alla città altoatesina non solo l'autonomia di quel magistrato nella giurisdizione nundinale, ma pure il carattere mistilingue favorevole agli scambi commerciali [4].

[1] F. HIRN, *Die Annhame der pragmatischen Sanktion durch die Stände Tirols*, « Zeitschrift des Ferdinandeums für Tirol und Vorarlberg », 47, 1903, pp. 154-156; cfr. J. KÖGL, *La sovranità* cit., p. 285.

[2] *Ivi*, p. 289.

[3] A. JÄGER, *Geschichte* cit., p. 517.

[4] Cfr. G. SUSTER, *Gli italiani alle antiche fiere di Bolzano*, « Archivio per l'Alto Adige », III, 1908, pp. 415-460; A. SOLMI, *Riva e le fiere di Bolzano*, « Atti della Accademia roveretana degli Agiati », ser. IV, vol. V, 1922, pp. 131-141; G. CANALI, *Il Magistrato mercantile di Bolzano e gli statuti delle fiere*, « Archivio per l'Alto Adige », XXXVII, 1942, pp. 12-16.

4. Di fronte alla politica centralizzatrice austriaca

Nella prima metà del secolo XVIII si succedettero alcuni principi vescovi di Trento mediocri e piuttosto arrendevoli alle pretese asburgiche di superiorità territoriale: Antonio Domenico Wolkenstein e Domenico Antonio Thunn, il più inetto, quest'ultimo, di ogni altro e stolto dissipatore delle pubbliche entrate, al punto da provocare velleità separatiste (nell'illusione, che concepì qualche comunità, di poter essere annessa ai cantoni svizzeri), oltre a cedere nel 1741 la giurisdizione di Nomi all'Austria. Tuttavia, finché il Capitolo si mantenne concorde e conservò la solidarietà del Magistrato consolare, si evitarono guai peggiori e fu scongiurato almeno il pericolo che la diocesi trentina fosse sottoposta all'arcivescovo di Salisburgo, con tutte le inevitabili conseguenze.

La situazione andò complicandosi e gradualmente mutò, dopo che nel 1741 la prima dignità del Capitolo, cioè il decanato, fu conferita a Bartolomeo Antonio Passi. Già la sua estrazione borghese destava nei suoi confronti la diffidenza degli altri canonici, che da tempo immemorabile erano per la maggior parte i cadetti della nobiltà trentina e tirolese; ancor più insospettivano i suoi precedenti servizi, al seguito del cardinale Alvaro Cienfuegos ministro plenipotenziario dell'imperatore Carlo VI a Roma, cosicché appariva un uomo più legato agli interessi asburgici che a quelli dell'autonomia trentina, forse addirittura favorito perché ben disposto ai nuovi orientamenti della politica centralizzatrice austriaca [1]. Certo è che si comportò in modo da non dissipare questi sospetti, anzi tutt'altro. Delegato alla Dieta tirolese nel 1744, contrariamente alle istruzioni del Capitolo, aderì senza nulla obiettare alla richiesta di un sussidio steurale straordinario avanzata dall'imperatrice Maria Teresa; quindi a ragion veduta fu ritenuto «laicae magis quam ecclesiasticae potestatis studioso [2]». Poi prese l'iniziativa, che perseguì d'accordo con la corte viennese, di costringere il vescovo Domenico Antonio Thunn a rinunciare al governo del principato, facendo nominare coadiutore e amministratore plenipotenziario Leopoldo Ernesto Firmian, vescovo di Seckau. Per ovviare alle resistenze del Capitolo, nei confronti di un prelato come il Firmian assai gradito all'imperatrice e quasi da lei imposto, il decano Passi propose e fece giurare a tutti i canonici nella seduta del 23 aprile 1748 una serie di punti programmatici, con l'obbligo per il coadiutore d'impegnarsi a recuperare quanto era stato indebitamente alienato o trascurato durante il malgover-

[1] C. Donati, *Ecclesiastici* cit., p. 5.
[2] *Ivi*, pp. 6-8.

no del vescovo Thunn. Questo provvedimento solo nell'apparenza si conformava alla tradizione autonomistica del principato vescovile; in realtà, assecondava i progetti austriaci di riforma economica, amministrativa e politica (confluiti poi nel cosiddetto piano Haugwitz del maggio 1749), che prevedevano anzitutto la lotta contro i « corpi separati ».

Si può dire che il Passi, tipico intellettuale del '700 accondiscendente alle nuove teorie giurisdizionalistiche, abbia spianato la strada all'invadenza del dispotismo illuminato austriaco nei principati ecclesiastici di Trento e di Bressanone, costringendoli a uniformarsi *in politicis maioribus* a quanto veniva prescritto dall'amministrazione centrale viennese. Basterà qui citare un solo, ma significativo, esempio: nel 1754 il coadiutore Firmian fu indotto a dare l'adesione del principato trentino al trattato monetario (per introdurre il *Conventionsfuss* o fiorino di convenzione) stipulato dall'Austria con la Baviera e con l'arcivescovo di Salisburgo.

Ben diverso, almeno inizialmente, fu l'atteggiamento del nuovo principe vescovo di Trento, Francesco Felice Alberti, dopo che il Firmian ebbe rinunciato al suo incarico il 12 dicembre 1755. Rifiutò, per una ragione di principio e per salvaguardare la sovranità territoriale, qualsiasi contributo per spese di guerra al di fuori delle clausole stabilite con il *Landlibell* del 1511, come nel caso allora della guerra austro-prussiana che era estranea alla difesa del territorio trentino-tirolese. Nonostante il canonico Carlo Sebastiano Trapp, della fazione filoaustriaca, insistesse nella seduta capitolare del 23 marzo 1759 perché Trento non si mostrasse intransigente, il vescovo Alberti continuò a rivendicare e difendere ed esigere il rispetto dei patti confederali, respingendo ogni minaccia di far apparire subordinati i principati di Trento e di Bressanone. Il risentimento dell'Alberti culminò quando, nel febbraio 1761, l'imperatrice Maria Teresa convocò la dieta provinciale tirolese usando « termini impropri ed affatto pellegrini » che convenivano più « all'essere di sudditi, che di confederati [1] ». Su sollecitazione del principe vescovo Alberti, il papa Clemente XIII protestò ufficialmente (17 maggio 1761).

Altrettanta fermezza il vescovo Alberti avrebbe voluto dimostrare rifiutando la patente imperiale del 12 maggio 1761, che imponeva anche al principato di Trento l'obbligo di uniformarsi nella riforma monetaria austriaca, mentre all'economia trentina giovava di più mantenere libero il corso delle monete veneziane. Ma l'assorbimento nell'area monetaria e insieme economica austriaca fu inevitabile, perché oltre al precedente del coadiutore Firmian [2] influì l'abile maneggio filoaustriaco del canonico

[1] *Ivi*, pp. 211, 291-293.
[2] *Ivi*, p. 296.

Trapp e di Bartolomeo Passi. Di fronte alla coalizione del Consiglio aulico, del Capitolo e del Magistrato consolare, lo stesso vescovo Alberti fu costretto il 14 settembre 1762 a cedere facendo pubblicare un editto che convalidava l'adeguamento del principato di Trento al sistema monetario austriaco. La speranza dei fautori che ne avrebbe tratto vantaggio il commercio per la via atesina fu ben presto delusa.

5. Cristoforo Sizzo, ultimo propugnatore della sovranità territoriale

Chi resistette ancora decisamente, sia pure con sfortunato impegno, alle pressioni della politica centralizzatrice asburgica, fu il principe vescovo Cristoforo Sizzo (1763-1776). Erano gli anni dell'abile ed energica iniziativa austriaca di penetrazione e di consolidamento in Italia, dopo che il cancelliere imperiale Kaunitz era riuscito ad imporre il predominio asburgico sulla « via dei Grigioni », che assicurò il diretto collegamento cisalpino con i recenti e preziosi possedimenti padani[1]. Così veniva aggiunta e progressivamente valorizzata un'altra via di comunicazione e commerciale, in alternativa con quella dell'Adige che subì un ristagno e poi anche una crisi mercantile a causa della politica doganale restrittiva nei confronti degli scambi appunto commerciali con la repubblica di Venezia.

Se il precedente piano Haugwitz del maggio 1749 può considerarsi « la data di nascita di una nuova Austria[2] », l'opera riformatrice e accentratrice del Kaunitz ne costituì l'effettiva realizzazione. La riforma amministrativa nel territorio trentino-tirolese era cominciata con l'istituzione dei circondari (patente del 14 giugno 1754), progettati per rafforzare il potere centrale e quindi per servire di collegamento fra il governo provinciale di Innsbruck e le tradizionali singole giurisdizioni[3]. La contea del Tirolo fu divisa in sei circondari: oltre ai due transalpini (ma quello di Hall includeva pure Vipiteno), la val Venosta con sede in Merano, la circoscrizione dell'Adige (comprendente la valle dell'Isarco al di sotto di Albeins) con sede in Bolzano, la Pusteria con sede a Dietenheim, e infine il circondario dei « confini d'Italia » con sede a Rovereto. Ristrutturata in tal modo l'amministrazione del dominio direttamente dipendente (non senza suscitare malcontenti e perfino tumulti a Vipiteno e a Merano, nonché in val

[1] M. BERENGO, « *La via dei Grigioni* » *e la politica riformatrice austriaca*, « Archivio storico lombardo », ser. VIII, vol. VIII, 1958, pp. 3-109.

[2] F. WALTER, *Maria Theresia. Briefe und Aktenstücke in Auswahl*, Wissenschaftliche Buchgesellschaft, Darmstadt 1968, p. 8; cfr. C. DONATI, *op. cit.*, p. 5.

[3] H. REINALTER, *Aufklärung, Absolutismus, Reaktion. Die Geschichte Tirols in der 2. Hälfte des 18. Jahrhundert*, Schendl, Wien 1974, p. 40.

Lagarina a Calliano e a Besenello), il governo austriaco impose ai principati ecclesiastici di Trento e di Bressanone non solo di uniformarsi alle direttive in materia daziaria, ma anche di sottostare alle regolamentazioni e gravose restrizioni del commercio con i vicini paesi veneti. Si aggiunse la pretesa tirolese di fissare unilateralmente e di esigere la perequazione, e in effetti l'aumento, dei contributi militari (« steora » federale), trasformandoli da straordinari secondo i precedenti patti bilaterali (« compattate »), e limitatamente alla comune difesa del territorio trentino-tirolese, in ordinari senza più alcuna distinzione tra sudditi e confederati.

Invano il vescovo Cristoforo Sizzo nel luglio 1765 a Innsbruck presentò una protesta ufficiale all'imperatrice Maria Teresa. Siccome poi fu addirittura usata la forza militare per indurre il vescovo di Bressanone a desistere dall'atteggiamento ostruzionistico, i due principati ecclesiastici ricorsero ai prìncipi elettori dell'impero. Nel frattempo due compagnie di soldati austriaci avevano occupato il castello del Buonconsiglio, per proteggere il passaggio dell'infanta Maria Luisa di Spagna che andava sposa all'arciduca Pier Leopoldo. Il principe vescovo di Trento si recò, il 9 agosto 1765, a Innsbruck non tanto per assistere al principesco matrimonio, quanto piuttosto per poter conferire personalmente con l'imperatrice, che volle ridimensionare l'accaduto: aveva richiamate le truppe, quindi — soggiunse scherzando — ogni ostilità era finita! Il vescovo insistette perché si rinnovasse un accordo bilaterale, ma la sera del 18 agosto Maria Teresa per la morte improvvisa di Francesco I ritornò subito a Vienna; « così restarono sconcertate le cose relative a Trento e sospeso ogni ulteriore trattato [1] ».

La speranza che si potesse pervenire a un dignitoso compromesso svanì: già nel gennaio 1766 l'imperatrice proseguiva la politica autoritaria dei fatti compiuti, facendo occupare il dazio vescovile trentino di Riva ed erigere un nuovo dazio tirolese in località Tempesta, per il controllo del lago di Garda, mentre anche altrove nelle Giudicarie e in Valsugana venivano arbitrariamente ostacolati e alla fine quasi del tutto troncati i tradizionali scambi commerciali con i paesi limitrofi del dominio veneto. Il 21 agosto 1768 si manifestò il malcontento popolare con l'assalto al dazio di Tempesta e a quello di Riva. La repressione comportò addirittura la pena capitale per i tre presunti capi della sommossa e gli abitanti delle Giudicarie dovettero assumersi le spese di un grosso contingente militare tirolese di occupazione per più di un anno.

[1] S. Manci, *Annali di Trento,* Ms. 1099 della Biblioteca comunale di Trento, vol. II, p. 507; cfr. A. Stella, *Riforme trentine dei vescovi Sizzo e Vigilio di Thunn* (1764-1784), « Archivio veneto », ser. V, vol. LIV-LV, 1954, pp. 80-86.

6. Il trattato rinunciatario del 1777

Al vescovo Cristoforo Sizzo, che strenuamente aveva continuato a difendere i diritti sovrani del principato ecclesiastico, pur non essendo riuscito a conseguire nell'impari lotta risultati duraturi e nemmeno ad attuare le riforme socio-economiche auspicate[1], succedette il 29 maggio 1776 Pietro Vigilio Thunn. Fu l'ultimo principe vescovo di Trento, aderente alla fazione capitolare filoaustriaca e incline a certe istanze riformistiche dell'illuminismo, ma uomo assai ambiguo e piuttosto venale o almeno preoccupato dei propri interessi personali; tradì e in brevissimo tempo quasi annientò una tradizione plurisecolare di tenace salvaguardia del piccolo principato contro le reiterate sopraffazioni tirolesi e asburgiche. Il trattato che si affrettò a concludere a Vienna il 24 luglio 1777[2], nonostante l'opposizione netta del Magistrato consolare di Trento e anche della parte più qualificata del Capitolo, può essere e già fu variamente interpretato e giudicato. Il canonico Gentilotti, assieme al decano Sigismondo Manci, rifiutò di ratificarlo definendolo « un eterno obbrobrio del Vescovo e del Capitolo di questo tempo, poiché un accomodamento di questa sorte lo avrebbe saputo fare ognuno dei vescovi-principi predecessori, se non avessero voluto piuttosto da veri padri de' loro sudditi soffrire una notabile perdita delle loro rendite particolari che sacrificare i diritti e gl'interessi di questa città e di tutto il principato per impinguare la loro mensa[3] ».

Lo sdegno dei contemporanei e poi dei liberali trentini fu recepito dallo storico Francesco Ambrosi[4], affermando tuttavia che quell'infausto trattato « segna il tracollo di una potenza vicina ad estinguersi »; altri[5] lo biasimarono più aspramente come « parto infelice di una mente debole ed impolitica ». Invece studiosi recenti hanno tentato di giustificarlo e di riabilitare in parte lo stesso Pietro Vigilio Thunn, con argomentazioni che non vanno sottovalutate ma che forse sono alquanto preconcette. È vero, infatti, che il Capitolo aveva rilasciato al vescovo neoeletto un'ampia procura, però sempre nello spirito e nei limiti della difesa dei diritti sovrani del principato, non presupponendone affatto la rinuncia; anzi era stato ribadito che si confidava nella fermezza (*animi fortitudine*) del vescovo perché al pari dei predecessori operasse « pro defensione iurium ac reparatione

[1] *Ivi*, pp. 87-97; J. Kögl, *La sovranità* cit. pp. 292-296, 410.

[2] *Ivi*, pp. 302-312. Cfr. M. Deambrosis, *Questioni politico-ecclesiastiche nel governo del principe vescovo Pietro Vigilio di Thun* (1776-1800), « Studi trentini di scienze storiche », XXXIX, 1960, pp. 226-261.

[3] S. Manci, *op. cit.*, vol. III, pp. 74 seg.

[4] *Commentari* cit., vol. II, p. 77.

[5] S. Pilati, *I Principi tridentini e i conti del Tirolo*, 2ª ed., Riva 1911, p. 136.

gravaminum ». Al contrario Pietro Vigilio di Thunn si accontentò dell'inserimento di una generica ed equivoca riserva: che dovesse « rimanere *in suspenso* » la questione della « sovranità territoriale in Tridentino ». Si faceva un richiamo alla notula di Spira del 1578 e al trattato del 1662, ma il contesto del trattato tradiva la sostanziale accondiscendenza alla politica centralizzatrice austriaca. In realtà, i quindici capitoli del trattato derogano gravemente a quella riserva introduttiva: il principato vescovile di Trento deve uniformarsi a tutte le prescrizioni austro-tirolesi, tanto in materia amministrativa quanto alle norme per i contributi militari, come pure sottostare all'unico sistema daziario [1], lasciando a funzionari tirolesi la direzione dei nuovi uffici doganali eretti ai confini col dominio veneto; per ovviare ai contrabbandi particolarmente in Valsugana, si ordina lo scambio della giurisdizione vescovile di Levico (e anche della rinomata zona vinicola di Termeno) con quella alpestre e isolata di Castello di Fiemme. Viene deciso che perfino il giudice minerario di Pergine passi definitivamente alla diretta esclusiva dipendenza delle autorità provinciali tirolesi.

Forse da un punto di vista giuridico formale, il trattato del 1777 può anche considerarsi « l'ultimo atto pubblico che riconoscesse l'indipendenza territoriale del principato [2] », ma di fatto fu quasi una resa a discrezione. D'altra parte lo stesso Pietro Vigilio Thunn, che preferiva trattenersi a lungo ogni anno gaudentemente a Salisburgo, non tardò a riconoscere che alla « svilita autorità principesca-vescovile non restava che rinunciare quella parvenza ormai della sovranità territoriale », come scrisse il 26 dicembre 1781 all'imperatore Giuseppe II chiedendo per compenso un assegno vitalizio di cinquantamila fiorini annui: « In realtà non resta altro ripiego che tutto il principato di Trento, con suolo, sudditi ed entrate, venga assorbito dalla casa arciducale (...). Per parte mia io, come principe-vescovo, sono deciso e pronto a rinunciare a tutti i miei possedimenti attuali e a dare così il mio assenso a questo assorbimento [3] ».

Anche se la spudorata offerta fu rifiutata dall'imperatore, dopo che il cancelliere Kaunitz lo ebbe persuaso che da « un affare del genere vi era da ricavare uno scarso utile reale » (in quanto il principato era già di fatto « assorbito » e, per una formale annessione, non valeva la pena di suscitare le recriminazioni della Dieta imperiale), quel fallito « colpo di Stato » squalificò ancor più l'ultimo principe vescovo di Trento. La sua acquiescenza inoltre alle riforme ecclesiastiche di Giuseppe II lo rese inviso al papa Pio VI, che nel ritorno da Vienna non volle essere suo ospite a Trento, il 10

[1] Cfr. H. Kramer, *Die Zollreform an der Südgrenze Tirols*, « Veröffentlichungen des Museum Ferdinandeum », Innsbruck 1932, pp. 239-266; J. Kögl, *op. cit.*, pp. 306-308.

[2] A. Zieger, *Il contrasto* cit., p. 73; cfr. J. Kögl, *op. cit.*, pp. 302-305.

[3] Cfr. A. Zieger, *Storia* cit., p. 263.

maggio 1782, e preferì proseguire per Rovereto e lì pernottare proprio in casa del barone Orazio Pizzini, cioè della famiglia del canonico Pizzini che apertamente avversava il vescovo Thunn [1].

7. Risveglio culturale e prime aspirazioni nazionali

Quanto più il dispotismo asburgico, sia pure illuminato, tendeva a eliminare le autonomie locali e gli antichi privilegi e perfino a sradicare l'amore per la « piccola patria », tanto più si andavano manifestando tenaci resistenze anche fra le popolazioni trentine, che a poco a poco acquistarono coscienza delle peculiari caratteristiche etniche e socio-economiche e culturali. È sintomatico che i primi cenni si riscontrino a Rovereto, che per essere dominio diretto austro-tirolese aveva subìto in anticipo i rigori dell'assolutismo e delle iniziative riformatrici asburgiche. Roveretani erano gli studenti Gasperini e Tedeschi, assieme ai loro amici Malfatti e due Pezzini e abate Fiumi, che nell'ottobre 1751 chiesero ufficialmente di essere aggregati alla comunità studentesca italiana nell'università di Bologna, e di essere quindi sciolti dalla consueta appartenenza alla « nazione germanica ». Se ne preoccupò la stessa imperatrice Maria Teresa, che li fece sorvegliare e ammonire severamente perché « ... i sopracitati trentini, come ribelli, avevano dato un esempio assai pericoloso per il nome tedesco, poiché altri li avrebbero potuto imitare e seguire [2] ». Nemmeno un anno dopo, il 30 luglio 1752 nell'accademia degli Agiati di Rovereto, Francesco Frisinghelli dimostrò con dotti argomenti e appassionatamente sostenne che « questo nostro paese di Rovereto è parte della vera Italia ». Più tardi, quando in seguito al trattato del 1777 il cartografo Francesco Manfroni stampò nel 1778 con il beneplacito vescovile una carta topografica del Tirolo meridionale includendovi il principato di Trento [3], il Capitolo protestò energicamente e il decano Sigismondo Manci fece anzi raccogliere gli atti capitolari concernenti la deposizione del vescovo Domenico Antonio Thunn per poter forse procedere allo stesso modo nei confronti di Pietro Vigilio Thunn [4]. Infine Clementino Vannetti con il motto « italiani noi siam, non tirolesi » fu portavoce di un crescente sentimento nazionale [5].

[1] F. Ambrosi, *Commentari* cit., vol. II, pp. 81 seg.

[2] A. Zieger, *Bagliori unitari ed aspirazioni nazionali* (1751-1797), Pallade, Milano 1933, pp. 13-15.

[3] *Tyrolis pars meridionalis, Episcopatum et Principatum Tridentinum continens*; cfr. F. Ambrosi, *Commentari* cit., vol. II, p. 80.

[4] Cfr. C. Donati, *Ecclesiastici* cit., p. 8, n. 3.

[5] Clemente Baroni pubblicò nel *Giornale enciclopedico di Vicenza* (dicembre 1779, pp.

Chi, nel frattempo, più originalmente aveva stimolato il rinnovamento morale, culturale e insieme politico, innestando il contributo trentino nello spirito illuminato « della nostra Italia », era stato Carlo Antonio Pilati. La sua proposta di una riforma radicale [1] postulava l'eliminazione del potere temporale pontificio e di ogni altro principato ecclesiastico, tuttavia non per iniziativa di qualche monarca dispotico, bensì delle forze migliori e veramente illuminate del popolo. Riallacciandosi alla tradizione sarpiana, il Pilati confidava che l'esempio della repubblica di Venezia avrebbe saputo « inspirare all'Italia (...) il coraggio di sorgere in piedi ».

L'Italia auspicata dal Pilati, con l'applauso dei conterranei più colti, era troppo vaga e avvilita ancora dai pesanti condizionamenti storici. Piuttosto, pur continuando a difendere le autonomie locali per non farsi del tutto assorbire dalla politica centralizzatrice austriaca, la popolazione trentina sempre meno riconobbe nel principato vescovile un'istituzione valida o congeniale e cominciò a ricercare altrove, in Lombardia e nei compatrioti veneti, nuove intese e solidarietà. È abbastanza significativo che il 28 maggio 1790, pochi mesi dopo la morte dell'imperatore Giuseppe II, sia stata tenuta a Sacco presso Rovereto un'assemblea generale delle comunità del cosiddetto Tirolo italiano (ufficialmente « confini italiani »): fu deciso di sollecitare il riconoscimento legale della lingua italiana nelle discussioni della Dieta provinciale tirolese, oltre a esigere l'equiparazione con i deputati di lingua tedesca e protestare contro l'eccesso delle imposte. Queste richieste, presentate il 26 luglio dello stesso anno durante la dieta di Innsbruck che si protrasse dal 22 luglio al 9 settembre, furono respinte; anzi, nonostante il nuovo imperatore Leopoldo II avesse invitato l'assemblea a mostrarsi « meno intollerante », fu risposto alla fine per iscritto sprezzantemente dal prepotere teutonico: « Il Tirolo italiano non potrà mai pretendere i diritti che sono riservati al Tirolo tedesco (...). Se i *confinanti* non sono contenti di questa risoluzione (...), questo lembo di terra può essere aggregato al governo di Mantova [2] ».

A far superare gli angusti orizzonti del provincialismo culturale contribuì, almeno indirettamente, anche la persecuzione cui furono sottoposti

3-8) un appassionato articolo di protesta: « Io lascio d'indagare se in via politica il Trentino faccia parte del Tirolo; ma dico bene che in via geografica e naturale non ha mai fatto e non può far parte con quella provincia (...). Perché si vorrà innestare una provincia tutta italiana su di una tutta tedesca... ?»

[1] *Di una riforma d'Italia, ossia dei mezzi di riformare i più attivi costumi e le più perniciose leggi d'Italia*, Villafranca (Coira) 1767. Cfr. M. Rigatti, *Un illuminista trentino del secolo XVIII: Carlo Antonio Pilati*, Vallecchi, Firenze 1923, pp. 135-145; C. Donati, *op. cit.*, pp. 21-23; F. Venturi, *Settecento riformatore*, vol. II, Einaudi, Torino 1976, pp. 250-325.

[2] H. v. Goldegg, *Journal des offenen Landtages zu Innsbruck* 1790, Bozen 1861; cfr. A. Zieger, *Bagliori* cit., pp. 30-33.

nel 1793 gli studenti trentini costretti a frequentare l'università di Innsbruck. L'accusa di criptogiacobini era preconcetta, poiché alla fondazione del loro club aveva cooperato l'inglese sir Levet Hanson (definitosi « discepolo del signor Locke ») e non mancava qualche infarinatura di « illuminatismo » bavarese. Giuseppe Abriani, Francesco Filos, Gian Pietro Baroni-Cavalcabò e Gianvigilio Giannini furono promotori della società segreta filantropica che si costituì a Innsbruck, nei giorni 28 e 29 luglio 1793, presieduta da Giambattista Silvestri. Si proponevano di collegarsi con movimenti affini per cooperare alla divulgazione in Italia delle nuove dottrine, ma lo studente altoatesino Giovanni Burger li tradì e quindi la polizia austriaca fin dalla primavera del 1794 poté controllarne il proselitismo e infine, la notte dal 7 all'8 agosto, arrestò diciannove studenti a Innsbruck. Con sentenza del 3 luglio 1795 vennero condannati Francesco Filos e il Giannini rispettivamente a quattro e tre mesi di carcere rigoroso con catene, il Baroni e il Silvestri a tre mesi di carcere, l'Abriani e il roveretano Felice Eccaro e altri a pene minori[1]. Fu coinvolto anche Giovanni Bartolomeo Ferrari, segretario di Levet Hanson, che condannato a otto anni di carcere morì durante la prigionia; invece il conte Galiano Lechi riuscì a salvarsi dall'accusa di aver fatto propaganda giacobina in val Venosta « per eccitare gli abitanti alla rivolta », come pure il barone « illuminato » Tomaso Maria de Bassus che aveva diffuso « i suoi principî di ribellione » durante il tragitto in veste di ambasciatore dei Grigioni per negoziare un'alleanza con la repubblica di Venezia[2].

8. Progressiva subordinazione all'Austria

Nel frattempo, dopo il trattato del 1777 e il fallito « colpo di Stato » del dicembre 1781, il vescovo Pietro Vigilio Thunn aveva perso qualsiasi prestigio e il principato di Trento poté mantenere una certa autonomia, o almeno evitare di essere del tutto sopraffatto e assorbito dall'amministrazione centralizzata austriaca, perché il Capitolo e il Magistrato consolare furono concordi nel difendere quanto rimaneva delle « antiche patrie libertà ». Vi fu allora un rafforzamento del potere civile del Capitolo[3], mentre pure il Magistrato consolare riuscì a estendere le sue competenze non solo nel settore amministrativo, ad esempio mediante i « syndici » che avevano funzioni di ispettori, ma indirettamente nello stesso potere giudi-

[1] *Ivi*, pp. 59-117; J. Kögl, *La sovranità* cit., p. 341.
[2] A. Zieger, *Bagliori* cit., p. 100.
[3] F. V. Barbacovi, *Memorie storiche della città e del territorio di Trento*, vol. II, Monauni, Trento 1824, p. 230.

ziario (*imperium merum et mixtum*) che nell'ambito cittadino e nella pretura di Trento era esercitato dal podestà, eletto sì dal principe vescovo, tuttavia fra una terna proposta dallo stesso magistrato. In tal modo venne rintuzzata qualche velleità assolutistica di Pietro Vigilio Thunn e apparve condizionato anche il Consiglio aulico, che era l'organo supremo politico e giudiziario [1].

L'accresciuta importanza del Magistrato consolare dipese dal vuoto di potere piuttosto che da una maggiore incidenza o eventuale consolidamento economico della borghesia cittadina, perché al contrario in quegli anni il commercio della « via dei Grigioni » distolse una parte notevole di quello per via atesina [2] e la tendenza della borghesia trentina fu anzi di restringersi attorno a poche famiglie, influenti per ricchezza e autorevoli per l'effettivo monopolio delle cariche pubbliche. Mentre il capoconsole era ormai per consuetudine un nobile, i sei consoli che ogni anno venivano eletti dai cittadini appartenevano quasi sempre all'esiguo numero delle famiglie cosiddette antiche; nell'ultimo trentennio del '700 poterono accedere al consolato soltanto quattro discendenti da famiglie che avevano abbastanza recentemente ottenuto la cittadinanza [3]. Fu quindi assai lento e limitatissimo l'allargamento del ceto dirigente, che costituì il patriziato trentino e che « trovò finalmente una funzione degna e di primo piano all'interno dell'odiosamato mondo feudale nobiliare (...) nella lotta per la difesa dell'autonomia della città e del principato, che si configurava anche come difesa degli istituti particolaristici da cui traeva vita l'*ancien régime* nel suo complesso [4] ».

Quanto più diminuiva il profitto nel commercio, tanto più i capitali venivano impiegati altrove o esportati e, in misura ancor maggiore, si acquistavano beni immobili; cosicché fra i principali proprietari anche di terre, accanto alle sopravvissute dinastie feudali dei Thunn, Lodron, Firmian e Wolkenstein, si affermarono le ricche famiglie borghesi del patriziato che condivisero gradualmente il potere politico. Ma va ribadito che non si trattò dell'avvento di una nuova classe sociale in antitesi con quella nobiliare, bensì dell'immissione o ammissione di poche famiglie patrizie e in condizioni piuttosto subordinate nel ceto dirigente, che si mantenne un gruppo limitato con intenti conservatori nostalgici del passato anziché incline a riforme impegnativamente rinnovatrici.

[1] *Ivi*, p. 233-235; cfr. J. Kögl, *op. cit.*, p. 340.

[2] Cfr. A. Stella, *L'industria mineraria del Trentino nel secolo XVIII*, in *Studi e ricerche sulla regione trentina*, vol. II, Antoniana, Padova 1957, pp. 194-206.

[3] C. Donati, *op. cit.*, pp. 270, 284-286.

[4] *Ivi*, p. 283. Cfr. M. Carbognin, *La formazione del nuovo catasto trentino del XVIII secolo*, « Studi trentini di scienze storiche », LII, 1973, pp. 70-106.

L'unica riforma attuata nel principato di Trento fu l'elaborazione del nuovo codice giudiziario, non per iniziativa del vescovo e tanto meno del Capitolo e del Magistrato consolare, ma poiché l'imperatore Giuseppe II insistette per far adattare il codice di procedura civile trentino a quello austriaco. L'incarico venne affidato a Francesco Vigilio Barbacovi, che dal 1767 era professore di diritto civile a Trento e faceva parte del Consiglio aulico. Nell'agosto 1788 il vescovo Pietro Vigilio Thunn promulgò il nuovo codice giudiziario, nonostante il Magistrato consolare con l'appoggio del Capitolo si fosse opposto in difesa dell'autonomia [1] e per non soggiacere alle pressioni della politica centralizzatrice asburgica. L'ostruzionismo si mantenne da parte della pretura di Trento e della comunità della val di Fiemme, che gelose dei loro statuti continuarono a rifiutare l'applicazione di un codice che consideravano estraneo alla tradizione e pericolosamente lesivo di antichi privilegi [2].

Già era avviato d'iniziativa dell'imperatore Giuseppe II, e rispondeva alle finalità pure accentratrici della politica austriaca, il riordinamento dei confini diocesani affinché coincidessero con quelli del principato di Trento e fosse perciò esclusa ogni influenza di vescovi del dominio veneto su territori che si consideravano dell'ambito imperiale, anzi ormai asburgico. Il vescovo Pietro Vigilio Thunn, pur affermando il primato giurisdizionale del papa in questioni-ecclesiastiche, di fatto non tardò ad accettare (23 agosto 1785) la notevole modifica dei confini diocesani, mediante lo scambio di parrocchie con le diocesi appunto confinanti: cedeva Bagolino e Tignale a Brescia, ma acquisiva da Verona i due vicariati di Avio con Borghetto e di Brentonico con Pilcante, dalla diocesi di Padova le parrocchie di Brancafòra e di Pedemonte, dalla diocesi di Feltre recuperava Pergine, Calceranica, Vigolo Vattaro e Lavarone (già appartenenti al principato di Trento [3]), e inoltre annetteva le parrocchie feltrine che politicamente rientravano nel diretto dominio austro-tirolese (Levico, Borgo di Valsugana, Strigno, Grigno, Masi di Novaledo, Telve, Pieve Tesino, Primiero con Canal S. Bovo, Roncegno, Torcegno e Castelnuovo). La ristrutturazione riuscì certo vantaggiosa per la diocesi trentina, che poté ripristinare in parte i confini che aveva nel secolo XI, mentre il principato di Trento era territorialmente assai meno ampio, non estendendosi alla zona diocesa-

[1] F. V. Barbacovi, *op. cit.*, vol. II, p. 205. Cfr. J. Kögl, *op. cit.*, p. 341; F. Menestrina, *Il codice giudiziario barbacoviano del 1788*, in *Festschrift für Adolf Wach*, Leipzig 1903, pp. 18-71.

[2] A. Perini, *Statistica del Trentino*, vol. I, Monauni, Trento 1852, p. 110.

[3] Cfr. A. Galante, *I confini storici del principato e della diocesi di Trento*, in « Atti della Società italiana per il progresso delle scienze », VIII, Roma 1916, pp. 20-22; G. Tovazzi, *Parochiale Tridentinum*, a cura di R. Stenico, Biblioteca P. P. Francescani, Trento 1970, p. 889.

na altoatesina (poiché nella valle dell'Adige giungeva appena a Roveré della Luna ed era delimitato, a destra dell'Adige, dalla cresta montuosa che divide le valli di Non e di Sole dalla val d'Ultimo e, a sinistra, dal crinale della valle dell'affluente Avisio).

9. Secolarizzazione dei principati vescovili

Maggior prestigio, e un atteggiamento più dignitoso di quello di Pietro Vigilio Thunn nei confronti del dispotismo accentratore asburgico, mantenne il principe vescovo brissinense Leopoldo Spaur. Era tanto stimato da duchi e prìncipi, anche protestanti, che lo richiedevano come arbitro nelle divergenze[1]. Difese strenuamente la sovranità territoriale del suo piccolo principato ed è significativo che, ancora nel 1774, non abbia esitato a esercitare il diritto sovrano facendo eseguire a Bressanone una sentenza capitale (*iudicium sanguinis*). Altrettanta autonomia rivendicò nella pubblica amministrazione, emanando decreti monetari e daziari, per regolare e incrementare ogni settore dell'economia, nonché lettere di nobiltà e amnistie. D'altra parte il Capitolo brissinense non fu da meno, poiché per dimostrare il diritto del principato perfino a coniare proprie monete lo fece con l'emissione di talleri durante la sede vacante[2].

La situazione economica era andata ulteriormente deteriorandosi, cosicché sempre più numerosi lavoratori trentini (soprattutto della Valsugana, delle valli di Non e di Sole e delle Giudicarie) dovevano emigrare almeno stagionalmente[3], quando sopravvennero gli eserciti rivoluzionari francesi ad abbattere quel poco che rimaneva della sovranità del principato vescovile di Trento e poi anche quello di Bressanone. Il vescovo Pietro Vigilio Thunn, appena si profilò il pericolo dell'invasione napoleonica, si affrettò il 20 maggio 1796 a fuggire a Passavia presso il fratello, lasciando una reggenza composta dal decano capitolare Sigismondo Manci, dal vicario generale Gian Francesco Spaur e dal conte Francesco Antonio Alberti Poja. La sfiducia dei cittadini di Trento nei confronti di un vescovo tanto pusillanime si mutò allora in disprezzo e lo manifestarono in una supplica al Magistrato consolare: « Un Principe troppo debole per nuocerci, ed incapace di soverchiarci per le leggi fondamentali del Paese che lo contenevano, se n'è vergognosamente fuggito[4] ». Invano cercò poi di giustificarlo il conte Matteo Thunn: « La precipitosa ritirata del generale austriaco

[1] Cfr. J. Kögl, *La sovranità* cit., p. 344.
[2] *Ivi*, pp. 343 seg.
[3] Cfr. L. Franch, *La valle di Non*, Trento 1953, pp. 70-80.
[4] F. Ambrosi, *Commentari* cit., pp. 300-302.

fino alle bocche del Tirolo, la poca di lui forza, cosicché non ne guarnì che una o due bocche sole, l'arditezza dell'inimico, l'ingresso che egli aveva libero onde da più parti entrare poteva in Tirolo ed anzi prendere in schiena Trento, facevano credere già dopo il 10 di maggio prossima ed inevitabile l'invasione inimica; per il che già allora le prime famiglie del Paese emigrarono. Conveniva egli dunque, al Principe del S.R.I. il fermarsi e l'esporsi cadere nelle di lui mani? Infatti questo deve essere stato l'eccitamento alla sua partenza [1] ».

In realtà, più di tre mesi trascorsero prima che alla sconfitta del generale Beaulieu seguisse quella dell'altro generale austriaco Wurmser, che determinò la conquista di Trento da parte dell'armata napoleonica. Nel frattempo non mancarono speranze di riscossa e anche arruolamenti in massa di ventimila trentino-tirolesi, come prescriveva il *Landlibell* del 1511 e come decise il congresso straordinario dei rappresentanti dei due principati vescovili e dei quattro « stati » (*Stifter und Stände*), riuniti a Bolzano dal 30 maggio al 3 giugno, lamentando l'assenza dei delegati del federato conte del Tirolo che pur avrebbe dovuto garantire e promuovere la difesa della « patria comune ». I contingenti militari trentini e brissinensi con proprie bandiere parteciparono agli scontri per impedire l'avanzata dell'esercito francese, anzi gli *Schützen* di Bressanone si distinsero sul monte Balbo e due compagnie di *Tridentini Anaunienses* (com'era scritto sulla loro bandiera) furono impiegate a difesa del passo del Tonale. Quindi ebbero scarso successo i proclami che il generale Napoleone Bonaparte divulgò da Tortona e da Brescia (il 14 giugno e il 13 agosto 1796, oltre che in francese e italiano anche in lingua tedesca) agli « abitanti del Tirolo », rassicurando specialmente i contadini (di cui si temeva un'accanita resistenza) che sarebbero stati rispettati i loro privilegi tradizionali e la libertà di culto [2].

Ben pochi cittadini di Trento accolsero con simpatia il 5 settembre 1796 Napoleone vittorioso, che a sua volta fu tutt'altro che benevolo nei riguardi della reggenza quando gli si presentò con a capo il decano capitolare Manci: « Sento che il vostro vescovo mina lo Stato per arricchire — disse testualmente — casa sua [3] ». Il podestà Cheluzzi difese la buona fede della reggenza e infine lo stesso Napoleone delegò l'amministrazione dei beni vescovili al Capitolo, vietando tuttavia ogni interferenza nella giurisdizione civile. Per il timore di rappresaglie francesi le autorità trentine non vollero più cooperare militarmente con quelle austro-tirolesi [4].

[1] Cfr. J. Kögl, *op. cit.*, p. 346.
[2] *Ivi*, pp. 347-349.
[3] A. Zieger, *Napoleone nel Trentino*, in « Studi trentini di scienze storiche », II, 1921, p. 231.
[4] J. Kögl, *op. cit.*, pp. 348-350.

All'approssimarsi dell'esercito nemico a Bressanone, anche il nuovo principe vescovo Carlo Francesco Lodron fuggì, il 23 marzo 1797, subito dopo aver designato due luogotenenti che si trattennero solo il tempo per subdelegare due canonici. Il canonico Gaspare Brandis in quei frangenti si dimostrò abile e coraggioso, tanto da costringere il generale Joubert a moderare le richieste di contribuzioni. D'altra parte l'occupazione francese di Bressanone fu troppo breve perché vi si potesse estendere il regolamento politico che lo stesso Napoleone aveva sancito il 20 fruttidoro dell'anno precedente a Trento, riconoscendo l'autonomia amministrativa che affidò a un Consiglio cittadino (*Conseil de Trente*) con funzioni civili, giuridiche e politiche, analoghe a quelle già esercitate dal Consiglio aulico[1].

Il generale austriaco Laudon, che al comando di duemila soldati dell'esercito regolare asburgico e di diecimila fanti trentino-tirolesi (arruolati secondo le consuete norme confederali) liberò Bressanone il 5 aprile e Trento il 10 aprile 1797, sottopose il territorio dei due principati all'amministrazione di guerra. Per evitare il pericolo della politica dei fatti compiuti, dal Capitolo di Trento venne subito ripristinata la reggenza insieme con il Consiglio delegato dal vescovo. Era inevitabile un conflitto di competenza nei confronti del Consiglio amministrativo di emergenza che il governo austro-tirolese aveva affidato a Filippo Cavalcabò; solo il ritorno del principe vescovo avrebbe potuto risolvere il contrasto a favore dell'autonomia del principato, ma Pietro Vigilio Thunn fu invano sollecitato: preferì starsene al sicuro a Passavia oppure rifugiarsi nel castello di famiglia nella valle di Non, piuttosto che affrontare la situazione in antagonismo diretto con gli arbìtri del governo austriaco[2]. Morì, lontano da Trento, il 17 gennaio 1800.

Preludio alla prossima secolarizzazione dei due principati vescovili era stata la vendita del marchesato di Castellaro, feudo esterno trentino, al municipio di Mantova da parte delle autorità francesi occupanti (28 giugno 1797[3]). Dopo l'elezione del nuovo vescovo di Trento, Emanuele Maria Thunn, cugino e ausiliare del precedente, si succedettero rapidamente ineluttabili eventi per la sorte conclusiva di quelle ormai da tempo anacronistiche istituzioni medioevali. Il 5 gennaio 1801 il vescovo neoeletto fuggì da Trento, un giorno prima del sopraggiungere dell'esercito francese; non gli era stata ancora rinnovata l'investitura del potere temporale del

[1] F. Ambrosi, *Commentari* cit., vol. II, p. 300; A. Zieger, *Napoleone* cit., p. 233. Cfr. anche C. Facci, *Avvenimenti e problemi storico-politici nel principato di Trento dal* 1796 *al* 1809, in « Studi trentini di scienze storiche », XLVI, 1967, pp. 313-334; XLVII, 1968, pp. 185-211; XLVIII, 1969, pp. 234-263.

[2] A. Perini, *Statistica* cit., p. 117.

[3] F. Ambrosi, *Commentari* cit., vol. II, p. 107; A. Zieger, *Il contrasto* cit., p. 84; A. Alberti Poja, *Castellaro* cit.

principato né in seguito poté fregiarsi del titolo di principe, perché il 9 febbraio dello stesso anno la pace di Luneville bloccò la situazione, facendo sì sgomberare le città imperiali di Trento e di Bressanone dalle truppe francesi come da quelle austriache[1], ma il governo interinale dal 31 marzo 1801 venne affidato per Trento al Capitolo, non al vescovo. Il trattato di Parigi del 26 dicembre 1802, fra il primo console Napoleone e i plenipotenziari austriaci e russi, secolarizzò definitivamente i principati vescovili di Trento e di Bressanone[2], assegnandoli all'Austria quale indennizzo della perdita del baliato (ovvero principato) di Ortenau. Il vescovo di Trento aveva atteso l'inevitabile secolarizzazione passivamente, mentre invece il principe vescovo brissinense Carlo Francesco Lodron con ripetute e pressanti rimostranze all'imperatore aveva tentato e sperato di far sopravvivere il suo piccolo principato, tuttavia senza poter conseguire alcun risultato[3].

Con la patente imperiale del 4 febbraio 1803, Francesco II dichiarò ufficialmente l'annessione all'Austria dei principati di Trento e di Bressanone, prima che a Ratisbona il 25 febbraio fosse concluso l'atto formale; il proclama dell'imperatore fu fatto leggere in tutte le parrocchie e venne pubblicato nelle due cattedrali il 6 marzo. Ma il vero atto determinante la secolarizzazione fu il cosiddetto recesso di Ratisbona (« Recessus Imperii », *Reichsdeputationshauptschluss*), che venne ratificato dalla Dieta imperiale il 24 marzo 1803 e fu poi sanzionato dall'imperatore il 27 aprile[4].

Il successivo trattato di Parigi del 28 febbraio 1810 staccò il Trentino dal Tirolo, aggregandolo al Regno italico con la denominazione di dipartimento dell'Alto Adige[5]. Infine, con patente del 7 aprile 1815, tutto il territorio trentino-tirolese costituì un unico dominio austriaco che fu chiamato Contea principesca del Tirolo[6].

[1] Il 2 aprile 1800; cfr. J. KÖGL, *La sovranità* cit., p. 353.

[2] F. AMBROSI, *Commentari* cit., vol. II, pp. 113-129; H. BASTGEN, *Die Neurrichtung der Bistümer in Oesterreich nach der Säkularisation*, Wien 1914, pp. 6-9; U. CORSINI, *Il Trentino nel secolo decimonono* (1796-1848), vol. I, Manfrini, Rovereto 1963, pp. 65-69; J. KÖGL, *op. cit.*, pp. 354, 406-409.

[3] J. EGGER, *Geschichte* cit., vol. III, 1880, pp. 289-291.

[4] F. AMBROSI, *Commentari* cit., vol. II, p. 128; I. RINIERI, *La secolarizzazione degli Stati ecclesiastici in Germania*, Civiltà Cattolica, Roma 1906; J. KÖGL, *op. cit.*, pp. 395-412.

[5] Non comprendeva Bressanone e nemmeno Merano; inoltre Primiero e i circostanti comuni trentini furono inclusi nel dipartimento « della Piave ». Cfr. B. GIOVANELLI, *Trento città d'Italia per origine, per lingua e per costumi*, Monauni, Trento 1810; A. CASETTI, *Guida storico-archivistica del Trentino,* Temi (Collana di monografie edite dalla Società Studi trentini di scienze storiche, vol. XIV), Trento 1961, p. 830; J. KÖGL, *La sovranità* cit., pp. 421-427; A. ZIEGER, *Primiero e la sua storia*, Accademia del Buonconsiglio, Trento 1975, p. 140.

[6] A. ZIEGER, *Primiero* cit., p. 142; U. CORSINI, *Il Trentino* cit., p. 213; ID., *La politica ecclesiastica dell'Austria nel Trentino dopo la secolarizzazione del principato e la sua annessione*, in *Miscellanea in onore di R. Cessi,* vol. III, Storia e letteratura, Roma 1958, pp. 55-76.

Così non solo, dopo otto secoli di quasi indipendenza, si erano estinti i due principati vescovili cisalpini (che per posizione geografica e per il conseguente ruolo di mediazione, sia nei rapporti commerciali sia in quelli culturali nonché socio-religiosi, fra i paesi germanici e gli italiani, avevano avuto un'importanza storica tutt'altro che limitata all'ambito locale); ma inoltre il territorio trentino quasi perdette, almeno ufficialmente, i connotati peculiari d'italianità che lo avevano sempre distinto e salvaguardato, pur incluso tra i paesi appartenenti alla sovranità imperiale germanica.

CAPITOLO V. **Dal turbine napoleonico alla restaurazione austriaca**

1. L'annessione al Regno Italico

La fine del principato vescovile di Trento, il cui tramonto era stato avvilito dall'inettitudine di Pietro Vigilio Thunn e che lo sconcertante trasformismo del suo nipote e successore Emanuele Maria [1] infine aveva anche giuridicamente sepolto, sconvolse le tradizionali strutture socio-economiche, oltre che politiche, avvantaggiando i ceti borghesi nel disfacimento quasi improvviso e poi sulle rovine della feudalità. Fino allora le precedenti riforme teresiane e giuseppine avevano ben poco inciso nella pubblica amministrazione e nell'economia, come pure nel contesto sociale, del territorio trentino e di quello brissinense. Il tracollo dell'antico regime dapprima non riuscì tuttavia traumatico e nemmeno fu rimpianto, finché non vennero intaccate le autonomie locali e parvero ancora riconosciuti gli antichi privilegi delle comunità rurali. Nel turbinoso dissolversi del principato vescovile, l'istituzione giuridico-politica comunale si mantenne piuttosto valida e certamente era congeniale per le genti trentine [2].

La rivendicazione dell'autonomia amministrativa, che sarà la caratteristica principale della storia trentina ottocentesca fino al sopravvento dell'irredentismo, si manifestò nell'imminenza e subito dopo la secolarizzazione del principato. Il 23 novembre 1802 dal Magistrato di Trento venne presentata formale istanza perché il Trentino fosse amministrativamente separato

[1] Dopo essere stato deposto dal governo bavarese nel 1807, per averne respinto con il vescovo di Coira le intromissioni nella nomina dei parroci (mentre il vescovo Lodron di Bressanone si era mostrato accondiscendente), poté ritornare in diocesi da Salisburgo il 16 luglio 1810 e tosto, il 22 luglio, prestò giuramento al regime napoleonico, di cui divenne anzi fautore partecipando al Concilio nazionale convocato a Parigi nel giugno 1811, nonostante la diffida pontificia. Cfr. J. KÖGL, *La sovranità* cit., pp. 414-416, 422-424; U. CORSINI, *La politica ecclesiastica* cit., pp. 57-59.

[2] U. CORSINI, *Il Trentino* cit., pp. 101-103.

dalla provincia del Tirolo, cui l'unì invece la patente imperiale austriaca del 4 febbraio 1803. È da rilevare che, ancora il 31 gennaio dello stesso anno, era stata rinnovata la richiesta motivandola come espressione della volontà di tutto il Trentino, « attesa la diversità delle lingue » e per ovviare alle sempre lamentate sopraffazioni del Tirolo tedesco, nei confronti di quello italiano, alla dieta provinciale di Innsbruck: « Li paesi del Tirolo meridionale a noi circonvicini — si precisava [1] — cioè Rovereto, Arco, Riva, li quattro Vicariati, Val Lagarina, Valsugana, Val di Fiemme, Val di Sole e Vale d'Annone, Lavis, Rendena e Giudicarie, bramano di unirsi alla città di Trento per impetrare dalla Maestà Imp. R. che in Trento fosse costituito un Tribunal d'Appello per non aver tanto dispendio a portar i loro gravami a Insprug; et inoltre vorrebber divisa la Provincia meridionale dalla settentrionale, acciò ogni una regolasse entro il suo circondario le rendite steurali e sua porzion d'aggravi ».

La separazione del Trentino dal predominio amministrativo del Tirolo settentrionale poté realizzarsi soltanto per iniziativa del governo bavarese, che il 21 giugno 1808 ristrutturò uniformemente l'amministrazione interna. Soppressa l'autonomia regionale tirolese, il territorio fu diviso in tre circoli: dell'Inn con capoluogo Innsbruck, dell'Isarco con capoluogo Bressanone e dell'Adige con capoluogo Trento. Quest'ultimo circolo, che contava 226.492 abitanti, venne suddiviso in quattordici giudizi distrettuali o distretti giudiziari: Cles, Malè, Mezzolombardo, Vezzano, Trento, Civezzano, Pergine, Levico, Cavalese, Rovereto, Riva, Stenico, Tione, Condino. L'unità politico-amministrativa, non più subordinata agli interessi e alle prepotenze del Tirolo tedesco, era certo vantaggiosa per il Trentino; ma la contemporanea abolizione degli antichi statuti e delle cosiddette « carte di regola » offese gravemente chi era tanto ancora legato alle proprie consuetudini comunali. Già il malcontento popolare si era inasprito per la reazione del vescovo e soprattutto del basso clero alle invadenze governative nella giurisdizione ecclesiastica, quando il decreto del 3 marzo 1809 sulla coscrizione militare obbligatoria esasperò gli animi e indusse anche i valligiani trentini a ribellarsi. Invano il commissario generale Giovanni Welsperg diffidava i renitenti e anzi doveva riscontrare come « in qualche luogo fossero stati involati o nascosti i registri battesimali per evitare la leva militare » [2]. Tuttavia la rivolta antibavarese e antifrancese nel Trentino fu, nel complesso, poco massiccia e quasi soltanto sporadica e piuttosto passiva rispetto a quella unanime e compatta delle genti altoatesine e tirolesi.

In realtà Trento e Rovereto, diversamente dal Tirolo dove la borghesia

[1] *Ivi*, p. 66.
[2] *Ivi*, pp. 75-78, 95-99; A. ZIEGER, *Primiero* cit., p. 130.

cittadina partecipò con entusiasmo all'insurrezione hoferiana (perché ne condivideva i motivi ispiratori, sia di lealismo dinastico e di strenua difesa del diritto consuetudinario, sia di salvaguardia della religione avita), rimasero diffidenti e in prudente attesa dell'evolversi del conflitto franco-asburgico, tanto più che voci ricorrenti annunciavano il proposito napoleonico di unire il Trentino al regno d'Italia. D'altra parte, lo stesso vicario vescovile di Trento, Gian Francesco Spaur, mantenne un atteggiamento filogovernativo e, nella pastorale del 27 febbraio 1809, addirittura comandò ai sacerdoti « d'esortare tanto dal pulpito, come nel tribunale di penitenza e nei familiari discorsi, la nostra valorosa gioventù » a presentarsi senz'altro per la coscrizione obbligatoria[1]. La rivolta si limitò marginalmente a coinvolgere le vallate trentine e servì, in particolare, per promuovere l'attività spionistica a favore degli insorti tirolesi e a costituire bande armate d'irregolari, che dapprima si distinsero fra il Brenta e il Piave agli ordini del capitano austriaco Ottavio Bianchi e per iniziativa della « brigantessa » Giuseppina Negrelli che « cavalcando una ròzza qualunque, ed agitando lo stendardo imperiale, s'immaginava di essere un'altra Giovanna d'Arco »[2], poi, l'8 e 9 ottobre, parteciparono all'ultimo sfortunato tentativo di Andrea Hofer nell'assedio di Trento.

La riconquista del territorio trentino-tirolese da parte delle truppe franco-italiane, scarsamente coadiuvate da quelle bavaresi, segnò la fine dell'insurrezione e pose le premesse perché il Trentino e in parte l'Alto Adige fossero annessi al Regno Italico. Sarebbe stata intenzione di Napoleone, sollecitato dal Vial (comandante generale per la circoscrizione di Bolzano, Trento e Rovereto), portare la linea di confine al Brennero, ma i delegati bavaresi contrapposero alle esigenze geografico-strategiche il principio etnico e linguistico. Si pervenne così a un compromesso, in base all'articolo 3 del trattato di Parigi che, il 28 febbraio 1810, aveva deciso approssimativamente di annettere un territorio di 280-300 mila trentini e tirolesi al Regno Italico. Siccome la popolazione trentina era inferiore di almeno cinquantamila abitanti al numero pattuito, la linea di confine (che passò alla storia con l'attributo appunto di napoleonica) incluse Bolzano raggiungendo il passo di Dobbiaco attraverso il crinale della valle di Fassa[3]. Dipartimento dell'Alto Adige fu denominato il territorio annesso definitivamente al Regno Italico con decreto napoleonico da Le Havre del 28 maggio; con successivo decreto vicereale del 18 agosto 1810 venne però staccato Primiero, che insieme con Dobbiaco fu aggregato al dipartimento del Piave.

[1] Cfr. U. Corsini, *Il Trentino* cit., pp. 84-86.
[2] A. Zieger, *Primiero* cit., pp. 134-136.
[3] U. Corsini, *Il Trentino* cit., pp. 120-122.

Nel frattempo, cioè prima che l'annessione fosse dichiarata ufficialmente, il Magistrato consolare di Trento aveva dimostrato di essere ancora un'istituto valido e anzi promotore d'iniziative assai opportune: il 1° maggio nominò una deputazione divisa in due sezioni, economica e politico-giuridica, per predisporre il materiale documentario e statistico da servire al riassetto economico e amministrativo del paese. Lo stesso programma fu poi proseguito autorevolmente dalla « Regia commissione amministrativa del Dipartimento dell'Alto Adige », presieduta da un valente uomo politico, il barone Sigismondo Moll, coadiuvato dal vicepresidente Francesco Riccabona e da altri esperti amministratori [1].

La situazione economica era molto precaria nei cinque distretti, in cui venne diviso il dipartimento (Trento, Rovereto, Riva, Cles e Bolzano) [2]. La percentuale della popolazione rurale, rispetto a quella cittadina, ascendeva a circa il 90% e gran parte delle famiglie contadine doveva sopperire con le rimesse degli emigrati stagionali alla scarsità dei raccolti nei troppo piccoli o sterili appezzamenti fondiari. Le leggi eversive della feudalità riuscirono vantaggiose quasi esclusivamente per i ceti già benestanti, cosicché il fenomeno migratorio andò accentuandosi: nel 1811 gli emigrati trentini risultarono ufficialmente ben ottomila verso altre regioni centro-settentrionali italiane, mentre appena 193 s'indirizzarono verso i paesi oltramontani. L'eliminazione del confine doganale, come di quello politico, favorì gli scambi commerciali e insieme rafforzò i vincoli culturali, contemporaneamente alimentando la coscienza della comune nazionalità, con le genti d'Italia; ma il repentino mutamento dei traffici e soprattutto il venir meno del plurisecolare protezionismo che aveva fino allora privilegiato, salvaguardandole dalla concorrenza italiana, le esportazioni trentine di vino e seta e anche di tabacco nel complementare mercato tedesco, provocarono il fallimento o l'inaridirsi delle fonti tradizionali del commercio [3]. L'industria mineraria, un tempo fiorente e a lungo mantenutasi notevole nell'economia trentina, era già molto decaduta.

Per questi e altri motivi [4] andò sempre più aumentando l'opposizione al nuovo regime, non solo da parte delle masse contadine immiserite e

[1] *Ivi*, pp. 125-155.

[2] Cfr. S. Defrancesco, *L'ordinamento amministrativo e tributario del dipartimento dell'Alto Adige*, in « Archivio per l'Alto Adige », IV, 1909, pp. 254-284; R. Monteleone, *L'economia agraria del Trentino nel periodo italico* (1810-1813), in « Collezione storica del Risorgimento e dell'unità d'Italia », ser. IV, vol. LXI (S.T.E.M., Modena 1964), pp. 12-18.

[3] R. Monteleone, *op. cit.*, pp. 83-103.

[4] La vendita o alienazione dei beni comunali e di quelli ecclesiastici (*ivi*, pp. 105-123), l'esosità padronale nei contratti agrari trasformandoli da affittanze in colonie (cfr. A. Leonardi, *Rapporti contrattuali nell'agricoltura trentina del secolo XIX*, in *Popolazione, assistenza e struttura agraria nell'Ottocento trentino*, Libera Università degli Studi di Trento, Trento 1978, pp. 126-132), e inoltre la crisi del commercio di transito a causa del blocco continentale.

deluse dal mancato sviluppo delle propagandate riforme sociali, ma anche da parte di ceti mercantili e perfino di parecchi uomini di cultura e convinti massoni che pur erano stati fra i principali fautori filofrancesi contro la reazione asburgica in chiave conservatrice [1].

2. Centralismo asburgico e autonomie formali

Le speranze che, nell'àmbito del restaurato dominio austriaco, si potesse ripristinare l'autonomia almeno amministrativa della « piccola patria » trentina (mentre quella brissinense andava sempre più conformandosi alle aspirazioni del Tirolo settentrionale) furono deluse. « I tirolesi, posti al di qua o al di là del Brennero, tornano sudditi del loro imperatore » proclamarono subito perentoriamente i comandanti militari asburgici [2], misconoscendo le manifeste tendenze del Tirolo all'autogoverno e ignorando del tutto gli aneliti autonomistici di gran parte delle popolazioni trentine. La patente imperiale del 7 aprile 1815 sancì l'unità politico-amministrativa dell'intero territorio trentino-tirolese, includendovi quindi nuovamente Primiero e Dobbiaco. Il distacco del Trentino (detto allora Tirolo italiano) dal Lombardo-Veneto, cui si sentiva ormai legato culturalmente oltre che etnicamente e geograficamente, apparve innaturale e risultò assai dannoso quando gli uffici daziari posti a Primolano, Borghetto, Rocca d'Anfo e Vermiglio, colpirono perfino l'indispensabile approvvigionamento di cereali dalla pianura padana. Anzi, per garantirsi l'annessione di Trento e di Bressanone, l'Austria li annoverò fra i paesi ereditari d'Asburgo e li fece aggregare come tali alla Confederazione germanica, che tosto procedette alla ratifica nella Dieta di Ratisbona del 6 aprile 1818 [3].

Le conseguenze dello stretto vincolo confederativo si manifestarono in seguito, durante e dopo la rivoluzione del 1848; nel frattempo, riuscirono più gravi per il Trentino le iniziative politiche centralizzatrici del governo di Vienna e forse ancor più quelle amministrative regionali del Tirolo. In realtà la patente imperiale del 24 marzo 1816, concedendo alla regione Tirolo-Vorarlberg l'autonomia (formalmente e non sostanzialmente, poiché il governatore assommava in sé anche la suprema carica di capitano provinciale e « doveva essere più governatore che capitano provinciale se non voleva perdere il posto ») [4], non allentò l'oppressione dell'assolutismo

[1] Cfr. U. Corsini, *Il Trentino* cit., pp. 186, 193-203.

[2] *Ivi*, pp. 208-218.

[3] *Ivi*, pp. 213-215; cfr. J. Kögl, *La sovranità* cit., pp. 449, 474-482.

[4] H. Gsteu, *Geschichte des Tiroler Landtages von 1816-1848*, in « Tiroler Heimat », 8, 1927, p. 90.

asburgico e servì piuttosto ad avviare la politica snazionalizzatrice a danno della minoranza etnica italiana. D'altra parte, il sistema socio-economico anacronisticamente reazionario instaurato dal governo regionale di Innsbruck suscitò nel Trentino un crescente malcontento che ben presto si espresse nella richiesta di un'autonomia separata dal Tirolo. Secondo criteri politici ancora feudali, vennero ricostituite le rappresentanze dei quattro « stati »: nobiltà, clero, borghesia cittadina e liberi contadini (cioè agricoltori proprietari del fondo). Si ripristinò addirittura il diritto giurisdizionale dei signori feudali laici, p. es. dei conti Lodron sul distretto di Nogaredo, dei conti d'Arco nell'omonimo distretto e dei Castelbarco per Mori e Ala.

Se per il Tirolo tedesco la ricostituzione degli « stati » poté significare la conferma quasi di un ininterrotto conservatorismo economico e sociale, invece nel Trentino fu subìta come un retrogrado anacronismo perché il Regno Italico aveva infranto e spazzato via i residui feudali, e inoltre la tradizione autonomistica trentina era stata diversa da quella tirolese e spesso contrapposta. Si aggiunse l'iniqua sproporzione della rappresentanza della nazionalità tedesca nei confronti dell'italiana, che poteva contare su appena sette o tutt'al più dieci delegati fra i cinquantadue (tredici per « stato ») nel cosiddetto « grande congresso » regionale (*grosser Ausschuss Congress*), mentre il rapporto effettivo demograficamente sarebbe stato di 21,5 per il Trentino e 30,5 per il Tirolo[1]. Anche il peso fiscale fu troppo gravoso e non vi corrispose un adeguato contributo alle spese per le opere pubbliche nel settore italiano, senza contare che a funzionari di madrelingua tedesca vennero assegnati gli stessi uffici locali, oltre a quelli regionali. A Innsbruck si concentrarono gli istituti di credito e assistenziali, nonché l'Università; per di più, l'insegnamento nelle scuole trentine dovette uniformarsi a quello tirolese, su testi tradotti dal tedesco in italiano e non rispondenti alla diversa tradizione culturale. Insieme con il ginnasio-liceo di Trento, poté sopravvivere solo il ginnasio di Rovereto, anche perché sorretto finanziariamente da contributi privati, e si distinse nel coltivare un certo spirito indipendente d'italianità. L'Accademia roveretana degli Agiati continuò l'attività rinnovatrice degli illuministi settecenteschi, mantenendo i rapporti con la vivace cultura italiana[2], nonostante i minacciosi intralci e le diffide della burocrazia austriaca coadiuvata dai succubi vescovi trentini Luschin e Tschiderer. Quanto fosse opprimente la restaurazione asburgica dovette riscontrarlo amaramente Antonio Rosmini, che dopo reiterati vani tentativi di fondare a Rovereto il suo Istituto della Carità lamentò le tristi conse-

[1] *Ivi*, pp. 77-85; U. CORSINI, *Il Trentino* cit., pp. 221-226.

[2] Cfr. *Memorie dell'i.r. Accademia di scienze lettere ed arti degli Agiati in Rovereto pubblicate per commemorare il suo centocinquantesimo anno di vita*, Rovereto 1901, pp. 7-10.

guenze di quella che aveva definito la quarta piaga della Chiesa, ossia la nomina dei vescovi abbandonata all'arbitrio e agli interessi dell'assolutismo monarchico[1].

L'apparato amministrativo tirolese rispondeva pure all'indirizzo predominante della politica centralistica, poiché il governo regionale (*Gubernium*) era in effetti un organo decentrato della Cancelleria imperiale, tramite il governatore e un consigliere di corte che fungeva da vicegovernatore. Il Land Tirol si divideva in sette circoscrizioni o circoli (*Kreise*), due dei quali, il circolo di Trento e quello di Rovereto, costituivano il Tirolo italiano. Ciascun circolo veniva retto da un funzionario, detto capitano (designato dal Gubernium di Innsbruck e coadiuvato da due o più commissari, un segretario, un cassiere e da altri impiegati esecutivi), e si suddivideva in circoscrizioni minori, cioè: i distretti giudiziali (*Landgerichte*, retti da un giudice che aveva competenza mista e quindi appunto anche il potere giudiziario di prima istanza, sui comuni limitrofi) e i cosiddetti *Politische-ökonomische Magistrate* per le città maggiori, con a capo un podestà assistito dal Consiglio comunale. Nel Tirolo italiano perciò il circolo trentino aveva quindici distretti giudiziali e il magistrato politico-economico di Trento, mentre il circolo di Rovereto contava undici distretti giudiziali oltre al magistrato politico-economico[2].

3. Economia subordinata agli interessi austriaci

Se il primo decennio della restaurazione (1815-1825) fu nel complesso un periodo di stasi economica, successivamente si riscontrarono iniziative agrarie e anche industriali che parvero riallacciarsi a quelle dell'età illuministica, quando p. es. mercanti tedeschi di Norimberga non avevano mancato d'investire capitali nei mulini da seta di Rovereto[3]. Il lungo periodo di pace e la stabilità politica, nonché monetaria, favorirono l'incremento dell'agricoltura e insieme l'industria della seta che si aggiunse alla preminente esportazione del vino per compensare il pesante deficit annonario. La precarietà dell'economia trentina era sintetizzata dal proverbio « vino per tre anni e grano per tre mesi ». Fino al 1828 si sviluppò pure la tabacchicoltu-

[1] Cfr. A. Zieger, *Antonio Rosmini e la sua terra,* Seiser, Trento 1961, pp. 102-106; U. Corsini, *La politica ecclesiastica* cit., pp. 74-76.

[2] A. Casetti, *Guida* cit., pp. 834-839; U. Corsini, *Il Trentino* cit., pp. 216-219.

[3] Cfr. H. Kellenbenz, *Le declin de Venise et les relations économiques de Venise avec les marchés au nord des Alpes,* in *Aspetti e cause della decadenza economica veneziana nel secolo XVII,* Istituto per la collaborazione culturale, Venezia-Roma 1961, p. 114; G. Dal Rì *Notizie intorno al commercio ed all'industria del Principato di Trento dal S. Concilio fino alla secolarizzazione,* Trento 1887, pp. 12-23.

ra, ma l'imposizione del monopolio di stato ne ridusse troppo, allora, i margini di profitto e così poi, per oltre un ventennio, il vino e la seta rimasero le uniche voci progressivamente attive del commercio trentino.

L'incremento monocolturale vite-gelso fu promosso e favorito dalla sezione italiana della Società agraria tirolese, che ottenne la definitiva ratifica imperiale dei suoi statuti l'8 febbraio 1838. L'articolo 21 prevedeva appunto la costituzione del consorzio centrale di Innsbruck e di un « capoconsorzio filiale » per il Tirolo italiano, che comprendeva i consorzi di Trento e di Rovereto (mentre quelli di Bolzano e di Brunico erano annoverati fra i consorzi del Tirolo tedesco). Da circa quattrocento, nel 1839, i soci trentini ascesero a 683 nel 1846, poi diminuirono rapidamente; dalla presidenza del capoconsorzio si dimise nel 1844 Benedetto Giovanelli, podestà di Trento, e fu sostituito da Matteo Thunn che era il più grande proprietario terriero e anche appassionato agronomo [1]. È da rilevare che, come il Thunn, molti dei soci erano nobili o ricchi borghesi, solleciti a curare i propri interessi e veramente l'intensificata produzione vinicola e serica avvantaggiava il padronato, poiché i contratti di mezzadria (o, peggio, di colonia parziaria) stabilivano che due terzi del vino e tutta la foglia del gelso spettassero alla proprietà fondiaria [2].

In quegli anni fu dibattuto e diversamente impostato dagli agronomi trentini, entro e fuori il capoconsorzio, il problema di fondo: era preferibile insistere nella monocoltura oppure promuovere una varietà di produzioni agricole? Nel primo caso la richiesta del mercato transalpino sembrava assicurare alti profitti, nonostante i rischi e il notevole costo delle infrastrutture necessarie e della manodopera occorrente, ma sarebbe stato (almeno si prevedeva) inevitabile un consolidamento del ruolo subordinato dell'economia trentina a quella tirolese e austriaca, aggravando pure l'emarginazione dei piccoli coltivatori diretti. Agostino Perini, segretario della Società agraria trentina, e Camillo Sizzo sostennero sì l'opportunità di sviluppare la monocoltura, ma si preoccuparono di difendere i più modesti ceti rurali mediante un sistema cooperativistico (in particolare, fra gli artigiani perché potessero adeguarsi alla concorrenza della meccanizzazione agricola, che si temeva altrimenti monopolizzata dall'industria capitalistica forestiera) e proponendo che i contratti d'affitto fossero protratti a quindici anni. Altri

[1] U. CORSINI, *Il Trentino* cit., pp. 318-320; cfr. L. MARONI, *La Società agraria tirolese, sezione trentina* (1832-1849), tesi di laurea, Università di Padova, Facoltà di Lettere e filosofia, a.a. 1975-76, pp. 33-91.

[2] A. LEONARDI, *Rapporti contrattuali* cit., pp. 128-130, 138-142; cfr. anche F. LUZZATTO, *I contratti agrari nel Trentino al principio del secolo XIX*, in « Studi trentini di scienze storiche », XII, 1931, pp. 157-164.

agronomi, soprattutto Giuseppe Pinamonti, sottolinearono invece le conseguenze socio-economiche negative della monocoltura, che riduceva sempre più la produzione cerealicola e quindi appesantiva le difficoltà e le spese del già precario approvvigionamento annonario, a svantaggio degli umili ceti sociali che erano costretti o a una meschina economia di sussistenza (anche per l'esiguità dei fondi e l'arretratezza delle tecniche agronomiche) o a emigrare almeno stagionalmente[1].

L'eccessivo sviluppo monocolturale, irrazionalmente esteso a terreni che si prestavano piuttosto all'allevamento del bestiame o a coltivazioni diverse, comporterà in seguito danni assai gravi all'economia trentina, quando verso il 1855 la peronospera della vite e l'atrofia dei bachi da seta falcidieranno la produzione vinicola e serica. Nel frattempo non si può misconoscere che i consorzi di Trento e di Rovereto, pur privilegiando la monocoltura vite-gelso[2], cercarono d'introdurre nuove tecniche agricole e di superare il diffidente tradizionalismo dei contadini, distribuendo sementi selezionate a prezzi molto convenienti e incrementando la coltivazione della patata (oltre a quella maidica) per sopperire al crescente fabbisogno, causato dall'aumento demografico[3] mentre s'inaspriva la penuria cerealicola.

È da rilevare che l'influsso della Società agraria tirolese sulla sezione italiana si ridusse quasi soltanto all'atto della fondazione, perché nell'attività pratica l'autonomia divenne più ampia di quanto prevedevano gli statuti. Anche se non si poté, come si auspicava[4], aggregare i consorzi trentini alle società agrarie lombardo-venete, in realtà lo stesso incremento vinicolo e serico favorì i rapporti tecnologici con gli esperti veneti e lombardi, piemontesi e toscani (anziché con quelli tirolesi e austriaci, che certo non ne avevano competenza). Perciò nel Giornale agrario trentino, dal 1840 al 1848, si pubblicarono spesso articoli di autori italiani e invece raramente vennero riportati, anzi con intento polemico, studi analoghi di agronomi

[1] Cfr. L. MARONI, *op. cit.*, pp. 94-104; C. GRANDI, *La popolazione rurale trentina nella prima metà dell'Ottocento: primi risultati di un'indagine*, in *Popolazione, assistenza e struttura agraria* cit., pp. 18-20.

[2] R. COBELLI, *Cenni storici e statistici sulla bachicoltura nel Trentino*, Sottochiesa, Rovereto 1872, pp. 6-12; L. CANELLA, *Contributo per la storia dell'industria serica austriaca*, Trento 1900, pp. 8-11; M. MERSI, *Statistica della produzione dei bozzoli del Tirolo meridionale dal* 1850 *al* 1900, in «Bollettino della Sezione di Trento del Consiglio provinciale d'agricoltura pel Tirolo», XVIII, 1902, pp. 5-7; G. RUATTI, *Lo sviluppo viticolo nel Trentino*, Saturnia, Trento 1955, pp. 59-62.

[3] Cfr. C. GRANDI, *op. cit.*, pp. 21-31.

[4] Si veda, p. es., il rapporto del giudice di Stenico al capitano circolare di Rovereto (21 agosto 1838; cfr. L. MARONI, *La società agraria* cit., p. 33): «... volendo promuovere l'agricoltura del Tirolo meridionale, si vorrebbe erigere una società apposita ed indipendente in codesta città ed in quella di Trento, oppure aggregare la parte italiana alle società agrarie lombardo-venete».

d'oltralpe[1]. Contemporaneamente andarono intensificandosi i rapporti con gli ambienti culturali del romanticismo italiano ed europeo, e così aumentò l'insofferenza per l'opprimente conservatorismo tirolese che manteneva un'anacronistica struttura socio-economica e per di più, nel suo mondo chiuso, la subordinazione del Trentino.

In conclusione, quasi soltanto per motivi economici e amministrativi nella prima metà del secolo XIX si manifestò l'aspirazione autonomistica trentina, che tendeva a sottrarsi all'egemonia del Tirolo tedesco per collegarsi al Lombardo-Veneto; tuttavia fermenti nuovi culturali e politici contraddistinguono un folto gruppo di giovani, prevalentemente d'estrazione borghese, che alla vigilia del 1848 dimostrano di avere ideali ben più lungimiranti di quelli tradizionali della « piccola patria »[2].

[1] P. Pedrotti, *Un episodio dei rapporti economico-culturali fra la Toscana e il Trentino*, in *Atti del I Convegno storico trentino,* Manfrini, Rovereto 1955, pp. 245-254.

[2] M. Garbari, *Vittorio de Riccabona* (1844-1927). *Problemi e aspetti del liberalismo trentino,* Società di Studi trentini di scienze storiche, Trento 1972, pp. 11-13.

Capitolo VI. **Autonomia e « diritti della nazionalità »**

1. Il problema dell'autonomia

La richiesta di un'autonomia economico-amministrativa trentina era stata fino allora timidamente avanzata, insieme con qualche vaga ipotesi anche di separazione dal Tirolo tedesco, che « in quanto alle cose Provinciali, secondo ogni rapporto politico, commerciale e militare, sembrerebbe – si argomentava con estrema cautela – veramente necessaria e vantaggiosa ». Soltanto nella fervida primavera del 1848 il motivo autonomistico fu propugnato in maniera persino radicale, dapprima ribadendo « una decisa volontà di unirsi al Lombardo-Veneto » e poi cominciando a prendere coscienza dei « diritti della nazionalità » [1]. L'abate liberaleggiante Giovanni a Prato approfittò dell'abolizione della censura sulla stampa (15 marzo) per mutare l'indirizzo del giornale governativo « Messaggiere tirolese » e ne fece subito uno strumento di energica rivendicazione della totale autonomia del Trentino dal Tirolo tedesco, poiché erano stati sempre vani i reclami dei deputati trentini alle assemblee dietali di Innsbruck « per togliere l'enorme squilibrio » nella rappresentatività delle due componenti etniche. La propaganda riuscì efficace e unanimemente i deputati trentini rifiutarono d'intervenire, il 10 giugno, alla stesura del nuovo statuto provinciale, non solo perché ancora condizionato dal « rimasuglio di antichi privilegi feudali », ma perché « soprattutto in contraddizione coi diritti della nazionalità e della lingua » [2]. Fu quella la prima volta che si sperimentò la tattica dell'astensionismo, adottata in seguito tanto spesso nella lotta per l'autonomia.

[1] Cfr. A. Zieger, *I corpi franchi nelle valli di Sole e di Non* (14-21 aprile 1848), Dossi, Trento 1947, p. 9; U. Corsini, *Il Trentino* cit., pp. 363-373; S. Benvenuti, *L'autonomia trentina al Landtag di Innsbruck e al Reichsrat di Vienna. Proposte e progetti 1848-1914*, Società di Studi trentini di scienze storiche, Trento 1978, pp. X-XII, 2-7.

[2] S. Benvenuti, *op. cit.*, pp. 2-9.

Invece una delegazione trentina, con a capo lo stesso Giovanni a Prato, partecipò ai lavori dell'assemblea costituente germanica di Francoforte e il 3 giugno 1848 presentò senz'altro formale istanza per il distacco del Trentino dalla Confederazione germanica, inoltre il 25 giugno richiese la completa autonomia dal Tirolo [1]. Poiché lo storico Karl Bier aveva polemicamente insinuato dubbi sulla coscienza nazionale della maggior parte delle genti trentine, che secondo lui non condividevano l'atteggiamento di una sparuta minoranza di « signori », Giovanni a Prato rispose con appassionata eloquenza e anche con argomenti storicamente inoppugnabili: sarebbe stato iniquo e sleale invocare il principio della nazionalità solo quando si volevano avvalorare le rivendicazioni tedesche e negarlo invece ai distretti di Trento e di Rovereto, che per lingua e cultura e contesto socio-economico erano « in tutto e per tutto italiani », tanto più che la loro inclusione nella Confederazione germanica era avvenuta all'insaputa e anzi contro la manifesta volontà dei trentini. Il deputato bavarese Kohlparzer con arroganza e disprezzo esclamò: « Noi possediamo il Tirolo meridionale, e perciò ce lo teniamo. Questo è il mio diritto delle genti! » [2].

La richiesta dell'autonomia fu ripresentata nel settembre, convalidandola con la petizione sottoscritta da ben 46.000 trentini per smentire la tesi del Bier, ma venne respinta sia pure per un solo voto [3]. Ogni ulteriore tentativo venne troncato dalla patente imperiale del 4 marzo 1849, che sciolse l'assemblea costituente. Tosto abolita anche la libertà di stampa, i giornali di tendenza cosiddetta progressista furono perseguitati e infine, dopo l'ordinanza imperiale del 17 luglio 1851, costretti a chiudere per il loro « atteggiamento ostile all'i.r. governo » e perché pubblicavano articoli ritenuti « proprio adatti a rinfocolare i desideri di separazione del Tirolo meridionale » [4].

Se la ripercussione dei moti risorgimentali d'Italia nel Trentino appare piuttosto scarsa, è da rilevare l'importanza del contributo specialmente ideo-

[1] *Ivi*, pp. 18-23.

[2] Oltre all'edizione tedesca (*Stenographischer Bericht über die Verhandlungen der deutschen constituirenden Nationalversammlung zu Frankfurt am Main*, a cura di F. Wigard, II Bd., Leipzig 1848, p. 1555), cfr. *Estratto dagli Atti della sessione LX dell'Assemblea Nazionale Costituente Alemanna ai 12 d'agosto 1848 riguardanti gli interessi del Tirolo italiano*, Horstmann, Francoforte s.d., pp. 17-20.

[3] Con 12 voti contro 11, dal comitato costituzionale di Kremsier (1° marzo 1849), poiché « non si poteva pensare ad una sanzione imperiale ». Cfr. A. Zieger, *L'agitazione politica nel Trentino dal marzo* 1848 *al gennaio* 1849, Dossi, Trento 1949, pp. 4-40; U. Corsini, *Deputati delle terre italiane ai parlamenti viennesi*, in « Archivio Veneto », ser. V, XCVII, 1972, pp. 151-226; S. Benvenuti, *op. cit.*, pp. 24-26.

[4] M. Manfroni, *Don Giovanni a Prato e il Trentino dei suoi tempi*, Provvidenza, Milano 1920, pp. 179-182; A. Zieger, *Stampa cattolica trentina* (1848-1926), Seiser, Trento 1960, pp. 15-19.

logico degli esuli politici, che interpretarono e intesero conciliare in chiave nazionale l'aspirazione autonomistica trentina; in particolare il Rosmini, in una memoria del settembre 1848 sul « progetto di una confederazione fra gli Stati italiani » [1], insistette nel proporre la soluzione confederativa del problema nazionale italiano, perché avrebbe salvaguardato i non contrapposti e anzi fecondi (in difesa della libertà, al fine di scongiurare il pericolo di un appiattimento conformista imposto da una soluzione centralizzatrice) valori dell'autonomia delle « piccole patrie ».

Dal 1848 in poi l'esigenza autonomistica fu il tema fondamentale del Risorgimento trentino, precedendo così e accompagnando la lotta per l'italianità che analoghe ragioni storiche e culturali ed economiche potevano avallare; finché agli albori del nuovo secolo non ebbe il sopravvento la passione irredentistica, non si negò la legittimità dello Stato plurinazionale asburgico e i deputati trentini confidarono nella trasformazione dell'Austria in senso effettivamente costituzionale e confederale, che avrebbe risolto la questione trentina smembrando le province storiche (come si auspicava appunto per il Tirolo) su basi territoriali nazionalmente omogenee. D'altra parte, l'istituto dell'autonomia era del tutto legale secondo il diritto costituzionale austriaco e quindi offriva uno strumento valido per conseguire la separazione del Trentino dal predominio tirolese, una volta riconosciuta l'eterogeneità etnica e linguistica e il diverso sviluppo socio-economico.

Svanite le speranze riposte nell'assemblea costituzionale germanica di Francoforte, l'istanza autonomistica trentina doveva essere dirottata a Vienna, sennonché dal 1851 al 1861 il Parlamento austriaco fu sostituito dal Consiglio dell'Impero (*Reichsrat*), che era soltanto un organo consultivo di nomina sovrana. In seguito all'armistizio di Villafranca, sollecitamente il Consiglio comunale di Trento e la Camera di commercio di Rovereto presentarono richiesta di aggregazione politico-amministrativa del Trentino al Veneto, e lo ribadirono i pochi deputati che intervennero alla Dieta di Innsbruck (1 agosto 1859). Al contrario, non fu nemmeno concessa l'autonomia amministrativa quando pur venne accordata a Gorizia e a Trieste e all'Istria, nonché al Vorarlberg.

La lotta per l'autonomia s'inasprì dopo che, con la patente imperiale del 26 febbraio 1861, poté formarsi un governo costituzionale in Austria, ma il nuovo regolamento provinciale tirolese aggravò la subordinazione del Trentino, che ebbe solo ventuno dei sessantotto seggi dietali. Per protesta le elezioni del 22 e 23 marzo furono boicottate con un massiccio astensionismo e, poi, dei quindici deputati eletti ben nove rifiutarono esplicitamente

[1] Cfr. L. BULFERETTI, *Le aspirazioni risorgimentali di libertà, giustizia, nazione nel Rosmini*, in « Civitas », nn. 11-12, nov.-dic. 1961, p. 69.

d'intervenire alla Dieta di Innsbruck; i due rappresentanti del clero e due nobili, che vi parteciparono, pur essi sostennero « l'equità, la giustizia e la necessità » dell'autonomia amministrativa per il Trentino [1].

L'espediente astensionistico, che fu a lungo ripetuto dai deputati trentini e che più tardi apparve inefficace perché si riduceva all'inazione politica, paralizzava quasi l'amministrazione tirolese (a causa della decadenza, in base allo statuto provinciale, degli eletti che non esercitavano il mandato parlamentare, e quindi era necessario procedere a sempre nuove elezioni) e soprattutto alimentava la coscienza civica, rafforzando il proposito delle genti trentine di risolvere la questione dell'autonomia.

Dopo che la Dieta di Innsbruck ebbe rinviato di sessione in sessione l'esame della richiesta autonomistica trentina, fino alla scadenza della legislatura nel novembre 1866, non rimase che rivolgersi al Consiglio dell'Impero, ma lì pure ogni speranza venne elusa dalla politica dilatoria [2]. La tattica temporeggiatrice austriaca ebbe buon gioco anche perché si divise il fronte degli autonomisti trentini, dal 1871 quando il vescovo Benedetto de Riccabona si preoccupò di costituire una compagine clericale intransigente per contrastare le nuove leggi scolastiche proposte dai liberali filoprotestanti austriaci; in vista delle prossime elezioni politiche, il 18 luglio 1873 la pastorale vescovile sollecitò anzi esplicitamente i fedeli a non dare il voto ai « cattolici liberali » [3]. L'esito delle elezioni confermò nel Trentino tutti i candidati liberali, che avevano mantenuto la propaganda in chiave di rivendicazione autonomistica ed erano favoriti anche nei collegi rurali per l'esiguo numero dei votanti, essendo ancora esclusa la maggior parte dei contadini sprovvisti di censo [4]. Invece nei collegi sudtirolesi prevalsero tutti i candidati clericali [5], quindi si può dedurne che il motivo dell'autonomia fu determinante per orientare gli elettori trentini.

2. Crisi economica ed emigrazione

Nel frattempo le barriere doganali avevano isolato il Trentino, dalla Lombardia nel 1859 e dal Veneto nel 1866, interrompendo bruscamente gli stretti rapporti commerciali con i mercati padani e inoltre il vantaggioso commercio di transito. Dazi troppo gravosi colpirono i prodotti agricoli e

[1] S. Benvenuti, *op. cit.*, pp. 28-36.
[2] *Ivi*, pp. 37-96.
[3] Cfr. A. Zieger, *Stampa* cit., pp. 26-27, 58; S. Benvenuti, *L'autonomia* cit., pp. 97-104.
[4] R. Monteleone, *Elezioni politiche nel territorio trentino-tirolese sotto l'Austria*, in « Il Cristallo », XI, Bolzano 1969, fasc. II, pp. 37-39.
[5] *Ivi*, p. 40.

forestali trentini, ma soprattutto l'artigianato e in particolare quello della lavorazione del legno (Val di Fiemme) e del ferro (Giudicarie e distretto di Primiero). Un incremento compensativo del commercio con i paesi transalpini era tutt'altro che facile, perché proprio allora imperversava il flagello dell'oidio per la vite e della pebrina per i bachi da seta; il tracollo della produzione vinicola e serica metteva in crisi tutta l'economia trentina, poiché l'eccessivo sviluppo monocolturale aveva impedito una più equilibrata politica agraria. Sarebbe stata necessaria una ristrutturazione delle aziende agricole, come pure una meccanizzazione dell'artigianato per poter sostenere la concorrenza nell'ambiente mitteleuropeo già in fase di passaggio dal preindustrialismo a strutture industrializzate; ma la penuria di capitali, la ritrosia o timidezza nelle stesse iniziative locali e la latitanza delle sovvenzioni governative resero ancor più precario l'immobilismo economico e sociale [1].

L'emigrazione, che fino allora si era mantenuta entro percentuali non allarmanti di manodopera abbastanza specializzata (muratori e scalpellini, falegnami e fornaciai, filandaie e tessitrici) solo temporaneamente o anzi stagionalmente assunta nel Lombardo-Veneto e in altri paesi vicini [2], divenne dal 1875 un vero esodo di braccianti e manovali generici disposti ad accettare qualsiasi offerta di lavoro anche oltreoceano. Gli emigranti, spesso clandestini, non beneficiavano di alcuna pubblica assistenza o tutela nei confronti di tanti disonesti ingaggiatori; al contrario, dopo l'amarezza di essere stati costretti dalla miseria ad abbandonare la patria, per legge perdevano addirittura la cittadinanza e perciò erano considerati stranieri se non avessero fatto ritorno al proprio paese entro cinque anni. Soltanto nel 1882 fu attenuata la illiberalità della legislazione austriaca del 1832, prorogando la scadenza dei diritti civili e politici all'emigrato, tuttavia non per motivi umanitari bensì perché si temeva che il massiccio flusso migratorio compromettesse la coscrizione militare. In realtà, fin dal 1876 l'ufficio centrale austriaco di statistica aveva registrato un preoccupante aumento di emigranti dal Trentino, con destinazione transoceanica, più di quanto risul-

[1] C. Dordi - V. Riccabona, *Memoria sulle strettezze e sui bisogni della parte italiana della provincia e sui mezzi onde recarvi sollievo* (all'eccelsa i.r. Luogotenenza del Tirolo), Trento 1882, pp. 15-18; G. Trener, *Industrie vecchie e nuove nel Trentino*, in « Annuario degli studenti trentini », V, 1898-99, pp. 154-156; L. Marchetti, *Il Trentino nel Risorgimento*, vol. I, Dante Alighieri, Milano-Roma-Napoli 1913, pp. 278-281; A. Zieger, *L'economia industriale del Trentino dalle origini al* 1918, Seiser, Trento 1956, pp. 77-84.

[2] U. Corsini, *Per uno studio del fenomeno migratorio trentino nella prima metà del secolo XIX*, in *Atti del I Convegno storico trentino*, Manfrini, Rovereto 1955, pp. 125-136; C. A. Corsini, *Le migrazioni stagionali di lavoratori nei Dipartimenti italiani del periodo napoleonico 1810-12*, in *Saggi di demografia storica*, Dipartimento statistico-matematico dell'Università, Firenze 1969, pp. 87-157; C. Grandi, *Popolazione* cit., pp. 35-41.

tava dal confronto con tutto il precedente venticinquennio[1]. Qualche anno dopo, nel 1879, la stessa fonte statistica riscontrava l'aggravarsi dell'esodo in massa, eppure anziché ricercarne le cause e almeno auspicare qualche rimedio l'unica annotazione fu quella di avvertire una certa « smania di andarsene » (*Wunderlust*), sottolineando che « nel Tirolo solo la popolazione italiana del Sud si mostra vogliosa di emigrare » e, con sprezzante superficialità, si aggiungeva: per « una maggior inclinazione all'abbandono della patria »[2].

Il regresso agricolo aveva colpito specialmente i ceti rurali, assai meno la popolazione urbana; perciò la maggior parte degli emigranti fu costituita da contadini, salariati o piccoli coltivatori diretti, che dopo lunghi anni di stenti soccombevano allo strozzinaggio degli usurai e svendevano i loro poderucci. Le rimesse degli emigranti costituirono, mentre dal 1875 al 1890 la crisi economica imperversava, non solo la consueta « valvola di sicurezza » (che sembrava ineluttabile a causa dello squilibrio fra popolazione e risorse naturali) ma la boccata di ossigeno per poter appena sopravvivere. Dopo la disastrosa inondazione del settembre 1882 l'esodo diventò ancor più massiccio e interi villaggi atesini si spopolarono, come accadde per Aldeno, Cimone, Marco e Vò, da dove oltre duecentocinquanta famiglie si trasferirono, e in gran parte poi rimasero, in Bosnia[3]. Il depauperamento demografico del Trentino e il diffondersi della pellagra[4] richiedevano un pubblico intervento, per riassestare l'economia di tutto il territorio, e non tanto settorialmente quanto piuttosto unitariamente, superando il contrasto d'interessi e di rivalità politiche o amministrative fra la città (egemonizzata e privilegiata dal ceto borghese liberale) e la campagna (tradizionalista e clerico-conservatrice).

Ancora nel 1873 Giovanni a Prato, con una serie di articoli pubblicati dal « Nuovo giornale del Trentino », aveva insistito perché « rimosse le fatali ire di parte » tutti si prodigassero « nel campo della vita sociale » per la « rigenerazione delle condizioni del paese ». A favore degli emigranti s'impegnò don Lorenzo Guetti, che raccolse i dispersi dati statistici sul flusso migratorio trentino dal 1870 al 1888 e continuò a sollecitare provvedimenti al fine di rimuovere le cause, mentre per difendere i ceti sociali più deboli promosse cooperative e casse rurali[5]. Ad avviare il superamen-

[1] Cfr. « Statistische Monatschrift herausgegeben vom Bureau der k.k. Statistischen Zentral-Kommission », II, 1876, pp. 571-573.

[2] *Ivi*, V, 1879, p. 63; cfr. R. CRISTOFORETTI, *Correnti migratorie del Trentino 1875-1914*, tesi di laurea, Università di Padova, Facoltà di Lettere e Filosofia, a.a. 1977-78, pp. 29-31, 55-62.

[3] Cfr. A. ZIEGER, *Stampa* cit., p. 83.

[4] Cfr. C. GRANDI, *op. cit.*, pp. 46-51.

[5] L. GUETTI, *Statistica dell'emigrazione americana avvenuta nel Trentino dal 1870 in poi,*

to della crisi economica trentina e anche della subordinazione agli interessi tirolesi giovò l'iniziativa del podestà di Trento, Paolo Oss-Mazzurana, che nell'aprile 1886 aveva fondato il giornale liberal-nazionale « Alto Adige » e tosto si era fatto promotore perché tramvie locali collegassero e unissero più saldamente al capoluogo le valli di Fiemme e di Non. Protestarono i deputati del Tirolo tedesco, ritenendolo un attentato al « predominio economico e commerciale di Bolzano », e la polemica durò a lungo complicandosi con la pretesa bolzanina di annettersi la giurisdizione sulla valle di Fassa [1].

Finalmente, dal 1891, il riassetto economico andò consolidandosi, particolarmente per la nuova fase espansiva della viticoltura che, rinnovata e migliorata non senza il contributo dell'Istituto agrario provinciale di S. Michele [2], poté approfittare della crescente richiesta del mercato transalpino [3]. Tuttavia se ne avvantaggiarono quasi soltanto le grandi e medie aziende vinicole, ben poco i piccoli coltivatori, cosicché il tasso di emigrazione continuò a mantenersi assai elevato e, fino alla prima guerra mondiale, le rimesse degli emigranti costituirono una delle più vitali fonti di guadagno per gran parte dei valligiani e dei montanari trentini.

3. Autonomisti, « salornisti » e irredentisti

Quando con la legge del 14 giugno 1896 la riforma elettorale austriaca estese il diritto di voto ai ceti popolari, precedentemente esclusi dalla discriminazione censitaria, le fortune del partito liberale trentino andarono declinando per l'irrompere dei partiti di massa. Fin dalle elezioni politiche del marzo 1897 i tre collegi rurali e la cosiddetta V curia furono conquistati dai clericali trentini, mentre i liberali mantennero la prevalenza nei collegi urbani di Trento e di Rovereto [4]. La propaganda dei liberali si era incen-

compilata da un curato di campagna, Trento 1888; A. ZIEGER, *Stampa* cit., pp. 93-95, 106-109; G. C. TAMBURINI, *La cooperazione agricola nel Basso Sarca tra la fine dell'Ottocento e la prima guerra mondiale*, in « Studi trentini di scienze storiche », LIII, 1974, pp. 453-467.

[1] Cfr. A. ZIEGER, *Stampa* cit., pp. 101, 131.

[2] *Relazione sull'attività spiegata dall'Istituto agrario provinciale e stazione sperimentale di S. Michele all'Adige nei primi 25 anni* (1874-1899), Trento 1899; cfr. U. CORSINI, *Storia di un Istituto nella storia di un paese autonomo*, Artigianelli, Trento 1974 (2ª ed., 1975).

[3] Dopo che nel triennio 1884-87 i vini trentini esportati avevano subìto una flessione del 30 per cento, per iniziativa di Paolo Oss-Mazzurana furono istituiti consorzi a responsabilità illimitata fra viticoltori e così venne potenziata l'industria vinicola, mediante l'Associazione viticola-vinicola costituita nel 1888. Cfr. G. C. TAMBURINI, *op. cit.*, p. 470; su altri aspetti dello sviluppo industriale e commerciale cfr. R. MONTELEONE, *Il movimento socialista nel Trentino 1894-1914*, Editori Riuniti, Roma 1971, pp. 15-19.

[4] R. MONTELEONE, *Elezioni* cit., pp. 42-45.

trata sul motivo nazionale contro la minaccia pangermanistica, invece i clericali (oltre a vantare le istituzioni cooperativistiche [1] a favore dei contadini e degli artigiani) più insistettero sull'autonomia. Ma i deputati trentini furono poi tutti solidali nel riproporre alla Dieta di Innsbruck la necessità della soluzione autonomistica per il Trentino, poiché « in questa infausta unione al Tirolo – concludevano – vediamo la causa di tutte le nostre sventure » [2].

Le elezioni del gennaio 1901 confermarono i risultati del 1897; nei collegi altoatesini, per il crollo dei conservatori sudtirolesi, s'imposero i cristiano-sociali e i cattolici popolari, fatta eccezione per il collegio urbano di Bolzano-Merano che rimase ai liberali [3]. È da rilevare che, ormai da qualche anno, una profonda crisi di identità travagliava i liberali trentini per il diverso modo d'intendere la funzione del liberalismo: Paolo Oss-Mazzurana e il gruppo di amministratori comunali, che avevano il merito dello sviluppo economico della città di Trento e anche del circostante territorio, insistevano per proseguire una politica prevalentemente appunto in chiave economica liberistica; invece altri tendevano a privilegiare l'istanza nazionale, in contrapposizione alle iniziative snazionalizzatrici dei pangermanisti come Julius Perathoner, sindaco di Bolzano e capogruppo dei tedesco-nazionali, che contestava l'italianità della Val di Fassa e proponeva di staccarla dal Trentino.

Nel frattempo la propaganda socialista sottraeva in parte l'elettorato cittadino ai liberali, tacciandoli di alterigia e di insensibilità per la questione sociale e, insomma, di non accorgersi del vuoto intellettuale del loro partito al di fuori dell'idea nazionale [4]. Invano i vecchi capi del liberalismo trentino cercarono di polemizzare con gli « agitatori socialisti », accusandoli di camuffare demagogicamente i loro veri obiettivi, cioè prevalere « accarezzando gli istinti materiali delle masse » e poi « abbattere i nostri ideali nazionali » [5]. L'accusa principale di antipatriottismo era in realtà infondata, perché i socialisti trentini (diversamente da quelli triestini e istriani che, solidarizzando con il proletariato slavo, accentuavano l'internazionalismo della socialdemocrazia austriaca e quindi la lotta di classe contro la borghesia liberal-nazionale italiana) avevano abbracciato non solo la causa dell'au-

[1] A. Zieger, *Stampa* cit., pp. 109, 121; G.C. Tamburini, *La cooperazione* cit., pp. 464-467.

[2] Cfr. S. Benvenuti, *L'autonomia* cit., pp. 160-222; R. Schober, *La lotta sul progetto d'autonomia per il Trentino degli anni* 1900-1902 *secondo le fonti austriache,* Società di Studi trentini di scienze storiche, Trento 1978, pp. 21-114.

[3] R. Monteleone, *Elezioni* cit., pp. 47-49.

[4] Cfr. M. Garbari, *Vittorio de Riccabona* cit., p. 25.

[5] A. Zieger, *Stampa* cit., p. 132.

tonomia trentina, ma anche le prospettive della risoluzione nazionale[1]. Già il primo congresso della sezione italiana del Partito socialista per il Trentino, Tirolo e Vorarlberg, tenuto a Trento il 26 settembre 1897, aveva manifestato il proposito di cooperare nella lotta per l'autonomia provinciale; particolarmente Augusto Avancini, per attrarre i giovani liberali democratici progressisti, aveva difeso una linea di condotta quasi filonazionale affermando che « allora nessuno potrà dire che in paese esistono nazionalisti e socialisti, ma solo vi saranno lavoratori e borghesi »[2].

La rivalità in chiave nazionale fra trentini e tirolesi traboccò nei sanguinosi scontri fomentati dai pangermanisti a danno degli studenti italiani a Innsbruck il 3 novembre 1904, connivente lo stesso governatore Erwin von Schwartzenau che fece immediatamente e definitivamente chiudere la facoltà italiana, prima ancora che i corsi universitari potessero avere inizio[3]. Non bastò certo la rimozione, per giunta troppo tardiva nel 1906, del luogotenente Schwartzenau a ristabilire rapporti meno tesi. Chiusa la Dieta tirolese « in considerazione dell'acuto dissidio sorto fra le due nazionalità » e non osando più il governo riconvocarla, il problema dell'autonomia trentina si spostò a Vienna per il dibattito parlamentare[4]. La latitanza della Dieta di Innsbruck lasciò libero campo alle sopraffazioni pangermanistiche, promosse dagli estremisti tirolesi associati nel cosiddetto *Tiroler Volksbund* fondato a Vipiteno il 7 maggio 1905, suscitando così la reazione trentina in chiave altrettanto nazionalistica.

Anche i cattolici popolari trentini (che i liberali polemicamente chiamavano socialisti-cristiani), pur continuando a privilegiare la lotta per l'autonomia e ad auspicare la ristrutturazione federalistica della monarchia plurinazionale asburgica, andarono accentuando una più energica difesa della nazionalità. « Noi — proclamava il 10 aprile 1906 Alcide De Gasperi[5] — intendiamo combattere l'invasione tedesca con (...) l'opporci, con le forze morali e con quelle delle nostre organizzazioni, a tutti i tentativi di snazionalizzazione, come abbiamo fatto in Fassa, in S. Sebastiano, in Folgaria, a Caldonazzo, in Banale, ecc. » e ribadiva la necessità di superare con l'impegno sociale « la politica negativa, frasaiuola e nullista, la quale ci ha ridotti nazionalmente così deboli. In poche parole, — concludeva — noi vogliamo

[1] R. Monteleone, *Il movimento socialista* cit., pp. 58-60, 74.

[2] Cfr. R. Monteleone, *Il socialismo trentino di fronte al problema nazionale*, in « Studi storici », VII, 1966, pp. 330-332; A. Zieger, *Stampa* cit., p. 132.

[3] A. Ara, *La questione dell'Università italiana in Austria*, in « Rassegna storica del Risorgimento », LX, 1973, pp. 72-74; G. Faustini, *Il Trentino e l'Università italiana in Austria*, in « Studi trentini di scienze storiche », LIV, 1975, pp. 305-309.

[4] S. Benvenuti, *op. cit.*, pp. 226-232.

[5] Cfr. A. De Gasperi, *I cattolici trentini sotto l'Austria*, a cura di G. De Rosa, vol. I, Storia e letteratura, Roma 1964, pp. 141-143.

anzitutto far opera di democrazia, perché solo attraverso questa e con l'elevazione economica potremo inaugurare una politica positivamente nazionale ».

Il Partito popolare trentino, che nel 1907 sostituì l'Unione politica popolare (fondata due anni prima), vinse plebiscitariamente le elezioni politiche del 14 maggio 1907 a suffragio universale e per collegi uninominali: conquistò sette dei nove seggi, ottenendo il 70% dei voti. Nel collegio di Trento per la prima volta fu eletto un socialista, l'Avancini, a scapito dei liberali che si erano scissi nella Lega liberale democratica, fautrice della collaborazione con i socialisti già in occasione delle elezioni comunali del 1904, e nel Partito liberale nazionale del Trentino. Quanto al Sudtirolo, i cristiano-sociali col 73% dei voti ebbero sei dei sette seggi, lasciando ai liberali soltanto il collegio Bolzano-Merano [1].

Nelle successive elezioni politiche (ultime prima della guerra mondiale) del 14 maggio 1911 si riscontrò l'identica ripartizione dei seggi, nonostante l'aumento in percentuale dei socialisti trentini dall'11 al 15% e dei conservatori sudtirolesi dall'8 al 20% (per protesta contro le agitazioni autonomistiche o separatistiche trentine) [2]. Il socialismo trentino si consolidò, dopo la turbolenta avventura di Benito Mussolini nel 1909 [3], per merito specialmente di Cesare Battisti che riuscì eletto nel collegio di Trento facendosi promotore di una lotta radicale per l'autonomia e insieme anche per il riconoscimento dei diritti nazionali [4].

Di fronte all'intollerante sciovinismo dei tedesco-nazionali tirolesi che, ribadendo continuamente come « principio fondamentale la indissolubilità del Tirolo » [5], persistevano nel respingere ogni richiesta di autonomia per il Trentino e anzi si arrogavano il diritto di germanizzarlo, andò contrapponendosi sempre più appassionata la polemica degli irredentisti. Dopo aver rimproverato perfino i liberali di non essere abbastanza energici e decisi nel collegare la questione nazionale al problema dell'autonomia, lo stesso socialismo evoluzionista del Battisti divenne e si qualificò « irredentista ». Ma l'irredentismo era diversamente inteso: mentre i vecchi, come pure gran parte dei nuovi, fautori della separazione del Trentino dal Tirolo tedesco mantennero la rivendicazione nazionale entro il confine etnico-linguistico, invece i più accesi nazionalisti (con a capo Ettore Tolomei che nel

[1] R. MONTELEONE, *Elezioni* cit., pp. 51-54; ID., *Il movimento socialista* cit., pp. 42-46, 256-258; M. GARBARI, *op. cit.*, p. 25.

[2] R. MONTELEONE, *Elezioni* cit., pp. 55-58.

[3] Cfr. R. DE FELICE, *Mussolini il rivoluzionario*, Einaudi, Torino 1965, pp. 62-78; R. MONTELEONE, *Il movimento socialista* cit., pp. 292-298.

[4] *Ivi.*, pp. 333-336.

[5] *Ivi*, p. 372; cfr. S. BENVENUTI, *op. cit.*, pp. 232-234.

1906 aveva fondato la rivista storico-politica « Archivio per l'Alto Adige ») furono intransigenti assertori del confine politico-strategico al Brennero. Gli autonomisti e anche quanti, pur invocando il principio della nazionalità contro l'invadente pangermanesimo, non intendevano affatto che si procedesse a una rivalsa nazionalistica con l'includere nei nuovi confini una minoranza di lingua tedesca, ebbero dal Tolomei la taccia di rinunciatari e poi di « salornisti » perché limitavano le rivendicazioni nazionali alla chiusa di Salorno. Si venne così a rimarcare una linea discriminante fra gli stessi irredentisti che propugnavano l'unione del Trentino all'Italia.

4. Risoluzione del problema nazionale e nostalgie autonomistiche

Il 3 marzo 1912 si svolse a Trento il Congresso generale dell'emigrazione trentina. L'iniziativa era stata dell'Ufficio per la mediazione del lavoro in Rovereto, che dal 1907 aveva promosso ricerche sistematiche e pubblicato studi statistici approfonditi non solo sui diversi aspetti del fenomeno migratorio, ma anche per coordinare le iniziative assistenziali. Furono invitati e vi parteciparono rappresentanti della Luogotenenza tirolese e del governo austriaco, che fino allora si erano disinteressati e nemmeno in seguito recepirono le istanze socio-economiche a favore degli emigranti; piuttosto si preoccuparono di affidare alla polizia un più severo controllo sugli idonei al servizio militare, dai diciassette ai trentasei anni, per impedire l'espatrio clandestino e comminando addirittura pene severe a chi tardasse « di qualche mese a tornare dall'America per fare all'età di trent'anni una manovra di 13 giorni ». Così « il governo col suo contegno, nell'intento di proteggere il suo esercito, crea un esercito di affamati » protestarono concordemente i deputati trentini, da De Gasperi al Battisti e al liberale Antonio Stefenelli, lamentando il 5 giugno 1914 che l'Austria non avesse ancora « una legge protettiva dell'emigrazione » (mentre l'avevano l'Italia, la Francia, la Spagna, nonché l'Ungheria) [1].

Chiusa la Camera viennese il 17 marzo 1914 e poi sciolta la Dieta di Innsbruck, nel precipitare degli eventi verso la guerra si esasperò la polemica degli irredentisti nei confronti degli autonomisti e, più tardi, dei « salornisti ». Nell'ultimo sondaggio elettorale, per le amministrative comunali del giugno 1914, continuò tuttavia la competizione fra popolari e socialisti nella campagna e, inoltre, i liberali in città. Prevalsero quasi dovunque nei collegi rurali i popolari, che avevano sviluppato molto il sistema cooperativistico (il Sindacato agricolo-industriale raggruppava 265 cooperative con cir-

[1] « Il popolo », 6 giugno 1914; cfr. S. Benvenuti, *L'autonomia* cit., pp. 235-236.

ca 32.000 soci, le Casse rurali erano 250 con più di 20.000 soci, trecento le latterie e una trentina le cantine sociali)[1]. I liberali si affermarono a Trento con venti consiglieri comunali, contro dodici popolari e otto socialisti; questi ultimi nelle elezioni della V curia furono svantaggiati dalla defezione dei sindacalisti della Camera del lavoro, ma riuscirono egualmente a far eleggere nel collegio urbano Cesare Battisti deputato alla Dieta, dopo il ballottaggio con il liberale Giuseppe Menestrina[2].

I deputati trentini, che già l'anno precedente avevano protestato per l'aumento delle spese militari (dichiarando che « più forte presidio potrebbe avere lo Stato se concedesse a tutte le nazionalità l'autonomia », perché avrebbe radunato « attorno a sé una federazione di genti relativamente felice »)[3], insistettero nella polemica antimilitarista e la intrecciarono ai problemi dell'emigrazione e della disoccupazione. La proposta del popolare Pedrolli e del Battisti per estendere il progetto di legge sul patto colonico, integrandolo con il regolamento del contratto di affittanza, fu approvata nelle sedute dietali del giugno 1914[4].

Le speranze infine di gran parte degli autonomisti che si potesse risolvere pacificamente la questione nazionale furono deluse, perché la richiesta italiana (cessione di tutto il territorio trentino, compreso entro il cosiddetto confine napoleonico dipartimentale dell'Alto Adige) venne respinta dalla controproposta austriaca di escludere perfino le valli dell'Avisio e del Noce. Fallite le trattative diplomatiche, ancora nei primi giorni di guerra furono arrestati e rinchiusi nel campo di concentramento di Katzenau presso Linz circa milleottocento uomini e donne che, fra i patrioti trentini, erano ritenuti più pericolosi. A questi « internati » si aggiunsero i numerosi « confinati », sottoposti a domicilio coatto in località al di là del Brennero, mentre altri centocinquemila profughi dovettero trasferirsi in lontane province austriache, per lo più in Boemia e Moravia o in Stiria. Anche quanti poterono rimanere nei loro paesi furono sorvegliati severamente e puniti sulla base di vaghi sospetti. L'unico giornale in lingua italiana non soppresso, il governativo « Risveglio austriaco », si ridusse a foglio propagandistico e, per ottenere ulteriori sovvenzioni, ammise che precedentemente non era stato affatto « in grado di sostenere una lotta contro il radicale-nazionale giornale *Alto Adige* e contro il clericale-nazionale *Il Trentino* ». Ebbe il compito esplicito di « diffondere sempre più, anche tra i profughi,

[1] A. ZIEGER, *Stampa* cit., pp. 165-166.

[2] Cfr. R. MONTELEONE, *Il movimento socialista* cit., pp. 368-371, 387-388.

[3] S. BENVENUTI, *op. cit.*, p. 235.

[4] Cfr. C. BATTISTI, *Scritti politici e sociali,* a cura di R. Monteleone, La Nuova Italia, Firenze 1966, pp. 450-460.

il concetto di stato austriaco » e non desistette dall'inveire nei confronti dei deputati trentini rimasti e sollecitò, in particolare, le dimissioni di Alcide De Gasperi che si prodigava a favore dei connazionali, dirigendo il segretariato dei profughi e l'omonimo bollettino [1].

Quanto ai fuorusciti trentini, anche i socialisti (superata la « dilemmatica scelta tra sentimento nazionale e internazionalismo » [2]) erano diventati decisamente interventisti sull'esempio di Cesare Battisti. Dopo il martirio del Battisti, Antonio Piscel continuò la propaganda dei motivi che avevano ispirato il suo interventismo democratico e anzi presentò alla conferenza socialista di Stoccolma (indetta nel 1917 per agevolare la fine del conflitto) un memorandum [3] sulla necessità, d'altronde inevitabile, di smembrare il tessuto plurinazionale austriaco perché potesse realizzarsi il diritto delle minoranze etniche, quindi anche di quella italiana trentina, di riconfluire nei rispettivi contesti nazionali.

Anziché riconoscere almeno la validità delle aspirazioni autonomistiche, l'intemperanza volksbundista nel congresso di Sterzing (Vipiteno) il 9 maggio 1918 si dimostrò così anacronisticamente aggressiva da pretendere la snazionalizzazione di tutto il Trentino con l'imporre il tedesco come lingua d'obbligo nelle scuole, non più limitato alla chiusa di Salorno ma esteso addirittura fino alla chiusa di Verona. E ancora nel convegno del 13 ottobre 1918 a Bressanone, confermata l'intangibilità unitaria del Tirolo, si ribadirono tesi tanto scioviniste e oltranziste che sembrarono provocatorie. Non stupisce quindi l'atteggiamento di rivalsa, in contrapposizione a quella persistente aggressività del gruppo etnico tedesco, da parte degli irredentisti trentini nel richiedere il confine strategico del Brennero.

Troppo tardi, col proclama del 17 ottobre 1918, l'ultimo imperatore asburgico Carlo I abolì la costituzione del 1867 e tentò di salvare la monarchia trasformando l'Austria in uno Stato federale, basato non più sulle province storiche ma secondo criteri che rispettassero l'omogeneità etnico-linguistica. Lo sfascio irreversibile dell'impero era già in atto e l'espediente, che alcuni anni prima sarebbe forse stato sufficiente per soddisfare molti autonomisti, fu inutile.

Il 25 ottobre 1918, nella seduta del Reichsrat, i deputati trentini (che il giorno prima, insieme con deputati giuliani, avevano costituito il « Fascio nazionale italiano ») respinsero all'unanimità ogni compromesso « poiché i territori italiani situati entro i presenti confini della Monarchia si devono

[1] A. Zieger, *Stampa* cit., pp. 175-177. Cfr. A. De Gasperi, *I cattolici* cit., pp. 422-439; U. Corsini, *Il colloquio Degasperi-Sonnino* (*I cattolici trentini e la questione nazionale*), Monauni, Trento 1975.

[2] R. Monteleone, *Il movimento socialista* cit., p. 373.

[3] Pubblicato da R. Monteleone, *Il socialismo trentino* cit., pp. 345-355.

ormai — proclamarono — ritenere come appartenenti allo Stato italiano ». L'attesa lunga e sofferta delle genti trentine si risolse il 3 novembre 1918, quando sulla torre del Buonconsiglio venne issato il tricolore italiano.

Con la fine della guerra si riproponeva la questione della nazionalità e delle minoranze, sebbene la situazione fosse rovesciata perché ora si trattava della minoranza tedesca sudtirolese da includere nella provincia unica di Trento oppure sistemare autonomamente. Nei vecchi autonomisti e in quanti avevano invocato il principio della nazionalità per la minoranza trentina oppressa dal Tirolo « non poteva non destare un certo disagio il fatto che, portando la frontiera al Brennero, sarebbe stata inclusa nei nuovi confini una minoranza di lingua tedesca, la quale aveva chiaramente espresso a più riprese la sua volontà di restare unita alla madrepatria »[1]. Dopo che il trattato di Saint-Germain (10 settembre 1919) ebbe sanzionato la frontiera strategica del Brennero, i cosiddetti « salornisti » e gli avversari di ogni forma prevaricatrice di nazionalismo richiesero l'ordinamento del Trentino-Alto Adige in due province autonome distinte secondo il criterio della diversità etnica e anzi auspicarono che l'istituto autonomistico non venisse menomato dal centralismo burocratico. Ritenevano la tradizione dell'autonomia un valore autentico e una salvaguardia delle libertà democratiche[2].

Nel « discorso della corona » (1° dicembre 1919) Vittorio Emanuele III assicurò « il maggior rispetto delle autonomie e delle tradizioni locali » e in realtà si usò una certa temperanza nell'amministrazione delle terre altoatesine occupate[3]; invece poi, con l'avvento del fascismo, non venne rispettata in alcun modo l'aspirazione autonomistica e, senza tener conto della dualità etnico-linguistica, si volle imporre l'unica provincia Trento. Ancor più grave fu la soppressione degli organismi autonomi, decretata nel 1923 estendendo al Trentino-Alto Adige la legge comunale e provinciale italiana in chiave autoritaria[4]; spianò veramente, come tosto avvertirono i tenaci propugnatori dell'autonomia trentina, la strada al regime totalitario e quindi alla perdita delle libertà democratiche. Invano avevano ammonito, e continuarono a ritenere i vecchi autonomisti e a riproporre: « Resta a

[1] M. Toscano, *Storia diplomatica della questione dell'Alto Adige*, Laterza, Bari 1967, pp. 52-53; cfr. anche H. Della Maddalena, *La città di Bressanone negli anni della prima guerra mondiale 1914-1918*, tesi di laurea, Università di Padova, Facoltà di Magistero, a.a. 1976-77, pp. 23-240.

[2] M. Garbari, *Vittorio de Riccabona* cit., pp. 29-31, 127-129, 185-187; cfr. C. Ziglio, *Il « salornismo », premesse storiche e questioni annesse*, tesi di laurea, Università di Padova, Facoltà di Lettere e filosofia, a.a. 1976-77, pp. 236-359.

[3] U. Corsini, *Il Trentino e l'Alto Adige nel periodo* 3-11-1918 - 31-12-1922, in AA. VV., *Trentino e Alto Adige dall'Austria all'Italia,* SETA, Bolzano 1969, pp. 177-223; S. Benvenuti, *L'autonomia* cit., pp. 237-241.

[4] Cfr. A. Casetti, *op. cit.*, pp. 841-843; U. Corsini, *Il Trentino* cit., pp. 223-229.

vedersi se un'autonomia amministrativa completa, come la desideriamo per noi, accordata in separato all'Alto Adige comprometta l'unità politica del regno (...). È proprio necessario che una odiosa funzione politica venga addossata al Trentino per riprodurre in altre forme un organismo provinciale viziato nella sua radice? E la italianità della regione non è forse salvaguardata meglio da un Trentino compatto nella sua secolare ed ininterrotta compagine nazionale, e da un Alto Adige soddisfatto nei suoi interessi locali, che da una amalgama di due corpi eterogenei che formerebbero sul confine una zona bastarda? »[1].

I valori di una lunga e ben radicata tradizione autonomistica non si estinsero e anzi, dopo la clandestinità nel ventennio fascista, diedero un contributo fondamentale per risolvere i gravi problemi di convivenza democratica fra gruppi nazionalmente diversi, stringendo vincoli socio-economici e creando anche i presupposti per un concorde sviluppo civile trentino-tirolese.

[1] M. Garbari, *Vittorio de Riccabona* cit., pp. 29, 185-187.

Bibliografia

FONTI DOCUMENTARIE

Le più importanti fonti documentarie trentine, fino all'età risorgimentale, sono raccolte e si conservano nell'Archivio di Stato e anche nella Biblioteca comunale di Trento. Per orientarsi nella massa dei diversi fondi archivistici, è opportuno anzitutto consultare: *Archivio del Principato Vescovile. Inventario*, Ministero dell'Interno (Pubblicazioni degli Archivi di Stato, vol. IV, con introduzione illustrativa di L. Sandri), Roma 1951; *Biblioteca comunale di Trento. Inventari dei manoscritti*, con introduzione di I. Lunelli e indici a cura di T. de Panizza e C. S. Pisoni, 3 voll., in A. Sorbelli, *Inventari dei manoscritti delle Biblioteche d'Italia*, voll. LXVII, LXXI, LXXIV, Firenze 1939-1942. Per indicazioni precise e dettagliate su tutti gli archivi pubblici e privati trentini, come pure per un'informazione preliminare sull'evolversi delle strutture politico-amministrative locali, si consulti A. Casetti, *Guida storico-archivistica del Trentino*, Temi (Collana di monografie della Società di studi per la Venezia Tridentina, XIV), Trento 1961.

L'Archivio di Stato di Bolzano sta ancora riorganizzandosi e le fonti documentarie vengono suddivise tra gli atti dell'amministrazione locale (Archivio storico della provincia) e quelli concernenti lo Stato (cfr. S. Ortolani, *Guida degli archivi di Stato di Trento e Bolzano*, « Studi trentini di scienze storiche », LV, 1976, pp. 85-103); il precedente breve inventario (cfr. A. Zieger, *L'Archivio di Stato di Bolzano*, in *Miscellanea di studi storici ad A. Luzio*, Le Monnier, Firenze 1933, pp. 403-422) è quindi superato. Per gli archivi altoatesini e per quello d'Innsbruck (Tiroler Landesarchiv) non si può trascurare l'illustrazione che ne fecero E. Ottenthal e O. Redlich, *Archiv-Berichte aus Tirol*, 4 voll. (in « Mittheilungen der dritten Archiv-Section der k.k. Central Commission zur Erforschung und Erhaltung der Kunst- und historischen Denkmale », I, III, V, VII), Wien 1888-1912. Inoltre, nonostante i ricuperi di materiale archivistico in seguito al trattato di pace del 1919, fonti documentarie trentine si conservano a Vienna (Haus-, Hof- und Staatsarchiv); cfr., anche se non sempre preciso, G. DOMINEZ, *Regesto cronologico dei documenti, delle carte, delle scritture del Principato vescovile di Trento esistenti nell'i.r. Archivio di Corte e di Stato di Vienna, con un'appendice di documenti inediti*, Strazzolini, Cividale 1897; G. CICCOLINI, *Notizie intorno all'Archivio di Trento*, in « Studi trentini di scienze storiche », I, 1920, pp. 81-89; A. ZIEGER, *Ricupero di materiale archivistico*, ivi, XIV, 1933, pp. 68-69.

Per l'età risorgimentale da consultarsi come guida archivistica, anche se incompleta: *Documenti del Risorgimento negli archivi trentini*, a cura di AA. VV., Istituto per la storia del Risorgimento italiano (ser. II Fonti, vol. XXV), Roma 1938; più completa e ben articolata la rassegna di U. CORSINI, *Il Trentino*, in *Bibliografia dell'età del Risorgimento in onore di A. M. Ghisalberti*, vol. II, Olschki, Firenze (Biblioteca di Bibliografia italiana, LXVI) 1972, pp. 9-38.

FONTI EDITE

A) RACCOLTE DI FONTI E REPERTORI

1) *Fonti medievali, statuti e urbari*

Oltre ai *Monumenta Germaniae historica* (*Diplomatum regum et imperatorum Germaniae*, tomus III, Hannover 1900-1903, n. 67; tomus IV, Hannover-Leipzig 1909, nn. 101-102, diplomi di fondazione dei due principati vescovili) e *Fontes rerum Austriacarum* (*Diplomataria et acta*, 5: *Codex Wangianus. Urkundenbuch des Hochstiftes Trient*, ed. R. KINK, Staatsdruckerei, Wien 1852; 77: *Urkunden des Augustiner-Chorherrenstiftes Neustift bei Brixen von 1143 bis 1299*, ed. G. J. KUGLER, Wien 1965; 78: *Das älteste Tiroler Kanzleiregister, 1308-1315*, ed. A. ZAUNER, Wien 1967), si segnalano preliminarmente gli *Acta Tirolensia. Urkundliche Quellen zur Geschichte Tirols* (II. Bd.: *Die Südtiroler Notariats-Imbreviaturen des dreizehnten Jahrhunderts*, ed. H. VON VOLTELINI, Wagner, Innsbruck 1899; IV. Bd., ed. H. VON VOLTELINI e F. HUTER, Wagner, Innsbruck 1951) e *Tiroler Urkundenbuch*, I. Abt. (*Die Urkunden zur Geschichte des deutschen Etschlandes und des Vintschgaus*, ed. F. HUTER, 3 voll., Wagner, Innsbruck 1937-57). Cfr. anche, a cura di R. BLAAS, *Tirolische Amtsbücher und Kanzleiregister*, I. Bd., *Ein Tiroler Teilbuch aus dem Jahre 1340*, in « Publikationen des Institutes für österr. Geschichtsforschung », Wagner, Innsbruck 1952.

Tra le fonti edite, pure medievali, che interessano in particolare i principati di Trento e di Bressanone, sono da consultare: *Monumenta ecclesiae Tridentinae*, a cura di B. BONELLI, 4 voll., Monauni, Trento 1760-65; *Calendarium Wintheri. Il più antico calendario necrologico ed urbario del Capitolo della cattedrale di Bressanone*, a cura di L. SANTIFALLER, in « Archivio per l'Alto Adige », XVIII, 1923, pp. 647; *Die Urkunden der Brixner Hochstifts-Archive 845-1295*, I. Bd., ed. L. SANTIFALLER, Wagner (Schlern-Schriften, 15), Innsbruck 1929; II. Bd. (1295-1336), a cura di L. SANTIFALLER e H. APPELT, Leipzig

1941-43; *Urkunden und Forschungen zur Geschichte des Trientner Domkapitels im Mittelalter*, I. Bd. (*Urkunden zur Geschichte des Trientner Domkapitels 1147-1500*, in « Veröffentlichungen des Institutes für österreichische Geschichtsforschung », VI. Bd.), Universum, Wien 1948; *Regesto dei documenti dell'archivio capitolare di Trento dal 1182 al 1350 conservati presso il R. Archivio di Stato di Trento*, a cura di C. AUSSERER, in *Regesta chartarum Italiae*, 27 (*Regestum ecclesiae Tridentinae*, I), Istituto storico italiano per il Medio Evo, Roma 1939; *Die Regesten der Grafen von Tirol und Görz, Herzoge von Kärnten*, 2. Bd., fasc. 1, a cura di H. WIESFLECKER e J. RAINER, in « Publikationen des Institutes für österr. Geschichtsforschung », Wagner, Innsbruck 1952. Cfr. anche *Die traditionsbücher des Hochstifts Brixen vom zehnten bis in das vierzehnte Jahrhundert*, ed. O. REDLICH, Wagner, Innsbruck 1886; L. SANTIFALLER, *Das Brixner Domkapitel in seiner persönlichen Zusammensetzung im Mittelalter*, Wagner (Schlern-Schriften, 7), Innsbruck 1924-25.

La raccolta più importante di urbari è ancora quella di CH. SCHNELLER, *Tridentinische Urbare aus dem dreizehnten Jahrhundert. Mit einer Urkunde aus Judicarien von 1244-1247*, in « Quellen und Forschungen zur Geschichte, Litteratur und Sprache Oesterreichs und seine Kronländer », IV, Wagner, Innsbruck 1898. Cfr. D. REICH, *L'urbario di Castel Selva e Levico*, in « Archivio trentino », XXIII, 1908, pp. 75-99, e XXIV, 1909, pp. 61-90; ID., *L'urbario di Ottolino da Banco massaro della Confraternita del Corpo di Cristo di S. Zeno, 1454*, ivi, XXVII, 1912, pp. 203-216; A. ZIEGER, *Un urbario dei Castelbarco di Rovione*, in *Fonti di storia trentina. Documenti e regesti*, fasc. I, Trento 1928, pp. 83-101; ID., *Un antico urbario della gastaldia di Firmiano*, in « Archivio per l'Alto Adige », XXIV, 1929, pp. 137-155; soprattutto cfr. *L'urbario tridentino del 1387*, a cura di R. CESSI, in *Studi e ricerche storiche sulla Regione Trentina*, Comitato economico-scientifico per studi, applicazioni e ricerche presso l'Università di Padova, vol. II, Padova 1957, pp. 5-164.

Gli statuti di Bressanone sono editi da J. MUTSCHLECHNER, *Alte Brixner Stadtrechte*, Wagner (Schlern-Schriften, 26), Innsbruck 1935; invece quelli trentini sono piuttosto dispersi in varie pubblicazioni: T. GAR, *Statuti della città di Trento colla designazione dei beni del Comune nella prima metà del sec. XIV*, Trento 1858; J. A. TOMASCHEK, *Die ältesten Statuten der Stadt und des Bisthums Trient in deutscher Sprache*, in « Archiv für Kunde österreichischer Geschichtsquellen », XXVI, 1861, pp. 67-229; H. VOLTELINI, *Die ältesten Statuten von Trient und ihre Ueberlieferung*, Gerold, Wien 1902; ID., *Zur Geschichte der Alexandrinischen Statuten von Trient*, in « Zeitschrift des Ferdinandeums für Tirol und Vorarlberg », ser. III, fasc. 47, 1903, pp. 279-281. Cfr. *Statuti della città di Rovereto 1425-1610*, a cura di T. GAR e S. CRESSERI, in *Biblioteca trentina*, fasc. VII-XI, Monauni, Trento 1859; *Statuti della città di Riva 1274-1790*, ivi, fasc. XI-XVIII, 1861. Fra gli statuti locali e « carte di regola » cfr. L. CESARINI SFORZA, *Lo statuto di Terlago del 1424*, in « Archivio trentino », XIV, 1898, pp. 29-58; V. INAMA, *Gli antichi statuti e privilegi delle Valli di Non e di Sole*, in « Atti dell'Accademia di scienze, lettere ed arti degli Agiati in Rovereto », ser. III, vol. V, 1899, pp. 177-224 (ristampa in appendice alla *Storia delle Valli di Non e di Sole dalle origini al sec. XVI*, Zippel, Trento 1905); C. AUSSERER, *Das älteste Gemeindestatut von Folgaria aus dem Jahre 1315, mit einem Rückblich auf die Geschichte und Genealogie seiner ältesten Herren von Beseno*, in *Festschrift zu Ehren Oswald Redlichs*, « Mitteilungen des österreichischen Instituts für Geschichtsforschung », IX, Wagner, Innsbruck 1929, pp. 304-322.

2) *Età moderna*

Per l'età moderna, fino alla secolarizzazione dei principati vescovili, di notevole interesse storico sono le seguenti fonti edite: *Fontes rerum Austriacarum* (*Scriptores*, I. Bd.: G. v. KIRCHMAIR, *Denkwürdigkeiten seiner Zeit, 1519-1553*, ed. T. G. VON KARAJAN, Staatsdruckerei, Wien 1855; B. MALFATTI, *Libro della cittadinanza di Trento*, in « Archivio storico per Trieste, l'Istria e il Trentino », I, 1881-82, pp. 239-273; PH. DENGEL, *Berichte von Bischöfen über den Stand ihrer Diözesen (Relationes status ecclesiarum) im 16. und 17. Jahrhundert*, ivi, VI, 1907; G. ANGERER, *Hochstüft Brixner Neustüft und deren benachbarthen orthen sonderbahre zuefähl und begebenheiten von anno 1507 bis inclusive anno 1525*, in « Forschungen und Mitteilungen zur Geschichte Tirols und Vorarlbergs », VIII, Innsbruck 1911; *I documenti clesiani del Buonconsiglio*, a cura di K. AUSSERER e G. GEROLA, in *Miscellanea veneto-tridentina della R. Deputazione di storia patria*, II, Venezia 1924; K. WOLFSGRUBER, *Das Brixner Domkapitel in seiner persönlichen Zusammensetzung in der Neuzeit, 1500-1803*, Wagner (Schlern-Schriften, 80), Innsbruck 1951. È opportuno, inoltre, consultare i 4 voll. di *Deutsche Reichstagsakten*, Gotha 1893-1905; *Nuntiaturberichte aus Deutschland*, voll. I, II, IV, a cura di W. FRIEDENSBURG, Gotha 1892-93; M. SANUTO, *I diarii*, Venezia 1879-1903; *Concilium Tridentinum*, Görresgesellschaft, Friburgi 1901- segg.

Sulla guerra contadina del 1525, che imperversò nel territorio trentino-tirolese e tanta importanza ebbe nella storia socio-economica locale e anche nella massiccia emigrazione « religionis causa », le principali fonti edite sono: G. B. SARDAGNA, *La guerra rustica nel Trentino, 1525. Documenti e note*, Deputazione veneta di storia patria (Monumenti, ser. IV, vol. 6), Venezia 1889; H. WOPFNER, *Quellen zur Geschichte des Bauernkriegs in Deutschtirol 1525*, in *Acta Tirolensia. Urkundliche Quellen zur Geschichte Tirols*, III. Bd., Wagner, Innsbruck 1908; ID., *Der Innsbrucker Landtag vom 12. Juni bis zum 21. Juli 1525*, in « Zeischrift des Ferdinandeums für Tirol und Vorarlberg », ser. III, fasc. 44, 1900, pp. 85-151; H. AMMANN, *Peter Passler der Bauernrebell aus Antholz*, ivi, VI, 1909, pp. 52-60, 141-158; A. HOLLAENDER, *Michel Gaismairs Landesordnung 1526*, « Der Schlern », XIII, 1932, pp. 375-383, 425-429 (testo critico: cfr. A. STELLA, *La rivoluzione contadina del 1525 e l'utopia di Michael Gaismayr*, Liviana, Padova 1975, testo tedesco e traduzione italiana); M. ACLER, *La completa versione in volgare italiano degli articoli di Merano*, in « Studi trentini di scienze storiche », LVI, 1977, pp. 225-280. È ancora utile la raccolta di G. GIULIANI, *Documenti per la storia della guerra rustica nel Trentino*, in « Archivio trentino », III, 1884, pp. 95-116; VI, 1887, pp. 67-118; VIII, 1889, pp. 5-50; IX, 1890, pp. 5-48; XI, 1893, pp. 123-210. Fonte storica notevole è anche *Die Geschichte der Landeshauptleute von Tirol, von* JAKOB ANDRÄ *freiherr* VON BRANDIS, *Landeshauptmann in den Jahren 1610-1628*, Innsbruck 1850.

Tra le fonti edite cinquecentesche per la storia statutaria del Trentino: T. SARTORI-MONTECROCE, *Die Thal- und Gerichtsgemeinde Fleims und ihr Statutarrecht* (*Il quadernollo della Comunità di Fiemme, 1533-1534*), in « Zeitschrift des Ferdinandeums für Tirol und Vorarlberg », ser. III, fasc. 36, 1892, pp. 1-223; D. GRAZIADEI, *Carta di regola del Comune di Bosentino e Mugazone fatta sotto il cardinale Lodovico Madruzi vescovo di Trento 1560, con aggiunta di tre nuovi capitoli del 1573*, in « Tridentum », X, 1907, pp. 409-421; V. INAMA, *Carte di regola dell'Alta Anaunia*, in « Archivio trentino », XXVIII, 1913, pp. 129-190; A. ZIEGER, *Vicende e « carta di regola » della Comunità di Scurelle* (*1552*), Alcione, Trento 1957.

Sulla secolarizzazione dei due principati vescovili ben documentata è l'opera di J. KÖGL, *La sovranità dei vescovi di Trento e di Bressanone*, Artigianelli, Trento 1964 (appendice di documenti pp. 559-614). Cfr. F. V. BARBACOVI, *Memorie storiche della città e del territorio di Trento*, 2 voll., Monauni, Trento 1821-24; H. BASTGEN, *Die Ursachen der Säkularisation der Bistümer und Domkapitel von Trient und Brixen und ihr Verhältnis zur Grafschaft Tirol*, in « Hist. Jahrbuch » (Görresgesellschaft), 34 Bd., 1913, pp. 560-571; A. ZINGERLE, *Die Säkularisation des Hochstiftes und Domkapitels von Brixen durch Oesterreich, mit einem kurzen Überblick bis zum Jahre 1815* (Diss.), Innsbruck 1963. Di particolare interesse, per la politica fallimentare del principe vescovo Pietro Vigilio di Thunn, è la documentazione pubblicata da H. VOLTELINI, *Ein Antrag des Bischofs von Trient auf Säkularisierung und Einverleibung seines Fürstentums in die Grafschaft Tirol vom Jahre 1781-82*, Veröff. Museum Ferdinandeum, Innsbruck 1936; cfr. anche H. KRAMER, *Die Gefallenen Tirols 1796-1813*, Wagner (Schlern-Schriften, 47), Innsbruck 1940.

3) *Età contemporanea*

Le raccolte di fonti edite per la storia del territorio trentino-tirolese nell'età del Risorgimento sono state recentemente assai incrementate; oltre ai già cit. *Documenti del Risorgimento negli archivi trentini*, si segnalano anzitutto: *L'azione parlamentare del Trentino nel 1848-1849 a Francoforte e a Vienna*, a cura di P. PEDROTTI, E. BROL, B. RIZZI, Museo trentino del Risorgimento, Trento 1948; S. BENVENUTI, *L'autonomia trentina al Landtag di Innsbruck e al Reichsrat di Vienna. Proposte e progetti 1848-1914*, Società di Studi trentini di scienze storiche, Trento 1978; R. SCHOBER, *La lotta sul progetto di autonomia per il Trentino degli anni 1900-1902 secondo le fonti austriache*, ivi 1978; A. DE GASPERI, *I cattolici trentini sotto l'Austria* (antologia degli scritti dal 1902 al 1915 con i discorsi al Parlamento austriaco), a cura di G. DE ROSA, 2 voll., Storia e letteratura, Roma 1964; M. TOSCANO, *Storia diplomatica della questione dell'Alto Adige*, Laterza, Bari 1967; cfr. anche il volume miscellaneo *Trentino e Alto Adige dall'Austria all'Italia*, a cura di U. CORSINI, SETA, Bolzano 1969.

Per il periodo successivo alla secolarizzazione dei principati vescovili, le principali fonti edite possono considerarsi: H. VOLTELINI, *Forschungen und Beiträge zur Geschichte des Tiroler Aufstandes 1809*, Gotha 1909; H. BASTGEN, *Die Errichtung der neuen Domkapitel in Trient und Brixen 1824-1826*, in « Forschungen und Mitteilungen zur Geschichte Tirols und Vorarlbergs », XIV, 1917, pp. 78-98; L. MESSEDAGLIA, *Notizie e documenti per la storia del dipartimento dell'Alto Adige*, in « Archivio per l'Alto Adige », XV, 1920, pp. 257-294 (oltre al volume miscellaneo *La Venezia Tridentina nel Regno Italico, 1810-1814*, a cura di E. TOLOMEI, Garroni, Roma 1919); A. ZIEGER, *Il tramonto della massoneria e la propaganda segreta nel Trentino, 1814-1831*, Trento 1926; H. GSTEU, *Geschichte des Tiroler Landtages von 1816-1848*, in « Tiroler Heimat », VIII, 1927, pp. 77-171.

Per le fonti edite del biennio 1848-49 basterà rinviare alle cit. raccolte; di notevole interesse storico sono i 9 voll. di *Stenographischer Bericht über die Verhandlungen der deutschen constituirenden Nationalversammlung zu Frankfurt am Main*, a cura di F. WIGARD, Leipzig 1848-49; e i 5 voll. di *Verhandlungen des Oesterreichischen Reichstages nach der stenographischen Aufnahme*, Staatsdruckerei, Wien 1849. Così pure per le fonti edite del periodo successivo cfr. S. BENVENUTI, *L'autonomia trentina* cit., pp. 28-246; inoltre cfr.: C. BATTISTI, *Scritti politici e sociali*, a cura di R. MONTELEONE, La Nuova Italia, Firenze 1966; U. CORSINI, *Il colloquio De Gasperi-Sonnino* (*I cattolici trentini e la questione nazionale*), Monauni, Trento 1975.

B) CARTE COROGRAFICHE E ATLANTI

Si può ancor oggi affermare che « esempio e modello di una trattazione geografica regionale » è l'opera di C. BATTISTI, *Il Trentino. Cenni geografici, storici, economici con un'appendice su l'Alto Adige* (XVII illustrazioni nel testo, XIX cartogrammi e carte geografiche a colori fuori testo), Istituto geografico De Agostini, Novara 1917, 2ª ed. (1ª ed., 1915). Le antiche carte geografiche, comprendenti pure il territorio trentino-tirolese, sono riprodotte in R. ALMAGIÀ, *Monumenta Italiae cartographica. Riproduzioni di carte generali e regionali d'Italia dal sec. XIV al XVII*, Istituto geografico militare, Firenze 1929. Cfr., per una descrizione dettagliata: L. VERGNANO, *Saggio di bibliografia cartografica della Regione Tridentina,* in « Archivio per l'Alto Adige », XLVII, 1953, pp. 193-280; G. BARBIERI, *La Venezia Tridentina nella carta di Giovanni Antonio Magini*, ivi, pp. 184-192; G. B. CASTIGLIONI, *Catalogo della mostra di cartografia alpina*, in *Atti del XVI Congresso geografico italiano* (Padova-Venezia 20-25 aprile 1954), Lega, Faenza 1955, pp. 863-882. Non sono tuttavia da trascurare le precedenti ricerche e descrizioni di C. BATTISTI, *Appunti di cartografia trentina ossia catalogo ragionato di carte geografiche, piante e pro-*

spetti di città ecc., riguardanti la Regione Trentina, Firenze 1898; cfr. anche E. Tolomei, *Cartografia antica dell'Alto Adige*, in « Archivio per l'Alto Adige », VII, 1912, pp. 309 segg.

La più antica carta che comprenda tutto il territorio trentino-tirolese è quella di Wolfang Lazius, *Rhetiae alpestris in qua Tirolis Comitatus descriptio*, 1561 (cfr. R. Almagià, *op. cit.*, tav. XXXII, n. 1); seguono: *Tirolis Comitatus amplissima regionumque finitimarum nova tabula* di Warmund Ygl, 1604 (cfr. C. Battisti, *Appunti* cit., n. 11); *Die Fr. Grafschafft Tirol*, di Mathias Burgklehner, 1611 (pubblicata da E. Richter, *Matthias Burgklehners Tirolische Landtafeln 1608, 1611, 1620*, Wien 1902); *Tyrolis pars meridionalis episcopatum Tridentinum finitimasque valles complexa... accurate descripta a* Josepho de Spergs, Aeniponti 1756, Wien 1759 (cfr. C. Battisti, *Appunti* cit., n. 41); *Tyrolis sub felici regimine Mariae Theresiae Rom. Imp. Aug. chorographice delineata a* Petro Anich *et* Blasio Hueber, 1774 (*ivi*, n. 44); *Tyrolis pars meridionalis Episcopatum et Principatum Tridentinum continens*, di Francesco Manfroni, Trento 1778; *Karte der gefürstenen Grafschaft Tyrol nebst Vorarlberg und dem angrenzenden souverainen Fürstenthum astronomisch trigonometrisch vermessen*, Wien 1833 (è la cosiddetta *Alte Spezialkarte* dell'impero austro-ungarico, opera dell'i.r. Stato Maggiore); *Spezialkarte der österreichisch-ungarischen Monarchie*, Milit. Geogr. Institut, Wien 1869-1888 (cfr. C. Battisti, *Appunti* cit., n. 81: è la cosiddetta *neue Spezialkarte*). È da segnalare anche la *Carta del dipartimento dell'Adige e di una parte dei dipartimenti limitrofi*, disegnata da Felice Richard de Rouvre, Verona 1812.

Per i diversi aspetti della geografia storica cfr. A. Galante, *I confini storici del principato e della diocesi di Trento*, in « Atti della Società italiana per il progresso delle scienze », VIII, Roma 1916, pp. 3-29; F. Dörrer, *Bistumsfragen Tirols nach der Grenzziehung von 1918*, in *Südtirol, Land europäischer Bewährung*, Wagner (Schlern-Schriften, 140), Innsbruck 1955, pp. 45-57, tav. I; Id., *Der Wandel der Diözesaneinteilung Tirols und Vorarlbergs*, in *Beiträge zur Geschichte Tirols. Festgabe des Landes Tirol zum 11. Oesterr. Historikertag in Innsbruck vom 5. bis 8. Okt. 1971*, Wagner, Innsbruck 1971, pp. 141-168; cfr. anche G. Tovazzi, *Parochiale Tridentinum*, a cura di R. Stenico, Biblioteca P. P. Francescani, Trento 1970.

Oltre alla cit. opera di C. Battisti, *Il Trentino* (le cui allegate carte geografiche hanno anche il valore di fonte storica: p. es. tav. I sui « confini geografici, storici ed etnografici »; tav. II « divisioni amministrative e densità di popolazione »; tav. III « distribuzione etnico-linguistica della popolazione »; tav. VI sulle « istituzioni della Lega Nazionale »), è da consultare G. Morandini, *Trentino-Alto Adige*, UTET (*Le regioni d'Italia*, collez. diretta da R. Almagià, vol. III), Torino 1962.

Fra gli atlanti storici va segnalato il recente *Atlas zur Kirchengeschichte. Die christlichen Kirchen in Geschichte und Gegenwart*, Herder, Freiburg im Breisgau 1970; in particolare la parte curata da F. Dörrer, *Die Kirchenprovinz im Mittelalter*, pp. 34-35, tav. 46, e p. 67 (tav. 96 B: *Die Neuordnung der österreichischen Bistümer 1782-1859*). Ma è ancora utile l'atlante di G. Droysens,

Allgemeiner historischer Handatlas, Velhagen u. Klasing, Bielefeld-Leipzig 1886, tavv. 34-39. Schematiche, tuttavia sufficienti per una sommaria informazione, le cartine geografiche a colori di J. Kögl, *La sovranità* cit., p. 390, tavv. XIV/a, XVI/b (i principati di Trento e di Bressanone nel sec. xi e nel 1802); per le suddivisioni giurisdizionali cfr. H. von Voltelini, *Atlas der österreichischen Alpenländer*, Akademie der Wissenschaften, Wien 1921.

È da soggiungere che le antiche carte del territorio trentino-tirolose sono riprodotte anche nel recentissimo *Tirol-Atlas*, a cura di A. Leidlmair, Landesregierung, Innsbruck 1976-77, tavv. U 3, 5-8; cfr. AA. VV., *Tirol-Atlas, Begleittexte*, in « Tiroler Heimat », XXXVIII, 1974, pp. 261-299; XXXIX, 1975, pp. 225-266; XL, 1976, pp. 223-244.

C) Economia e società

Oltre alle raccolte di fonti edite, già citate, per la storia dell'economia trentino-tirolese interessano particolarmente le fonti pubblicate da O. Stolz, *Quellen zur Geschichte des Zollwesens und Handelsverkehres in Tirol und Vorarlberg vom 13. bis 18. Jahrhundert*, in *Deutsche Handelsakten des Mittelalters und der Neuzeit*, vol. X, Steiner, Wiesbaden 1955; Id., *Geschichte des Zollwesens, Verkehrs und Handels in Tirol und Vorarlberg von den Anfängen bis XX. Jahrhundert*, Wagner (Schlern-Schriften, 108), Innsbruck 1953, con bibliografia aggiornata (cui va aggiunto, per l'età medievale, l'ottimo saggio anche bibliografico di J. Riedmann, *Die Beziehungen der Grafen und Landesfürsten von Tirol zu Italien bis 1335*, Oesterreichische Akademie der Wissenschaften [Phil.-hist. Klasse, 307], Wien 1977). Cfr. anche J. J. Staffler, *Das deutsche Tirol und Vorarlberg statistisch und topographisch mit geschichtlichen Bemerkungen*, 2 voll., Innsbruck 1839-1847; A. Perini, *Statistica del Trentino*, 2 voll., Monauni, Trento 1852; R. Zotti, *Cenni sul progresso delle industrie e delle arti nel Trentino*, Trento 1863; V. Riccabona, *Delle condizioni economiche del Trentino. Notizie e appunti*, Borgo 1880; G. Dal Rì, *Notizie intorno al commercio ed all'industria del Principato di Trento dal S. Concilio fino alla secolarizzazione*, Trento 1887; K. Gerok, *Die Lage der Landwirtschaft in Tirol*, Innsbruck 1893; K. Grabmayr, *Schuldnoth und agrar-Reform. Eine agrar-politische Skizze mit besonderer Berüksichtung Tirol*, Meran 1894; G. B. Trener, *Industrie vecchie e nuove nel Trentino*, in « Annuario degli studenti trentini », V, 1898-99, pp. 154-156; F. Luzzatto, *I contratti agrari nel Trentino al principio del sec. XIX*, in « Studi trentini di scienze storiche », XII, 1931, pp. 157-164; H. Kramer, *Die Zollreform an der Südgrenze Tirols*, « Veröffentlichungen des Museum Ferdinandeum », Innsbruck 1932, pp. 239-266; A. Zieger, *L'economia industriale del Trentino dalle origini al 1918*, Seiser, Trento 1956; A. Stella, *Politica ed economia nel territorio trentino-tirolese dal XIII al XVII secolo*, Antenore, Padova 1958; R. Monteleone, *L'economia agraria del Trentino nel periodo italico (1810-1813)*, in « Collezione storica del Risorgimento e dell'unità d'Italia », ser. IV, vol. LXI, S.T.E.M., Modena 1964; A. Leo-

NARDI, *Depressione e « risorgimento economico » del Trentino: 1866-1914*, Società di Studi trentini di scienze storiche, Trento 1976; ID., *Rapporti contrattuali nell'agricoltura trentina del sec. XIX*, in AA. VV., *Popolazione, assistenza e struttura agraria nell'Ottocento trentino*, Libera Università degli Studi di Trento, Trento 1978, pp. 115-204.

La coltivazione delle miniere, soprattutto argentifere, fu per molti secoli la principale industria del territorio trentino-tirolese. Al vecchio compendio di J. SPERGES (*Tirolische Bergwerkgeschichte mit alten Urkunden*, Trattnern, Wien 1765) seguirono le ricerche storiche di: K. AUSSERER, *Das Bergwesen in Talbecken von Persen*, in *Persen-Pergine. Schloss und Gericht*, Gerold, Wien 1915-16, pp. 339-383; G. CICCOLINI, *Immigrati lombardi in Val di Sole nei secoli XIV, XV e XVI. Contributo alla storia delle miniere solandre*, in « Archivio storico lombardo », LXII, fasc. IV-V, 1936; A. STELLA, *L'industria mineraria del Principato vescovile di Trento nei secoli XVI e XVII*, in *Studi e ricerche storiche sulla regione trentina*, Comitato economico-scientifico triveneto per studi, applicazioni e ricerche presso l'Università di Padova, vol. I, Padova 1953, pp. 51-93; ID., *L'industria mineraria del Trentino nel sec. XVIII*, ivi, vol. II, Padova 1957, pp. 183-206; H. HOCHENEGG, G. MUTSCHLECHNER, K. SCHADELBAUER, *Das Verleihbuch des Bergrichters von Trient 1489-1507*, Wagner (Schlern-Schriften, 194), Innsbruck 1959; H. HOCHENEGG, *Die Tiroler Kupferstecher*, Wagner (Schlern-Schriften, 227), Innsbruck 1963; G. MUTSCHLECHNER, *Das Berggericht Sterzing*, in AA. VV., *Sterzinger Heimatbuch*, Wagner (Schlern-Schriften, 232), Innsbruck 1965, pp. 95-148; L. SCHEUERMANN, *Die Fugger als Montanindustrielle in Tirol und Kärnten*, Niemeyer, Tübingen 1971, 2ª ed. (1ª ed., Duncker, München-Leipzig 1929). Cfr. anche G. B. TRENER, *Le antiche miniere di Trento*, in « Società degli alpinisti trentini », XX, 1896-98, pp. 27-90; ID., *Bibliografia mineraria della Venezia Tridentina*, in « Archivio per l'Alto Adige », XXII, 1927, pp. 177-192; G. SCHREIBER, *Alpine Bergwerkskultur*, Wagner, Innsbruck 1956.

Strettamente legata all'industria mineraria è l'attività delle zecche trentine e tirolesi. Cfr. B. GIOVANELLI, *Intorno all'antica zecca trentina*, Monauni, Trento 1812; A. GAZZOLETTI, *Della zecca di Trento*, Seiser, Trento 1858; A. BUSSON, *Zur Geschichte der Münze von Trient unter Bernhard von Cles*, in « Numismatische Zeitschrift », XXII, 1890, pp. 137-144; A. NAGL, *Das Tiroler Geldwesen unter Erzherzog Sigmund und die Entstehung des Silberguldens*, ivi, XXXVIII, 1906, pp. 45-144; Q. PERINI, *Della zecca di Merano e della imitazione del tirolino in Italia*, in « Archivio per l'Alto Adige », I, 1906, pp. 41-48; K. MOESER, *Studien über das ältere Münzwesen Tirols*, in « Forschungen und Mitteilungen zur Geschichte Tirols und Vorarlbergs », IV, 1907, pp. 224-257; A. LUSCHIN-EBENGREUTH, *Beiträge zur Münzkunde Tirols im Mittelalter*, in « Numismatische Zeitschrift », LI-LIII, 1919-20; A. STELLA, *Politica ed economia* cit., pp. 1-50.

Mercati, fiere e trasporti fluviali ebbero molta importanza nell'economia trentino-tirolese, per l'intenso commercio di transito. Cfr. G. SUSTER, *Gli italiani alle antiche fiere di Bolzano*, in « Archivio per l'Alto Adige », III, 1908, pp. 415-460; G. MACCANI, *La sistemazione dell'Adige e la bonifica della valle da S. Michele a Sacco*, Trento 1913; O. STOLZ, *Neues zur älteren Geschichte der Bozener Märkte*, in « Der Schlern », II, 1921, pp. 137-140; A. SOLMI, *Riva e le fiere di Bolzano*, in « Atti della Accademia roveretana degli Agiati », ser. IV, vol. V, 1922, pp. 131-141; G. CANALI, *I trasporti sull'Adige da Bronzolo a Verona e gli spedizionieri di Sacco*, in « Archivio per l'Alto Adige », XXXIV, 1939, parte II, pp. 273-402; ID., *Il Magistrato mercantile di Bolzano e gli statuti delle fiere*, ivi, XXXVII, 1942, pp. 5-197; G. MANDICH, *Istituzione delle fiere veronesi (1631-1635) e riorganizzazione delle fiere bolzanine (1633-1635)*, in « Cultura atesina », I, 1947, pp. 71-77, 107-115; H. KRASENSKY, *Die Bozener Marktordnung aus dem Jahre 1718*, Geschichte u. Politik, Wien 1957; A. M. NADA PATRONE, *Uomini d'affari fiorentini in Tirolo nei secoli XIII e XIV*, in « Archivio storico italiano », CXXI, 1963, pp. 126-236.

Sui diversi aspetti dell'organizzazione tributaria, oltre alle raccolte già citate di fonti edite, cfr. F. SENECA, *Contributo allo studio della colletta nel Trentino medioevale*, in *Studi e ricerche storiche sulla regione trentina*, cit., II, Padova 1957, pp. 165-179; ID., *Un « Liber focorum » delle Valli di Non e di Sole del 1350*, in « Archivio veneto », ser. V, vol. LXV, 1959, pp. 11-19; A. STELLA, *Rationes officialium 1541 (L'amministrazione del principato vescovile di Trento alla vigilia del Concilio)*, in « Studi trentini di scienze storiche », XXXVII, 1958, pp. 375-398; ID., *Politica ed economia* cit., pp. 79-108; M. CARBOGNIN, *La formazione del nuovo catasto trentino del XVIII secolo*, in « Studi trentini di scienze storiche », LII, 1973, pp. 70-106; E. PICHLER, *Zwei Urbare aus dem 14. Jahrhundert. Ein Beitrag zur Rechts- und Siedlungsgeschichte des Karneider Berges*, in « Der Schlern », XLIX, 1975, pp. 363-379.

In un territorio, come quello trentino, angustiato dallo squilibrio popolazione-risorse, l'emigrazione fu sempre una « valvola di sicurezza » e andò aggravandosi negli ultimi decenni dell'800. Cfr. L. GUETTI, *Statistica dell'emigrazione americana avvenuta nel Trentino dal 1870 in poi, compilata da un curato di campagna*, Trento 1888; U. CORSINI, *Per uno studio del fenomeno migratorio trentino nella prima metà del sec. XIX*, in *Atti del I Convegno storico trentino*, Manfrini, Rovereto 1955, pp. 125-136; R. MONTELEONE, *L'economia agraria* cit., pp. 83-103; C. A. CORSINI, *Le migrazioni stagionali di lavoratori nei Dipartimenti italiani del periodo napoleonico 1810-12*, in *Saggi di demografia storica*, Università, Firenze 1969, pp. 87-157; C. GRANDI, *La popolazione trentina nella prima metà dell'Ottocento: primi risultati di un'indagine*, in AA. VV., *Popolazione, assistenza* cit., pp. 15-106; R. CRISTOFORETTI, *Correnti migratorie del Trentino 1875-1914*, tesi di laurea, Università di Padova, Facoltà di Lettere e filosofia, a.a. 1977-78. Su aspetti più demografici cfr. anche G. BARBIERI, *Quattro secoli di storia demografica di un paese trentino: Coredo d'Anaunia*, in « Pubblicazioni dell'Università cattolica del S. Cuore », ser. VIII (Statistica, ser. V), Vita e Pensiero, Milano 1939, pp. 226-244; F. SENECA, *Problemi economici e demografici del Trentino nei secoli XIII e XIV*, in *Studi e ricerche* cit., I, Padova 1953, pp. 5-48; L. DEBIASI, *Contributo allo studio della popolazione del Trentino nel XVII secolo*, ivi, pp. 97-108.

Per orientarsi sui diversi pesi e misure in uso, cfr. V. ROTTLEUTHNER, *Die alten Localmasse und Gewichte nebst den Aichungsvorschriften bis zur Einführung des Metrischen-Mass-und Gewichts-systems und der Staatsaichämter in Tirol und Vorarlberg*, Innsbruck 1883; L. AUCHENTALLER, *Ragguaglio dei pesi e delle misure viennesi e trentine col sistema metrico decimale preceduto dalle nozioni fondamentali*, Trento 1874; R. MONTELEONE, *Sopra alcuni valori monetari, pesi e misure nella tradizione storica del Trentino*, in « Economia trentina », XII, 1963, pp. 157-165.

D) STORIA DELLE ISTITUZIONI E DELL'AMMINISTRAZIONE

La legislazione nel territorio trentino-tirolese fu molto complessa e mantenne a lungo peculiarità del diritto consuetudinario germanico, soprattutto nell'ambito del principato vescovile di Bressanone. Cfr. H. WOPFNER, *Das Tiroler Freistiftrecht. Ein Beitrag zur Geschichte des bäuerlichen Besitzrechtes*, in « Forschungen und Mitteilungen zur Geschichte Tirols und Vorarlberg », II-III, 1905-1906; ID., *Das Almendregal des Tiroler Landesfürsten*, Innsbruck 1906; importante l'ampio saggio storico di N. GRASS, *Beiträge zur Rechtsgeschichte der Alpwirtschaft*, Wagner (Schlern-Schriften, 56), Innsbruck 1948; O. STOLZ, *Rechtsgeschichte des Bauernstandes und der Landwirtschaft in Tirol und Vorarlberg*, Ferrari Auer, Bozen 1949; J. PRADER, *Die Gerichtsbarkeit des Brixner Domkapitels*, in *Festschrift zur Feier des 200-jährigen Bestandes des Haus-Hof- und Staatsarchivs*, a cura di L. SANTIFALLER, vol. II, Staatsdruckerei, Wien 1950, pp. 152-196; F. HUTER, *Siedlungsleistung und Grundherrschaft von Innichen*, in « Der Schlern », XLV, 1971, pp. 475-485. Per altri aspetti delle vicende legislative: F. HIRN, *Die Annhame der pragmatischen Sanktion durch die Stände Tirols*, in « Zeitschrift des Ferdinandeums für Tirol und Vorarlberg », XLVII, 1903, pp. 115-159; F. MENESTRINA, *Il codice giudiziario barbacoviano del 1788*, in *Festschrift für Adolf Wach*, Leipzig 1903, pp. 18-71; S. DEFRANCESCO, *L'ordinamento amministrativo e tributario del dipartimento dell'Alto Adige*, in « Archivio per l'Alto Adige », IV, 1909, pp. 254-284; A. STELLA, *Riforme trentine dei vescovi Sizzo e Vigilio di Thunn (1764-1784)*, in « Archivio veneto », ser. V, vol. LIV-LV, 1954, pp. 80-112.

Sull'amministrazione delle prebende canonicali è da consultare particolarmente I. ROGGER, *La costituzione dei « colonelli ». Un antico statuto del Capitolo di Trento e il passaggio dalla amministrazione comune al regime prebendale (s. XIII-XIV)*, in « Studi trentini di scienze storiche », XXXIV, 1955, pp. 202-235. Cfr. anche J. BAUR, *Die Brixner Synoden von ihren Anfängen bis zur Gegenwart*, in « Der Schlern », XXIV, 1950, pp. 305-314; J. MAYR, *Die Trientner Diözesansynoden*, ivi, XLIII, 1969, pp. 339-344. Sull'organizzazione delle parrocchie, in rapporto con le comunità locali, è importante l'opera di F. GRASS, *Pfarrei und Gemeinde im Spiegel der Weistümer Tirols*, Tyrolia, Innsbruck 1950.

Sui ricorrenti contrasti giurisdizionali fra i principi vescovi di Trento e di Bressanone e i conti del Tirolo, oltre alla cit. monografia di J. KÖGL (*La sovranità dei vescovi di Trento e di Bressanone*, Artigianelli, Trento 1964), cfr. F. CUSIN, *I primi due secoli del principato ecclesiastico di Trento*, Urbinate, Urbino 1938; H. WIESFLECHER, *Meinhard der Zweite. Tirol, Kärnten und ihre Nachbarländer am Ende des 13. Jahrhunderts*, Wagner (Schlern-Schriften, 124), Innsbruck 1955; A. ZIEGER, *Il contrasto tra il Principato vescovile di Trento e i conti del Tirolo*, Stampa rapida, Trento 1957; A. SPARBER, *Die Brixner Fürstbischöfe im Mittelalter. Ihr Leben und Wirken*, Ferrari Auer, Bozen 1968; A. POSCH, *Nikolaus von Cusa, Bischof von Brixen, im Kampf um Kirchenreform und Landeshoheit in seinem Bistum*, in *Cusanus Gedächtnisschrift*, Wagner, Innsbruck-München 1970, pp. 227-250. Sono, tuttavia, ancora utili gli studi di A. JÄGER, *Der Streit des Cardinals Nicolaus von Cusa mit dem Herzoge Sigmund von Oesterreich als Grafen von Tirol*, 2 voll., Wagner, Innsbruck 1861 (ristampa anastatica, Minerva, Frankfurt 1968); J. HIRN, *Der Temporalienstreit des Erzherzogs Ferdinand von Tirol mit dem Stifte Trient (1567-1578)*, in « Archiv für österreichische Geschichte », LXIV-2, 1862; cfr. anche V. SZTARONYI, *Vicende della Rocca di Riva nelle relazioni tra i Principi e i conti del Tirolo (1597-1695)*, in « Studi trentini di scienze storiche », XXIII, 1942, pp. 3-57.

E) STORIA DELLA CULTURA

Posizione geografica e rapporti commerciali fecero del territorio trentino-tirolese un paese aperto agli influssi culturali tedeschi e italiani, cosicché l'umanesimo si disposò con il misticismo d'oltralpe. Cfr. A. ZINGERLE, *Sterzinger Spiele nach Aufzeichungen des Vigil Raber*, Wien 1886; ID., *Der Humanismus in Tirol unter Erzherzog Sigmund dem Münzreichen*, Innsbruck 1890; G. BRIANI, *Il carteggio inedito fra Bernardo di Cles ed Erasmo di Rotterdam*, in « Studi trentini di scienze storiche », XXV, 1946, pp. 24-39, 112-130; XXVI, 1947, pp. 25-43, 151-164; E. FRANCESCHINI, *Discorso breve sull'umanesimo nel Trentino*, in « Aevum », XXXV, 1961, pp. 247-272; A. DÖRRER, *Sterzinger Bürger- und Spielkultur*, in *Sterzinger Heimat*, Wagner (Schlern-Schriften, 232), Innsbruck 1965; R. TISOT, *Ricerche sulla vita e sull'epistolario del cardinale Bernardo Cles (1485-1539)*, Società di studi trentini di scienze storiche, Trento 1969; G. KISCH, *Nikolaus Cusanus und Aeneas Silvius Piccolomini*, in *Cusanus Gedächtnisschrift* cit., pp. 35-43; A. A. STRNAD, *Humanismus diesseits und jenseits der Alpen. Kritische Hinweise auf neue Veröffentlichungen*, in « Römische historische Mitteilungen », XIX, 1977, pp. 223-269; G. ZIPPEL, *Storia e cultura nel Rinascimento italiano*, Antenore (Medioevo e Umanesimo, 33), Padova 1979, pp. 1-67.

Altrettanto avvenne nell'età illuministica e anche in quella risorgimentale. Cfr. S. WEBER, *La cattedra di giurisprudenza a Trento*, in « Studi trentini di scienze storiche », XXIII, 1942, pp. 137-154; G. GEROLA, *Artisti trentini all'estero*, Trento 1930; J. WEINGARTNER, *Die Kunstdenkmäler Südtirols*, 2 voll., Wagner, Innsbruck 1951; P. PEDROTTI, *Un episodio dei rapporti economico-culturali fra la Toscana e il Trentino*, in *Atti del I Convegno storico trentino*, Manfrini, Rovereto 1955, pp. 245-254; A. CETTO, *La Biblioteca Comunale di Trento nel centenario della sua apertura*, Olschki, Firenze 1956; A. ZIEGER, *Antonio Rosmini e la sua terra*, Seiser, Trento 1961; M. DEAMBROSIS, *Filogiansenisti, anticuriali e giacobini nella seconda metà del Settecento nel Trentino*, in « Rassegna storica del Risorgimento », XXXVIII, 1961, pp. 79-90; ID., *Filogiansenisti del Tirolo e del Trentino nella seconda metà del Settecento: il principe vescovo di Bressanone Giuseppe Spaur*, in « Archivio veneto », ser. V, vol. LXIX, 1961, pp. 23-42; G. B. EMERT, *L'ambiente culturale trentino dal sec. XIX al sec. XX*, in AA. VV., *Trentino e Alto Adige dall'Austria all'Italia*, cit.; H. REINALTER, *Aufklärung, Absolutismus, Reaktion. Die Geschichte Tirols in der 2. Hälfte des 18. Jahrhundert*, Schendl, Wien 1974; C. DONATI, *Ecclesiastici e laici nel Trentino del Settecento (1748-1763)*, Istituto storico italiano per l'età moderna e contemporanea (Studi di storia moderna e contemporanea, 5), Roma 1975; A. ARA, *La questione dell'Università italiana in Austria*, in « Rassegna storica del Risorgimento », LX, 1973, pp. 52-88, 252-280; ID., *Un documento sulla « Universitätsfrage »*, in « Studi trentini di scienze storiche », LV, 1976, pp. 34-42; G. FAUSTINI, *Il Trentino e l'Università italiana in Austria*, ivi, LIV, 1975, pp. 289-318.

Cultura e movimenti rinnovatori o eterodossi particolarmente s'intrecciarono nel '500 e nel '700. Alla raccolta documentaria di V. ZANOLINI (*Appunti e documenti per una storia dell'eresia luterana nella diocesi di Trento*, in « Annuario del Ginnasio pareggiato principesco vescovile di Trento », VIII, 1909, pp. 7-116) fecero seguito i saggi storici di J. S. PEREGRINUS, *Der Protestantismus in Tirol*, Tyrolia, Brixen 1912; CH. D. O'MALLEY, *Jacopo Aconcio*, trad. D. Cantimori, Storia e letteratura, Roma 1955; A. DISSERTORI, *Die Auswanderung der Deferegger Protestanten 1666-1725*, Wagner (Schlern-Schriften, 235), Innsbruck 1964; A. STELLA, *La rivoluzione sociale di Michael Gaismayr alla luce di nuovi documenti (1525-1532)*, in « Accademia Nazionale dei Lincei, Rendiconti della Classe di scienze morali, storiche e filologiche », ser. VIII, vol. XXXII, 1977, pp. 17-40. Sulla vita e sulle opere del PILATI (soprattutto *Di una riforma d'Italia, ossia dei mezzi di riformare i più cattivi costumi e le più perniciose leggi d'Italia*, Villafranca [Coira] 1767) cfr. M. RIGATTI, *Un illuminista trentino del sec. XVIII: Carlo Antonio Pilati*, Vallecchi, Firenze 1923; F. VENTURI, *Da illuminista a illuminato: Carlantonio Pilati*, in *La cultura illuministica in Italia*, a cura di M. FUBINI, Einaudi, Torino 1957, pp. 233-243; ID., *Settecento riformatore*, vol. II, Einaudi, Torino 1976, pp. 250-325. Cfr. anche A. ZIEGER, *I Franchi Muratori del Trentino*, Trento 1925. Per l'800 ben informata è la rassegna bibliografica di U. CORSINI, *Il Trentino* cit., pp. 24-28.

F) Storie generali e locali

Preoccupazioni pangermanistiche o ispirate dal cosiddetto lealismo dinastico asburgico, oppure nazionalistiche (tanto da parte tirolese e austriaca quanto da parte trentina e italiana), condizionarono quasi tutta la storiografia fino ai tempi più recenti. Sono ancora utili le storie generali di J. Hormayr, *Geschichte der gefürsteten Grafschaft Tirol*, Tübingen 1806; B. Weber, *Das Land Tirol*, 3 voll., Innsbruck 1837; J. Egger, *Geschichte Tirols von den ältesten Zeiten bis in die Neuzeit*, 3 voll., Innsbruck 1872-1880; F. Ambrosi, *Commentari della storia trentina*, 2 voll., Rovereto 1887 (2ª ed., Borgo 1896; interessante anche il profilo dei movimenti culturali ottocenteschi roveretani e trentini, cfr. Id., *Scrittori ed artisti trentini*, Trento 1894, 2ª ed.). Del tutto trascurabile, non solo per l'impostazione retorico-nazionalistica, è G. Cucchetti, *Storia di Trento*, Palermo 1939. Fondate su solide basi documentarie sono le storie generali di O. Stolz, *Politisch-historische Landesbeschreibung von Südtirol*, Wagner (Schlern-Schriften, 40), Innsbruck 1937; Id., *Geschichte des Landes Tirol*, Wagner, Innsbruck 1955; così pure L. Marchetti, *Il Trentino nel Risorgimento*, 2 voll., Milano 1913; U. Corsini, *Il Trentino nel sec. decimonono*, Manfrini, Rovereto 1963 (finora soltanto il I vol., 1796-1848); A. Zieger, *Storia della regione Tridentina*, Seiser (Accademia del Buonconsiglio), Trento 1968: è l'ed. ampliata della *Storia del Trentino e dell'Alto Adige*, Trento 1926. Monografica, ma con ampi orizzonti storici, è l'opera di M. Garbari, *Vittorio de Riccabona (1844-1927). Problemi e aspetti del liberalismo trentino*, Società di Studi trentini di scienze storiche, Trento 1972; cfr. anche R. Monteleone, *Il movimento socialista nel Trentino 1894-1914*, Editori Riuniti, Roma 1971.

Storie pure generali, ma riguardanti aspetti giurisdizionali, oltre alla cit. opera di J. Kögl (*La sovranità dei vescovi di Trento e di Bressanone*, Artigianelli, Trento 1964), possono considerarsi: A. Sparber, *Kirchengeschichte Tirols, im Grundriss dargestellt*, Ferrari Auer, Bozen 1957; A. Costa, *I vescovi di Trento*, Artigianelli, Trento 1977.

Fra le numerosissime storie locali, sono ritenute notevoli le seguenti: R. Zotti, *Storia della Valle Lagarina*, Monauni, Trento 1862; V. Inama, *Storia delle Valli di Non e di Sole dalle origini al sec. XVI*, Zippel, Trento 1905; A. Cetto, *Castel Selva e Levico nella storia del Principato vescovile di Trento*, Saturnia, Trento 1952; O. Stolz, *Meran und das Burggrafenamt im Rahmen der Tiroler Landesgeschichte*, Wagner (Schlern-Schriften, 142), Innsbruck 1956; AA. VV., *Sterzinger Heimatbuch*, a cura di A. Sparber, Wagner (Schlern-Schriften, 232), Innsbruck 1965; A. Zieger, *La Magnifica Comunità di Fiemme*, Accademia del Buonconsiglio, Trento 1973; Id., *Primiero e la sua storia*, Accademia del Buonconsiglio, Trento 1975.

IL COMUNE DI TRIESTE

di

Aldo Stella

Capitolo I. **Le origini del Comune**

1. Dal feudalesimo all'autonomia municipale

Risale all'8 agosto 948 il diploma di Lotario II, che, come re d'Italia, concedeva al vescovo Giovanni e ai suoi successori il potere temporale su Trieste [1]. L'antico municipio romano era, da tempo immemorabile, sede vescovile; fu poi, da allora, l'unica fra le città della Venezia Giulia in cui il vescovo (in ricompensa forse dell'aiuto, soprattutto finanziario, prestato l'anno prima per allontanare l'invasione magiara) ebbe i diritti immunitari e politici, anche se non l'esplicito titolo di conte o *dominus Tergesti.*

Quel diploma, « il più antico atto pubblico medioevale riguardante esclusivamente Trieste », è di notevole importanza storica perché assicurò un particolare sviluppo politico della città giuliana che, staccata dall'Istria e dal Friuli, soggetta al vescovo ma sempre più libera dai vincoli feudali, poté iniziare la formazione di un corpo urbano autonomo, una specie di stato a sé, gelosissimo dell'autonomia municipale « caratteristica prima della sua

[1] Cfr. *I diplomi di Ugo e di Lotario, di Berengario II e di Adalberto,* a cura di L Schiaparelli, Ist. storico italiano, Roma 1924 (Fonti per la storia d'Italia, 38), pp. 276-278: « ... prout iuste et legaliter possumus, concedimus, donamus, largimur atque offerimus ecclesie Beate Dei genitricis et virginis Marie Sanctique Iusti martiris, que caput est Tergestini episcopii, cui preest venerabilis vir Iohannes episcopus noster dilectus fidelis, omnes res iuris nostri regni atque districtum et publicam querimoniam et quidquid publice parti nostre rei pertinere videtur, tam infra eamdem Tergestinam civitatem coniacentes quamque extra circumcirca et undique versus tribus miliariis protentis, nec non et murum ipsius civitatis totum per circuitum cum tribus portis et posterulis, et quicquid, ut dictum est, ad partem nostre rei publice inibi pertinere videtur. Precipientes itaque iubemus, ut nulla regni nostri magna, parva persona in prelibata Tergestina civitate curaturam, aliquod vectigal, aut aliquam publicam funtionem exigere audeat, neque de foris, ut dictum est, tribus miliariis undique versus protentis, nec alicuius auctoritate principis placitum custodiat, nec ante aliquem distringantur nisi ante pretaxatum Iohannem episcopum suosque successores ad partem predicte ecclesie vel eorum missos, tamquam ante nos aut ante nostri comitis presentiam palatii ».

storia ». I diritti conferiti al vescovo si estendevano al territorio triestino fino a tre miglia dalle mura della città e, piuttosto che sottomettere feudalmente i cittadini alla signoria episcopale, li salvaguardarono da ogni potere estraneo. Certo è che, mentre le vicine città istriane sullo scorcio del secolo x cominciarono a subire la politica veneziana di predominio, e successivamente di assorbimento, che tanto influì sul loro sviluppo etnico e culturale, Trieste invece « dal nucleo della sua romanicità » andò evolvendosi con « un'azione in gran parte spontanea e autonoma, per virtù di forze proprie » [1].

Il potere temporale del vescovo non era una nuova forma di oppressione imposta alla città, ma normalizzava una situazione di fatto consolidata [2] e inoltre, almeno indirettamente, significò quasi un riconoscimento di quella valida esperienza autonomistica affermatasi durante la latitanza dei poteri centrali, quando insieme con il vescovo (scelto dal capitolo dei canonici e approvato dal popolo) i triestini avevano dovuto provvedere alla loro difesa nelle ricorrenti ultime invasioni barbariche o in altre calamitose circostanze. In questo senso, il governo episcopale si può considerare una promettente anticipazione, se non « una prima fase della vita comunale » [3].

Accanto alla curia vescovile, i cui principali funzionari erano gli scabini o giudici, poté in diversi modi esprimersi la volontà della libera cittadinanza triestina, anche nel secolo XI allorché al vescovo eletto dai canonici subentrarono pastori per lo più tedeschi nominati dall'imperatore [4]. A poco a poco un nuovo ceto sociale andò costituendosi, non ancora ben caratterizzato, ma influente per vivacità d'interessi, per consistenza numerica e per disponibilità pecuniarie. Il vescovo doveva servirsi non solo dei *ministeriales*, ma di altri funzionari locali per il suo governo; costoro, mentre acquistavano prestigio nella società cittadina, limitavano piuttosto i poteri vescovili mediante continue pressioni, contrapponendo spesso il loro

[1] E. SESTAN, *Venezia Giulia: lineamenti di una storia etnica e culturale*, Edd. italiane, Roma 1947 (ristampa con aggiunte, Centro librario, Bari 1965, pp. 58-59). Cfr. P. KANDLER, *Storia del Consiglio dei patrizi di Trieste dall'anno MCCCLXXXII all'anno MDCCCIX*, Lloyd, Trieste 1868 (ristampa fotomeccanica, Forni, Bologna 1971), p. 12.

[2] Ancora nel 911 il re Berengario I aveva donato al vescovo Taurino e alla cattedrale di Trieste (« sanctissima Tergestina ecclesia, quae est constructa in honorem preclarissimi Iusti martiris ») i castelli di Vermo, presso Pisino, con la giurisdizione sul territorio circostante; Ugo di Provenza nel 929 aveva aggiunto la pieve di Sipar-Umago e inoltre l'isola Paciana (di Monfalcone). Cfr. L. SCHIAPARELLI, *I diplomi di Ugo*, cit., pp. 65-68; ID., *I diplomi di Berengario I*, Roma 1903 (Fonti per la storia d'Italia, 23), pp. 387-389; si veda anche C. DE FRANCESCHI, *Storia documentata della contea di Pisino,* in « Atti e memorie della Società istriana di archeologia e storia patria », n. ser., X-XII, 1964, pp. 9-13.

[3] A. TAMARO, *Storia di Trieste*, Stock, Roma 1924, vol. I, p. 64.

[4] *Ivi*, p. 121; F. CUSIN, *Venti secoli di bora sul Carso e sul golfo*, Gabbiano, Trieste 1952, p. 132.

relativo benessere economico alle crescenti difficoltà finanziarie del vescovo-sovrano e quindi mostrandosi disposti a sovvenzionarlo, tuttavia a determinate condizioni. Senza dubbio alla base del progressivo, per quanto graduale, mutamento dell'assetto socio-politico vi furono necessità e motivi economici. Non va trascurato pure quel manifesto e preoccupato malcontento dei Triestini, gelosi di ogni aspetto della propria autonomia, per i diritti preminenti che l'imperatore Enrico IV, inaspettatamente il 23 luglio 1082, conferì al patriarca Enrico di Aquileia sui vescovi di Trieste e di Parenzo [1]. L'iniziativa imperiale veniva giustificata incolpando di negligenza quei vescovi, ma probabilmente l'imperatore nell'aspra contesa di supremazia contro il papa Gregorio VII intendeva abbattere il partito guelfo triestino e, nel frattempo, condizionare l'atteggiamento politico del vescovo subordinandolo al patriarca ghibellino.

La società triestina (in particolare il ceto borghese), durante la lotta per le investiture, accentuò le sue aspirazioni autonomistiche e rinsaldò i propri interessi collegandoli a quelli della curia vescovile e costringendo il vescovo stesso a uniformarsi.

2. La « Comunitas Tergestinae civitatis »

Un documento del 20 giugno 1139 nomina per la prima volta la *comunitas Tergestinae civitatis*, ma nel contesto il termine *comunitas* non è usato per indicare una istituzione pubblica (e tanto meno il Comune politico che si costituirà più tardi) bensì le terre comuni, fino a Sistiana e alla strada pubblica oltre la cresta montuosa del Vena, dove i triestini potevano esercitare i diritti di pascolo e di far legna. Si tratta di una lite di confini tra il conte Dietalmo di Duino e appunto la comunità di Trieste, rappresentata dal gastaldo o procuratore Ripaldo e da tre giudici (Vincenzo, Aimone, Adalgero), accompagnati da dodici *boni homines*. L'entità comunale in formazione non ha dunque ancora proprie magistrature, ma viene rappresentata dal gastaldo di nomina vescovile [2]; nessun altro documento, tra i pochi conservati, serve a chiarire i rapporti fra la *comunitas* triestina e il vescovo durante il secolo XII. Non si può tuttavia dubitare che la prima forma di organizzazione comunale abbia mantenuto buoni rapporti con l'autorità vescovile, alla quale ricorreva per la tutela dei propri interessi.

[1] P. PASCHINI, *Storia del Friuli*, Ed. « Aquileia », Udine 1953, vol. I, p. 184; G. C. MENIS, *Storia del Friuli dalle origini alla caduta dello stato patriarcale*, Società filologica friulana, Udine 1969, pp. 194-204.

[2] Cfr. R. PICHLER, *Il castello di Duino*, Seiser, Trento 1882, pp. 135-138; A. TAMARO, *op. cit.*, p. 135; F. CUSIN, *op. cit.*, p. 157.

Diversa era la situazione nei paesi e nelle cittadine dell'Istria (Muggia, Capodistria, Pirano, Isola e Umago) che facevano parte della diocesi di Trieste e che mal sopportavano di pagare le decime, specialmente quelle straordinarie. Il vescovo Bernardo, verso la metà del secolo XII, dopo aver invano inflitto l'interdetto e poi perfino ricercato l'aiuto dell'imperatore Corrado III (reduce dalla seconda crociata) e da ultimo usata la forza, non trovò altro espediente che concedere o alienare le decime insolvibili al clero locale delle campagne istriane e ai canonici del capitolo. Conseguentemente diminuì l'influenza economica o autosufficienza finanziaria dell'amministrazione vescovile, tanto più che Venezia per salvaguardare il predominio nel territorio costiero istriano riuscì (forse in occasione della tregua negoziata fra il papa Alessandro III e l'imperatore Federico I nel 1177) a rendere autonoma dalla diocesi triestina Capodistria, che quindi ebbe o riebbe vescovo proprio [1].

Mentre andava ridimensionandosi l'autorità episcopale, acquistavano importanza i ceti benestanti dei liberi proprietari terrieri e della borghesia cittadina, che trasse profitto dall'incremento mercantile suscitato dalle crociate. È significativo che appunto costoro, che ormai di fatto costituivano la nuova organizzazione comunale (sia pure non ben definita), abbiano dovuto il 26 ottobre 1202 sottoscrivere come garanti e giurare il patto di fedeltà, che non implicava il riconoscimento della sovranità veneziana, al doge Enrico Dandolo in persona. La *fidelitas* era una specie di federazione obbligatoria, con cui Venezia intendeva affermare o imporre il suo predominio sul mare Adriatico e, in pari tempo, assicurarsi la libertà di commercio attraverso le principali vie di comunicazione transalpine. Non ha fondamento alcuno la leggenda che Trieste fin d'allora sia stata rivale della Serenissima; l'economia triestina si manteneva quasi soltanto basata sull'agricoltura e sulla pastorizia, mentre l'attività del porto era assai limitata da un retroterra minacciato da scorrerie di predoni, nonché escluso dal traffico mercantile che dalla Germania scendeva a Venezia per le vie dell'Adige e del Friuli. Il commercio triestino si limitava ai prodotti locali (sale, olio e vino).

Va rilevato che il patto di fedeltà del 1202 dovettero giurarlo trecentoquarantasei possidenti triestini (*de melioribus viris civitatis*), accanto al gastaldo Vitale (che, già funzionario del vescovo, faceva parte pure lui ormai della cittadinanza) e ai tre giudici (Pietro, Voldorico e Leo) [2]. Quin-

[1] Capodistria, cointeressata con Venezia nel monopolio del sale, non aveva aderito alla ribellione antiveneziana promossa da Pola (importante mercato di schiavi) fra il 1145 e il 1149, che diede motivo alla Serenissima per imporre alle città istriane un tributo non più soltanto simbolico. Cfr. E. SESTAN, *op. cit.*, p. 49.

[2] « Qui de voluntate et consensu omnium hominum dicte civitatis nos et terram nostram

di il rispetto dei patti non era più chiesto alla « città vescovile » in quanto tale, bensì particolarmente ai nuovi ceti che andavano costituendo l'entità comunale. Stupisce che fra quelli che esercitavano un mestiere (conciapelli, calzolai, tessitori) non vi sia traccia di attività, più o meno artigianali, attinenti alla navigazione; gli uomini di mare dovevano essere ancora ben pochi e la mercatura, per via marittima, era monopolizzata da Venezia. Per via di terra commercianti, dapprima occasionali, carniolini e friulani frequentavano il mercato triestino, in seguito anche toscani ed ebrei furono attratti dalle fiere annuali; cosicché Trieste apparve ben presto « un mondo aperto agli influssi di fuori » [1].

3. Prime istituzioni comunali

Nel corso del '200 la comunità triestina poté, sia pure lentamente e non senza fasi alterne, consolidare l'autonomia municipale e sviluppare un nuovo organismo politico gradualmente a spese dei diritti e del potere territoriale del vescovo. Si accentuò tuttavia il pericolo di soccombere di fronte alle forze esterne che si contendevano il possesso dello hinterland istriano e che, appunto nel secolo XII, raggiunsero il massimo della loro potenza: il patriarcato di Aquileia e i conti di Gorizia [2].

Al gastaldo di nomina vescovile, ancora sullo scorcio del XII secolo, era subentrato il regime dei giudici o consoli, che forse dall'anno 1216 si alternarono con una magistratura di recente istituzione, quella del podestà [3]. Il potere temporale del vescovo doveva essere misconosciuto se nel 1230

ac omnia nostra sue potentie facere subditos et omnia precepta domini ducis remota omni occasione iurarent. Et sic illi per se et pro nobis omnibus iuraverunt servare et servari facere [...]. Insuper etiam nos omnes homines Tergestine civitatis universaliter promittimus omnia suprascripta inviolabiliter conservare et quod omni anno perpetualiter nos et successores nostri vobis et vestris successoribus solvere debeamus vel solvi facere urnas optimi vini puri de nostro territorio quinqueginta nostris expensis ad ripam ducalis palatii in festo sancti Martini ». Il documento è integralmente pubblicato nel *Codice diplomatico istriano*, a cura di P. Kandler, Lloyd, Trieste s.d., e in S. Romanin, *Storia documentata di Venezia*, Naratovich, Venezia 1853-1861, vol. II (3ª ed., Filippi, Venezia 1973, pp. 303-306); cfr. anche A. Tamaro, *op. cit.*, vol. I, pp. 127-130; F. Cusin, *op. cit.*, pp. 163-169.

[1] E. Sestan, *op. cit.*, p. 60.

[2] J. Riedmann, *Die Beziehungen der Grafen und Landesfürsten von Tirol zu Italien bis zum Jahre 1335*, Österreichische Akademie der Wissenschaften (Sitzungsberichte, Philosophisch-historische Klasse, 307. Band), Wien 1977, pp. 60-120.

[3] Si ritiene, ma non è documentato, che i consoli abbiano sostituito i giudici subito dopo la pace di Costanza, nel 1186; per il 1216 invece è registrato ufficialmente *potestas Tergestinus* un tale Mauro. Cfr. P. Kandler, *Storia* cit., p. 30; A. Tamaro, *op. cit.*, vol. I, pp. 135-137; Id., *Documenti inediti di storia triestina* (1298-1544), in « Archeografo triestino », ser. III, XV, 1929-30, pp. 8-10.

l'imperatore Federico II cercò invano di restaurarlo confermando i diritti immunitari e politici al vescovo ghibellino Corrado [1], che insieme con il patriarca Bertoldo d'Aquileia lo aveva seguito ad Anagni. Nel 1233 il nuovo vescovo Giovanni (eletto dalla S. Sede, d'accordo con la cittadinanza triestina, in opposizione a Volrico de Portis proposto dal ghibellino patriarca di Aquileia) si trovò nella necessità di concludere un patto o compromesso con il Comune, cedendogli parte dei privilegi e poteri giurisdizionali, in cambio di cinquecento marche d'argento da restituire all'usuraio Daniele David, ebreo della Carinzia. Vent'anni dopo, il 6 maggio 1253, per superare il rifiuto del neoeletto vescovo Volrico di riconoscere i patti del predecessore con l'amministrazione comunale di Trieste, si pervenne a un secondo compromesso: dietro pagamento di ottocento marche d'argento lo stesso Volrico cedette i più importanti tributi che traeva sui prodotti dell'artigianato, cedeva pure la giurisdizione sui contadini e quindi anche il diritto di chiamarli alle armi e ai pubblici lavori di corvée, rinunciava infine a ogni ingerenza nell'elezione dei consoli. Rimasero di pertinenza vescovile soltanto le decime dei villaggi, la muda della porta di Riborgo e, almeno formalmente, il « diritto di sangue » per i reati più gravi, nonché il diritto di zecca. In realtà da tempo il Comune saltuariamente coniava una moneta d'argento con l'emblema della città (tre torri stilizzate e sovrapposta la scritta *civitas Tergestum*) da una parte e l'immagine di S. Giusto dall'altra, in sostituzione dell'effigie del vescovo.

La convenzione del 1253 durò pochi anni. Alla morte del vescovo Volrico nel 1257 il successore Arlongo (con l'aiuto e sull'esempio dell'energico patriarca Gregorio di Montelongo, che aveva ripreso il dominio sul conte di Duino e su altri feudatari come marchese dell'Istria) [2] volle per primo fregiarsi del titolo di « conte di Trieste » e riuscì a costringere il Comune a mutare, se non la sostanza, almeno la forma del patto: spettava al vescovo investire feudalmente i suoi rappresentanti, allora i consoli Natale Albori e Andrea Ranfo, dei diritti che precedentemente l'organizzazione comunale aveva esercitato in maniera autonoma e che credeva già acquisiti, anzi acquistati.

Il mutamento si rivelò ben presto quasi soltanto formale, finché nel 1295, in seguito all'accordo con il vescovo che per altre duecento marche d'argento cedette il restante potere temporale, il Comune divenne del tutto autonomo e cessò qualsiasi controllo vescovile sull'attività politica triestina.

Nel frattempo il Comune, che associava prevalentemente la borghesia

[1] Cfr. L. Schiaparelli, *I diplomi di Ugo e di Lotario* cit., pp. 276, 279 e bibliografia ivi citata.

[2] R. Pichler, *op. cit.*, pp. 142-146; G. C. Menis, *op. cit.*, p. 229.

cittadina, aveva sviluppato la sua organizzazione, basata su un complesso di organi consiliari e di magistrature. Organo legislativo, fondamentale detentore di ogni potere, era il Consiglio che può dirsi maggiore, sull'esempio di quello veneziano, perché appare talvolta affiancato da un Consiglio minore o di Credenza, le cui origini sono ignote. Spettava dunque al Consiglio eleggere, o dal suo seno o tra gli altri cittadini, tutti i magistrati.

Il Consiglio era costituito da centottanta membri, scelti dai rettori (ossia dai consoli che, a seconda delle deliberazioni del Consiglio stesso, di anno in anno si alternavano con il podestà). Cittadini di pieno diritto erano quanti possedevano beni immobili e non i semplici residenti o « abitatori » [1], ma costoro potevano senza difficoltà ottenere la cittadinanza mediante l'acquisto di una casa o di un appezzamento terriero, con l'obbligo quindi di pagare l'imposta fondiaria. È da notare che già nel corso del secolo XIII si venne delineando un ceto più ristretto di notabili, formato da grossi proprietari di campagna (compresi quanti beneficiavano di feudi vescovili) e di saline, come pure da mercanti arricchiti. Ma il Consiglio non fu mai fautore di una costituzione rigidamente aristocratica.

Il podestà o i consoli, previa autorizzazione del Consiglio, convocavano i cittadini nell'arengo, in piazza o in una chiesa; così l'8 agosto 1233, allorché Venezia volle rinnovare i patti di fedeltà del 1202 e del 1225 includendo nuove clausole, fu il popolo radunato nella chiesa di S. Silvestro che giurò l'osservanza al patto.

Oltre ai cittadini, anche i semplici abitanti potevano far parte delle corporazioni di mestiere, che avevano ancora spiccato carattere di confraternite religiose, dopo aver giurato l'osservanza di un capitolare o « sacramento » secondo le norme stabilite dal Comune. Quanto ai forestieri, potevano anch'essi diventare « abitatori » ed essere annoverati fra gli stessi cittadini, iscrivendosi in uno dei quartieri della città e perciò impegnandosi a soddisfare gli obblighi sanciti dall'ordinamento comunale, specialmente in materia fiscale. A questo proposito si riscontra che le imposte dirette, la cui esazione era per lo più affidata ad appaltatori, costituivano il maggior cespite per le finanze del Comune triestino, che inoltre dava in affitto terre coltivabili, saline e botteghe di sua proprietà, mentre gestiva direttamente il forno municipale e la « beccheria » con l'esclusività spesso della vendita della carne.

[1] Situazione analoga a quella che si riscontrava a Trento e, in parte, anche a Bressanone dove tuttavia si distinguevano più marcatamente i *Bürger* dagli *Inwohner*.

4. Alterne vicende in difesa dell'indipendenza

Nella seconda metà del '200, dopo che la vita politica triestina non ebbe più per protagonista il vescovo-conte, le insidie esterne si aggravarono. Anzitutto nel 1262 per ragioni che non conosciamo fu istituita, e fu quella la prima e unica volta al posto del podestà o dei rettori, la carica di « capitano del popolo » conferita al conte goriziano Mainardo IV [1].

Si susseguirono iniziative e atteggiamenti diversi, talvolta quasi discordanti, del Comune di Trieste per difendere la sua sovranità e salvaguardare l'indipendenza recentemente conseguita, ma insidiata all'esterno e compressa dall'egemonia marittima e dalle tendenze espansionistiche di Venezia. Nel 1267, p. es., la richiesta alle città istriane e anche a Trieste di contribuire al dominio veneziano dell'Adriatico assumendosi l'armamento di una galea, fu accompagnata dalle minacce di bando e insieme di sequestro dei beni per quei cittadini che non avessero obbedito. Nei sedici anni successivi, fino al 1283, Venezia completò la sottomissione dell'Istria nord-occidentale (Parenzo, Cittanova, Umago, S. Lorenzo, Montona, Isola, Capodistria e Pirano).

Motivi di carattere politico e ancor più d'interesse economico, in particolare per attirare i commerci del patriarcato d'Aquileia, sospingevano Trieste in quegli anni a volgersi verso il Friuli, anche per sollecitazione di finanziatori toscani che dall'indebitato vescovo Brissa de Top (friulano come il predecessore de Portis) ebbero in pegno la principale dogana, o muda, cittadina [2]. Nel 1283 il Comune triestino rinnegò esplicitamente il patto di fedeltà giurato e tante volte confermato a Venezia, per passare senz'altro dalla parte del patriarca. Il conflitto armato fu inevitabile a Trieste, dopo momentanei successi, dovette soccombere e accettare la resa. La pace del 1285 non significò la fine dell'indipendenza triestina, ma fu assai onerosa perché impose lo smantellamento delle fortificazioni e il confino « in Italia » di ventiquattro cittadini ritenuti responsabili della defezione antiveneziana. Ciò non impedì tuttavia che due anni dopo Trieste si azzardasse a riprendere la lotta, fomentata dal conte di Gorizia. Fu allora che l'esercito veneziano, guidato da Marino Morosini detto Bezeda, con l'appoggio della fazione triestina fedele alla Serenissima, costruì una specie di cittadella nella città, collegata direttamente al mare, la cosiddetta « terra

[1] A. Tamaro, *Storia* cit., vol. I, p. 155; cfr. J. Riedmann, *op. cit.*, pp. 114-117.

[2] È il caso dell'esule fiorentino Cino Diotisalvi; altrettanto influente nel patriarcato di Aquileia fu Lapo Capponi, che anzi come plenipotenziario intervenne alla pace di Venezia del 1285. Cfr. A. Tamaro, *Storia* cit., vol. I, p. 178; F. Cusin, *op. cit.*, p. 189; J. Riedmann, *op. cit.*, pp. 120, 125.

di Romagna »[1]. Dapprima la vittoria toccò agli alleati di Trieste, cioè al patriarca Raimondo della Torre e al conte di Gorizia, coadiuvato dal duca Mainardo di Carinzia, che tendevano a sottrarre le città costiere istriane al dominio veneziano, ma senza essersi preventivamente accordati sulla spartizione (tranne forse l'impegno di restituire Capodistria al patriarca d'Aquileia)[2].

Venezia in breve poté riavere il sopravvento, perché dove non era riuscita con le armi prevalse con il blocco economico. Chiuso ogni accesso dalla parte del mare, impedita qualsiasi provvisione annonaria per via terrestre dal podestà veneziano di Capodistria, Trieste dopo fiera resistenza nel novembre del 1291 dovette arrendersi e fu trattata come ribelle. Fu imposta perfino la consegna di tutte le imbarcazioni. L'unica clausola che Venezia rispettò concerneva l'autonomia della città giuliana, forse per merito dei triestini filoveneziani che avevano defezionato e che avevano ceduto il castello di Moccò agli assedianti. Venne tuttavia ribadito il patto di fedeltà.

Gli interessi economici triestini ripresero ben presto a gravitare ancora verso il patriarcato d'Aquileia e anzi andò aggiungendosi la crescente partecipazione alle vicende interne friulane, cosicché furono poste le premesse perché poi nel secolo XIV Trieste potesse considerarsi membro effettivo della Patria del Friuli.

[1] Ancor oggi « veduta romana » si chiama la strada sul declivio di Scorcola.

[2] Cfr. G. C. MENIS, *op. cit.*, p. 231; J. RIEDMANN, *op. cit.*, pp. 119-125, 154-156.

Capitolo II. **L'età aurea del Comune**

1. Congiura dei Ranfi e definitivo riassetto comunale

Nel corso del '300 la società triestina poté godere, eccezionalmente, mezzo secolo di pace e raggiunse il suo massimo sviluppo (si dovrà poi giungere agli albori del '700 per una ben più vasta e dinamica fase di espansione, ma per impulso di forze esterne e nell'interesse generale dell'impero asburgico). Il comune di Trieste partecipò allora al contemporaneo fiorire della civiltà, nei diversi aspetti culturali e anche socio-economici, in Italia; con la predominante cultura e arte, la stessa lingua italiana si diffuse e perfino l'organizzazione politica assunse caratteristiche in parte nuove, per influsso talvolta diretto dei numerosi mercanti e artisti toscani e di altri immigrati dall'Italia centro-settentrionale [1].

Ancora legata a Venezia in virtù del patto di fedeltà e tuttavia sempre più incline a convergere nell'àmbito del patriarcato di Aquileia, per motivi non solo d'interesse economico, Trieste dovette destreggiarsi per difendere e consolidare le proprie libertà comunali. Si aggiungevano le risorgenti velleità di qualche vescovo triestino, che intendeva rivendicare il potere territoriale. Così nel 1305 il Comune fu indotto a offrire la restituzione del castello di Moccò all'autoritario vescovo Rodolfo de' Pedrazzani, pur di ottenere il riconoscimento e la convalida delle alienazioni fatte dai predecessori. Il Pedrazzani accettò, ma non desistette dai tentativi di rivalsa, ché anzi nel 1306 fece coniare una moneta d'argento in cui le sue insegne, anzi le armi nobiliari, erano sovrapposte all'alabarda triestina, con la sola indicazione inoltre del suo nome.

Il susseguirsi di podestà guelfi o ghibellini, padovani o veneziani oppure

[1] C. De Franceschi, *Esuli fiorentini della compagnia di Dante, mercanti e prestatori a Trieste e in Istria*, in « Archivio veneto », ser. V, XXIII, 1938, pp. 83-178; cfr. F. Cusin, *op. cit.*, pp. 187-192.

friulani, testimonia le mutevoli vicende della politica comunale di Trieste, preoccupata in pari tempo di affermare la propria indipendenza e di estendere gli scambi commerciali, cercando di sottrarsi all'incombente monopolio mercantile veneziano. Gli interessi triestini continuarono ad essere in particolar modo rivolti verso il Friuli e, appunto per rinsaldare questi rapporti, il Comune si schierò dalla parte del patriarca di Aquileia nel 1307 contro il conte di Gorizia. Ma pochi anni dopo, nel 1310 in occasione della discesa in Italia dell'imperatore Enrico VII, per motivi contingenti e tuttavia tali da prevalere sull'interesse commerciale (cioè il pericolo che il vescovo Pedrazzani, accordatosi con il patriarca, potesse riproporre e farsi riconoscere e rivendicare le già decadute pretese temporali), non si esitò a rovesciare la precedente alleanza e addirittura fu eletto podestà onorario di Trieste per tre anni il conte Enrico II di Gorizia [1]. Il nuovo indirizzo, o capovolgimento delle alleanze, venne propugnato dalla fazione ghibellina, che poteva considerarsi un partito a maggioranza nobiliare contrapposto a quello guelfo di tendenze filopopolari; ma nelle vicende politiche triestine la distinzione dei ceti sociali appare tutt'altro che netta ed è piuttosto condizionata dal diverso atteggiamento di fronte alle minacce esterne o in difesa d'interessi mercantili.

Gli esuli guelfi, che in quelle circostanze sopraffatti dai ghibellini si rifugiarono presso gli amici friulani, tentarono invano la rivincita. D'altra parte l'alleanza con il conte di Gorizia non significò affatto per Trieste uno svincolo dal predominio commerciale veneziano, che non solo mantenne il controllo sul territorio istriano, bensì nel 1311 ottenne dallo stesso conte goriziano il riconoscimento del *vinculum fidelitatis*.

Verso il 1313 un fatto di straordinaria gravità turbò la vita interna di Trieste: la cosiddetta congiura dei Ranfi. Mancano documenti storici attendibili e anzi l'avvenimento è del tutto ignorato dai vecchi cultori di storia locale, come la Scussa o l'Ireneo. Varie congetture, più o meno verisimili ma non dimostrabili e talvolta contraddittorie, furono avanzate: nel secolo scorso il Rossetti e il Kandler interpretarono la congiura come un tentativo di ridare la signoria della città al vescovo per iniziativa di Marco Ranfo che nel 1304 e nel 1307 era stato a capo dei vassalli vescovili (ossia di quanti avevano in feudo proprietà fondiarie del vescovo), sennonché negli anni immediatamente successivi quello stesso ricco e autorevole cittadino risulta in aperto antagonismo con i canonici e con la curia episcopale. Altri storici ritennero di poter riscontrare in Venezia l'ispiratrice dei drastici provvedimenti della repressione, anche perché nell'ottobre del 1313 fu eletto podestà di Trieste il veneziano Giovanni Zeno. Queste due interpretazio-

[1] A. TAMARO, *Storia* cit., vol. I, pp. 199-201; cfr. J. RIEDMANN, *op. cit.*, pp. 217-239.

ni vennero considerate senza fondamento storico dal Tamaro: la congiura di Marco Ranfo avrebbe avuto senz'altro lo scopo di « impadronirsi del Comune per formare una signoria o un principato per sé e per la sua famiglia » [1].

Forse si è trascurato di approfondire la connessione con l'analoga congiura veneziana di Marco Querini e Baiamonte Tiepolo che, dopo la serrata del Maggior Consiglio, si misero a capo di una minoranza nobiliare legata al popolo, escluso dal potere, per cercare di avere il sopravvento sulla maggioranza del patriziato [2]. Iniziata nel 1310, la ribellione Querini-Tiepolo fu repressa nel 1312 con la cacciata e la condanna all'esilio dei congiurati; quindi fu quasi contemporanea, o di poco precedente, a quella triestina. Certo è che Venezia, non appena si liberò dalle preoccupazioni politiche interne, obbligò il Comune triestino a rinnovare il giuramento di fedeltà « giusta l'antica consuetudine e giusta la forma dei patti », come di fatto avvenne il 28 maggio 1313.

L'unica traccia di quell'oscuro avvenimento si trova negli statuti triestini del 1318-1319 e del 1328, che si limitano a ribadire le pene straordinarie da infliggersi ai superstiti della famiglia Ranfo sfuggiti alla decapitazione, nonché contro quanti si fossero mantenuti loro fautori. Oltre a demolirne le case, si volle del tutto eliminare la famiglia e perfino cancellare il ricordo di chi si presumeva avesse tramato per costituirsi una signoria ereditaria.

2. Gli statuti

Verso il 1318, pochi anni dopo la cacciata di Marco Ranfo e dei suoi fautori, il comune di Trieste codificò il primo statuto cittadino, formulando con norme precise il nuovo diritto pubblico e privato, che recepiva alcune istanze ancora valide del diritto consuetudinario locale, ma rispondeva soprattutto alla necessità di adeguarsi alle recenti esperienze, alle caratteristiche e anche agli interessi di una società organizzata secondo l'analogo indirizzo e modello dei Comuni italiani [3]. Gli statuti triestini, nelle loro

[1] La *Congiura dei Ranfi* di P. Kandler è pubblicata in appendice alla *Storia cronografica di Trieste dalla sua origine sino all'anno 1695*, di V. Scussa, a cura di F. Cameroni, Coen, Trieste 1863 (ristampa anastatica a cura di G. Cervani, Svevo, Trieste 1968). Cfr. A. Tamaro, *Storia* cit., vol. I, pp. 202-207; F. Cusin, *op. cit.*, pp. 217-239.

[2] G. Maranini, *La Costituzione di Venezia*, Nuova Italia, Firenze 1927 (ristampa anastatica, 1974, vol. I, pp. 335-361).

[3] P. Kandler, *Statuti municipali del Comune di Trieste che portano in fronte l'anno 1150*, Lloyd, Trieste 1849; Id., *Storia e statuti dell'antico porto di Trieste*, in « L'Istria », V, 1850, pp. 10-106. È da notare che l'analogo statuto cittadino di Gorizia fu tradotto dal latino in tedesco, con il titolo di *Statspuech* (E. Sestan, *Venezia Giulia* cit., p. 64).

diverse revisioni o riforme [1], delineano inequivocabilmente i nuovi rapporti sociali nell'àmbito della cittadinanza e la conseguente ristrutturazione politica.

In particolare si riscontra che il Consiglio maggiore, che si era già affermato come basilare organo costituzionale, divenne appannaggio effettivamente di una ristretta aristocrazia e anzi, sull'esempio della « serrata » nobiliare veneziana del 1297, si stabilì (non sappiamo se per pubblico decreto, tra il 1315 e il 1350, o piuttosto per indiscussa e inveterata consuetudine) che soltanto coloro i cui parenti o antenati fossero stati precedentemente membri del Consiglio stesso vi potessero essere eletti. Non più di centottanta famiglie, corrispondenti al numero statutario del Consiglio, conseguirono questo diritto e quindi ebbero la possibilità di esercitarlo. Tutto il potere era di fatto a discrezione del Consiglio, anche se la sovranità sarebbe spettata costituzionalmente al « popolo » del Comune, ovvero all'assemblea dei possidenti (*boni cives*) che dapprima si erano collegati e avevano dato origine all'entità comunale. Il Consiglio maggiore eleggeva i magistrati, prendeva ogni iniziativa in politica interna ed estera, decideva la guerra o la pace. Come primo magistrato veniva eletto un podestà, di norma straniero, esperto nella procedura del diritto sia civile sia penale e anche in affari di guerra; durava in carica sei mesi e riceveva un compenso di milleseicento lire d'argento, che dovevano servire pure per le spese del suo séguito. È da notare che nello statuto in vigore dal 1319 si considerava l'eventualità, ormai non straordinaria, che il podestà fosse « de Carsis » e cioè il conte di Gorizia, che delegava un suo vicario.

Il governo, o *dominium*, era costituito dal podestà e dai tre cosiddetti giudici rettori, cui spettava il controllo della pubblica amministrazione: essi presentavano inoltre le proposte al Consiglio, che quindi le discuteva e deliberava votandole. Dal Consiglio maggiore, sempre mediante ballottaggio, veniva eletto un Consiglio minore, detto dei Quaranta, fra i candidati di età non inferiore ai trent'anni. Funzionari assai importanti del Comune erano i sei cancellieri, che avevano il compito principale di registrare gli atti giudiziari e anche le deliberazioni dei due consigli; la cassa erariale si affidava al camerario, mentre il procuratore generale presiedeva all'esattoria per la riscossione delle imposte e dei dazi o di altri proventi comunali. L'autenticazione degli atti pubblici e giudiziari spettava al cancelliere cosiddetto della Loggia.

Ogni attività dei cittadini era controllata, specialmente riguardo al lavoro: si fissavano il salario minimo, il costo della mano d'opera, le tariffe e

[1] M. De Szombathely, *Evoluzione e lineamenti della costituzione comunale di Trieste*, Cappelli, Trieste 1930.

l'orario di lavoro. Fonti primarie dell'economia triestina si mantenevano ancora l'agricoltura e le saline. Queste ultime, che davano un contributo abbastanza rilevante all'erario, erano favorite dal Comune e perfino si concedevano sovvenzioni a chi s'impegnava ad attrezzare nuovi stabilimenti. Tuttavia il maggior cespite di guadagno era sempre la produzione di vini pregiati, il cui smercio veniva severamente controllato da dodici « mexeti » comunali, che accompagnati eventualmente da interpreti assistevano i mercanti forestieri o anche transalpini nell'acquisto e garantivano la genuinità dei prodotti vinicoli, punendo chiunque avesse tentato di contraffarli.

Mentre l'artigianato sodisfaceva poco più del fabbisogno locale (limitandosi ad esportare nell'immediato retroterra quasi soltanto chiodi, zappe e altri semplici attrezzi agricoli in ferro), il commercio andò estendendosi ai paesi dell'interno, dal Friuli alla Stiria e alla Carinzia e al territorio sloveno. Per attrarre i mercanti d'oltralpe nel 1337 venne costruito, a ridosso del palazzo comunale, il fondaco per slavi e tedeschi, dove appunto potessero riunirsi e alloggiare *mercatores sclavi sive theutonici*. Ma sarebbe errato dedurne che Trieste fosse diventato un porto di transito; il traffico marittimo continuò ad essere molto limitato e sottoposto al monopolio veneziano. Da Venezia s'importavano piccole quantità di spezie e di altre merci pregiate; dalla Romagna granaglie e canapa, talvolta dalla Puglia olio e agrumi, escluso sempre il vino (la cui importazione era proibita per non danneggiare i produttori triestini).

Va infine rilevato che tutti i cittadini dovevano, secondo gli statuti, impegnarsi personalmente o contribuire in modo adeguato alla difesa della città. La cerchia delle mura rimase, da allora fino alla metà '700, quasi del tutto inalterata e la popolazione forse non superò mai gli ottomila abitanti, circa diecimila comprendendo quelli del territorio circostante. La città era suddivisa nelle contrade di: Caboro o S. Lorenzo (scarsamente abitata nella zona collinare più alta, che il Comune si preoccupò di popolare verso il 1350 offrendo gratuito il terreno per costruirvi case); Rena, così denominata dalle rovine dell'antica arena o teatro romano; Riborgo, cioè Borgo del Rivo, nella parte più bassa e acquitrinosa che fino al secolo precedente era stata esclusa dalle mura cittadine; Cavana, nell'angolo meridionale della città. Al centro, fra la piazza grande (*platea magna Comunis*) e il declivio del colle di S. Giusto, vi era il mercato con l'omonima contrada [1].

[1] Il Comune, mentre si preoccupava di tenere subordinato il clero e scoraggiava i lasciti pii, si mostrò sollecito e generoso nel far ristrutturare anche da artisti toscani il tempio in onore del santo patrono, che riuscì degno della funzione pubblica, collegando armoniosamente gli edifici prima distinti di S. Maria e di S. Giusto. Cfr. M. DE SZOMBATHELY, *Appunti sulla cattedrale di S. Giusto*, in « Archeografo triestino », ser. III, XV, 1929-30, pp. 393-405; F. CUSIN, *op. cit.*, pp. 214-219.

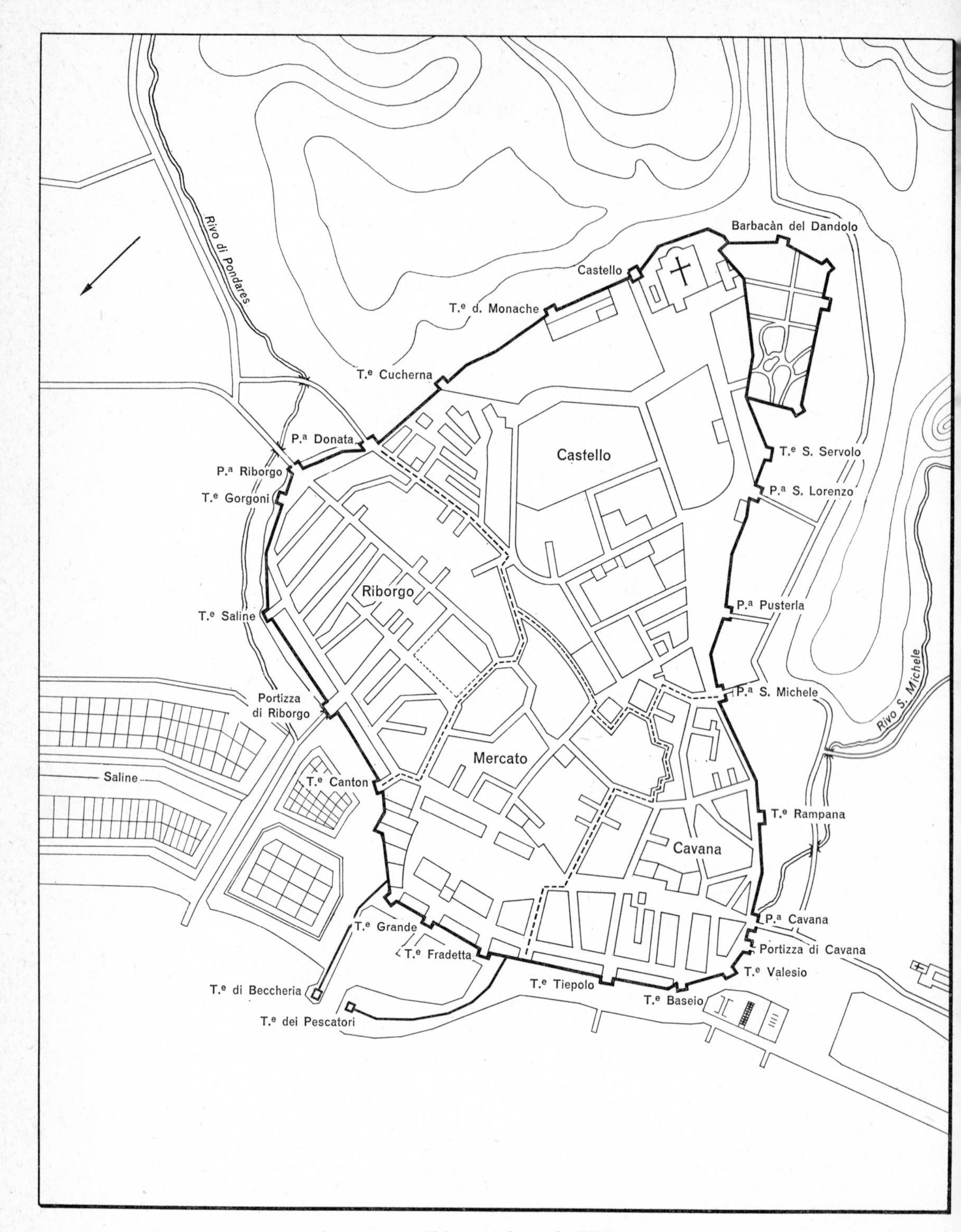

Trieste nel secolo XIV.

3. Difficile politica di equilibrio e di compromesso

Nonostante il mezzo secolo di pace, lo sviluppo economico di Trieste non fu rilevante. In realtà, il Comune dovette preoccuparsi non tanto per ampliare, quanto invece perché non si restringesse o peggio venisse soffocato l'àmbito del commercio triestino nel retroterra. Sul mare Trieste aveva sempre riconosciuto il predominio di Venezia [1], subendone le restrizioni mercantili; era molto difficile inoltre vincere la concorrenza delle città costiere istriane che, con l'appoggio veneziano, potevano ridurre assai i loro dazi e quindi offrivano condizioni più favorevoli per i commercianti. Nel 1334 invano il comune di Trieste cercò di accordarsi con Capodistria per regolare il commercio sulle strade del Carso, già ostacolate da popolazioni abituate a vivere di violenza e di ricatti; al contrario si susseguirono azioni reciproche di rappresaglia. Altrettanto antagonista di Trieste si mantenne Muggia, che nominalmente dipendeva dal patriarcato di Aquileia, ma era anch'essa ormai quasi soggetta a Venezia.

Le turbolenze nell'Istria s'inasprirono dopo la morte del conte Enrico II di Gorizia nel 1323. Duino, che allora possedeva pure il territorio fiumano, approfittò della rapida decadenza della casa comitale goriziana per imporsi sui signorotti tedeschi che tenevano castelli sul Carso. Ben presto gli interessi pure di Trieste furono minacciati e anzi nel 1328, quando il conte Ugo di Duino volle estendere il conflitto, dovette intervenire il duca di Carinzia per eliminare gli ostacoli frapposti al commercio. Dieci anni dopo intervenne direttamente Venezia per metter fine a una più grave ripresa delle ostilità, che si conclusero con la pace di Monfalcone del 1338, tra il Comune triestino e l'invadente conte di Duino [2]. La Serenissima era sempre più interessata a ristabilire la sicurezza delle vie di comunicazione, poiché nel biennio 1331-32 aveva consolidato il dominio nell'Istria sud-occidentale da Pola a Rovigno e Valle.

Dal 1335 l'egemonia veneziana fu così incontrastata che vecchi storici triestini (Rapicio e Ireneo) ritennero che la stessa Trieste ne avesse allora subìto la dominazione diretta. Dalle fonti documentarie e narrative, per quanto scarse, si può riscontrare piuttosto che il Comune triestino continuò a svolgere una prudente politica di equilibrio e di effettiva autonomia, riuscendo a respingere o almeno eludere non solo le mire espansionistiche

[1] Sul susseguirsi di podestà veneziani a Trieste fino al 1336, fra cui il famoso cronista e poi doge Andrea Dandolo, cfr. A. TAMARO, *Storia* cit., vol. I, pp. 210-212; ID., *Documenti* cit., pp. 9-11.

[2] R. PICHLER, *op. cit.*, pp. 173-183; cfr. E. SESTAN, *op. cit.*, pp. 50-53; J. RIEDMANN, *Die Beziehungen* cit., pp. 416-419, 471.

di Venezia, ma in pari tempo le rivendicazioni del patriarca di Aquileia per i suoi misconosciuti diritti feudali di marchese dell'Istria.

È tuttavia da rilevare che dal 1347 al 1356 si susseguirono ininterrottamente podestà veneziani a Trieste. In particolare si segnalò Zanino Foscari, che nel 1349 d'accordo con i giudici triestini promosse una riforma (detta « correzione ») degli statuti del Comune, ormai di difficile interpretazione e del tutto inadeguati per diversi aspetti. Il lavoro, iniziato da una commissione di sette fra i più autorevoli cittadini, proseguì nel 1350 sotto il podestà Marco Dandolo, finché il nuovo testo ebbe l'approvazione del Consiglio maggiore[1], che allora rinnovò pure il giuramento di fedeltà a Venezia.

Nel frattempo erano andati acuendosi gli attriti con il vescovo, perché intendeva rivendicare beni fondiari e rendite alienate dai suoi precedessori al Comune. Nel 1349 il vescovo Antonio Negri, di fronte al rifiuto delle sue richieste, non esitò a scomunicare senz'altro la città e chiese aiuto al patriarca di Aquileia, Nicolò di Lussemburgo che era fratellastro dell'imperatore Carlo IV. Così nel 1352 poté farsi confermare le antiche investiture con l'aggiunta del titolo di conte di Trieste; ma il Comune piuttosto che cedere preferì allearsi con il conte Mainardo VII di Gorizia, che aveva riacceso le ostilità con il patriarca di Aquileia (al cui fianco si schierarono Muggia e altri vassalli istriani). L'immediata vittoria delle milizie triestine ad Ariis non conseguì i risultati sperati. La guerra si protrasse finché il patriarca nel 1354 ottenne il titolo di « vicario imperiale di Trieste », anzi esplicitamente il diploma definiva Trieste città friulana e quindi parte integrante del dominio del patriarcato.

Tuttavia ancora una volta il Comune seppe difendere la sua indipendenza: rifiutò di riconoscere quel diploma imperiale e attese a sostenere con le armi la propria libertà, pur senza poter confidare nell'aiuto di Venezia, che non volle impegnarsi nella contesa. Finalmente il 22 settembre 1355 a Varmo il patriarca fu indotto a pacificarsi con il comune di Trieste e a rinunciare di porre condizioni che ne pregiudicassero l'ormai consolidata sovranità.

4. Tramonto dell'indipendenza comunale

Un ben più formidabile pericolo incombeva, nel frattempo, e non tardò a minacciare la sopravvivenza stessa del Comune triestino: il duca asburgi-

[1] M. De Szombathely, *op. cit.*, tratta in particolare di questo statuto triestino del 1350.

co Rodolfo IV d'Austria, che nel 1353 si era fatto devolvere dal conte goriziano Alberto (oppresso dai debiti) l'eredità dell'Istria, volle dilatare dovunque, con spregiudicata astuzia o con la forza, i suoi dominii. Dopo aver ottenuto in feudo dal patriarca Nicolò i caposaldi strategici di Venzone e di Vipacco, oltre al vassallaggio dei signori di Duino, iniziò dal 1358 gli sconfinamenti territoriali e nel 1360 anche nei confronti di Trieste ricorse a varie forme d'intimidazione e insieme d'ostruzionismo, vietando ai suoi sudditi ogni commercio con la città giuliana e, d'altra parte, ai mercanti triestini l'accesso nei suoi stati.

Il Consiglio maggiore, riscontrata l'impossibilità di ottenere aiuto da Venezia (che, al contrario, nel 1362 accolse con grandi manifestazioni di amicizia proprio il duca d'Austria per averlo alleato nei confronti del re d'Ungheria), si collegò con il neoeletto patriarca Ludovico della Torre e per meglio coordinare le iniziative conferì a Franceschino della Torre la dignità podestarile. La guerra fu disastrosa per il patriarcato, che il 21 aprile 1362 dovette adattarsi a una resa quasi a discrezione e cedere tutti i territori extrafriulani sino a Fiume. Nel 1364 Rodolfo IV arbitrariamente, facendo come al solito falsificare diplomi imperiali, si attribuì il titolo di « duca della Carniola » [1].

Trieste allora poté riuscire indenne, anche perché si affrettò a eleggere nuovamente podestà veneziani; fra questi, Zanino Foscari nel 1365 promosse una seconda « correzione » degli statuti, che vennero riformati da una commissione di sei esperti cittadini presieduti dal giureconsulto veneziano Paolo Foscari, uomo tanto stimato che ripetutamente poi dai triestini fu eletto *potestas pro Comune* [2].

Nel luglio 1368 un malaugurato incidente fomentò risentimenti non ancora sopiti: una piccola nave triestina, fermata dalla fusta veneta di sorveglianza costiera per impedire contrabbandi, anziché ubbidire all'ordine di andare a costituirsi a Venezia, fuggì nel porto di Trieste; raggiunta dalla fusta, venne nottetempo liberata da facinorosi antiveneziani che ferirono otto marinai e uccisero lo stesso comandante della fusta. Tosto dal Comune fu deprecato quel delitto « enormis et gravissimus et valde contra honorem », si provvide a mandare a Venezia una delegazione per implorare pietà e si accolsero le condizioni imposte dalla Serenissima: consegna della nave incriminata e, inoltre, di dodici membri del Consiglio e di due giudici che sarebbero stati processati appunto a Venezia. Sennonché il 6 ottobre, quando Ludovico Falier si recò a Trieste per presentare il vessillo di S.

[1] F. Cusin, *op. cit.*, p. 238; cfr. C. De Franceschi, *Storia* cit., pp. 40-43.
[2] A. Tamaro, *Storia* cit., vol. I, p. 228.

Marco e procedere al giuramento, scoppiò un tumulto che impedì la conclusione pacifica della vertenza [1].

La guerra che seguì fu lunga e disperata per i triestini; da ultimo non trovarono altro rimedio che offrirsi in dedizione al duca Leopoldo III d'Austria e perfino, il 31 agosto 1369, accettarono la richiesta di riconoscere il diritto ereditario degli Asburgo su Trieste, come *veros naturales et hereditarios Dominos*. Ma invano l'esercito austriaco, rinforzato dai mercenari del conte di Duino, attaccò il 5 novembre i baluardi veneziani. Sconfitto il duca Leopoldo senz'altro dovette ritirarsi e così, dopo undici mesi di assedio, i triestini si arresero il 18 novembre 1369 a completa discrezione della Serenissima, che (mandati in esilio quaranta cittadini ritenuti promotori della rivolta) si astenne da vendette ulteriori [2].

Saraceno Dandolo, primo « podestà per il comune di Venezia » a Trieste, conservò il più possibile degli statuti cittadini [3] e quindi, pur trattando la città ormai come soggetta al dominio veneziano, favorì un tentativo di pacificazione.

[1] *Ivi*, pp. 229-235; cfr. G. Cesca, *Le relazioni tra Trieste e Venezia sino al 1381*, Drucker-Tedeschi, Verona-Padova 1881, pp. 52-60; F. Cusin, *op. cit.*, pp. 236-247.

[2] G. Cesca, *op. cit.*, pp. 60-70, 153-181; A. Tamaro, *Documenti* cit., pp. 12-14.

[3] Il 12 novembre 1370 dal senato fu ingiunto al podestà di « servare statuta civitatis », eccettuate le norme che risultassero « expresse contra honorem et bonum nostrum », a salvaguardia quindi degli interessi veneziani (G. Cesca, *op. cit.*, pp. 159-161).

Capitolo III. **Dal predominio veneziano alla dominazione asburgica**

1. Città contesa e usurpata

Il dominio veneto a Trieste fu travagliato e di breve durata, appena un decennio. Le scorrerie dei vassalli austriaci non cessarono nemmeno dopo il 15 novembre 1370, quando il duca Leopoldo (dietro compenso di settantacinquemila fiorini d'oro) rinunciò ai diritti acquisiti sulla città giuliana e cedette il castello, ancora in suo possesso, di Moccò [1].

Per ovviare a qualsiasi sorpresa, d'incursioni dall'esterno e anche di una nuova rivolta interna, la Serenissima fece fortificare nel 1371 il colle di S. Giusto e, per erigere un castello imponente in riva al mare (detto appunto « alla marina » ovvero « a' marina »), non si esitò ad abbattere il vecchio palazzo comunale e dieci case adiacenti. Questo castello, a forma di quadrilatero, fu munito di sei torri: oltre alle quattro d'angolo, due al centro dei lati più lunghi, prospicienti da una parte il mare e dall'altra la città, separata da un fossato. I lavori cominciati nel 1375 vennero conclusi entro il 1377 e parve che Trieste fosse diventata un caposaldo militare, in difesa del predominio veneziano nell'Adriatico e per salvaguardare le vie del commercio transcontinentale con i paesi d'oltralpe.

Certamente quei provvedimenti ledevano e offendevano l'autonomia della cittadinanza triestina, che dovette sentir pesare sempre più la perdita dell'indipendenza e delle libertà comunali. Tuttavia, forse anche per il deterrente ricordo delle recenti amare esperienze, i triestini non osarono ribellarsi quando pur ne ebbero favorevolissime occasioni durante la lunga e drammatica guerra di Chioggia (1378-1381). Mentre Venezia era oppressa dalla coalizione di Genova con il patriarca Marquardo e Francesco da

[1] I documenti sulla *Pace tra Austria e Venezia* furono pubblicati da C. Buttazzoni, in « Archeografo triestino », ser. II, I, 1869, e da G. Cesca, *Le relazioni* cit., pp. 161-181.

Carrara signore di Padova, nonché il re d'Ungheria e il duca d'Austria, Trieste allora non venne meno al vincolo di fedeltà (sebbene non mancassero fautori sia del patriarca aquileiese che del duca Leopoldo, ambedue concorrenti al possesso della città giuliana).

Nella primavera del 1380 il patriarca Marquardo, accordatosi con Genova, probabilmente per prevenire il duca d'Austria, si accinse alla conquista armata di Trieste. Cronisti contemporanei narrano che reparti friulani e genovesi poterono entrare in città per il tradimento di gruppi antiveneziani, che avrebbero aperto una porta agli assalitori. Ma è certo che la lotta continuò ancora e che alla fine Trieste fu duramente saccheggiata dai « liberatori ». Sembrerebbe quindi che la versione dei fatti sia stata manipolata per giustificare e consolidare la successiva annessione al Friuli, cercando così di promuovervi il favore dei ceti specialmente popolari, che anche nel dialetto mantenevano l'impronta friulana (laddove invece la venetizzazione si poteva notare nello stesso dialetto parlato dalle classi più elevate)[1].

Il 26 giugno 1380 i triestini passarono dal dominio veneto a quello del patriarcato di Aquileia. Signore di Trieste fu proclamato appunto il patriarca Marquardo, cui furono consegnati i palazzi del Comune e tutti gli altri luoghi pubblici, le chiavi della città e il vessillo di S. Giusto, come pure gli venne attribuita ogni giurisdizione. Trieste conseguentemente diventò membro effettivo del patriarcato aquileiese, col diritto di mandare rappresentanti al Parlamento del Friuli. Era in realtà un atto di dedizione ben più grave di quello sottoscritto dieci anni prima con Venezia; in esso non si nominava più il « Comune » triestino, ma solo la *civitas*; cento marche d'oro dovevano essere consegnate subito al patriarca. Due aspetti potevano tuttavia considerarsi positivi: Trieste, formalmente aggregata alla Patria del Friuli, aveva voce in quel parlamento; Trieste diventava lo sbocco commerciale più importante del Friuli, estendendo così gli interessi che già da tempo aveva nel basso Isonzo e nel Cividalese[2].

Il 3 agosto 1381 la pace di Torino, con la mediazione del duca Amedeo di Savoia, chiuse definitivamente questa pagina di storia con la rinuncia da parte di Venezia « a tutti i diritti, conosciuti e non, che si potessero immaginare su Trieste ». Due delegati triestini andarono a Venezia per

[1] E. SESTAN, *Venezia Giulia* cit., pp. 58-60.

[2] *Ivi*, p. 59; cfr. *Parlamento friulano*, a cura di P. S. LEICHT, vol. I, Zanichelli, Bologna 1925 (Accademia dei Lincei, Atti delle assemblee costituzionali italiane dal medio evo al 1831, ser. I, sez. VI), parte II, pp. 330-341. Secondo F. CUSIN (*op. cit.*, p. 274) invece: « Era un trionfo del vecchio partito clerical-vescovile di Trieste, che mai aveva rinunziato del tutto di fronte al Comune ed aveva continuato a covare per tutto il secolo il desiderio di riscossa ».

ratificare gli accordi [1]: estrema finzione, tesa a far apparire la conquista come un atto di dedizione spontanea al patriarca di Aquileia, quasi frutto della libera volontà cittadina.

2. L'autonomia triestina nell'àmbito austriaco

A un anno esatto dalla pace di Torino, in circostanze confuse e assai precarie, Trieste quasi deliberatamente passò sotto il dominio del duca Leopoldo III d'Austria. Per spiegare i motivi di questo improvviso e tuttavia risoluto distacco dal principato patriarcale del Friuli, va rilevato anzitutto che alla morte dell'energico patriarca Marquardo nel 1382 successe, quale commendatario, il francese Filippo d'Alençon che abbandonò il patriarcato nell'anarchia. La situazione di Trieste divenne allora sempre più difficile, anche finanziariamente dopo tante calamità e oppressioni subìte negli ultimi dodici anni. La notevole somma di denaro prestatale dal signore di Padova, nei primi mesi del 1382, suscitò i sospetti del conte Ugo di Duino, che al servizio del duca d'Austria reggeva il capitanato di Treviso contro Francesco da Carrara. Il 9 agosto 1382 un colpo di mano su Trieste fu fatto dall'ambizioso castellano di Duino, Michael von Vichtenstein detto Michez, probabilmente con la complicità di prezzolati triestini fautori del conte (le lettere del patriarca Filippo e la successiva protesta confermano l'ipotesi) [2]. Prima di soccombere e di trovarsi in balìa di un nuovo padrone, il Comune triestino ricercò un protettore né troppo potente né vicino, che non fosse concorrenziale e commercialmente monopolista come Venezia, bensì assicurasse alla mercatura e ai prodotti locali uno smercio in paesi di economia complementare, e inoltre rispettasse l'autonomia cittadina e antichi privilegi. Questo era il caso appunto del duca Leopoldo d'Austria, che (minacciato dalla lega del conte di Gorizia con il duca di Baviera e altri suoi nemici) volentieri accolse le richieste di protezione e le condizioni proposte dai delegati triestini, che furono subito confermate a Graz il 30 settembre 1382 [3].

[1] Il documento di ratifica, in data 7 ottobre 1381, è pubblicato da G. CESCA, *op. cit.*, pp. 233-241.

[2] G. BUTTAZZONI, *Filippo d'Alençon patriarca, rescrivendo al Comune di Gemona, annuncia la perdita di Trieste, passata per tradimento in mani altrui,* in « Archeografo Triestino », n. ser., II, 1871, pp. 237-242. Cfr. R. PICHLER, *Il castello* cit., pp. 204-208; A. TAMARO, *Storia* cit., vol. I, pp. 278-286.

[3] P. KANDLER, *Storia del Consiglio* cit., pp. 27, 36-40; R. PICHLER, *op. cit.*, pp. 208-214. È da notare che Leopoldo III, divenuto (in seguito alla divisione dei dominii austriaci con il fratello Alberto, il 25 settembre 1379) signore della Carinzia, della Carniola e del Tirolo, continuò la « Italienpolitik » del duca Rodolfo IV. Cfr. J. KÖGL, *La sovranità dei vescovi di Trento e di Bressanone*, Artigianelli, Trento 1964, pp. 115-121; S. FURLANI e A. WAN-

Tale accordo, che più tardi fu considerato come atto di dedizione (anzi di « spontanea dedizione di Trieste all'Austria », secondo gli storici filoasburgici), era in realtà un vantaggioso privilegio che elencava esplicitamente le concessioni fatte alla città, mentre sottaceva i vincoli e i limiti che pur comportava alla sua indipendenza. Sta di fatto che per oltre un ottantennio, fino al 1468, quei vincoli e limiti apparvero assai tenui e Trieste poté illudersi di aver quasi ripristinato, senza gravi contropartite, le libertà comunali [1]. Non aggregato ad alcuna provincia austriaca, il Comune triestino si resse con un proprio potere politico e con proprie leggi; gli Statuti cittadini furono integralmente applicati e anche la scelta delle magistrature era libera. I triestini dovevano pagare soltanto i tributi previsti dalla loro legislazione. L'unico mutamento era quello del capitano, eletto dal duca d'Austria, in luogo del podestà; ma doveva reggere la città rispettando del tutto le leggi locali e quindi non aveva alcun diritto di modificare gli Statuti. Ciò è confermato dalla formula del giuramento, con cui s'impegnava inequivocabilmente il capitano prima di poter esercitare le sue funzioni, formula che in sostanza ripeteva quella già giurata dai podestà liberamente scelti.

L'autonomia concessa non riuscì però a pacificare tosto gli animi, perché non pochi triestini si sentivano ancora, o preferivano essere, collegati al vicino principato patriarcale. Nel 1383 scoppiarono tumulti sanguinosi e, insieme con altri filopatriarchini, il vescovo stesso fu costretto ad andare in esilio, mentre alcuni ecclesiastici vennero torturati e perfino messi a morte nell'estate del 1384. Il ritorno nel 1385 del vescovo Enrico, che si era rifugiato a Cividale, fece sperare in una duratura pacificazione; invece non cessarono malumori e ostilità fra le contrapposte fazioni.

A conciliare le simpatie di molti triestini verso casa d'Asburgo giovò l'iniziativa del duca Alberto d'Austria, che il 30 ottobre 1388 restituì al Comune triestino i diritti (ceduti al duca Leopoldo con l'accordo del 1382) alla metà dei tributi e dei dazi, nonché dei proventi da condanne pecuniarie [2]. Poiché il capitano, stipendiato dal duca, non risiedeva neppure stabilmente in Trieste, la dipendenza della città si ridusse a poco più di una *fidelitas* formale.

Nel frattempo vennero meno le reiterate minacce dei conti di Duino all'autonomia di Trieste; l'ultimo tentativo d'instaurarvi una signoria fu nel 1389, ma fallì anche in séguito alla morte del conte Ugo di Duino senza eredi diritti, cosicché il duca d'Austria infeudò la signoria di Duino

DRUSZKA, *Austria e Italia: storia a due voci*, Cappelli, Bologna 1974, p. 24; J. RAINER, *Profilo di storia dell'Austria*, Bulzoni, Roma 1978, pp. 62-64.

[1] F. CUSIN, *op. cit.*, p. 281; cfr. P. KANDLER, *Storia del Consiglio* cit., pp. 39-40.

[2] A. TAMARO, *Storia* cit., vol. I, p. 278; cfr. R. PICHLER, *op. cit.*, pp. 213-223.

(compresi i territori annessi del Carso e di Fiume) agli oriundi svizzeri Walsee, fedeli agli Asburgo e imparentati con il defunto ultimo conte[1].

3. Speranze e tentativi di ripristinare l'indipendenza

Il patto concluso con Leopoldo d'Asburgo nel 1382 non determinò dunque l'incorporazione di Trieste nel ducato austriaco, ma piuttosto sancì una singolare forma di vassallaggio (*fidelitas*) di una città che manteneva la propria legislazione comunale, in forma tipicamente italiana. Le cariche cittadine rimasero di nomina del Consiglio maggiore; il duca d'altra parte poteva tassare soltanto il commercio di transito, con l'esclusione sempre dei prodotti e dei consumi locali. Tuttavia non mancarono, fin dall'inizio, motivi di contrasto a causa della diversa interpretazione di alcune clausole troppo generiche del trattato. Ancora nel 1382 Trieste aveva dovuto opporsi al tentativo del duca asburgico d'imporre la nomina di un vescovo straniero, a lui gradito, cioè Enrico di Wildstein: l'ostruzionismo intransigente della cittadinanza costrinse costui, dopo due anni di contrasti, ad abbandonare la diocesi. La diffida continuò senza compromessi nei confronti di altri vescovi pur eletti da Roma, col beneplacito del duca, finché nel 1409 fu nominato un triestino, il minorita Nicolò de Carturis.

La rivendicazione delle libertà comunali manifestò ben presto un orgoglioso municipalismo, che si espresse con umanistica magniloquenza nel 1411, allorché il Consiglio «volendo imitare i Romani» deliberava di istituire gli Annali della città, per registrarvi «le gesta di questo magnifico popolo a memoria eterna»[2]. Ma tale orgoglio non comportò una chiusura nei riguardi dei forestieri, anzi va rilevato che gli statuti triestini riformati nel 1421 (con l'assistenza del giurista Agostino Ozola di Pavia) concessero speciali favori a quanti, anche stranieri d'oltralpe, si fossero stabiliti a Trieste e permisero loro perfino di poter farsi giudicare secondo le consuetudini dei paesi di origine. Questa liberalità giovò all'incremento dei traffici e ne approfittarono, per trasferirsi a Trieste, specialmente ebrei tedeschi allontanatisi dalla Renania e dalla Baviera in séguito alle persecuzioni antisemitiche, allora suscitate spesso dall'invidia dei nuovi ceti borghesi per i profitti feneratizi. Trieste continuò ad accogliere gli ebrei anche quando, verso la metà del '400, vennero espulsi dalle città istriane del dominio veneto[3].

Contemporaneamente per conservare la propria autonomia, Trieste aveva

[1] F. Cusin, *op. cit.*, pp. 305-308; C. De Franceschi, *Storia* cit., p. 45. Sulla nomina di Rodolfo di Walsee a capitano di Trieste nel 1394 cfr. A. Tamaro, *Documenti* cit., pp. 20-21.

[2] A. Tamaro, *Storia* cit., vol. I, p. 325; Id., *Documenti* cit., pp. 21-22.

[3] E. Sestan, *op. cit.*, pp. 58-62; F. Cusin, *op. cit.*, p. 317.

mantenuto una vigile neutralità di fronte al preoccupante dilagare delle conquiste territoriali veneziane, dall'Istria orientale interna fino a Muggia e nel 1420 con l'annessione definitiva del principato patriarcale d'Aquileia. Conseguentemente il commercio friulano, e non solo quello istriano, fu indirizzato del tutto verso Venezia e non rimase a Trieste che tentar di salvaguardare e incrementare l'unico sbocco ancora in parte libero dalla Carsia e dalla Carniola.

È da notare che, almeno formalmente e in particolare per quanto riguardava la navigazione nell'Adriatico, Trieste anche dopo il 1382 persistette nella condizione di *fidelis* di Venezia; tuttavia, gelosissima sempre della sua autonomia municipale, preferì senz'altro rinunciare ai vantaggi economici che avrebbe assicurato l'acquiescenza al predominio veneziano. Scongiurò anzi qualsiasi compromesso, provvedendo all'intransigente difesa della città e delle proprie istituzioni mediante il conferimento di poteri straordinari ai « Savi di Balìa »: sei gentiluomini eletti dal Consiglio maggiore il 31 gennaio 1411. Per rafforzare il pubblico potere, la Balìa si contrappose anche al vescovo, imponendogli la rinuncia al titolo di « conte di Trieste »; poi, alla morte del vescovo Carturis nel gennaio del 1416, fece incamerare i beni vescovili e indusse il Consiglio cittadino a eleggere dodici *boni cives* con l'incarico di proporre al Capitolo dei canonici il candidato triestino come nuovo vescovo. Le tendenze indipendentistiche, oltre che oligarchiche, della Balìa insospettirono l'arciduca Federico d'Asburgo, poiché i suoi fautori venivano perseguiti ed esiliati al pari di quelli filoveneziani; perciò l'arciduca non si oppose all'interdetto pontificio nei confronti della città, nel maggio del 1425, in seguito al rifiuto di accogliere come vescovo il dalmata Marino de Cernotti al posto del triestino Nicolò degli Aldegardi [1]. Nell'aprile dell'anno seguente la Balìa dovette cedere e l'arciduca ne approfittò per farla sciogliere, anche se l'iniziativa formale fu lasciata ai giudici rettori che, il 16 dicembre 1426, ne proposero la soppressione al Consiglio maggiore, adducendo come motivo l'opportunità di riportare la concordia nel popolo.

L'arciduca d'Austria, distolto da altre ben più gravi preoccupazioni, non s'impegnò nel rafforzare i tenui legami che sussistevano tra il suo dominio e una cittadina quasi emarginata, che allora nel contesto della politica asburgica aveva scarsa importanza. Trieste poté quindi agire autonomamen-

[1] P. KANDLER, *Storia del Consiglio* cit., pp. 43-52. È da notare che l'imperatore Federico III ottenne poi, nel 1446, dal papa Eugenio IV il privilegio di nominare i vescovi di Trieste, Trento, Bressanone, Coira, Gurk e Pedena; quel privilegio non fu confermato da Pio II nel 1459 e da Paolo II nel 1469, tuttavia rimase valido il concordato di Vienna del 19 marzo 1448 che assicurava la libera elezione dei vescovi da parte dei capitoli cattedrali, più o meno ossequienti allo stesso imperatore (cfr. J. KÖGL, *op. cit.*, p. 233).

te nei diversi tentativi per assicurarsi lo sbocco commerciale della via transalpina che dal Cragno giungeva al Carso. Erano falliti gli espedienti concorrenziali per attrarre i mercanti carniolini, che preferivano raggiungere i porti istriani di Muggia e di Capodistria o si lasciavano lusingare dai conti di Duino verso il nascente scalo di S. Giovanni del Timavo [1]; l'economia triestina aveva conseguito irrilevanti vantaggi dalla miglior cura delle strade di accesso alla città, dalla costruzione del fondaco dei « mussolati » (per i trasportatori di merci con animali da soma) e della loggia dei mercanti con annesso magazzino nel 1420, nonché col garantire l'abbondanza dei prodotti più richiesti (olio, vino e sale). Si ricorse perciò ai metodi forti. Dopo aver acquistato nel 1427 dai conti di Gorizia, per duemila ducati d'oro, Castelnuovo dei Carsi, i Triestini usarono quella posizione strategica per sorvegliare il movimento dei mercanti e per costringerli a frequentare il loro porto. Sollecitato dalle proteste, l'arciduca Federico intervenne piuttosto blandamente per raccomandare la libertà dei traffici; ma neppure le minacce di Venezia indussero Trieste a desistere da quell'atteggiamento temerario e provocatorio.

Infine, quando il 12 giugno 1461, l'imperatore Federico III d'Asburgo per milleduecento fiorini d'oro diede in appalto (« arrendò ») alle autorità municipali triestine i diritti doganali e perfino cedette la nomina del capitano, parve che si potesse realizzare l'aspirazione al riscatto della stessa indipendenza [2].

4. Conflitto veneto-triestino e definitiva dominazione austriaca

La più ampia autonomia, acquisita nel 1461, sospinse Trieste a una politica avventata e disastrosa. Nell'errato convincimento che Venezia non avrebbe potuto distogliere truppe indispensabili per l'imminente grande guerra contro l'impero ottomano (1463-1479), s'inasprirono i soprusi obbligando i mercanti carniolini, con la scusa che dovevano pagare una tassa di transito, a recarsi a Trieste e fermarvisi alcuni giorni. Ma la Serenissima, pur continuando a temporeggiare, non intendeva affatto sopportare quell'atteggiamento spregiudicato e dapprima (4 agosto 1461) vietò ai suoi sudditi qualsiasi commercio con la città giuliana, poi provvide a bloccarne il porto

[1] R. Pichler, *op. cit.*, pp. 251-258, 280; C. De Franceschi, *op. cit.*, pp. 47-55.

[2] A. Tamaro, *Storia* cit., vol. I, pp. 343-345; ma fu piuttosto un espediente della cancelleria imperiale perché il vescovo Antonio Goppo e altri nobili triestini saldassero i loro precedenti debiti (cfr. Id., *Documenti* cit., pp. 22-29; C. Czoernig, *Geschichte der Triester Staats-, Kirchen-und Gemeinde-Steuern*, Schimpff, Trieste 1872).

con barche armate fornite dalle città istriane rivali (Muggia, Capodistria, Isola e Pirano).

Certamente il modesto traffico triestino non poteva affatto preoccupare e tanto meno minacciare il commercio dell'emporio veneziano, quindi è senza dubbio infondata la tesi di quanti immaginarono Trieste « rivale di Venezia »; la repubblica di San Marco dovette intervenire soltanto per l'insistente sollecitazione delle città istriane, ossia per difendere i loro interessi, non i propri, e anzi cercò in ogni modo di risolvere *per viam quietis* la controversia sorta a causa della *maledicta strata* del Carso [1].

Gli eventi precipitarono dal febbraio 1463, quando truppe veneziane confluirono nel Carso per preparare il blocco terrestre contro Trieste, che non desisteva dal violare la libertà di transito; nell'agosto seguì un più rigoroso blocco navale del porto mediante l'impiego di due galee « grosse » mandate appositamente da Venezia. L'imperatore Federico III non inviò alcun soccorso ai triestini, considerandola non guerra di conquista ma di difesa dei diritti delle genti; tuttavia questo disimpegno è pure una significativa conferma della singolare autonomia di Trieste.

Allorché la città stava per soccombere, trattative di pace furono promosse dal papa Pio II, cioè Enea Silvio Piccolomini che (dopo essere stato abilissimo consigliere dell'imperatore) aveva retto la diocesi triestina dal 1447 al 1450. L'accordo concluso a Venezia il 17 novembre 1463 sancì la libertà di transito, il saldo di tutti i crediti veneziani, l'impegno che il sale eccedente il fabbisogno locale doveva essere venduto alla stessa Venezia al prezzo normale delle città istriane, e inoltre che Castelnuovo dei Carsi, Moccò e San Servolo sarebbero rimasti inclusi nel dominio veneto [2].

Le condizioni di pace erano pesanti e la crisi economica, che seguì, avvelenò ancor più gli animi scindendo inconciliabilmente i triestini nelle due fazioni contrapposte di fautori degli Asburgo o di Venezia. L'imperatore Federico III colse l'occasione per esercitare quella sovranità che fino allora era stata misconosciuta e trascurata a Trieste e che si manifestò nel nuovo stemma della città, concesso con diploma del febbraio 1464, sottoponendo la vecchia alabarda (sullo sfondo dei colori gentilizi asburgici) alla corona e all'aquila imperiale. Il capitano Ludovico Kosiacher si fece così odiare per prepotenza e malefatte che, nonostante il vescovo Antonio Goppo fosse decisamente filoaustriaco, dopo vari tentativi di rivolta prevalse nel 1467 il partito filoveneziano. Gli avversari cacciati in esilio congiurarono con il capitano di Vipacco (Niklas Luogar, detto italianamente Nicolò

[1] A. TAMARO, *Storia* cit., vol. I, pp. 349-351; E. SESTAN, *op. cit.*, p. 60; G. BORRI, *Le strade del Carso ed il traffico fra la Carniola, Trieste e l'Istria veneta*, in « Pagine istriane », ser. IV, XIX, 1969, pp. 43-69.

[2] P. KANDLER, *Storia* cit., pp. 46-50, 53; cfr. R. PICHLER, *op. cit.*, pp. 258-260.

dell'Antro e della Jama dagli sloveni) e con quello di Duino, mentre acconsentiva lo stesso imperatore che era maggiormente interessato al dominio diretto di Trieste da quando, estinti i Walsee nel 1466, disponeva del territorio circostante da Duino alla Carsia e Fiume. Il sopravvento dei congiurati, la notte di capodanno 1468, comportò non solo la flagrante violazione degli statuti cittadini ma addirittura il proposito di trasformare Trieste da comune di tipo italiano a *Gemeinde* (Comunità di tipo germanico). Sotto la minaccia delle armi straniere, il 28 maggio 1468, dai commissari imperiali capeggiati dal Luogar fu inscenata nel palazzo comunale una servile cerimonia di « abdicazione e consegna all'imperatore del reggimento e del governo sino allora goduto »; ai cittadini non rimaneva che l'elezione degli amministratori locali (tre giudici e ventiquattro consiglieri), sottoposti anch'essi alla conferma imperiale.

Quel cosiddetto « atto di dedizione e di rinuncia », che l'imperatore convalidò il 3 agosto con un diploma, avrebbe inequivocabilmente segnato la fine di una tanto gelosa e gloriosa autonomia municipale plurisecolare, se non si fossero tosto ribellati numerosi cittadini che si sentivano traditi e insorsero pochi giorni dopo, il 15 agosto. Lo stesso Luogar fu fatto prigioniero e, per aver salva la vita, dovette scarcerare i triestini filoveneziani mandati a Duino. Vennero ripristinate le pubbliche elezioni, secondo le norme staturarie, e si procedette alla riforma del Consiglio maggiore che fu accresciuto di sessanta membri, scelti fra quei borghesi e plebei che avevano attivamente contribuito alla ricostituzione del libero Comune.

Per quanto fossero fieri e decisi i propugnatori dell'indipendenza, non avrebbero potuto difenderla senza l'appoggio di qualche potente stato vicino (Venezia o l'Ungheria); sennonché l'imperatore si premunì assicurandosi subito la neutralità veneziana e anzi, nel febbraio 1469, venne sollecitato a riconquistare Trieste dalla stessa repubblica di San Marco, timorosa che se ne impadronisse il re d'Ungheria. Invano Cristoforo de Bonomo, a capo di una delegazione del Consiglio maggiore, offrì nel luglio 1469 la spontanea dedizione della città giuliana alla Serenissima. Da ultimo, del tutto esausta finanziariamente e isolata commercialmente, Trieste preferì soccombere combattendo che piegarsi. Il saccheggio che ne seguì fu tanto crudele che i contemporanei presero a indicare quel tragico « anno della distruzione di Trieste » come data iniziale di un'epoca diversa dalle precedenti. Alla tracotanza di capitani e di altri funzionari asburgici si aggiunsero perfino giudici stranieri, che pretendevano di sentenziare secondo il diritto consuetudinario tedesco. Il regime comunale fu eliminato e la città venne organizzata seconda il sistema austriaco; a reggere la scuola pubblica

[1] A. Tamaro, *Documenti* cit., pp. 32-49; cfr. P. Kandler, *Storia del Consiglio* cit., pp.

fu mandato un tale Niklas Harrer [1]. La già critica situazione economica si andò aggravando per le ripetute incursioni turche, ungheresi come pure veneziane, che devastarono il territorio triestino a tal punto che la città fu ridotta alla fame; nel 1477 e nel 1479 sopravvenne la peste.

Trieste non riuscì più a riprendersi e si spopolò, anche perché parecchi abitanti emigrarono altrove. Tuttavia l'immiserita città fu compatta nel respingere le pretese annessionistiche della Carniola (attuale Slovenia): rifiutò di pagare qualsiasi tributo a quella provincia austriaca, rivendicando il proprio carattere giuridico italiano e l'ininterrotta tradizione storica e l'immediata dipendenza dalla suprema autorità imperiale. Federico III, tra il 1490 e il 1493, finì con l'accogliere le lagnanze dei triestini che chiedevano il ripristino degli statuti cittadini, ordinò al capitano di lasciare autonomo l'esercizio degli uffici sia civili sia criminali, restituì al Consiglio (dietro compenso pecuniario) il diritto dell'elezione dei due vicedomini comunali e di più la facoltà di deliberare, senza suo anticipato consenso, in casi d'urgenza anche su materie non contemplate statutariamente. Questo atteggiamento accondiscendente nei riguardi di Trieste fu favorito dai buoni uffici di un concittadino di grande prestigio: Pietro Bonomo, dal 1491 segretario fidatissimo dell'imperatore, che anzi il 2 aprile 1492 gli conferì la dignità di conte palatino.

Il nuovo imperatore, Massimiliano I, confermò nell'anno 1500 i privilegi alla città giuliana [1], certo anche su sollecitazione del benemerito Pietro Bonomo, ancora suo segretario e diplomatico molto apprezzato.

54-77; G. NEGRELLI, *Comune e impero negli storici della Trieste asburgica*, Giuffrè, Milano 1968, pp. 46-47.

[1] La domenica dopo la festa di San Michele, come precisa il diploma originale, redatto a Innsbruck e conservato nella Biblioteca civica di Trieste, Archivio diplomatico, 5 F 1/26.

CAPITOLO IV. **Illusioni rinascimentali e assolutismo controriformistico**

1. Pietro Bonomo e il ruolo strategico di Trieste

Abile uomo politico e insieme colto umanista, laureato a Bologna, Pietro Bonomo influì sempre più (dapprima indirettamente, durante la brillante carriera presso la corte imperiale, poi direttamente quando il 5 aprile 1502 ebbe la conferma pontificia a vescovo di Trieste, come lo aveva già designato il 13 ottobre 1501 l'imperatore Massimiliano)[1] per allargare il breve chiuso orizzonte della tradizione municipalistica triestina. Era convinto che una certa autonomia cittadina si potesse ricuperare, e anche in modo nuovo valorizzare, solo riconoscendo l'ineluttabilità della subordinazione degli interessi locali ai problemi generali dell'ormai vigente moderno Stato accentratore. Diversamente dallo sterile velleitarismo anacronistico dei nostalgici municipalisti, il Bonomo insistette per far riconoscere dalla diplomazia imperiale l'importanza strategica di Trieste. Le circostanze favorirono la propaganda della tesi che la città giuliana avesse quasi una missione storica nei rapporti fra l'Impero e l'Italia. L'imbarco di tremila soldati tedeschi nel 1503 per essere trasportati in Puglia contro l'esercito francese, in aiuto di quello spagnolo, dimostrò che i piccoli navigli triestini potevano servire non solo per abbreviare il consueto tragitto dei pellegrini romei fino alle coste marchigiane.

Il ruolo strategico di Trieste implicava la promozione pure commerciale del suo porto; Pietro Bonomo ne trasse motivo per rintuzzare le reiterate pressioni annessionistiche della Carniola, nel 1505 anzi riuscì a stipulare un accordo del tutto vantaggioso per Trieste. Fu stabilito che i mercanti carniolini dovessero in ogni caso recarsi nella città giuliana prima che nei

[1] Cfr. P. BONOMO, *I Bonomo*, in « Rivista araldica », supplemento nn. 3-6, 1935, pp. 44-52; G. RILL, *Pietro Bonomo*, in *Dizionario biografico degli Italiani*, vol. IV, 1970, pp. 341-346 e bibliografia ivi citata.

porti istriani, sia ad offrire in vendita il frumento e altre loro merci sia per acquistarvi ciò di cui abbisognavano. Anche se in realtà venne ben poco applicato, l'accordo giovò per ribadire l'autonomia di Trieste nei confronti della provincia austriaca della Carniola [1].

La lunga guerra poi fra Venezia e l'imperatore Massimiliano intralciò, ma non dissolse le audaci e lungimiranti prospettive del Bonomo sul futuro di Trieste; anzi più tardi, dopo che i dominii spagnoli e imperiali si riunirono sotto Carlo V, quelle speranze parvero realizzabili perché Genova rimaneva ancora legata alla Francia e quindi soltanto Trieste avrebbe potuto svolgere la funzione di collegamento marittimo fra la Germania e i dominii asburgici spagnoli in Italia [2].

Le sorti del primo anno di guerra erano state avverse ai propositi del vescovo Bonomo, che energicamente aveva sospinto il Consiglio maggiore a decidere il 23 aprile 1508 la difesa ad oltranza della città; una serie di complotti filoveneziani costrinse gli imperiali ad arrendersi, il 6 maggio, e Trieste poté salvarsi dal saccheggio elargendo quindicimila ducati alle truppe veneziane comandate da Bartolomeo d'Alviano. Il 14 maggio il popolo triestino giurò fedeltà alla Serenissima. Dal provveditore Francesco Cappello fu anzitutto ristabilita la libertà del commercio e, nel luglio, venne proposta al Senato veneto la costruzione di un buon porto; sennonché la simpatia suscitata da queste iniziative si tramutò in odio, appena si seppe del baratto perpetrato da Venezia a carico di Trieste, ceduta il 2 giugno 1509 all'imperatore Massimiliano nel vano tentativo di staccarlo dalla lega di Cambrai [3]. La situazione della città divenne disperata nel 1511, quando alla peste e al terremoto del 26 febbraio si aggiunse una disastrosa rappresaglia (il 5 e il 6 luglio, da parte di contingenti militari veneto-istriani per far cessare le incursioni piratesche dei briganti imperiali che paralizzavano il traffico marittimo); il danno fu enorme, calcolato circa centomila ducati d'oro, poiché andarono distrutti nel territorio triestino tutti i vigneti, gli olivi, i frutteti e le saline. Si cominciò perfino a parlare di esodo in massa della popolazione triestina, ormai priva di ogni cespite di guadagno.

[1] A. Tamaro, *Documenti* cit., pp. 44-49; Id., *Storia* cit., vol. II, p. 8. D'altra parte, fu ripetutamente sollecitato l'imperatore a intervenire presso la repubblica di Venezia perché non ostacolasse il commercio del sale da Trieste a Pordenone (V. Baldissera, *Due documenti di storia pordenonese*, in « Pagine friulane », XV, 4, 1902, p. 50; cfr. A. Benedetti, *Storia di Pordenone*, a cura di D. Antonini, Il Noncello, Pordenone 1964, p. 123).

[2] Nel frattempo si era affermato, subordinando gli altri porti austriaci e in particolare quello di S. Giovanni al Timavo, il ruolo preminente del porto di Trieste (R. Pichler, *op. cit.*, p. 280).

[3] Soltanto nel 1523 fu restituito da Venezia il codice delle leggi statutarie triestine, che era stato asportato quasi come preda di guerra. Cfr. P. Kandler, *Storia* cit., p. 90; A. Tamaro, *op. cit.*, vol. II, pp. 16-46; G. Negrelli, *Comune* cit., p. 47.

Il golfo di Trieste in una carta dell'*Italia* di Giovanni Antonio Magini (Bologna 1620). *Nella pagina seguente, in alto*: Trieste in una pianta del 1718 eseguita dal Comune in occasione della richiesta di portofranco; *in basso*: Trieste in una pianta del 1877.

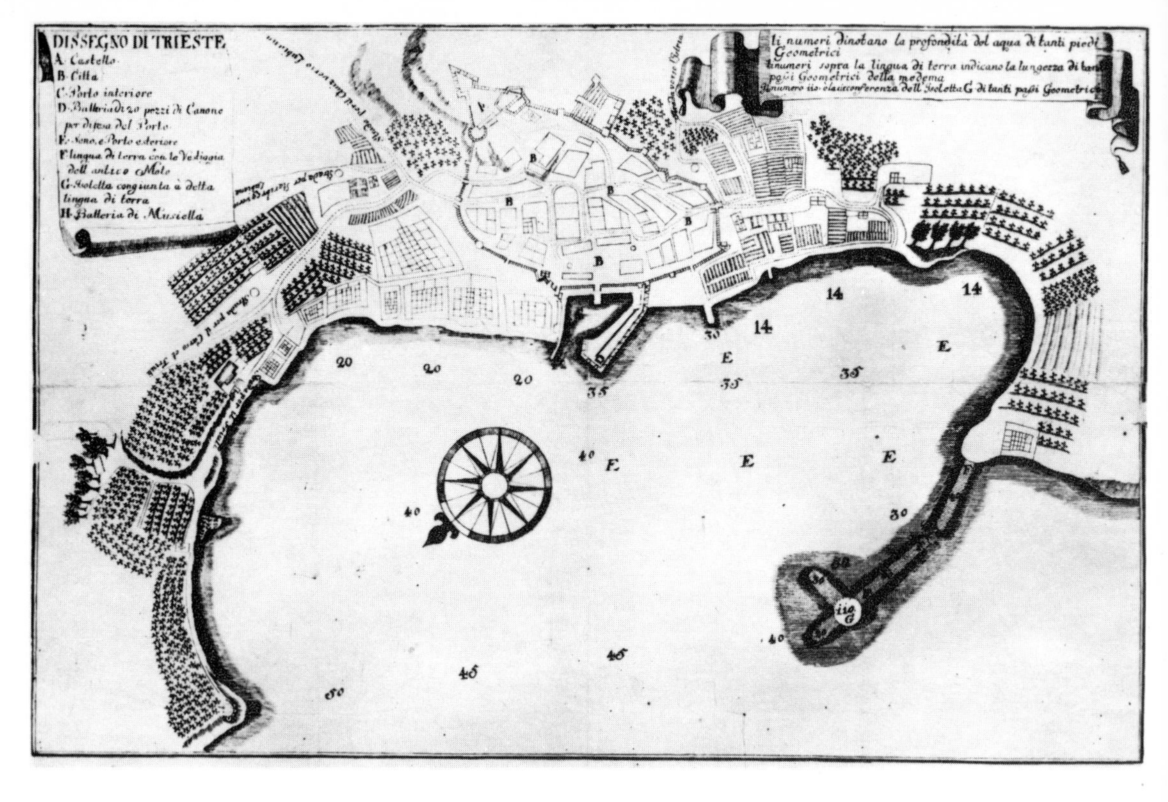
DISSEGNO DI TRIESTE
A. Castello
B. Citta
C. Porto interiore
D. Batteria di 20 pezzi di Canone per difesa del Porto
E. Seno, e Porto esteriore
F. lingua di terra con le Vestiggia dell antico Molo
G. Isoletta congiunta à detta lingua di terra
H. Batteria di Musiella
li numeri dinotano la profondità del aqua di tanti piedi Geometrici
li numeri sopra la lingua di terra indicano la lungezza di tanti passi Geometrici della medema
Il numero 110. e la circonferenza dell Isoletta G di tanti passi Geometrici

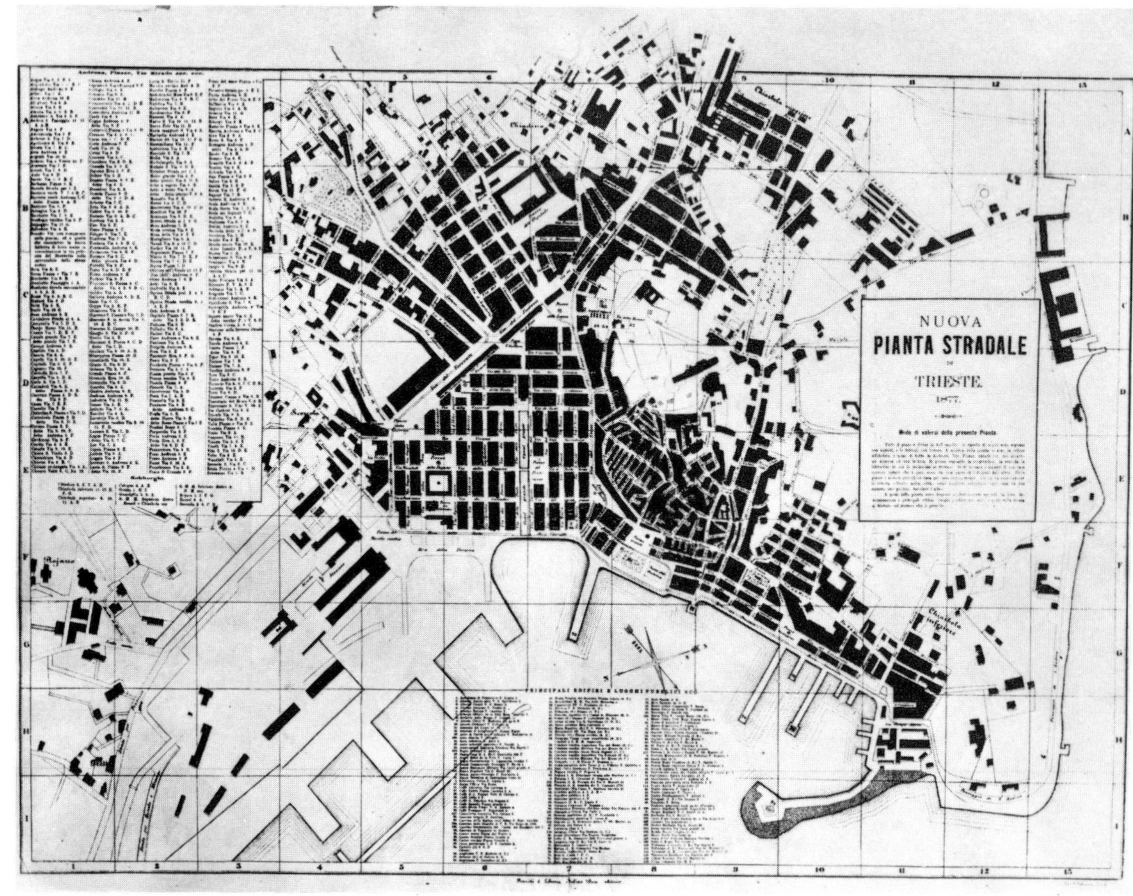
NUOVA
PIANTA STRADALE
DI
TRIESTE
1877.
Modo di adoprar della presente Pianta
PRINCIPALI EDIFIZI E LUOGHI PUBBLICI ECC.

Da una situazione tanto precaria, e quasi abbandonata a se stessa, non potendo contare su alcun aiuto dell'imperatore, Trieste poté risorgere attingendo ancora al mai spento orgoglio municipale e, d'altra parte, acquistando coscienza della « missione politica » prospettata dal vescovo Bonomo, che non desisteva dal promuoverla con il suo prestigio di consigliere e diplomatico imperiale. Così, per accentuare la propria autonomia, Trieste nel dicembre 1513 mandò a Venezia un'ambasceria notificando le sue richieste (in quella fase preliminare per le trattative di pace): restituzione del codice degli statuti cittadini e libertà di navigazione nell'Adriatico [1].

L'auspicato ruolo « internazionale » del porto triestino parve ben avviarsi l'anno dopo, quando le truppe imperiali s'impadronirono di Marano e dell'omonima laguna; la posizione di Trieste ne riusciva notevolmente rinforzata, perché quel porto friulano avrebbe potuto non solo proteggerla sul fianco occidentale ma anche divenire un caposaldo per assicurare la libertà di navigazione, almeno nell'alto Adriatico. Quasi contemporaneamente il Consiglio maggiore iniziò, d'accordo con il vescovo, trattative dirette con le città istriane per una tregua che valesse fino alla stipulazione della pace veneto-imperiale. Il patto, concluso il 26 settembre 1514, fu esageratamente interpretato come una nuova affermazione della risorta autonomia comunale, quasi un vivido bagliore dell'orgoglio cittadino che emergeva insieme con l'istinto di salvezza tra le pressioni e gli inganni delle due parti contendenti, Venezia e l'Impero.

Certo è che a questo rinnovato vigore della società triestina diede un indirizzo tutt'altro che municipalistico il vescovo Bonomo, tenace sostenitore della promozione di Trieste a centro di primaria importanza per i rapporto fra l'Italia e l'Impero, quale porto che congiungesse i paesi germanici con gli alleati regni di Napoli e di Spagna, nonché quale sbarramento dalla parte del mare alle vie di accesso al dominio asburgico. Un memoriale triestino, ispirato e forse scritto dallo stesso Bonomo nel 1518, insiste nel persuadere l'imperatore Massimiliano sul ruolo appunto strategico e commerciale di Trieste, il cui porto presentava le condizioni più favorevoli per divenire *verum emporium* dell'Austria, oltre che della Carsia, Stiria e Carniola; aggiunge che sarebbe stato anzi opportuno trasformare la città giuliana in fortezza imperiale [2].

Anche in séguito, dopo la morte di Massimiliano I, il vescovo Bonomo cercò di perseguire l'ambizioso progetto salvaguardando l'autonomia di Trieste e insieme facendone riconoscere a Carlo V l'importanza strategica (così da scongiurare l'aggregazione e subordinazione alla Carniola) [3]. Pietro Giu-

[1] A. TAMARO, *op. cit.*, vol. II, pp. 46-48.
[2] Cfr. P. KANDLER, *Storia* cit., pp. 83-86.
[3] *Ivi*, pp. 87-89; cfr. G. NEGRELLI, *op. cit.*, pp. 47-49.

liani, inviato a Barcellona nel luglio del 1519, ribadì anzi la richiesta principale di ottenere da Venezia la libertà di navigazione [1]. Ma speranze e illusioni svanirono, quasi tutte e in breve tempo: con il trattato di Bruxelles, del marzo 1522, Carlo V cedette al fratello Ferdinando la sovranità su Trieste, che l'anno prima invece aveva collegata ai propri dominii con Napoli e con Milano; d'altra parte, fu senz'altro riconosciuta dal nuovo imperatore la preminenza veneziana nell'Adriatico [2]. Quando, più tardi (nell'aprile del 1528), Genova defezionò dalla Francia alla Spagna, l'ambizione di Trieste divenne del tutto inattuabile e infondata poiché la potente flotta genovese sodisfaceva ormai a ogni necessità marittima, sia commerciale che per trasporti militari, dell'impero asburgico.

2. Autonomia politica e riforma religiosa

Nonostante il mancato « decollo strategico », si riscontrò in quegli anni un incremento del porto triestino: dapprima perché l'imperatore Massimiliano aveva rinnovato « l'obbligo del transito via Trieste per tutte le merci che dagli Stati austriaci dovessero andare in Italia », poi per le franchigie concesse dall'arciduca Ferdinando al fabbisogno del legname necessario alla cantieristica e per i provvedimenti a favore delle navi triestine adibite al trasporto di pellegrini romei; infine anche perché, sia pure saltuariamente, vi faceva scalo qualche nave o galea genovese, almeno per rifornirsi di galeotti [3]. La città giuliana poté avvantaggiarsi commercialmente, tanto che rappresentanti ufficiali triestini si stabilirono ad Ancona e in altri porti marchigiani e pugliesi; il sigillo da loro usato (*consulatus Tergesti*) manifestava l'ancor vivo proposito di rivendicare l'autonomia politica.

Ai risorgenti aneliti autonomistici si accompagnarono propositi non effimeri di riforma religiosa, che il vescovo Pietro Bonomo anziché contrastare piuttosto favorì per l'intima convinzione che si dovesse procedere a un

[1] Come era stata concessa nel 1510 ad Ancona, in seguito alla capitolazione imposta dal papa Giulio II. La pace veneto-imperiale del 1529 sancì poi, anche a favore dei sudditi asburgici, l'esenzione dai dazi veneziani nell'Adriatico; in realtà il libero transito continuò ad essere misconosciuto e ancor più il diritto di armare navigli (R. Cessi, *La repubblica di Venezia e il problema adriatico*, E.S.I., Napoli 1953, pp. 179-181).

[2] A. Tamaro, *op. cit.*, vol. II, pp. 54-57.

[3] Cfr. A. Stella, *L'ecclesiologia degli anabattisti processati a Trieste nel 1540*, in *Eresia e riforma nell'Italia del Cinquecento*, Sansoni-Newberry, Firenze-Chicago 1974 (Biblioteca del « Corpus Reformatorum Italicorum », miscellanea I), pp. 207-209. Inoltre l'imbarco e lo sbarco di truppe imperiali a Trieste continuarono (*Nuntiaturberichte aus Deutschland: nebst ergänzenden Aktenstücken*, I Abt., vol. 2, a cura di G. Müller, Niemeyer, Tübingen, 1969, p. 495; *ivi*, vol. 16, a cura di H. Goetz, 1965, pp. 97, 113, 130, 240; *ivi*, vol. 17, 1970, p. 314).

profondo rinnovamento, superando le resistenze di un clero ignorante e corrotto e, quindi, sradicando dal popolo le pratiche superstiziose mediante la predicazione del genuino messaggio evangelico. Trieste, per questa tolleranza del vescovo e per il progressivo afflusso di mercanti tedeschi, divenne allora città vivace per nuovi fermenti religiosi e anche per propaganda più o meno eterodossa, pur limitata ancora ai ceti colti e borghesi [1]. Attorno al vescovo Bonomo, che ormai stabilmente risiedeva a Trieste dopo aver ricoperto le più alte cariche nella corte austriaca ed essere stato onorato dall'accademia letteraria viennese, andò organizzandosi il movimento riformatore. Ai suoi familiari, tra cui vi era Primož Trubar (prete sloveno che poi divenne il « Lutero della Carniola ») [2], lo stesso vescovo leggeva o commentava le opere di Erasmo e in séguito perfino quelle di Lutero e di Calvino, tuttavia senza mai aderirvi e piuttosto per aggiornamento culturale, teologico e insieme per migliorare la cura d'anime [3].

Il nunzio pontificio Pier Paolo Vergerio nel 1534 da Praga informò la S. Sede che a Trieste già « pullulava molto bene il Luterismo preso per il commercio della Germania » e aggiungeva: « or io intendo che fuori di Trieste uscita questa peste è attaccata molto bene in un castello nominato Pirano » [4]. In realtà la città giuliana fu allora tollerante e assai aperta agli influssi della propaganda dell'evangelismo protestante, anche perché gli interessi mercantili (come a Venezia) esigevano il più accondiscendente rispetto degli ospiti transalpini.

L'atteggiamento del vescovo Bonomo suscitò sospetti quando volle affidare le prediche quaresimali non più a teologi tradizionalisti, dotti « alla fratesca et un poco alla sofistica », bensì a ferventi divulgatori « della pura verità dell'Evangelio »: nel 1540 all'agostiniano milanese Giulio della Rovere che, secondo gli zelanti accusatori, propagandò « molti articoli lutherani et cagionevoli di grande scandalo »; nel 1544 al frate eremitano romagnolo Serafino, che tacciò pubblicamente di scostumatezza canonici e

[1] F. CUSIN, *op. cit.*, pp. 427-436; G. CUSCITO, *Sinodi e riforma cattolica nella diocesi di Parenzo*, in « Atti e memorie della Società istriana di archeologia e storia patria », n. ser., XXIII, 1975, p. 11.

[2] Cfr. M. RUPEL, *Primož Trubar. Življenje in delo*, Mladinska knjiga, Ljubljana 1962 (trad. tedesca a cura di B. Saria: *Primus Truber. Leben und Werk des slowenischen Reformators*, Südosteuropa, München 1965), pp. 14-32, 48-64.

[3] Era tuttavia accusato dagli avversari di acconsentire all'interpretazione eucaristica zwingliana e di aver almeno contribuito al diffondersi di dottrine filoluterane (« merce sassonica »). Cfr. A. TAMARO, *Assolutismo e municipalismo a Trieste. Il governo del capitano Hoyos, 1546-1558*, in « Archeografo triestino », ser. III, XVIII, 1933, p. 19; M. RUPEL, *op. cit.*, pp. 50-52; G. RILL, *op. cit.*, p. 344.

[4] *Nuntiaturberichte aus Deutschland*, I Abt., vol. I, a cura di W. FRIEDENSBURG, Perthes, Gotha 1892, p. 301; P. PASCHINI, *Eresia e riforma cattolica al confine orientale d'Italia*, Tiberino, Roma 1951, p. 24.

preti triestini e inveì contro « l'antiquo errore de ceremonie », nonché contro le indulgenze e il purgatorio e il culto dei santi; precedentemente ancora a un frate minore francescano chiamato Camillo, che secondo il vescovo Antonio Pereguez Castillejo (successore del Bonomo) « predicava por la plaças conducto por el obispo mi predecessor y por los principales hereges de Trieste », anzi si era segnalato fra quanti « eran notorios y desverçondamente lutheranos y con injurias y blasphemias nefandas vituperavan la iglesia Romana y toda la orden ecclesiastica y los sacramentos » [1].

Oltre che filoprotestanti si diffusero dottrine eterodosse radicali (anche per iniziativa del medico bolognese Melchiorre Cerone, assunto in servizio dall'amministrazione comunale) e anabattistiche. Nella storia dell'anabattismo Trieste addirittura ebbe un ruolo non secondario e nemmeno occasionale, perché il suo porto servì dapprima come centro di confluenza degli anabattisti d'oltralpe condannati a servire come galeotti, poi come recapito meno pericoloso per gli italiani perseguitati che si proponevano di cercare rifugio presso le comunità o « congregation del ben comun » (*Gütergemeinschaft*) di Moravia.

Fautori, se non proprio già « fratelli » anabattisti, si annoverarono a Trieste probabilmente fin dal 1538, quando vi fu il primo imbarco di condannati (*religionis causa*) alla galera; dovevano già costituire un gruppo clandestino ben organizzato nel febbraio 1540, allorché riuscirono a far evadere dalle prigioni quarantanove correligionari transalpini condotti al porto triestino per essere prelevati dalle galee di Andrea Doria. Le autorità cittadine si trovarono piuttosto a disagio nel giustificare la loro estraneità all'accaduto e volutamente lasciarono trascorrere parecchio tempo prima d'informare il re Ferdinando d'Asburgo. Il 7 marzo si discusse nel Consiglio « si esset bonum notificare S. R. Maiestati de rebaptizatis, qui fractis carceribus fugierunt ex civitate Tergesti et eius districtu »; infine fu deciso di comunicare « successum fugae illorum in bona forma » e, per evitare l'intromissione e l'ispezione di delegati austriaci, si sottolineò che « non era a temersi di alcun danno in oggetto di religione, essendo il paese del tutto espurgato dai medesimi ». Anche durante il processo, al quale furono sottoposti gli anabattisti rimasti in prigione, il giudice e influenti triestini si prodigarono insistentemente a favore degli inquisiti non solo perché ammiravano la loro costanza d'animo, ma anche per prevenire o eliminare

[1] A. Tamaro, *Assolutismo* cit., pp. 20, 171-181, 308; A. Stella, *Anabattismo e antitrinitarismo in Italia nel XVI secolo. Nuove ricerche storiche*, Liviana, Padova 1969, pp. 163-165; cfr. anche L. e M. M. Tacchella, *Il cardinale Agostino Valier e la riforma tridentina nella diocesi di Trieste*, Arti grafiche friulane, Udine 1974 (Centro studi storico-cristiani del Friuli-Venezia Giulia, I), pp. 31-41.

qualsiasi pretesto d'ingerenza asburgica o inquisitoriale romana nelle questioni interne della città [1].

Certamente il movimento riformatore nell'àmbito della società triestina non può essere studiato, e compreso, prescindendo dai fattori storici locali, che erano diversi da quelli pure delle vicine città istriane. Trieste nella prima metà del '500 continuava strenuamente a difendere la sua autonomia e anzi cercava di allentare i vincoli della « protezione di Casa d'Austria »; almeno finché visse il vescovo Bonomo, riuscì a mantenere intatta la sua singolare situazione autonomistica, mentre invece la contea di Pisino o d'Istria sempre più era legata con la Carniola e quindi con i dominii ereditari asburgici.

3. Involuzione controriformistica

La tolleranza religiosa finì a Trieste lo stesso anno, 1546, in cui morì il vescovo Pietro Bonomo; allarmato dal diffondersi della propaganda eterodossa e insieme per adeguarsi all'atteggiamento intransigente assunto dall'imperatore Carlo V, come dal papa Paolo III e dall'Inquisizione romana, Ferdinando d'Asburgo inviò alla città giuliana un rigido vescovo spagnolo (eletto nel 1549 dalla S. Sede appunto per il suo zelo contro i filoprotestanti) e un capitano pure spagnolo, il conte Giovanni Hoyos, altrettanto autoritario [2]. Questi cercò subito di arrogarsi diritti che non gli spettavano e non tenne in nessun conto gli Statuti. Ripresero così i dissensi interni.

La reazione controriformistica e le limitazioni all'autonomia cittadina andarono di pari passo: mentre il vescovo Castillejo (in polemica con i rettori, sospetti di protestantesimo) poté valersi di una bolla pontificia che gli conferiva il diritto di pretendere il giuramento dal Consiglio patrizio « sia nello spirituale che nel temporale », il capitano Hoyos promosse l'assoggettamento politico della città mediante la riforma legislativa. Invano il Consiglio rifiutò le pretese vescovili affermando di riconoscere un solo sovrano in campo temporale e, quindi, confidava che Ferdinando d'Asburgo non avrebbe tollerato limitazioni al suo potere; al contrario, sollecitato dal capitano a colpire l'arroganza del Consiglio limitandone l'autonomia, il principe decise di procedere alla sostanziale riforma degli Statuti cittadini, sopprimendovi tutto ciò che poteva essere considerato lesivo dell'autorità non soltanto del capitano e dei vari funzionari di nomina regia o imperiale ma anche del vescovo. Questi « Statuti riformati » del 1550 rimasero immu-

[1] A. Stella, *L'ecclesiologia* cit., pp. 207-232; Id., *Ecclesiologia degli anabattisti Hutteriti veneti (1540-1563)*, in « Bollettino della Società di studi valdesi », CXXXIV, 1973, pp. 11-16.

[2] A. Tamaro, *Assolutismo* cit., pp. 19, 190-191.

tati poi fino all'epoca teresiana, per quanto riguarda il diritto pubblico come per il diritto privato.

La riforma legislativa, imposta e non certo « condotta con mano leggera »[1], fu a malapena subìta dai triestini che continuarono a contestare le decisioni dei capitani ritenendole arbitrarie ovvero del tutto difformi dagli antichi diritti di città libera e gravemente lesive pure dell'autonomia locale, che fino allora era stata rispettata dai « protettori » asburgici. Trieste di fatto andò perdendo le prerogative dell'autogoverno e divenne senz'altro suddita dell'arciduca austriaco, nonostante rimanessero formalmente intatte le precedenti convenzioni o contratti bilaterali con la Casa d'Austria, e quindi potesse a lungo sussistere una parvenza di autonomia.

Nel frattempo l'intolleranza religiosa del vescovo Castillejo suscitava altri motivi di malcontento, anche perché il suo zelo controriformistico contribuiva a distogliere i mercanti transalpini dal frequentare il porto triestino. La crisi economica si aggravò quando, nel 1555, una tremenda carestia colpì la città; mancava il grano e quello proveniente dalla Stiria e dalla Carniola si fermava al mercato di Senosezza (che aveva sostituito lo scalo precedentemente distrutto di S. Giovanni di Duino), dove lo accaparravano i commercianti veneti o istriani. Esasperati i triestini ricorsero alla forza per farsi vendere del grano, ma nemmeno la soppressione del mercato di Senosezza nel gennaio 1557 riuscì efficace, poiché si spostò a Corgnale e quindi Trieste non ne ebbe vantaggio.

Il trasferimento del vescovo Castillejo alla sede arcivescovile di Cagliari, nel novembre 1558, e la sostituzione del capitano Hoyos con il barone friulano Antonio della Torre parvero liberare la città dall'incubo della tirannide e, più che mai, si manifestarono sintomi di ribellione religiosa eterodossa e insieme velleità di rivendicare l'autonomia politica[2]. In particolare, il proselitismo degli anabattisti fu intenso e talvolta temerario o spregiudicato, come quando il 5 maggio 1559 l'anabattista triestino Baldassare Chicchio e i suoi compagni, fuggiti di prigione, osarono ritornare in città e discutere con i magistrati sulla pubblica piazza, dinanzi a una folla di popolo attonito e curioso, intorno ai grandi problemi di riforma religiosa e politica[3]. È da notare che a Trieste cominciarono a pervenire intere comitive di anabattisti veneti, diretti in Moravia, ed erano indirizzati al seguente recapito: « ... come se intra dentro della porta dal porto a man dritta domandar al spiciaro de Bortholomeo Rasello et Marinello »[4].

[1] Cfr. P. Kandler, *Storia del Consiglio* cit., pp. 91-93; G. Negrelli, *op. cit.*, p. 7.

[2] A. Tamaro, *Storia* cit., vol. II, pp. 66-74; cfr. Tacchella, *op. cit.*, pp. 20-28.

[3] A. Tamaro, *Capitoli del Cinquecento triestino (1558-1600)*, in « Archeografo triestino », ser. IV, VII, 1944, pp. 7, 18.

[4] A. Stella, *Anabattismo* cit., pp. 161-166, 205, 250, 254, 304.

Non erano dunque infondate le motivazioni addotte dall'abate trentino Giovanni Betta per sollecitare l'imperatore Ferdinando I a designarlo vescovo di Trieste, dove stava diffondendosi – precisava – un pericoloso movimento ereticale (« quod ... nova etiam haeresis in populum irrepserit »). Certo è che, appena ebbe preso possesso della sede triestina, il vescovo Betta procedette con intransigente severità nei confronti dei filoprotestanti e ancor più degli anabattisti, che furono incarcerati oppure cercarono rifugio in Moravia [1].

All'inasprimento della repressione controriformistica si aggiunse il proposito dell'arciduca Carlo di estinguere i residui fermenti autonomistici della città giuliana, che vennero pretestuosamente tacciati di fomentare una crescente aperta « ribellione » (*Widerspenningkeit*). L'occasione fu offerta dal tendenzioso rapporto dei commissari austriaci sulla rappresaglia triestina che, nel 1563, aveva distrutto i magazzini e le case di Corgnale per vendicare le violenze subìte dai concittadini delegati all'acquisto del grano. Il capitano di Trieste rincarò la dose, prospettando come unico rimedio alla permanente insubordinazione della città una radicale riforma, o piuttosto abolizione, degli Statuti. Su proposta dei commissari asburgici nel 1564, il Consiglio maggiore fu ridotto da duecentoventiquattro a ottanta membri e quello minore a trentanove, tutti di nomina arciducale o imperiale, con l'inclusione di uomini nuovi e stranieri mentre vi erano esclusi quanti, fra i patrizi, si mostravano ancora strenui difensori delle libertà comunali. La reazione della cittadinanza triestina si manifestò ripetutamente con tumulti, petizioni e appelli, finché nel 1578 venne almeno reintrodotto il sistema sancito nel 1550; fu così restaurata quella formale autonomia e parve quasi la riconquista di alcune prerogative di autogoverno [2].

4. Estrema decadenza e orgoglio municipalistico

Ridottasi a semplice autogoverno locale l'autonomia di Trieste (pur mantenendo l'immediatezza dei rapporti con il principe di Casa d'Austria, quindi senz'alcuna dipendenza dalla limitrofa provincia della Carniola), anche la vita economica della città giuliana divenne sempre più stentata. Il commercio marittimo continuava a dipendere dalle licenze e concessioni venete, e poté avvantaggiarsi un po' soltanto durante la guerra di Cipro [3]; quel-

[1] *Ivi*, pp. 205, 304; cfr. Tacchella, *op. cit.*, pp. 57-59.

[2] P. Kandler, *Storia del Consiglio* cit., pp. 93-99; A. Tamaro, *Documenti* cit., pp. 82-84; Id., *Storia* cit., vol. II, pp. 72-78; G. Negrelli, *op. cit.*, pp. 51-55.

[3] Sul commercio di ferramenta da Trieste a Ragusa cfr. *Nunziature di Venezia*, vol. X, a cura di A. Stella, Roma 1977 (Istituto storico italiano per l'età moderna e contemporanea,

lo terrestre era decentrato rispetto agli interessi dei mercati austriaci e, inoltre, veniva osteggiato dagli stessi mercanti della Carsia e della Carniola che preferivano trafficare con il più favorevole emporio veneziano, tramite i porti istriani. Venezia continuò a mantenere il monopolio del sale nell'Adriatico, impedendone del tutto il libero commercio e facendo così svanire l'illusione triestina di ritrovare la salvezza economica proprio nel commercio del sale. Più tardi finalmente Trieste riuscì a ottenere un dazio protezionistico che gravava di trenta soldi ogni carico di vino e sale in transito da Venezia al dominio austriaco. Il danno maggiore fu per Capodistria, mentre Trieste poté per breve tempo incrementare gli scambi commerciali; ben presto però la Carniola rispose imponendo dazi particolari anche sui vini e sulle mercanzie provenienti da Trieste, quindi finì il momentaneo respiro dell'economia triestina.

Le angustie dell'inarrestabile decadenza economica si possono riscontrare nelle meschine rivalità nei confronti dei pastori e contadini che cercavano di mettere a coltura le zone ben soleggiate tra il Carso e il mare. I triestini, che vedevano nella maggior produzione vinicola soltanto un motivo di concorrenza, in base ai privilegi che avevano su quelle terre fin dal secolo XII, vietarono ai contadini, poiché sprovvisti del pieno diritto di cittadinanza, di ampliare le colture (pena il taglio delle viti e il sequestro dei prodotti). Fu questo un nuovo incentivo alle liti interne che si protrassero per parecchi anni, poiché l'arciduca intendeva favorire chi aumentava la produzione agricola e perciò difese i contadini facendoli appoggiare dal signore di Duino, soggetto all'arciduca benché con amministrazione autonoma separata da quella di Trieste.

A causa dell'economia così stagnante, e anzi in fase decrescente, si accentuò il fenomeno migratorio, non più ristretto ai ribelli *religionis causa*. La popolazione cittadina si ridusse, verso il 1580, a nemmeno quattromila abitanti (tremila « anime da comunione », come attestò il vescovo Nicolò de Coret al visitatore apostolico Agostino Valier). Il clero, ignorante e impreparato alla cura d'anime, era tanto corrotto moralmente che se si fosse voluto procedere contro i preti concubinari, la diocesi triestina sarebbe rimasta priva di sacerdoti. L'energico e dotto vescovo precedente, Andrea Rapicio, aveva cercato invano di porre qualche rimedio al « grave scandalo » di canonici e preti dissoluti che perfino si oltraggiavano « reciprocamente, non solo nelle pubbliche piazze, ma anche nell'interno delle chiese ». Morì avvelenato, il 31 dicembre 1573. In realtà i propositi riformatori di vescovi colti e integerrimi, come appunto il Rapicio e preceden-

Fonti per la storia d'Italia, 132), p. 187; F. C. LANE, *Venice. A Maritime Republic*, Hopkins, London 1973, pp. 302, 384-387 (trad. it.: *Storia di Venezia*, Einaudi, Torino 1978, pp. 347-349, 443-447).

temente il Bonomo, non potevano realizzarsi o produrre effetti duraturi perché il clero secolare si mostrava refrattario (se non addirittura offeso nell'alterigia patrizia oppure nei propri interessi) e perché mancavano confraternite locali o congregazioni di religiosi che coadiuvassero. Non è da stupirsi quindi che nella società triestina continuasse la dissoluzione morale e, in pari tempo, si manifestassero ancora polemici atteggiamenti eterodossi, a tal punto che l'arciduca Carlo il 29 dicembre 1581 affidò al capitano della città l'incarico di procedere severamente anche contro « alcuni del Consiglio », poiché le ammonizioni del vescovo erano riuscite inefficaci [1].

Tra la fine del '500 e il primo ventennio del '600 Trieste toccò il fondo della sua decadenza: oltre al susseguirsi di carestie e pestilenze, fu coinvolta disastrosamente nelle rappresaglie veneziane contro gli uscocchi. Non era difficile a questi pirati, che godevano la protezione degli arciducali, trovare nella città giuliana interessati fautori, disposti a barattare sale e merci di poco prezzo con il ricco bottino asportato da navi turche o veneziane, sorprese lungo le coste dalmate. Nel 1599, dopo che erano riuscite vane precedenti minacce, Venezia fece porre il blocco al porto e anche al retroterra triestino. Trieste, abbandonata dagli arciducali, dovette arrendersi e impegnarsi a garantire l'osservanza degli antichi patti e a non dare alcun aiuto agli uscocchi. Altrettanto accadde nel 1610 quando fu imposta la distruzione delle saline di Zaule, che erano state costruite in dispregio del monopolio veneziano nel commercio del sale.

Le stesse saline di Zaule diedero poi occasione alla cosiddetta guerra di Gradisca, perché il contingente militare veneziano incaricato di distruggerle nell'agosto 1615 fu sopraffatto dalle forze unite degli uscocchi (guidati dal contrabbandiere Petàz [2], proprietario del castello di San Servolo), dei croati arruolati da Volfango Frankapan o Frangipani e della guarnigione austriaca di Trieste. Venezia, sostenendo di dover difendere la navigazione nell'Adriatico dalle incursioni degli uscocchi, ma in realtà per risolvere a proprio vantaggio l'annoso problema dei confini nel territorio goriziano e istriano, aprì le ostilità sull'Isonzo. La pace di Madrid nel 1618 riportò inconcludentemente alla situazione prebellica, nonostanze l'impegno austriaco di reprimere gli uscocchi [3].

[1] Cfr. TACCHELLA, *op. cit.*, pp. 61-63, 110-112.

[2] Benvenuto Petazzi. Cfr. G. CERVANI, *Note di due documenti sulla questione dei sali a Trieste nell'anno 1609*, in *Italia del Risorgimento e mondo danubiano,* Del Bianco, Udine 1968, pp. 229-233; A. TAMARO, *Storia* cit., vol. II, pp. 112-117.

[3] La popolazione di Trieste si ridusse a circa tremila abitanti e, con l'insediamento dei Gesuiti nel 1619, si appesantì l'assetto controriformistico anche della città giuliana. Cfr. H. L. MIKOLETZKY, *Beiträge zur Geschichte der Aufhebung des Iesuitenordens in Triest*, in *Miscellanea in onore di R. Cessi*, Storia e letteratura, Roma 1958, vol. II, pp. 475-501; G.

Approfittando delle conseguenze della guerra e di nuovi privilegi arciducali, i triestini riuscirono ad attirare nel loro porto una parte del commercio che precedentemente confluiva a Muggia e a Capodistria; si cercò inoltre di contrabbandare dalle città istriane, si fecero depositi di panni, ferramenta e legname. Furono tutti tentativi che portarono soltanto miglioramenti momentanei e assai limitati; ben presto la repressione del contrabbando a Capodistria colpiva indirettamente Trieste e continuò poi una sterile lotta di prezzi, di dazi, di contrabbando, di privilegi. Qualche modesta ripresa dei traffici poté esservi subito dopo la fine della guerra dei trent'anni, per le migliorate condizioni interne del dominio austriaco, e durante la guerra di Candia che fece diminuire la sorveglianza veneziana nell'Adriatico; ma gli ultimi decenni del secolo XVII videro languire e spegnersi nuovamente ogni attività commerciale triestina, perché le guerre e le ripetute invasioni turche avevano determinato il crollo economico dei paesi del retroterra e, d'altra parte, Venezia aveva ricominciato a infierire sul mare [1].

Fu proprio allora, negli anni più neri dell'economia di Trieste, quando la popolazione cittadina si era ridotta a meno di tremila abitanti e gran parte delle case erano abbandonate e cadenti, e il « popolo fomentato » minacciava di massacrare gli ebrei e altri stranieri tacciati di speculazione, fu allora che si ridestarono le nostalgie dell'antica libertà e orgogliosamente (o piuttosto con appassionata ingenua infatuazione) si rivolsero appelli all'imperatore per farsi riconoscere il diritto di vivere in « libera repubblica ». Il frate carmelitano Ireneo della Croce (al secolo Giovanni Maria Manarutta) interpretò tali nostalgie e rivendicazioni dell'autonomia locale, pubblicando nel 1698 a spese del Comune e di alcuni privati cittadini la prima storia di Trieste. Il « debito di servire alla patria » si traduce nell'esaltazione dello spirito municipalistico e delle gloriose vicende della città libera; ma vi è anche un fine immediato: quello di rivendicare e difendere i diritti dell'autogoverno comunale contro le invadenti pretese del capitano asburgico e anche contro le reiterate insidie annessionistiche della Carniola all'autonomia di Trieste [1].

CERVANI, *Note sulla storia del collegio dei Gesuiti a Trieste*, in *Italia* cit., pp. 187-228, 235-307.

[1] A. TAMARO, *Storia* cit., vol. II, pp. 119, 151-155, 233; cfr. D. SELLA, *Il declino dell'emporio realtino*, in *La civiltà veneziana nell'età moderna,* Sansoni, Firenze 1959, pp. 99-121.

[2] G. NEGRELLI, *Comune* cit., pp. 4, 16-28.

CAPITOLO V. **Decollo commerciale e resistenze autonomistiche**

1. Tra vecchio municipalismo e nuova città

Agli inizi del '700 le condizioni della società triestina era assai tristi; sembrava che ogni traffico nel porto si fosse irrimediabilmente isterilito, in séguito alla guerra di successione spagnola e al riaffermato predominio veneziano sull'Adriatico nel 1705. Invece, con la fine della guerra e dopo la notevolissima espansione austriaca in Italia, Venezia cominciò a decadere o almeno a sentirsi sminuita e ben presto impotente di fronte all'accresciuta potenza economica, oltre che militare, dell'Austria [1].

L'inglese Edward Halley, incaricato dall'imperatore Carlo VI di studiare il progetto d'istituire un portofranco per risolvere il problema del commercio marittimo, aveva prospettato la preferenza per Buccari, poiché considerava Trieste un porto troppo piccolo e non facilmente difendibile. Nel 1715 tuttavia fu deliberata la costituzione di un « Consiglio commerciale » a Graz per promuovere il commercio anche di Trieste. A tale scopo si decise di migliorare le strade appunto di accesso al porto.

L'ostacolo più gravoso (almeno così fino allora era ritenuto), allo sviluppo dell'economia triestina, parve dissolversi quando nel 1717 un diploma imperiale proclamò « sicura e libera la navigazione del mare Adriatico », garantendo protezione contro chiunque avesse ostacolato il traffico dei porti di Trieste, di Fiume e di altri soggetti al dominio asburgico. Venezia, impegnata nella guerra di Morea e quindi tanto meno capace di mantenere la sua posizione d'autorità, non poté reagire di fronte al fatto compiuto e dovette sopportare che il commercio austriaco si effettuasse liberamente,

[1] J. GEORGELIN, *La République de Venise et la fin du Dominio del Mare (1669-1718)*, in « Revue d'histoire diplomatique », XC, 1976, pp. 193-219.

collegando Trieste e Fiume al regno di Napoli e, attraverso il Po, alla Lombardia [1].

Stabilita la libertà di navigazione, si trattò di risolvere il problema del portofranco. L'11 agosto 1717 la Commissione commerciale di Graz aveva espresso la preferenza per Fiume, ma l'intervento tempestivo di due delegati triestini presso l'imperatore valse a riproporre il ruolo del porto giuliano, finché il 18 marzo 1719 un diploma imperiale dichiarò « temporaneamente » portifranchi Trieste e Fiume. La cittadinanza triestina sperò di trarne un rapido e grande vantaggio, mentre il vecchio patriziato s'illuse di poter gestire l'incremento economico e di conservare l'autonomia municipalistica insieme con i propri privilegi oligarchici. L'assolutismo asburgico aveva intendimenti ben diversi e non tardò a manifestarli, senza tenere alcun conto delle tradizioni e delle ambizioni del piccolo mondo municipale.

Alla Compagnia Orientale, istituita nel maggio 1719 con sede a Vienna e avente come principale azionista nonché protettore lo stesso imperatore, fu assegnato il monopolio quasi totale dei commerci e quindi venne snaturata la funzione del portofranco. Inoltre la Compagnia ottenne il monopolio per la costruzione delle navi di maggior tonnellaggio e accumulò privilegi su privilegi, accampando poi diritti sovrani sui terreni acquistati al di fuori delle mura (dove fece costruire un cantiere e un magazzino). Venne perciò inevitabilmente a scontrarsi con il Comune, che assunse atteggiamenti sempre più ostili nei confronti degli stranieri per la loro insolenza e invadenza [2].

In realtà la scelta di Trieste non era stata determinata dall'efficienza del suo porto, ma per soddisfare il proposito dell'imperatore di congiungere il recente acquisto del Belgio e anche i possedimenti austriaci in Italia, senza passare per le vie di terra. Inoltre Carlo VI intendeva introdurre il commercio marittimo nei suoi stati, programmando un radicale rinnovamento della vita economica; nelle prospettive di questo piano generale [3], poiché mancava a Trieste un valido ceto di mercanti e di armatori, l'imperatore aveva cercato appunto di attirarli con una politica di favori. Fu stabilita l'immunità da tasse e dazi per l'ingresso e l'uscita dal porto, per il trasbordo da nave a nave. Non era tuttavia una base sufficiente per organizzare un porto, tanto più che il retroterra o hinterland non si prestava a un'adegua-

[1] P. Kandler, *Sul commercio di Trieste prima dell'apertura del porto-franco*, in « L'Istria », V., 1850, pp. 160-165, 167-182; Id., *Pianta del porto interno ed esterno e della città di Trieste dell'anno 1718*, *ivi*, pp. 128-130; cfr. A. Tamaro, *Storia* cit., vol. II, pp. 156-161.

[2] P. Kandler, *Emporio e portofranco di Trieste*, Lloyd, Trieste 1864, pp. 78-154; I. Iacchia, *I primordi di Trieste moderna all'epoca di Carlo VI*, in « Archeografo triestino », ser. III, VIII, 1919, pp. 61-180.

[3] G. Braun, *Carlo VI e il commercio d'oltremare*, in « Archeografo triestino », ser. III, IX, 1921, pp. 299-324; G. Stefani, *Carlo VI e il problema adriatico*, in « Archivio veneto », ser. V, LXIII, 1958, pp. 148-224.

ta attività commerciale, frantumato come ancora si trovava in molteplici giurisdizioni feudali economicamente isolate. Così le navi che sopraggiunsero non trovarono né compratori delle loro merci né chi le barattasse con altre. Il commercio continuò a languire.

Non ebbe successo il tentativo di organizzare l'amministrazione del porto nel 1725, come pure la concessione del commercio al minuto nel periodo della fiera di San Lorenzo (stabilita per la prima settimana d'agosto del 1730). Infine, il 25 marzo 1731, venne dichiarata fallita la Compagnia Orientale. Il governo austriaco riteneva responsabili i triestini degli insuccessi del portofranco e certamente, dopo la delusione per il mancato incremento economico, si accentuò l'ostruzionismo misoneistico in difesa delle antiche istituzioni e per la preoccupazione che in ogni iniziativa governativa si nascondesse l'intento di sopprimere la restante autonomia della città. Non fu casuale la ristampa nel 1727 degli « Statuti riformati » del 1550, mentre si magnificava la storia della « libera repubblica » e in un memoriale dello stesso anno 1727 si riaffermava la sopravvivenza della *Respublica Tergestina* [1].

Ma il vecchio Comune nobiliare si mostrava impreparato e impotente di fronte all'evolversi, discontinuo e pur tuttavia straordinario su scala addirittura continentale (non più ristretto al consueto àmbito dell'Adriatico), di un nuovo travolgente riassetto economico. Dopo aver riscontrato che la miseria di Trieste non dipendeva dal dominio di Venezia sul mare, come si era creduto per secoli, anziché assecondare lo sviluppo del porto nella funzione di naturale collegamento con i paesi centro-orientali europei (secondo le favorevoli prospettive austriache), il patriziato triestino si chiuse nella miope difesa di anacronistici privilegi. Ben diversamente i « borghigiani », di estrazione forestiera (tedeschi in prevalenza, ma sempre più anche greci e dalmati e slavi) [2], che andavano stanziandosi al di fuori delle mura cittadine, s'impegnarono nell'incremento commerciale della città.

Così, appena nel maggio 1730 a Lubiana fu istituita l'Intendenza commerciale per il Litorale con a capo il conte Gallenberg, la osteggiarono i vecchi patrizi triestini e invece la favorirono i loro avversari, capeggiati da Gabriele de' Marenzi. Altrettanto accadde l'anno dopo, quando il Consiglio cittadino protestò sdegnosamente presso l'imperatore contro la pretesa esenzione di dazi comunali, da parte dell'ex Compagnia Orientale. Alla fine del 1731, su proposta dell'Intendenza, l'imperatore si arrogò il diritto di nominare uno dei rettori della città, fino allora nominati dal Consiglio municipale; quindi stabilì che solo due dei tre rettori appena eletti prestas-

[1] A. Tamaro, *Storia* cit., vol. II, pp. 166-171.

[2] *Ivi*, pp. 203-206; cfr. E. Sestan, *Venezia Giulia* cit., pp. 69-71.

sero giuramento, mentre il terzo doveva essere, appunto esclusivamente per sua scelta, Gabriele de' Marenzi. Successero tumulti e furono anzi percossi e feriti alcuni mercanti tedeschi. Le proteste inviate dai patrizi, che lamentavano la grave violazione degli Statuti e il dispregio del loro organismo politico, non vennero accolte; al contrario il Marenzi ebbe riconosciuta la preminenza sugli altri due rettori. Il Consiglio dovette piegarsi; furono rimaneggiati anche altri uffici, i giudici rimasero in carica un anno, anziché tre mesi, e il capitano indicò di volta in volta le persone che l'imperatore desiderava venissero elette.

I dissidi tra Comune e governo austriaco s'inasprirono nel 1736, quando fu costituito per ordine dell'imperatore il Distretto camerale, che tolse ogni giurisdizione municipale sul territorio dove sorgevano le saline e i magazzini, nonché gli insediamenti della città nuova. Questa era, per disposizione di Carlo VI, soggetta al capitano imperiale; invece la vecchia città, entro le mura, ubbidiva alle magistrature comunali e al superstite statuto. Era una situazione piuttosto equivoca e d'intralcio agli interessi commerciali; Carlo VI, sia perché ancora sensibile alle pressioni dei ceti privilegiati [1] sia perché afflitto dagli insuccessi durante la guerra di successione polacca (la perdita del regno di Napoli comportò per Trieste la chiusura di uno dei pochi mercati), non ebbe la forza o il coraggio di porvi adeguato rimedio.

2. Il grande sviluppo nell'età teresiana

Più decisamente e sistematicamente del padre Carlo VI, l'imperatrice Maria Teresa si propose di recare a compimento il programma di dare all'Austria una nuova organizzazione politico-amministrativa e una più consistente struttura economica; in questo quadro Trieste doveva essere l'emporio del riassettato hinterland centro-orientale europeo. Il fallimento della Compagnia Orientale aveva insegnato che era pericoloso avventurarsi nel perseguire troppo vasti e prematuri progetti, che era necessario promuovere un mercato di assorbimento interno e insieme favorire il sorgere di industrie che fossero di sostegno allo sviluppo commerciale. Anzitutto s'incrementò proficuamente, anche se limitatamente all'esportazione di merci di poco pregio, la corrente di traffico da Trieste verso la Lombardia austriaca [2]. Era un avvio modesto, ma più sicuro.

Nel frattempo la politica del dispotismo illuminato asburgico tendeva, sia pure con Maria Teresa ancora in forma cauta e conciliante, a eliminare

[1] F. Catalano, *Su alcuni problemi del Settecento triestino*, in *Storiografia del Risorgimento triestino*, Università, Trieste 1955, p. 19.

[2] *Ivi*, p. 22.

privilegi e immunità giurisdizionali tramandate dal passato. Era inevitabile quindi che il vecchio Comune, che aveva difeso strenuamente da tante insidie la propria residua autonomia, si trovasse tosto e male coinvolto nella nuova politica austriaca; le direttive del governo centrale non tenevano conto infatti di vecchi statuti, di privilegi, di situazioni particolari dei patrizi e dei cittadini di fronte ai forestieri sopraggiunti e che la vecchia città considerava quasi un corpo estraneo e antagonista.

Nel 1747 un fatto inatteso e ritenuto di estrema gravità: Trieste fu sottoposta amministrativamente alla Carniola. L'anno dopo venne soppressa la carica di capitano imperiale, che « fino allora, dal tempo della dedizione, aveva rappresentato l'alta autorità protettrice degli arciduchi d'Austria sulla città e sul suo territorio, ma ad un tempo anche la posizione tutta speciale di essa rispetto agli Asburgo » [1]. Fu istituita la Provincia mercantile del Litorale (formata da Aquileia, Trieste, Fiume, Buccari, Porto Re) dipendente dal Dicastero centrale aulico commerciale, rappresentato a Trieste da una intendenza commerciale che (composta da tre consiglieri) sopraintendeva anche agli affari del Comune. In questa nuova circoscrizione, che sconvolgeva profondamente tradizionali ordinamenti, l'autonomia triestina si smarriva e si perdeva.

L'imperatrice Maria Teresa riuscì a eliminare, senza troppo malumore da parte del Consiglio cittadino, l'ostacolo che ancora si opponeva allo sviluppo commerciale e moderno della nuova città: costrinse il Comune aristocratico a rinunciare a qualsiasi pretesa d'interferire nell'amministrazione dell'emporio mercantile, che dal 1749 passò quindi alle dirette dipendenze dei dicasteri governativi. Non ritenne tuttavia necessaria un'espressa abrogazione del Consiglio patrizio e degli antichi statuti cittadini, anzi per farsene consenziente strumento lasciò sussistere il Comune nobiliare accordandogli (dietro rinuncia a un credito di ventimila fiorini e cessione di alcune giurisdizioni daziarie) che potesse estendere la sua giurisdizione alla città nuova, sciogliendo conseguentemente il distretto camerale e abbattendo le mura in modo che la città vecchia si fondesse con i sobborghi del circondario.

Il ceto nobiliare, pur sempre rievocando nostalgicamente l'ideale dell'antica repubblica, dovette subire queste novità (che riducevano a mera parvenza i suoi privilegi) anche perché ormai il suo ascendente era molto compromesso nella cittadinanza che guardava con crescente interesse all'incremento del commercio e poteva partecipare al diffondersi del benessere. A Trieste affluivano, con patenti di favore, compatte colonie straniere, quali la greca, l'israelitica, l'armena, l'illirica. Il porto veniva attrezzato con impo-

[1] E. SESTAN, *op. cit.*, pp. 21-23.

nenti lavori, dal molo detto poi « Teresiano » costruito nel 1751 al molo di San Carlo; contemporaneamente si riattivavano le strade, si costruiva un lazzaretto adeguato all'aumento demografico, si stabilivano regolamenti per i sensali ed era istituita la Borsa. Anche le industrie andavano moltiplicandosi, dalla fabbrica di candele di sego nel 1740 alla stamperia Trattner nel 1754 e alla prima conceria di pellami nel 1755, quando a frenare questo progresso intervenne la guerra « dei sette anni » che paralizzò il traffico e disperse mercanti e speculatori. L'imperatrice non desistette dal favorire l'insediarsi di industrie che alimentassero il commercio triestino, ad esempio nello stesso anno 1755 « l'arte di fabbricare le calzette a telaro all'uso inglese », mentre il governo di Vienna insisteva perché Milano acquistasse le cere di Trieste, minacciate dalla concorrenza delle cere venete [1].

Alla crisi commerciale si aggiunsero motivi interni di attrito, che culminarono nel 1757 in un tumulto popolare contro l'intendente al commercio, conte Nicolò de Hamilton, ritenuto responsabile della pessima qualità del pane a prezzi per di più esorbitanti, da quando ne aveva concessa la privativa per dieci anni alla forneria Pirona. In quell'occasione il governo usò la maniera forte, facendo espellere alcuni membri del Consiglio che avevano osato criticare appunto l'operato dell'Intendenza.

La fine della guerra determinò un rapido rifiorire del commercio; la politica accentratrice di Maria Teresa, assoggettando tutti i paesi della corona a una sola legge e a una sola amministrazione, fece convergere il traffico marittimo verso Trieste che si avviò a sostituire il mercato veneziano, in fase di ulteriore decadenza. Lo sviluppo del porto giuliano avvenne non solo « per naturale evoluzione dell'equilibrio internazionale al servizio del continente centro-orientale », ma precipuamente per iniziativa degli imperatori asburgici « che, con maggiore o minore consapevolezza e capacità, vollero fare di Trieste il porto dell'Impero » [2]. Non va inoltre sottovalutata la « mentalità commerciale » di quanti, pervenuti a Trieste da disparati paesi, con entusiasmo e spregiudicatezza pioneristica impegnarono nella mercatura tutti i loro averi [3]. Nel 1758 veniva aperta la prima fabbrica di carte da giuoco, nel 1763 la prima corderia, nel 1765 la stamperia « governiale »; l'intraprendenza degli immigrati allargava la gamma dei prodotti da fornire al commercio, che di pari passi estendeva le correnti del traffico dalla Lombardia alle coste dell'Africa occidentale nel 1755.

[1] Cfr. F. Catalano, *op. cit.*, pp. 21-23.

[2] *Ivi*, p. 19; R. Cessi, *Il problema adriatico*, in *Storiografia* cit., p. 9.

[3] E. Apih, *Gli studi sul Settecento triestino*, ivi, pp. 27-33. Cfr. C. L. Curiel, *La fondazione della colonia armena in Trieste*, in « Archeografo triestino », ser. III, XV, pp. 339-379; G. Volli, *La nazione ebrea a Trieste*, in « Rassegna mensile di Israel », ser. III, XXIV, 1958, pp. 206-314; G. Stefani, *I Greci a Trieste nel Settecento*, Monciatti, Trieste 1960.

L'imperatrice Maria Teresa continuava a promuovere lo sviluppo commerciale di Trieste, ma anche ad apportare innovazioni e trasformazioni sul piano politico. Nel 1771 fu dichiarato soppresso lo Statuto e il governo della città ritornò nelle mani di un capitano dipendente dall'Intendenza commerciale. Le proteste dei patrizi non furono ascoltate a Vienna e nemmeno avallate dalla maggior parte della cittadinanza triestina, che in quello stesso anno era soddisfatta dalla dichiarazione di Trieste « libera città marittima » e confidava nei benefici conseguenti all'estendersi della libertà doganale del portofranco a tutta la città.

La fase di più intenso sviluppo dell'emporio triestino cominciò nell'ultimo quinquennio dell'età teresiana, quando l'imperatrice favorì le tendenze liberistiche al posto del precedente indirizzo protezionistico in chiave mercantilistica. Il mutamento coincise con un riassetto politico: nel 1776 fu sciolta l'Intendenza; Trieste venne sottoposta a un governatore e, quasi per compenso, fu riabilitato il Consiglio maggiore, cui spettò la rappresentanza della città-provincia alla stregua dei cosiddetti Stati provinciali. Al Consiglio inoltre per la prima volta furono ammessi i « borghigiani », per lo più immigrati che risiedevano nel distretto commerciale della « città teresiana » [1]. In quello stesso anno 1776 governatore di Trieste venne nominato il conte Carlo de Zinzendorf, che era un convinto e deciso fautore del nuovo indirizzo liberistico, cosicché in breve tempo sciolse il commercio dai vincoli protezionistici. Grande impulso allora diedero le compagnie di assicurazione (la prima era stata fondata nel 1766), affinché Trieste assumesse l'importanza di centro di contrattazione e di transito delle merci non solo dalle regioni danubiane e dalla Lombardia austriaca, ma da un àmbito sempre più vasto. Nel 1778 sorgeva la prima raffineria di zucchero, l'anno dopo veniva aperto un nuovo cantiere [2]. Ormai, secondo i contemporanei, Trieste poteva aspirare a contendere a Venezia il primato nel golfo Adriatico.

3. Dispotismo giuseppino e restaurazione leopoldina

Contrariamente alla tendenza liberistica dell'epoca teresiana, Giuseppe II volle ripristinare il protezionismo e ben poco s'interessò del porto di Trieste. Per fortuna le direttive autoritarie del cancelliere Kaunitz furono contrastate e almeno in parte temperate dal governatore di Trieste, Zinzendorf, coadiuvato dal barone Pietro Antonio Pittoni, direttore della Polizia,

[1] P. Kandler, *Storia del Consiglio* cit., pp. 124-135.

[2] A. Tamaro, *Storia* cit., vol. II, pp. 196-213; G. Luzzatto, *Il portofranco di Trieste e la politica mercantilistica austriaca nel '700*, in « Annali triestini », supplemento al vol. XXIII (intitolato *Problemi del Risorgimento triestino*), 1953, pp. 7-17.

che era pure un acceso liberista [1]. Così poté continuare lo sviluppo commerciale e insieme industriale della città: nel 1781 cominciarono i traffici con l'America e con le Indie, l'anno dopo con la Cina, sebbene con esito infelice; lo stesso anno 1782 venne fondata la fabbrica di saponi Chiozza, che poi godette fama mondiale, nel 1785 una tintoria di filati rossi ad uso levantino, nel 1788 una fabbrica di terraglie, nel 1789 si costituì la Società greca di assicurazioni. L'aumento demografico progredì di pari passo: 17.600 abitanti nel 1785, 20.300 l'anno seguente, 21.900 nel 1789 e 30.200 nove anni dopo, in gran parte per l'afflusso di immigrati.

La città s'ingrandiva e, nonostante il massiccio insediamento di tedeschi e di slavi, mantenne costante il suo carattere italiano. La lingua detta allora « cosmopolitica », perché usata comunemente anche dai nuovi venuti, rimase quella italiana, sebbene il governo insistesse nel tentativo d'imporre la germanizzazione [2]. Ancora nel 1775 Vienna aveva fatto sopprimere la scuola tradizionale del Comune, sostituendola con una scuola elementare pubblica in cui la sola lingua d'insegnamento era quella tedesca. Il Comune reagì subito aprendo altre due scuole elementari con lingua italiana. Anche queste furono fatte chiudere, ma la cittadinanza triestina non s'intimorì: fiorirono immediatamente le scuole private, cosicché a tre scuole tedesche con 102 alunni si contrapposero ben sedici scuole italiane con 420 scolari.

L'imperatore Giuseppe II portò all'eccesso lo sforzo accentratore iniziato dalla madre. Dopo aver nel 1782 congiunto in un'unica provincia il Friuli orientale e Trieste, togliendo quindi alla città giuliana la sua autonomia, nel 1786 emanò un decreto che ordinava tassativamente di sostituire del tutto la lingua italiana con la tedesca nelle corti di giustizia e, appunto a tale scopo, fece pubblicare anche per Trieste i codici austriaci [3]. L'ordine di applicare il decreto entro un triennio era assurdo e irrealizzabile, non solo per la netta opposizione del Comune ma perché, mentre la lingua italiana era sempre stata la madrelingua della cittadinanza triestina ed era

[1] A. Tamaro, *Fine del Settecento a Trieste. Lettere del barone P. A. Pittoni (1782-1801)*, in « Archeografo triestino », ser. IV, V-VI, 1942, pp. 7-410; sul barone di Zinzendorf si veda C. L. Curiel, *Trieste settecentesca*, Sandron, Palermo 1922. Cfr. anche F. Cusin, *Precedenti di concorrenza fra i porti del Mare del Nord ed i porti dell'Adriatico*, in « Annali della R. Università degli studi economici e commerciali di Trieste », III, 1931-32, pp. 263-328.

[2] P. Kandler, *Storia del Consiglio* cit., p. 131. Cfr. A. Vivante, *Irredentismo adriatico. Contributo alla discussione sui rapporti austro-italiani*, Voce, Firenze 1912 (2ª ed., Parenti, Firenze 1954), pp. 22-24; C. Schiffrer, *Le origini dell'irredentismo adriatico*, Edd. accademiche, Udine 1937, pp. 5-16; G. Cervani, *Intorno al cosmopolitismo triestino: le « Memorie » di Giovanni Guglielmo Sartorio*, in *Scritti in onore di Camillo De Franceschi*, Università, Trieste 1951 (supplemento al vol. XXI di « Annali triestini »), pp. 239-247.

[3] E. Sestan, *op. cit.*, pp. 72-74; E. Apih, *Una protesta della Borsa Mercantile di Trieste (1789)*, in *Scritti in onore di C. De Franceschi* cit., pp. 275-284.

usata dagli stessi immigrati come « cosmopolitica », pochi conoscevano il tedesco. L'assurdità del decreto fu riconosciuta dal nuovo imperatore Leopoldo II, che nel 1791 accolse le istanze del Comune e revocò quella disposizione irritante e impoliticamente dispotica.

Leopoldo II fece nel complesso una notevole opera di restaurazione: in particolare, nel 1792 quasi ripristinò i poteri del Consiglio e la precedente autonomia della città, pur sempre nei limiti di competenza che un attenuato dispotismo illuminato poteva concedere. Il Consiglio patrizio riacquistò, se non l'autorità del vecchio governo aristocratico, almeno i titoli onorifici e la rappresentanza ufficiale della città, che allora dal 1791 ridivenne provincia a sé. Formalmente al di sopra del Consiglio nobiliare rimase soltanto il governatore, che dipendeva direttamente dal sovrano. A contrassegnare l'autonomia cittadina sembrava garante l'istituzione della guardia civica, cui provvedeva appunto il Consiglio, e così i patrizi potevano far sfoggio delle loro vistose uniformi scarlatte [1].

Trieste, per merito di Leopoldo II, ebbe ripristinata nel 1791 anche la sede vescovile, che era stata soppressa da Giuseppe II. Quindi se si aggiunge il proseguimento dello sviluppo commerciale, nonché industriale, nell'età leopoldina si contemperarono le imposizioni del centralismo governativo e le tendenze liberistiche del pragmatismo economico e, in pari tempo, le nostalgiche riviviscenze della tradizione autonomistica municipale. Non stupisce perciò che sia rimasto nella cittadinanza triestina un buon ricordo dell'amministrazione austriaca, rimpianta nel travaglio dell'età napoleonica e di cui poi fu salutato con gioia il ritorno, tanto che perfino uomini come il Rossetti inneggiarono « alla libertà, alla pace, al commercio » che si confidava fossero restaurati dal governo asburgico.

Nel frattempo tuttavia non erano mancate critiche aspre al persistente dispotismo austriaco, da parte di uomini di cultura illuministica e d'indirizzo economico liberistico, dei quali il barone Pittoni fu certamente una delle figure più tipiche. Altri, specie nell'àmbito della più irrequieta borghesia, si erano mostrati ben presto inclini alle nuove idee democratiche e fin dal 1785 avevano fondato una loggia di franchi muratori; lo stesso Pittoni, che pur aveva diffidato delle smanie di novità di questi borghesi, nel 1789 si entusiasmò alle prime notizie della rivoluzione francese, ma si ricredette negli anni successivi. Le idee rivoluzionarie si diffusero, per quanto superficialmente, nelle masse operaie che mostravano di condividerle discutendone nelle osterie [2].

[1] P. Kandler, *Storia del Consiglio* cit., p. 136.

[2] A. Tamaro, *Fine del Settecento* cit., pp. 14-22. Sulla fortuna dell'opera di Antonio de Giuliani (*Riflessioni politiche sopra il prospetto attuale della città di Trieste*, Vienna 1785) cfr. F. Venturi, *Illuministi italiani*, vol. III, Milano-Napoli 1958, pp. 645-697; G. Negrelli, *Comune* cit., pp. 75-76.

Quando, il 1° marzo 1792, improvvisamente morì Leopoldo II, l'Austria « veniva privata in un momento molto delicato di un sovrano equilibratamente saggio nella politica; finiva un mezzo secolo di riforme illuminate » e, di fronte all'incalzare del pericolo rivoluzionario, parve inadeguata la strada del compromesso perseguita dal defunto imperatore nella politica interna, cosicché per reazione « risorsero e ripresero importanza gli elementi conservatori » [1].

[1] J. Rainer, *op. cit.*, pp. 121-123; cfr. A. Wandruszka, *Oesterreich und Italien im 18. Jahrhundert,* Spies, Wien 1963, pp. 93-95.

Capitolo VI. Dal vecchio al nuovo autonomismo

1. Definitivo tramonto dell'autonomia municipale

Fino al 1795 la vita economica di Trieste continuò a progredire, anche perché profughi francesi e specialmente ricchi mercanti marsigliesi portarono nella città giuliana i loro capitali e riavviarono lì le loro aziende. I primi sintomi dell'imminente collasso si avvertirono nel giugno 1796: alla notizia che l'esercito napoleonico era giunto a Bassano e che aveva l'intenzione di venire a « recueillir les richesses qui sont à Trieste », gli affari bruscamente s'interruppero, le banche viennesi e veneziane chiusero il credito, i commercianti non pensarono che a rifugiarsi altrove.

Dal 23 marzo 1797, quando le truppe francesi entrarono nella città senza incontrare alcuna resistenza, al 1814 Trieste fu coinvolta nelle alterne vicende belliche in balìa dei conquistatori, sottoposta a taglie onerose e obbligata a conformarsi economicamente alle direttive e agli interessi ben diversi dei contendenti. L'occupazione francese destò subito malumori, perché fu imposta alla città una taglia di tre milioni di lire tornesi, poi ridotta a 2.600.000; vi fu anche un tentativo d'insurrezione, promosso dalla colonia greca e tempestivamente rientrato in séguito all'intervento del vescovo e dei magistrati [1].

Il trattato di Campoformio, tanto infausto per Venezia (segnando la fine catastrofica della sua potenza marittima), determinò invece il dominio austriaco nell'Adriatico dalle terre venete all'Istria e alla Dalmazia, fino a includere una parte dell'Albania. Trieste poté così ereditare la funzione adriatica che per tanti secoli era stato monopolio della Serenissima. Chi considera i tempi lunghi della storia vi riscontra « il naturale sviluppo di un processo evolutivo, che aveva investito tutta l'economia mediterranea

[1] A. Tamaro, *Storia* cit., vol. II, pp. 228-232.

nei confronti dell'espandersi dell'attività oceanica »[1]; ma più probabilmente le fortune commerciali di Trieste dipendevano dal collegamento, favorito e instaurato dalla politica asburgica, con i paesi danubiani e centro-orientali europei. Così quando, dal 1809 al 1813, la dominazione francese spezzò questo legame, il porto triestino decadde rapidamente, appunto perché venne meno il suo servizio di emporio del continente centro-orientale. Nel frattempo, specialmente dal 1801 al 1804 e (dopo la breve parentesi della seconda occupazione francese tra l'autunno del 1805 e il marzo 1806) dalla primavera del 1806 all'ottobre 1809, la città giuliana consolidò il suo ruolo commerciale nell'Adriatico « inorientato », a tal punto che in un memoriale scritto per sollecitare le mire espansionistiche di Napoleone (e quindi non senza una certa esagerazione strumentale) verso la fine del 1807 si poteva affermare: « Trieste est la véritable capitale de la mer Adriatique »[2]. In realtà, il porto triestino allora progredì non solo perché vi confluivano i traffici che un tempo erano stati peculiari del mercato veneziano, ma anche perché Trieste aveva assunto la posizione di capitale di una nuova provincia, cui facevano capo l'Istria e il Friuli. La Carniola invano contestò il decreto del 31 luglio 1802, che aggregava l'Istria ex-veneta alla città giuliana, facendo inoltre dipendere il nuovo governo provinciale direttamente dalla Cancelleria Italiana di Vienna, anziché da Graz com'era in precedenza. Il governatore stesso di Trieste, Lovacz, dimostrò che le popolazioni istriane erano nella stragrande maggioranza di nazionalità italiana e appunto con il nome di « Italia » fu designata la neocostituita provincia.

L'ampliamento territoriale comportò tuttavia un progressivo dispregio, da parte dell'amministrazione austriaca, delle tradizioni di autonomia locale, conculcando i privilegi secolari di ceti e di istituti. Nel 1808 il governatore Lovacz volle snaturare quel Consiglio comunale che « rappresentava l'ultima fase dell'antico Consiglio maggiore »[3]: vi fece aggregare quarantanove membri tutti stranieri e nemmeno in qualche modo legati a Trieste, come il vescovo di Vienna. La protesta, appassionatamente e insieme abilmente guidata da Domenico Rossetti, fu immediata e riuscì nel suo intento dopo vari momenti di scontri vivaci. Il governatore Lovacz si rese inviso ai Triestini quando fece levare gli emblemi comunali perfino dal palazzo municipale, perché intendeva che vi fossero soltanto quelli austriaci. È probabile che ne approfittassero i fautori di Napoleone, d'accordo con la loggia massonica di Capodistria, per fomentare l'agitazione, tanto più che il console francese imputava al Lovacz la mancata osservanza del bloc-

[1] R. Cessi, *Il problema adriatico* cit., p. 7.

[2] *Ivi*, p. 9; A. Tamaro, *Storia* cit., vol. II, p. 237.

[3] *Ivi*, p. 240. Cfr. P. Kandler, *Storia del Consiglio* cit., pp. 141-150; E. Sestan, *op. cit.*, p. 73; G. Negrelli, *Comune* cit., pp. 78-80.

co continentale; certo è che più volte furono inviati memoriali a Napoleone per sollecitarlo a riunire Trieste al regno d'Italia. Conseguito l'allontanamento del Lovacz, il Rossetti all'inizio del 1809 ebbe l'incarico di riformare gli Statuti municipali e il Consiglio patrizio poté, ma per l'ultima volta, ricostituire la propria identità radiando gli intrusi stranieri ed eleggendo dieci colleghi secondo le consuete prerogative [1].

Nello stesso anno 1809, riaccesasi la guerra fra Napoleone e l'Austria, Trieste (per la pace di Vienna del 14 ottobre) passò alla Francia e fu incorporata nell'aggregazione cosiddetta delle Provincie Illiriche, istituita come antemurale dell'Italia nei confronti del dominio austriaco. Trieste fu ancora il capoluogo della provincia che comprendeva l'Istria e il Friuli orientale, ma la separazione dai paesi danubiani provocò una grave crisi commerciale ed economica: dal valore complessivo di cinquantacinque milioni di fiorini nel 1804, il commercio triestino si ridusse nel 1813 ad appena 1.932.788 fiorini per le importazioni e 447.844 per le merci esportate. Al blocco continentale decretato da Napoleone e agli ostacoli frapposti dagli inglesi, per impedire la navigazione nell'Adriatico, si aggiungeva il disinteresse francese a difendere traffici ritenuti quasi estranei o addirittura divergenti dal tornaconto predominante della Francia.

Soppresso il portofranco, introdotta la leva militare, imposta una taglia di cinquanta milioni di franchi (ridotta poi a trenta), s'introdusse anche a Trieste drasticamente il sistema legislativo francese. Tra il 1811 e il 1812 sparirono per sempre gli ultimi sopravvissuti istituti dell'autonomia municipale, a cominciare dal Consiglio patrizio.

Nonostante la decadenza economica e il crollo demografico (dai 33.060 abitanti del 1808 ai 20.663 del 1812), continuarono a mantenersi numerosi in città i filofrancesi, specialmente fra i massoni e gli israeliti. Soppresse le scuole tedesche, furono aperte nel 1810 quattro scuole popolari italiane e inoltre venne istituito il ginnasio-liceo. I rapporti culturali con il regno italico favorirono una più vivace circolazione di idee e un raffinarsi del sentimento d'italianità, che trovò espressione nella Società di Minerva [2].

L'atteggiamento dispotico della deteriore amministrazione francese, il fiscalismo e il perdurante collasso commerciale alienarono tuttavia sempre più le simpatie dell'opinione pubblica, anche perché gran parte dei massoni alla fine si schierò a favore dell'Austria. Così il 13 ottobre 1813 i soldati

[1] D. Rossetti, *Il progetto di Statuto municipale per Trieste,* in *Scritti inediti,* Idea, Udine 1944, vol. I, pp. 601-618 (introduzione di M. De Szombathely), 619-672; cfr. P. Kandler, *Storia* cit., pp. 145-152.

[2] Cfr. G. Cervani, *Dall'Ottocento al Novecento: la storia di Trieste nella storiografia,* in *Storiografia* cit., pp. 69-72; A. Gentile, *Il primo secolo della Società di Minerva, 1810-1909,* Caprin, Trieste 1920; G. Quarantotti, *Trieste e l'Istria nell'età napoleonica,* Le Monnier, Firenze 1954.

austriaci furono accolti come liberatori a Trieste, ma poi subentrò un'amara delusione perché non ebbero risultato i tentativi compiuti per ottenere il ripristino della «città libera». Il 23 luglio 1814 l'Austria proclamò irrevocabilmente l'annessione delle Provincie Illiriche e quindi anche di Trieste, dichiarata «città di conquista» e ormai priva di qualsiasi autonomia.

2. Oppressione burocratica e fermenti culturali

L'età della Restaurazione dal 1814 al 1848 fu politicamente depressa, perché gli organi burocratici asburgici predominarono e anzi del tutto assunsero il governo della città; ma la cultura (più ancora dell'economia) crebbe tanto che Trieste poté acquisire a poco a poco il senso vivo della propria storia, nel trapasso dalle nostalgie municipalistiche della piccola patria alle aspirazioni cosmopolitiche e infine anche al contrastato emergere della coscienza nazionale.

Soppresse le autonomie locali, con il decreto dell'8 ottobre 1814 fu instaurato un regime di sudditanza assoluta: l'accentramento dei poteri portò per conseguenza a una «crescente inflazione burocratica», privilegiando i numerosi funzionari nominati da Vienna che ebbero «le cariche più importanti e delicate» e furono «spesso, se non proprio normalmente, tedeschi» [1]. Nell'intento di favorire appunto la germanizzazione, vennero chiuse tutte le scuole italiane istituite dal governo francese e invece fu di nuovo aperta una sola scuola elementare statale di lingua tedesca. Per accentuare l'estraneità delle popolazioni giuliane dal contesto nazionale italiano, si costituì la Provincia del Litorale annessa al cosiddetto Regno di Illiria e nel 1818 la frontiera dell'Iudrio (che segnava il confine con il Veneto) venne segretamente assegnata alla Confederazione germanica; quindi Trieste con l'Istria ex-veneta e il Friuli orientale poté da allora essere definita territorio federale «a difesa dell'Impero germanico oltre le Alpi» [2].

Vani riuscirono tuttavia i tentativi austriaci di conculcare il carattere italiano della città giuliana, in base alle diverse componenti etniche della popolazione, che era aumentata a 36.000 abitanti nel 1815 per l'improvviso, ma piuttosto effimero, rifiorire del commercio. È anzi da notare che Trieste, divenuta sede del governo provinciale, ben presto assunse il ruolo di centro non solo economico, verso cui gravitarono le città istriane ex-vene-

[1] E. Sestan, *op. cit.*, pp. 76-78.
[2] A. Tamaro, *Storia* cit., vol. II, pp. 253-256.

te e friulane (contribuendo così allo sviluppo demografico e anche culturale italiano).

Nel frattempo continuava netta la separazione tra gli abitanti della città nuova, costituita da commercianti di svariate nazionalità intenti esclusivamente ai loro affari, e i triestini della vecchia città che conservavano tenacemente i loro costumi e le tradizioni e insieme la lingua italiana. A ragion veduta il governatore imperiale Alfonso di Porcìa, verso il 1824, sottolineò quella disparata dicotomia: «... la città teresiana è un campo di baracche dove i forestieri insaccano i quattrini, la città vecchia è una fortezza che difende tradizioni storiche e che non può capitolare» [1].

Contro la politica dispotica e accentratrice dell'Austria, chi più di ogni altro propugnò il ripristino dell'autonomia (sia pure in chiave anacronisticamente ancora municipale) di Trieste e con passione attese a educare la coscienza storica dei suoi concittadini, fu Domenico Rossetti. L'« Archeografo triestino », che egli fondò nel 1829, è importante non solo perché promosse la raccolta di documenti e contributi storici sul « glorioso » passato della città, ma perché realizzò la coesione culturale e spirituale fra i collaboratori di quella rivista storica e inoltre costituì uno strumento di più ampia divulgazione per quei liberali moderati o conservatori illuminati che si riunivano nella *Società di Minerva*, nata per merito dello stesso Rossetti nel 1810. L'incidenza sull'opinione pubblica non poteva essere rilevante allora per il disinteresse culturale di gran parte della borghesia, per l'apatia dei ceti popolari e per il legittimismo dinastico predominante nell'àmbito conservatore della vecchia nobiltà; tuttavia in quel cenacolo di cultori di patrie memorie e insieme di tenaci rivendicatori dell'autonomia cittadina si coagularono e si temprarono le aspirazioni politiche e spirituali, cosicché nel 1847 Nicolò Tommaseo non infondatamente definì Trieste città di cultura. Fra i collaboratori dell'« Archeografo » si distinse per maturità di giudizio storico Pietro Kandler, che sviluppò e approfondì le ragioni della rivendicata autonomia di Trieste, non più in chiave municipalistica e progressivamente filoitaliana come il « neoguelfo » Rossetti, bensì legalitaria (donde la definizione di moderatismo o liberalismo giuridico) in difesa della piccola patria triestina che riteneva però definitivamente inserita nello stato plurinazionale austriaco [2].

La cultura, come tutta la vita spirituale della città, continuò a mantenersi italiana; la minoranza tedesca, che culturalmente fino allora contava ben

[1] *Ivi*, p. 262; cfr. G. STEFANI, *Trieste e l'Austria dopo la Restaurazione* (*dai carteggi riservati della polizia imperiale*), in « Archeografo triestino », ser. IV, III, 1940, pp. 7-550.

[2] Cfr. P. KANDLER, *Storia del Consiglio* cit., pp. 163-188; G. CERVANI, *Dall'Ottocento* cit., pp. 72-74; G. NEGRELLI, *op. cit.*, p. 158.

poco o nulla [1], poté invece con il favore di Vienna e mediante i funzionari governativi accaparrarsi l'amministrazione e inoltre il predominio politico. La municipalità era costituita da tre assessori nominati dal governo e da un preside o podestà di nomina imperiale. Soltanto nel 1838 l'imperatore neoeletto Ferdinando concesse una parvenza di rinnovamento, istituendo il cosiddetto « statuto ferdinandeo » presso l'imperial-regio « Magistrato politico-economico »; si trattava di un corpo consultivo di quaranta membri, sul tipo delle deputazioni comunali del Lombardo-Veneto, privo di qualsiasi autorità e quasi un organismo fantasma che aveva soltanto il compito di presentare eventuali suppliche alla maestà del sovrano. I suoi membri venivano scelti dal governo tra possidenti, mercanti e professionisti.

Come la vita politica anche l'economica di Trieste illanguidiva, nonostante le iniziative delle società assicuratrici: nel 1831 furono fondate le Assicurazioni generali « austro-italiche », nel 1833 si costituì il Lloyd triestino (trasformatosi tre anni dopo in Società di navigazione), nel 1838 la Riunione adriatica di sicurtà. La crisi commerciale andò aggravandosi e il numero degli abitanti diminuì da 57.800 nel 1841 a 54.300 nel 1846. Le cause della decadenza triestina, come avvertiva nel 1842 Francesco Stadion governatore del « Litorale », dipendevano dall'esaurimento dei traffici con il Levante da quando la Grecia si era liberata e l'Austria aveva perso i benefici di potenza favorita in Turchia; d'altra parte le importazioni nel porto di Trieste non erano equilibrate con adeguate esportazioni di merci provenienti dai paesi cisdanubiani, per la negligenza del governo che (mentre voleva la stretta unione politica della città giuliana con la monarchia asburgica) nemmeno provvedeva alle comunicazioni con il retroterra. Invano il liberaleggiante governatore Stadion insistette nel richiedere una linea ferroviaria che collegasse Trieste e le regioni transalpine, nonché la creazione di linee commerciali con l'Oriente; nel 1847 fu sostituito dal reazionario Roberto di Salm-Reiffenscheid, che instaurò un clima pesante d'intimidazione nei confronti dei cittadini sospetti di nutrire sentimenti antiaustriaci.

Ancora dal 1836 il giornale « La Favilla », fondato dal triestino Giovanni Orlandini e dal capodistriano Antonio Madonizza, si era impegnato nell'educare italianamente il popolo attirando l'attenzione e la simpatia pure di patrioti esuli da ogni parte d'Italia. Ma l'idea di una separazione completa dalla monarchia asburgica non si diffuse che molto a stento fra la stessa borghesia liberale triestina, che per lo più continuò a seguire l'indirizzo moderato, riformista, federalista nel contesto austriaco (secondo le istan-

[1] E. SESTAN, *op. cit.*, p. 78.

ze giuridiche e le prospettive mercantilistiche del Kandler)[1] o addirittura rimase avviluppata nelle nostalgie del particolarismo municipalistico.

3. Costituzionalismo austriaco e cosmopolitismo triestino

La rivoluzione del 1848 se colse di sorpresa il governo di Vienna, costringendo il Metternich a dimettersi e l'imperatore a concedere la costituzione, rivelò l'esistenza anche a Trieste di un movimento democratico repubblicano collegato clandestinamente alla propaganda d'indirizzo radicaleggiante mazziniano. Entusiasti fautori erano soprattutto quei giovani che frequentavano le università di Padova e di Pavia[2]. Le loro generose aspirazioni non potevano tuttavia risolversi che in qualche estemporaneo tentativo di approfittare del turbamento provocato nell'opinione pubblica dalle notizie dei moti rivoluzionari vittoriosi a Venezia, a Milano e altrove, per scuotere almeno una parte della composita e refrattaria cittadinanza triestina. In realtà su circa sessantaseimila abitanti, nonostante la massiccia opera di germanizzazione proseguita dalle autorità governative, appena ottomila erano tedeschi; ma quasi tutte le più importanti compagnie commerciali di Trieste dipendevano da loro e altre venivano gestite dalla consolidata colonia slava e da quella greca, che ambedue allora per salvaguardare i propri interessi diffidavano di ogni novità rivoluzionaria e si mostravano quindi filoaustriache ovvero germanofile[3]. La maggioranza della popolazione italiana era invece disorientata e suddivisa in diverse tendenze, che sarebbe stato assai difficile coinvolgere per agire unitariamente.

In quelle circostanze l'appassionata eloquenza di Francesco Dall'Ongaro, l'impaziente gesto insurrezionale dei giovani patrioti capeggiati da Giovanni Orlandini (che il 23 marzo 1848 s'illuse di poter emulare Daniele Manin per conseguire « la libertà assoluta di Trieste da ogni dominio, la fratellanza colla repubblica veneta, coll'Istria sventurata e coi prodi dalmati »)[4] e altri magnanimi episodi, furono significativa manifestazione dell'aggancio triestino al progressivo maturarsi della coscienza nazionale, ma la passività di quasi tutta la cittadinanza confermò pure quanto fosse circoscritta l'ade-

[1] Cfr. C. Schiffrer, *Le origini* cit., pp. 232-234.

[2] *Ivi*, p. 234.

[3] E. Sestan, *op. cit.*, pp. 78-86; G. Cervani, *Aspetti della cultura liberale triestina verso la metà dell'800. Il pensiero politico di Alessandro Mauroner*, in *Problemi del Risorgimento* cit., pp. 185-257.

[4] G. Stefani, *Documenti e appunti sul Quarantotto triestino*, in *La Venezia Giulia e la Dalmazia nella rivoluzione nazionale del 1848-1849*, Del Bianco, Udine 1949, pp. 42-44, 90; A. Scocchi, *Ispirazione mazziniana della tentata insurrezione di Trieste del 23 marzo 1848*, *ivi*, pp. 319-349.

sione alla loro propaganda e inevitabile quindi l'insuccesso dei loro sporadici tentativi. Al contrario parve dapprima ben adeguarsi all'evolversi della situazione generale e anche interpretare le aspirazioni autonomistiche della maggior parte dei triestini quel moderatismo di Pietro Kandler, che continuava verosimilmente a coltivare l'eredità culturale e ideale del Rossetti propugnando l'istituzione di scuole statali di lingua italiana, dalle elementari al ginnasio (mentre nel 1842, a dispetto delle ripetute richieste, ne era stato istituito uno tedesco). Le prospettive del Kandler differivano tuttavia da quelle municipalistiche filoitaliane già del Rossetti e, il 30 aprile 1848, quando si costitutì la « Società dei triestini »[1], vennero da lui formulate in modo inequivocabile: le future fortune del porto di Trieste potevano essere assicurate solo mantenendosi nell'àmbito dell'impero asburgico, che ne aveva fatto l'emporio dei paesi cisdanubiani, e inoltre insistendo affinché fossero applicate opportunamente le libertà costituzionali e così gli organi locali tornassero ad essere « rappresentanza del popolo »; avrebbe dovuto perciò cessare il sistema burocratico accentratore della « provincialità governativa » e si sarebbe instaurata una nuova « condizione provinciale » di Trieste insieme con l'Istria (« la naturale provincia con cui accomunarsi »)[2].

Le ottimistiche previsioni e speranze del Kandler nella « missione emporiale » di Trieste e nella palingenesi dell'impero austriaco si scontravano polemicamente non soltanto con la nuova tesi, tendenzialmente cosmopolitica, che l'esule Francesco Dall'Ongaro andava proprio allora sostenendo perché Trieste diventasse « ad un tempo città italiana, e città libera » (« città anseatica », « l'Amburgo dell'Adriatico »); obiettivo della polemica kandleriana era in pari tempo, e forse ancor più, l'accentuarsi del pericolo di un predominio politico da parte della ricca borghesia mercantile e finanziaria che monopolizzava l'economia della città e che aveva « interessi europei », non « interessi nostrani »[3]. Questa borghesia, liberista convinta, era incline alla cultura tedesca poiché tedeschi, con a capo Carlo Ludovico Bruck[4], erano i principali mercanti e finanziatori dell'emporio triestino, ma la loro cultura era senza dubbio aperta ad altri influssi e modernamente europea; inoltre rappresentava sempre più quella parte qualificata della città nuova che diede origine al vero cosmopolitismo triestino, rimpiazzando i nostalgici del vecchio municipio aristocratico. Non erano certo dei reazionari e tanto meno condividevano le impazienze dei giovani patrioti,

[1] C. De Franceschi, *Il movimento nazionale a Trieste nel 1848 e la Società dei Triestini*, *ivi*, pp. 265-315.

[2] Cfr. G. Negrelli, *Comune* cit., pp. 137-151.

[3] *Ivi*, pp. 154-157; cfr. B. Astori e G. Stefani, *Il Lloyd triestino: contributo alla storia italiana della navigazione marittima*, Mondadori, Verona 1938.

[4] G. Stefani, *Documenti* cit., p. 104, cfr. E. Chersi, *Trieste e il parlamento di Francoforte*, in *La Venezia Giulia* cit., pp. 550-582; G. Negrelli, *op. cit.*, pp. 140-142.

si consideravano liberali amanti del « generale progresso » ovvero conservatori illuminati che confidavano nell'evoluzione feconda della via costituzionale. Di fronte ai fermenti rivoluzionari consapevolmente e decisamente assunsero le proprie responsabilità, come attesta il Sartorio: « Le persone moderate ed amanti dell'ordine non potevano rimanere indifferenti a siffatte intemperanze perloché decisero di unirsi, onde con saggi ragionamenti paralizzare cotali virulenti sermoni e crearono perciò la giunta triestina che teneva concione nella sala del casino greco. Quest'assemblea composta di persone oneste e rispettabili, riuscì di distruggere lo sparso veleno non solo, ma di mantenere l'ordine ragionando con calma delle nuove dottrine, perché fossero rettamente valutate ed interpretate dalla nostra popolazione » [1].

Dopo che il governatore Salm, nel tentativo di costituire un fronte austrofilo, con un piccolo colpo di stato era riuscito a far assumere dall'imperial-regio Magistrato politico-economico anche l'amministrazione municipale e a estromettere dalla Guardia nazionale i « repubblicani » italiani, non rimase di fatto che la « Società dei triestini » a contrastare il crescente predominio della cosmopolitica « Giunta triestina » [2]. Questa, sotto l'influenza del pangermanista Bruck, si affrettò a dichiarare Trieste « città libera della federazione germanica » e a trattare direttamente con l'ammiraglio Albini, che il 24 maggio 1848 con una flotta sardo-veneta-napoletana aveva bloccato il golfo di Trieste. La gran maggioranza dei triestini, che soltanto allora seppe di essere stata aggregata alla confederazione germanica, non gradì affatto quell'iniziativa perché preferiva rimanere nell'impero asburgico e quindi « non voleva questi Amburghi, Breme e Lubecche né dall'Italia né dalla Germania ». Il Kandler credette di riscontrarvi una conferma della sua tesi e una promettente adesione dei concittadini al suo programma, sennonché la « Giunta triestina » fu sollecita (quanto più declinavano le fortune degli insorti) a proclamare il proprio appoggio al governo austriaco [3].

Invano la Commissione municipale, che in attesa delle elezioni comunali (promesse dalla Costituzione del marzo 1848) era formata da diciotto membri per lo più filoitaliani, rinnovò le richieste d'istituire scuole e un ginnasio italiano, come pure una provvisoria facoltà politico-legale italiana in vista di una completa Università. Contro il movimento nazionale italiano, di cui portavoce dal 22 ottobre 1848 era il « Giornale di Trieste », l'Austria cominciò a favorire l'immigrazione di slavi per snaturare demogra-

1 G. Cervani, *Intorno al cosmopolitismo* cit., pp. 238-252.

2 G. Stefani, *Documenti* cit., pp. 89, 105; O. De Incontrera, *La Guardia nazionale triestina*, in *La Venezia Giulia* cit., pp. 402-421.

3 Cfr. G. Stefani, *Documenti* cit., pp. 126-136.

ficamente la città, introdusse il 1° gennaio 1849 la censura sulla stampa e sottopose anche i testi scolastici all'esame preventivo della polizia.

Sciolta d'autorità, nel dicembre '48, la Commissione municipale che era rimasta formalmente in carica per l'astensionismo dei liberali nelle elezioni del settembre (come protesta contro la mancata attuazione delle precedenti promesse fatte dal governo), i cosmopoliti della « Giunta triestina » riuscirono ad assicurarsi la maggioranza nel Consiglio comunale [1]. Ormai la rivoluzione liberal-borghese era sconfitta in tutto l'impero e così, sospinto dalla pressione aulica-militare, l'imperatore Francesco Giuseppe non ebbe difficoltà a respingere il progetto costituzionale di tipo democratico e rappresentativo, elaborato dal parlamento (Reichstag), e invece il 4 marzo 1849 promulgò una propria costituzione *octroyée* che sostanzialmente ripristinava quasi lo stato assoluto.

4. Autonomismo « cosmopolitico »

Il decennio che seguì, e che prese il nome dal reazionario ministro Alessandro Bach, fu contrassegnato a Trieste dalla supremazia della maggioranza « cosmopolitica » nel Consiglio comunale e dalla scomparsa della « Società dei triestini », poiché il programma costituzionalistico austrofilo di Pietro Kandler non era più consono alla mutata situazione politica e ai nuovi interessi commerciali. Per l'autorevole influenza del Bruck, divenuto ministro dell'impero asburgico, il governo di Vienna diede una soluzione appunto nel senso auspicato dai « cosmopoliti » al problema anomalo di Trieste, che secondo il decreto imperiale del 1° ottobre 1849 e la successiva promulgazione del nuovo statuto, il 12 aprile 1850, fu dichiarata « col suo territorio città immediata dell'impero austriaco (*Reichsunmittelbare-Stadt*) » e quindi svincolata da ogni « altro paese della Corona », in qualità di « comune provinciale » con « diritto di inviare due deputati alla prima Camera del Parlamento ». Anzi si riconosceva che la città di Trieste « col suo territorio si è mai sempre mantenuta in una specie d'autonomia eccezionale » e perciò quell'autonomia le spettava per un diritto « sancito dalla storia dei secoli » (risalente alla « dedizione » del 1382) [2].

Sembrava che insperatamente le aspirazioni autonomistiche triestine, vecchie e nuove, dovessero essere soddisfatte e il Kandler prevedeva che mediante quel riconoscimento si sarebbe potuto « progredire più oltre fino alla libertà ed indipendenza »; eppure lo stesso Kandler non desistette

[1] Cfr. G. Negrelli, *op. cit.*, p. 165.
[2] *Ivi*, pp. 166-176.

dall'ammonire i suoi concittadini che era illusorio e impossibile pretendere di richiamare in vita una forma di autogoverno già del tutto svuotata di contenuto in séguito alle riforme teresiane del 1749, comunque sepolta da Napoleone e rimasta da allora solo un evanescente ricordo. Riteneva più vantaggioso ricostituire la provincia mercantile « creata da Maria Teresa », per poter ritornare « a quelle condizioni che diversificavano Trieste dalle altre provincie in materia di imposizione di dogane ed emporio » [1].

Il Consiglio comunale nel 1850 fu rieletto secondo le nuove norme statutarie (che gli davano quasi il carattere di Dieta provinciale) e non fu rinnovato per un decennio, fino al 1860, nonostante la prescritta scadenza triennale. Fin dalla prima seduta il nuovo Consiglio qualificò « cosmopolitica » la città di Trieste e pretese che il suo statuto fosse da considerarsi un « trattato », quasi un patto bilaterale di uno « Stato di Corona » con l'Austria e non più « Trieste nell'Austria ». Quando poi l'imperatore partecipò alla cerimonia dell'inizio dei lavori per la tanto sollecitata ferrovia, il podestà Muzio Tommasini non ebbe scrupolo di dichiarare pubblicamente: « Maestà, in questo punto Trieste ha contratta solida alleanza con l'Austria ». Il Consiglio proseguì nelle rivendicazioni autonomistiche, aggiudicandosi un potere legislativo tendente a costituire un proprio diritto pubblico, anche in contrasto con le leggi generali dell'impero. Si esautorava quindi il Magistrato politico-economico, che aveva il compito appunto della « manutenzione delle Leggi generali comuni a tutto lo Impero », e finiva la stessa « separazione che fino dai tempi di Maria Teresa si volle fra il civile privato ed il pubblico amministrativo, assegnando quell'azienda al Consiglio, questa al Magistrato ». Invano il Kandler denunciava il pericolo che il governo imperiale fosse indotto a reagire, rinforzando i propri organi burocratici e così riducendo drasticamente l'autogoverno della città. La revoca della costituzione da parte dell'imperatore, il 31 dicembre 1851, diede anzi motivo al Consiglio comunale di proclamare lo statuto del 1849 « unica sorgente di gius » e, per conseguenza, venne « ripudiata ogni altra legge sia di Stato, sia generale d'Austria ». Nel 1859 si prospettò perfino l'eventualità di poter ripristinare l'anacronistico « Comune a patriziato » [2]. Ma veramente il nuovo municipalismo triestino era cosmopolitico, secondo le prospettive del ceto dirigente mercantile e dell'alta finanza, non ancora condizionato dal movimento filoitaliano.

La situazione mutò in séguito alla disfatta austriaca nella guerra del 1859 e all'aggravarsi della crisi finanziaria dell'impero asburgico, mentre il nuovo regno d'Italia non solo suscitava entusiasmi patriottici nella piccola

[1] *Ivi,* pp. 169-172.
[2] *Ivi,* pp. 175-182.

borghesia triestina, fra cui più si erano inseriti gli immigrati veneti e istriani, ma anche attirava l'attenzione e gli interessi dei ceti cosiddetti cosmopolitici. Significativo è il memoriale che il Consiglio comunale (su proposta di Arrigo Hortis, capo della massoneria triestina, nonché dei filoitaliani Nicolò De Rin e Raffaele Costantini) approvò il 2 dicembre 1859 perché fosse trasmesso al « Congresso europeo » di Parigi: contro le tendenze dell'egemonia germanizzatrice si sarebbe dovuta assicurare la più ampia autonomia per la « città libera » di Trieste che, pur mantenendosi politicamente legata all'Austria, avrebbe tratto maggior vantaggio economico se fosse passata a far « parte della Confederazione italiana » [1].

La successiva politica asburgica fu assai incerta (oscillando confusionariamente tra velleità centralizzatrici e progetti federalistici diversi), mentre del tutto trascurava di promuovere un'economia conforme alle nuove esigenze del commercio, sia in generale sia in particolar modo per salvaguardare il ruolo del porto triestino che ormai non era più l'emporio dei paesi cisdanubiani, da quando i loro traffici venivano attratti dai porti dell'Elba per lo sviluppo delle vie di comunicazione fluviali e ferroviarie. Si aggiungeva il sospetto che la nuova fase del centralismo austriaco tendesse a sopprimere i privilegi doganali e l'autonomia di Trieste, aggregandola alla provincia della Carniola anche per stroncare il crescente movimento filoitaliano. In realtà perfino l'austrofilo Kandler dovette riconoscere che « più spiegatamente dal 1862 in poi la separazione e distinzione di Trieste dall'Impero manifestavasi da ogni parte, suffragata dalla persuasione che il vecchio Impero non poteva puntellarsi con nuove istituzioni e che irremissibilmente sarebbesi sfracellato » [2].

Il cosmopolitismo della maggioranza liberaleggiante che vinse le elezioni comunali del 1861 e del 1862 non poteva condividere affatto la tesi del Kandler, in chiave storica e strettamente giuridica, che Trieste era « l'emporio per l'Austria tutta, tale che nato coll'Austria, coll'Austria soltanto può durare, perché all'Austria immedesimato » [3]. Il Kandler fu quindi esonerato dall'incarico di collezionare le leggi riguardanti l'autonomia della città e il Consiglio comunale ne affidò il compito ad una commissione, che riprese piuttosto le tesi del Rossetti definendo l'autonomia di Trieste come « l'indipendenza da persona altra che il principe, e da leggi politiche altre che le patrie »; anzi, con l'accusare l'Austria di aver indebitamente converti-

[1] *Ivi*, p. 192; cfr. N. SALVI, *La crisi di trasformazione dell'emporio di Trieste in porto di transito (1856-1865)*, in *La crisi dell'Impero austriaco dopo Villafranca*, Monciatti, Trieste 1961, pp. 201-265; G. CERVANI, *L'economia triestina e il canale di Suez nelle lettere del barone Pasquale Revoltella*, in *Problemi del Risorgimento* cit., pp. 19-58.

[2] Cfr. G. NEGRELLI, *op. cit.*, p. 199.

[3] P. KANDLER, *Emporio* cit., p. 291.

to il protettorato in sovranità, si prospettava una soluzione addirittura separatista [1].

Gli autonomisti « cosmopoliti » triestini si atteggiarono a convinti federalisti dopo che, il 20 settembre 1865, l'imperatore Francesco Giuseppe sospese l'applicazione della legge centralizzatrice del 26 febbraio 1861, rinnovando invece la promessa inadempiuta del 1860 di « stabilire istituzioni legali le quali rispondano al diritto storico e all'indole differente delle differenti regioni » [2]. Nella seduta dell'8 gennaio 1866 il nuovo Consiglio comunale si disse fiducioso perfino che i diritti storici dell'antica repubblica triestina sarebbero stati « conciliabilmente coi nuovi tempi mantenuti e protetti »; poi decise senz'altro di « procurare dall'Ecc. Ministero un esplicito riconoscimento che l'autonomia di Trieste quale Città-Provincia ha la sua base negli storici suoi diritti, segnatamente nel patto di sua dedizione all'Augusta Casa Imperante, e nella sovrana risoluzione del 1° ottobre 1849 ». Più tardi, il 19 marzo 1868, liberali triestini (nel loro giornale, il « Cittadino ») insistettero perché quei diritti « nei riguardi politici ed amministrativi » fossero esplicitamente riconosciuti dal Parlamento di Vienna come fondati « sopra trattato internazionale, sopra patto bilaterale » [3].

Il Consiglio comunale, nelle sedute del 5 e 6 ottobre 1868, aggiunse la richiesta che la lingua italiana fosse usata nelle scuole e nei pubblici uffici e che i funzionari « siano di preferenza del paese, ed in ogni caso appartenenti alla nazionalità di questo » [4]. Non era tuttavia una manifestazione di patriottismo nazionalistico, piuttosto un altro motivo per reclamare i diritti dell'autonomia di Trieste.

[1] Cfr. G. Negrelli, *op. cit.*, pp. 209-211.

[2] *Ivi*, p. 212; cfr. E. Sestan, *Le riforme costituzionali austriache del 1860-1861*, in *La crisi* cit., pp. 63-91; R. Blaas, *Il barone Burger luogotenente a Trieste*, *ivi*, pp. 137-170.

[3] Cfr. G. Negrelli, *op. cit.*, pp. 212-217.

[4] *Ivi*, p. 218.

Capitolo VII. Dall'irredentismo romantico al municipalismo irredentista

1. « Italianisti moderni » e triestinità

Nel frattempo, dal 1860 circa in concomitanza con il rapido evolversi dell'unificazione italiana, si era andato gradualmente manifestando anche quell'irredentismo (cioè risveglio nella società triestina della coscienza nazionale, definitivamente indirizzata verso l'Italia) che contrassegnò il successivo cinquantennio di storia. Nel 1861 fu pubblicato da Pacifico Valussi l'opuscolo *Trieste ed Istria: loro diritti nella questione italiana*, che è ritenuto senz'altro il « Manifesto » dell'irredentismo giuliano. Non solo vi si denunciavano le persecuzioni austriache e i soprusi, dal 1849 in poi, nei confronti di chiunque a Trieste fosse sospettato come filoitaliano, ma si respingeva categoricamente qualsiasi compromesso e si prospettava la separazione della Venezia Giulia dall'Austria, e quindi l'unione con Italia, come unica soluzione valida [1].

La propaganda irredentistica fu allora quasi impersonata negli avvocati Arrigo Hortis e Giovanni Benco: il primo si distinse nell'attività politica triestina, preparando e via via consolidando il sopravvento della maggioranza liberal-nazionale nelle elezioni per il Consiglio comunale, il secondo nel promuovere la cultura cittadina riassumendo in chiave patriottica la tradizione autonomistica del Rossetti. Nel 1869 anzi venne ripresa la pubblicazione dell'« Archeografo triestino » e nel 1874, insieme con la proposta di erigere un monumento al suo fondatore, le onoranze al Rossetti servirono piuttosto per celebrare le speranze degli irredentisti. Già precedentemente l'esposizione di una bandiera di Trieste a Roma durante la cerimonia del trasferi-

[1] G. Cervani, *Dal Quarantotto all'irredentismo (lineamenti bibliografici)*, in *Storiografia* cit., pp. 207-209; cfr. *Carteggio Cavalletto-Luciani (1861-1866)*, a cura di G. Quarantotti, Antoniana, Padova 1962, p. 6.

mento della capitale italiana era stata denunciata dal governo di Vienna come preoccupante sintomo della « rilevanza politica assunta dall'irredentismo »[1].

Gli « Italianisti moderni », ossia i giovani irredentisti, secondo il Kandler si differenziavano dai vecchi municipalisti triestini e anche dai liberali « cosmopoliti » (che pure ormai stavano atteggiandosi a filoitaliani) perché nel loro appassionato nazionalismo smarrivano le caratteristiche storiche e i valori dell'autonomia locale, mentre invece mutuavano pericolosamente « il concetto, la forma, l'azienda » dei Comuni sottoposti alla politica centralizzatrice dell'appena costituito regno d'Italia[2]. Era un'accusa, almeno per quegli anni, piuttosto tendenziosa ed esagerata affinché la cittadinanza triestina (tenacemente autonomista e ancora abbastanza soddisfatta dalle concessioni costituzionali e amministrative asburgiche) non si lasciasse sedurre dall'irredentismo romantico.

In realtà fino al 1890 circa, quando la pressione dello slavismo favorito dal governo di Vienna costrinse gli stessi liberali « cosmopoliti » ad assumere un atteggiamento diverso, fu preminente ancora la difesa dell'autonomia della « piccola patria » nell'àmbito dello stato plurinazionale austriaco. Anzi va notato che, a differenza dell'Istria ex-veneta legata da secolare comunanza con Venezia e quindi più precocemente sensibile ai richiami risorgimentali, Trieste fu alquanto lenta a condividere nuove prospettive di vita politica avulse dalla lunga consuetudine di lealismo dinastico e d'interessi con le terre asburgiche. Inoltre l'esigua minoranza degli irredentisti triestini non trovava consensi e appoggi neppure nell'Italia ufficiale (preoccupata di non compromettere la recente unificazione con velleità espansionistiche, ritenute offensive dapprima nei confronti della confederazione germanica, cui Trieste era stata aggregata, e poi della Triplice Alleanza), anche perché quei giovani « rumorosi e generosi » erano quasi tutti repubblicani e antimilitaristi[3]. Più proficuo forse allora risultò l'accomodante moderatismo dei vecchi, municipalisti e ad un tempo liberali nazionali, che « con sagaci interpretazioni sapevano spremere dalle leggi vigenti tutto quello che se ne poteva spremere: seggi nei consigli comunali e dietali, scuole, associazioni, giornali »[4].

Va soprattutto rilevato che ormai da tempo[5] « un mutuo sospetto, una

[1] Cfr. S. FURLANI, *Il Risorgimento*, in *Austria e Italia* cit., p. 177; F. CATALANO, *Irredentismo di Sinistra e di Destra dal 1870 al 1915*, in *Problemi del Risorgimento* cit., pp. 59-61.

[2] G. NEGRELLI, *Comune* cit., pp. 179, 199; cfr. G. QUARANTOTTI, *Pietro Kandler nel LX della morte*, in « Pagine istriane », ser. III, IV, 1950, pp. 201-206.

[3] E. SESTAN, *Venezia Giulia* cit., pp. 96-98.

[4] *Ivi*, p. 100.

[5] Fin dal 1862, secondo il Kandler (cfr. G. NEGRELLI, *op. cit.*, p. 199).

gravissima diffidenza regnava fra Governo e popolo, ambedue scesi alla condizione di partiti, mutuamente osteggiantesi, anziché di governanti e di governati ». A questo proposito tipiche furono poi le polemiche giornalistiche, in fase preelettorale, fra l'*Adria* (supplemento del quotidiano governativo « Osservatore triestino ») e l'*Indipendente* (portavoce dell'irredentista « Società del progresso »). La miope politica governativa, prestando fede all'erronea insinuazione che il municipalismo « cosmopolitico » aspirasse « all'avulsione », aveva ripetutamente alimentato il sospetto di « voler data Trieste in balìa dei Carniolici » e così « la massa raffreddavasi verso l'Austria, sempre più, sempre in maggiori proporzioni, con vaghi desideri o piuttosto con malcontento delle cose presenti » [1]. Ma l'attrito con il governo non era motivato solo da problemi politici, bensì dall'aggravarsi dei dissesti economici e da fosche previsioni sull'ulteriore decadenza dell'emporio triestino. Dopo il 1872 infatti il porto di Fiume cominciò a insidiare la supremazia commerciale di Trieste, perché meglio attrezzato al maggior tonnellaggio delle navi moderne, tanto più che dal 1873 due linee ferroviarie lo collegarono direttamente con l'Ungheria e la linea di raccordo Fiume-S. Pietro del Carso lo mise in comunicazione con Vienna.

Il malcontento della borghesia triestina andò accentuandosi appunto dal 1873, quando la stragrande maggioranza degli elettori per protesta si astenne dall'esercitare il diritto di voto e poi per ventiquattro anni continuò a disertare le elezioni dei deputati al parlamento di Vienna. Conseguentemente il progetto governativo di festeggiare il quinto centenario del dominio austriaco sulla città fu ritenuto una provocazione e Guglielmo Oberdan, dopo aver stilato un proclama di condanna, si sacrificò nel fallito tentativo d'impedire la visita dell'imperatore Francesco Giuseppe a Trieste [2].

La politica antiautonomistica delle autorità asburgiche provocò l'effetto opposto di quello sperato: al municipalismo « cosmopolitico » si andò sostituendo una nuova forma di difesa dell'autonomia locale, ispirata a una moderna concezione nazionalitaria. Gli interessi commerciali e le libertà municipalistiche non parvero più salvaguardati nell'àmbito dell'impero asburgico e, a poco a poco, si disposarono indissolubilmente con le speranze irredentistiche.

[1] *Ivi*, p. 199; cfr. G. Cervani, *Dal Quarantotto* cit., pp. 209-215.

[2] F. Salata, *Guglielmo Oberdan secondo gli atti segreti del processo, carteggi diplomatici e altri documenti inediti*, Zanichelli, Bologna 1924.

2. Estrema difesa dell'autonomia comunale

Così, malgrado la politica apertamente slavofila del lungo ministero Taaffe (1879-1893) e l'ostruzionismo del luogotenente imperiale, i liberali nazionali triestini poterono conseguire e mantenere senza difficoltà la maggioranza del Consiglio municipale (che fungeva pure da dieta provinciale), anche perché la limitazione del diritto di voto, sancita dalle leggi elettorali del 1861 rimaste sostanzialmente immutate fino al marzo 1897, favoriva pur sempre la « leadership » delle forze intellettuali ed economiche in gran parte italiane o italianizzate [1]. Il malcontento poi per la crisi commerciale si esasperò nel 1891, quando fu tolto a Trieste il privilegio di città franca e il conseguente aumento dei prezzi pesò molto su tutta la popolazione. Inoltre, l'anno prima, il luogotenente imperiale aveva sciolto di autorità le due associazioni patriottiche della « Pro Patria » e della « Società del progresso », ma l'immediata reazione dei Triestini le rimpiazzò quasi per sfida con la « Lega nazionale » e con la « Associazione progressista ». I risultati più evidenti dell'inquietudine suscitata nell'opinione pubblica si ebbero nelle elezioni amministrative del 1897, che determinarono la completa sconfitta dei partiti austrofili sebbene la Luogotenenza con ogni espediente avesse cercato di favorirli, includendo nelle liste molti (specialmente slavi) che non avevano diritto di voto. La vittoria dei liberali nazionali fu schiacciante, poiché non venne eletto nemmeno un candidato « governativo ».

Nel marzo dello stesso anno si tennero le elezioni politiche secondo il nuovo sistema, che introduceva una quinta curia « a suffragio universale moderato » oltre alle quattro curie già esistenti (del grande possesso fondiario, delle camere di commercio, delle città e dei comuni rurali) che fino allora avevano piuttosto avvantaggiato il prevalere del partito filoitaliano. Si contendevano quel mandato parlamentare i socialisti, che erano alle loro prime esperienze elettorali e avevano una tendenza dichiaratamente internazionalista (perciò antirredentistica o per lo meno indifferente ai problemi nazionali della città), e i governativi schierati a favore di un candidato slavo. I liberali nazionali, pur ribadendo che la loro partecipazione alle elezioni non significava una qualche rinuncia al precedente atteggiamento di protesta, presentarono come candidato per la quinta curia Attilio Hortis. Il successo conseguito da costui e da candidati del medesimo partito in altre curie (compresa la terza, che si riteneva la più scabrosa per il confluire dei votanti del territorio insieme con alcune frazioni cittadine, dove prevalse l'ex-garibaldino Leopoldo Mauroner sul candidato slavo) preoccu-

[1] E. Sestan, *op. cit.*, pp. 91, 98.

pò tanto il governo austriaco che venne senz'altro sostituito il luogotenente imperiale; ma le elezioni dell'anno successivo confermarono la disfatta degli austriacanti.

La situazione politica andò mutando dal 1899 per la scissione del movimento liberal-nazionale (in séguito al costituirsi, appunto nell'autunno di quell'anno, dell'Associazione Democratica più sensibile ai problemi sociali che all'autonomia municipale in chiave patriottica) e soprattutto per le iniziative finalmente adottate dall'Austria che, dando un vigoroso impulso allo sviluppo commerciale del porto triestino, eliminarono il malcontento della cittadinanza almeno sotto l'aspetto economico. Le mire espansionistiche nei Balcani e la necessità di creare un vasto mercato levantino, per la propria ormai sovraeccedente produzione industriale, indussero il governo di Vienna a sovvenzionare il Lloyd triestino (tanto che ne divenne il maggiore azionista e si riservò la nomina del presidente) e a potenziare le comunicazioni ferroviarie con l'Europa centrale. Per di più nel 1900 furono concesse notevoli esenzioni fiscali alla stessa Trieste, agevolando il sorgere di nuove industrie, mentre s'intensificava il commercio di transito, in particolare quello del caffè e del carbone inglese. La città, che nell'anno 1900 con il suo territorio raggiunse i 176.383 abitanti, ebbe un incremento demografico straordinario del 33,5% fino al 1910, quando si censirono 235.509 abitanti. L'immigrazione slava, specialmente di manodopera rurale slovena, fu molto favorita dal luogotenente principe Corrado di Hohenlohe, che non ebbe scrupolo di dichiarare durante una pubblica cerimonia che Trieste non doveva essere di nessuna nazionalità [1].

Di fronte all'antagonismo del crescente movimento slavo e alla contemporanea ostilità dei socialisti, che nel convegno del 1905 insieme con i compagni austriaci condannarono l'irredentismo [2] e sostennero che la vita economica di Trieste era strettamente legata a quella dell'impero asburgico, i liberali nazionali riuscirono a malapena a vincere ancora le elezioni comunali del 1906. L'anno dopo, la pressione governativa sembrò avere il definitivo sopravvento sul municipalismo triestino (divenuto progressivamente irredentista) perché anche nelle elezioni amministrative fu introdotta la quinta curia, in previsione appunto di un diverso comportamento delle masse popolari. Ma, per l'appassionata propaganda di Felice Venezian prima e di Camillo Ara poi, l'opinione pubblica affrontò le elezioni del giugno 1909 come se si trattasse del decisivo confronto per poter mantenere l'autonomia del Comune italiano, minacciato dalla sopraffazione austro-slava.

[1] Cfr. A. TAMARO, *Storia* cit., vol. II, pp. 563-568.

[2] Cfr. E. APIH, « *L'Unità* » *ed il problema adriatico* (1911-1920), in *Scritti in onore di C. De Franceschi* cit., p. 254.

3. Unione all'Italia e nostalgie autonomistiche

Dopo la strepitosa riaffermazione dei liberali nazionali, cominciò l'ultimo atto di una lotta accanita degli «uomini del Comune» contro il prepotente autoritarismo del principe Hohenlohe, spalleggiato dallo slavofilo arciduca Francesco Ferdinando., Si riprese la questione dell'Università, divenuta già dal 1891 e ancor più dal 1902 motivo di manifestazioni antiaustriache, mentre si moltiplicavano gli arresti arbitrari e le espulsioni (circa trentacinquemila dal 1903 al 1913) di immigrati italiani.

Le elezioni politiche del 1911 furono un nuovo successo liberal-nazionale. Nell'agosto 1913 il luogotenente Hohenlohe, deciso a stroncare la propaganda irredentistica, impose di licenziare i pochi impiegati «regnicoli» rimasti negli uffici municipali e di sostituirli con slavi (la cui percentuale era già dell'87,5% nell'amministrazione statale). Il Comune reagì compatto e nell'opinione pubblica si riaccese lo spirito autonomistico, soprattutto nella città vecchia dove i liberali nazionali vinsero le elezioni amministrative al primo scrutinio. Così alla vigilia della guerra mondiale, che poi paralizzò del tutto la vita politica triestina, il municipalismo irredentista poté considerarsi quasi «depositario delle più pure tradizioni cittadine». L'irredentismo tuttavia era un fenomeno complesso: ebbe originariamente «una sua bellezza morale», che si offuscò in quanti per patologia nazionalistica smarrirono i valori di una più larga umanità [1], oltre a quelli civici autentici della piccola patria. Certo, quando il 3 novembre 1918 le truppe italiane vittoriose liberarono Trieste, la «felicità di essere liberi» — secondo testimonianze contemporanee — fu «così grande che, dopo più di un secolo di angosciosa attesa, ogni dettaglio di vita politica quotidiana» assumeva «un'importanza relativa». Sennonché non giovò l'aver troppo presto trascurato quel che ancora era valido di una plurisecolare esperienza di autonomia e di cosmopolitismo, che avrebbe potuto contribuire a risolvere il problema della minoranza slava, unica rimasta dopo la scomparsa di quella austro-magiara.

La tradizione autonomistica e la strenua difesa del municipalismo non solo erano stati i motivi fondamentali della storia preunitaria di Trieste, ma si mantennero assai radicati nella coscienza della cittadinanza anche dopo l'unione all'Italia. Conclusa la parentesi dei tolleranti governi postbellici, i podestà fascisti (almeno quelli del tutto ignari della storia locale ed esecutori tracotanti delle direttive del regime) avvilirono la vita comunale triesti-

[1] *Ivi*, pp. 260-263; E. SESTAN, *op. cit.*, pp. 102, 124.

na, che pure sotto la dominazione austriaca era stata « molto vivace e molto sentita »[1]. Le tenaci nostalgie della città libera di Trieste ormai appaiono anacronistiche, perché non sussistono più le condizioni economiche e politiche di un tempo; ma i valori profondi dell'autonomia locale possono ancora rifiorire in altre forme, non solo nel modesto àmbito regionale, bensì e forse soprattutto per promuovere lo spirito di collaborazione e il progresso della civiltà fra popolazioni etnicamente diverse, non più contrapposte da superati antagonismi nazionalistici.

[1] E. SESTAN, *op. cit.*, p. 123; cfr. A. ARA, *Ricerche sugli austro-italiani e l'ultima Austria*, Elia, Roma 1974, pp. 141-172.

Bibliografia

ABBREVIAZIONI

AMSI « Atti e memorie della Società istriana di archeologia e Storia patria ».
A. T. « Archeografo triestino ».

FONTI DOCUMENTARIE

Per l'età medievale e per i primi secoli dell'età moderna le fonti documentarie, piuttosto scarse, si conservano nella Biblioteca civica di Trieste, *Archivio diplomatico* (di cui non esiste un inventario a stampa, come pure per i documenti conservati nell'Archivio generale del Comune di Trieste).

Solo in parte è ancora utilizzabile, per fonti documentarie dal '700 in poi, l'*Inventario generale delle carte conservate nel R. Archivio di Stato di Trieste e nella sezione d'Archivio di Stato di Fiume, con note archivistiche di* F. Perroni, Trieste 1933. Di notevole importanza è l'*Archivio del Procuratore civico*, che si trova nell'*Archivio diplomatico* del Comune. Ma questa documentazione deve essere integrata con quella che si conserva negli archivi di Vienna, specialmente nell'Haus- Hof- und Staatsarchiv (in particolare l'*Hofkammerarchiv* e *Staats-Kanzlei Interiora-Küstenland*) e nelle sezioni archivistiche (*Hofkanzlei* e *Polizeihofstelle*) del Ministero degli Interni. Cfr. A. Tamaro, *Storia di Trieste*, vol. I, Stock, Roma 1924, pp. XX-XXIV (ristampa, con saggio introduttivo di G. Cervani, Lint, Trieste 1976, pp. 12-16).

FONTI EDITE

A) Raccolte di fonti e repertori

1) *Sul diploma di Lotario*

Sull'autenticità del diploma di Lotario II, che l'8 agosto 948 concedeva il potere temporale al vescovo di Trieste, si è discusso prima e anche dopo l'edizione critica di L. SCHIAPARELLI, *I diplomi di Ugo e di Lotario, di Berengario II e di Adalberto*, Ist. storico italiano, Roma 1924 (Fonti per la storia d'Italia, 38), pp. 276-278. Alle argomentazioni dubitative di K. RIEGER, *Die Immunitätsprivilegien der Kaiser aus dem sächsischen Hause für italienische Bisthümer*, Wien 1881, si aggiunsero quelle più recise di C. MANARESI, *Alle origini del potere dei vescovi sul territorio esterno delle città*, in « Bullettino dell'Istituto storico italiano », LVIII, 1944, pp. 314-319. Invece l'autenticità, ripetutamente sostenuta da L. SCHIAPARELLI (cfr. *I diplomi dei re d'Italia. Ricerche storico-diplomatiche*, *ivi*, XXXIX, 1914, pp. 223-224), è stata ribadita anche da G. DE VERGOTTINI, *Comune e vescovo a Trieste nei secoli XII-XIV*, in *Studi storici in onore di G. Volpe*, vol. I, Sansoni, Firenze 1958, pp. 363-364 (ristampa in AMSI, n. ser., IX, 1961, pp. 25-26).

2) *Fonti medievali*

Per le fonti medievali è opportuno consultare anzitutto: il *Codice diplomatico istriano*, a cura di P. KANDLER, Lloyd, Trieste 1847-1861; P. KANDLER, *Statuti municipali del Comune di Trieste che portano in fronte l'anno 1150*, Lloyd, Trieste 1849; ID., *Storia del Consiglio dei patrizi di Trieste dall'anno MCCCLXXXII all'anno MDCCCIX*, Lloyd, Trieste 1868 (ristampa fotomeccanica, Forni, Bologna 1971); *Parlamento friulano*, a cura di P. S. LEICHT, vol. I, Zanichelli, Bologna 1925 (Accademia dei Lincei, Atti delle assemblee costituzionali italiane dal medio evo al 1831, ser. I, sez. VI); A. TAMARO, *Documenti inediti di storia triestina (1298-1544)*, A. T., ser. III, XV, 1929-30, pp. 7-93; *Statuti di Trieste del 1350*, pref. di M. DE SZOMBATHELY, Cappelli, Trieste 1930; *Libro delle riformagioni o libro dei Consigli, 1411-1429*, a cura di M. SZOMBATHELY, in *Fonti e studi per la storia della Venezia Giulia*, ser. I, vol. I, Trieste 1970. Su argomenti particolari cfr. G. BUTTAZZONI, *Filippo d'Alençon patriarca... annuncia la perdita di Trieste*, A. T., n. ser., II, 1871, pp. 237-242; ID., *Nuove indagini sulla rivoluzione di Trieste del 1468*, *ivi*, III, 1872, pp. 101-225; A. HORTIS, *Documenti che risguardano la storia di Trieste e dei Walsee*, *ivi*, IV, 1876, pp. 53-81, 150-200, 255-289, 375-378; ID., *Documenti di storia triestina (1381)*, *ivi*, pp. 82-91; A. ZENATTI, *Lamento di un triestino per la morte dell'Alviano*, *ivi*, VIII, 1881-82, pp. 42-46; O. ZENATTI, *La vita comunale ed il dialetto di Trieste nel 1426, studiati nel quaderno di un cameraro*, *ivi*, XIV, 1888, pp. 60-191; V. JOPPI, *Del dominio dei patriarchi d'Aquileia in Trieste dal 1380 al 1382*, *ivi*, XV, 1889, pp. 264-280; G. CESCA, *Le relazioni tra Trieste e Venezia sino al 1381*, Drucker-Tedeschi, Verona-Padova 1881; ID., *XVI documenti inediti sulle trattative fra Trieste e Venezia prima dell'assedio del 1368*, Roma 1881; G. PRAGA, *Documenti trecenteschi d'interesse triestino e istriano nell'archivio dei francescani di Zara*, A. T., ser. III, XV, 1929-30, pp. 227-241.

3) *Età moderna e Risorgimento*

Le principali fonti edite per l'età moderna, fino all'età risorgimentale, sono: P. KANDLER, *Documenti per servire alla conoscenza delle condizioni legali del*

Municipio ed Emporio di Trieste, Lloyd, Trieste 1848; ID., *Raccolta delle leggi, ordinanze e regolamenti speciali per Trieste, ivi*, 1861; *Raccolta di leggi per l'emporio e portofranco di Trieste, ivi*, 1864; ID., *Storia e statuti dell'antico porto di Trieste*, in « L'Istria », V, 1850, pp. 10-106; A. TAMARO, *Documenti di storia triestina del sec. XVIII*, AMSI, XL, 1928, pp. 347-395; XLI, 1929, pp. 181-226; ID., *Assolutismo e municipalismo a Trieste. Il governo del capitano Hoyos, 1546-1558*, A. T., ser. III, XVIII, 1933, pp. 12-190; ID., *Capitoli del Cinquecento triestino, 1558-1600*, ivi, ser. IV, VII, 1944, pp. 5-112; ID., *Fine del Settecento a Trieste. Lettere del barone P. A. Pittoni (1782-1801), ivi*, V-VI, 1942, pp. 7-410; G. SABA, *Regesto dei documenti riguardanti Trieste e l'Istria durante il periodo napoleonico esistenti negli archivi di Parigi, con appendice di documenti*, Università, Trieste 1953 (vol. II del « Centro studi per la storia del Risorgimento italiano »).

Inoltre, come fonti complementari, cfr. J. CAVALLI, *Stipendiari della Repubblica rammemorati nelle carte dell'Archivio diplomatico di Trieste tra il 1370 e il 1380*, A. T., n. ser., XIII, 1887, pp. 430-448; A. MARSICH, *Spoglio di notizie attinenti a Trieste, Gorizia e l'Istria, 1508-1511, tratte da un codice autografo di Leonardo Amaseo, ivi*, IV, 1874, pp. 318-332; *Sull'ingrandimento di Trieste nel sec. XVIII. Scrittura dei Cinque Savii alla mercanzia al Senato della Repubblica Veneta*, Venezia 1879; A. TAMARO, *Materiali per la storia della restaurazione nella Venezia Giulia*, AMSI, XLIII, 1932, pp. 241-349. Cfr. anche M. PREMROU, *Serie documentata dei vescovi di Trieste dei secoli XV-XVIII*, A. T., ser. III, XI, 1924, pp. 231-317.

Fra le numerose fonti storiche risorgimentali si segnalano: *Verbali del Consiglio provinciale e municipale di Trieste*, dal 1861 al 1913; *La costituzione della città immediata di Trieste*, Trieste 1886; *Schematismus des K. K. Gubernii zu Triest* (dal 1776, tranne gli anni della dominazione napoleonica, fino al 1913); *Schematismo dell'imperialregio Litorale austro-illirico*, Trieste 1834; G. SARTORIO, *Memorie autobiografiche*, Trieste 1863 (riedite a cura di G. STUPARICH, Zibaldone, Trieste 1950); CARLO DE FRANCESCHI, *Memorie autobiografiche*, a cura del figlio Camillo, Lloyd, Trieste 1926 (A. T., ser. III, vol. XII); G. STEFANI, *Trieste e l'Austria dopo la Restaurazione (dai carteggi della polizia imperiale)*, A. T., ser. IV, III-IV, 1940-41, pp. 7-563; N. SALVI, *Fonti e documenti per la storia dell'irredentismo giuliano. I processi politici dal 1850 al 1860, ivi*, XXIII, 1960-61, pp. 95-166; *Epistolario di Carlo Combi*, raccolto e annotato da G. QUARANTOTTI, AMSI, n. ser., VII-VIII, 1960, pp. VII-XLI, 3-422; *Carteggio Cavalletto-Luciani (1861-1866)*, a cura di G. QUARANTOTTI, Antoniana, Padova 1962. Inoltre, cfr. G. DE BRODMANN, *Memorie politico-economiche della città e territorio di Trieste, Istria, Dalmazia, Ragusa, Cattaro, Albona*, Venezia 1821; per altre fonti edite, anche di tempi più recenti, si veda l'aggiornata rassegna di G. CERVANI, *Trieste*, in *Bibliografia dell'età del Risorgimento (in onore di A. M. Ghisalberti)*, vol. I, Olschki, Firenze (Biblioteca di Bibliografia italiana, LXIII) 1971, pp. 745-758.

B) Carte corografiche, etnografia e geografia politica

Numerosi contributi scientifici, sulle antiche carte geografiche, si sono recentemente aggiunti all'opera di R. Almagià (*Monumenta Italica cartographica. Riproduzioni di carte generali e regionali d'Italia dal sec. XIV al XVII*, Istituto geografico militare, Firenze 1929, tavv. XXXIV, LVIII): cfr. A. Marussi, *Saggio storico di cartografia giuliana dai primordi al sec. XVIII*, Soc. alpina delle Giulie, Trieste 1946; Id., *La Venezia Giulia nell'antica cartografia*, in « Vie d'Italia », LIII, 1947, pp. 145-149; A. Cucagna, *Il Friuli e la Venezia Giulia nelle principali carte geografiche regionali dei secoli XVI, XVII e XVIII. Catalogo ragionato della Mostra storica di cartografia*, in *Atti XVIII Congr. geogr. ital.*, vol. III, Trieste 1961, pp. XIX-XXVI, 1-371; *Friuli-Venezia Giulia*, a cura di G. Valussi, in *Collana di Bibliografie geografiche delle Regioni italiane*, vol. IX, Consiglio Naz. Ricerche, Napoli 1967, pp. 102-107; Id., *Friuli-Venezia Giulia*, UTET (Le Regioni d'Italia, V), Torino 1971, pp. 3, 29-34. Per le carte geografiche tra '800 e '900: *Spezialkarte der österreichisch-ungarischen Monarchie*, Milit. Geogr. Institut, Wien 1869-1888; cfr. G. Marinelli, *Saggio di cartografia italiana*, Ricci, Firenze 1894, pp. 18-27; B. Benussi, *Manuale di geografia, storia e statistica della regione Giulia*, Parenzo 1903; C. Maranelli, *L'Italia irredenta. Dizionario geografico*, Bari 1915. In particolare, per la geografia storica della città e del porto: P. Kandler, *Pianta del porto interno ed esterno e della città di Trieste dell'anno 1718*, in « L'Istria », V, 1850, pp. 128-130; J. Kolmann, *Triest und seine Umgebung*, Zagreb 1808, Wien 1810; L. Semerani, *Gli elementi della città e lo sviluppo di Trieste nei secoli XVIII e XIX*, Dedalo, Bari 1969.

Sugli aspetti etnici cfr. G. Marinelli, *Slavi, Tedeschi, Italiani nel cosidetto « Litorale » austriaco*, Venezia 1885; C. von Czoernig, *Die ethnographischen Verhältnisse des oesterreichischen Küstenlandes*, Trieste 1885; P. Tomasin, *Die Volksstämme im Gebiete von Triest und in Istrien*, Trieste 1890; A. Anzilotti, *Italiani e Jugoslavi nel Risorgimento*, La Voce, Roma 1920; C. Schiffrer, *Sguardo storico su i rapporti fra italiani e slavi nella Venezia Giulia*, Trieste 1946, 2ª ed. Ottimo, anche per la stretta connessione rilevata con gli aspetti culturali, il saggio storico di E. Sestan, *Venezia Giulia. Lineamenti di una storia etnica e culturale*, Edd. italiane, Roma 1947 (ristampa con aggiunte ed esauriente nota bibliografica, Centro librario, Bari 1965).

Il tentativo di tradurre in chiave storica i criteri geografico-militari, che erano prevalsi nella formulazione del « patto di Londra » del 26 aprile 1915, fu dapprima (piuttosto frettolosamente) fatto da A. Tamaro, *La Vénétie Julienne et la Dalmatie. Histoire de la nation italienne sur ses frontières orientales*, 3 voll., Senato, Roma 1918-19. Cfr. C. Maranelli e G. Salvemini, *Il problema adriatico*, Roma 1919, 2ª ed.; F. Milone, *Il confine orientale*, Napoli 1945; AA. VV., *Trieste e la Venezia Giulia*, Roma 1951; M. Pacor, *Confine orientale. Questione nazionale e resistenza nel Friuli e Venezia Giulia*, Feltrinelli, Milano 1964; S. F. Romano, *Liberalnazionali e democratici sociali di fronte al problema delle naziona-*

lità a Trieste nel 1918, in *Il movimento nazionale a Trieste nella prima guerra mondiale, studi e testimonianze*, a cura di G. Cervani, Del Bianco, Udine 1968, pp. 193-292. In antitesi cfr. *La Marche Julienne. Étude de géographie politique*, Susak 1945.

C) ECONOMIA E SOCIETÀ

1) *Prima del portofranco*

Prima dell'apertura del portofranco, la vita economica triestina fu nel complesso poco rilevante: cfr. P. KANDLER, *Sul commercio di Trieste prima dell'apertura del porto-franco*, in « L'Istria », V, 1850, pp. 160-165, 167-182; ID., *Pianta del porto interno ed esterno e della città di Trieste dell'anno 1718*, *ivi*, pp. 128-130; J. CAVALLI, *Commercio e vita privata di Trieste nel 1400*, Trieste 1910; C. DE FRANCESCHI, *Esuli fiorentini della compagnia di Dante, mercanti e prestatori a Trieste e in Istria*, in « Archivio veneto », ser. V, XXIII, 1938, pp. 83-178; J. GEORGELIN, *La République de Venise et la fin du Dominio del Mare (1669-1718)*, in « Revue d'histoire diplomatique », XC, 1976, pp. 193-219. Particolarmente sul commercio del sale: V. BALDISSERA, *Due documenti di storia pordenonese*, in « Pagine friulane », XV, 4, 1902, p. 50 (cfr. A. BENEDETTI, *Storia di Pordenone*, a cura di D. ANTONINI, Il Noncello, Pordenone 1964); G. CERVANI, *Note di due documenti sulla questione dei sali a Trieste nell'anno 1609*, in *Italia del Risorgimento e mondo danubiano*, Del Bianco, Udine 1968, pp. 229-233; cfr. anche G. STEFANI, *Carlo VI e il problema adriatico*, in « Archivio veneto », LXIII, 1958, pp. 148-224.

2) *Lo sviluppo settecentesco*

Sul portofranco e sullo sviluppo commerciale settecentesco di Trieste i contributi storici sono numerosissimi, vanno segnalati: D. ROSSETTI, *Meditazione storico-analitica sulle franchigie della città e porto franco di Trieste*, Venezia 1815; P. KANDLER, *Emporio e portofranco di Trieste*, Lloyd, Trieste 1864, pp. 78-154; I. IACCHIA, *I primordi di Trieste moderna all'epoca di Carlo VI*, A. T., ser. III, VIII, 1919, pp. 61-180; G. BRAUN, *Carlo VI e il commercio d'oltremare*, *ivi*, IX, 1921, pp. 299-324; G. LUZZATTO, *Il portofranco di Trieste e la politica mercantilistica austriaca nel '700*, in « Annali triestini », ser. IV, VII, 1953, pp. 7-17; E. APIH, *La società triestina nel sec. XVIII*, Einaudi, Torino 1957; B. CAIZZI, *Industria e commercio della Repubblica veneta nel XVIII secolo*, Banca Commerciale Italiana, Milano 1965; W. MARKOW, *La Compagnia asiatica di Trieste (1775-1785)*, in « Studi storici », II, 1961, pp. 3-28. Cfr. anche F. CATALANO, *Su alcuni problemi del Settecento triestino*, in AA.VV., *Storiografia del Risorgimento triestino*, Università, Trieste (vol. III del Centro Studi per la storia del Risorgimento) 1955, pp. 19-26; A. BENEDETTI, *Il governatorato di Alfonso Gabriele di Porcia e Brugnera*, A. T., ser. IV, XXIX-XXX, 1967-68, pp. 109-159; W. KALTENSTADLER, *Der österreichische Seehandel über Triest um 18. Jahrhundert*, in « Vierteljahrsschrift für Sozial- und Wirtschaftsgeschichte », LV, 1968, pp. 481-500; LVI, 1969.

Allo sviluppo economico si accompagnò l'insediamento di comunità straniere immigrate: cfr. C. L. CURIEL, *La fondazione della colonia armena in Trieste*, A. T., ser. III, XV, 1929-30, pp. 339-379; A. FRAGIACOMO, *La provenienza e gli apporti degli immigrati a Trieste nel sec. XVIII*, in « Porta orientale », XXVIII, 1958, pp. 281-300; G. VOLLI, *La nazione ebrea a Trieste*, in « Rassegna mensile di Israel », ser. III, XXIV, 1958, pp. 206-314; G. STEFANI, *I Greci a Trieste nel Settecento*, Monciatti, Trieste 1960; L. DE ANTONELLIS MARTINI, *Portofranco e comunità etnico-religiose nella Trieste settecentesca*, Giuffrè, Milano 1968; G. MILOSSEVICH e M. BIANCO FIORIN, *I Serbi a Trieste. Storia, religione, arte*, Ist. per l'Enciclopedia del Friuli-Venezia Giulia, Udine 1978.

3) *L'età risorgimentale*

Sulla vita economica nell'età risorgimentale basterà qui segnalare: G. BONICELLI, *Rapporti commerciali di Trieste coll'Austria, colla Germania e l'estero*, Trieste 1848; S. BONFIGLIO, *Interessi di Trieste e suo litorale coll'Italia, l'Austria e l'Alemagna e le altre regioni straniere*, Torino 1865; C. NOBILE, *Franchigie storiche e portofranco di Trieste*, Trieste 1866; *Riunione generale degli operai tenutasi al teatro Mauroner il dì 19 settembre 1869*, Trieste 1869; A. W. THAYER, *L'avvenire commerciale di Trieste (1869)*, Trieste 1872; A. ERRERA, *Trieste commerciale e marittima nel 1874*, Roma 1874; F. NEUMANN-SPALLART, *Oesterreichs maritime Entwicklung und die Hebung von Triest*, Stuttgart 1882; F. ROBERT, *Die Triester Ausstellung*, Wien 1883; C. A. MORPURGO, *Trieste nel suo passato e nel suo presente*, Nizza 1890; F. SCHUBITZ, *Triest und seine Bedeutung für den deutschen Handel*, Leipzig 1891; M. DEWAVRIN, *Les ports de Trieste, Fiume et Venise*, in *Les ports et leurs fonctions économiques*, vol. V, Louvain 1910, pp. 69-117; F. BASILIO, *Le assicurazioni marittime a Trieste e il Centro di riunione degli assicuratori*, Trieste 1911; A. MOSCHENI, *La ripercussione della costruzione dei canali interni sul traffico di Trieste*, Trieste 1913; M. ALBERTI, *La fortuna economica di Trieste e i suoi fattori*, Trieste 1913; ID., *Trieste e la sua fisiologia economica*, Roma 1916; G. ANDROVIC, *Die Triester Frage in ihrem Verhältnis zu Oesterreich und Italien*, Trieste 1916-17; ID., *Triest in seiner See- und Handelsentwicklung*, Trieste 1918; P. GRIBAUDI, *Il porto di Trieste e la sua funzione economica*, Roma 1917; A. ESCHER, *Triest und seine Aufgaben im Rahmen der oesterr. Volkswirtschaft*, Wien 1917; B. ASTORI e G. STEFANI, *Il Lloyd triestino (1836-1936). Contributo alla storia italiana della navigazione marittima*, Mondadori, Verona 1938; G. CERVANI, *Un aspetto della vita economica triestina di cento anni fa, attraverso le carte del barone P. Revoltella relative al canale di Suez*, in « Rassegna storica del Risorgimento », XXXIX, 1952, pp. 495-507; N. SALVI, *La crisi di trasformazione dell'emporio di Trieste in porto di transito (1856-1865)*, in *La crisi dell'impero austriaco dopo Villafranca*, Monciatti, Trieste 1961, pp. 201-265; G. PIEMONTESE, *Il movimento operaio a Trieste, dalle origini alla fine della prima guerra mondiale*, Del Bianco, Udine 1961; F. BABU-

DIERI, *L'industria armatoriale di Trieste e della regione giulia dal 1815 al 1918*, Roma 1964 (Archivio economico dell'unificazione ital., ser. I, vol. XIII); ID., *I porti di Trieste e della regione giulia dal 1815 al 1918*, Roma 1965 (ivi, vol. XIV); E. MASERATI, *Il sindacalismo autonomista triestino degli anni 1909-1914*, Del Bianco, Udine (Pubblicazioni della Università degli studi di Trieste, Facoltà di Lettere e Filosofia, Ist. di Storia med. e moderna, n. ser., 1), 1965; U. DEL BIANCO, *Il Lloyd austriaco*, Del Bianco, Udine 1976.

D) STORIA DELLE ISTITUZIONI E DELL'AMMINISTRAZIONE

Oltre alle fonti edite e anche inedite già citate (P. KANDLER, *Statuti municipali del Comune di Trieste che portano in fronte l'anno 1150*; ID., *Storia del Consiglio dei patrizi di Trieste dall'anno MCCCLXXXII all'anno MDCCCIX*; *Statuti di Trieste del 1350*, pref. di M. DE SZOMBATHELY: *Evoluzione e lineamenti della costituzione comunale di Trieste*), per l'età medievale sono da consultarsi particolarmente i contributi storici di G. DE VERGOTTINI, *Comune e vescovo a Trieste nei secoli XII-XIV*, cit.; ID., *L'impero e la «fidelitas» delle città istriane verso Venezia*, AMSI, n. ser., I, 1949, pp. 87-104. Cfr. anche A. HORTIS, *Gli antichi podestà di Trieste*, Trieste 1895; H. SCHMIEDINGER, *Patriarch und Landesherr. Die weltliche Herrschaft der Patriarchen von Aquileia bis zum Ende der Staufer*, Graz-Köln 1954; G. DE TOTTO, *Il diritto privato negli statuti triestini del 1350*, A. T., ser. IV, I-II, 1938-39, pp. 1-115; U. COVA, *Sul diritto penale negli statuti di Trieste*, ivi, XXVII-XXVIII, 1965-66, pp. 75-115; G. CALACIONE, *Il diritto privato negli statuti di Trieste*, ivi, pp. 3-74; XXIX-XXX, 1967-68, pp. 3-107.

Per l'età moderna, oltre alle raccolte cit. di fonti storiche (p. es. P. KANDLER, *Documenti per servire alla conoscenza delle condizioni legali del Municipio ed Emporio di Trieste*; *Storia e statuti dell'antico porto di Trieste*; *Raccolta delle leggi, ordinanze e regolamenti speciali per Trieste*; *Assolutismo e municipalismo a Trieste*), va ricordato D. ROSSETTI, *Il progetto di Statuto municipale per Trieste*, in *Scritti inediti*, Idea, Udine 1944, vol. I, pp. 601-618 (introduzione di M. DE SZOMBATHELY), 619-672. Cfr. C. CZOERNIG, *Geschichte der Triester Staats-, Kirchen-und Gemeinde-Steuern*, Schimpff, Trieste 1872; A. BERSA, *Il Consiglio decennale. Appunti di storia municipale triestina*, Trieste 1887-89; G. PITACCO, *Le necessità costituzionali dello Stato e la verità su Trieste*, Trieste 1913; G. QUARANTOTTI, *L'Austria alla ricerca d'un sistema dietale per il «Litorale»*, AMSI, LX, 1961, pp. 113-133; R. BLAAS, *Il barone Burger luogotenente a Trieste*, in *La crisi dell'impero austriaco dopo Villafranca*, Monciatti, Trieste 1961, pp. 137-170. È da segnalare soprattutto il contributo storiografico di G. NEGRELLI, *Comune e Impero negli storici della Trieste asburgica*, Giuffrè, Milano 1968. Cfr. anche F. CUSIN, *Le condizioni giuridiche di Trieste e le riforme dell'amministrazione comunale nella prima metà del sec. XVIII*, A. T., ser. III, XVII, 1932, pp. 101-239; R. PAVANELLO, *Sugli organi giurisdizionali di Trieste nella prima metà del sec. XVIII*, ivi, ser. IV, XXXI-XXXII, 1969-70, pp. 63-74.

E) Storia della cultura e dell'eterogeneità etnico-religiosa

1) *Medioevo ed età moderna*

Sulla cultura medievale e umanistico-rinascimentale triestina, oltre alle fonti edite già citate, cfr. G. Caprin, *Il Trecento a Trieste*, Trieste 1897; A. Costa, *Studenti forojuliensi orientali, triestini e istriani all'Università di Padova*, A. T., n. ser., XX, 1895, pp. 357-389; XXI, 1896-97, pp. 185-248; XXII, 1898-99, pp. 117-158; B. Ziliotto, *L'assedio di Trieste (1508) nella poesia*, ivi, ser. III, VII, 1913, pp. 369-382; Id., *La cultura letteraria di Trieste e dell'Istria*, Trieste 1913; Id., *Storia letteraria di Trieste e dell'Istria*, Trieste 1924; M. De Szombathely, *Appunti sulla cattedrale di S. Giusto*, A. T., ser. III, XV, 1929-30, pp. 393-405; Id., *Aspetti della vita di Trieste nei secoli XV e XVI*, ivi, ser. IV, XX, 1955-56, pp. 3-37; XXI, 1957-58, pp. 229-236; XXIII, 1960-61, pp. 167-177; Id., *L'Ufficio di San Servolo nella collezione Scaramangà*, ivi, XXIV, 1962, pp. 61-82.

Cultura e controversie religiose s'intrecciarono nell'età della Riforma, e anche in quella controriformistica; cfr. P. Paschini, *Eresia e riforma cattolica al confine orientale d'Italia*, Tiberino, Roma 1951 («Lateranum», n. ser., XVII); H. L. Mikoletzky, *Beiträge zur Geschichte der Aufhebung des Iesuitenordens in Triest*, in *Miscellanea in onore di R. Cessi*, Storia e letteratura, Roma 1958, vol. II, pp. 475-501; M. A. Purković, *Istorija Srpske pravoslavne crkvene opštine u Trstu* (Storia della comunità religiosa serbo-ortodossa di Trieste), s. n. t., Trieste 1960; M. Rupel, *Primož Trubar. Življenje in delo*, Mladinska knjiga, Ljubljana 1962 (trad. tedesca di B. Saria, Südosteuropa, München 1965); G. Cervani, *Note sulla storia del collegio dei Gesuiti a Trieste*, in *Italia del Risorgimento e mondo danubiano-balcanico*, Del Bianco, Udine 1968, pp. 187-228; G. Rill, *Pietro Bonomo*, in *Dizionario biografico degli Italiani*, vol. IV, Roma 1970, pp. 341-346; A. Stella, *L'ecclesiologia degli anabattisti processati a Trieste nel 1540*, in AA. VV., *Eresia e riforma nell'Italia del Cinquecento*, Sansoni-Newberry, Firenze-Chicago 1974 (Biblioteca del «Corpus Reformatorum Italicorum», miscellanea I), pp. 207-237. Cfr. anche, oltre al cit. A. Tamaro (*Assolutismo e municipalismo a Trieste. Il governo del capitano Hoyos, 1546-1558*; *Capitoli del Cinquecento triestino, 1558-1600*), l'inedita documentazione di L. e M. M. Tacchella, *Il cardinale Agostino Valier e la riforma tridentina nella diocesi di Trieste*, Arti grafiche friulane, Udine 1974 (Centro studi storico-cristiani del Friuli-Venezia Giulia, I).

2) *La cultura risorgimentale e il giornalismo*

Fra i numerosi saggi sulla cultura risorgimentale triestina si possono segnalare (oltre alle cit. opere di B. Ziliotto): G. Picciola, *Letterati triestini*, Bologna 1893; A. Gentile, *Il primo secolo della Società di Minerva (1810-1909)*, Trieste 1910; M. Pasqualis, *Il Comune di Trieste e l'istruzione primaria e popolare*, Trieste 1911; F. Pasini, *L'Università italiana a Trieste*, Firenze 1912;

G. Quarantotto, *I progetti universitari triestini del 1848*, Udine 1914; Id., *Le origini e i primordi del giornale «La Favilla»*, A. T., ser. III, X, 1923, pp. 169-238; Id., *La letteratura nazionale a Trieste e in Istria durante il Risorgimento*, Udine 1923; C. Curto, *La letteratura romantica della Venezia Giulia (1815-1848)*, AMSI, XLI, 1929, pp. 339-395; XLII, 1930, pp. 9-86, 251-408; C. De Franceschi, *L'Arcadia Romano-Sonziaca e la Biblioteca civica di Trieste*, A. T., ser. III, XV, 1929-30, pp. 95-225; B. Ziliotto, *Lorenzo da Ponte e Giuseppe de Coletti*, ivi, ser. IV, I-II, 1938-39, pp. 117-173; G. Cervani, *Aspetti della cultura liberale triestina verso la metà dell'800. Il pensiero politico di Alessandro Mauroner*, in AA. VV., *Problemi del Risorgimento triestino*, supplemento al vol. XXIII, 1953, di «Annali triestini», pp. 185-257; G. Stefani, *La lirica italiana e l'irredentismo*, Cappelli, Trieste 1959; G. Spiazzi, *Il problema dell'istruzione a Trieste e in Istria dalla restaurazione al 1868*, Svevo, Trieste 1961; G. Cervani, *La borghesia triestina nell'età del Risorgimento. Figure e problemi*, Del Bianco, Udine 1969. Cfr. pure L. De Antonellis Martini, *Portofranco e comunità etnico-religiose*, cit.; I. Svevo, *Carteggio con James Joyce, Valéry Larbaud, Benjamin Crémieux, A. M. Comnène, Eugenio Montale e Valerio Jahier*, a cura di B. Maier, Dall'Oglio, Milano 1978.

Sul giornalismo, in particolare, cfr. F. Werk, *Un quarto di secolo di lotte nazionali di un giornalista triestino*, Trieste 1922; S. Benco, *Il «Piccolo» di Trieste. Mezzo secolo di giornalismo*, Milano 1931; L. Veronese, *«L'Indipendente». Storia di un giornale*, Trieste 1932; B. Coceani, *Un giornale contro un Impero. L'azione irredentistica de «L'Indipendente» dalle carte segrete della polizia austriaca*, Trieste 1932; G. Gaeta, *Trieste durante la guerra mondiale. Opinione pubblica e giornalismo a Trieste dal 1914 al 1918*, Trieste 1938; Id., *Il «Corriere italiano» di Vienna (1850-1857) ed il suo redattore*, in «Rassegna storica del Risorgimento», XLIV, 1957, pp. 690-724; C. Pagnini, *I giornali di Trieste dalla origine al 1959*, S.P.I., Milano 1960.

F) Storie generali e aspetti particolari

1) *Sulla storia di Trieste*

Le prime storie di Trieste sono della seconda metà del '600: quella cit. di V. Scussa (*Storia cronografica di Trieste dalla sua origine all'anno 1695*) fu pubblicata nel 1863 (ristampa anastatica a cura di G. Cervani, Svevo, Trieste 1968) ed è ancora utile per le notizie tratte da documenti che sono andati perduti, altrimenti sarebbe un guazzabuglio farraginoso del tutto acritico e inservibile; l'altra di Ireneo Della Croce (*Historia antica e moderna, sacra e profana, della città di Trieste, celebre colonia de' cittadini romani*) venne, parzialmente, pubblicata a Venezia nel 1698 e poi a Trieste nel 1877-81 (ristampa anastatica, Forni, Bologna 1965), vale soltanto come testimonianza di acceso municipalismo che si compiace di favoleggiare senza criteri storici. Prima di scrivere la magistrale *Storia del Consiglio dei patrizi*, cit., P. Kandler (con lo pseudonimo di Giovannina Bandelli) pubblicò nel 1851 *Notizie storiche e guida per la città di Trieste.* Tendenziosamente austrofila è la *Geschichte der Stadt Triest* di J. Löwenthal, 2 voll., Trieste 1857-58; di segno opposto R. Fauro-Timeus, *Trieste*, Roma 1914, e G. Senizza, *Storia di Trieste*, Firenze 1915; ancora valido, per l'originale ispirazione, il volumetto *Trieste* di S. Benco (Mayländer, Trieste 1910; ristampa, Svevo, Trieste 1973). Sulla cit. *Storia di Trieste* di A. Tamaro (come pure sull'edizione abbreviata *Trieste. Storia di una città e di una fede*, Milano 1946) si veda il fine saggio introduttivo di G. Cervani (*La « Storia di Trieste » di Attilio Tamaro: genesi e motivazioni di una storia*) alla ristampa del 1976. Il superamento dei limiti di siffatta concezione nazionalistico-irridentistica fu tentato da F. Cusin (*Appunti alla storia di Trieste*, Milano 1930; *Il confine orientale d'Italia nella politica europea del XIV e XV secolo*, 2 voll., Milano 1937; *Venti secoli di bora sul Carso e sul golfo*, Gabbiano, Trieste 1952) e da G. De Vergottini, *Profilo politico della storia di Trieste*, in « Annali della R. Università degli studi economici e commerciali di Trieste », IX, 1937-38, pp. 84-89.

Notevole interesse mantiene l'opera di quel singolare pensatore, politico ed economista che fu Antonio de Giuliani (*Riflessioni politiche sopra il prospetto attuale della città di Trieste*, Vienna 1785), cfr. F. Venturi, *Illuministi italiani*, vol. III, Milano-Napoli 1958, pp. 645-697; meno perspicuo appare G. Agapito, *Compiuta e distesa descrizione della fedelissima città e porto-franco di Trieste*, Strauss, Vienna 1824, 1826, 1830 (rist. anastatica, Svevo, Trieste 1972).

2) *Documenti e dibattiti*

Oltre all'auspicata edizione critica di fonti documentarie (cfr. G. Borri, *Ricognizione del Codice Diplomatico Istriano e progetti di aggiornamento*, AMSI, n. ser., XVII, 1969, pp. 207-218), si accentua l'esigenza della interdisciplinarietà: cfr. M. De Szombathely, *Un alchimista triestino*, A. T., ser. III, XVII, 1932, pp. 359-364; V. Plitek, *Spigolature di storia sanitaria del Settecento a Trieste*, ivi, XV, 1929-30, pp. 301-336; M. Doria, *Storia del dialetto triestino*, Svevo, Trieste 1978; P. Zovatto e P. A. Passolunghi, *Bibliografia storico-religiosa su Trieste e l'Istria, 1864-1974*, Multigrafica, Roma 1978.

Gli argomenti risorgimentali sono ancora prevalenti nella storiografia triestina, ma con orizzonti più vasti: cfr. C. Schiffrer, *Le origini dell'irredentismo triestino (1813-1860)*, Edd. accademiche, Udine 1937; G. Cervani, *Il sentimento politico-nazionale e gli studi di storia a Trieste nell'epoca dell'irredentismo. « L'Archeografo triestino »*, in « Rassegna storica del Risorgimento », XXXVIII, 1951, pp. 317-331; E. Apih, *L'Unità ed il problema adriatico (1911-1920)*, in *Scritti in onore di C. De Franceschi*, Università, Trieste 1951 (supplemento al vol. XXI di « Annali triestini »), pp. 253-274; G. Gratton, *Trieste segreta*, Cappelli, Bologna 1948, Trieste 1958 (sui rapporti fra irrendentismo e massoneria); C. Schiffrer, *La Venezia Giulia nell'età del Risorgimento. Momenti e problemi*, Del Bianco, Udine 1965 (nella collana « Civiltà del Risorgimento » del Comitato di Trieste e Gorizia per la storia del Risorg. ital.); A. Agnelli, *Questione nazionale e socialismo. Contributo al pensiero di K. Renner e O. Bauer*, Il Mulino, Bologna

1969; A. ARA, *La questione dell'Università italiana in Austria*, in «Rassegna storica del Risorgimento», LX, 1973, pp. 52-88, 252-280; ID., *Ricerche sugli austro-italiani e l'ultima Austria*, Elia, Roma 1974. Inoltre cfr. C. DE FRANCESCHI, *L'attività dei Comitati politici di Trieste e dell'Istria dal 1859 al 1866*, AMSI, n. ser., I, 1949, pp. 145-250; G. QUARANTOTTI, *Sviluppi dell'idea nazionale e unitaria a Trieste e nell'Istria dal 1859 al 1866*, *ivi*, pp. 115-144; ID., *Trieste e l'Istria nell'età napoleonica*, Le Monnier, Firenze 1954; H. KRAMER, *Die Italiener unter der österreichisch-ungarischen Monarchie*, Wien 1954; I. DE FRANCESCHI, *Irredentismo d'azione a Trieste negli anni 1888-89*, in «Rassegna storica del Risorgimento», XLIII, 1956, pp. 733-752; F. BABUDIERI, *Trieste e gli interessi austriaci in Asia nei secoli XVIII e XIX*, CEDAM, Padova 1966; M. CECOVINI, *Breve storia del porto industriale di Trieste*, Rotary, Trieste 1966; ID., *Discorso di un triestino agli Italiani e altri scritti politici*, 3ª ed., LINT, Trieste 1977 (1ª ed., Scheiwiller, Milano 1968); G. VALUSSI, *L'emigrazione nel Friuli-Venezia Giulia*, in *Enciclopedia monografica del Friuli-Venezia Giulia*, vol. II, parte II, Udine 1976, pp. 853-928; AA. VV., *Vita e presenza culturale delle comunità religiose*, ivi, vol. III, parte II, Udine 1979, pp. 791-858.

Indice dei nomi